Sláinte Ríg philib.

Tabaiṛ cáṛt aṁ ṣ gaċ láiṁ liom aṛ ṣlaine,
  Aiṛ neaṁḋeaṛṁaḋ bíḋiṛ lán;
Ṣo n-ólṛainn,ḋ ṣláinte Ríġ philib,
  'Sa leinḃ ṛeo ṛiaṁ aiṛ ṛán:
Iṛ ṛaḋa ṛaoí ṛinṁt í ṣa ṛiomaḋḋ,
  'Ṣ an ḋalta 'ṛnaṛ meaḃaiṛ aiṛ tál,
'Ṣ muna ttóiṣṛear an ḃṛon-ṛa ḋínn ṛeaṛḋa
  Cṛeaċṛam an Ḟṛaine aṛ an Sḃain,

'Ṣa ḃṛíoḋ le ḋṛiṛ ḋo tṛṣ taitneaṁ,
  Do Anna maṛ ċéile mná;
Iṛ ḋo'n ċúpla ṛin ḋiṛltaiṣ an baiṛte,
  Aṛ ḋ'aiṛtṛiṣ ċum beaṛla an ṛáiṛ:
Tṛie ḃṛeall aiṛ gaċ teampollaiṛ taċaiṛ,
  Naṛ ṛeaṛaiġ a n'ainṁ na nṣṛáḋ,
Ḃeiḋ ṣṛeann aṣaṛ beann aiṛ na ṛaṣaiṛt,
  'Ṣa inbeaṫa aca ṛiṛ aiṛ ṛáṣail.

Ṭróiṁ ṛeaṛta Ríġ ṣeal na n'ainṣeal,
  An ṛieṁe ṛeó ċlaoiḋeaḋ a ttṛáiṫ;
'Ṣ a n-ḋíbeiṛt oṛ ṁnaoí tá ṛaoí ṛṣamail,
  Aiṛ a mbaiṛoinṁḋ inṛe ṛáiḃ,
An Stíobaṛt ḋa ttiṣeaḋ taṛ ċalaiṫ,
  'Ṣ gan ḋeaṛmaḋaḋ tiġeaṛna an Ċláiṛ.
Ḃeiṫ Ṣaoḋail boċt' le h-aoiḃneaṛ a nṣṛuoaṁṁ,
  Aṣiṛ ṣaill aṛiṛ ṛe ṛán.

Marḃ-Ċaoine Pádraig Sáirséal.

A ṗádraig Sáirséal! slán go dtigeaḋ tr,
O ċnad tr 'n Ḟraincṡr do ċampaoi ṡgaoilte;
Aṫ déanaḋ do ġearáin leiṡ na ríġṫr,
'S oráṡ tr eire 'sgsaoiḋil boċt claoiḋte!

'S ṡeiṅ, oċ! oċ! on!

A ṗádraig Sáirséal! is diṅe le Dia tr,
'S beanaiṡte an talaṁ dár ṡirḃail tr riaṁ air;
Go mbeanaiṡe an ġealaċ ġeal, sa ġrian ort?
O tṅg tr an barr o lāria Riġ Uilliam leaṫ,

'S ṡeiṅ, oċ! oċ! on!

A ṗádraig Sáirséal! tr ḋe gaċ noṅṅe leaṫ, s
Go ġnḋeis ṡeiṅ 'r ġnḋe Meic ġṅṅe-leaṫ,
O tṅg tr an t'eaċ caol, a gaḃail tre biorṁa leaṫ,
'S ṡṅr ag Crṁṁṅ o ġcṅṅaḋ braḋacc leaṫ lṡṁ neaċ,

'S ṡeiṅ, oċ! oċ! on!

Do ġeaḃaḋ me ṡiar an ṡliaḃ so im aonar,
'S ġeaḃaḋ a niar a riṡ má'r ḟētoiṡ;
Is aṅ do ċonairc me an Campa gaoḋalaċ,
Un dream boċt ṡilte náṡ ċṅr le na ċaile!

'S ṡeiṅ, oċ! oċ! on!

1 Some copies have ṡíoṫċáiṅ, as if he
went to make peace with foreigners. Perhaps
he did, but it is more likely that he wen
to complain of the wrongs of his country. J. D.

...etu...
...ne Lib...

NG GHÉAR

97

→RA.

98

a

, 198

LEABHAIR THAIGHDE
An 80ú hImleabhar

AISLING GHÉAR

NA STÍOBHARTAIGH AGUS AN tAOS LÉINN

1603-1788

BREANDÁN Ó BUACHALLA

An Clóchomhar Tta
Baile Átha Cliath

An Chéad Chló 1996
© An Clóchomhar Tta

ISBN 0 903758 99 7

Clólann Uí Mhathúna a chlóbhuail

CLÁR

RÉAMHRÁ

Is as a d'eascair an leabhar seo as ceist a bhí á plé ag mo chara Pádraig de Brún liom, tá fiche bliain ó shin anois ann. B'í ceist í, 'cén fheidhm a bhí ag an aisling pholaitiúil i saol is i litríocht an ochtú haois déag'? Ní róthógtha a bhíos féin, fiú ag an am sin, leis an tuiscint choiteann nach raibh san aisling ach foirmle fhréamhaithe gan bhrí agus nuair a chuireas in iúl do Dháithí Ó hUaithne go raibh i gceist agam athscrúdú a dhéanamh ar an aisling ghríosaigh sé mé, mar ba dhual dó, tabhairt faoi láithreach; dar leis, mar ba dhual freisin, nár cheart go dtógfadh sé ach 'cúpla bliain'. Níor thuigeas féin an t-am sin, agus mé ag dul i mbun an tionscnaimh, a fhad a thógfadh sé orm ná a ghabhlánaí a bheadh, ach sin cuid de bhunmhianach – is de phléisiúr – na taighde: nach eol, ag tosú duit, cén ceann cúrsa a chuirfidh an t-ábhar ar fáil duit; nach léir duit ar maidin cá bhfágfaidh léitheoireacht an lae tú agus, dá réir sin, nach gá gurb é an leabhar a mheasais a scríobh a chuirfidh tú ar fáil.

Is é an t-ábhar féin a shocraigh leagan amach agus fráma tagartha an leabhair. Ba léir dom go luath nárbh fhéidir feidhm na Stíobhartach sa litríocht a thuiscint gan a n-ionad sa saol polaitiúil a rianadh; ba léir chomh maith nárbh fhéidir an litríocht pholaitiúil sin a thuiscint gan an comhthéacs comhaimseartha inar scríobhadh í a chur san áireamh. Ba ghá go háirithe an dá phríomhfhórsa intleachtúla a mhúnlaigh an tuairimíocht phoiblí – an reiligiún agus an ríogachas – ba ghá iadsan a thabhairt chun solais agus a léiriú. Rinne Seacaibíteachas den ríogachas ag deireadh an tseachtú haois déag is níorbh fhéidir reitric na gluaiseachta sin a thuiscint gan an ideolaíocht a chothaigh í a dheilíniú ar dtús. Níorbh fhéidir ach oiread, ba léir, Seacaibíteachas liteartha na haislinge a mhíniú gan an comhthéacs polaitiúil comhaimseartha – i gcéin is i gcóngar – a chur i bhfáth; ba léire fós nár leor coinbhinsin liteartha amháin chun a feidhmsean a thuiscint, gur theastaigh comhthéacs comparáideach.

Ach, ar eagla aon mhíthuisceana, ní miste liom a mheabhrú nach mar 'fhocal deiridh' atá an leabhar á chur i láthair an phobail anois agam; ar shlí, is é an chéad fhocal é ar chuid mhaith den ábhar atá faoi chaibideal agam. Agus scoláireacht litríocht na Nua-Ghaeilge sa riocht a bhfuil sí – an léamh fréamhaithe traidisiúnta fós á chur siar go neamhcheisteach uirthi – níl na ceisteanna cuí á gcur ina taobh fós, ní áirím iad a bheith á bhfreagairt. Bac mór amháin airsean is ea a thugtha atá aos léinn na Gaeilge do nóisean rómánsúil an 'deireadh ré'/'the end of the tradition' (tarlang choiteann, is cosúil, sa 5ú, 7ú, 9ú, 12ú, 16ú, 17ú, 18ú, 19ú haois), nóisean a cheileann leanúnachas bisiúil an traidisiúin liteartha agus a fhágann as an áireamh ar fad a lárnaí chomhlántaí sa leanúnachas sin a bhí próiseas an athraithe. Dá bharr sin, is beag iarracht atá déanta fráma tagartha nó paraidím oiriúnach a chur ar fáil don tréimhse nua-aoiseach. Iarracht é an leabhar seo fráma tagartha cuí a aimsiú do aon ghné amháin de litríocht na tréimhse – an litríocht pholaitiúil. Níl sé i ndán d'aon scoláire an focal deiridh a chur ar fáil d'aon ghné d'aon disciplín léinn; is é a leordhóthain an disciplín a chur chun cinn a oiread agus is féidir. Ba leor liom féin tuiscint bhreise ar an ábhar a bheith curtha ar fáil agam, gnéithe eile den tréimhse a bheith tabhartha chun solais agam, is ceisteanna nua a bheith múscailte agam. Is é an ceistiú ar deireadh thiar bunchloch an eolais is an léinn – *doras feasa fiafraighe* – is má spreagann an saothar seo breis taighde amach anseo sin é an toradh is an luach saothair is mó a shantóinn féin.

****

Maidir leis an ábhar téacsúil ar bhaineas earraíocht as sa saothar, bheartaíos, ar mhaithe le soiléire is soléiteacht, ar normalú a dhéanamh air tríd síos agus, nuair ba ghá sin, ar choigeartú chomh maith. Fianaise na mbunfhoinsí a threoraigh ar chuireas de choigeartú i bhfeidhm ar an ábhar, bíodh nach luaim na foinsí sin sa chás go bhfuil eagrán creidiúnach den téacs (AÓR, SMD, DÓB, ÉM, etc.) ar fáil cheana. Is iad na filí a leagtar an fhilíocht orthu sna foinsí a luaim mar údair i gcónaí, bíodh go bhféadfaí amhras a chaitheamh ar an ainmniú sin uaireanta. Maidir le pearsana na seanlitríochta (Lugh, Meadhbh, etc.) is í an fhoirm Nua-Ghaeilge dá n-ainmneacha a d'úsáideas tríd síos; chomh fada le hainmneacha is sloinnte eile chuireas foirm ortagrafúil na Nua-Ghaeilge (Dónall, Ó Conchúir, Eoghan Rua, etc.) i bhfeidhm orthu ó c. 1550 anuas. Is as *An Bíobla Naofa* (Ó Fiannachta 1981) a thógas na sleachta bíobalta. Chuireas uaschamóga dúbalta um aistriúcháin, uaschamóga singile um athfhriotail dhílse. Is é an t-ábhar Gaeilge amháin atá cláraithe agam sna *Céadlínte*, príomhphearsana, teidil is údair atá cláraithe agam sa *Treoir*; téarmaí neamhchoitianta atá sa *Gluais*.

****

Ní bheadh aon dul agam ar an saothar seo a chur i gcrích gan chabhair an iliomad duine is institiúid a bhfuil mo bhuíochas croí ag dul dóibh:

- mic léinn Roinn na Nua-Ghaeilge, An Coláiste Ollscoile, Baile Átha Cliath, le linn m'ollúnachta ansin, ós orthu is túisce a thriaileas, go tairbheach ó mo thaobhsa de, cuid mhaith de thuairimíocht is d'eolas an leabhair;

- mo chomhghleacaithe is mo chairde a roinn a gcuid eolais go fial liom is a chuir foinsí ar mo shúile dom: Rolf Baumgarten, Angela

Bourke, Liam Breatnach, Evelyn Cruickshanks, Louis Cullen, Séamas de Barra, Pádraig de Brún, Howard Erskine-Hill, Hugh Fenning, Patrick Gallagher, William Gillies, Hugh Gough, Alan Harrison, Marged Haycock, Bruce Lenman, Patricia Lysaght, Liam Mac Con Iomaire, Caoimhín Mac Giolla Léith, James McGuire, Breandán Mac Suibhne, Vincent Morley, Máirín Ní Dhonnchadha, Siobhán Ní Laoire, Tomás Ó Cathasaigh, Tomás Ó Concheanainn, Breandán Ó Conchúir, Donnchadh Ó Corráin, Éamonn Ó Ciardha, Conchúr Ó Giollagáin, Cormac Ó Gráda, Pádraig Ó Macháin, Art Ó Maolfábhail, Diarmaid Ó Mathúna, Nollaig Ó Muraíle, Diarmaid Ó Murchadha, Liam P. Ó Murchú, Pádraig Ó Riain, Seymour Phillips, Jenny Rowlands, Katharine Simms, Brian Sommers, Kevin Whelan, Nicholas Williams;

– lucht eagraithe is lucht éisteachta na léachtaí a thugas ar ghnéithe éagsúla den ábhar le blianta beaga anuas in Ollscoileanna difriúla anseo in Éirinn (QUB, TCD, UCC, UCD), sa Bhreatain (Queen's College, Cambridge; Coleg Prifysgol Cymru, Aberystwyth; King's College, University of Aberdeen), sa Fhrainc (Ecole des Haute Études, Sorbonne), agus i Meiriceá (Catholic University of America, Washington D.C.; University of California, Los Angeles, Berkeley; University of Virginia, Charllottesville; Harvard University, Cambridge) as cabhrú liom mo chuid tuairimíochta a thabhairt chun cruinnis is léire;

– Ollscoil na hÉireann, Dámh na nEalaíon agus Coiste an Airgeadais, An Coláiste Ollscoile, Baile Átha Cliath as tacaíocht airgid a chur ar fáil dom;

– An Coláiste Ollscoile, Baile Átha Cliath, The Royal Irish Academy, The British Council, Government du France, The Philosophical Society of America, The Folger Library as comhaltachtaí a bhronnadh orm chun tréimhsí taighde a chaitheamh sna hinstitiúidí seo a leanas: The British Library, The Public Record Office, London; The Royal Archives, Windsor; The National Library of Scotland, Edinburgh; Ecole des Haute Études, Sorbonne, Le Bibliothèque Nationale, Paris; The Folger Library, Washington D.C.

– stiúrthóirí is foirne na leabharlann is na n-institiúidí taighde atá luaite istigh agam (lgh 724-5) as a gcúnamh is a gcomhoibriú agus as cead a thabhairt dom na foinsí a chur i gcló; ba mhaith liom buíochas faoi leith a ghabháil le Allison Derrett (Royal Archives,Windsor), Valerie Seymour (Coláiste Phádraig, Maigh Nuad), Siobhán O'Rafferty, Íde Ní Thuama is Marcus Browne(Royal Irish Academy) as a gcineáltas;

– Marcus is Cuán as a gcuid cabhrach;

– Alan Harrison is Caoimhín Mac Giolla Léith as codacha difriúla den leabhar a léamh dom is a phlé liom;

– Tomás Ó Cathasaigh as an iliomad gné den ábhar a phlé liom;

– Liam Mac an Iomaire as dréacht den leabhar a léamh dom;

– Dáithí Ó Luinneacháin as cabhrú leis an tseiceáil is an innéacsú;

– Stiofán Ó hAnnracháin as an dua is an cháiréis a chaith sé le gnó achrannach na heagarthóireachta;

– Caitlín Mhic Clúin as an saothar a phróiseáil dom ó thús deireadh agus as an uile oiriúint rúnaíochta is bainistíochta den scoth a chur ar fáil dom; is dise, seachas aon duine eile dá bhfuil luaite agam go dtí seo, atá mo bhuíochas ag dul óir murach a gairmiúlacht is a dílseachtsan ní móide go gcríochnófaí an leabhar in aon chor;

agus gach díogras go deireadh————————

DO

Cheathrar foighneach tuisceanach:
Aingeal, Bríd Óg, Clíona is Traolach

CUID A hAON

An Náisiún Éireannach: Reiligiún, Ríogachas is Atharga

Is cuma nó nath seanchaite anois é a áiteamh gurbh aois mhór athruithe í an seachtú haois déag in Éirinn. Dá sheanchaite an t-áiteamh, is fíor an nath agus is féidir méar a chur le siúráil ar bhuntoscaí na n-athruithe: aistriú iomlán, geall leis, ó cheann ceann na haoise, in úinéireacht na talún agus dlí comónta Shasana a bheith á chur i bhfeidhm, den chéad uair, ó cheann ceann na tíre.

Gné den aois ghabhlánach sin nach meabhraítear de ghnáth, agus dálaí na hÉireann á bplé, gur ré chorraíleach í san Eoraip freisin; ré ar le reibiliúin, iomarbhá diagachta is cogaí reiligiúnda is mó a shamhlaítear í. Is é ba bhun go príomha leis an ngábh ginearálta sin san Eoraip, an tuiscint nua agus an t-eagrú nua a bhí ag teacht chun cinn ar an ngaol idir an saoránach is an prionsa, idir an pobal is an Stát. Claochlú intleachtúil go bunúsach a bhí i gceist, claochlú nár chuaigh Éire ná muintir na hÉireann saor uaidh. An ceangal dílseachta is géillsine a shnaidhm uaslathas Éireann leis an ríora Stíobhartach sa bhliain 1603, níor lagaigh ná níor mhaolaigh air ó thús deireadh na haoise ach chuaigh i neart is i mbuaine, in ainneoin threabhlaidí na linne, gur shroich a bhuaic le teacht Shéamais II i gcoróin.

Ba chor cinniúnach i saol polaitiúil agus i saol intleachtúil na hÉireann é buanú na dílseachta sin do na Stíobhartaigh agus is é a thug ar an aos léinn athmhachnamh a dhéanamh ar a ndearcadh i leith an údaráis theamparálta, ar an indibhidiúlacht Éireannach, ar an stair féin. Is é, freisin, a dheimhnigh comhdhéanamh reiligiúnda an náisiúin a bhí tagtha chun cinn in Éirinn agus tréithe an náisiúnachais a bhí ag freagairt dó.

Caibidil 1

'Coróin na hÉireann'

I

King Séamus do ríoghadh in ionad na bainríoghna Elizabeth ... 7 as eisidhe an seiseadh Séamus do ríoghaibh Albán ... Ó Néill ... 7 urmhór Gaoidheal Leithe Cuind do thocht fó shídh ... ar ro herfhuagradh síth coitcheann 7 aiseag a fhola 7 a dhúithche dá gach aon la badh áil ó mhórdhacht an rígh King Séamas iar na oirdneadh in ionadh na bainríoghna ós Saxaibh, Frainc 7 uas Éirinn (ARÉ vi:2322, 2334-6).

Ireland being thus broken and plowed by that glorious Queene who dyed a victor over all her enemies having made a finall and full conquest of that whole nation she left the sowing of it to her designed successor King James who brought another Crowne to aggrandize and add to the Imperial Crowne of England whose undoubted right to the whole and every province of that Kingdome as well as to England and Scotland being descended from the antient Monarchs and Provincial Kings of Ireland ...
(RIA 24 G 15:463).

Ar an 24 Márta 1603 fuair Eilís I *prionnsa Saxan* bás. Ó bhí sí gan oidhre, b'é a fear gaoil, an phearsa ríoga ba ghaire gaol léi, Séamas Stíobhard *an seiseadh Séamas do ríoghaibh Alban*, a tháinig i gcomharbacht uirthi. Séamas VI, rí Alban, ba theideal dó go dtí sin; Séamas I *rí Alban, Saxan agus na hÉireann* ba theideal dó feasta. Fógraíodh a theacht i gcoróin go poiblí i mBaile Átha Cliath i dtús an Aibreáin agus i measc na n-ainmneacha a bhí leis an bhforógra a dhearbhaigh do phobal na hÉireann gurbh é Séamas I 'our only lawful, lineal and rightful liege lord' bhí Aodh Ó Néill, Iarla Thír Eoghain.[1]

Den chéad uair riamh bhí Alba, Sasana agus Éire faoi aon rí amháin; san am céanna ráinig, den chéad uair freisin, go raibh Éire uile á cur faoi údarás lárnach amháin agus dlí comónta Shasana á chur i bhfeidhm ó cheann ceann na tíre. Bhí cúige Mumhan cloíte le tamall agus, maidir leis an chuid eile den tír, thuairiscigh Mountjoy sa bhliain 1603:

Ulster, wherein at his first coming he found not one man in subjection, hath now not one in rebellion; only Neale Garve, whom, to make all sure upon making himself O'Donell, he commanded Sir Henry Docwra to apprehend .... In Connaught all is quiet, except O'Rurke's country, who is already reduced to fly as a wood-kerne from place to place with not above some three score men .... In Leinster there is scarce a Moore or a Connor to be heard of .... The Byrnes, the O'Tooles, the Cavanaughs, and all the rest continue good subjects; and scarce in all Leinster is there as much as a thief stirring, nor one rebel ... (CSPI 1603-6:24-5).

Bhí Aodh Rua Ó Dónaill marbh sa Spáinn agus, bíodh go raibh Aodh Ó Néill beo fós in Ultaibh bhí a naimhde, idir Ghaeil agus Ghaill, ag

3

teannadh air gan staonadh, bhí a ghradam á ísliú is a thailte á gcaolú in aghaidh an lae, agus bhí a chumhacht shinseartha ag imeacht uaidh os comhair a shúl. Sa bhliain 1602 rinne Mountjoy, agus é ag loscadh leis i dTír Eoghain, rinne sé smidiríní den chathaoir i dTullaigh Óg a ndéantaí Ó Néill a oirniú inti riamh anall. An bhliain ina dhiaidh sin ghéill Aodh Ó Néill d'fhear ionaid na banríona ag an Mhainistir Mhór i gCo. Lú. Dhearbhaigh sé a dhílseacht don choróin arís go gearr ina dhiaidh sin agus chuaigh sé féin agus Ruairí Ó Dónaill go Londain sa bhliain 1603 chun a ngéillsine a chur in iúl do Shéamas féin. Bhí sé i láthair, ní foláir, ag corónú Shéamais in Whitehall agus ina dhiaidh sin d'fhill abhaile, é ceaptha ina 'King's Lieutenant in Tyrone' ag an rí, é geallta aige a bheith dílis feasta 'to my Lord and Sovereign ... in whose service and obedience I will continue during my life' (Moryson 1603 iii:308).

Níorbh é an turas sin go Londain an chéad teagmháil idir Ó Néill agus Séamas I. Is mó litir a bhí scríofa chun a chéile acu na blianta roimhe sin agus bhí sé amuigh orthu, ní hamháin go rabhadar an-mhór le chéile ach go raibh an bheirt acu sna blianta sin i gcomhcheilg le chéile ag cur i gcoinne Eilíse. Bhí ráflaí eile ann freisin: go raibh Séamas liobrálach go maith i gcúrsaí reiligiúin, go raibh bá leis an gCaitliceachas aige, gur Chaitliceach é féin fiú, dála a mháthar. Níorbh fhíor na ráflaí sin ach dá mbarr cothaíodh dóchas nach beag i measc na gCaitliceach gur thuar faoisimh é Séamas I a bheith sa choróin. Dá chomhartha sin, agus de bharr an dóchais a bhí adhainte ar theacht i gcoróin dó, tosaíodh láithreach, go háirithe i mbailte an deiscirt, ar an gcreideamh Caitliceach a chleachtadh níos oscailte, ar shéipéil a athoscailt, ar phróisisiamaí poiblí a eagrú agus ar Phrotastúnaigh a dhíbirt.[2] I litir a scríobhadar chun rí na Spáinne, mhínigh Ó Néill agus Ó Dónaill cén bunús a bhí leis an dóchas sin: "when the Queen died and this King, who was before King of Scotland, succeeded to her, the Irish hoped, on account of their old friendship with the Scots, that they would receive from the King many favours and, in particular, their liberty of conscience" (Walsh 1986:226).

Léiriú eile ar an dóchas coiteann sin is ea an dá dhán Gaeilge a chum filí Ultacha ag fáiltiú roimh Shéamas I. Eochaidh Ó hEodhasa ó Fhear Manach, duine de na príomhfhilí a bhí suas in Ultaibh lena linn, a chum ceann acu. Dán léannta casta é atá bunaithe ar chontrárthacht a dhéanamh idir na hathruithe chun donais ar chuir Ovid síos orthu ina shaothar *Metamorphoses* agus na hathruithe chun feabhais a thiocfadh isteach le Séamas; dán dóchais is dán molta é, dán fáilte roimh 'súil chobhartha ar ríogh' Cing Séamas ar 'scaoileadh gach ceo' é ag 'pobal imshníomhach Éireann':

> Tillidh deallradh gach doircheacht,
> díbridh eagna anfhoirfeacht;
>   an ghlóir a n-oidhreacht re headh,
>   foirneart gach bróin do báitheadh. ...

An ghrian loinneardha do las,
scaoileadh gach ceó Cing Séamas;
   tug 'na glóir comhorchra cháigh:
   móir na comhortha claochláidh.

Ionganta thrá ná sin sionn,
pobal imshníomhach Éirionn,
   gur dhearmaid gach duine dhíon
   treabhlaid na n-uile imshníomh. ...

Oirchios dúinn, gé a-deirim sin,
ceiliobhradh dár gcuing imnidh;
   súil chobhartha ar ríogh do-róigh
   tar bríogh ndomharbhtha ar ndobróin. ...

Lucht gach aoinchríche idir
gan iomthnúth gan ainigin,
   gan neimh-thnúith nár dhiongaibh díbh
   acht tnúith nach iomaidh eissídh. ...[3]

B'fhéidir go n-áiteofaí nach bhfuil sa dán seo ach sampla eile de ghnáthdhán molta na bhfilí Gaeilge, léiriú coincréiteach ar a ndearcadh pragmatach proifisiúnta a chuir ar a gcumas Gael nó Gall a mholadh de réir mar a d'oir. Dob fhéidir, ach ní móide gur fíor sin. Dán molta é atá bunaithe, ní hamháin ar dhóchas fíre – dóchas na haicme lenar bhain Ó hEodhasa – ach atá bunaithe freisin ar thuiscint nua: dob fhéidir slán a fhágáil anois le himní ó bhí an dobrón faoi smacht ag súil chabhartha 'ár rí' (*ar ríogh*). Ní heol dom gur thug aon fhile Gaeilge roimh Ó hEodhasa 'ár rí' ar aon Stíobhartach ná ar aon rí eachtrannach eile. Réaladh foirmiúil é ar chasadh cinniúnach i ndearcadh an aosa léinn, dearcadh a chuirtear in iúl soiléir go leor i ndán Uí Eodhasa, dá léannta chasta mar shaothar é. Is simplí agus is sothuigthe de dhán é an dara haiste acu a scríobh Fearghal Óg Mac an Bhaird. Dán molta é seo freisin, dán fáilte roimh an rí a mbeidh feasta 'trí coróna' ar a cheann aige:

Trí coróna i gcairt Shéamais
– cia dhíobh nachar dheighfhéaghais? -
   críoch an sceóil libh 'gá labhra,
   a fhir eóil na healadhna.

Cuirfidhior – is cubhaidh lais -
trí coróna um cheann Séamais;
   ní scéal rúin rádh na leabhar
   gach fádh dhúinn dá dheimhneaghadh ... .

Prionnsa óg go n-aigneadh ard,
biaidh sise ag Séamas Stíobhard -
   onóir nach iomarcach leam
   coróin iongantach Éireann ... (AD:44 §§ 1,2,5).

Ar na 'trí coróna' a shealbhaigh Séamas I bhí 'coróin iongantach Éireann', téama is coincheap nua eile ach coincheap a bhí ag teacht chun cinn ón dara leath den séú haois déag.

Ba nóisean traidisiúnta cianársa é 'rí Éireann' agus is mó pearsa, sa litríocht agus sa stair, a shantaigh an teideal dó féin nó ar shamhlaigh a lucht leanúna leis é (Byrne 1973). Eilimint lárnach leanúnach i litríocht pholaitiúil agus i gcultúr na hÉireann ab ea ideolaíocht na ríogachta ach, chomh fada agus is eol dúinn, ní raibh aon fheidhm riamh ag artafacht mar 'coróin' san ideolaíocht sin. Is fíor go bhfuil go leor tagairtí sa tseanlitríocht do *mind* ('diadem'), nó *barr* ('tiara'), nó *imscing* ('diadem'), a bheith á gcaitheamh ag ríthe agus ag pearsana gradamúla eile, ach is mar chuid den éide i gcónaí a luaitear iad. Agus bíodh go raibh 'trí coróna' ar armas na hÉireann ón gceathrú haois déag i leith, ní raibh riamh feidhm shiombalach ag 'coróin' in ideolaíocht dhúchais na ríogachta ná níor shamhlaigh filí na Gaeilge riamh roimhe seo coróin le dlisteanas ná le flaithiúnas.[4] Is iad na siombailí dlisteanais a bhfuil trácht orthu sna cuntais a tháinig anuas chugainn ar oirniú an rí in Éirinn an leathbhróg agus an tslat:

> Is amhlaidh dleaghthar rígh Connacht do ríoghadh .... Do Ó Maoil Chonaire is cóir slat na ríghe do thabhairt i láimh Í Chonchubhair an lá sin gheabhas rígh Connacht ... (O'Daly 1853:340-2).

> It was the hereditary privilege of O'Maolconry to be alone on the sacred mound of Carn Fraoich, with the newly inaugurated King, whom he presented to the assembled chieftains of the Province, and recited the royal genealogy. He then administered the oath to observe the customs of Conaught, placed the gift shoe on the King's foot as a pledge of hommage and submission on the part of the chieftains and put into his hand the white wand or sceptre, the emblem of sovereignity, and finally recorded the proceedings (Curtis 1941:131).

Níor mhair an riotuál sin agus níor mhair na siombailí.[5]

Sna hiarrachtaí iomadúla a rinne Conn Ó Néill, Seán Ó Néill, Séamas Mac Gearailt, Aodh Ó Néill, Aodh Ó Dónaill is easpaig dhifriúla ar chabhair na Fraince is na Spáinne a earcú a chuidiú le cás na hÉireann, tagtar arís is arís ar an nóisean go raibh "coróin na hÉireann" le tairiscint acu do phrionsa cuí éigin agus go bhféadfadh an té áirithe sin a bheith ina "rí Éireann" ach cabhair mhíleata a chur ar fáil:

> "If the King of Spain will send them timely aid he will restore to them religion, and for himself acquire a Kingdom. ... Ireland will acknowledge no other King than his Catholic majesty ..." (CSPI 1592-6:407-9).

> "Accordingly they have decided, with the help of God and the favour of the most clement Catholic King, to accept the person of any Catholic and valiant Prince from his Catholic Majesty's kin, whether of the house of Spain or Burgundy, whom his Catholic Majesty may nominate; and to receive, recognize and crown him as their true, legitimate and natural king, thereby restoring the royal throne of this island; and to revere the presence of one king, one faith, and one kingdom ..." (Binchy 1921:366).[6]

Sa bhliain 1595, nuair a d'fhógair Aodh Ó Néill cogadh oscailte ar Eilís is gur ghlac chuige a theideal dúchais 'Ó Néill', scríobh easpag Chill Ala chun an phápa ar a shon:

"If your Holiness will deign to accede to these requests all Ireland from the youngest to the oldest will in a short while take up arms against the English and with the help of God will shake off their yoke and drive them from Ireland. In order to achieve this more easily, the bishops and princes of Ireland petition your Holiness to appoint the earl of Tyrone king of Ireland and supreme commander of the war. All are willing to obey him, not merely because he is the most powerful noble in Ireland, but also because he is thoroughly Catholic and the one to whom the kingship of Ireland belongs by right of descent ..." (F.M. Jones 1967:45-6).

I véarsaíocht na tréimhse freisin tagtar ar an nóisean céanna – 'coróin Éireann' – ach gur le dúchasaigh amháin a shamhlaíonn an t-aos léinn an coincheap, le Conn Ó Néill, le hAodh Mag Uidhir, le hAodh Rua Ó Dónaill:

> Coróin Éireann ainm Uí Néill,
> ceannas aca ar gach éinréim;
> creidim do charóin chláir Bhreagh
> as cáir do ghlanfhóir Gaoidheal ...
>
> Cuirid an choróin fá cheann
> iadhaid an tír 'na thimcheall,
> gur bh'uirrim re duine dhíobh
> suidhe ar uillinn an airdríogh ...
>
> Caithréimeach an chreachsa siar
> le codhnach catha Oirghiall;
> rug dá choróin Chláir na bhFionn
> don Spáinn is onóir Éirionn ...
>
> A Ua Séamais síthe Floinn,
> tar th'éis a Aodh Uí Dhomhnaill,
> cath Eamhna ón choróin do chlá,
> onóir na Teamhra teastá ... .[7]

Sa dán a scríobh Pádraig Glas Mac an Bhaird ar Aodh Mag Uidhir († 1601), meabhraíonn sé dó go raibh Éire ag feitheamh le fear a sábhála, go raibh triall gach éinfhir uirthi 'ó réimeas Bhriain Bhóramha' agus gurbh é leigheas a hancháis fear dá tír féin a bheith mar rí aici:

> Rí do thogha dod thír féin,
> dá ndearna tú, a thaobh shoiléir;
> ní bhia leatrom aoinfhir ort
> a dhearcorr fhaoilidh éadrocht ...

Mar analóg chuí, meabhraíonn an file dá thiarna scéal i dtaobh 'ríoghan go ró-neirt/i dtír dar bh'ainm an Éigeipt': leatrom a bhí á imirt ar an bhean sin go bhfuair sí rí a diongbhála is gur cuireadh 'an choróin fá cheann'. Bíodh nach móide gur ghá an analóg a litriú amach, de réir an ghnáis b'éigean sin:

> Is í an bhean Teamhair Dhá-Thí,
> Aodh Mag Uidhir an t-airdrí;
> fagas dhi céile a cabhra:
> is í Éire an athardha ... .[8]

Sa dán molta a scríobh sé ar Chonn Ó Néill, deir Ó Gnímh gur thug Donnchadh Ó Briain, mac Bhriain Bhóraimhe, 'coróin Bhanba' leis ar a oilithreacht chun na Róimhe agus gur ansin a bhí sí ó shin:

> A hÉirinn na dtrácht dtana
> beirius mac Briain Bóramha
> caráin Bhanba is níor beirthe
> d'fhagháil anma oileirthe ...
>
> Ó rug Donnchadh ó Dhál gCais
> a hÉirinn d'fhoiléim turais
> an mionn gnéshliom nglanóir nduinn
> caróin na hÉirionn aguinn ... .⁹

An scéal is an téama céanna atá ag Fearghal Óg Mac an Bhaird i ndán ar Chú Chonnacht Mag Uidhir († 1589). Toisc an choróin a bheith tugtha leis thar lear ag Donnchadh, ní raibh ó shin in Éirinn 'triath coróna' dár géilleadh; b'í Éire amháin san Eoraip a bhí gan ardrí:

> Coróin ríoghachta fear bhFáil
> rug leis a hÉirinn fhódbháin ...
>
> In Éirinn na n-eas dtana
> ní raibhe i ndiaigh Dhonchadha
> – ní tuar onóra d'Iath Bhreagh -
> triath coróna dár creideadh ...
>
> Créad an corsa ar Inis Ír?
> ní fhuil oiléan gan airdrígh
> feadh seinEórpa ó mhuir go muir
> acht bean cheineólta Chobhthaigh ... .¹⁰

An téarma nua a úsáideann Mac an Bhaird (*triath coróna*) chun dlisteanas a chur in iúl, faightear leagain eile de (*flaith choróna/rí corónta*) aige féin is ag filí comhaimseartha eile agus iad á n-úsáid acu leis an bhrí is leis an bhfeidhm chéanna:

> Mac Cinnéidigh, cian ó shoin,
> tug Brian a bhás 's a bheathaidh,
> flaith choróna Chraoi na bhFionn
> ar aoi onóra Éirionn ...
>
> Acht do Bhrian Bóruimhe amháin,
> ní raibh iar gcreideamh d'Íbh Táil,
> iná fós d'fhuil Éibhir Fhinn
> 'na rígh corónta ar Éirinn ...
>
> Aoinfhear d'uaislibh chríche Coinn
> iarsan bhfíorfhlaith Maoil-Sheachloinn
> dar fhaoi le flaitheas bhFódla,
> níor bha hairdrí corónta ...
>
> Dá leanadh Brian, mar mhaoidhe,
> lorg canóna gan chlaoine,
> aithríoghadh dob olc an bhreath
> ar rígh chorónta chráibhtheach ... .¹¹

Ó dheireadh an tséú haois déag amach is léir go rabhthas ag glacadh de réir a chéile, sa dioscúrsa polaitiúil, ní hamháin leis an choróin mar shiombail flaithiúnais is dlisteanais, ach chomh maith céanna leis an gcoincheap 'coróin na hÉireann'. De réir scríbhneoirí difriúla is thar lear, sa Róimh, a bhí an choróin ó aimsir Dhonnchaidh Uí Bhriain. I Londain, dar le Mac an Bhaird, a lonnaigh an choróin sin anois agus is le Séamas Stíobhard, agus ní le taoiseach de na sleachta dúchais, a bhí 'coróin iongantach Éireann' á samhlú aige.

Ach, faoi mar a tuigeadh don aos léinn é, níorbh aon eachtrannach é Séamas ach 'prionsa' a raibh, mar a dhearbhaigh Mac an Bhaird, 'fuil airdríogh n-uasal' ann:

> Más chead leis a éisteacht uaim
> sloinnfead a cheart an chéaduair
>   ar fhionnAlbain na n-iath mín,
>   triath ionnarbaidh gach eissídh ... .
>
> Fada a-tá i dtairngire dhuit
> críoch Sagsan is iúl orrdhruic,
>   duit is dú Éire amhlaidh,
>   is tú a céile ar chomhardhaibh.
>
> A mheic Hannraoi na dtreas dte,
> ag sin mar dleaghar dhaoibhse
>   gan toibhéim, a rí, ar do reacht
>   na trí hoiléin in aoinfheacht.
>
> Céim dá mhéad ní maoidhte dhuit,
> fuil dá huaisle san Eoruip,
>   ní fíorghloine í ná t'fhuil,
>   a rí míonmhuighe Monaidh.
>
> Ní fhuil fuil airdríogh eile
> acht fuil meic na maighdine
>   'ga bhfuil barr uaisleachta ar t'fhuil
>   guaisbhearta Gall id ghníomhuibh ... .
>
> Dá mbeith nach biadh – ní breath lag -
> fuil airdríogh n-uasal ionnad,
>   do chuir t'eagna in uaisle sibh,
>   bhar bhfreagra uaimse is aithnidh ...

(AD:44 §§ 7, 23-26,28).

Bhí ionad príomha ag an nginealach riamh sa saol traidisiúnta, ar cheann dá fheidhmeanna é a bheith mar ghléas bailíochta a chuir ar chumas an aosa léinn ceart nó éileamh chun teidil éigin a áiteamh is a dhlisteanú. Is áirithe nach bhféadfadh duine an teideal 'rí' a éileamh gan ginealach gan smál a bheith le maíomh aige; ach an ginealach cuí a bheith aige bhí a cheartsan chun an teidil 'rí' bailí. Gléas bailíochta eile a chleacht an t-aos léinn riamh anall ná an tairngreacht: b'ionann é a bheith sa tairngreacht agus údarás na sean is séala na naomh a bheith mar thaca lena éileamh.[12] Ní go cinniúnach, ar ndóigh, a tharraing Fearghal Óg Mac an Bhaird an dá ghléas bailíochta sin chuige agus

Séamas Stíobhart á mholadh aige, mar ní mar ghnáthphátrún saolta a
bhí ábhar an dáin á chur i láthair aige ach mar 'ardrí' ar ghá an fráma
tagartha oiriúnach a aimsiú dó d'fhonn ceart an rí chun an tríú ríocht a
dhéanamh dlisteanach bailí. Ba mhac de mhacaibh Mhíle é Séamas, más
ea; bhí a theacht geallta de réir na tairngreachta, b'é an t-ardrí é, b'é
céile na hÉireann é. *Céile na hÉireann*: san aon mheafar simplí seanchaite
sin bhí aimsithe ag an bhfile an eithne as a raibh coimpléasc cianársa de
chonsaeiteanna is de thuiscintí ag fás. I dtéacsanna polaitiúla na Gaeilge,
ó *Baile Chuind* go *Caithréim Thoirdhealbhaigh,* agus san fhilíocht mholta trí
chéile, ar filíocht pholaitiúil go bunúsach í, bhí idir bhailíocht agus
adhmholadh riamh ag baint leis an mbuafhocal *céile na hÉireann.*
B'ionann 'céile na hÉireann' a ghairm ar Shéamas is a thabhairt le
tuiscint gurbh é an rí cóir é arbh é a fheidhm phríomha an tír a thabhairt
chun sonais, chun síochána agus chun torthúlachta athuair. D'fhógair
Mac an Bhaird gurbh é Séamas céile na hÉireann 'ar chomhardhaibh'
ach níor mhínigh ná níor liostáil sé cad iad na comharthaí sin. San
ideolaíocht thraidisiúnta shamhlaítí 'sídh' (= *síocháin*) riamh mar
cheann de na comharthaí a bhain le teacht an rí chóir[13] agus is sa
chomhthéacs sin is fearr a thuigtear Mac an Bhaird is Ó hEodhasa ag
fógairt go raibh deireadh le 'eissídh', 'fala', 'imshníomh' anois agus
Séamas sa choróin. Na tréithe is na comharthaí céanna a shamhlaigh
údar anaithnid *Pairlement Chloinne Tomáis* le teacht Shéamais:

> Iar dteacht do rígh Séamas i bhflaitheas, táinig dá mhaith agus dá
> shochroidhe gur líon Éire do shocaracht agus do shíothcháin lena linn re
> cian d'aimsir (PCT:722-4).

Is iad na tréithe agus na luachanna traidisiúnta céanna a shamhlaigh
Séamas leis féin is lena ríghe. Agus é ar a shlí ó dheas ó Dhún Éideann
in earrach na bliana 1603, agus é ag triall go mall caithréimeach ar
Londain, chuir sé in iúl dá lucht féachana gurbh iad na hidéil pholaitiúla
a bhí curtha roimhe aige 'peace and unity'; agus an ríogacht á cosaint
aige, tharraing sé chuige a ghinealach rí-ársa féin mar dhearbhú
dlisteanais; ba ríocht í Éire, dar leis, 'to which I am in descent three
hundred years before Christ' agus bhí cúis mhaith aige, a dúirt sé, cúram
a dhéanamh dá muintir 'for the ancient Kings of Scotland are descended
upon the Kings of Ireland'; agus a fhriochnamhacht phatrarcach á léiriú
aige, is é an meafar a chuir sé in ócáid, meafar an chéile:

> What God hath conjoyned then, let no man separate. I am the husband,
> and all the whole Isle is my lawfull wife; I am the Head, and it is my
> body ....[14]

Ní ideolaíocht thraidisiúnta amháin, ach tuiscintí comhaimseartha freisin,
ba bhun leis an aos léinn a bheith ag dúil le 'súil chobhartha ar ríogh'.

   Ní in Éirinn amháin a bhí súil le malairt bhisigh. Bhí an dóchas céanna
forleathan i Sasana freisin, bíodh nach é an bonn céanna a bhí leis thall.
Ansiúd freisin bhí filí, croinicí, cléirigh agus scoláirí ag fáiltiú roimh
Shéamas agus á adhmholadh le dánta, le tairngreachtaí, le hanagraim

agus le paimfléid. 'Never had land more reason to rejoice/nor to her blisse could ought now added be' ba bhurdún coiteann sa saothar sin trí chéile, ach saothraíodh téamaí eile freisin: go raibh Séamas ag teacht i seilbh a oidhreachta, gurbh é athghin Brutus é, gurbh é Artúr ag filleadh é, gurbh é fíoradh na fáistine é, gurbh eisean a chuirfeadh deireadh le siosma agus le hachrann sa ríocht.[15] Sin iad na seintimintí a chuir Ben Jonson i mbéal 'Irish bard' ina dhráma *An Irish Masque*:

> This is that James of which long since thou sungs't,
> Should end our country's most unnatural broils;
> And if her ear, then deafened with the drum,
> Would stoop but to the music of his peace,
> She need not with the spheres change harmony (Willson 1956:322).

Ach níor chuir Séamas deireadh le 'our country's most unnatural broils', níorbh é 'scaoileadh gach ceo' é, níor laghdaigh sé imshníomh na nGael faoi mar a tuaradh. A mhalairt ab fhíor agus bhí baint nach beag ag pearsantacht, ag carachtar agus ag dearcadh Shéamais féin leis an díomá sin.

Seacht mbliana déag ar fhichid a bhí Séamas I nuair a tháinig sé i gcoróin na dtrí ríochta.[16] Ní raibh an deichiú cuid de mhaoin ná de thailte Eilíse aige agus ní gan chúis go raibh súil le tamall fada aige ar a coróinsean. Is le flosc, mar sin, a d'fhág sé Dún Éideann is a chine dúchais agus a ghluais ó dheas go Londain. Agus na 'trí coróna' bainte amach aige, ní raibh d'aidhm feasta aige ach seilbh na Stíobhartach orthu a dheimhniú agus a bhuanú. Ní hé nach raibh suim ag Séamas i ngnéithe eile den saol seachas láimhsiú na cumhachta. Mar ba dhual d'aon fhlaith, bhí an-dúil aige san fhiach, san fhoghlaeireacht agus i saol cultúrtha na cúirte; bhí an Laidin, an Ghréigis agus an Fhraincis ar a thoil aige; bhí staidéar déanta aige ar an fhealsúnacht, ar an diagacht, ar an daemóneolaíocht, agus ar an *ars poetica*; ba rannaire é féin a raibh lear mór 'filíochta' scríofa aige. Ach, as a óige, is sa pholaitíocht is mó a bhí suim aige agus thug polaitíocht chasta fhuilteach na hAlban sa dara leath den séú haois déag taithí nach beag dó. Bíodh gur gairmeadh rí de, ar bhás a athar, agus é bliain d'aois níor thosaigh sé ag feidhmiú mar rí go raibh sé seacht mbliana déag. Bhí breis agus fiche bliain de thaithí aige, mar sin, ar Alba a rialú agus bhí ciall cheannaigh dá réir aige – 'an old experienced King, needing no lessons' mar a dúirt sé féin (Kenyon 1970:35). Agus bhí rath ar a réim: d'éirigh leis an chuid is mó d'Albain a thabhairt faoi rialtas láir Dhún Éideann, na barúin neamhspleácha a smachtú, Eaglais Phreispitéireach na hAlban a cheansú, agus iad uile a dhéanamh géilliúil don rí. Déarfadh sé féin gurbh é a shárchumas sa cheird ar thug sé 'king-craft' uirthi ba chúis leis an gconách sin; déarfadh daoine eile gurbh é a ghliceas, a chluain, agus a chumas ar aicme amháin a chur i gcoinne aicme eile ba mhó ba bhun leis. Is air a bhí 'king-craft' Shéamais bunaithe, ar theoiric iomlán i dtaobh na ríogachta a bhí leagtha amach go cruinn aige, teoiric a bhí fréamhaithe san absalóideachas ríoga agus sa cheart diaga agus a bhí bunaithe ar choincheap patrarcach den ríogacht a raibh bunús bíobalta leis.[17]

Bíodh go dtugaimidne teoiric inniu ar an gceart diaga, sa seachtú haois déag ba chuid lárnach den reitric phoiblí é a raibh glacadh coiteann leis: 'it was held as a universal truth among all conditions of men' (Straka 1962:80). Is é a mhíníonn an glacadh coiteann sin dlúthcheangal fós a bheith sa saol poiblí idir an reiligiún agus an pholaitíocht: níorbh fhéidir fós sistéam rialtais ná teoiric pholaitiúil a shamhlú gan údarás diaga laistiar díobh. Cothaíodh an ceart diaga, sa Fhrainc go háirithe, sa séú haois déag a chosaint neamhspleáchas na ríthe náisiúnta. Agus Séamas I i gcumhacht, bhí an t-údarás ríoga á cheistiú ag Piúratánaigh is Cailbhinigh sa Bhreatain féin agus go seachtrach ag an Róimh; ba ghá ceart na ríthe a áiteamh chomh dígeanta agus ab fhéidir chun an t-údarás cathartha a chosaint – ar bhonn diagachta – ar éilimh na n-eaglaiseach. Údarás absalóideach diaga a bhí ag an rí, dar le Séamas: ó Dhia go díreach a fuair an rí a údarás polaitiúil is bhí an t-údarás sin aige toisc gur rí é; ós ó Dhia a fuair sé an t-údarás sin is do Dhia amháin a bhí an rí freagrach agus ní raibh aon cheart ag pobal ná ag aon chumhacht eile cur i gcoinne an údaráis sin; mar a mhínigh Séamas féin do pharlaimint Londan é:

> The state of Monarchie is the supremest thing upon earth: for Kings are not only God's Lieutenants upon earth, and sit upon God's throne, but even by God himselfe they are called Gods ... (McIlwain 1918:307).

Údarás gan choinníoll, gan teorainn a bhí ag an rí; b'é a thoilsean an dlí. Bhí comhairleoirí is parlaimint aige chun dul i gcomhairle leo ach is eisean a thionóladh is a scoradh an pharlaimint. Laistiar den absalóideachas diaga sin bhí coincheap an tsaoil ordaithe chliarlathaigh phatrarcaigh, mar a d'ordaigh Dia é; gach éinne – an rí, an t-easpag, an t-iarla, an ridire, an tionónta, an scológ – ina ionad oiriúnach féin sa saol. Mar a mhínigh seanmóirí cáiliúil i dtús na haoise é:

> There is nothing so much sets out the universe as Order .... All were not born to be rich, nor all to be wise, nor all to teach, nor all to rule; but some for disciples, some for masters, some for the throne, some for the mill, some for servants, some for lords ... (Eccleshall 1978:78).

B'é an t-ordú cliarlathach patrarcach sin an comhthéacs sóisialta inar fheidhmigh an ceart diaga.[18] Ba mhar a chéile an ríocht agus teaghlach mór, a mhínigh easpag Osraí, teaghlach arbh ionann a cheann agus rí:

> Every master of a family that ruleth his own household is a *petite* King .... A kingdom is nothing else but a great family where the King hath paternal power ... (Figgis 1914:152).

Sa tslí chéanna gurbh é Dia athair na cruinne is an t-athair daonna ceann an teaghlaigh, b'é an rí athair is ceann a mhuintire is a thíre, dar le Séamas:

The King towards his people is rightly compared to a father of children .... the stile of *pater patriae* was ever, and is commonly used to Kings. The head cares for the body, so doeth the King for his people ... (McIlwain 1918:64).

Ní raibh aon choincheap úrnua á chur chun cinn sna seintimintí sin ag Séamas; bhí teacht orthu is glacadh coiteann leo i measc ríogaithe cheana. Is é a rinne Séamas na heilimintí difriúla a tháthú le chéile go háititheach éifeachtach in aon teoiric chomhlántach amháin agus, níos tábhachtaí fós, an táthú a dhaingniú le gné den teoiric nár cuireadh anbhéim uirthi roimhe sin: an ceart oidhreachtúil. Bhí ceart na ríthe ní hamháin diaga, ach oidhreachtúil chomh maith agus, dá réir sin, is ina ghinealach cianársa a lonnaigh Séamas a chumhacht ríoga; b'é an ginealach oirirc sin a dhearbhaigh a dhlisteanas ríoga. D'éiligh sé gur chuaigh a cheart oidhreachtúil mar rí Alban is Éireann siar chomh fada le Fearghus féin a mhair sa tríú céad roimh Chríost; is tríd a tháinig coróin Shasana chuige 'by inherent birthright and lawful and undoubted succession', óir b'eisean 'the next and sole heir to the Blood Royal of this Realm' (McIlwain 1918:xxxvii). Bhí an ceart oidhreachtúil sin, dar leis, do-aistrithe is dochealaithe. Ceart é a seachadadh, mar a tharla le maoin shaolta, ó ghlúin go glúin is, mar sin, bhí géillsine dlite, ní hamháin don rí láithreach, ach chomh bailí céanna do 'his lawfull heires and posterity, the lineall succession of crowns being begun among the people of God' (*ibid.* 69). Síneadh amach ar na seintimintí sin, ach é déanta go gonta agus go bríomhar aige, a bhí sa tráchtas a d'fhoilsigh Séamas sa bhliain 1603: *The Trew Law of Free Monarchies: or the Reciprock and Mutuall Dutie Betwixt a Free King and his Naturall Subjects.* Níorbh aon tráchtas teibí acadúil é sin aige; ceist bheo pholaitiúil a bhí á plé aige ann: cén dualgas a bhí ar an bpobal i leith an rí?, cén ghéillsine a bhí dlite dó? Ní raibh aon amhras ar Shéamas féin i dtaobh an fhreagra: bhí dualgas morálta ar an bpobal géillsine iomlán *in temporalibus et in spiritualibus* a thabhairt dó. Níorbh aon fhadhb rómhór anois é an dearcadh sin a chur á fheidhmiú sa chuid is mó dá ríochtaí, san uair go raibh glactha ag formhór an phobail in Albain, i Sasana agus sa Bhreatain Bheag leis an Reifirméisean agus le ceann dá phrionsabail ghinearálta – *cuius regio eius religio*. Ach ní raibh glactha leis in Éirinn agus, mar sin, ní raibh an rí agus a phobal ar aon reiligiún. Dála fíoreisceachtúil san Eoraip trí chéile ab ea cás na hÉireann, mar a raibh rí Protastúnach ar phobal Caitliceach agus is ansin, go bunúsach, a luigh fadhb pholaitiúil na hÉireann. Mheabhraigh Sir John Davies don rí nach mbeadh ann ach "leathrí" dá bharr seo: 'he would be but half a King, if his subjects, instead of appealing to him, must be fain to appeal to some foreign oracle or power' (CSPI 1603-6:350); chas Séamas féin le huaisle Caitliceacha na hÉireann nach raibh iontu ach 'half subjects'. Leathrí ar leathghéillsinigh: níor shásúil an cumann é.

Géillsine spioradálta agus géillsine pholaitiúil in éineacht a d'éiligh Séamas; ní hionadh sin – b'é ceann na hEaglaise ina ríochtaí féin é,

chomh maith le bheith ina rí. B'í a Eaglais-sean an t-aon Eaglais fhíor
amháin agus, dá réir sin, an t-aon cheann amháin a mbeadh aitheantas
an dlí aici. Aon reiligiún oifigiúil amháin á chleachtadh ó cheann ceann
na dtrí ríochta, b'in é a mhian. Ní chuirfeadh sé isteach, a dúirt sé, ar
choinsias aon duine; ba chuma leis cad a chreidfeadh daoine ina gcroí
istigh an fad nach gcleachtfaí go poiblí ach an reiligiún oifigiúil.
Chaithfí an dlí faoi mar a bhí sé a chur i bhfeidhm, ach b'fhearr leis
féin, dá mb'fhéidir é, gan dul i muinín an aindlí agus sna blianta tosaigh
dá réimeas mheas sé pobal mór na hÉireann a thabhairt leis ar bhóthar
an reiligiúin agus na comhfhreagarthachta tríd an tsoiscéalaíocht agus
an mhisinéireacht. Cheap sé Robert Draper ina easpag ar Chill Mhór
agus Ard Achadh toisc an Ghaeilge a bheith ar a thoil aige; mhol sé go
dtabharfaí ministrí a raibh Gaeilge acu anall ó Albain agus go
n-aistreofaí leabhair chráifeacha agus paidreacha go Gaeilge; cheap sé
an té a rinne an t-aistriúchán Gaeilge ar an *Book of Common Prayer*,
William Daniel (Uilliam Ó Dónaill), ina Ardeaspag ar Thuaim; chuir sé
reachtanna Chill Chainnigh ar ceal; ghríosaigh sé údaráis Choláiste na
Tríonóide iarracht chóir a dhéanamh dúchasaigh a oiliúint sa
chreideamh fíor.[19] Ach níor ródhíograiseach ná níor ró-éifeachtach an
dream i mbun na soiscéalaíochta iad an Eaglais Anglacánach in Éirinn
ag an am agus theip ar an iarracht tríd is tríd. Le teitheadh na n-iarlaí ó
chúige Uladh, bhí caoi ag Séamas modh eile a chur i bhfeidhm, modh
a chleacht sé cheana ar oileán Leodhais in Albain – plandáil. Ní raibh i
gceist go teoiriciúil ach straitéis fhíorshimplí: dream daoine a raibh idir
reiligiún agus shibhialtas ag roinnt leo cheana féin a phlandú i measc
na mbarbar chun an reiligiún agus an sibhialtas a scaipeadh ina measc:

> The King to Lord Chichester,
> Finds no remedy for the barbarous manners of the mere Irish, which
> keeps out the knowledge of literature and of manual trades, to the
> lamentable impoverishment and, indeed, destruction of that people, so
> ready and feasible as, by first, by settling a firm estate in perpetuity to such
> of the present inhabitants as have the best disposition to civility, who have
> heretofore held them but temporarily, and subject to the extortions and
> tyranny of their usurped chieftains; and, secondly, by intermixing amongst
> them some of the British to serve for examples and teach them order, and
> settling them in places where by reason of the King's title he may place
> them without wronging any of his subjects there ... (CSPI 1615-25:35).

Ní le holc chun na mbarbar a cinneadh ar an straitéis sin. A mhalairt
ab fhíor óir b'obair mhorálta í, obair a bhí bunaithe ar na prionsabail is
ardaigeanta: 'merely for the goodness and morality of it, esteeming the
settling of religion, the introducing civility, order and government
amongst a barbarous and unsubjected people to be an act of piety and
glory and worthy also a Christian prince to endeavour' (Willson
1956:322). Ní raibh i gceist ach an prionsa atharúil ag treorú a thréada
ar bhóthar a leasa chun go mbeadh idir phrionsa agus phobal ag
comhfhreagairt go hiomlán dá chéile: *qualis princeps, talis populus.* Ní

mar sin a chonacthas é don dream a bhí, dá ndeoin nó dá n-ainneoin féin, le seoladh ar bhealach a leasa. Port nua a bhí ag Eochaidh Ó hEodhasa anois agus ag a chomhfhilí:

> *Anocht is uaigneach Éire* (Eoghan Rua Mac an Bhaird/Aindrias Mac Marcais[20]), in eagar: Knott (1915), DER:16, DG iii:2, BAR ii:138;
> *Beannacht ar anmain Éireann* (Fear Flatha Ó Gnímh), in eagar: MD ii:55, IBP:26;
> *Cáit ar ghabhadar Gaoidhil?* (Lochlainn Ó Dálaigh), in eagar: Gillies (1970);
> *Fríoth an uain se ar Inis Fáil* (Eoghan Rua Mac an Bhaird/Eochaidh Ó hEodhasa), in eagar: DER:14, DG iii:3;
> *Mo thruaighe mar táid Gaoidhil* (Fear Flatha Ó Gnímh), in eagar: MD ii:54, DG iii:7;
> *Tairnig éigse fhoinn Ghaoidheal* (Fear Flatha Ó Gnímh), in eagar: ND i:1.

Dánta éagaointeacha iadsan uile a chuireann síos i bhfriotal fíoghartha reitriciúil ar anchás na tíre is anchás a muintire. Ní cúige ná sliocht faoi leith atá á chaoineadh sna dánta seo ach, mar a léiríonn na céadlínte féin, an tír uile is a sleachta uile: *Éire, Banbha, Inis Fáil, Gaoidhil, mic Mhíleadh, fréamh Ghaoidheal* atá faoi ionsaí priaclach, i mbaol a n-anama, iad i riochtaibh báis. Fiú i gcaointe pearsanta leis na filí céanna faightear an tuiscint chéanna, nach duine amháin d'áirithe a bhí le caoineadh anois ach cás na hÉireann:

> Ní hí Mairgréag ná Máire
> chaoinim, is cúis diombáighe,
>   acht an corsa ar chró na bhFionn,
>   mó sa mhó osna Éirionn ...

> Gidh eadh, ní hé th'eagla féin
> budh cás libh, gér lór d'oilbhéim,
>   acht don triall tarla roimhe
>   's d'iath Bhanbha go mbeanfoidhe.

> D'éis a ndearna go nua anois
> san eascor fuair flaith Bearnois,
>   gá dtás robadh soiréidh sionn
>   acht cás oiléin na hÉirionn ... .[21]

B'í bunchloch gheografúil an náisiúnachais Éireannaigh 'oileán na hÉireann' – coincheap a théann i bhfad siar – agus is cinnte gur chabhraigh an t-eiseadh oileánda sin le difriúlachas eitneach is comhfhiosacht náisiúnta a chothú.[22] Bhí an difriúlachas sin i mbaol freisin anois, baol nach mbeadh in Éire feasta ach 'Saxa nua', mar a dúirt Fear Flatha Ó Gnímh, go mbeadh 'saoirÉire 'na Saxain'. Ba mhar a chéile mic Mhíle anois, dar leis, agus pobal Iosrael:

> Cosmhail re Cloinn Isra-hél
> thoir san Éighipt ar éidréan,
>   Mic Mhíleadh um Bhóinn a-bhus
>   ag síneadh dhóibh ó a ndúthchas ...

ach mhúscail an parailéalachas sin ceist bhunúsach:

A Thríonnóid 'gá dtá an chumhacht,
an mbia an dream-sa ar deóradhacht
    níos sia ó chathaoirlios Cuinn,
    nó an mbia an t-athaoibhneas againn?

Nó an dtiocfa is-teach ar thairngir
do shluagh Danar ndúraingidh
    naomh fíréanghlan, fáidh Ó gCuinn,
    an prímhéarlamh cáidh Coluim? ... .[23]

Ceist mar í a chuir Mac Marcais freisin:

An bhroid cionnas chuirfidhir ...
's gan Maoise in Éirinn againn?[24]

II

Agus fós is punc de chreideamh na Protestants gurab é rí gacha críche is
ceann ar Eagluis na críche sin .... Is fíor nó is follus go bhfuil an Soisgéul
contrárdha dho, mar tugadh an monadh do chum Críost, agus mar a
ndearnadh Sé eidirdhealughadh idir uachtarántacht cille agus tuaithe, an
tan adubhairt: 'Tabhair do Caezar a chuid féin', ar sé, 'agus do Dhia an
nídh is leis féin' dá chur i gcéill nach leis na ríoghthaibh saoghalta acht
cuid cuirp agus maoin na n-íochtarán, agus gur le Dia a gcoguais agus a n-
anmna ....[25]

Le géilleadh Uí Néill sa bhliain 1603 bhí an chonstaic mhór
dheireanach ar údarás na corónach in Éirinn i leataobh is bhí an bóthar
réidh le feidhmiú éifeachtach an údaráis sin feasta. Bhrostaigh imeacht
na n-iarlaí agus plandáil Uladh an próiseas sa tslí gur ghá, a dúirt
Séamas, parlaimint a thionól chun feidhm dlí a thabhairt don iliomad
cor agus athrú a bhí tagtha i gcrích: don phlandáil, don choigistiú, do
theideal an rí, do eisreachtú na n-iarlaí, don reachtaíocht nua a bhí
beartaithe 'for the reformation and settlement of this people and
country' (CSPI 1611-14:154). Dar le Sir John Davies, an té a bhí
freagrach, mar Ardaighne, as feidhmiú an dlí in Éirinn, dar leis go
léireodh tionól na parlaiminte seo méid agus iomláine an choncais. Bhí
cuid mhaith den cheart aige: b'í an pharlaimint sin, a tháinig le chéile
sna blianta 1613-1615, an chéad pharlaimint riamh in Éirinn a raibh
ionadaithe inti ó gach ceann den dá chontae dhéag ar fhichid; an chéad
pharlaimint a raibh ionadaithe inti ó na trí haicmí eitneacha, a dúirt
Séathrún Céitinn (FFÉ i:2-4) a bhí anois sa tír: Gaeil, Sean-Ghaill agus
Nua-Ghaill; an chéad pharlaimint a raibh feidhm dlí lena reacht ó
cheann ceann na tíre. As an 223 ball a bhí sa teach íochtair ba
Chaitlicigh céad duine acu, Protastúnaigh, go háirithe ó chúige Uladh
agus ó Bhaile Átha Cliath, an chuid eile; de na Caitlicigh sin ba Ghaeil

iad, gan aon Bhéarla ag cuid acu, ocht nduine dhéag acu; Sean-Ghaill ó na bailte móra agus ón Pháil ab ea an chuid eile.[26] Is ar an aicme sin, seachas aon aicme Chaitliceach eile sa tír, is mó a luigh an reachtaíocht fhrithchaitliceach ó bhí poist phoiblí faoin Stát acu féin agus ag a muintir agus go rabhthas ag bagairt anois go gcaithfeadh gach oifigeach poiblí Móid an Ardcheannais (Oath of Supremacy) a thabhairt, móid a dhearbhaigh gurbh é an rí 'the only supreme head in earth of the whole church of Ireland' (NHI iii:61). Bhí an aicme seo agus a muintir riamh dílis don choróin agus don Phápacht araon; ní raibh riamh aon choimhlint sa dílseacht sin is níor iarradh riamh orthu, faoi mar a bhíothas á iarraidh anois, rogha a dhéanamh idir an dá dhílseacht sin. Dílseacht iomlán agus comhfhreagarthacht iomlán a d'éiligh Séamas; ach é sin a fháil óna phobal d'fhéachfadh seisean ina ndiaidh go friochnamhach. B'fhéidir, mura mbeadh i gceist ach Séamas agus pobal na hÉireann, go bhféadfaí teacht ar chomhréiteach sásúil, ach chaith Séamas dreamanna eile a shásamh seachas Caitlicigh na hÉireann – Piúratánaigh agus parlaimint Shasana, an Chomhairle agus an Eaglais Anglacánach i mBaile Átha Cliath, plandóirí chúige Uladh – agus bhí air a bheith ag faire feadh na huaire ar na huaisle a bhí anois thar lear i dtíortha Caitliceacha na hEorpa agus iad ag súil le filleadh go hÉirinn le cabhair in am tráth.

Sa Róimh bhí Aodh Ó Néill agus Ruairí Ó Dónaill ar a ndícheall ag iarraidh rí na Spáinne agus an pápa a spreagadh lón airm agus cabhair airgid a chur ar fáil dóibh a chuirfeadh ar a gcumas filleadh go hÉirinn agus a dtailte a athshealbhú. Scríobhadar chun rí na Spáinne á impí air arís is arís eile teacht i gcabhair orthu, á chur ina luí air gurbh é leas na Spáinne é, gurbh é leas na Críostaíochta é, gurbh é leas na hÉireann é; ach cabhair armtha a theacht ón Spáinn, bheadh Caitlicigh na hÉireann toilteanach a bheith mar vasáilligh ag rí na Spáinne; murar leor leis cúinsí polaitiúla chun teacht i gcabhair orthu, b'fhéidir go spreagfadh mothú Críostaí éigin é; dhá phríomhaidhm a bhí ag na Gaeil – cosaint an chreidimh Chaitlicigh agus cosaint a dtíre – ach ní raibh aon dul ar cheachtar acusan a bhaint amach gan prionsa Críostaí a theacht i gcabhair orthu; mura dtiocfadh an chabhair sin, bhí Éire caillte go deo:

> "The only wish of the Catholics of Ireland is to be free of their troubles and to become vassals of Your Majesty .... But if Your Majesty were to send them some help now ... within a few days Ireland would belong to your Majesty .... If Your Majesty is not moved by reasons of state and Your Majesty's own interest, we humbly beg that Your Majesty be moved by Christian feelings to defend the Irish nation so that its people may not lose the Catholic faith which they have professed and upheld for thirteen hundred years ..." (Walsh 1986:222).

San achainí a chuireadar faoi bhráid an phápa Pól V, thugadar ar dtús achoimriú gonta ar stair na hÉireann á mheabhrú dó go raibh maca Mhíle in Éirinn ón am a raibh a theampall á thógáil ag Solamh agus gur

uathusan a shíolraigh ríthe na nGael; is chun duine de na ríthe sin –
Laoghaire – a chuir an pápa Celestín I Naomh Pádraig a scaipeadh an
tsoiscéil; d'éirigh thar barr le Pádraig agus d'fhan na Gaeil riamh dílis ó
shin don chreideamh in ainneoin na nDanar is na Sasanach; fuair Anraí
II cead ón bpápa Hadrian IV Éire a ionsaí ach níor lean ach anachain do-
inste agus leatrom an cead sin: rinneadh cos ar bolg ar an seanbhunadh
Gaelach, díscíodh cuid mhaith acu, coinníodh amach ó phoist tuarastail
agus ó fheidhmeannas iad, fágadh gan scoileanna, gan choláistí iad le
súil is go bhfanfaidís aineolach – mar sclábhaithe a caitheadh leo; níos
measa fós, le deich is trí fichid bliain anuas – ó réimeas Anraí VIII –
imríodh géarleanúint ar na daoine as siocair a reiligiúin is cuireadh
mórán easpag, sagart is rialtach chun báis sa tslí go raibh ar na Gaeil ar
deireadh dul chun comhraic; choinnigh na himpígh féin, i dteannta na
dtaoiseach eile, cogadh suas ar feadh aon bhliain déag go dtí faoi
dheoidh gur chaitheadar dul chun socraithe leis na Sasanaigh; ar bhás
Eilíse bhí an-dóchas acu gur fearr a chaithfeadh Séamas I leo, ach
fíordhíomá an toradh a bhí ar a ndóchas; de bharr na géarleanúna is an
aindlí a thionscain seisean, bhí orthu féin – nuair ba léir dóibh na gaistí
a bhí á n-ullmhú agus an baol a bhí ina gcomhair – bhí orthu a dtír
ionmhain, a mbaile agus a muintir a thréigean agus teacht ag triall ar an
bpápa ag iarraidh cabhrach; bhí éilimh faoi leith ar an bpápa acu toisc
gurbh é bunfhoinse a mífhortúin uile an gníomh sin na Pápachta – Éire
a bhronnadh ar Shasana; dá ndiúltódh an Chathaoir Naofa cabhrú leo
anois mhairfeadh i gcroí an Ghaeil an tseanchúis bhróin is ghearáin agus
bheadh alltacht ar Chaitlicigh in arda eile na cruinne nach raibh de
thuiscint ag an Phápacht dá gcás ach ráitis fholmha thrua; d'fhéadfadh
a thitim amach go furasta go gcloífí, le teann géarleanúna, Caitlicigh
thuaisceart na hEorpa agus gur leis an eiriceacht a rachaidís; bhí dhá
shlí, dar leo, arbh fhéidir Éire a shaoradh ó dhaoirse: le comhréiteach nó
le hairm; bhí an chéad slí baolach is éiginnte, a chluanaí is a
mhíchreidiúnaí a bhí focal na n-eiriceach; airm – b'in í an t-aon slí
amháin óir bhí státchiste an rí ídithe is, mar sin, ní raibh ar a chumas
arm a thógáil is a chothú; mar eachtrannach a féachadh air i Sasana agus
bhí na Gaeil fíordhíomách toisc gur tháinig chun neamhní a ndóchas
uile as ré nua faoi; dá dheasca sin bheidís toilteanach éirí amach aon uair
agus bheadh sin indéanta ach an chabhair ba lú ón taobh amuigh a
bheith ar fáil; cheana féin bhí conradh idir phríomhuaisle na tíre, le
cabhair ó chuid de na cathracha is na bailte, troid go bás ar son a
gcreidimh chomh luath is a d'éireodh an chaoi; dá bhrí sin achainíd ar
an bpápa teacht i gcabhair orthu, fóirithint ar a gcúis, agus an pobal a
shábháil ón dainséar uafásach go dtitfidís chun eiriceachta nuair a
chífidís gur fágtha gan chúnamh, gan tacaíocht dhaonna a bhí; ach
teacht i gcabhair orthu bheadh obair onórach i láthair Dé á déanamh ag
an bpápa, bheadh an dualgas a bhí air na Gaeil a shaoradh ón
sclábhaíocht éadoilteanach a chuir an Chathaoir Naofa orthu

comhlíonta aige agus thiomnódh sé don mhuintir a thiocfadh ina dhiaidh ainm nach rachadh i ndíchuimhne go deo.[27]

Bhí fuar acu. Tearmann is 'ráitis fholmha thrua' amháin a bhí le fáil ón bpápa; pinsean is comhbhrón dioplómaitiúil ó rí na Spáinne. Míniú neamhchas a bhí ar an eiteachas sa dá chás: an t-athrú bunúsach a bhí imithe ar chúrsaí polaitreiligiúnacha na hEorpa. Sa bhliain 1604 rinne Séamas conradh síochána leis an Spáinn agus chun an tsíocháin a bhuanú bheartaigh ar chleamhnas a shocrú idir a mhac féin agus iníon rí na Spáinne. Ba den riachtanas polaitiúil é, más ea, nach gcuirfeadh an Spáinn ná Sasana isteach ar ghnóthaí a chéile agus, dá réir sin, bíodh gur chothaigh Pilib III na hiarlaí le linn a ndeoraíochta, d'fhéach sé chuige nach sa Spáinn, mar ba rogha leo féin, ná san Ísiltír Spáinneach a lonnóidís ach sa Róimh. Bhí tearmann le fáil ansin acu ó Phól V agus chuir sé an chóir ba dhual do phrionsaí Caitliceacha ar fáil dóibh ach méar níor ardaigh sé chun cabhrú leo a n-aidhmeanna polaitiúla a chur chun cinn. Is ar chomhairle na n-iarlaí a cheap sé Flaithrí Ó Maoil Chonaire agus Eoghan Mac Mathúna ina n-ardeaspaig ar Thuaim agus ar Bhaile Átha Cliath faoi seach, ach an chluas bhodhar a thug sé dá n-achainí impíoch ag lorg cabhrach míleata.[28] Murab ionann agus Pius V, a chuir Eilís faoi choinnealbhá, nó Clement VIII, a d'fhógair cogadh Uí Néill ina chogadh cóir ar son an chreidimh fhír, tuigeadh do Phól V gur mó a bhí le baint amach anois le comhréiteach. I Sasana bhí na Caitlicigh ag glacadh de réir a chéile leis an *status quo* agus tuigeadh don phápa go gcaithfeadh sé luath nó mall teacht chun réitigh le prionsaí 'eiriciúla' na hEorpa. Dá réir sin, 'in the interests of English Catholics and with the hope ever present of England's yet returning to the Catholic Faith it was surely bad policy, in Roman eyes, to stir up trouble in Ireland, when such trouble could only aggravate the King' (Silke 1955:25).

Bhí Patrick Lombard ar dhuine de na heaglaisigh ba mhó tionchar sa Róimh ag an am agus is é is mó a bhí ag cur comhairle ar an bpápa i dtaobh na hÉireann.[29] De shliocht ceannaithe rachmasacha ó Phort Láirge é agus is go Westminister ar dtús agus dá éis sin go Lobháin a cuireadh é ag déanamh léinn. Dála eaglaisigh mhóra eile na linne, níor fhill sé riamh ar Éirinn ach níor lúide sin an pháirt a thóg sé i gcúrsaí na hEaglaise in Éirinn lena linn. Bhí sé ina Ardeaspag ar Ard Mhacha idir 1601 agus 1625 agus ina phríomháidh ar Éirinn uile. Sa Róimh d'fheidhmigh sé ar feadh cúig bliana fichead mar dhioplómait chumasach is mar dhiagaire mórchlú a lorgaítí a chomhairle go rialta ar mhórcheisteanna diagachta is ar achrainn pholaitiúla na linne. Bhí seasamh thar an choitiantacht sa Róimh aige agus anáil dá réir. Eisean is túisce a chuir an fhoirmle dhiagachta chun cinn trína bhféadfadh pobal Caitliceach glacadh le prionsa eiriciúil agus b'é a chomhairlesean faoi deara don Róimh a mholadh do Chaitlicigh Shasana glacadh le Séamas. B'athrú bunúsach i ndearcadh Lombard an méid sin, athrú a raibh iarmhairt láithreach fhollasach in Éirinn aige.

Ba dhlúthchara agus ba thréantaca ag Aodh Ó Néill tráth é Lombard agus scríobh sé tráchtas sa bhliain 1600 (*De regno Hiberniae* ...) ag cosaint agus ag móradh Uí Néill, á thaispeáint gur chogadh ar son an chreidimh é an cogadh a bhí á fhearadh aige ar Eilís. Ach ó lonnaigh sé sa Róimh, bhí sé tagtha ar athrú tuairime i dtaobh Uí Néill agus é iompaithe glan ina choinne; eisean is mó a bhí ag teacht anois idir Ó Néill agus an pápa. Tá sé ag dul do Lombard go ndéanfaí iarracht ar thuiscint dó. Bhí an t-athrú mór a bhí tagtha ar pholaitíocht na hEorpa tugtha faoi deara go grinn ag Lombard sa Róimh agus bhí léamh barainneach déanta aige ar chúis an athraithe: bhí deireadh le haontas reiligiúnda na hEorpa, deireadh leis an *orbis Christianus*. Ba chuid den saol feasta iad an prionsa 'eiriciúil' agus an Stát Protastúnach agus chaithfeadh an Eaglais Chaitliceach é sin a aithint agus gníomhú dá réir. Tuigeadh do Lombard, mar sin, gurbh í an tslí a b'fhearr a bhféadfaí an Eaglais Chaitliceach a chur chun cinn in Éirinn glacadh le Séamas agus teacht chun réitigh leis. I réamhrá an leabhair *Episcopion doron*, a scríobh sé sa bhliain 1610, nocht sé a dhearcadh ar Shéamas go hoscailte; i litir a chuir sé chun an phápa sa bhliain 1612 nocht sé a aigne i dtaobh pholasaí na hEaglaise in Éirinn feasta: bíodh gur phrionsa eiriciúil é Séamas, a d'áitigh Lombard, fós b'é an rí dleathach é a raibh géillsine dlite dó faoi mar a bhí do Shéasar; ní raibh aon chumhacht ar talamh a d'fhéadfadh an rí dleathach, dar leis, a athriú agus bhí d'fhiacha ar a ghéillsinigh Chaitliceacha, dá réir sin, é a aithint; ba choir é – *lèse majesté* – gan an t-aitheantas sin a thabhairt don rí; ba cheart don Eaglais in Éirinn teacht ar *modus vivendi* leis an rí agus, chuige sin, níor cheart di aon bheart a dhéanamh a tharraingeodh fearg an Stáit uirthi; dá gcloífeadh an chléir le cúrsaí eaglasta amháin, chaithfeadh na húdaráis go measartha agus go sibhialta leo, go háirithe mura mbeadh aon bhaint ag Ó Néill le ceapacháin na n-easpag; easpaig nach mbeadh aon amhras ag na húdaráis orthu ba cheart a cheapadh feasta.[30]

Fad ba bheo do Lombard, agus cluas an phápa sa Róimh aige, d'éirigh leis easpaig dá aicme agus dá dhearcadh féin a cheapadh in Éirinn (Tomás Déis, David Rothe, John Roche, William Tirry, Richard Arthur), agus cheap sé Rothe mar bhiocáire chun gníomhú le lánchumhacht thar a cheann in Éirinn. D'éirigh le Rothe ag na seanaid dhifriúla den chléir a tionóladh i nDroichead Átha (1614), i gCill Chainnigh (1614), in Ard Mhacha (1618) agus i gCaiseal (1624), d'éirigh leis dearcadh Lombard a chur chun cinn agus faomhadh ginearálta reachtúil a fháil dó: b'é Séamas an rí dleathach agus níor cheart don chléir a mhíshástachtsan ná míshástacht na gcumhacht teamparálta a tharraingt orthu féin; leas spioradálta a bpobail i leith Dé a ngnósan agus an t-aon chúram bailí a bhí orthu; chomh fada agus a bhain le teagasc oifigiúil na hEaglaise, b'é Séamas an rí dleathach a raibh géillsine dlite dó agus bhí sin fógraithe go poiblí ag an bpápa le Séamas féin: *Tu ... trium simul regnorum Angliae Scottiae et Hyberniae Rex potentissimus et nomineris et existas.*[31] An teagasc céanna a bhí sa chaiticeasma a bhí á chur ar fáil anois do phobal na Gaeilge:

> An ceathramhadh aithne: tabhair anóir dot athair 7 dot mháthair. Is mar so peacuighthear i n-aghaidh na haithni se: ... gidh bé nach anann i n-umhla 7 i n-uirrim dá phréaláidibh 7 dá phrionnsuighibh 7 dá thighearnuibh tuaithe 7 don lucht atá i ndínitibh ós a chionn 7 nach umhluigheann do dhlightibh 7 do staitiúidibh an ionuid a bhfuil ... (Ó Cuív 1950a:220).

> Ní hé amháin atá d'fhiachaibh orainn onóir do thabhairt dár n-aithribh 7 dár máithribh, achd atá d'fhiachaibh orainn fós an onóir chéadna do thabhairt don uile uachdarán bhias againn do thuaith nó d'Eaglais. As urasa a thuigsin as so cia pheacaigheas i n-aghaidh na haithni se (TC:2136-40).

Na heaspaig sin a cheap Lombard agus arbh iad ba dhíograisí ag cur an pholasaí nua chun cinn, bhaineadar leis na teaghlaigh ba mhó cumhacht agus ba mhó maoin i bpríomhbhailte na tíre, teaghlaigh a bhí riamh dílis don choróin agus a raibh dlúthbhaint riamh acu leis an gcóras riaracháin agus leis an gcóras polaitiúil; teaghlaigh a raibh poist fós faoin choróin ag baill dá gcuid mar ghiúistísí, mar shirriaim, mar chléirigh. Ba bhuirgéiseach ar Chill Chainnigh é athair Rothe, bhí athair Tirry ina mhéara ar Chorcaigh agus bhí deirfiúr leis pósta leis an Ardghiúistís Sir Dominick Sarsfield; bhain Arthur le teaghlach saibhir de cheannaithe i Luimneach a raibh gnó á dhéanamh le Londain agus leis an mhór-roinn acu, bhí sé féin ag obair don rialtas mar chléireach i dteannta Richard Boyle, Iarla Chorcaí, sular chuaigh sé le sagartóireacht; dlíodóir ab ea athair Roche agus bhí deartháir leis ina shirriam ar Phort Láirge; bhain an Déiseach le teaghlach uasal a raibh tailte i gco. na hIarmhí acu agus dlúthghaol leis na Nuinseannaigh (Iarlaí Dhealbhna) acu.[32] Ní dearcadh diagachta amháin a bhí á nochtadh ag na heaspaig sin, is léir; bhí a ndearcadhsan ag teacht go hiomlán le dearcadh polaitiúil na haicme lenar bhaineadar, aicme arbh í dílseacht don choróin an tréith ba leanúnaí dár bhain leo. Bhain na heaspaig sin leis an aicme Chaitliceach a raibh fós ionad gradamúil sa saol acu, a raibh fós talamh agus maoin ina seilbh, a raibh de cheart fós acu seirbhís a thabhairt don choróin agus poist a bhaint amach dá réir dá gclann mhac. *Fós*: ach fearg an rí a tharraingt anuas orthu, chaithfeadh sé leosan mar a chaith sé le Gaeil mhídhílse chúige Uladh; a raibh acu, idir thalamh is mhaoin is ghradam, is as bheith dílis don choróin a fuaireadar agus a choinníodar é; is trí bheith dílis don choróin a thiocfaidís féin, a muintir agus a n-eaglais slán. Ba ghá a bheith polaiteach más ea; ba ghá, chomh fada agus a b'fhéidir, an rí a shásamh ach gan an Eaglais Chaitliceach a shéanadh. Dá réir sin, nuair a chuir parlaimint Bhaile Átha Cliath acht eisreachtaithe i bhfeidhm sa bhliain 1614 i gcoinne Uí Néill agus Uí Dhónaill – á bhfógairt ina meirligh agus a dtailte á dtabhairt ar lámha an rí – ghlac Lombard agus cuid mhaith eile den chléir leis mar ghníomh barántúil dleathach ag

parlaimint dhleathach in ainm an rí dhleathaigh. "Cén mhaith é cur ina
choinne?", a d'fhiafraíodar; bhí na tailte sin cheana féin i seilbh an rí
agus níorbh fhéidir athghabháil a dhéanamh orthu ach 'by the King's
favour or by arms'; is trí aontú le toil an rí amháin a d'fhéadfaí 'religious
indulgence' a bhaint amach.³³ Guth tréan dochosctha Fhlaithrí Uí
Mhaoil Chonaire an t-aon ghuth amháin a ardaíodh i gcoinne
fheillghníomh sin na parlaiminte. Peaca tromchúiseach i gcoinne dhlí
Dé ab ea an éagóir sin a d'achtaigh an pharlaimint, dar leisean; ní
fhéadfaí go deo aon éagóir a cheadú le súil is go dtiocfadh maitheas
aisti, ba chuma cad a mheas cúntóirí diagachta na parlaiminte
frithnáisiúnta seo; ní raibh aon choir déanta ag na hiarlaí – ar choir í
Éire a fhágáil? – is níor cloíodh le próiseas cuí an dlí sa díotáil; na
Caitlicigh a d'aontaigh le cinneadh na parlaiminte, b'iad an dream
céanna iad a dhiúltaigh cabhrú le Ó Néill sa chogadh i gcoinne na n-
eiriceach; aon toradh amháin a d'fhéadfadh a theacht as an
bhfeillghníomh sin: fearg Dé a tharraingt anuas ar Éirinn agus rath a
bheith ar obair na n-eiriceach.³⁴

Ó d'fhág sé Éire ina dhéagóir timpeall na bliana 1570, is thar lear, sa
Spáinn agus san Ísiltír, a bhí a shaol caite ag Ó Maoil Chonaire. Pearsa
thábhachtach i bpolaitíocht na linne ab ea é a raibh a ainm á lua go
rialta sna tuairiscí a bhí á gcur go rialtas Shasana ag a spiairí sa Spáinn
agus in Éirinn. Luadh a ainm go háirithe i measc na buíne a bhí ag
iarraidh, a creideadh, ionsaí armtha eile ar Éirinn a eagrú sa Spáinn sa
bhliain 1607 agus arís sna blianta 1612-3. Dar leis na húdaráis go raibh
Ó Maoil Chonaire ar dhuine de na 'practisers of sedition and
insurrections' a bhí 'employed in directions and plots betwixt the
Spanish court and the Low Countries'; dar le Lombard féin go raibh sé
'more eager to sustain the war than the very officers of the army itself';
dar le James Bathe, duine de phríomhspiairí Shasana, b'é 'the chief
man' é, 'by whom the state of Spain do receive information, and from
whom that state is pleased chiefly to take advice for the direction of the
Irish affairs'; ní hionadh, más ea, gur creideadh coitianta go raibh fógra
speisialta curtha amach ag rialtas Shasana á chosc air filleadh go deo ar
Éirinn.³⁵ Mar is léir ar na hathfhriotail sin féin, ní in Éirinn amháin a bhí
lua air agus ní tábhacht áitiúil amháin a bhain leis. Ní mór cuimhneamh
air sin mar gur gnách le scoláirí na Gaeilge agus trácht á dhéanamh acu
ar shaol agus ar shaothar Uí Mhaoil Chonaire, gur gnách leo béim a
leagan ar an sloinne Gaelach a bhí air, ar an ord rialta a raibh sé agus ar
an dlúthcheangal a bhí acusan araon leis an léann dúchais. Fráma
tagartha dá mhalairt sin is gá chun Ó Maoil Chonaire a mheas. Ní ag
caomhnadh an léinn dúchais a bhí seisean ná éinne eile de 'Scoil Nua-
Ghaeilge' Lobháin ach ag cur an *ius novissimum* (.i. moráltacht
chomhairle Thrionta) chun cinn in Éirinn; ní mar scríbhneoirí próis
Nua-Ghaeilge is ceart féachaint orthu go príomha ach mar ghníomhairí
de chuid an Fhrithreifirméisin. Bhí cáil nár bheag mar dhiagaire ar Ó

Maoil Chonaire a raibh staidéar faoi leith déanta ar Agaistín aige, staidéar a thabhaigh amhras an tSeansanachais dó i measc diagairí eile. Eisean is túisce a chuir caiticeasma ar fáil i nGaeilge[36] 'ar leas anma do na hÉireannchaibh' agus is é a bhunaigh, le cabhair rí na Spáinne, Coláiste San Antaine i Lobháin sa bhliain 1606. Ceapadh ina ardeaspag ar Thuaim sa bhliain 1609 é ach nuair a d'ordaigh an pápa féin dó filleadh ar Éirinn agus ar a dheoise dhiúltaigh sé: bhí obair níos tábhachtaí le déanamh aige thar lear, is cosúil. Bíodh nár fhill Ó Maoil Chonaire riamh ar Éirinn, tar éis dó filleadh chun na Spáinne ó Chionn tSáile sa bhliain 1602, níor mhaolaigh sin an tábhacht a samhlaíodh leis ná an anáil a bhí aige ar chúrsaí na tíre lena linn. Chomh fada le foinsí Gaeilge de, lasmuigh de dhán nó dhó a leagtar air agus den aistriúchán a rinne sé ar chaiticeasma Spáinnise, is in *Sgáthán an Chrábhaidh* amháin a thagtar air. Go foirmiúil, is aistriúchán é an téacs ar thráchtas cráifeach Spáinnise, cur síos fáthchiallach ar an tSimplíocht agus ar a turas liosta leadránach leamh chun Dé. Ach ní aistriúchán cruinn baileach é, mar gur chuir Ó Maoil Chonaire leis anseo is ansiúd, bhain de anois is arís agus istigh ina lár chuir idirshliocht de bhreis agus míle go leith líne (3411-5050) uaidh féin mar a dtráchtann sé ar chúrsaí comhaimseartha na hÉireann.

Thagair Ó Maoil Chonaire go háirithe sa sliocht sin do 'chealgoibh na n-eiriceadh', don teagasc bréige a bhí acu, don idirdhealú ba ghá a dhéanamh idir na cumhachtaí teamparálta is na cumhachtaí spioradálta, agus don dualgas a bhí ar an tuata an t-idirdhealú sin a thuiscint agus a chur i ngníomh. Níor cheart, a theagasc sé, aon aird a thabhairt

> ar an ní sin adeirid na heiricidhe, .i. gurab iad na prionnsadha teamporáltha as ceann ar an Eaglais, ór as eiriceachd sin do fhás as eiriceachd oile as fréamh dhi, .i. a mheas nách foilid cumhachta oile san mbioth acht cumhachta na tuaithe amháin (SC:3862-67);

ba léir agus ba dheimhin

> gurab éaxamhoil neimhionand an modh ar ar thionnsgnadar cumhochta spioradáltha 7 teamporáltha, ar an adhbhar gurab iad an pobal tug do na ríoghuibh, nó dhá shinnsearuibh, a bhfuil do chumhachtoibh aca anois; 7 gurab é Críost féin 7 nach é an pobal, tug cumhachta spioradálta do Pheadar 7 do na Habsdoloibh oile, lé dtugadh na cumhachta céadna do na heasbogoibh ... (*ibid.* 3898-3905);

níorbh fhéidir, mar sin,

> na mionda do thabhairt as gnáth leó súd d'iarroigh ar an bpobal mbocht, .i. gurab iad na prionnsadha as ceand ar an nEaglois (*ibid.* 3910-12).

Ba réabhlóideach an smaoineamh ag an am é, agus ba smaoineamh é a bhí ag teacht trasna ar an gceart diaga, a rá gurbh é an pobal a thug do na ríthe a raibh de chumhacht acu. Ní uaidh féin a tháinig Ó Maoil Chonaire ar an teoiric sin; b'in teagasc Suárez, diagaire Spáinneach a bhí ina ollamh in Ollscoil Salamanca tráth. An t-idirdhealú a rinne Ó Maoil Chonaire idir na cumhachtaí spioradálta is na cumhachtaí teamparálta, bhí sin bunaithe ar theagasc Bellarmine, diagaire Iodálach in Ollscoil Lobháin.

Ó bhí prionsaí san Eoraip anois a d'éiligh, ní hamháin cumhacht absalóideach theamparálta ach a d'éiligh ceannas sa réimse spioradálta freisin, a d'éiligh dóibh féin *plenitudo potestatis* na Pápachta, bhraith diagairí is fealsúnaithe na hEaglaise dualgas trom orthu na prionsabail a stiúródh idir Stát is Eaglais feasta a dhéanamh amach is a leagan síos. Is iad an bheirt is mó a mhúnlaigh teagasc nua na hEaglaise Caitlicí, i bhfianaise a raibh tite amach san Eoraip, na diagairí Íosánacha Bellarmine agus Suárez. Is é an leabhar *De Defensione Fidei* is mó a tharraing, lena linn féin, aird na ndiagairí agus na bprionsaí saolta ar Suárez, mar is sa leabhar sin go háirithe a chuir sé an téis chun cinn gur ón bpobal a fuair na ríthe a raibh de chumhacht acu. Bhí an téis sin bunaithe ar shean-nóisean ársa gurbh í toil an phobail foinse na cumhachta teamparálta (Gierke 1938:38) agus bhí téis mar í curtha chun cinn cheana ag Ockham sa cheathrú haois déag. Ach de bharr na hanailíse a rinne Suárez ar an cheist thug sé an téis chun barr cruinnis is beachtaíochta is rinne prionsabal absalóideach morálta de theoiric nach raibh inti go dtí sin ach nóisean ginearálta: "The holding of civil power in any way, if it is to be righful and legitimate, must result either from a direct or an indirect grant from the community, and cannot otherwise be justly held at all" (Skinner 1978 ii:163). Is air is mó a dhírigh Bellarmine ina shaotharsan, ar nádúr agus ar cháilíocht an dá shórt cumhachta agus ar idirdhealú cruinn beacht a dhéanamh eatarthu. Ós rud é nárbh ionann 'an modh ar ar thionnsgnadar cumhochta spioradáltha agus teamporáltha', mar a dúirt Ó Maoil Chonaire ag aithris ar Bellarmine, b'éagsúil neamhionann freisin réimse feidhme gach ceann acu: is sa réimse teamparálta *amháin* a bhí feidhm ag na cumhachtaí teamparálta ach ní sa réimse spioradálta amháin a bhí feidhm ag an chumhacht spioradálta toisc ardcheannas an réimse spioradálta, ceannas a shíolraigh go díreach ó Dhia.[37]

Is geall le hathfhriotal comair gonta é an sliocht úd in *Sgáthán an Chrabhaidh* ar theagasc Suárez is Bellarmine. Bhí an teagasc féin tugtha leis go beacht ag Ó Maoil Chonaire agus bhí a thábhacht, mar bhí foirmle curtha ar fáil ag an bheirt dhiagairí a d'fhéadfaí a thagairt go háirithe do chás an phobail Chaitlicigh a raibh prionsa eiriciúil os a gcionn; foirmle a bhí lánoiriúnach do chás na hÉireann. Agus bhí na himpleachtaí praiticiúla a bhain leis an fhoirmle agus an diagacht sin á ndéanamh amach go beacht agus á leagan síos go cruinn ag gníomhairí an Fhrithreifirméisin in Éirinn:

> Achd tabhair dot aire go bhfuil d'fhiachuibh ar an uile Chríosduidhe ní hé amháin aitheanta Dé 's na heaguilse dho choimhéd achd fós gan aitheanta a uachdarán dtuaithe do bhriseadh .... Dá bhríogh so, ní folúir dhuit a fhiafruighe dhíot féin 'nar bhrisis, 7 gá mhéud uair, aithne dhlisdionach do phrionnsa, do thighearna, do mhaighisdir, t'athar, nó

dhuine ar bioth eile dá bhfuil go dlisdionach 'na uachdarán ort. Achd dá gcuireadh uachdarán ar bith díophsa aithne ort do bhiadh i n-aghuidh dlighidh Dé nó na heagailse, as córa dhuit umhla do thabhairt do Dhia 7 don eagluis iná don aithne sin .... 'Gidheadh, dá dtugadh th'athair aithne dhuit do bhiadh i n-aghuidh an mhaithis phuiblighi', ar an naomhathair céudna, 'nó aithne an phrionnsa, ná tabhair toradh uirri 7 dá dtugadh an prionnsa aithne dhuit i n-aghuidh aithne Dé, ná déine cás dá aithne do bhriseadh .... Gidheadh, gach aithne do-bhérus th'uachdarán dílios tuaithi dhuit go speisiálta, más é do phrionnsa é, 7 nach foil sí i n-aghuidh dlighidh Dé nó na heaguilse, atá d'fhiachuibh ort i gcoinsias a coimhéd ... (SSA:3140-83).

Dá bhfógra an tImpeir dhamh: Bídh ullamh do chum mo sheirbhíse, as cóir sin; gidheadh, ní do chum dola lat go heaglais na n-íodhal, ór do fhógair Impir as áirde dhamh gan dul ann sin; gabhoim cead agot, ataoi-se ag bagar phríosúin, atá seisean ag bagar theineadh ifrinn oram; ar an n-ádhbhar-so ní dlighthear do Shéusair acht a cheart féin, 7 ní dó as cóir ceart Dé do thabhairt ... (SC:4031-9).

Ní hionadh go rachadh teagasc Bellarmine agus Suárez i bhfeidhm ar Ó Maoil Chonaire ó bhí blianta fada caite aige in Salamanca agus i Lobháin mar a rabhadar ag teagasc, ach ní hí fealsúnacht na beirte sin amháin a bhí imithe i bhfeidhm air. Ba léire fós go raibh 'diagacht' chosantach pholaimiciúil an Fhrithreifirméisin slogtha ina hiomláine aige. 'Mealltóireacht' amháin a bhí ag na heiricigh, dream nach raibh iontu ach faolchoin nó mic thíre nó sionnaigh bhréana:

ór bíd meangach meabhlach, lán do chealgaibh agus do mhealltóracht, agus bíd i n-uamhchlasoibh talmhan dá bhfolach féin ar sgáth na gclaoinchiall gcam chuirid san sgrioptúir, ar a dtairgid dath na fírinne do chur, do chum an phobail shimplidhe do mhealladh; 7 bídh drochbholtanas don taobh thiar orra, mar sgríobhas an Doctúir céadna: *odore etiam retro putentes* ... (SC:3608-16).

Ní easpaig fhíre a bhí ag na heiricigh in aon chor ach 'seubhdeasboig' mar nach raibh aon údarás ón bpápa acu; b'í foinse bhunaidh na cumhachta a d'éiligh na 'seubhdeasboig' sin agus is orthu a bhí siad ina gcomharbaí, ar an dá eiriceach ba mhó olc agus urchóid dár éirigh in aghaidh na hEaglaise, mar atá:

ar Lútéur lobhtha mhac Lúsifeir, 7 ar Chailbhín choirpthe chneasdóite, mac na mallacht. Sgríobhaid úghdair eagnoidhe thromdha go raibhe deamhan do ghnáth ag imtheachd ar mháthair Lúitéir, 7 gurab uaidhe do ghlac sí Lúitéar mar thoirrcheas; 7 sgríobhaidh sé féin 'na leabhroibh an muinteardhas 7 an cumann do bhí aige ris an ndiabhal, mar do ith seachd miaich shaloinn 'na chuibhreann, 7 mar do bhí 'na oide múinte aige; 7 do gheibhthear sgríobhtha air i leabhroibh annála, gé go dtug mhóid ngeanmnaidheachda do Dhia, gur luigh iar sin lé nuimhir éiginnte do dhrochmhnáibh, 7 gur phós 'na dhiaigh sin challuigh nduibh, 'sa leabaidh 'na bhfuair bás ar meisge. As follas go raibhe an dara fear, .i. Cailbhín, comh shalach agus comh madramhail 7 sin gurab í pian phuiblidhe fuair trés an bpeacodh sodomdha do níodh do ghnáth, .i. tré chomhriachtoin ré buachuillighibh, creachuireacht do dhéanamh ar a dhruim lé hiarand ndearg ... (SC:3802-20).

Ní uaidh féin, ach oiread, a fuair Ó Maoil Chonaire an t-aithisiú
scallóideach scanallach sin; b'in mianach coiteann an bhriatharchatha
reiligiúnda a bhí á throid ag an am. Bhí a leithéid chéanna mar chuid
bhunúsach d'armlón 'diagachta' chosantóirí an Fhrithreifirméisin ar an
mhór-roinn; tá a leithéid chéanna, go fiú na bhfocal maslach céanna, ag
Mac Aingil (SSA:5273-5530), ag Ó hEodhasa (TC:550-5), ag Gearnon
(PA:1683-1705), ag Céitinn (TBG:5009-12). Thuig Ó Maoil Chonaire is
a chomhghleacaithe go maith bunriachtanas aon fheachtais
phrapaganda – gur ghá pearsantú is daemónú a dhéanamh ar an
namhaid. D'éirigh thar barr leo: lean 'sliocht Chailbhín is Lúitéir' mar
ainm ginearálta maslach do eiricigh na hÉireann feasta, ainm a bhronn
ginealach suarach náireach orthu. Is í an diagacht chosantach chéanna
a fhaightear sna leabhair chráifeacha Ghaeilge a d'eascair go díreach ó
ghluaiseacht an Fhrithreifirméisin agus a bhí á scaipeadh anois in
Éirinn. Níor chóir gurbh ionadh sin: ní 'do mhúnadh Gaoidhilge
sgríobhmaoid, achd do mhúnadh na haithrídhe' a dúirt Mac Aingil
(SSA:76); 'chum leasa na ndaoine simplidhe', a dúirt Ó Maoil Chonaire
(SC:41), a bhí seisean ag scríobh – na daoine simplí ar dhóbair do na
heiricigh iad a mhealladh le 'comhrádh milis'. Níor ghá don mhuintir
shimplí seo iad féin a bhodhradh le ceisteanna tromchúiseacha na linne
– ba cheart iadsan a fhágáil faoi na préaláidí agus na daoine eagnaí. Ní
'géarchúis inntleachta acht simplidheachd chreidimh', a mheabhraigh
Agaistín, a rinne pobal coiteann na hEaglaise ródhaingean agus ró-
innill sa tslí go bhféadfaí 'asoil 7 ainmhinteadha tarbhacha do ghairm
don lucht imthigheas go simplidhe san Eaglais, 7 bhíos ar bheagán
foghlama, lán do chreideamh' (SC:4868-76). Ní móide go bhfaca ná gur
léigh mórán den dream sin a bhí 'ar bheagán foghlama, lán do
chreideamh' saothar Uí Mhaoil Chonaire riamh, ach ní foláir nó is
féidir talamh slán a dhéanamh de gur mheascán den 'diagacht'
chosantach pholaimiciúil is den tsimplíocht chreidimh sin ba lón aigne
agus b'ábhar teagaisc ag na sluaite de shagairt is de bhráithre bochta a
bhí ag filleadh ar Éirinn ó choláistí na mór-roinne bliain i ndiaidh
bliana chun obair an Fhrithreifirméisin agus chun polasaí na hEaglaise
Triontaí a chur chun cinn:

> Lord Deputy and Council to the Privy Council:
> Find likewise that the principal cause (of the public disaffection) is no
> other than the subtle and wicked ministry of the priests and Jesuits,[38] that
> now of late, and especially since the fugitives' departure, have daily
> flocked into this realm in greater numbers than at any time heretofore has
> been observed and known; so that they vaunt that they have more priests
> here than His Majesty has soldiers. These men, well knowing that this
> nation is obnoxious to superstition, imposture and credulity, take this
> advantage of the fugitives' departures to ravish the whole realm with
> goodly hopes and promises ... . They land here secretly in every port and
> creek of the realm (a dozen of them together sometimes, as they are
> credibly informed), and afterwards disperse themselves into several

quarters, in such sort that every town and country is full of them, and most men's minds are infected with their doctrine and seditious persuasions ... . The people in many places resort to mass now in greater multitudes, both in town and country, than for many years past; and if it chance that any priest, both known to be factious and working, be apprehended, men and women will not stick to rescue the party. In no less multitudes do these priests hold general councils and conventicles together many times about their affairs ... and they have combined the chief persons in sundry parts of the kingdom in an engagement to declare themselves for their cause, immediately upon the arrival of any foreign succours in their behalf ...

(CSPI 1606-8:309-10).

Ba thír mhisinéireachta í Éire athuair, tír a raibh íola á n-adhradh arís, tír a raibh eiriceacht agus eiricigh le cloí, tír a raibh pobal bocht simplí neamhfhoghlamtha le coimeád nó le tabhairt ar ais sa chreideamh fíor; iad a bhaisteadh is a theagasc, freastal sacraimintiúil le déanamh orthu, ábhar cráifeach le cur ar fáil dóibh. Ag dul ar an misean a bhí na sagairt is na bráithre a bhí á gcur go hÉirinn ag coláistí na mór-roinne, údarás an mhisinéara acu toisc dálaí an mhisin a bheith i bhfeidhm in Éirinn, iad ag plé le comhthionól an *De Propaganda Fide*, iad á n-oirniú thar lear in *in titulo missionis in Hibernia*. Dar leis na húdaráis, gurbh iad na sagairt agus na bráithre seo is mó a bhí ag cothú aighnis agus míshástachta i measc an phobail, go háirithe ós acusan is mó a bhí na ráflaí áiféiseacha agus na scéalta dóchais – go raibh cabhair chucu, go raibh Ó Néill ag filleadh, go raibh na Spáinnigh le teacht arís gan mhoill:

It is lately given out upon all the northern borders on the alleged authority of two priests lately come from beyond the seas, that Henry second son to the Earl of Tyrone, and now with the Archduke, will come into the land this summer, in command of 4,000 of this nation ... (CSPI 1603-6:442).

Is advertised that James Meagh, the priest, is landed .... he reports that Tyrone, with other fugitives, are preparing to come with forces into this kingdom to regain their lost patrimonies, and to gain to those of the Church of Rome the free exercise of their religion. This news is pleasing and welcome unto a people so discontented and unconstant ...

(CSPI 1615-25:22).

It was probable and it is most true this spring has brought hither many priests, Jesuits, and friars, all discoursers of wars and innovation, to which most of this people are so apt to give credit, and it is so welcome news unto them that they presently fall a plotting of mischief and making of parties beforehand, in hope to gain credit with Tyrone and other fugitives when they shall land, which they constantly expect this summer ... (*ibid.* 69).

Is iad na ráflaí is na scéalta dóchais sin an comhthéacs inar fearr a thuigtear an dán fíorshuimiúil (*Ad-chíu aisling im iomdhaidh*) a leagtar ar Aonghus Mac an Bhaird. Aisling í ina dtaibhsítear don fhile go raibh uaisle Éireann – Ó Néill, Ó Dónaill, de Búrca – ag filleadh go caithréimeach, tionól á chur ar mhórshleachta Éireann agus cath fuilteach buacach á fhearadh acu ar eachtrainn:

Ad-chíu aisling im iomdhaidh
budh feas d'Éirinn fhóidiobhraigh ....

Do chonnarc, mar is léir leam,
ag tocht d'fhóirithin Éireann
    drong de laoidheangaibh tar lear
    ós maoileannaibh thonn dtaoibhgheal ....

Annsin tángadar i dtír
cuan Gaillmhe na dtrácht dtoinnmhín,
    a Franncaibh, a fraoch mara,
    scaoth de bhárcaibh béaltana.

Rígh deigh-bhreathach Dhún na nGall,
é ar tús do chonnarc chugam,
    go sluagh reannfhaobhrach gcolg gcorr
    ón gearrshaoghlach ord eachtronn.

Gairid d'aimsir dá éis sin
go teacht Réamainn rígh Forbhuir;[39]
    mo chean toidheacht don fhial fhionn
    ré roineart go hiath Éirionn. ...

Ad-chíu ag teacht don taoibh a-noir
Aodh Ó Néill, ní fáth foloidh,
    óigfhear gan amhluadh ré gcath
    sa chóigeadh armruadh Ultach.

Do chonnarc fós, feirrde an sluagh,
clann Charrthaigh fhuileach armruadh
    'na ndiaidh ag teacht sa tealaigh;
    biaidh a gceart ag Gaoidhealaibh.

Tigid Muimhnigh na múr bhfionn
aneas ó oirear Éirionn ....

Créad ciall an chruinnighthe so?
Leath Coinn is coimhleath Mogha,
    atá an cuire saorghlan séimh
    ar aonmhagh uile d'aoinmhéin.

Aithnim is é is adhbhar dóibh -
an chaor áitheasach armshlóigh -
    scrios Ghall a caomhchlár Criomhthain,
    claochládh nach am d'Éirionnchaibh ... .

Bríogh ar n-aislinge is é sin,
caithfid na laoich ó Londain
    triall tar sál sriobh-uaithmhear soir
    a clár fhionn-bhruaichgheal Fiachoidh.[40]

An tuiscint sin ar a raibh an dán bunaithe, go raibh sé i ndán d'uaisle Éireann filleadh go caithréimeach, is tuiscint lárnach sa dioscúrsa poiblí feasta í, tuiscint a réalaítear mar théama liteartha agus mar aidhm pholaitiúil araon.

III

The priests now preach little other doctrine to them, but that they are a
despised people, and worse dealt with than any nation that hath been
heard or read of ... (CSPI 1608-10:503).

Burdún agus buntéama í an abairt sin don chuid is mó dár
scríobhadh ar chás na hÉireann – ó thaobh na gCaitliceach de – sa
chéad leath den seachtú haois déag. Ba phort coiteann ag na
scríbhneoirí Laidine é, ag scríbhneoirí próis Lobháin é, ag filí na
Gaeilge é; iad araon ag tarraingt as na múnlaí réamhdhéanta céanna a
bhí ar fáil dóibh chun ainnise a gcáis a léiriú. Bhí dóchas ag na Gaeil as
Séamas I, a dúirt Rothe, toisc gur de shliocht na nGael é féin ach is
measa a caitheadh leo ina dhiaidh sin ná mar a chaith na Rómhánaigh
is na Turcaigh leis na Críostaithe, ná mar a chaith an tImpire Adrian leis
na Giúdaigh; ní mó a bhí ábhar caoi ag clanna Iosrael, a dúirt an
Céitinneach, ná a bhí anois 'ag cineadhaibh bochta na hÉireann trés an
inghreim 7 trés an gcoimhéigniughadh atá agá dhéanamh orra'; ba
mhar a chéile cás na nGael agus cás chlann Iosrael nó cás mhuintir na
Traí, a dúirt Fear Flatha Ó Gnímh – ba ghá Eachtar, athLugh nó
athMhaoise chun fóirithint orthu; bhí tairngreacht Phóil tagtha isteach,
a dúirt Ó Maoil Chonaire, mar atá, go dtiocfadh 'faolchoin fhuadoigh a
sdeach eadroibh, ag nách bia truaighe don tréad'; 'mo mhíle truaidhe
Oiléan na Naomh', a dúirt Mac Aingil, '... baguirthear an uile olc
oruinn 7 ar an mhuinntir ghabhus rinn'; farasbarr ainnise amháin a bhí
sa tír, a dúirt Pilib Ó Súillcabháin Béarra, ar mhar a chéilc í agus an Traí
tar éis a scriosta mar a léirigh Virgil í; 'ní hí Éire í, d'éis na bhfear', a
dúirt Cú Choigríche Ó Cléirigh; 'tréad bhocht gan aodhaire inn', a
dúirt Fearghal Óg Mac an Bhaird agus chuir an liodán dobrónach
coscrach in aon líne éifeachtach amháin: *mó sa mhó osna Éireann.*[41]

Scríbhneoireacht reitriciúil is ea an scríbhneoireacht sin trí chéile,
scríbhneoireacht chosantach dreama a bhí faoi ionsaí agus a raibh cúis
a ngearáin á poibliú acu dá muintir féin i nGaeilge agus dá bpáirtithe
thar lear i Laidin. Agus ní mór an saothar sin trí chéile – idir Laidin agus
Ghaeilge, idir phrós agus fhilíocht – a léamh i dteannta a chéile chun
teacht ar thuiscint chóir ar mheanma na haoise sin. Is féidir – agus is
ceart – idirdhealuithe difriúla a aithint sa saothar. Is mó an plé a
dhéantar ar chúrsaí reiligiúin sa phrós, dálaí cultúrtha na tíre is mó a
bhíonn i dtreis i bhfilíocht na dtuataí; saothar ghníomhairí an
Fhrithreifirméisin is mó a fhaightear sa phrós; dearcadh uasaicme
proifisiúnta atá á nochtadh san fhilíocht, dearcadh na haicme léannta a
raibh a saol fite fuaite leis an seanreacht agus a raibh de mhaoin shaolta
agus de sheasamh sóisialta acu ag brath ar an seanreacht sin. Ach ní
idirdhealú absalóideach é aon cheann de na hidirdhealuithe sin, mar
go neodraíonn na húdair féin gach ceann acu; údair ar shagairt agus ar

fhir léinn iad, ar scríbhneoirí próis agus ar fhilí Gaeilge iad in éineacht go minic. Neodraíonn an saothar féin na hidirdhealuithe sin freisin ar saothar cosantach polaimiciúil é uile idir sheanchas, ábhar cráifeach agus fhilíocht pholaitiúil. Ach seachas aon chúinse eile, is é is mó a neodraíonn na hidirdhealuithe sin na tuiscintí comhchoiteanna atá laistiar den saothar uile. Ceann de na tuiscintí sin, ar thuiscint nua agus ar théama nua i litríocht an tseachtú haois déag í, is ea an nóisean gur chogadh ar son an Chaitliceachais é cogadh na hÉireann. An t-ionannú a bhíothas a dhéanamh anois idir anchás na hÉireann agus anchás na hEaglaise Caitlicí in Éirinn, téann a bhunús polaitiúil siar go dtí an dara leath den séú haois déag – siar chomh fada le héirí amach Thomáis an tSíoda sa bhliain 1534. Dar le Jones, gurbh é an t-éirí amach sin 'the first of the wars of religion in Ireland' (F.M. Jones 1967:1) agus dhlúthaigh imeachtaí polaitiúla na haoise in Éirinn agus san Eoraip an próiseas. Dar leis an Phápacht thall, agus dar leis na cinnirí abhus, gur chogaí ar son an chreidimh fhír iad éirí amach na nGearaltach (1579), éirí amach Baltinglass (1580), agus cogadh Aodha Uí Néill (1592-1603); gach duine acu – idir phápa agus chinnirí – ag baint úsáide as an reiligiún mar thaictic chogaíochta is mar straitéis pholaitiúil: an pápa Pól III ag tabhairt 'Prince of Ulster ... the defender of the Roman Church and Catholic religion' ar Chonn Ó Néill; Séamas Mac Gearailt ag dearbhú gur 'ag cosnamh ár gCreidimh agus ár ndúthaighe' a bhí sé; Aodh Ó Néill agus Aodh Ó Dónaill ag míniú do rí na Spáinne, agus cabhair á lorg acu uaidh, go raibh sé ar intinn acu "that, at the first opportune moment, they would take up arms in defence of the catholic faith and the liberty of their country"; Dónall Ó Súilleabháin Béarra ag achainí ar Philib III na Spáinne, sa bhliain 1602, cabhrú leis sa 'chogadh catholica-sa' a raibh sé páirteach – cogadh a bhí á throid i gcoinne 'ar n-eascarad gcruadhálach mallaighthe mí-chreidmheach'; Ó Maoil Chonaire agus Lombard araon ag áiteamh gur chogadh i gcoinne na n-eiriceach é an cogadh a d'fhear Ó Néill ar Eilís; na saighdiúirí a chuaigh don Spáinn go luath sa seachtú haois déag a dhéanamh a bhfortúin, ag fáil poist ghradamúla is pinsin i seirbhís na Spáinne de bharr a raibh déanta in Éirinn acu "in defence of the Catholic cause".[42]

Ach bíodh gur féidir a áiteamh gur straitéis pholaitiúil ag uaisle Éireann é leas a bhaint as an reiligiún ar mhaithe lena n-aidhmeanna saolta féin – seilbh a choimeád ar a dtailte – ní mór a thuiscint freisin nach ar aon taobh amháin a tharla an t-ionannú idir náisiúnachas agus reiligiún. Aghaidh Phrotastúnach a chaith fórsaí an choncais in Éirinn: tríd is tríd is é an té a bhí ag iarraidh an bíobla agus an sibhialtas a scaipeadh in Éirinn a bhí freisin ag iarraidh teacht i seilbh ar thailte na nGael. Mar a mhínigh Dónall Ó Súilleabháin Béarra do Philib III, i litir a chuir sé chuige ar an 29 Nollaig 1601 'ón camp láimh re Cionn tSáile', bhí na heascairde 'ag múchadh an chreidimh Chatoilica go diabhluidhe, ag básúghadh ar n-uaisle go díbhfeargach 7 ag sanntughadh ar ndúthchais go haindlightheach'.[43] Dhá ghné chomhlántacha den obair mhorálta chéanna ab ea an phlandáil agus an tsoiscéalaíocht, arbh í an aon aidhm amháin a bhí leo – idir reiligiún agus shibhialtas a bhunú in Éirinn. Mar i Sasana freisin, ó aimsir Eilíse i leith, bhí ionannú iomlán tagtha i gcrích idir an Stát féin agus reiligiún oifigiúil an Stáit agus b'é dán an Stáit sin, a tuigeadh coitianta, treoir mhorálta a thabhairt do chiníocha eile an domhain. Níor Shasanach go Protastúnach anois (Haller 1963:120,245) agus b'é príomhnamhaid an Stáit an Caitliceach piseogach agus an Caitliceachas Íosánach ollchumhachtach. Faoin seachtú haois déag, ní eilimint d'fhanaiceacht reiligiúnda a bhí sa fhrithchaitliceachas i Sasana, ach gné lárnach den ideolaíocht náisiúnta (Wierner 1971). Namhaid don Stát ab ea an Caitliceach toisc gur thug sé dílseacht do stát eile – an Phápacht – agus toisc gur chreid sé, nó gur creideadh coitianta gur chreid sé, go raibh an chumhacht ag an Phápacht prionsa eiriciúil a athriú. Bhí an Gael mídhílis, dar leis an Stát, ní toisc gur Ghael é ach toisc gur pháipis é a thug géillsine do 'foreign jurisdiction' agus a raibh na cinnirí polaitiúla a bhí air de shíor ag plé le naimhde na ríochta, leis an Spáinn go háirithe, príomhchumhacht Chaitliceach na hEorpa. An cogadh a bhí á throid in Éirinn, níor chomhrac idir cumhachtaí polaitíochta amháin é, ná níor choimhlint chultúrtha amháin é ach oiread, ach cogadh idir dhá ideolaíocht reiligiúnda: idir an Reifirméisean is an Frithreifirméisean agus is é a bhí le gnóthú ag an ideolaíocht a bhainfeadh bua, greim ar aigne agus ar dhílseacht mhuintir na hÉireann.

Ó thús nocht an t-aos léinn a n-aigne i dtaobh an chomhraic sin go soiléir is go hoscailte agus de athruithe uile na tréimhse is é an claochlú reiligiúnda is túisce a thugadar faoi deara. Sa bhliain 1537 tuairiscíonn na Ceithre Máistrí go raibh 'Eithriticeacht 7 seachrán nua hi Saxaibh ... go ndeachadar fir Saxan in aghaidh an Phápa 7 na Rómha' (ARÉ v:1444). Bíodh nach bhfuil sé cinnte gur tuairisc chomhaimseartha í sin, tá tuairiscí comhaimseartha eile ar fáil sna hannála a dhíríonn, mar an gcéanna, ar an gclaochlú reiligiúnda:

> Deilp Muire miorbhaileach do bhí i mBaile Átha Truim, dar chreideadar Éireannaigh uile re cian d'aimsir roimhe sin ... do loscadh le Saxanachaibh ... an Pápa 7 an Eaglais abhus 7 thoir ag coinnealbháthadh na Saxanach tríd sin ... (AC:1538.6).

> Saxain do bheith ag díbeirt iarsma na nOrd ar fud Éireann ... (*ibid.* 1540.4).

Cuntas níos iomláine agus níos mine ar na hathruithe a bhí i gceist a thugann na colafain a scríobh Flann mac Cairbre agus Corc Óg Ó Cadhla sna blianta 1554 agus 1578 faoi seach. 'Maoilaide Maria' (.i. an bhanríon Máire) a bhí i gceannas agus Flann mac Cairbre ag scríobh: 'tá sí a cur in creideamh 'na suighi 7 guidhim Dia do chungnamh ré'; níorbh ionann don dá rí a bhí i gcumhacht roimpi (Edward agus Henry):

do dhigbreadur na ríghethi sin na huird, 7 do hithdí feoil carghais 7 Aíne reo; 7 do impaiteadar oidhthi na n-altórach bud tuaigh, 7 do bhuaidhreadar in seirbhís (RIA 23 P 16:190).

Le linn Eilíse a bhí Corc Óg Ó Cadhla ag scríobh:

Et is í is prionsa Saxan 7 Éireand ann .i. Queen Elizabeth ... 7 atáid Saxanaigh agá rádh gurub aice atá airdcheannus an chreidimh 7 is bréag dóibh óir is dearbhtha linn gurub é an Pápa ceand na hEagailse naomhtha cathalgdha ...' (RIA 24 P 14:134).

Is leithne peirspictíocht an fhile anaithnid a scríobh dán (*Fúbún fúibh a shluagh Gaoidheal*) timpeall na bliana 1541 ag magadh faoi na huaisle a raibh géillte acu do Anraí VIII; trí heilimintí difriúla den ghníomhaíocht easonórach sin na n-uaisle a cháineann sé, eilimintí a bhain le reiligiún, polaitíocht is teanga:

Fúbún fán ngunna ngallghlas,
    fúbún fán slabhra mbuidhe,
fúbún fán gcúirt 'gan Bhéarla,
    fúbún séana Mheic Mhuire.

A uaisle Inse seanAirt,
    neamhmhaith bhur gcéim ar gclaochlúdh,
a shluagh míthreórach meata,
    ná habraidh feasta acht *faobún* (Ó Cuív 1974).

Is fíor gur ghlac baill áirithe den uaisle, idir chléir is tuath, leis an Reifirméisean ar dtús, ach níor bhuan an cumann é agus roimh dheireadh an tséú haois déag ba léir go raibh ailínithe ag formhór na huaisle le fórsaí an phápa. Ní réalaítear an ceangal sin sa litríocht go dtí an seachtú haois déag agus ansin faightear sa Laidin agus sa Ghaeilge é, sa phrós agus san fhilíocht, ag cléir agus ag tuath é – tuiscint choiteann uileghabhálach. 'Tu Catholicis es confugium' a dúirt Pilib Ó Súilleabháin Béarra le rí na Spáinne ina achainí chuige, á chur ar a shúile dó go raibh Éire seachas tíortha eile thuaisceart na hEorpa seasmhach ina Caitliceachas; b'é a reiligiún, a dúirt Lombard, an t-aon rud amháin a d'aontaigh Éireannaigh le chéile; bhí an talamh féin Caitliceach a dúirt John Roche, easpag Fhearna: "the very ground the Irish tread, the air they breathe, the climate they share, the very sky above them, all seem to draw them to the religion of Rome".[44] *A Bhanbha, is truagh do chor*, a dúirt Eoghan Ó Dubhthaigh, Proinsiasach; bhí ina chogadh anois idir Caiptín Lúitéar is Caiptín Cailbhín ar thaobh amháin agus ar an taobh eile Pádraig 'do ghénerál féin':

A Bhanbha, is truagh do chor!
    is iomdha, anocht, ar do thí
chum do chnámh do chreinn go léir,
    a aoinMhic Dé, ainic í.

Ag siúd sluagh Saxan id dháil,
    a Iaith Fáil, chosnas an chóir;
is fir Alban do chin uait,
    thorut fa gcuairt – is tuar bróin.

Narab tusa Saxa óg,
  a Bhanbha mhór, is fearr ainm!
oirdheirc thú san gcruinne, a ghrádh;
  mosgail, trá, ná caill do ghairm. ...
Ná bíodh ré sluagh deamhan slim;
  olc a gcinn chum catha do chlódh:
Caiptín Lúitéar is beag neart
  's caiptín Cailbhín nach ceart glór.
Pádraig do ghénerál féin;
  is líor é dhá chur i ndíoth;
cros Chríost do bhur gcosnamh in am;
  biaidh neart céad 's gach duine dhíobh ....[45]

Tá an dán sin Uí Dhubhthaigh ar cheann de na dánta Gaeilge is
túisce a ndéantar ionannú iomlán ann idir cor na hÉireann agus cogadh
na hEaglaise Caitlicí ach tá an tuiscint chéanna go follasach agus go
rábach laistiar de shaothar Uí Mhaoil Chonaire, Mhic Aingil agus an
Chéitinnigh. B'fhéidir go gceapfaí nach ábhar iontais sin ó ba chléirigh
iadsan a raibh dlúthbhaint acu le hobair an Fhrithreifirméisin in Éirinn,
ach ba thuata é Ó Súilleabháin Béarra agus tá an tuiscint sin agus an t-
ionannú céanna le fáil ina shaotharsan agus i saothar na bhfilí tuata
freisin. B'ionann agus éag d'Éire, a dúirt Fear Flatha Ó Gnímh 'ceilt a
córa 's a creidimh'; ar na tubaistí a bhí tite ar Éirinn bhocht, a dúirt
Aindrias Mac Marcais, bhí 'cosc ar cheól', 'glas ar Ghaoidheilg' is gan
lua 'ar fhíon nó ar aifreann'; bhí Éire anois 'mar do bhí an Traoi arna
toghail' a dúirt Dónall Ó Dálaigh sa chaoineadh a chum sé ar Dhónall
Ó Súilleabháin Béarra († 1618); bhí 'na Gaoidhil dá ngeimhliughadh'
is gan ach 'neamhthoil d'ord is d'Aifreannaibh'; i ndán a chum sé ar
mheath na héigse, caoineann Eoghan Mac Craith uireasa na
pátrúnachta, 'amhghar is easbhaidhe' a bheith ar na huaisle, an ceol, an
dán, an léann a bheith faoi dhímheas; ach caoineann chomh maith go
raibh tithe Dé 'na ndúrbhoithibh' agus 'iodhbairt choirp Dhé fa dhíon
fhiodhbhaidhe'; sa dán a scríobh Fearghal Óg Mac an Bhaird ar thuras
míshona a thug sé ar Albain, míníonn sé go beacht fáth a
mhíshástachta: bhí 'ord is Aifreann' tréigthe aige, níorbh fhéidir leis
'corp an Choimdheadh' a chaitheamh in Albain, 'ní chreideann Alba fa-
ríor' go raibh 'fuil an Airdríogh' san abhlainn, dá bharr san, b'fhada leis
go mbeadh sé ar ais in Éirinn; mar léiriú ar chor an tsaoil, caoineann
Lochlainn Ó Dálaigh go raibh 'Coimhthionól tuatha i dtigh
naomh/seirbhís Dé fá dhíon bhfionnchraobh'.[46] Tagairtí leithleacha atá
i bhformhór na n-athfhriotal sin, seintimintí nach ndéantar aon síneadh
amach orthu sna dánta a bhfaightear iad ach nach foláir iad a thagairt
don fhráma tagartha céanna. Is é an fráma tagartha é gurbh ionann
anois, dar leis an aos léinn, cás na hEaglaise Caitlicí in Éirinn agus cás
na hÉireann féin nó, ar an chuid is lú, gur gné d'anchás coiteann na tíre
é cás na hEaglaise Caitlicí in Éirinn. Déantar nochtadh iomlán ar an
ionannú sin agus síneadh amach ar an nóisean sa chaoineadh a chum

Eoghan Rua Mac an Bhaird (*Maith an sealad uair Éire*) ar bhás Ruairí Uí Dhónaill, Iarla Thír Chonaill, sa Róimh sa bhliain 1608: ó tháinig na Gaill go hÉirinn ní raibh codladh sámh, sos comhraic ná síocháin acu go dtí anois; pé dream eile ar tháinig lagmhisneach orthu go dtí seo níor tháinig ar chlann Chonaill; níor scaoileadarsan a ngreim ar a dtailte uathu, sheasadar le chéile i gcoinne na nGall is níor ligeadar 'isteach 'na dtír/sect Lúitéir, léigheann Cailbhín'; is chun nach bhfeicfeadh sé Éire 'in ilreachtaibh éagsamhla/gan iris gcrábhaidh 's gach cill' a d'fhág Ó Dónaill slán ag Éirinn; níor cuireadh riamh roimhe sin 'críoch ar fhlaitheas mac Mílidh', ach d'fhéadfadh 'rí Sagsan' a rá anois – 'd'aimhdheoin fhear nUladh' – go raibh Éire 'ina thiodalsan'; is mó cúis ghoil a bhí ann:

> Is treise gach teidhm oile
> do cailleadh, cúis eólchoire,
>   onóir a háras saor sean,
>   cádhas a naomh 's a neimheadh.
>
> Do dheachaidh ceó ar a creideamh
> meitheal uathmhar eithrigeadh
>   ar fud bhfíniomhna Dé dhil,
>   fíriomdha gné ar a ngoilthir.
>
> Doire, Ráth Bhoth, taobh ré taoibh
> truagh lem chroidhe an dá chathaoir,
> . gan bhreó ag cagail a gcreidimh,
>   gan leó acht abaidh eithreigigh.
>
> Gan oirchinneach 'na fhorba,
> gan chléireach, gan chomhorba;
>   gan fhear gcoirne, gan mhaor minn,
>   gan oighre ar naomh ná naoimhchill (DER:13 §§ 80-3).

An t-ionannú sin idir anchás na hÉireann agus anchás na hEaglaise Caitlicí a fhaightear ar dtús i bhfíorthosach an tseachtú haois déag, is téama lárnach i bhfilíocht pholaitiúil na Gaeilge as sin suas é. Léiriú maith é lárnacht an téama sin ar an toradh a bhí ar an gcogadh úd idir Caiptín Liútar agus Geinireál Pádraig; léiriú é freisin ar thuiscint chomhchoiteann uileghabhálach. Is uileghabhálaí fós tuiscint chomhchoiteann eile i litríocht na linne. An litríocht sin, idir Laidin agus Ghaeilge, idir phrós agus fhilíocht, is saothar reitriciúil í tríd is tríd agus is saothar polaimiciúil í den chuid is mó, mar atá léirithe againn. Ní fhaightear, ní nach iontach, sa saothar sin aon léiriú oibiachtúil ar anchás na hÉireann ná aon anailís ar na dálaí ba chionsiocair le turnamh na nGael. Ní hamháin nach bhfaightear agus nár chóir a bheith ag súil le hinbhreithniú fuarchúiseach i saothar dá shórt ach, dar leis an aos léinn, nach raibh aon ghá in aon chor le hanailís, le hoibiachtúlacht ná le hinbhreithniú, mar bhí cúis an mhífhortúin a raibh Éire bhocht tite inmhínithe agus ríshoiléir. *Díoghaltas Dé is adhbhar ann*, a dúirt Lochlainn Ó Dálaigh; *fearg Íosa fo-deara a dáil*, a dúirt

Fearghal Óg Mac an Bhaird. Agus is mar sin a tuigeadh do gach aon
fhile eile dá ndearna cur síos ar staid anacrach na hÉireann ag an am;
díoltas Dé ar mhuintir na hÉireann de bharr a bpeacaí féin:

> Fearg Dé ré gcách dá gcolgadh
> is é as fháth dá n-ionnarbadh ....
>
> Éigceart na nÉireannach féin
> do thrascair iadsoin d'aoinbhéim,
>   ag spairn fá cheart ghearr chorrach,
>   ní neart airm na n-eachtrannach ....
>
> Mo léan! ní hé tréine an tslóigh sin
> ná boirbe na foirinne ó Dhóbhar
>   ná neart naimhead do chaill ár ndóchas
>   acht díoltas Dé tá i ndéidh a chóra ....

Agus bhí leigheas a gcáis chomh simplí leis an míniú – aithrí; ach
muintir na hÉireann aithrí a dhéanamh thiocfadh Dia i gcabhair orthu
athuair:

> Aithrighe a-nois dá nós sin
> truagh nach déanaid meic Mhílidh;
>   do sceith a dhíbheirge dhíobh,
>   do bhreith fhírfheirge an airdríogh ....
>
> Fada an tréimhse atáithí i mbroid,
> freagraidh so, a phobal Pádraig,
>   th'aire ribh, a chlann chridhe,
>   ag sin am na haithrighe ....[47]

Áiríonn Seán Ó Tuama (1965) an téama sin ar cheann de na 'téamaí
iasachta' a tháinig isteach sa Ghaeilge, dar leis, ó fhilíocht pholaitiúil na
Fraince. Ach más 'téama iasachta' é ní móide gurb í litríocht na Fraince
foinse na hiasachta mar gur téama bíobalta é a fhaightear i litríocht na
Gaeilge na céadta bliain sula bhfaightear i litríocht pholaitiúil na
Fraincise é.[48] Ach ní leor mar mhíniú air a rá gur téama fréamhaithe
bíobalta é; d'eascair an téama litearrtha as ceann de bhuntuiscintí
coitianta na linne, as ceann de bhunchoincheapanna iarthar na hEorpa
sa séú agus sa seachtú haois déag: an *Deonú*.[49] Is é a chiallaigh an teagasc
sin gur rialaigh Dia an saol uile, ní hamháin ó cheann ceann na cruinne
ach go teamparálta chomh maith – ó thús ama go lá an bhrátha: bhí
pleanáil fhadtéarmach i gceist. Laistiar den saol uile, ón ngníomh ba
neafaisí go dtí an tarlang ba thaibhsí, bhí toil Dé a thoiligh agus a
cheadaigh an uile ní. Ba choincheap leaisteach é seo a mhínigh idir
thubaiste is ádh de réir mar a thit ar dhaoine agus a thug sólás don
daibhir is sásamh don saibhir in éineacht; coincheap duibheagánta arbh
fhéidir tarraingt as de shíor chun an uile ghné den saol a mhíniú. Ní
mar chluiche ná mar chrannchur a bhí an saol ordaithe – b'in é
creideamh na bpágánach – ná ní mar thoradh loighiciúil ar dhálaí
nádúrtha, mar a mhúin lucht na heolaíochta nua, ach mar réaladh
iomlán ar thoil Dé á hoibriú féin amach. *Providentia*, dar le Patrick

Lombard, faoi deara d'Aodh Ó Néill a bheith chomh hámharach sin
sna blianta roimh 1601; toil Dé amháin, a raibh a lámh féin san obair, a
stiúraigh an prionsa stuama seo, a chosain ó gach olc is ó chlis a namhad
é agus a choinnigh slán é go raibh sé imchuí aige cogadh a chur ar Eilís;
is 'ó Dhia ... do deonaigheadh' an chóróin do Shéamas I, dar le
Fearghal Óg Mac an Bhaird; Dia a dheonaigh Éire a bheith faoi 'riar
ainbhfine eachtrann' dar le Maol Mhuire Ó hUiginn; 'Cia riaghlas an
saoghal maille ré a bhfuil ann?', a d'fhiafraigh Antóin Gearnon
seanmóirí; d'fhreagair féin: 'Dia sdiúras é 7 ordaigheas a ndéantar ann'.
Ach, a d'fhiafraigh sé go reitriciúil, 'nach le cinneamhain theagmhaid
mórán dá ndéuntar ann 7 go speisialta na huilc?' D'fhreagair féin arís:
'Ní headh, achd lé fulang Dé, do bhrígh nach toirmisgeann iad ar son
ar bpeacadh'. Ba thuigthe as sin, a d'áitigh sé, 'gurab mór an
tiodhlacadh do dhuine a phurgadóir d'fhagháil san saoghal-sa'. 'Ní
bhfuil ní ar bith', a theagaisc *An Bheatha Dhiadha*, 'is taitneamhuighe
agus is sáimhe ná duine do thréigean a thola féin go hiomlán agus toil
Dé do chomhlíonadh'; bhí dhá aithne ag toil Dé: 'aithne ... a chuireas
d'fhiachuibh oruinn an ní is cóir dhúinn do dhéanamh; an dara
haithne, an ní is cóir dúinn d'fhulang, mur atá tinneas, saothar 7 anró
a léigeas Dia oruinn dochum ar maitheasa féin 7 achum lórghníomh ar
bpeacadh'.[50]

Buneilimint lárnach sa choincheap ab ea an ceangal sin idir an
fhulaingt agus an peaca: an tubaiste, an galar, nó an mí-ádh a cheadaigh
Dia a thitim ar dhaoine, ní hamháin gurbh é a leas é ach ba léiriú
follasach gach ceann acu ar fhearg Dé lena phobal peacach. Sa
chaoineadh a chum Aonghus Fionn Ó Dálaigh (*Soraidh led chéile a
Chaisil*) ar Dhónall Mac Cárthaigh Mór sa bhliain 1596, dúirt go raibh
an tubaiste sin agus a deasca tuillte ag a mhuintir 'd'fheirg an ardríogh';
nuair a fuair Aodh Rua Ó Dónaill bás sa Spáinn, sa bhliain 1602, b'é Dia
a cheadaigh agus a dheonaigh é, a dúirt Mícheál Ó Cléirigh, 'a mallacht
d'Inis Éireamhóin'; is 'tré fheirg nDé ris an bpobal bpeacach', a dúirt
Mac Aingil, a sciob an bás Bonaventura Ó hEodhasa go hanabaí ó
mhuintir na hÉireann; 'peccata nostra', a dúirt Pilib Ó Súilleabháin
Béarra, faoi deara an scrios a bhí imithe ar *res publica* na hÉireann, an
ruagairt a bhí imithe ar uaisle is ar mhórghaiscígh na nGael, an
meascadh trína chéile a bhí imithe ar uasal is ar íseal; i gcaoineadh a
chum Dónall Ó Dálaigh ar Dhónall Ó Súilleabháin Béarra dúirt gurbh
é 'oirbhire Dé ar na daoinibh' faoi deara dó 'ré ghairid' a fháil sa saol
seo; 'bá follus diomdha Dé 7 a n-ainshén for Gaoidhealaibh
glanFhódhla' i gcath Chionn tSáile a dúirt Mícheál Ó Cléirigh; peacaí
na Spáinne, peacaí na hÉireann agus a pheacaí féin ina dteannta, a
dúirt Ó Maoil Chonaire, faoi deara gan cabhair a bheith ag teacht arís
ón Spáinn; ní raibh duine de chlann Chonaill ná de shliocht Eoghain
nár thuill fearg an Ardrí, a dúirt Mac an Bhaird, is dá bharr sin bhí
deoraithe déanta díobh anois; ach ní hiadsan amháin a bhí ciontach,

mar ní raibh sliocht d'uaisle na nGael ná de na 'Fionn-Ghoill féin' nár 'thuill a dtarla dhóibh':

> Féachadh clann Chonaill cia dhíobh
> nachar thuill fheirg an Airdríogh;
>   is féachadh síol Eoghain air,
>   deoraidh dhíobh ar na ndéanaimh.

> Féachadh clann Charthaigh ó Chliaidh,
> ríoghradh chródha chrú shaoir-Bhriain;
>   cia nár thuill a dtarla dhóibh
>   fa Bhanbha Chuinn i gcéadóir.

> Féachadh clann Ír nár ob cath
> is síol Bhriain mhóir mhic Eachach,
>   Laighnigh agus clann Cholla,
>   's gach clann aingidh eatorra.

> Fine Gaoidhil, Fionn-Ghoill féin,
> tearc dhíobh dá gcluintí a gcaithréim,
>   nachar tairngeadh tocht re a dteann
>   gur maidhmeadh olc na hÉireann ....[51]

Is é an réaladh is iomláine agus is áitithí ar an gcoincheap seo is eol dom i litríocht na Gaeilge an léiriú fíorchumasach a rinne Séathrún Céitinn air in *Trí Bior-ghaoithe an Bháis*. Dála an ábhair sa saothar sin trí chéile, tá cuma seanmóra ar an sliocht áirithe seo, idir thógáil, chomhdhéanamh is áiteamh. Ceist bhunúsach shimplí is pointe tosaigh dá léiriú: cad ina thaobh go bhfaigheann daoine áirithe bás an-óg agus go maireann drong eile i bhfad? 'Toil Dé' an freagra bunaidh a bhí ar an cheist agus mar mhíniú amháin air bhí peacaí na dtuismitheoirí arbh fhéidir do Dhia iad a agairt go dtí an treas nó an ceathrú glúin. Bhí léiriú soiléir comhaimseartha ar an fhírinne sin ar fáil in Éirinn, dar leis:

> Bíodh a fhiadhnaise sin ar mhórán d'uaislibh an oiléin se na hÉireann, agá ndeachaidh báthadh ar mhórán dá dtighthibh onóracha, ionnus nach fuil acht ainbhfine agá n-áitiughadh don chur so; ⁊ iad féin – an mhéid maireas dá n-iarmhar – i moghsaine ⁊ i mbochtacht, ag íoc uabhair ⁊ aindlighidh, drúise ⁊ droichbheart, fill ⁊ fionghaile a sean ⁊ a sinnsear. Gonadh uime sin do-rinne Maolmhuire Ó hUiginn, aird-easpog Thuama, an rann so:

> > Fuilngidh Dia dúthaigh a sean,
> > tré anuabhar Mhac Míleadh,
> >   críoch ainglidhe fá n-iadh tonn,
> >   fá riar ainbhfine eachtronn (TBG:5356-67).[52]

Trí shaghas peaca d'áirithe ba ghnách le Dia a agairt ar an saol seo — dortadh fola le feall, leatrom i gcoinne na hEaglaise agus gnáthú an adhaltrannais — agus ar na ceithre hainiarsmaí a lean peaca an adhaltrannais bhí bás a fháil gan oidhre. Bhí go leor samplaí ar fáil in Éirinn den ainiarsma sin, a dúirt sé, agus 'muna mbeith eagla a easgcairdeasa do tharraing orainn' do liostálfadh sé iad; mar sin féin, 'mar rabhadh don léaghthóir' luann sé cuid acu:

Acht cheana, mar rabhadh don léaghthóir, cuirfead síos ann so, acht
ciodh leasg leam a luadh, beagán don druing rér bhean (fa-ríor) dochar
na dála so, ar mbeith gan mac ag gabháil oighreachta ar aon díobh; mar
atá Gearóid, Iarla Chille Dara; Tomás Buitléar, Iarla Urmhumhan ⁊
Osraighe; Domhnall Mhág Carrthaigh, Iarla Bhéil-innse; Muiris Mac
Gearailt, Tighearna na nDéiseach; ⁊ Rolont Iústás, Tighearna Chríche
Iústásach; Éamonn Mac Giobúin, dá ngairthí an Ridire Fionn; ⁊ an
Calbhach Ó Cearbhaill, dá ngairthí Tighearna Éile. Agus muna mbeith go
raibhe an drong adubhart chomh-follus soin ciontach san choir se go
bhfuilid a ngíomha san ngné sin i mbéalaibh cáich go coitcheann, do
fhúigfinn iad mar gach lucht oile gan labhairt orra. Gonadh uime sin do-
rinne file éigin an rann so:

> Gach rí colach do-ní drúis,
>   coir chuireas a shúil do niort;
> is é an gníomh soin tar gach scéal
>   cheileas a shéan is a shliocht (*ibid.* 5444-61).

An peaca ceannann céanna ba chionnfáth le gabháltas Gall in Éirinn:

Is amhlaidh thuigim gurab i ndíoghaltas adhaltrannais Ruaidhrí mhic
Thoirdhealbhaigh Uí Chonchubhair, ríogh Connacht ⁊ adhaltrannais
Dhiarmada Mhic Mhurchadha, ríogh Laighean, do dheónuigh Dia
Gaoidhil do dhealughadh ré hard-fhlaitheas Éireann, ⁊ Gaill do
dhéanamh gabháltais orra. Óir léaghthar ar Ruaidhrí Ua Chonchubhair
nachar lór leis seisear leannán do bheith aige gan a thoil féin do bheith
aige ar gach mnaoi 'na dhúthaigh 'na gcuirfeadh dúil, gémadh pósta nó
neamhphósta do bhiadh sí. Agus is follus do thaoibh Dhiarmada Mheic
Mhurchadha gurab tré mhnaoi Thighearnáin Uí Ruairc do bhreith leis
tarla gach dochar dá ndearnaidh sé dhó féin ⁊ d'Éirinn. Gá dtám ris, is
iomdha flaitheas foirleathan, ⁊ ríoghfhuil rathmhar ro-uasal do ruagadh
go ro-aibéil trés an bpeacadh so, mar is léir i leabhraibh irse ⁊ annála na
n-ard-fhlaitheadh anall-ód (*ibid.* 5462-76).

Is é tábhacht an léirithe áirithe sin a rinne Céitinn an chuma fhíor-
éifeachtach ar éirigh leis idir mhoráltacht is náisiúnachas, idir reiligiún
is pholaitíocht a tháthú go healaíonta in aon teagasc amháin: mar
dhíoltas i bpeaca na drúise a dheonaigh Dia an gabháltas. *Do dheónuigh
Dia*: ag sin eithne choincheapúil na teoirice agus an téama araon.
Téama liteartha is ea é ach ní le téama liteartha go bunúsach atáthar ag
plé, ach le tuiscint chomhchoiteann agus níl sa téama, dá uilí é, ach
réaladh ar an tuiscint sin. Is iad na hEabhraigh is túisce a tháinig ar an
tuiscint gurbh é a bhí sa stair réaladh ar thoil Dé á hoibriú féin amach
diaidh ar ndiaidh ó thús ama. Laistiar de gach díomua catha, de gach
anorlann, de gach anachain, bhí toil Yahweh agus b'í sin an tuiscint ar
an stair agus ar Dhia ar ghlac an Chríostaíocht léi agus ar tugadh múnla
liteartha di den chéad uair sa seantiomna.[53] Agus faoi mar nár tuigeadh
riamh do chinnirí eaglasta ná intleachtra na nIosraeilíteach go
bhféadfadh míniú eile, seachas toil Yahew, a bheith ar a n-ainriocht ná
cúis eile, seachas peacaí na muintire, a bheith leis, níor tuigeadh do
chiníocha ná do dhreamanna eile – Protastúnaigh Shasana, Caitlicigh

na hÉireann, Piúratánaigh New England, polaiteoirí Florence – gur ghá aon mhíniú eile a lorg ar a gcás seachas an *Deonú*.[54]

Is cinnte gur shólásach an teagasc go bunúsach é. An té ar luigh mí-ádh, anró nó éagóir air, dob fhéidir dó sólás stóchach a bhaint as a mhífhortún saolta ach a thuiscint gurbh é Dia – ar mhaithe leis – a dheonaigh a anchás. Dob fhéidir gnáth-thubaistí laethúla an tsaoil a fhulaingt ach a thuiscint gurbh é Dia uilechumhachtach a cheadaigh iad. Ós é Dia a cheadaigh an uile chor sa saol, ós é a d'fhulaing an uile anachain, an uile mhífhortún, an uile bhriseadh, agus ó féachadh ar gach tubaiste acu mar réaladh ar fhearg Dé lena phobal tofa féin, tugadh tábhacht reiligiúnda dóibh – tugadh brí dóibh; dob fhéidir iad a mhíniú agus, dá réir sin, dob fhéidir glacadh leo. Deonú Dé á oibriú féin amach sa stair ó thús ama, fearg Dé á nochtadh féin sa phurgadóireacht láithreach; ba mhíniú iomlán sásúil comhaimseartha é ar chor míshásúil an Ghaeil sa seachtú haois déag. Dá shimplí linne inniu mar mhíniú an coincheap seo, ba mhíniú éifeachtach áiseach é ag an am, míniú a bhí inghlactha, ní hamháin ag an bpobal piseogach neamhshofaisticiúil a bhí 'ar bheagán foghlama, lán do chreideamh' (SC:4876), ach ag an bpobal mór trí chéile, idir léannta is neamhléannta. Míniú é a bhí ar fáil ag an aos léinn, míniú a scaoil iad ó aon inbhreithniú oibiachtúil réalaíoch a dhéanamh ar na dálaí ba chúis le hanchaoi na hÉireann agus a scaoil go háirithe iad ó aon mhéar chúisitheach a shíneadh i dtreo Shéamais. Pé duine d'áirithe a bhí le milleánú, níorbh é Séamas é, dar leis an aos léinn; pé dream a bhí le ciontú in anchás na hÉireann, níorbh iad na Stíobhartaigh iad.

IV

Agus is móide atá féidhm againn Dia do ghuidhe, a throime fhearas Sé a fhearg orruinn, do réir mar chuireas aindlighthe na haimsire so i gcéill dúinn é, mar go gcuirid dealbhóiridhe an dlighe an manach agus an méirleach, an bráthair agus an bitheamhnach, an sagart agus an sladuighe, an cléireach Catoilice agus an ceithearnach coille i gcómhmheas agus i gcómhchlann a chéile, agus aon smacht amháin orduighthear do dhéanamh orra leath ar leath ... .

    Rug ortha – ní cóir a cheilt –
    an bhroid do bhí san Éigeipht,
       nó an líon fan Traoi do thionóil,
       nó an sníomh do bhaoi ar Bháibhiolóin ... .

Baguirthear an uile olc orainn 7 ar an mhuinntir ghabhus rinn ... Níor smuain an eiricliar so do ghabháil uainn gan pianta agus príosún do thabhairt dhúinn nó bás d'imirt oruinn ....[55]

Ach dá mhéad an olagóireacht is an deorchaoineadh a rinne na
scríbhneoirí ar anchás na hÉireann is na hEaglaise Caitlicí, agus dá
bhrónaí iad na liodáin a chumadar de na hoilc a bhí á n-imirt ar Éirinn
is ar a pobal Caitliceach, is cinnte nach raibh an inghreim chomh
forleathadúil ná chomh dian is a thug an prapaganda sin le tuiscint.
Bhí, is fíor, greim docht ag an Stát gallda ar Éirinn uile anois agus, de
réir an reachta nua, bhí an chléir Chaitliceach fógraithe is cleachtadh
an Chaitliceachais cosctha; ach is fíor freisin go raibh líon na cléire
Caitlicí is cleachtadh an Chaitliceachais ag dul i méid feadh na huaire.
Na tuairiscí a scríobhadh i dtús an tseachtú haois déag ar anchás
Chaitlicigh na hÉireann, is thar lear, ní miste a mheabhrú, a scríobhadh
iad den chuid is mó agus pé acu i nGaeilge nó sa Laidin a scríobhadh
iad, pé acu Gael nó Sean-Ghall, cléireach nó tuata a scríobh,
comhthéacs polaitreiligiúnach na Spáinne agus na hÍsiltíre a mhúnlaigh
iad uile. Na cuntais a scríobh Ó Maoil Chonaire agus Mac Aingil go
háirithe ar an inghreim bharbartha leanúnach dhofhulaingthe a bhí á
himirt ar Chaitlicigh bhochta na hÉireann, is cuntais iad a scríobhadh i
bhfad ó láthair an chatha, in Salamanca agus i Lobháin faoi seach,
cuntais nach foláir a thagairt do iomláine na fianaise comhaimseartha.

Is í an ghné is suimiúla de stair an Reifirméisin in Éirinn a laghad a
d'éirigh leis.[56] Murab ionann is Alba, Sasana agus an Bhreatain Bheag is
beag an fréamhú a rinne an reiligiún nua stáit i measc aon aicme den
phobal dúchais in Éirinn. Ní hamháin sin, ach an chéad chéim den
Reifirméisean a cuireadh i bhfeidhm chomh hiomlán, chomh tapaidh
sin sa Bhreatain – an eaglais áitiúil a aistriú ó thionchar na Róimhe go
húdarás náisiúnta – níor cuireadh i gcrích riamh in Éirinn í. Is mó cúis,
ní foláir, a bhí leis an teip sin. Sna tíortha a raibh conách ar an
Reifirméisean (sa Ghearmáin is sa Bhreatain) is ag leibhéal an pharóiste
a d'éirigh leis go príomha toisc leordhóthain sagart a bheith ar fáil a
raibh ar a gcumas an briathar a chraoladh i dteanga na muintire. Ní
hamhlaidh a bhí riamh in Éirinn. Thréig na Protastúnaigh abhus ceann
de bhunphrionsabail an Reifirméisin maidir le húsáid na teanga
dúchais – sampla ionadach amháin den mhí-éifeacht is éidreoir a bhí ag
baint ó thús leis an Reifirméisean in Éirinn. Ní raibh riamh polasaí
leanúnach comhordaithe Reifirméisin á chur chun cinn go huilí ná go
síoraí in Éirinn is níor caitheadh riamh leis an athnuachan reiligiúnda
an díograis ná an éifeacht chéanna a caitheadh leis an gconcas
polaitiúil. Ba ghearán coitianta ag na cinnirí eaglasta i Sasana é gur mhó
an tsuim a bhí ag na gníomhairí in Éirinn sa 'private gain' ná 'the
reformation of the country' (Canny 1979:449); mar a dúirt Aodh Ó
Raghallaigh, 'they took more paines to make the land turn protestant
than the people' (Reily 1695:iii). Ach ní mí-éifeacht ná easpa
dúthrachta amháin a bhí i gceist, mar fiú an chuid acu a bhí tiomnaithe
don Reifirméisean in Éirinn, bhí contrárthacht ag baint ó thús lena n-
aidhmeanna agus, dá réir sin, éidreoir ar a gcuid oibre. Ní hé nach

raibh a fhios acu cad chuige a bhíodar ná cén aidhm phríomha a bhí acu; is amhlaidh nach rabhadar mar ghrúpa misinéirí i dtír choimhthíoch ar aon fhocal i dtaobh conas ba cheart nó conas ab fhearr obair athnuachana an Tiarna a chur chun cinn.

B'eilimintí lárnacha bunúsacha comhchoiteanna i ndearcadh ghníomhairí an Reifirméisin in Éirinn gur dhream barbartha primitíbheach míshibhialta iad na Gaeil, dála dhúchasaigh Mheiriceá; go rabhadar mídhílis ina theannta sin agus nach bhféadfaí iad a thabhairt chun dílseachta go deo go dtí go ndéanfadh nó go dtí go ndéanfaí Protastúnaigh díobh. Ach is ansin go díreach – sa tríú heilimint den chreideamh comhchoiteann sin – a bhí an fhadhb. Bhí idir reiligiún is shibhialtas comhcheangailte le chéile i gcur chun cinn an Reifirméisin; bhí freisin, mar dhá thaobh den mhodheolaíocht chéanna, beartú an chlaímh agus craoladh an bhriathair. Ach b'fhadhb bhunúsach straitéiseach í cé acu ar cheart tosaíocht a thabhairt dó – don chlaíomh nó don bhriathar? Ní fhéadfaí, dar le haicme amháin, an reiligiún fíor a chur siar ar na Gaeil dhomhúinte go dtí go dtabharfaí, dá n-ainneoin féin, chun sibhialtais iad: 'the sword alone without the Word is not sufficient' a dúirt Adam Loftus, ardeaspag Bhaile Átha Cliath, 'but unless they be forced they will not once come to hear the Word preached' (CSPI 1588-92:366); chuir Sir John Davies níos soiléire fós é: 'For, the husband-man must first breake the land, before it bee made capeable of good seede .... So a barbarous Country must be first broken by a warre, before it will be capeable of good Government' (1612:4-5). Ó ba phágánaigh fós iad na Gaeil níor dheacair an t-ionracas morálta a agairt mar thacú le hobair fhuilteach an chlaímh: ba cheart caitheamh leo mar a chaith na Spáinnigh le dúchasaigh Mheiriceá.[57] Ach, dar le haicme eile acu, nár leasú reiligiúnda go hiompú toiliúil ó chroí. Dá mba dá n-ainneoin féin, le priocadh an chlaímh, a thabharfaí na Gaeil chun an chreidimh fhír chasfaidís arís ar a bpágántacht bhunaidh mar nach leanfaidís dílis don chreideamh fíor ach an fad a bheadh an claíomh os a gcionn. Ba cheart dul i muinín na soiscéalaíochta, an teagaisc, an oideachais agus é sin sa teanga dhúchais freisin a d'áitigh John Long, ardeaspag Ard Mhacha agus Hugh Brady, easpag na Mí. Sin mar ab éifeachtaí a chuirfí an Reifirméisean chun cinn agus uathu féin tharraingeodh na Gaeil athnuaite an sibhialtas ina iomláine chucu féin. Mar a dúirt an tEaspag Brady agus tacaíocht á lorg aige i measc a chomhreiligiúnaithe do bhunú Ollscoile i mBaile Átha Cliath 'this is the way to plant true religion here, utterly decayed, the way to extinguish ignorance, the only mother of murder, robbery with vices infinite' (Bradshaw 1977:46). Níorbh easaontas i dtaobh straitéise amháin é an t-aighneas sin, bhí bunús intleachtúil fealsúnta leis freisin, ach is é an toradh a bhí air go praiticiúil mar aighneas nár leanadh d'aon pholasaí leanúnach comhtháite ag cur an Reifirméisin chun cinn in Éirinn: polasaí débhríoch contrárthach a bhí ann ó thús isteach sa seachtú haois déag. Séamas I féin, bíodh go raibh aidhm shoiléir chinnte aige – comhfhreagracht phoiblí iomlán – ní raibh sé féin ná a chomhairleoirí deimhnitheach den mhodh ab éifeachtaí leis an aidhm a chur i gcrích agus bíodh gur fíor gur achtaíodh dlíthe peannaideacha ó am go chéile i réimeas Shéamais, ní raibh aon pholasaí docht leanúnach aige féin nó ag a rialtas maidir le feidhmiú na ndlíthe céanna.

Níorbh é an t-aighneas fealsúnta straitéise úd amháin ba chúis leis an éiginteacht pholasaí sin Shéamais; bhí freisin diminsean idirnáisiúnta i dtreis go follasach, go háirithe suim na Spáinne i gcúrsaí na hÉireann. Ó thús a réimis is go háirithe ó cheangail sé conradh síochána leis an Spáinn sa bhliain 1604, bhí ar Shéamas is ar a chuid feidhmeannach aird shíoraí a thabhairt ar an pholaitíocht idirnáisiúnta. D'fhág sin go léir nár cleachtaíodh riamh in Éirinn inghreim leanúnach uilíoch mar a rinneadh i Sasana féin. Inghreim threallach amháin a bhí i gceist, ach dá mhéad í is dá fhíochmhaire í ag aon uair faoi leith, nó in aon áit faoi leith, ní raibh sí riamh chomh holc sin gur chuir sí isteach ar fhás ná ar neartú na hEaglaise Caitlicí. Mar is sa tréimhse sin, go háirithe idir 1610 agus 1640, a tháinig an Eaglais Chaitliceach in Éirinn chuici féin arís tar éis chlaochlú an tséú haois déag. Sa bhliain 1612 ní raibh ach an t-aon easpag Caitliceach amháin sa tír; sa bhliain 1630 bhí fiche easpag nua ceaptha, iad ag feidhmiú agus iad ar a ndícheall eagraíocht na hEaglaise Triontaí a bhunú is a chur chun cinn in Éirinn. Ó thús na haoise bhí na céadta sagart óg ag filleadh ó na coláistí Éireannacha san Eoraip, oiliúint an Fhrithreifirméisin orthu, flosc na misinéireachta adhainte iontu, agus bhí toradh céadach ar a saothar. I dtuarascáil ar staid an Chaitliceachais in Éirinn a chuir an t-idirnuinteas sa Bhruiséal chun na Róimhe sa bhliain 1613, dúradh nach raibh na dlíthe peannaideacha á gcur i bhfeidhm, go raibh an Caitliceachas á chleachtadh go hoscailte, agus go raibh isteach is amach le míle sagart ag gníomhú sa tír. Ghearáin Donnchadh Ó Briain, Iarla Thuamhan, gur líonmhaire na sagairt i mbailte na Mumhan ná saighdiúirí an rí; b'iad na sagairt sin trúpaí ionsaithe na Pápachta agus is acu a bhí an lá.[58] Tosaíodh ar obair na deoise athuair agus ar fhreastal sacraimintiúil a dhéanamh ar riachtanais an phobail. Tionóladh seanaid rialta den chléir agus de na heaspaig, atógadh agus athosclaíodh mainistreacha, rinneadh atheagrú ar struchtúir na hEaglaise agus bunaíodh na hionaid riaracháin, idir pharóistí agus deoisí, athuair. Cinntíodh an t-easpag mar phríomhghníomhaire riaracháin is spioradálta na deoise agus leagadh síos de réir a chéile an sistéam lárnach cliarlathach a bhí achtaithe ag Comhairle Thrionta. Is í spioraid Chomhairle Thrionta, spioraid an leasaithe is na hathnuachana, a bhí laistiar den ghluaiseacht atheagraithe trí chéile agus faoi dheireadh na tréimhse bhí institiúid na hEaglaise in Éirinn níos eagraithe is níos disciplíní ná mar a bhí le cúpla céad bliain roimhe sin.

Ní téarnamh struchtúrtha amháin a bhí i gceist san athnuachan. Mar aon leis an athstruchtúrú follasach sin, bhí feachtas teagascach oideachasúil agus feachtas léannta acadúil ar siúl freisin ar chuid den choimhlint reiligiúnda Eorpach trí chéile é; feachtas ar baineadh earraíocht as an uile ghléas cogaidh a bhí ar fáil, an léann nua is teicneolaíocht nua an chló san áireamh, chun é a chur chun cinn. Mar a mhínigh Mac Aingil, bhí leabhair chráifeacha Ghaeilge curtha ar fáil cheana ag na heiricigh, leabhair a bhí 'ag tarruing thréada Chríosd ó chreideamh as ó chrábhadh' (SSA:91-2); bhí a n-uile dhícheall á dhéanamh ag na heiricigh sin 'chum iad féin do chor i gcosmhuile éigin ris an eagluis bhfírinnigh, mar bhíd na hapadha dá gcur féin a gcosmhuile ris na daoinibh' (*ibid.* 80-3) agus ba ghá do lucht an chreidimh fhír leabhair chráifeacha a chur ar fáil i nGaeilge faoi mar a bhí déanta 'ag gach náision Chatoilic eile' (*ibid.* 68).[59] I gColáiste San Antaine i Lobháin ina ollamh le diagacht a bhí Mac Aingil agus is ón gcoláiste sin amach a stiúraíodh an feachtas teagaisc a bhí faoi lánseol in Éirinn. Is é *Teagasc Críosdaidhe* Uí Eodhasa an chéad léiriú foirmiúil ar an bhfeachtas sin, leabhar a bhí bunaithe go hiomlán ar chaiticeasma Bellarmine *Copiosa Explicatio* is ar theagasc Chomhairle Thrionta. Bíodh go raibh caiticeasmaí eile scríofa ag Éireannaigh eile roimhe sin, is é saothar Uí Eodhasa an t-aon cheann acu a foilsíodh ag an am agus is é is mó a d'fhág rian ar chaiticeasmaí eile Gaeilge ina dhiaidh sin.[60] Don choitiantacht, ar ndóigh, a cuireadh na caiticeasmaí sin ar fáil; do chinnirí na coitiantachta, ní foláir, don chléir féin go háirithe a scríobhadh *Scáthán Shacramuinte na hAithridhe, Sgáthán an Chrábhaidh, Eochair-Sgiath an Aifrinn* is *Trí Bior-Ghaoithe an Bháis.*

Díríodh sa dá shaghas saothair, idir theagasc bunúsach simplí is léiriú léannta údarásach, díríodh ar na príomhphoncanna difríochta teagaisc, creidimh is deasghnátha a bhí tagtha chun cinn idir na heiricigh is na fíréin: bíodh go raibh 'ráidhte na Protastúin comh follus soin in a mbréig ionnus nach fiú iad freagra do thabhairt orra', mar a dúirt Céitinn, mar sin féin 'ó do chuadar thar chiumhsaibh na córa, agus thar fóir na fírinne, do mheas mé freagra foirfe fulláin do thabhairt orra, do chosnamh agus do choiméad cirt agus córa an Chreidimh Chatoilice, agus go háirighthe anns an bpunc prionsabálta in a bhfuil ar n-imreasán riú-eadhon, i dtaoibh an Aifrinn'; sa leabhrán beag simplí teagaisc ar bheathaí Phádraig, Bhríd is Choluim Cille a scríobh an Proinsiasach Robert Rochford d'fhéadfaí, a dúirt sé,

> by these points insisted upon, and instanced by us, you may learn the sympathy between us moderne Catholikes and St. Patricke, and between S. Patrike and the primitive Christians; and on the contrary, discover the discrepancy of the Protestants, not only with S. Patrike, whome I am sure they will discarde for a very superstitious papist, but from all the current of the ancient Catholiks, having no more alliance with them than truth with falshood, light with darkness, or Christ with Belial;

b'fhollas, a dúirt Ó Maoil Chonaire, 'dá mbeidís na neithi-si a deir

Lúitéur 7 Cailbhín 'na bpungcuibh creidimh, mar a deirid-sion, go mbiadh S. Aibhisdín 'na eiricidh', ba ag an bpápa amháin agus 'agá ngéillionn dó atá creidiomh Chríosd ór ní fhuil aca féin'; bhí sé in aghaidh an uile réasún, a dúirt Ó hEodhasa, a rá 'go mbiadh seachrán 'na gcreideamh ar na seanaithribh naomhtha ... nó ar naomh Pádraig tug Éire dochum creidimh, do dhíbir naithreacha neimhe eisde, do-níodh míorbhuileadha dofhaisnéisi; nó ar naomhaibh oile Éirionn, Colaimcille, Brighid, Ciarán'; 'más creideamh claon', a dúirt Mac Aingil, 'do chuir an Róimh lé Pádruig chuguinne iar gcailleamhuin an chreidimh chóir dhí féin, as creideamh róchlaon do chuir go Saxan lé hAibhisdín do chuir Greghóir Mór chuca'.[61]

Mar a léiríonn na sleachta sin go soiléir, an eisréimíocht bhunúsach a bhí anois bunaithe idir Caitlicigh is Protastúnaigh ní hí an diagacht, an fhealsúnacht, an mheitifisic ná an deasghnáth amháin a bhí mar bhunús léi; comhcheangailte leis na heiliminí difriúla sin uile bhí malairt bhunúsach dearcaidh ar an stair féin, ar fhíorais na staire agus ar an léamh a bhí le déanamh orthu. Chaithfeadh gur mar sin a bheadh ón uair go raibh san Eoraip dhá eaglais ag áiteamh gurbh aici féin amháin faoi seach a bhí an fhírinne iomlán, ós ise amháin a shíolraigh go díreach ón aon eaglais fhíor a bhunaigh Críost. Is mar choimhlint idir an liotúirge is an briathar is gnách an choinbhliocht reiligiúnda san Eoraip trí chéile a chur in iúl: na Caitlicigh ag tabhairt tosaíochta do liotúirge an aifrinn, tús áite á thabhairt ag Protastúnaigh do bhriathar Dé. Ní mar sin a bhí in Éirinn. Fad a bhí na Protastúnaigh abhus ag áiteamh eatarthu féin i dtaobh straitéise is diagachta 'the counter-reformation, without a sword to brandish, preached the word and won the battle' (Bradshaw 1977:48). Bíodh gur deacair gan teacht le conclúid an Dr Bradshaw, fós ní mhíníonn sin an bua éachtach. Ceist í atá pléite go minic ag staraithe le blianta beaga anuas "cén fáth ar theip ar an Reifirméisean in Éirinn?";[62] an cheist is ceart a chur, dar liom, 'cén fáth ar éirigh leis an bhFrithreifirméisean in Éirinn'? Ní toisc gur theip go tubaisteach ar cheann amháin a d'éirigh leis an gceann eile, ach ní móide go dtuigfear bua céadach iomlán an Fhrithreifirméisin in Éirinn go dtí go dtuigtear agus go mínítear mianach is ábhar an bhriathair a bhí á chraoladh ag fórsaí na Pápachta. Dar le Mac Aingil nach 'nuailéighionn do-bheirim dhuit, achd an seanphort aithridhe do sheinn Pádruig' (SSA:100) ach is ríléir nach fíor sin, dá éifeachtaí mar reitric í.[63] Port nua a bhí á sheinm ag Mac Aingil is a chomhghleacaithe, port a bhí dírithe, ní ar athnuachan reiligiúnda amháin ach ar athnuachan náisiúnta chomh maith.

A bpeacaí féin is peacaí a sinsir ba bhun le hanró na nGael. Mar a léirigh Céitinn go háititheach is go soiléir, b'é peaca an adhaltrannais ba chionnfáth le gabháltas Gall, an peaca céanna faoi deara d'Iarla Bhéil Inse agus uaisle eile mar é a bheith gan oidhre (TBG:5449). Ní heol dúinn, gan amhras, cén éifeacht a bhí ag an ábhar scríofa sin, ná cén dáileadh a bhí air; is dóichí ar fad nach raibh teacht ach ag éilít liteartha air. Ach níorbh í an fhoirm scríofa an príomh-mhodh teagaisc a cleachtaíodh a chraoladh an bhriathair in Éirinn, ach an 'foircheadal ... ó bheol' mar a thug Mac Aingil air (SSA:3087): seanmóireacht na mbráithre bochta is na sagart, nó mar a deir na páipéir stáit, 'the subtle and wicked ministry of the priests and Jesuits' (CSPI 1606-8:309). Is mó cuntas atá againn ar éifeacht is ar líonmhaireacht na seanmóirithe a bhí ag taisteal ó cheann ceann na tíre a scaipeadh an tsoiscéil, leithéidí Eoghain Uí Dhubhthaigh, mar shampla, a mbíodh na mílte de lucht éisteachta aige, ar ghnách leis ábhar a fhoirceadail a chur ar fáil i bhfoirm shochuimhneach mheadarachta agus ar leath a cháil mar sheanmóirí i gcéin is i gcóngar.[64] Bearna mhór i bhfoinsí na linne is ea é gan cnuasach de na seanmóirí sin a bheith ar fáil, óir thabharfaidís léargas nár bheag dúinn ar an mbriathar a bhí á scaipeadh. Ach tá tuairiscí againn ar sheanmóir amháin acu a thug 'Tyrlogh M'Crodyn' go minic, is cosúil, sa bhliain 1613; fianaise oifigiúil í seo ach ní lúide sin a tábhacht:

> Says that on the 11th October 1613, Tyrlogh M'Crodyn, a Franciscan friar, preached a sermon at a place in the woods called Lisselby Roodan within the barony of Loghenesolyn in the county of Londonderry, where were assembled to hear him, as he thinks, 1,000 people, whereof examinant was one. All the priests of those parts were there to the number of 14. He prayed long, exhorting them to reform their wicked lives, telling them of drunkenness, whoredom, and lack of devotion and zeal; he willed them to take heed that they were not tempted for fear, or desire of gain to go to the English service, telling them, "that those were devil's words, which the English ministers spake, and all should be damned that heard them." He willed them to stand on their keeping and go into plain rebellion rather than go to the English service, and to suffer death by hanging, drawing, and quartering, sooner than submit themselves to their damnable doctrine .... He told the people that the Pope had sent him unto them to comfort them, and that His Holiness had a great care both of their souls and bodies, and that every year the Pope would send unto them holy men, lest they should be seduced and reasoned by the English, and that they should not despair nor be dismayed; though for a time God punished them by suffering their lands to be given to strangers and heretics, it was a punishment for their sins; and he bade them fast and pray and be of good comfort, for it should not be long before they were restored to their former prosperities ... (CSPI 1611-4:429-30).

> And further saith that he vehemently exhorted them not to be afraid of any thing, for Tyrone was coming, therefore willed them to be merry, and of good courage: and for the English, they were to have no rule nor power over them, but for two years. And further said, that he found by his reading in books at Rome, a prophecy, that the English should surcease their rule in Ireland, when a bridge was built over the river at Liffer; and that the king of Spain had 18,000 men in arms ready to come over, whereof Tyrone should be the chief ... (Lodge i:394-6).

Más fírinneach is más ionadach an tuairisc sin, cuireann sí fianaise uathúil ar fáil de mhianach is ábhar an bhriathair a bhí á chraobhscaoileadh agus míniú ar fáil ar a shoghlactha a bhí an briathar sin ag Éireannaigh: is ríléir nach briathar spioradálta go hiomlán a bhí á scaipeadh ach leabhar den athnuachan náisiúnta a raibh cuid mhaith den reiligiún tríd. Is é is suimiúla i dtaobh na fianaise áirithe sin, an parailéalachas soiléir atá idir í agus foinsí eile atá scrúdaithe againn, go háirithe teagasc na scríbhneoirí próis agus saothar na bhfilí. Iontu trí chéile, idir sheanmóirí, fhilíocht is phrós, tagtar ar na seintimintí is ar na téamaí céanna: peacaí na muintire, fearg Dé, eiriceacht dhiabhlaí na Sasanach, filleadh Uí Néill, fíoradh na fáistine; meascán meisciúil den náisiúnachas is den reiligiún. Ní haon chúis iontais go raibh glacadh coiteann leis an mbriathar áirithe sin ná gur éirigh leis an eaglais Chaitliceach in Éirinn greim a fháil ar dhílseacht is ar aigne an phobail trí chéile – greim nár scaoileadh. Maidir leis an choimhlint idir an Reifirméisean is an Frithreifirméisean in Éirinn, ar éigean a bhí aon choimhlint ann a uilí is a thapúla a chuir an Frithreifirméisean an bua tosaigh i gcrích. Ar shlí bhí an choimhlint thart sular thosaigh sí in aon chor, í buaite glan ag Ó Dubhthaigh, McCrodyn is a leithéidí, ní do Phádraig ach don Róimh is don Eaglais Thriontach.

Ní hé gurbh institiúid mhonailiteach aonghuthach í an Eaglais Chaitliceach in Éirinn ag an am; níorbh ea in aon chor – bhí achrainn is easaontais go leor ar siúl i measc a ball, go háirithe i measc na n-oifigeach: easaontas idir an chléir agus na heaspaig, easaontas idir na rialtaigh agus na saoltaigh, easaontas idir na hArdeaspaig agus na suibeaspaig. Bíodh go n-áitítear go minic go raibh scoilt dhomhain fhollasach i measc an chliarlathais agus na cléire trí chéile, difríocht bhéime agus straitéise – agus ní difríocht aidhme ná ideolaíochta – a bhí ann go bunúsach agus níor mhaolaigh an t-easaontas sin dinimic na hathnuachana coitinne ná éifeacht na hiarrachta.[65] Cur chun cinn an Fhrithreifirméisin, an uile shlí dob fhéidir, an phríomhaidhm a bhí ag an Eaglais Chaitliceach in Éirinn; ceann de na slite sin, ag leibhéal na polaitíochta, ab ea é teacht chun réitigh leis an rí agus b'in tuiscint choiteann uilí. Ó Maoil Chonaire féin, bíodh gur thug sé blianta fada dá shaol ag iarraidh arm a thógáil i measc na nÉireannach san Ísiltír chun ionsaí armtha a dhéanamh ar Éirinn, bhí sé freisin, i dteannta Lombard, i measc an dreama a bhí ar a ndícheall ón bhliain 1618 amach ag iarraidh cleamhnas a shocrú idir mac Shéamais (Séarlas) is iníon rí na Spáinne. Má bhí an réasúnaíocht laistiar den taictic sin simplí bhí sí polaiteach chomh maith: ach Caitliceach de bhean a bheith ag an rí, ní fhéadfadh sé gan ceart na gCaitliceach a ghéilleadh; beart a bhí ann chun faoiseamh a bhaint amach do Chaitlicigh na Breataine agus na hÉireann, mar a dúirt Lombard.[66] Má léirigh an taictic sin, i bpáirt Uí Mhaoil Chonaire de, débhríochas i leith an Stáit bhí bunús intleachtúil agus bunús diagachta leis chomh maith. Is é saothar Uí Mhaoil Chonaire an chéad réaladh foirmiúil ar theagasc Bellarmine agus

Suárez a bheith á chur ar fáil in Éirinn agus ar eicsigéiseas comhaimseartha a bheith á sholáthar ar an aithne bhíobalta *reddite ad Caesarem.* Mar a mhínigh Ó Maoil Chonaire é, bhí 'a cheart féin' (SC:4038) le tabhairt do Shéasar; 'cóir eagla rés an rígh dtalmhaidhe atá ós cionn bhur gcorp', a theagasc Mac Aingil, 'córa go mór eagla rés an rígh neamhuidhe atá ós cionn na gcorp 's na n-anmann' (SSA:6316-7).

Thóg Ó Maoil Chonaire páirt lárnach san fheachtas bolscaireachta a d'eagraigh Gaeil Lobháin ag díriú aird na hEorpa ar anchás Chaitlicigh na hÉireann. Inar scríobh sé ar an ábhar – i Laidin, i Spáinnis is i nGaeilge – agus ina gcuirtear síos dó i gcáipéisí oifigiúla cáineann sé go hoscailte, go nimhneach agus go síoraí, an pharlaimint eiriciúil thall, an pharlaimint fhrithnáisiúnta abhus agus an chléir fhalsa thall is abhus; focal cáinte ní nochtann sé i gcoinne an rí. Ag iarraidh, a déarfá, a bhí sé Séamas a scaradh amach óna raibh á dhéanamh ina ainm. Is soiléire fós a chítear sin in *Scáthán Shacramuinte na hAithridhe,* go háirithe sna codanna ina bpléann Mac Aingil cúrsaí a thíre féin. Ba thír í Éire a raibh 'meas tréatúireadh 'gá thabhairt' ar 'chomharbaibh na naoimhchléire', tír nach raibh ach easpag nó dís anois 'agus iad sin i bhfolach, d'eagla pian agus príosúin'; bhí na turais bheannaithe faoi chosc 'tré chumhachd an chlaoinchreidimh' agus bhí an pobal 'gan maighistre gan prealáide gan seanmóntuidhe, leath amuigh do bheagán bhíos i bhfolach d'eagla bháis nó phríosúin'.[67] Ach dá mhéad a ghearáin sé an claonchreideamh is a lucht leanúna, is le cion agus le hurraim a labhrann sé i gcónaí ar 'an rí', 'an rí uasal óirdheirc', 'ar rí uasal' agus déanann sé idirdhealú soiléir idir creideamh Shéamais féin agus creideamh Liútair is Chailbhín: ghéill Séamas, ar a laghad, do chuid de chomhairlí na hEaglaise agus ghlac sé fós le cuid de theagasc aithreacha na hEaglaise; níor lean Séamas lorg an dá mháistir úd go hiomlán agus, pé scéal é, ní ar Shéamas féin, ach ar na drochoidí a bhí aige, a bhí an milleán nár lean sé go dlúth creideamh a mháthar:

> Cé nách foil ar rí uasal óirdheirc 'na mhac ag an eagluis Chatoilce mar do bhádar a sheana 7 a shinnsire achd gur lean fá-raor creideamh na muinntire lér hoileadh é 'na óige (mairg do-bheir a mhac do dhrochoidibh), .i. clann Chalvin agus Lúitéir (Dia glórmhar dá fhilleadh), tar a cheann so, níor lean lorg an dá mhaighisdir mhailíseach so i n-uabhar 7 i n-aindíomas ...(SSA: 5456-62).

> Achd níor lean ar rí uasal (Dia mór dá fhilleadh ar fhírinne) na bathlaigh brodhacha 'sna blasphéimibh barbardha so adeirdís i n-aghaidh na naomhchomhairleach, na naomhathar, 7 na naomhapsdal, gé gur mealladh é fo-raor lé hoidibh do sgoil mhíchreidmhigh na maighisdreach míbhéasach míshubháilceach míghrásach ar a labhruim. Níor chubhaidh léna uaisle 7 léna athardhachd anuabhar na n-andaoine n-uirísiol do leanmhain san mbarbardhachd mhíChríosduidhe se ... (*ibid.* 5494-501).

> A bhuidhe ré Dia, ní hionann labhras an rí óirdheirc ar fhundameintibh an chreidimh agus an dá mhaighisdir mhallachdach mhíonádúrtha mhíonáireacha Lutéir lobhtha 7 Calbhín coirpe cneasdóitthe, úghdair

gach seachráin creidimh dá bhfuil anois i bhforgla na hEorpa, fear díobh
'na Bhráthair Dhubh dhiabhluidhe iar dtréigean a chuingi chrábhaidh 7
a chéille maraon ría, fear eile, Calbhín, 'na shagart shaoghalta shantach
dhrúiseamhuil dhíomsach. Níor chubhaidh dá mhórdhachd ríogdha na
doctúire deamhanda so do leanmhuin ina leithéid so do bharbarrdhachd
7 do bhlasphéimibh .... Achd, gé gur buidheach sinn san cháil se don rígh
mhórchumhachdach, atá gearán dlisdionach aguinn chuigi fá gan an
chuid eile do na comhairleachuibh geiniorálta 7 do na naomhaithribh do
ghlacadh (*ibid.* 5519-35).

Ní miste a mheabhrú gurbh é Séamas féin ceann 'na saoibhchléire'
agus 'an chreidimh fhalsa' a lochtaigh Mac Aingil chomh tréan sin, ach
fós ní dhíríonn ar an gceann aon chuid den fhíoch, den damnú ná den
pholaimic a chaitheann sé ar na baill: aigne thuisceanach mhaiteach a
nochtann sé i leith Shéamais; agus tá an tuiscint mhaiteach sin, agus an
t-idirdhealú is foinse di, ag scríbhneoirí eile an tseachtú haois déag
freisin. Dar le hAodh Ó Raghallaigh, aturnae ó cho. an Chabháin,
nárbh é Séamas féin ach a rúnaí Cecil faoi deara na dlíthe
peannaideacha a chur i bhfeidhm; dar le húdar an phaimfléid *The
Groans of Ireland*, gurbh iad na huaisle agus an pharlaimint a
chomhairligh Séamas a bhí le lochtú:

> Tis most certain, that the King was soon diverted from all this by the fraud
> and wicked artifice of the English Secretary, Crook-back'd Cecil, ... his
> Majesty was prevailed upon to show that party no manner of countenance,
> but to the contrary to pass very severe laws against them upon the account
> of the horrid Powder-Plott ... (Reily 1695:11).

> When her son King James the first came to be King of England and
> consequently of Ireland he past new penall Lawes and attainders against
> the nobility and gentry of Ireland to humour the parliament of England
> and the mobilé of England that really was not fitt to be governed by so easy
> and peaceable a King, and brought a colony of Scotts to inhabit the north
> of Ireland ... (NLI 39:4).

Dhá amharc, tríd is tríd, a fhaightear ar an aos léinn, ar na huaisle, ar
an chléir in éineacht – agus b'aon aicme shóisialta amháin iad sin – i
rith an tseachtú haois déag. Chítear iad ag gearán a gcáis i nGaeilge, i
Laidin agus i mBéarla leis an saol mór, iad ag cur síos go mioninste ar
an éagóir fhollasach a imríodh orthu is ar a raibh fulaingthe acu, iad ag
tarraingt as an múnla réamhdhéanta bíobalta a bhí ar fáil dóibh á
samhlú féin leis an bpobal Eabhrach. Chítear arís eile iad agus iad ag
glacadh leis an saol faoi mar a bhí sé iompaithe amach, leis an ordú
polaitiúil nua, leis an gcóras socheacnamaíoch nua, leis an mhalairt dlí,
leis na luachanna cultúrtha fiú; an sistéam nua á aicliú ar mhaithe leo
féin agus lena dtiocfadh ina ndiaidh; seachas aon ní eile, iad ag glacadh
leis an rí nua a bhí anois orthu arbh é an rí *ceart* é, ar dhuine acu féin
é, agus ar aige is aige amháin a bhí an chumhacht, cumhacht
absalóideach a raibh feidhm dlí agus feidhm ghníomhach phraiticiúil
léi: 'our only lawful, rightful and lineal liege Lord'.

Ba shaonta an mhaise againne é, sofaisticigh intleachtúla an fhichiú haois, a cheapadh go raibh scitsifréine nó coimhlint dhoréitithe ag baint leis an dá dhearcadh sin. Ní raibh: i dteannta a chéile a mhaireadar, dhá dhearcadh a bhí ag freagairt go hiomlán do chás na hÉireann agus do leigheas an cháis sin. An dá mhórghearán a bhí ag uaisle Éireann ó thús an tseachtú haois déag amach, bhain siad leis an talamh agus leis an reiligiún: saoirse chreidimh is seilbh a dtailte, b'in iad an dá aidhm a dtagraítear dóibh arís is arís eile i litreacha, i litríocht is i dtráchtais na linne. Ní raibh ach dhá shlí a bhféadfaí an dá aidhm sin a bhaint amach; le lámh láidir maille le cabhair armtha na Spáinne nó le fabhar agus grása an rí, Cing Séamas. Thuig Lombard an méid sin go maith: is "by the King's favour or by arms", a dúirt sé (O'Brien 1928:455), amháin a d'fhéadfadh na huaisle a n-eastáit a athshealbhú; thuig Ó Néill is Ó Dónaill freisin é: comhréiteach nó airm an rogha a bhí ar fáil acu, a mhíníodar don phápa.[68] Agus triaileadh an dá mhodh i dteannta a chéile, a dhóchas féin á chothú ag gach ceann acu. Tuar mór dóchais ab ea corónú Shéamais dar leis an chléir, an aos léinn agus na huaisle; cúis eile dóchais ab ea Ó Néill is Ó Dónaill a bheith thar lear sa Róimh agus iad ag plé leis an bpápa is rí na Spáinne. Sa Róimh freisin, i dteannta na nIarlaí, bhí Eoghan Rua Mac an Bhaird agus ina chuid filíochtasan nochtar an dá dhearcadh ag iomlat le chéile: brón is ardú meanman, glacadh is diúltú, gríosadh chun gnímh is caoineadh an tseansaoil, géilleadh don ordú nua is dóchas as athbhunú iomlán. Nochtar an t-iomlat céanna i bhfilíocht na linne trí chéile agus i bhfilíocht na bhfilí aitheantúla – féadfaidh gach duine acu port an dóchais nó port an dobróin a sheinnt agus sin in éineacht go minic. Agus sa tslí chéanna go raibh idir dhobrón ainniseach agus dóchas meanmnach inghreamaithe i meafar lárnach litríocht na linne – meafar an phobail Eabhraigh – bhí idir dhobrón agus dóchas fíre le feiceáil ina raibh tite amach agus le léamh ar a raibh fós ag titim amach.

Sinne, ní miste a mheabhrú, a thugann brí chríochnaitheach chinntitheach do chath Chionn tSáile; sinne a bhronnann olltábhacht chorraíleach air mar chath, ach ní mar chlabhsúr in aon chor a d'fhéach muintir na linne air.[69] Briseadh ab ea é, go háirithe dar leis na hUltaigh, ach níorbh é deireadh na himeartha é. Dar leis na cinnirí Ultacha, pé scéal é, go raibh an cogadh deiridh fós le teacht is cúis eile dóchais ab ea imeacht Aodha Rua Uí Dhónaill don Spáinn ag lorg 'fuilleadh sochraide 7 comhfhurtachta'; d'fhéadfadh an turas sin a bheith ina chomhartha 'sláinte' nó 'anbhfáilte', a dúirt Eoghan Rua Mac an Bhaird; dá bhfillfeadh Aodh Rua bheadh leigheas ar fáil 'dar leónadh' agus is go teann a chasfadh sé – 'sceóil dá dtiocfa ar dtaithbheódhadh'; imeacht na nIarlaí féin, is mar dheoraíocht shealadach a chonacthas do na teifigh, dá lucht leanúna is do na húdaráis é: bhí sé i gceist ó thús go bhfillfidís athuair, iad armtha le cabhair na Spáinne is an phápa, iad ag athshealbhú a n-atharga.[70] Is fíor gur *Fríoth an uain se ar Inis Fáil*, mar a chaoin Ó hEodhasa, ach mhair Ó Néill i gcónaí agus, ó mhair, ba chúis dhóchais ag Gaeil agus cúis eagla ag Gaill é:

> Ós asaibhse, a Aodh Uí Néill,
> shaoileas cath Éireann d'éinmhéinn ....
>
> Furtacht Theamhra, má atá i ndán,
> do réir fháistine Ultán,
>   muna dtairbhire Dia deid
>   don tairngire cia chreidmeid ....
>
> Measaid Goill, ní diongna dháibh,
> an gcéin mhaire a mhic Shiobháin,
>   nach innmhe as altoighthe d'fhior
>   imle gartfhoirfe Gaoidheal ... (DER:14 §§ 24,26,35).

Mór do mhill aoibhneas Éireann a ghearáin Fearghal Óg Mac an Bhaird, ach thall sa Róimh bhí an té a raibh sé i ndán dó fós tairngreacht na naomh a thabhairt isteach:

> Ó Néill Teathfa acht go dtí a-le
> ní bhiaidh lag acht 'na linnte ....
>
> Aodh Tailtean muna dtí a-noir
> ní bhiaidh dóigh ina dheaghaidh ....
>
> Cia an fáth nár tharngair a thocht,
> cách ag anmhain re a fhurtocht ....
>
> Do nós Forann tiocfa an tonn
> ar naimhdibh Uí Néill Chualonn,
>   fine Choinn beanfaidh a broid
>   le dearbhthoil tar toinn tánoig ....
>
> Fíorfaidh Ó Néill Colam cáidh
> fíorfaidh fós fuighle Bearcháin ....
>
> É féin leigheosas ar loit
> Tairngeartach chríche Cormoic ... (RIA 23 F 16:70).

As an mbunmheafar céanna agus as an tuiscint chéanna, más ea, a d'eascair Aindrias Mac Marcais ag fiafraí go dólásach 'an bhroid cionnas chuirfidhir ... 's gan Maoise in Éirinn againn?' (thuas lch 16 n. 24) agus Fearghal Óg Mac an Bhaird ag fógairt go cinnte dóchasach gurbh é Ó Néill – ach a dtagadh sé i leith – gurbh é a bheadh ina 'athMhaoise againn' agus gurbh é a bhainfeadh 'fine Choinn a broid'. Tá parailéalachas iomlán idir an dá thaobh den mheafar teagascach sin, an dá phort a fhaightear coitianta ag na filí agus an dá dhearcadh pholaitiúla a bhí á gcur chun cinn agus á gcur i ngníomh.

Is furasta, toisc gur i dteannta a chéile de ghnáth a léitear dánta ar nós *Mo thruaighe mar táid Gaoidhil, Anocht is uaigneach Éire, Cáit ar ghabhadar Gaoidhil?, Fríoth an uain se ar Inis Fáil, Tairnig éigse fhoinn Ghaoidheal, Beannacht ar anmain Éireann* (thuas lch 15), agus go léitear iad neamhspleách ar dhánta eile leis na filí céanna nó neamhspleách ar

shaothar iomlán na linne, is furasta tuairim éagórach a fháil de
ionadacht na ndánta eiligiacha sin i leith fhilíocht na tréimhse sin trí
chéile. Más fíor gurbh é Eochaidh Ó hEodhasa a scríobh an dán
olagónach *Fríoth an uain se ar Inis Fáil*, is é freisin a scríobh an dán
fáilteach dóchais do Shéamas *Mór theasta dh'obair Óivid* (thuas lch 5 n. 3)
agus is é a scríobh dánta molta do Bhrian Mag Uidhir, duine a ghlac go
hiomlán leis an socrú nua agus a bhí, de réir na gcáipéisí oifigiúla, ag
maireachtaint 'very civil after the English manner'.[71] Ó hEodhasa féin,
de réir an eolais atá againn air, ní raibh aon phioc den anró, den
ainscrios, den ainnise a bhfuil cur síos aige orthu sa dán *Fríoth an uain
se ar Inis Fáil* ag baint lena shaol féin: bhí tailte fairsinge ina sheilbh aige
ar a bhás sa bhliain 1612.[72] Más fíor gurbh é Fear Flatha Ó Gnímh a
scríobh na dánta dorcha dólasacha éagaointeacha *Beannacht ar anmain
Éireann, Mo thruaighe mar táid Gaoidhil, Tairnig éigse fhoinn Ghaoidheal*,
scríobh sé freisin dánta suairce adhmholtacha do Sir Éinrí Ó Néill
(Clainne Aodha Buí) is dá bhean Martha, iníon Sir Francis Stafford, dá
macsan Art, do chéadiarla Aontroma, Raghnall Mac Dónaill, agus dán
achainíoch ag lorg pátrúnachta do Sir Art Mag Aonghusa, tiarna Uíbh
Eathach.[73] B'iad an triúr sin – Ó Néill, Mac Dónaill is Mag Aonghusa –
iarmhar na huaisle dúchais in oirthear Uladh, bhí glactha acu le
húdarás an rí, bhí conách orthu, bhí a dtailte fós ina seilbh – is bhí Fear
Flatha Ó Gnímh ag fónamh dóibh mar ba dhual is mar ba dhleacht. Is
é an dán is suimiúla de chuid Uí Ghnímh – ag glacadh leis gurbh é a
chum – dán a scríobh sé do mhuintir Néill (Thír Eoghain) á chur in iúl
dóibh go fealsúnta morálaíoch go raibh deireadh lena ré is lena
réimeas; ró-uaibhreach a bhíodar, an 'easumhla' ba chúis lena dtitim; dá
mb'áil leo cúbadh roimh an stoirm, dála an tsifín, mhairfidís; ach toisc
nár ghéilleadar bhí a ré caite:

> Gearr bhur gcuairt, a chlanna Néill,
> bhur sealg is céadchor cuiléin;
> > bhur seagh is neart ar neimhní
> > bhur dteacht is eadh imdhighthe ....
>
> Do sraonadh oraibh fa-ríor,
> a shliocht uaibhreach na n-airdríogh,
> > an maidhmse, mór na héachta,
> > slógh taidhbhse bhur dtaisbéanta ....
>
> Nochtadh foilt ná feacadh glúin
> níor chleacht sibh ar séan iompúidh;
> > tré bhur neamhsmacht níor nós libh
> > ceannsacht fós in bhur bhflaithibh ....
>
> Tabhraidh d'aire, a aicme Choinn,
> gurb é an easumhla is fochoinn
> > do mhéin an chroinn ó chianaibh
> > 's do bhoing Ua Neill Naoighiallaigh ...
>
> (Ó Cuív 1954 §§ 1,4,12,21).

Tá an dán grástúil a chum Eoghan Rua Mac an Bhaird (*Rob soraidh*

t'eachtra, a Aodh Ruaidh), ag cur beannachta le 'rí Conaill' is é ag triall
don Spáinn ag lorg cabhrach i ndiaidh bhriseadh Chionn tSáile, ar
eolas coitianta:

> D'fhurtacht shleachta Gaoidhil Ghlais
> tar muir ón tráth do thriallais;
>   atáid croidhe sonn gá sníomh
>   le trom n-oire gach airdríogh (IBP:3 § 12).

Ach is annamh a thagraítear do dhán eile ina gcuireann sé an bheannacht
chéanna le Toirdhealbhach (mac Airt Óig mhic Thoirdhealbhaigh
Luinnigh) Ó Néill is é ag dul go Londain ag triall ar Shéamas ag impí air
glacadh leis mar thionónta ar bhás a athar. Thaobhaigh Sir Art Ó Néill (a
athair) leis an choróin sa chogadh déanach i gcoinne Aodha Uí Néill is bhí
a thailte á n-éileamh anois ag a mhac de réir dlí Shasana – mar shinsear na
clainne, le ceart na céadghine. Dar leis an bhfile, gurbh é an
Toirdhealbhach céanna a bhí chun fóirithint anois ar Éirinn; bhí an
ginealach cuí aige agus is é a bhí geallta de réir na tairngreachta:

> Rob soraidh an séadsa soir
> 'nar ghluais rí fréimhe hEoghoin ....

> Do chuaidh go Lundain tar lear
> d'fhagháil oidhreachta a shinnsear ....

> Do thairngir Pádraig Phoirt Breagh:
> tiocfa go mórchlainn Mhíleadh
>   ar feadh Banbha ó mhuir go muir
>   fear a gcabhra d'fhuil Eoghuin ....

> Iomdha fuil ag fiuchadh faoi
> d'uaislibh Fódla an Ghoirt ghéagnaoi ... .[74]

   Ní mór a mheabhrú i gcónaí, gan amhras, gur filíocht phoiblí a bhí i
gceist, filíocht a bhí á scríobh laistigh de mhódanna áirithe
cumadóireachta a raibh a bhfriotal féin ag dul leo. Dhá mhód acusan a
raibh an-ghlaoch orthu ab ea an dán caointe agus an dán fáiltithe.
Caointear bás Ruairí Uí Dhónaill go heolchaireach éagaointeach;
fáiltítear roimh mhac Ruairí go háthasach meanmnach.[75] Níl sé as an
cheist in aon chor nach léiriú beacht í an mhalairt mheanma san
fhilíocht ar an mhalairt dearcaidh sa saol i gcoitinne, dearcadh a bhí ag
iomlat anonn is anall de shíor ó dhobrón go dóchas, ó éagaoineadh go
hardú meanma, ó ghlacadh leis an athrú saoil go diúltú dó. Bhain an
éiginnteacht chéanna agus an chíor thuathail chéanna leis an saol trí
chéile ag an am. 'These days are days of shaking', a d'fhógair seanmóirí
i Sasana, 'and this shaking is universal: the Palatinate, Bohemia,
Germania, Catalonia, Portugal, Ireland, England' (Trevor-Roper
1972:46). Tugann staraithe na linne seo 'the General Crisis of the
Seventeenth Century' coitianta ar an ngábh ginearálta sin san Eoraip
ach ní athrú sóisialta ná athrú polaitiúil amháin a bhí i gceist. Ba athrú
intleachtúil ideolaíoch go bunúsach é, ach athrú ar lean impleachtaí

praiticiúla gnácha coitianta é.[76] Ba thuiscint choiteann í san Eoraip, i measc an intleachtra go háirithe, go raibh an seansaol ag titim as a chéile agus an *dies irae* ar colbha:

> then, as mankinde, so is the worlds whole frame
> Quite out of joynt, almost created lame ...
> Tis all in pieces, all coherence gone;
> All just supply, and all relation ... (Donne:334-5).
>
> The sacred Empire did it selfe o'rewhelme;
> State on state trampled; realm did beat down realme:
> Religion (all this while) a garment wore,
> Stayn'd like a painter's apron, and turn'd whore
> To severall countries, till from deepe abysme
> Up her two bastards came (Error and Schisme),
> She in that motley cloake, with her two twinnes,
> Travell'd from land to land, sowing ranck sinnes,
> Which choak'd the good corne, and from them did rise
> Opinions, factions, black leav'd heresies;
> Pride, superstition, rancour, hate, disdaine,
> So that (me thought) on earth no good did reigne ...
>   (Wedgwood 1960:24).

Ní hionadh macallaí na seintimintí sin a bheith ar fáil i bhfilíocht chomhaimseartha na Gaeilge:

> Baramhail do-bhearar dóibh –
> fuidheall áir d'éis a ndíobhdhóidh ... .
>   Nó is lucht báirce fár bhrúcht muir,
>   nó is drong fuair fios a saoghuil ... .
>
> Ionann is éag na Fódla
> ceilt a córa 's a creidimh ... .
> D'éag a huaisle 's a hoireacht,
> gan toidheacht aici ón oilbhéim ... .
>
> Cruaidh an cás i dtarlamair
>   ar dteacht deiridh an domhain ... .
> Fa-ríor atá an riaghailse
>   dár dtír ag déanamh fásaigh ... .
>
> Táinig an tuile tairse
> longbhriste an chríoch Chobhthaighse,
>   do las pláigh fhíochmhur lonnsa
>   d'fhíorchur áir na hÉirionnsa ... .
>
> Ní thuigid teangtha ar-oile
> críoch ilbhéarlach Iughoine,
>   máthair gan chlann Banba Bhreagh
>   clann gan mháthair mic Míleadh ... .[77]

Is cinnte gur féidir léamh apacailipteach a dhéanamh ar fhilíocht thús an tseachtú haois déag, mura gcuirtear san áireamh ach dánta áirithe le filí áirithe – an chaolchuid de shaothar na tréimhse. Ach an léamh a bheith chomh huileghabhálach agus ab fhéidir, léamh a

chuimseodh idir fhilíocht phearsanta is fhilíocht phoiblí, idir fhilíocht
is phrós, idir phrós na nEaglaiseach is phrós na dtuataí i nGaeilge is i
Laidin, thuigfí, bíodh gurb eilimint thréan amháin í an téama
apacailipteach sa saothar trí chéile, nach é is lárnaí ná is ionadaí. Is
minic a thugtar le tuiscint gur dánta 'pearsanta' náisiúnta iad na dánta
aitheantúla sin seachas na dánta oifigiúla molta a chum na filí go dtí sin.
Ach níl sé as an cheist gur mar chuid de dhualgas file a raibh a luach cuí
saothair ag dul dóibh a cumadh iadsan freisin; níl sé as an cheist ach
oiread gur cheárta filíochta in Ultaibh a bhí ag soláthar na ndánta sin is
á leagadh ar na filí aitheantúla.[78] Mar is cinnte gur dhearcadh coiteann
de chuid an aosa léinn trí chéile é glacadh leis an ordú nua – agus
maireachtaint. Dála an aosa léinn sa chúigiú is sa séú haois a tháinig
chun réitigh leis an ordú cultúrtha nua, tháinig aos léinn an tseachtú
haois déag, an oiread agus a d'fhéadfaidís, chun réitigh freisin leis an
ordú sochpholaitiúil nua agus bhí ag éirí leo go dtí gur thit bonn
socheacnamaíoch an chórais Ghaelaigh as a chéile. Rófhurasta atá sé
sraith amháin dán, file amháin, nó téama amháin a chur i láthair mar
léiriú iomlán deifnídeach ar dhálaí na tréimhse, ach ní thugann sin
dúinn ach léiriú páirteach ar ghné pháirteach de ghréasán iltaobhach.
Mórdheacracht a bhacann orainn léamh léiritheach cróineolaíoch a
dhéanamh ar fhilíocht na tréimhse 1600-25 nach féidir, ach go
hannamh, dáta cruinn a chur le dánta aitheantúla na tréimhse.
Scríobhadh *Beannacht ar anmain Éireann* agus *Anocht is uaigneach Éire*
díreach ar imeacht na n-iarlaí, ní foláir, toisc go bhfuil tagairt iontu do
na hiarlaí a bheith ag triall don Spáinn – an ceann cúrsa nár bhaineadar
amach riamh.[79] Scríobhadh *Tairnig éigse fhoinn Ghaoidheal* i ndiaidh 1612
is léir, toisc tagairt a bheith ann do bhás Eochadha Uí Eodhasa († 1612);
bhí Aodh Ó Néill fós beo († 1616) nuair a scríobhadh *Fríoth an uain se ar
Inis Fáil*, toisc tagairt dó a bheith sa Róimh; sa bhliain 1622, ar a luaithe,
a d'áitigh T.F. O'Rahilly (1950:331) a chum Fear Flatha Ó Gnímh *Mo
thruaighe mar táid Gaoidhil*. Ach más ea, b'in iad na blianta a raibh Ó
Gnímh ag fónamh do Sir Éinrí Ó Néill is dá bhean Martha Stafford, agus
dánta suairce molta sa mhód traidisiúnta á gcumadh aige dóibh – faoi
mar nach raibh aon mhórathrú tagtha i gcrích. Is é an t-atmaisféar céanna
– atmaisféar an ghnáis, an traidisiúin, an leanúnachais – a chothaíonn
saothar na bhfilí eile a bhí fós ag cleachtadh a gceirde. Leanúnachas an
tsaoil – agus ní briseadh, díothú ná scrios – atá le léamh ar
phríomhshaothar fileata thús na haoise – *Iomarbhágh na bhFileadh* – a
cumadh, ní foláir, sna blianta 1617-8.[80]

Ceist acadúil sheanchais – an seanaighneas idir Leath Choinn is
Leath Mhogha – is bun leis an iomarbhá agus síneann na filí amach í go
leadránach léannta agus iad ag scríobh chun a chéile ó cheann ceann
na tíre ag freagairt argóintí a chéile go húdarásach eolgaiseach le
saineolas diamhair a gceirde. An bheirt fhile a thionscain an iomarbhá,
Tadhg Mac Bruaideadha agus Lughaidh Ó Cléirigh, beirt iad a bhí

tagtha slán: bhí Ó Cléirigh fós i seilbh a thailte i gCill Mhic Réanáin mar thionónta ag an rí; bhí Mac Bruaideadha mar shirriam i gco. an Chláir agus mar fhile teaghlaigh, is cosúil, ag Donnchadh Ó Briain, Iarla Thuamhan agus Uachtarán na Mumhan.[81] Ní nach iontach, glacann Ó Cléirigh agus Ó Bruaideadha araon – agus a lucht tacaíochta ar an dá thaobh san iomarbhá – le ceart is le dlisteanas Shéamais; aon cheist amháin aighnis a bhí le réiteach ina thaobh: cé acu le Leath Choinn nó le Leath Mhogha a bhain sé le sinsearacht! Ceist í a bhain leis an seanchas traidisiúnta cinnte, ach ceist a bhí á plé i gcomhthéacs nua ar fad laistigh de fhráma nua tagartha. Is iad na dánta is fearr a léiríonn an comhthéacs nua sin na cinn a chum Roibeart Mac Artúir.[82] Díol suntais ann féin é gur thóg duine mar é – sagart a bhí thar lear – páirt san iomarbhá in aon chor, ach léiríonn sin féin an t-athrú bunúsach a bhí imithe cheana féin ar chomhdhéanamh an aosa léinn. Is suntasaí fós é an dearcadh is an teagasc a chuir sé chun cinn. Gan amhras in aon iomarbhá mar é glacann daoine seasamh áirithe is cosnaíonn é go diongbhálta ar mhaithe le hargóint. Sin é is mianach do chuid mhaith den áiteamh a dhéantar san *Iomarbhágh* ach ní hamhlaidh i gcás Mhic Artúir, ar léir ar a shaothar go bhfuil sé ag glacadh leis an deis teagasc na hEaglaise a dhearbhú is a chur chun cinn. 'Modh, uirrim agus umhlocht' a bhí dlite don rí a bhí i gceannas – murar anlaith é:

> Gibé rachas ós a chionn -
> dlighidh gach neach, cionn i gcionn,
>   munab anfhlaith an rí féin,
>   modh agus umhlacht dóiséin ...
>
> An tan arduighthear i gcéim
> sósar le a shinnsioruibh féin,
>   dlighthear dhíobhsan dó gan locht
>   modh, uirrim, agus umhlocht ... (DMM:38 §§ 52,90).

Brian Bóraimhe féin, ní go dleathach a bhain sé an choróin amach agus litríonn sé amach go neamhbhalbh conas, a mheas daoine, a d'éirigh leis:

> Iomdha neach dá rádh réd Bhrian
> gur le meabhail 's le hainmhian,
>   's nach le fírcheart nó le cóir
>   do bhean amach an choróin (DMM:38 § 65).

Is déine fós a chuaigh Mac Artúir ar Bhrian i ndán eile: is 'go cealgach' a bhain Brian 'an ríoghacht ... do Mhaoil Sheachlainn' agus, dá réir sin, ní raibh ann ach 'anfhlaith'; dá nglacfaí leis an 'anfhlaitheas', is é a leanfadh é 'slighthe easumhla is cogaidh/in aghaidh na bprionnsadh gceart'; dá mbeadh sé ceadaitheach do thír gan 'a mionn dá rígh' a chomhlíonadh níorbh fhéidir smacht a chur ar 'lucht easumhla', ní fhéadfadh aon rí ar domhan rialú, bheadh deireadh le húdarás is chaillfeadh na ríthe 'a gceart 's ... a gcoróin' (IF:16 § § 149,166-71).

Coincheapanna lárnacha i ndánta is in áiteamh Mhic Artúir iad 'an choróin' agus an umhlocht a bhí ag dul don rí 'ceart'; ach tugann sé le

tuiscint go soiléir freisin nach raibh aon ghá in aon chor leis an
aighneas seo agus lochtaíonn sé Tadhg Mac Bruaideadha as an
iomarbhá a mhúscailt an chéad uair. Bhí gaol ag an dá thaobh san
aighneas le chéile agus is fadó riamh a tharla an t-easaontas eatarthu; is
beag a bhí idir an dá thaobh anois ó bhí scartha acu araon le sealbh na
hÉireann, iad gan mhaoin, gan chairde:

> Síol an dá mhac sin Míleadh
> gar a ngaol, gé tá ar síneadh;
>   a n-eascairdeas, cian atchlos,
>   mairg mhúsclas a bhfaltanos.

> Sealbh na hÉireann ar gach taobh
> dearbh gur scar riú-san a-raon
>   beag atá eatorra anos
>   mairg mhúsclas a bhfaltanos.

> Beag mhaireas dá ngabhlaibh gaoil
> tearc a gcaraid, tearc a maoin;
>   's iomdha a n-eascairde anos
>   mairg mhúsclas a bhfaltanos ... (IF:13 §§ 31-33).

Mar a chuir a chomhbhráthair Flaithrí Ó Maoil Chonaire é, ní raibh san
aighneas éadairbheach ach

> Lughaidh, Tadhg agus Torna,
>   ollaimh oirdheirce ar dtalaimh,
> coin iad go n-iomad feasa
>   ag troid fan easair fhalaimh (DMM:26).

Tuairim mar í a nocht deartháir Thaidhg Mhic Bhruaideadha féin – an
t-athair Antaine – blianta ina dhiaidh sin. Ní raibh sa ghnó ar fad ach
'magna sed inutilis controversia' (McGrath 1943:49). Is mar
shaoithínteacht aimrid freisin is mó a fhéachtar ar an téacs inniu, ach i
gcomhthéacs a linne féin téacs tábhachtach staireagrafaíochta is ea é.
Sampla luath Gaeilge is ea é den tsuim ollmhór a bhí múscailte ar fud
na hEorpa sa seanchas traidisiúnta, sna seanfhoinsí, i dtóraíocht na
sinsearachta trí chéile (Kelley 1971). Ní briseadh ná deireadh saoil,
deorchaoineadh ná eolchaire i ndiaidh an tseansaoil is buntéama ná
meanma don *Iomarbhágh* trí chéile ach pragmatachas réalaíoch,
normáltacht is leanúnachas. Agus tá na tréithe céanna – pragmatachas,
normáltacht, leanúnachas – le léamh ar an fhilíocht mholta a bhí fós á
scríobh do na sleachta is do na huaisle ar éirigh leo teacht i dtír ar an
gcor sochpholaitiúil nua nó ar éirigh leo teacht chun réitigh leis:
Raghnall Mac Dónaill, Mac Suibhne Fánad, Niallaigh Chlainne Aodha
Buí, Niallaigh an Fheá, Brian Mag Uidhir, Brian Rua Mag Uidhir,
Díolúnaigh, muintir Eadhra, Nuinseannaigh, Mag Cochláin,
Buitléaraigh, Brianaigh, Cárthaigh Mhúscraí. Agus ní raibh aon leisce
ná scrupall ar an aos léinn fónamh do na huaisle sin. Níl aon chúis nach
ndéanfaidís. Dualgas gairmiúil oifigiúil a bhí á chomhlíonadh ag na filí
is níorbh aon chuid den dualgas sin riamh é anailís oibiachtúil

pholaitiúil a chur ar fáil. A muintir féin a bhí i gceist, an uaisle dhúchais áitiúil ar fhóin na filí riamh dóibh. Bhí maoin, tionchar is cumhacht fós acu – cumhacht shóisialta áitiúil mar thiarnaí talún acu go léir agus cumhacht pholaitiúil náisiúnta ag cuid acu mar ardoifigigh ag an rí. Bhí an uaisle sin fós toilteanach an léann dúchais a chothú, bhí éileamh fós acu ar ghinealaigh, ar dhánta molta is caointe, ar dhuanairí, ar lámhscríbhinní – pátrúnacht riachtanach.

Sampla fíorspéisiúil sa phatrún ginearálta sin is ea Donnchadh Ó Briain († 1624), Iarla Thuamhan. I Sasana, i gcúirt Eilíse, a cuireadh oiliúint air agus is ina Phrotastúnach a tógadh é. Feadh a shaoil sheas sé le húdarás na corónach in Éirinn agus chabhraigh le feidhmiú is le buanú an údaráis sin i gcúige Mumhan. Throid sé i gcoinne Uí Néill ag cath Chionn tSáile, dílseacht ar díoladh a comhar leis go céadach ina dhiaidh sin: cheap Séamas I ina uachtarán ar chúige Mumhan sa bhliain 1615 é. Is ina lámhasan go príomha a bhí feidhmiú an údaráis ríoga sa chúige ach fós níor tháinig an t-údarás sin idir é is aos léinn na Gaeilge. Dar le hEoghan Mac Craith gurbh é 'éanmhac iomhain na hÉireann' é; dar le file anaithnid gur do Ó Briain ba 'dhual clú cneasaithe ár gcréacht', bíodh gur 'thrua dhúinn gur Saxanach é';[83] dar le Tadhg Mac Bruaideadha gur thug Ó Briain 'ceathracha is ceithre bliadhna ... ag cungnamh don choróin' le 'deighsheirbhís', ach fós ba lúide 'dánacht Danar' dá bharr is ba mhairg do Ghaeil is don Mhumhain a bhás.[84] Caoineadh poiblí is ea dán Uí Bhruaideadha is, mar sin, b'éigean don fhile gnás riotuálach cumadóireachta a leanúint, ach b'fhéidir nach áiféiseach ar fad an moladh áirithe sin ag Mac Bruaideadha ar a phátrún. B'fhéidir go raibh ruainne éigin den fhírinne ann: b'fhearrde an tír is a muintir Éireannaigh seachas eachtrannaigh a bheith ag feidhmiú an údaráis ríoga in Éirinn.[85] Agus laistiar den adhmholadh fileata go léir bhí fíric thábhachtach dhoshéanta: cuma cén 'deighsheirbhís' a thug Ó Briain don choróin, bhí sé feadh a shaoil, mar a bhí a mhuintir roimhe, 'studious of the antiquities of our nation' agus é rannpháirteach i gcothú na litríochta is an aosa léinn.[86] Nochtann saol is gníomhréim Uí Bhriain patrún soch-chultúrtha áirithe dúinn is múineann ceacht cinnte dúinn: fad a bhí teaghlach uasal in Éirinn ar éirigh leo seilbh a choimeád ar a dtailte, bhí dánta molta á scríobh dóibh, cuma cén dearcadh polaitiúil a bhí acu; is de réir mar a chaill an uaisle dhúchais seilbh a dtailte – aonfhoinse maoine na huaisle – a chuaigh filí na scol as.

Toisc a choscraí a nochtann na filí oidhreachta a gcás i ndánta aitheantúla na linne is deacair gan géilleadh dóibh agus gan glacadh lena ndearcadhsan mar an t-aonléamh ar chor na haimsire. Ní mór cuimhneamh gur thitim aicme – aicme uasaicmeach phroifisiúnta – agus ní titim pobail a bhí i dturnamh na bhfilí. Dar le Fear Flatha Ó Gnímh go raibh deireadh le 'éigse fhoinn Ghaoidheal' (ND i: 1); tá a fhios againne nárbh fhíor sin. Dearcadh uaibhreach suibiachtúil an fhir ghairme a raibh a phost, a ghradam is a sheasamh sa saol i mbaol atá á nochtadh aigesean; tá a fhios againne gur bláthú suaithinseach agus dibhéirsiú taibhseach a chuaigh ar litríocht na Gaeilge sa seachtú haois déag; gurbh í an aois sin an aois ba mhó saothar sa Ghaeilge leis na céadta bliain roimhe sin agus nach foláir an seachtú haois déag a rangú i dteannta an tseachtú haois agus an dara haois déag ar na haoiseanna móra athordaithe, athnuachana agus cruthaíochta. Nuair a ghearáin Ó Gnímh, sa dán céanna, go raibh 'fuil chrannda dá cora i gcion/'s na fola arda íseal' tuigimid dó ach tuigimid freisin go raibh ag teacht aníos chomh maith aicmí nua filí a raibh pobal níos leithne is níos ilghnéithí acu ná bhí riamh ag filí na scol. Nuair a ghearánann Ó Gnímh, Ó hEodhasa, Mac an Bhaird is na filí eile cás anróch tubaisteach na hÉireann is ceart, agus is féidir, tuiscint dóibh ach is ceart a thuiscint freisin nach é iomláine an scéil é agus nach dtugann na dánta sin – dá mhothaithí bhrónaí iad – ach léiriú páirteach dúinn ar dhálaí aimpléiseacha na linne agus, chomh maith céanna, nach dtugaid ach léiriú páirteach dúinn ar dhearcadh is ar ghníomhaíocht an aosa léinn. Léiriú eile ar a ndearcadh is ea a thapúla a tharraing cuid acu gairm bheatha eile chucu féin san aon institiúid a raibh fós gradam, stádas is cumhacht le fáil acu – san Eaglais. Agus is mar sin a tharla go gcastar sloinnte na dteaghlach léannta – Ó Maoil Chonaire, Ó Cléirigh, Ó hEodhasa, Mac an Bhaird, Mac Colgáin, Mac Aodhagáin – chomh coitianta sin orainn i measc ghníomhairí an Fhrithreifirméisin in Éirinn. Léiriú eile fós ar a ndearcadh is ea a choitianta agus a thapúla a ghlac an t-aos léinn trí chéile páirt sna hinstitiúidí nua riaracháin. Is deacair, b'fhéidir, an glacadh sin agus seintimintí na ndánta dólásacha a thabhairt dá chéile; is deacra fós a thuiscint go raibh an t-aos léinn ar na haicmí is túisce agus is mó a ghlac leis an ordú nua agus a chabhraigh lena fheidhmiú.

File tionscnamhach i bhfilíocht an tseachtú haois déag é Eoghan Rua Mac an Bhaird, ní ar fheabhas a chuid filíochta ach toisc gur ina shaotharsan is túisce a chítear i measc na bhfilí tuata an machnamh nua ar an reiligiún agus ar an náisiúnachas á nascadh le traidisiún filíochta na Gaeilge. Bhí sé páirteach san eachtra ba choscraí de tharlaingí corraitheacha na haoise – imeacht na nIarlaí – agus bhí sé i dteannta na nIarlaí agus a lucht leanúna i Lobháin agus sa Róimh ina dhiaidh sin agus é á chothú ag rí na Spáinne.[87] Bíodh gur i seirbhís Aodha Uí Néill a bhí sé agus é sa Róimh is le clann Dálaigh a bhain a mhuintir le sinsearacht agus is leo a bhí sé féin ceangailte as a óige. Ní hionadh, mar sin, gur dánta do mhuintir Dhónaill is mó a chum sé agus is dóichí go bhfuil an dán úd ar imeacht Aodha Rua chun na Spáinne (*Rob soraidh t'eachtra, a Aodh Ruaidh*; IBP:3) ar cheann de na dánta is luaithe dá chuid atá ar marthain; an bhliain ina dhiaidh sin a chum sé an dán dar tús *Dána an turas trialltar sonn* (IBP:2) – 'dán do rinniodh d'iarla Tíre Conuill an tráth tug umhlucht do choróin Shaxan ar tús' (DER:419).

Tagann an dá dhán sin go feillbhinn leis an nóisean traidisiúnta atá againn d'fheidhm is de dhualgais an fhile Ghaeilge: a thiarna a ghríosadh is a chomhairliú agus a imeacht a chaoineadh. Ní rómhaith a thagann an chéad amharc eile a fhaighimid ar Eoghan Rua leis an nóisean céanna: pardún á fháil aige féin agus ag ochtar eile de chlann Mhic an Bhaird ón bhanríon Eilís i dtús na bliana 1603 agus, níos déanaí an bhliain chéanna, é féin agus Lughaidh Ó Cléirigh ar choiste fiosraithe de chuid an rí nua i nDún na nGall, coiste a thug breith 'that by virtue of certain statutes passed in Ireland, the priory, island, and all the lands aforesaid, belong to the King of right'.[88] Is chuige a cuireadh an coiste fiosraithe sin ar bun chun teorainn chinnte thailte Uí Dhónaill a leagan síos is chun idirdhealú deifnídeach a dhéanamh idir na tailte sin agus tailte Uí Dhochartaigh thoir is tailte Uí Chonchobhair theas. An rí a d'ordaigh an fiosrú, a riarthóirí in Éirinn a d'eagraigh é, na huaisle áitiúla a rinne an fiosrú, agus ina meascsan bhí ionadaithe an aosa léinn gona gcuid eolais diamhair féin. Níorbh é Eoghan Rua Mac an Bhaird an chéad fhile Gaeilge ar tugadh pardún ríoga dó; tá páipéir stáit an tséú agus an tseachtú haois déag breac le tagairtí mar é. An bhliain chéanna sin thug an bhanríon mhaiteach pardún freisin do Aindrias Mac Marcais, Eochaidh Ó hEodhasa agus Fear Flatha Ó Gnímh (O'Rahilly 1921:95, 104-6). Ní raibh sé i gceist le 'pardún' a fháil go raibh aon choir déanta ag lucht a fhála; ba dhearbhú dílseachta é, comhartha follasach poiblí go raibh d'intinn acu bheith géilliúil don dlí feasta. De bharr an phardúin, bheadh na filí agus a dteaghlach i dteideal teacht i seilbh talún feasta gan aon bhac dlí. Níorbh é an fiosrú sin i nDún na nGall, ach oiread, an chéad cheann a raibh fir léinn páirteach ann. Ní raibh ann ach ceann amháin den iliomad fiosrú eile mar é a bhí ar siúl ag an am de réir mar a bhí dúshraith riaracháin don tír uile á leagan síos ag an Stát agus a ghreim dlíthiúil ar thalamh na hÉireann á dhaingniú. Is beag den tsuirbhéireacht sin a rinneadh in Ultaibh go dtí sin, ach le géilleadh Uí Néill is Uí Dhónaill sa bhliain 1603, agus go háirithe le himeacht na n-iarlaí, cuireadh dlús ollmhór leis. Murab ionann agus na cúigí eile, ní raibh cathair ná baile mór i gcúige Uladh roimh aimsir na plandála; ní raibh lárionad riaracháin ná 'sibhialtachta' ann; garastúin scáinte nach raibh buan ná seasmhach is caisleáin scaipthe anseo is ansiúd – b'in a raibh d'fhianaise ar údarás na corónach in Ultaibh. Údarás míleata amháin a bhí i gceist go dtí tús an tseachtú haois déag.

Ar theitheadh na n-iarlaí tosaíodh láithreach ar an ngréasán riaracháin agus ar institiúidí an dlí a leagan síos agus laistigh de dhá bhliain bhí cúige Uladh cairtithe, léarscáilithe, suirbhéite. Éacht ab ea é ar dheacair gan meas a bheith ar chumas riaracháin agus ar éifeacht eagraithe na bhfear – go háirithe Sir John Davies – a bheartaigh é. Ach ní chuirfí i gcrích go deo é murach cabhair, comhoibriú agus toil aicmí áirithe in Ultaibh féin. 'People of any worth', a dúirt Davies, a bhí ar na giúiréithe agus ar na coistí fiosraithe; ag cabhrú leo bhí 'men that were able to nominate, meere, and bound every parish balliboe, or ballibetaghe'; is le 'the information of the inhabitants', a dúirt sé, a rinneadh an tsuirbhéireacht is bhí sí chomh cruinn sin 'that the most obscure part of the King's dominion is now as well known as any part of England, and more particularly described'.[89] Ní *terra incognita* a thuilleadh a bhí i gcúige Uladh ach is cinnte nach bhféadfaí an t-éacht suirbhéireachta sin a phleanáil, a ghníomhú ná a chur i gcrích gan chomhoibriú an aosa léinn: ba ghá na cáipéisí dlí Gaeilge a iniúchadh, teidil na dtailte tuata agus na n-eaglaisí a bhreithniú, na logainmneacha a mhíniú agus a aistriú; bhí sin ag brath ar chomhoibriú an aosa léinn, agus bhí an comhoibriú sin ar fáil. Ná níor chomhoibriú fulangach amháin é: an giúiré a thug Davies le chéile i Leifear sa bhliain 1608 chun tréas a chur i leith Ruairí Uí Dhónaill agus a thailte a thabhairt ar lámha an rí, ba Ghaeil iad trí dhuine dhéag acu agus Cathair Ó Dochartaigh mar cheann orthu; an giúiré a thug Davies le chéile ar an Srath Bán chun caitheamh sa tslí chéanna le hAodh Ó Néill, saoirfhir agus mionuaisle Thír Eoghain a bhí ina bhformhór; b'é an scéal céanna é ag an ngiúiré a tháinig le chéile in Inis Ceithleann chun tailte Mhig Uidhir a choigistiú don rí, agus ar an ngiúiré a thug Davies le chéile i Léim an Mhadaidh chun éileamh an easpaig Montgomery ar thailte fairsinge na hEaglaise sa cheantar a fhiosrú: ionadaithe ó na teaghlaigh léannta agus ó theaghlaigh na n-aircheannach is mó a bhí air – 'gentlemen of good education and family ... a jury of clerkes and scholars'.[90] Is cinnte go raibh ar na giúiréithe sin daoine a bhí ag súil le cuid éigin de na tailte coigiste dóibh féin, daoine a bhí lántoilteanach cabhrú le príomhaidhm an Stáit, mar atá, dílseacht na bhfoshleachta (Ó Catháin, Ó Dochartaigh, Ó hÁgáin, Ó Donnghaile) do na tiarnaí dúchais a bhriseadh, na sleachta sin a dhéanamh neamhspleách ar Ó Néill, Ó Dónaill is Mag Uidhir agus iad a bheith mar shaorshealbhóirí ag an rí féin. Duine acusan ab ea Toirdhealbhach (mac Airt Óg mhic Thoirdhealbhaigh Luinnigh) Ó Néill a chuaigh sall go Londain sa bhliain 1607 ag achainí ar an rí 'to be His Majesty's immediate tenants and exempted from Tirone'. Ag imeacht sall dó chuir file amháin beannacht shoilíosach leis; ar fhilleadh abhaile dó chuir file eile fáilte thraidisiúnta fhillte roimhe.[91]

Níl san eachtra sin, agus sna dánta a cumadh ar an ócáid, ach léiriú ionadach amháin ar phatrún ginearálta, léiriú a nochtann go léiritheach is go fírinneach dearcadh gnách coiteann. Ní coimhlint ná coinbhlíocht is patrún ginearálta don saol soch-chultúrtha in Éirinn sa tréimhse 1610-1641, ach atógáil is athordú, comhshamhlú is athchultúrú; agus ní reibiliún ná ceannairc a nochtar mar dhearcadh coiteann sa dioscúrsa poiblí sa tréimhse chéanna, ach comhghéilleadh agus glacadh leis an *status quo.* B'í aidhm phríomha pholaitiúil uaisle Éireann sa tréimhse sin – agus sa seachtú haois déag trí chéile – teacht chun réitigh leis an rí. B'in teagasc na cléire Caitlicí freisin agus b'in dearcadh coiteann an aosa léinn. Ach ní hionann glacadh leis an *status quo* – mar straitéis nó mar phrionsabal – agus géilleadh do bhuaine dho-athraithe aon staide nó socraithe faoi leith. Agus ní hionann glacadh leis an Deonú mar mhíniú ar mhífhortún an tsaoil agus titim in éadóchas duibheagánta foirceanta. Ábhar misnigh is dóchais a bhí le baint as an Deonú: dá fhad an inghreim, dá fhíochmhaire í, dá shotalaí chumhachtaí an dream a ghníomhaigh í, ní raibh i ndán di a bheith buan. Dob fhéidir, mar sin, don aos léinn a bheith gearánach olagónach eolchaireach, a bheith pragmatach réalaíoch agus fós a bheith dóchasach somheanmnach in éineacht. Faoi mar a dúirt Fear Flatha Ó Gnímh, sa dán fealsúnta a scríobh sé ar Niallaigh Thír Eoghain, bhí idir 'mil ... is deoch neimhe' sa pheirspictíocht.[92]

Is i dtús an tseachtú haois déag a táthaíodh le chéile, mar eilimintí comhcheangailte i bhfilíocht pholaitiúil na Gaeilge, an deorchaoineadh truamhéileach agus an dóchas anamúil, táthú a lean mar dhá eilimint lárnacha san fhilíocht anuas go dtí an naoú haois déag. Ní raibh aon choimhlint sa táthú sin – bhí an dá eilimint ag freagairt don dá dhearcadh a bhí á nochtadh coitianta is don dá ghníomhaíocht a bhí ar siúl in éineacht. Fad a bhí na bráithre bochta ag taisteal ar fud Éireann ag scaipeadh go forleathan na scéalta dóchais go raibh Ó Néill le filleadh aon lá le cabhair armtha rí na Spáinne, bhí na heaspaig ag leagan síos teagasc oifigiúil na hEaglaise i dtaobh na dílseachta a bhí dlite don rí ceart agus bhí na hArdeaspaig Lombard agus Ó Maoil Chonaire ag iarraidh cleamhnas a shocrú idir mac Shéamais agus iníon rí na Spáinne. Ní débhríochas aigne ná brabúsaíocht pholaitiúil a léiríonn sin ach réalachas praiticiúil. Murab ionann is sinne a thuigeann go soiléir anois le hiarfhios conas a d'iompaigh an saol amach, ní raibh sé cinnte ná soiléir i dtús an tseachtú haois déag cén chríoch a bhéarfadh ar an aois chorraitheach. Mar a dúirt Lombard, Ó Néill is Ó Dónaill bhí dhá shlí chun déileáil le hanchás na tíre – le comhréiteach nó le hairm – is bhí an dá straitéis á mbeartú in éineacht. Le linn do na huaisle san Ísiltír is sa Róimh a bheith ag impí ar rí na Spáinne cabhair mhíleata a chur ar fáil athuair dóibh, bhí a gcomhairleoirí is a ngaolta ag plé le hionadaithe Shéamais ag iarraidh teacht chun réitigh leis.[93] Léiríonn litreacha impíocha Uí Néill chun rí na Spáinne an dá dhearcadh is an dá thaictic agus é ag iomlat anonn is anall ina chuid argóna ó chogadh go síocháin, ó ghéilleadh go troid go bás:

> "I have already written to Your Majesty and repeat again now that if Your Majesty wishes to send aid to the Irish Catholics, I shall take charge of the whole matter with the greatest ease. If this request should be denied I beg most humbly that Your Majesty procure a reconciliation with the King of England and that we may be given back our estates ... (Walsh 1986:233).

> I humbly beg, if Your Majesty cannot help us in any other way, that at least Your Majesty obtain for me and for the young Earl of Tirconel a reconciliation with the King of England ... (*ibid*. 244).

Therefore, the Earl of Tiron, considering the age which is upon him, the
delay of help from Spain, the continuous danger to his life ... wishes to
accept the reconciliation which the King of England may offer him ...
(*ibid.* 317).

He says that, rather than live in Rome, he would prefer to go to his land
with a hundred soldiers and die there in defence of the catholic faith and
his fatherland ..." (*ibid.* 343).

Bhí olldíomá ar na huaisle is ar an chléir, ba léir, nach raibh Séamas de
réir a fhocail agus nár iompaigh sé amach de réir na muiníne a bhí
coitianta as, ach b'é díomá an dóchais é: cá bhfios nach trídsean fós a
thiocfadh an fhuascailt, cá bhfios nach ndéanfadh sé fós an bheart
chóir. 'Gearán dlisdionach', mar a dúirt Mac Aingil (SSA:5533) a bhí ag
an aos léinn i gcoinne Shéamais agus fad ba bheo dó, agus go ceann i
bhfad ina dhiaidh, ní dhearna cáineadh oscailte, ní áirím damnú, den
ghearán sin. Gearán dlisteanach an phobail umhail lena rí dleathach
féin a bhí i gceist – dearcadh a bhí ag teacht go hiomlán le dearcadh na
n-uaisle ag an am. Agus faoi mar a bhí glactha ag na huaisle sin ar bhonn
praiticiúil polaitiúil leis an rí agus iad tagtha chun réitigh leis bhí an t-aos
léinn tagtha chun réitigh leis freisin ar bhonn intleachtúil mar ní raibh
amhras dá laghad ar scríbhneoirí na linne, pé acu i bprós nó i bhfilíocht
é, pé acu i mBéarla, i Laidin nó i nGaeilge é ach gur dhuine acu féin é
Séamas, gur de mhaca Mhíle is de chlanna ríthe é, a ndála féin.

Ní raibh 'fuil airdríogh eile/acht fuil meic na maighdine', mar a dúirt
Fearghal Óg Mac an Bhaird (thuas lch 9), níos uaisle ná fuil Shéamais
agus bhí cuid a ráite sin ar eolas coitianta ag an aos léinn. B'é Séamas
an 'deichiú dea-Phrionsa' a shíolraigh ó Roibeard II, an chéad rí
Stíobhartach, agus de réir na gcraobh coibhneasa agus na ngéag
ginealaigh shíolraigh seisean ó Bhancon a shíolraigh ó Aodhán mac
Gabhráin rí Dhál Riada a shíolraigh ó Fhearghus mac Earca an 'céid rí
do chineadh Scoit ar Albain' (FFÉ i:14); shíolraigh seisean ó Chonaire
Mór agus eisean tríd na glúnta cairbreacha ó Iughoine a shíolraigh ó
Éireamhón mac le Míle Easpáine, sinsear na nGael. Is de réir an eolais
sin a d'áitigh Aodh Ó Dónaill in *Iomarbhágh na bhFileadh* gur le Leath
Choinn a bhain Séamas:

> De shíol Iughoine as bhuan bladh
> ríoghradh uaisle na hAlban,
>   le Séamas aniú ma le
>   Sacsa, Alba agus Éire (IF:15 § 26).

Ach dar le Tadhg Mac Bruaideadha a d'fhreagair é, ba le Leath Mhogha
a bhain sé toisc gur ó Mhaine Leamhna mac Coirc – rí Muimhneach –
a shíolraigh sé:

> An rí deire – Dia dhá dhíon -
> fada go léigfinn duit díom,
>   d'fhuil Mhaine Leamhna mhic Cuirc
>   Leamhnach Alban go hordhuirc (IF:18 § 55).

Ceann de na hearráidí a bhí in *Foras Feasa ar Éirinn*, dar le duine de mhuintir Chléirigh, gur áitigh an Céitinneach gur de shliocht Mhaine mhic Coirc 'an rígh Séamas gona shliocht' nuair dob eol do 'na príomheólaidhe' agus gur dhearbhaigh 'craobhsgaoileadh Dál Riada ag seanchaidhibh Éireann 7 Alban' gur de shliocht Chonaire de shíol Éireamhóin é.[94] Ach níor ghá an t-áiteamh mar bhí réiteach simplí air ag lucht na nginealach: ar thaobh a mháthar is ó Fhearghus agus ó ríthe Dhál Riada a shíolraigh Séamas, ach ar thaobh a athar is ó theaghlach Lennox a shíolraigh sé agus de réir na nginealach is ó shliocht Leamhna mhic Coirc a shíolraíodarsan. Ach ní hamháin go raibh gaol ag Séamas le ríthe Uladh agus le ríthe na Mumhan araon, bhíothas ábalta a thaispeáint chomh háititheach céanna go raibh gaol díreach freisin aige le Cathal Croibhdhearg is ríthe Chonnacht, agus le Diarmaid Mac Murchadha is ríthe Laighean – ginealach gan smál gan aon agó![95]

Bhí glactha le Séamas agus bhí bonn sinseartha traidisiúnta faoin nglacadh sin. Ní fhéadfaí an t-amhras is lú a chaitheamh ar cheart Shéamais chun ríocht na hÉireann, a d'áitigh John Lynch; níor ghlac muintir na hÉireann riamh le ríthe Shasana gur shuigh Séamas ar an ríchathaoir, a dúirt Charles O'Kelly, údar *Macariae Excidium*:

> Not yet had Imperial Rome triumphed over every quarter of the globe, not yet had the Roman eagles, with victorious wings, cast their shadow over the humbled universe, when Prince Rugeses [Fearghus], having raised a mighty host, proceeded from his royal home of Cyprus [Éire] to invade Pamphilia [Alba]; nor, sooner had he done so, than by his martial skill, his royal virtues, and the suavity of his demeanor, he so conciliated its inhabitants, and established his power by the introduction of colonies from Cyprus, that his new dominion became perfectly consolidated (so great was the influx of his native subjects), and it remained a stable and assured possession to himself and his posterity.
>
> When many a year had passed, King Amasis [Séamas I], of the race of Rugeses, held, in right of his mother, the sway over the neighbouring, and then flourishing, kingdom of Cilicia [Sasana]. On his accession, the Cypriotes [Éireannaigh], who, in the assertion of their liberties, had, both before his days and after, been involved in perpetual war with the Cilicians [Sasanaigh], when they saw on the throne a Monarch of their own race and blood, at once unhesitatingly submitted to their compatriot ...
>
> (O'Kelly:7-8).
>
> Quare Jacobus rex hoc triplici stemmate indubitata regum Hiberniae propago, tanquam funiculo triplici, qui difficile rumpitur, regni Hiberniae solium ita firmiter insedit, ut inde, nullo jure detrahi potuerit ac debuerit ...
> (Lynch 1662:247-9).

Ag féachaint siar a bhí na scríbhneoirí sin: ag féachaint siar ó ionad faire sa dara leath den aois ach fiú amháin dá n-áiteofaí nach raibh ar siúl acu araon ach réasúnú iarfhiosach, ba réasúnú é a d'eascair as an ngá a bhí le tarlang fhíorspéisiúil a mhíniú: go raibh glactha le Séamas. Léiriú áirithe ar an nglacadh sin is ea na tagairtí urraimeacha do

Shéamas i dtéacsanna chomh difriúil le *Iomarbhádh na bhFileadh*, *Pairlement Chloinne Tomáis, Scáthán Shacramuinte na hAithridhe, Foras Feasa ar Éirinn* agus *Annála Ríoghachta Éireann*. Ní hé go bhfuilim á áiteamh go bhfaightear sna téacsaí sin scáthán iomlán ar shaol soch-chultúrtha na linne, ach is áirithe go bhfaightear iontusan – agus san fhilíocht trí chéile – léiriú ar dhearcadh is ar aigne an aosa léinn. Is leis an Stíobhartach anois – an t-ardrí – a shamhlaigh an t-aos léinn na luachanna, an gradam, an choimirce a shamhlaíodar go dtí sin lena ríthe dúchais áitiúla, taoisigh a bhí ag dul as in aghaidh an lae. An múnla ar chuir an t-aos léinn Séamas i láthair an phobail ar dtús, b'é an múnla traidisiúnta é. B'in an t-aon mhúnla amháin a bhí ar eolas ag na filí, agus an múnla ab éifeachtaí trína bhféadfaí glacadh le Séamas. Mar a dúrt cheana, gléas bailíochta ab ea é idir thairngreacht is ghinealach sinseartha Gaelach a shamhlú le Séamas; b'ionann é a ionannú le *céile na hÉireann* agus dlisteanú na staire a bhronnadh air. Níor mhar a chéile, ar ndóigh, an tuiscint den ríogacht a bhí ag Séamas agus a bhí ag an aos léinn. Nóisean ideolaíoch amháin a bhí san ardríochas, mar a thuig na Gaeil riamh anall é, ach ba thuiscint chliarlathach freisin í sa mhéid go ndearnadh idirdhealú, go teoiriciúil ar aon nós, idir ríthe tuaithe is ríthe cúige is eatarthusan araon is an t-ardrí. Go praiticiúil ba eilimint lárnach den ríogacht riamh in Éirinn é forí a ghéilleadh do rí eile os a chionn agus b'in í an tuiscint pholaitiúil a bhí laistiar de ideolaíocht an ardríochais. Aodh Ó Néill féin, bhí sé toilteanach géilleadh do Shéamas – mar ardrí – fad a bheadh sé féin fós i gceannas i gcúige Uladh. Ní raibh riamh rí in Éirinn a raibh cumhacht absalóideach uilíoch Shéamais aige; b'é Séamas an chéad rí riamh in Éirinn a raibh feidhm lena réim ó Chléire go Rachlainn agus ó Bhaile Átha Cliath go hÁrainn, an chéad rí a raibh córas lárnach riaracháin laistiar den réim sin i bhfeidhm ó cheann ceann na tíre: b'é Séamas an chéad ardrí a bhí in Éirinn. Agus glacadh leis mar ardrí; ní hamháin mar phearsa ríoga ar samhlaíodh tréithe traidisiúnta an rí Ghaelaigh leis ach, chomh maith leis sin agus in éineacht leis an tuiscint sin, glacadh leis mar cheann Stáit a raibh cumhacht absalóideach aige agus ar fhoinse patrúnachta agus fabhair é. Mar ní hamháin go raibh bonn traidisiúnta faoin nglacadh a bhí le Séamas agus go raibh bonn dlíthiúil agus bonn diagachta chomh maith faoi; bhí ina dteanntasan araon bonn praiticiúil réalaíoch: b'é Séamas an t-aon rí a raibh réim fheidhmiúil lena reacht in Éirinn. Nochtar an tuiscint thraidisiúnta sin agus an tuiscint dhlíthiúil dhiagachta chomh maith sna foinsí comhaimseartha; nochtar sna foinsí céanna, chomh soiléir neamhbhalbh céanna, an tuiscint phraiticiúil réalaíoch freisin agus an téarmaíocht chuí a ghabh léi.

Trí fhoinse smachta a bhí ann, dar le file anaithnid: aoir na bhfilí, an t-aon Dia uilechumhachtach agus 'Prionnsa sochraidh sochrotha saidhbhir slóighlíonmhar Sacsan'; bagraíonn Maoilín Óg Mac

Bruaideadha ar Ó Briain, Iarla Thuamhan, go ngearánfaidh sé go raibh an tIarla ag gníomhú in aghaidh 'reachta an Phrionnsa'; is i dtréas in aghaidh a rí, a dúirt máthair Aodha Rua Uí Dhónaill, a bhí Ó Dochartaigh agus Niall Garbh; ba 'in aghaidh reachta an rígh' a d'éiríodar amach, a dúirt Mícheál Ó Cléirigh; 'a hucht an rígh' a rinne Mountjoy síocháin le Ruairí Ó Dónaill; ag foilsiú 'a bhfoghnamh a ndís don choróin' a chuaigh Ruairí agus Niall Garbh go Londain; chun bualadh le 'fear ionaidh airdríogh Éireann', a dúirt Eoghan Rua Mac an Bhaird, a chuaigh Ruairí Ó Dónaill go Baile Átha Cliath sa bhliain 1603; i ndán a chum an file céanna (*Maith an sealad uair Éire*) ar bhás Ruairí Uí Dhónaill sa Róimh sa bhliain 1608 deir sé gur thuig Prionsa Sacsan nach mbeadh feidhm ag dlí na nGall, nach mbáifí an creideamh cóir agus nach mbeadh cumhacht ag an choróin in Éirinn go dtí go gcloífí sliocht Chonaill, bhí sin tarlaithe le bás Ruairí: féadfaidh rí Sacsan a rá anois 'd'aimhdheoin fhear nUladh' go raibh Éire 'ina thiodalsan'; meabhraíonn sé go sólásach do Niall Garbh Ó Dónaill, i ndán (*A bhráighe tá i dtor Londoin*) a scríobh sé chuige agus é faoi ghlas i dtúr Londan, go maithfear an choir dó 'acht go gcuimhneocha an choróin / duit a-rís le ro-onóir' agus go scaoilfear saor é 'acht go gcroma Cing Séamas'; is 'go gcead don rígh is dá réim', a dúirt file anaithnid, agus páirt á glacadh san *Iomarbhágh* aige, a bhéarfadh Leath Choinn cinn agus cána Leath Mhogha leo feasta; is don mhuintir a bhí faoi 'mhórdhachd an ríogh', a dúirt Aodh Mac Aingil, a bhí seisean ag scríobh – 'mórdháil an ríogh, 'sa mhuinntior dobadh mian linn do theagasg'; cuirtear i leith Thaidhg Mhic Bhruaideadha san *Iomarbhágh* go raibh na breithiúnais dlí a bhí á gcur i bhfeidhm san 'maitheas phuiblidhe' damnaithe aigesean; níor chóir do dhuine, a theagasc Aodh Mac Aingil, aon toradh a thabhairt ar aithne a bheadh in aghaidh 'an mhaithis phuiblighi'.[96]

Ach ní le téarmaíocht nua amháin atáthar ag plé, ach le coincheapanna nua chomh maith: *an choróin* (the Crown), *teideal* (title), *réim* (writ), *prionsa* (sovereign), *a mhórdhacht* (his Majesty), *an maitheas poiblidhe* (the commonweal); coincheapanna nach raibh aon trácht orthu go dtí sin i gcóras dlí, i gcóras polaitiúil ná in ideolaíocht na nGael. Ní hé an trácht céanna ná an dáileadh céanna a bhí ar gach ceann ar leith de na téamaí sin, ar leicseacan polaitiúil úrnua iad ach iad a thógáil le chéile. Is i dtéacsanna áirithe in úsáid áirithe a fhaightear cuid acu – *réim, teideal* – agus is dóichí nach raibh riamh raon úsáide an-leathan ná uilí acu; ach ní mar sin do *an prionsa, an maitheas poiblighe*, ná *an choróin* (á húsáid go meatainimeach) ar léir ar fhairsinge is ar ilghnéithí a n-úsáide (prós is filíocht, ábhar cráifeach is saolta) gurbh eilimintí coiteanna sa dioscúrsa poiblí iad. Ní mór dhá eilimint eile sa leicseacan nua a lua: *ríocht* (< *rígdacht, rígacht, ríoghacht*) agus *náisiún*, an dá théarma ba leithne úsáid is dáileadh agus an dá cheann acu is léire a shoilsíonn an tuiscint pholaitiúil nua a bhí tagtha chun cinn i measc an aosa léinn. Seanfhocal é *ríocht* a chiallaigh 'kingliness', 'kingship' ach ar leathnaíodh a shéamaintic, sa séú haois déag, chun an t-aonad nua polaitiúil 'kingdom' a chur in iúl. Focal iasachta é *náisiún* a bhfaightear samplaí luatha de i saothar Mhic Aingil:

> Bíd leabhráin mar so ag gach náision[97] Chatoilic eile, ⁊ atáid do riachdanas ar an náision dá bhfuilimídne go spesialta ... (SSA:67-8).

> As mór do bhí faoi do sgríobhadh do rachadh i leas anma ⁊ i n-onóir shaoghalta don náision dá maireadh (*ibid.* 3080-2).

De réir na tuisceana nua, b'aon ríocht amháin í Éire feasta a raibh a rí ceart féin mar cheann uirthi; bhí coróin na hÉireann ar cheann de na 'trí coróna' a shealbhaigh an Stíobhartach, agus is aige, agus aige amháin a bhí ceart chun na corónach sin; náisiún ársa a chónaigh sa ríocht sin, náisiún Caitliceach a thug an ghéillsine ba cheart is ba dhual don rí a chuir Dia os a gcionn. Mar a mhínigh Finín Mac Cárthaigh é, b'é Muircheartach Ó Briain († 1119) 'the last King of the nation' is ní raibh rí dúchais riamh ó shin ag Éirinn go dtí anois:

> This King that now is being the first after him, of the nation itself, that reigned over Ireland, of whose ancestors many have been before Kings of all Ireland, who being the first of our nation that reigned over these three kingdoms, although all sorts are hard to be pleased in this world, nobody can deny him to be a just King, which is the greatest praise that either King or anie other can have ... (Gilbert 1882a:123).

'Pro Deo, Pro Rege et Patria Hibernia Unanimis'

I

Do chíthear damh nach fuil slidhe as réighe ná na nithe do chur ar cuimhnigh ionnas nár éidir feasta a múchadh ⁊ a gcur uime sin mar táid i gcló Gaoilge, ór tiocfaid daoine iar soin chuirfios iad i dteangthaibh eile.[1]

Ní ar fhuath ná ar ghrádh droinge ar bioth seach a chéile, ná ar fhuráileamh aonduine, ná do shúil re sochar d'fhaghbháil uaidh, chuirim romham stáir na hÉireann do scríobhadh, acht do bhrígh gur mheasas nár bh'oircheas comhonóraighe na hÉireann do chrích agus comhuaisle gach foirne d'ár áitigh í, do dhul i mbáthadh, gan luadh ná iomrádh do bheith orra ... (FFÉ i: 76).

Go luath tar éis teacht i gcoróin do Shéarlas I sa bhliain 1625, chuir grúpa Caitliceach ó chúige Laighean 'loyal address' chuige ag dearbhú a sástachta, 'upon all occasions with our lives and fortunes to serve your Majesty against any enemy whatsoever' (CSPI 1625-32: 144); go gearr ina dhiaidh sin chuir grúpa eile de 'Irish peers and gentry', ar de shliocht na nGael a bhformhór, 'loyal address' eile chuige 'protesting their devotion to the King in spite of the difference of religion and repudiating the rules of any foreign prince, prelate, or potentate' (*ibid.* 190). B'iad na dearbhuithe sin an chéad réaladh poiblí ar a thoilteanaí is a fhonnmhaire a bhí uaisle Éireann teacht chun réitigh leis an rí nua is bhain Séarlas lántairbhe as an dílseacht gan choinníoll a bhí á tairiscint dó. Sa bhliain 1628 d'fhógair sé go mbeadh sé toilteanach 'fabhair' áirithe ('matters of Grace and Bounty') a bhronnadh ar uaisle Éireann ar acht iadsan a dhíol as an arm nua a bhí á thógáil in Éirinn. Maidir le tógáil an airm, níor chúis mhór amhrais ag Séarlas féin é Caitlicigh a liostáil ná a choimisiúnú ach d'áitigh a chomhairleoirí i mBaile Átha Cliath air go mbeadh sin róchontúirteach 'for thereby we should have put arms into their hands of whose hearts we rest not well assured'. Mar sin, de réir na dtreoracha a d'eisigh Séarlas féin ba ghá don té a liostálfaí a bheith de bhunadh Sasanaigh ar thaobh a athar is a mháthar, a bheith 'conformable in language, manners and religion' agus níor mhór dó móid an Ardcheannais a thabhairt.[2]

B'athdheimhniú doshéanta iad na treoracha sin ar chomhdhéanamh Protastúnach Sasanach an airm agus b'fholáireamh soiléir é do shliocht na Sean-Ghall. Cé go raibh lámh riamh ag an aicme sin i gcosaint na tíre is gur thaobhaigh siad riamh leis an choróin i gcoinne na nGael ba róléir anois nach raibh an Stát muiníneach astu feasta, dá mhéad is dá mhinicí a dhearbhaíodar a ndílseacht. Ó thús na haoise is leis na Nua-

Ghaill is mó a bhí bá an Stáit agus is iadsan a cuireadh chun cinn sna
bardais, sa pharlaimint, san arm, in oifigí uile an rialtais. D'fhéadfadh
an Stát brath ar na Nua-Ghaill ó ba Phrotastúnaigh iadsan, ní fhéadfaí
brath ar shliocht na Sean-Ghall ó ba Chaitlicigh iad uile, dála na nGael.
De réir gach tuairisce, bhí eaglais na gCaitliceach céanna á neartú is á
daingniú féin feadh an ama: 'The true religion is being now regularly
preached by pastors and rectors throughout the Kingdom, and heresy
and schism are being rooted out' a dúirt Aodh Ó Raghallaigh,
ardeaspag Ard Mhacha i dtuairisc a chuir sé chun na Róimhe sa bhliain
1629; 'the Ulster settlement only has prospered' a dúirt Sir Thomas
Dutton, 'the rest of Ireland was more addicted to Popery than in Queen
Elizabeth's time'; i litir a chuir Flaithrí Ó Maoil Chonaire chun na
Róimhe sa bhliain 1627 dúirt go raibh na heaspaig Phroinsiasacha ina
gcónaí anois "in great peace"; ní raibh laistigh de bhallaí chathair
Chorcaí, a dúirt Roibeard Ó Conaill, duine d'údair *Commentarius
Rinuccinianus*, ach ceithre theaghlach Phrotastúnacha; in ard-dheoise
Thuama trí chéile, a gearánadh, bhí na bráithre is na sagairt ag
gníomhú chomh héifeachtach, chomh hoscailte sin 'as if they were in
Spain or in Italy'; thuairiscigh Sir John Bingley sa bhliain 1629 go raibh
séipéil á ndeisiú is á n-athoscailt agus tithe rialta nua á mbunú go
neamheaglach; i mBaile Átha Cliath amháin, a dúirt sé, bhí ceithre
theach pobail déag is ceithre fichid sagart; sa tír trí chéile bhí breis agus
trí mhíle sagart gan bheinifís á gcothú ag an bpobal; ní raibh aon chuid
den tír nach raibh 'papal officers' ina gcónaí agus iad ag feidhmiú go
héifeachtach is go hoscailte; os cionn gach grúpa de pharóistí bhí
biocáire ginearálta ag rialú 'as absolutely as any bishop in England'.[3] An
bhliain ar scríobhadh an tuairisc sin Bingley bhí breis agus fiche easpag
Caitliceach in Éirinn agus den chéad uair ón séú haois déag bhí an
ceathrar ardeaspag ina gcónaí agus ag gníomhú ina ndeoisí féin.

Léiriú ionadach an fhíric sin féin ar an athnuachan institiúideach a
bhí imithe ar an Eaglais Chaitliceach in Éirinn ó thús na haoise i leith.
Ach an chaonfhulaingt a cheadaigh an athnuachan fhollasach sin, ba
chaonfhulaingt threallach fhulangach amháin í agus léiríodh sin go
soiléir sa bhliain 1629 nuair a chuir an fear ionaid Falkland gairm scoile
amach ag cur cosc iomlán le cleachtadh poiblí an Chaitliceachais. Sula
bhféadfaí gníomhú de réir na treorach sin ceapadh fear ionaid eile in
Éirinn – Thomas Wentworth. Dhá phríomhaidhm a bhí ag Wentworth:
cabhrú le Séarlas Sasana a rialú d'uireasa parlaiminte (scoir Séarlas an
pharlaimint thall sa bhliain 1629 is níor athghairm arís í go 1640), agus
Éire a rialú go héifeachtach gan aird ar leas aon dreama nó aicme ar
bith seachas leas na corónach. Ghéill Wentworth go hiomlán don
absalóideachas i gcúrsaí údaráis is riaracháin agus bheartaigh gurbh
eisean, agus eisean amháin, a rialódh in Éirinn. Ghéill sé freisin don
aidhm ríocht na hÉireann a thabhairt chun ionannais reiligiúin ach
chreid sé nach bhféadfaí é sin a bhaint amach thar oíche. Ní raibh an

Stát ná an Eaglais Anglacánach in Éirinn láidir go leor, dar leis, chun an polasaí reiligiúnda a chur i bhfeidhm; de réir a chéile a dhéanfadh sé é. Bíodh gurbh fhuath leis féin reiligiún piseogach na gCaitliceach, dream mídhílis nach bhféadfadh an Stát a bheith muiníneach astu, fós mheas sé gur den chríonnacht is den chaoithiúlacht é ligean dóibh a reiligiún a chleachtadh go poiblí.[4] Bhí an dearcadh pragmatach sin Wentworth ar aon rian go hiomlán le hintinn Shéarlais féin ar ghnách leis a dhearbhú is é ag plé le prionsaí na hEorpa 'that religious persecution was unknown in his realms' (Edwards 1944: 13). 'Lá idir dhá shíon' a thugann Ó Maonaigh (1940: 202) ar an tréimhse sin 1625-40 in Éirinn: 'it was at least a period of comparative calm and toleration'; 'a valuable breathing space' a thugann staraí eaglasta eile (Olden 1971: 38) ar an tréimhse trí chéile agus tá an fhianaise uile ag teacht leis sin. Tréimhse shuaimhnis is shíochána ar an mhórgóir ab ea í, dálaí a d'fhóin do shaothrú na scoláireachta is go háirithe do scríobh an dá mhórshaothar staire *Foras Feasa ar Éirinn* agus *Annála Ríoghachta Éireann*.

Ó bhí easpa ioncaim ar cheann de phríomhcheasnaí an Stáit in Éirinn i dtús ré Shéarlais, beartaíodh, d'fhonn an státchiste a láidriú, ar dhíriú arís ar phríomhfhoinse maoine na tíre is ar phríomhfhoinse ioncaim an Stáit – an talamh. Ach léasanna a athnuachan, cíosanna a ardú, teidil lochtacha a cheistiú, tailte a choigistiú is a phlandáil dob fhéidir cur go mór le hioncam an Stáit. Sin mar a tharla, ach i bhfeidhmiú an pholasaí sin ní dearnadh aon idirdhealú an turas seo idir Gael agus Sean-Ghall; ba mhar a chéile iad anois i súile an Stáit, óir ba Chaitlicigh iad araon. Sin é go díreach a dúirt Uaitéar Buitléar, Iarla Urmhumhan, nuair a rinneadh iarracht a thailte sinseartha i dTiobraid Árann a choigistiú chun iad a athphlandáil. Bhí na tailte sin i seilbh a mhuintire ó aimsir Anraí II agus is chuige a tugadh dá shinsir iad, mar a mheabhraigh sé féin, 'to suppress the enemies of the Crown'; 'I hope', ar seisean go truamhéalach, agus é ag cur i gcoinne na plandála, 'I shall not be the first of the English to be ranked with the Irish and be replanted' (CSPI 1625-32: 597). Níor éirigh leis an gcoigistiú áirithe sin (fuarthas amach go raibh teideal gan locht ag an mBuitléarach chun na dtailte) ach b'fholáireamh eile é, folaireamh a tháinig i mbéal a chomhlíonta sa bhliain 1630 nuair a tharraing Wentworth scéim anuas cúige Chonnacht trí chéile a phlandáil, cúige ar i seilbh na Sean-Ghall a bhí formhór na talún. Chuir sé coistí fiosrúcháin ar bun, le giúiréithe a toghadh le cúram, a thug breith gur ag an rí a bhí teideal chun tailte i Ros Comáin, Maigh Eo is Sligeach agus gur ag an rí a bhí teideal chun contae an Chláir ar fad; rinneadh muintir Bhraonáin i gcontae Chill Chainnigh a dhíshealbhú sa bhliain 1635 agus muintir Thuathail is muintir Bhroin i gcontae Chill Mhantáin sa bhliain 1636; sa choigistiú a pleanáladh ar chontae na Gaillimhe áiríodh tailte Riocard de Burgo, iarla Chlainne Riocaird, duine de phríomhuaisle na tíre a raibh cairde cumhachtacha i gcúirt an rí aige. Ní hamháin sin, ach ba dhuine é a

thaobhaigh go hoscailte leis an choróin i gcoinne Uí Néill i dtús na
haoise. Ach ba Chaitliceach é agus is mar Chaitliceach agus ní mar
dhuine de uaisle dílse na Sean-Ghall a bhíothas ag caitheamh leis. Ní
raibh in Éirinn anois, dar leis an Stát, ach dhá aicme – Caitlicigh is
Protastúnaigh – agus bhí an paraiméadar reiligiúnda sin á fheidhmiú ag
Wentworth go héifeachtach is go habsalóideach, mar ba dhual dó. Ach
chothaigh gníomhú an pharaiméadair chéanna a fhrithghníomhú féin
agus b'í polaitíocht inmheánach Shasana a dheimhnigh am is déanamh
an fhrithghníomhaithe sin.

Má bhí athrú bunúsach ag dul ar dhearcadh an Stáit i leith na Sean-
Ghall, bhí athrú mar é imithe ar dhearcadh an aosa léinn abhus ina
leith freisin. B'athrú bunúsach ideolaíoch é sin a rinne idirdhealú ar
bhonn reiligiúnda amháin idir na grúpaí eitneacha sa tír. Is é Séathrún
Céitinn is léire a nocht an t-aicmiú nua dob fhéidir a dhéanamh ar na
grúpaí difriúla a bhí anois in Éirinn agus is é, ina mhórshaothar *Foras
Feasa ar Éirinn*, is áitithí a léirigh an t-idirdhealú a bhí le déanamh feasta
eatarthu is bonn an idirdhealaithe sin. An seanchas traidisiúnta, faoi
mar a bhí sin tagtha anuas chuige, a bhí mar bhunábhar ag an
gCéitinneach ach bhí an láimhseáil a rinne sé ar an amhábhar sin, idir
thuiscintí is mhodheolaíocht, ag teacht go hiomlán leis an réabhlóid
staireagrafaíochta a bhí tagtha chun cinn san Eoraip, réabhlóid a
d'eascair as an ghluaiseacht choiteann Eorpach arbh í an Athnuachan a
tús agus an Reifirméisean a deireadh.[5] De bharr na gluaiseachta sin, bhí
nóisean an *patria* agus, dá réir sin, nóisean na staire náisiúnta a scaip
daonnachtaithe na hIodáile (Polydorus Virgil go háirithe) ar fud na
hEorpa, faoi bhláth; bhí glactha ag staraithe na hEorpa trí chéile leis,
mar chuid den tuiscint nua, gurbh é an náisiún an t-aonad bunúsach i
scríobh na staire (Kelley 1970: 181). Bhí san Eoraip, anois, ciní sainiúla
difriúla a raibh an-tóir ag an aos léinn iontu ar shinsearacht gach cine
ar leith acu agus ar a mbunús náisiúnta. Faoin seachtú haois déag bhí
stair na hIodáile curtha ar fáil ag Guicciardini is ag Bisaccioni, stair na
Fraince ag Pasquier, Mézevay, du Haillan is La Popelinière; stair na
Gearmáine ag Munster, stair na Spáinne ag Mariana, stair na hUngáire
ag Bonfini, stair na hAlban ag Boethius is Buchanan, stair Shasana ag
Camden, Stow, Daniel; stair na Breataine ag Major is ag Speed.
'Ríoghacht ar leith léi féin, amhail domhan mbeag' a bhí in Éirinn
freisin (FFÉ i: 38) is ba ghá suim a seanchasa a chur síos go comair is go
húdarásach.

Ach ní hamháin go raibh aos léinn na hEorpa dírithe ar stair a gcine
féin a scríobh, bhí tosaithe acu freisin, de bharr fionnachtana móra na
tréimhse agus leathnú amach na hEorpa go dtí an domhan nua, bhí
tosaithe acu ar thuairiscí a scríobh ar thíortha is ar chiníocha deoranta
agus bhí tosaithe acu ar na seanleabhair údarásacha a fhoilsiú san
fhoirm ar scríobhadh an chéad lá iad; fiú feiniméan nua an chló,
chabhraigh sin freisin le suim sa tseandacht agus suim sna

seantéacsanna a chothú is a bhuanú (Daiches 1974: 10). Ón bhliain 1571 amach dhírigh scríbhneoirí, scoláirí is feidhmeannaigh na Nua-Ghall in Éirinn a n-aird ar an tír a bhfuaireadar iad féin is ar an gcine dúchais a bhí timpeall orthu agus tháinig leabhar i ndiaidh leabhair ar stair is ar thopagrafaíocht na hÉireann agus ar nósanna, ar iompar is ar chultúr na nGael ó Campion, Stanihurst, Holinshed, Derricke, Camden, Hooker, Spenser, Dymmok, Perrot, Rich, Davies, Barclay, Hanmer, Ware is ó údair eile nach iad. Dhá eilimint tríd is tríd a bhí sa saothar sin trí chéile: tuairiscí comhaimseartha na n-údar féin ar dhálaí na hÉireann is na nGael agus ina dteannta sin, stair fhoirmiúil na tíre bunaithe ar a raibh d'fhoinsí fréamhaithe ar fáil acu. B'í an phríomhfhoinse acu sin, agus an ceann is mó asar tarraingíodh, an dá thuarascáil ar Éirinn a scríobh Giraldus Cambrensis sa dara haois déag – *Topographica Hibernica* is *Expugnatio Hibernica*. Aistriú ar shaothar Giraldus a bhí i leabhar Hooker (1558), sa bhliain 1602 d'fhoilsigh an croinicí Sasanach, William Camden, eagrán den dá bhuntéacs i leabhar dá chuid in Frankfurt, agus tharraing Stanihurst (1577) is Messingham (1624) go rábach as. Bhí eolas á chur, más ea, ag aos léinn na hEorpa thall is abhus is ag an aicme liteartha trí chéile, ar shaothar Giraldus agus bhí eolas á chur, dá réir, ar Éirinn is ar a háititheoirí. Ach ní miste a rá nár thuairiscí rómholtacha a bhí i saothar Giraldus; ní raibh sa Ghael aircitípeach roimh theacht na Normannach, dar le Giraldus, ach duine a bhí *barbarus: Gens igitur haec gens barbara: et vere barbara. Quia non tantum barbaro vestium ritu, verum etiam comis et barbis luxuriantibus, iuxta modernas novitates; incultissima; et omnes eorum mores barbarissimi sunt* (Dimock: 150-3). Ba bhreith í sin a bhí ag teacht go hiomlán le tuairiscí Spenser, Holinshed, Stanihurst, Moryson, Camden, is na scríbhneoirí eile a raibh tuairiscí á scríobh is á bhfoilsiú anois acu ar na barbaraigh phrimitíbheacha nach raibh reiligiún ná sibhialtas ag gabháil leo a bhí ina gcónaí in Éirinn. Ní hamháin gur ghá oileán na naomh a chosaint, ba ghá 'fírinne stáide na críche, agus dáil na foirne áitigheas, í do chur go soiléir síos' (FFÉ i: 2).

Níorbh é an Céitinneach an t-aon scoláire Éireannach a d'fhreagair Giraldus Cambrensis; bhréagnaigh Stephen White (1615), Pilib Ó Súilleabháin Béarra (1625) agus, níos faide anonn san aois, John Lynch (1662) é, ach is é an Céitinneach an t-aon duine acu a thapaigh an deis fíorstair na hÉireann a chur in áit an chuntais bhréagaigh a bhí scríofa ag an mBreatnach. Níor dhuaisiúil mar shaothar ag an gCéitinneach é Cambrensis ná na Nua-Ghaill ach oiread a bhréagnú: ní raibh 'laoidh ná litir, seanchus náid sein-scríbhne iris náid annálaigh' ag tacú le bréaga Cambrensis; níorbh aon ionadh é gan fios cruinn a bheith ag Stanihurst ná ag éinne eile acu ar na nithe a rabhadar ag cur síos orthu 'agus nach faca seanchus Éireann riamh'; toisc go raibh de locht ar Stanihurst, i measc easpaí eile, go raibh sé 'dall aineolach i dteangaidh na tíre i n-a raibhe seanchus agus seandála na críche', níor chóir 'cion stáraidhe' a thabhairt air; toisc gur sháraigh Moryson na rialacha a bhain le scríobh na staire, de réir mar a bhí leagtha síos ag Polydorus Virgil, ní raibh sé dlite dó 'cion stáire' a thabhairt ar a shaotharsan; ba chosúla Campion 're cluithcheoir do bhiadh ag reic scéul sgigeamhail ar scafall ioná ré stáraidhe'; ní raibh d'údarás acusan ar fad lenar scríobhadar ach 'innisin scéul ainteasdach do bhí fuathmhar d'Éirinn'; 'innisin scéul' amháin a bhí ag scríbhneoirí na Nua-Ghall trí chéile ach eisean féin – 'do chonnairc mé agus tuigim prímh-leabhair an tseanchusa, agus ní fhacadar-san iad, agus dá bhfaicdís, ní tuigfidhe leó iad'. Aon teist uilíoch údarásach dhocheistithe a bhí ag an gCéitinneach ar bharántúlacht thuarascáil na Nua-Ghall – an seanchas – agus ar scrúdú na mbunfhoinsí dó, fuair go raibh a mbréaga uile 'gan barántas'; aon argóint chinntitheach dhosháraithe a bhí aige mar fhreagra orthu: bhí 'an seanchus 'na n-aghaidh'.[6]

An iontaoibh dhocheistithe a léirigh an Céitinneach as údarás na mbunfhoinsí, b'an-léiriú í ar bhunchloch na tuisceana nua staireagrafaíochta: príomhacht na bhfoinsí bunúsacha. De réir na tuisceana sin, an scoláire a raibh teacht ar fhoinsí bunúsacha stairiúla aige bhí uirlis aigesean nach bhféadfadh aon scoláire eile a shárú; an dream ar as foinsí bunúsacha a bhí a dtarraingt, thug sin séala údarásach dóibh féin agus dá n-argóint. Sin é go díreach an t-údarás a tharraing na filí chucu in *Iomarbhágh na bhFileadh*, mar shampla; údarás docheistithe an tseanchais faoi mar a bhí sé ar fáil sna seanscríbhinní agus i leabhraibh; údarás scríofa:

Atáid linn 'nar leabhraibh féin
ní dulta dhúinn tar a gcéill ... (IF: 4 § 15).

Féach leat Leabhar na hUidhre
is ann dearbhóchad m'fhuighle ... (6 § 8).

Taisbeánaidh dhó bhar ndeacra
ag léigheamh leabhrán seanda ... (16 § 76).

Fírinne an tseanchais uasail
léighe gach laoi it shean-duanaibh ... (16 § 136).

Mór ndearbhadh 'na haghaidh sin
i nGaoidhilg is i Laidin ... (18 § 149).

A bheith dílis do fhuarlitir na bhfoinsí féin, is airsean a bhí an *fides historiae* bunaithe.[7] Ba ghá, dá réir sin, filleadh i gcónaí ar na bunfhoinsí (*ad fontes*) ach ba ghá, chomh maith, glanidirdhealú a dhéanamh idir *testes* (cuntais lucht inste scéil) agus *testimonia* (foinsí príomha scríofa). Sin é go díreach atá á dhéanamh ag an gCéitinneach. Foinsí tánaisteacha amháin a bhí ag scríbhneoirí na Nua-Ghall; bhí teacht aigesean ar na foinsí bunaidh; i mbéarlagair Baudouin ní raibh acusan ach *testes*, aige siúd amháin a bhí na *testimonia*. San idirdhealú a dhéanann an Céitinneach idir an finscéal filíochta agus an stair, idir an scéalaí agus an staraí, idir an insint scéil agus lorgaireacht na

sinsearachta; san ollúdarás a shamhlaíonn sé leis na foinsí bunaidh a
tháinig anuas agus sa tuiscint a bhí aige do shíorathrú daoine is
nósanna, agus d'fhadhbanna na cróineolaíochta, léiríonn sé an tuiscint
nua Eorpach ar an staireagrafaíocht is cuireann é féin i measc a chomh-
Eorpach léannta.[8] Is i gcomhthéacs coimeádach traidisiúnta litríocht na
Gaeilge amháin a d'fhéadfaí a áiteamh gur saothar *sui generis* é FFÉ. Sa
chomhthéacs comhaimseartha Eorpach, sampla ionadach amháin is ea
é den stair náisiúnta a bhí á sholáthar ag an aos léinn trí chéile. 'Suim
seanchusa Éireann' a mheas an Céitinneach a scríobh, seanchas a bhí
tiomsaithe aige 'a prímh-leabhraibh seanchusa Éireann, agus a
hiliomad d'ughdaraibh barántamhla coigcríche' agus a bhí 'rannta 'na
dá leabhar: an céud leabhar nochtas dála Éireann ó Ádhamh go teacht
Phádraig i n-Éirinn; agus an dara leabhar ó theacht Phádraig go
Gabháltas Gall, nó gus an am so'.[9] Ach bíodh gur le gabháltas Gall sa
dara haois déag a chríochnaigh stair an Chéitinnigh, bhí tábhacht agus
impleachtaí comhaimseartha leis an saothar freisin, impleachtaí a
nochtar go soiléir sa díonbhrollach go háirithe agus thall is abhus sa
téacs chomh maith.

An díspeagadh easonórach a bhí á dhéanamh ag priompalláin na
Nua-Ghall ar áititheoirí na tíre, ba dhíspeagadh é, ní hamháin ar na
Gaeil a bhí sa tír seo le 'trí mhíle bliadhan', ach ba dhíspeagadh é
chomh maith ar na Sean-Ghaill nach raibh sa tír ach le 'tuilleadh agus
ceithre chéad bliadhan ó ghabháltas Gall i leith' (FFÉ i: 2). Ar a shon
sin is uile, bhíodarsan le háireamh freisin ar 'áitightheoiribh' na tíre
agus le háireamh i measc na nÉireannach chun iad araon a idirdhealú
ó na Nua-Ghaill shiosmaiticiúla. An 'masla mór' a thug Camden
d'fhíoruaislibh Éireann (a rá nach mór an coimeád a bhí ar an bpósadh
lasmuigh de na bailte móra) ba mhasla dóibh araon é 'do bhrígh gurab
ar an tuaith áitighid a n-urmhór, idir Ghall agus Ghaedheal' agus níor
chóir do Camden 'an choir nach raibhe coitcheann do chur i leith na
n-Éireannach áitigheas i san tuaith mar oilbhéim dóibh' (*ibid.* 60). An
éagóir fhollasach a bhí déanta ag scríbhneoirí na Nua-Ghall, más ea, is
ar Ghaeil is ar Shean-Ghaill araon, 'ar Éireannchaibh', a bhí sin déanta
is dá dtabharfadh na scríbhneoirí sin 'a bhfír-theist féin ar
Éireannchaibh, ní fheadar créud as nach cuirfidís i gcoimhmeas re
haoin-chineadh san Eoraip iad i dtrí neithibh, mar atá, i
ngaisgeamhlacht, i léigheantacht, agus i n-a mbeith daingean i san
gcreideamh Catoileaca' (*ibid.* 76-8).

Is cinnte nárbh é an Céitinneach an chéad duine den aos léinn a thug
Éireannaigh ar áititheoirí na tíre seo, bíodh nárbh úsáid ghnách í; *Gaeil
(Goídil/Gaoidhil)* ba choitianta riamh anall. Téarma ginealais é *Gaeil* a
chuireann sinsear coiteann in iúl: comhfholaíocht, comhshinsearacht,
comhghinealas a shnaidhm na Gaeil le chéile. Mar an gcéanna le *mic
Míleadh* (ainm ginearálta eile a chleacht na Gaeil), is é an
comhghinealas céanna b'aonfhoinse don téarma is don choincheap.

Ach ní mar sin do *fir Éireann* nó do *fir Fáil*, ainmneacha ginearálta eile ar na Gaeil a fhaightear sa tseanlitríocht, ar coincheap geografúil is bun leo. An bonn geografúil céanna atá laistiar den téarma nua, *Éireannaigh*. Faoi mar a úsáideadh an téarma sin ar dtús, is dóichí gurbh fhocail chomhchiallacha iad *Gaeil* agus *Éireannaigh* mar nach bhfuil á chur in iúl, is cosúil, ach idirdhealú idir *Gall* (= 'allúrach') agus *Éireannach* (= 'dúchasach'):

> Tucad in cath gach lái co cenn sectmaine 7 ro marbad cúic cét déc d'allmarchaibh 7 d'Éirennchaibh ... (*Irische Texte* 4 i, 1900, 1292-4).

Ach sna meánaoiseanna déanacha leathnaíodh séimeantaic an fhocail chun idirdhealú nua a chur in iúl. *Tír na nÉireannach*, mar shampla, a thugtar mar ainm ar Éirinn i ndán a leagtar ar Ghearóid Iarla, ach is cosúil nach iad na Gaeil amháin atá i gceist:

> Fuilngim tír na nÉireannach
> nach rachainn i gceann Ghaoidheal,
> mina tíosadh éigeantas
> ó ríogh Shaxan dom laoidheadh ....[10]

Tá le tuiscint as an rann sin nárbh ionann *Gael* agus *Éireannach* agus gur chuimsithí mar théarma é *Éireannach*, tuiscint atá le baint freisin as iontrála difriúla eile in annála an chúigiú is an tséú haois déag:

> Tomás Bacach mac Iarla Urmhumhan do dhol i Saxanaibh do chongnamh la Rígh Saxan i n-aghaidh Rígh Frangc ocht xx.x. fer cotúin deirg 7 ocht xx.x. fer cotúin gléghil do Ghallaibh 7 do Ghaidhealaibh uaisli ... go dtánaig teidhm galair guasachtaigh forna hÉireannchaibh ... (AC: 1419.5).

> Do marbhadh mórán dá mhuintir edir Albanachaibh 7 Éireannachaibh, et go háirighthe do marbhadh mórán do Ghallaibh 7 do ghallóglaochaibh Laighean ann (AC: 1522.7).

Mar is léir, cuimsíonn an focal *Éireannach* idir Ghaeil agus Ghaill sna hiontrála sin ach fós in iontrála eile is cosúil gurbh ionann i gcónaí Gael agus Éireannach agus nach raibh, is dóichí, an t-idirdhealú nua a bhí á dhéanamh eatarthu fós coiteann.[11] Ach bíodh nach mbíonn sé soiléir i gcónaí cén bhrí bheacht atá leis an bhfocal, is i minicíocht a théann a úsáid i bhfilíocht an tséú haois déag. Focal é a úsáideann Tadhg Dall Ó hUiginn go minic. Is cinnte nach bhfuil de bhrí aigesean leis an bhfocal uaireanta ach 'dúchasach' (de chuid na hÉireann) agus go bhfuil Gaeil, Éireannaigh, fir Éireann is mic Mhíle comhchiallach:

> géill gach Éireannaigh ... do shluagh geimhealtrom Ghaoidhiol ... a samhail d'fhearaibh Éireann ... fíréin ghlana na nGaoidheal ... 's níor ghabh éinfhear d'Éirionnchaibh ... do mhacaibh móra Míleadh ... ón chuid oile d'Éireannchuibh ... ameasg Gaoidheal ghuirt Teamhrach ... ní tráth d'Éireannchaibh eiséin (TD: 7 §§ 4,6,8,10,18,20,21,44,51).

Níl aon idirdhealú á dhéanamh sa dán sin, ach sa ghríosadh meanmnach a chum sé do Bhrian na Múrtha Ó Ruairc (*D'fhior chogaidh*

comhailtear síothcháin) tá idirdhealú ciníoch á dhéanamh, is cosúil, idir
'fir Shaxan'/'Gaill' ar thaobh amháin agus 'Gaoidhil'/'uaisle Banbha'/
'Éireannaigh' ar an taobh eile:

> Fir Shaxan do shíodhaghadh ... síodh ó Ghallaibh ... uaisle fola
> FionnGhaoidhil ... buidhne Ghall ... síol Éibhir is Éireamhón ... cath Saxan
> ... sluagh Banbha ... re fearaibh Fódla ... deabhaidh d'fhógra ar
> eachtronnchaibh ... fir Éireann ... na Goill ... ag cathaibh eachtronn ... ar
> fhearaibh Saxan ... uaisle Banbha ... Gaoidhil uile d'fhóiridhin ... bandála
> Gall ... ríoghraidh Ghaoidheal ... fine Gall ... adéaraid Goill ... re maithibh
> Gaoidheal ... cath Saxan, sluagh rí Theamhra ... budh iomhdha marbh
> Goill is Gaoidhil ... (TD: 16 §§ 2, 3, 5, 6, 7, 10, 16, 28, 42,44, 46, 52, 56, 57,
> 62, 63, 64, 65).

Is léir nach í an tseanbhrí ghinearálta atá le *Gall* ('eachtrannach') anseo
agus nach iad sliocht na Normannach trí chéile atá i gceist ach oiread;
Gaill áirithe atá á lua: *fir Shaxan/cath Saxan*. Ní hionadh sin nuair a
chuimhnímid gur timpeall na bliana 1580 agus arm Eilíse ag iarraidh Ó
Ruairc is uaisle Chonnacht trí chéile a cheannsú a scríobhadh an dán.
Léiriú eile ar an idirdhealú céanna is ea contrárthacht a bheith á
déanamh sna hannála anois, ní hamháin idir Éireannaigh is Sasanaigh
ach idir Sasanaigh is Gaill:

> Deilp Muire miorbhaileach do bhí i mBaile Átha Truim, dar chreideadar
> Éireannaigh uile re cian d'aimsir roimhe sin ... do loscadh le
> Saxanachaibh ... (AC: 1538.6).

> An Giúisdís guna Shaxanachaibh 7 Goill na Midhe do dhul i dTír Eoghain
> 7 sluagh Gaoidheal do éirghe amach i n-a gcoinne ... (AU: 1532).

> Magh Nuad do reic 7 do thairbhirt do na Saxanachaibh ... agus do
> hiomordadh air gu ndearna sé mórán díthe do Ghallaibh ... 7 adubhradar
> na Saxanaigh gur chóra dósan feall do dhéanamh orra féin ... (AU: 1535).

> Is mór gortadh 7 cogadh na bliadhna so thimcheall Éirenn eder Uadh
> Néill 7 Uadh Domhnaill 7 Saxain 7 Gaill Éirenn uile anno 1591 ... (*Celtica*
> 6, 1963, 144).

Faightear tagairtí do na Saxain/Saxanaigh i bhfad siar sna hannála,
ach is cinnte go dtéann líonmhaireacht is beachtacht na dtagairtí sin i
méid ó na meánaoiseanna déanacha amach:

> Iarla o Suirrigh 7 Saccsanaigh do theacht i n-Éirinn an bhliadhain se ...
> (AU: 1520).

> Cathaoir Modartha mac Í Raghallaigh, saoi chinn-fheadhna, do
> mharbhadh le na Saxanachaibh in bhliadhain se ... (AU: 1538).

> Ro cheadaigh dó gach aon bhall d'Éirinn agá mbeith buain nó báidh le
> Saxanachaibh d'argain 7 d'adhbhalscrios (ARÉ:1598).

Sa bhliain 1566 scríobh Seán Ó Néill, i nGaeilge, chuig Iarla
Dheasmhumhan, á áiteamh air "now is the time, or never, for them both
to set against the English"; de réir tairngreachta a leagadh ar Merlin, bhí
'muintear na Saxanach' le scriosadh sa bhliain 1567; mheabhraigh Corc
Óg Ó Cadhla, sa bhliain 1578, gur 'fa smachd Saxanach' a bhí Éire;

gríosann Dónall Mac Bruideadha a thiarna, Toirdhealbhach Ó Briain, díriú 'ar chath Saxan na sluagh dtiugh', óir bhí sé i ndán dósan briseadh orthu i gcath Maistean; bhí 'fian Saxan go suaimhneach', a dúirt file eile, ar bhás Aodha Mhig Uidhir; feasta is iad na Sacsanaigh d'áirithe a bhí le díbirt, dar leis na filí:

> Go dul Sagsanach tar sál
> ní dhíolfam dán iná laoidh ....
>
> Biaidh cládh do chnámhaibh Sacsan
> nach sáraidh crádh comharsan ....
>
> Saxoin dá ngoin le a géirinn ....
>
> Cuirfidh Sagsanaigh tar sáil
> scarfaidh iad dá ngabháil ....[12]

An tseanchontrárthacht thraidisiúnta a rinne aos léinn na Gaeilge riamh ó theacht na Lochlannach i leith – contrárthacht idir Gael agus Gall – tá sí in úsáid coitianta fós ach ba léir, faoin séú haois déag, gur ghá pairticleárú áirithe a dhéanamh uirthi feasta agus beachtú áirithe a dhéanamh ar a brí. Is léir go háirithe nárbh ionann i gcónaí séimeantaic an fhocail 'Gall' sa séú haois déag agus sna meánaoiseanna.

Nuair a chaoineann Tadhg Dall Ó hUiginn (*D'fhior chogaidh comhailtear síothcháin*) go bhfuil 'buidhne Ghall' i gceannas na hÉireann is nach bhfuil aon fhile á rá 're fearaibh Fódla/deabhaidh d'fhógra ar eachtronnchaibh' ní móide gurb iad na Gaill/eachtrannaigh trí chéile atá i gceist aige ach *cath Saxan*. Agus nuair a fhógraíonn sé go fáistineach go bhfuil sé i ndán do Bhrian na Múrtha Ó Ruairc briseadh 'ar fhóir Saxan' is nach mbeidh feasta 'ós chlár Fhódla acht Éireannaigh' (TD: 16 §§ 6,10,68) ní dócha gur Ghaeil amháin a bhí i gceist aige, ní foláir nó d'áireodh sé i measc na nÉireannach sin a phátrúin féin Búrcaigh Mhaigh Eo ar den sliocht Normannach de Burgo iad. Is é *Fearann cloidhimh críoch Bhanbha* an dán is suimiúla dár scríobh Ó hUiginn do na Búrcaigh, dán tábhachtach, dán tionscnamhach do Sheán Mac Uilliam Íochtair de Búrca († 1580). Dlisteanú is ea an dán ar cheart de Búrca chun tiarnais is talaimh in Éirinn, ceart atá chomh bailí le ceart na 'seanGhaoidheal' féin. Le neart claímh, a áitíonn an file, a ghabh gach aicme dár ghabh Éire riamh í – Fir Bolg, Tuatha Dé Danann, maca Mhíle – agus sin é a rinne na Normannaigh freisin. Níorbh aon eachtrannaigh iad na Búrcaigh, más ea, seachas aon aicme eile; breis agus ceithre chéad bliain a bhíodar sa tír agus níorbh fhéidir d'Éirinn scarúint leo anois:

> Gi bé adéaradh gur deóraidh
> Búrcaigh na mbeart n-inleóghain -
> faghar d'fhuil Ghaoidhil nó Ghoill
> nach fuil 'na aoighidh agoinn.

> Gi bé adeir nach dleaghar dháibh
> a gcuid féin d'Éirinn d'fhagháil -
>   cia san ghurt bhraonnuaidhe bhinn
>   nach lucht aonuaire d'Éirinn? ...
> Dul uatha ag Éirinn ní fhuil,
> deich mbliadhna ar cheithre chéadaibh
>   atá an tír thiormarsaidh thais
>   fa fhionnghasraidh shíl Shéarlais ... (TD: 17 §§ 17,18,20).

Ní mór cuimhneamh gur dán molta é seo a raibh luach cuí saothair ag dul don té a scríobh. Ach is *toisc* gur dán molta é nach foláir dúinn glacadh leis go raibh na seintimintí a bhí á nochtadh ag Ó hUiginn soghlactha ag an té dár scríobhadh an dán. Agus ní toisc gur dán molta é go bhfágann sin gurbh é an féinleas amháin ba shiocair lena chumadh nó nach bhféadfadh sé a bheith ina mholadh agus ina léiriú fírinneach chomh maith ar dhearcadh an fhile nó an aosa léinn trí chéile. Mar is eol coitianta, níor scorn leis na filí riamh glacadh leis an uaisle Normannach mar phátrúin ná leis an uaisle féin glacadh le moladh is seirbhís bholscaireachta na bhfilí. Faightear dán molta ar Bhúrcach chomh luath le tús an tríú haois déag, más fíor, is dánta molta ar Ghearaltaigh, Bhuitléaraigh, Róistigh is sleachta eile nach iad ón aois sin amach.[13] Tá sé tabhartha faoi deara ag Simms (1989: 188) nach foláir idirdhealú a dhéanamh idir an aicme a bhí seanbhunaithe sa tír (Búrcaigh, Gearaltaigh, Róistigh, etc.) agus an dream is déanaí a tháinig anall ó Shasana, idirdhealú a réalaítear sna hannála agus i bhfoinsí eile le teacht chun cinn is le hiomadúlacht na dtagairtí do *Saxanaigh* d'áirithe. Ní foláir a thabhairt faoi deara freisin nárbh ionann riamh glacadh le pátrúntacht na nGall go háitiúil agus glacadh le ceart na nGall in Éirinn. Is é an ceart sin atá á chur chun cinn ag Ó hUiginn; mar a d'éiligh sé, ní fhéadfadh Éire iad a shéanadh anois. D'úsáid filí eile roimh Ó hUiginn an nóisean sin 'ceart claímh'/'fearann claímh'[14] ach ní móide gur éirigh le héinne acu úsáid chomh héifeachtach a bhaint as ná úsáid chomh trombhríoch. Mar, bíodh nach litríonn sé amach é, tá tuiscint nua den fhocal *Éireannach* á buanú ag Ó hUiginn, tuiscint atá bunaithe ar *patria* seachas ar ghinealas.

A bhfuil á áiteamh ag Ó hUiginn i dtaobh na mBúrcach, is é freisin a áitíonn Dónall Mac Bruaideadha i dtaobh na nGearaltach sa dán *Cia as sine cairt ar chrích Néill?* De na gabhála difriúla a fuair Éire, b'é teacht na nGearaltach, anoir ón Ghréig, an séú ceann agus b'í an ghabháil sin a gcairt ar Éirinn; de réir na tairngreachta bhí sé i ndán do dhuine de na Gearaltaigh fóirithint ar 'Éireannchaibh' agus na Gaill a ruaigeadh ach is iad na Gaill a bhí le ruaigeadh anois, ní na 'céadGhallaibh' ná na 'FionnGhallaibh', ach 'cath Lundan':

> Síol nGearailt lé ngluais deighshéan
> ag so an seiseadh saoircheinéal,
>   cairt 'gan tréad ar fhionnmhaigh Fháil
>   tré ríoghraidh Gréag dá gabháil ... .

Tá ag fáidhibh fad ó shoin
go dtiocfadh don treibh Ghréagaigh
   scaoilfeas móircheas chlann Chriomhthainn
   Gall fhóirfheas ar Éireannchaibh ....

Tiocfaid Goill ón tír thallain
chaillfeas ar na céadGhallaibh,
   ríoghraidh mear bhus cabhsaidh céim,
   do Shacsaibh is eadh iadséin ....

'Bidh', ar Séadna na salm nglan,
'báidh liom clódh ar chath Lundan,
   críoch Fhloinn 'gá FionnGhallaibh féin
   ón droing iodhlannaigh aighmhéil ...

Treise Ghaoidheal do ghabháil,
scrios Gall a gort Pharthaláin ...
(RIA 23 B 35: 1 §§ 9,16, 23,31,35).

Bhí Gaill is Gaill ann is ba ghá idirdhealú a dhéanamh eatarthu. Mar a
mhínigh file anaithnid do chlann mhac Riocaird de Búrca, Iarla
Chlainne Riocaird († 1582), i gcrosántacht a chum sé dóibh (*Rannam le
chéile, a chlann Uilliam/Inis Banbha*) níor dhream iadsan a bhronn 'a
ngort do Ghallshluagh' (DD: 111 § 27): ní leis an nGallshlua a bhain na
Búrcaigh, is cosúil. An dearcadh fáilteach báúil a nochtann Ó hUiginn
i leith na mBúrcach agus Mac Bruaideadha i leith na nGearaltach, is é
an dearcadh céanna a nochtar i leith na nDíolúnach i nduanaire a
scríobhadh dóibh i dtús an tseachtú haois déag: file á mhaíomh gur
shíolraigh na Díolúnaigh trí chéile ó Niall Naoighiallach; 'An Sior
Gallda Gaoidhealta' á thabhairt go moltach ar Shéamas Díolún.[15] I
ndánta eile le filí difriúla a cumadh i dtús an tseachtú haois déag
nochtar an dearcadh fáilteach céanna; Gael is Gall á lua in éineacht go
báúil nó cine faoi leith de na Sean-Ghaill – Gearaltaigh go háirithe – á
lua le meas is le hurraim:

'Maicne Míleadh, clanna Coinn ... stór fileadh, fuil rígh-Ghearuilt' in *A
mhic ná meabhraigh Éigse* (Mathghamhain Ó hIfearnáin); in eagar: O'Grady
(1926: 392), DG iii: 4 § 8,11;

'Ní mhaireann aicme Chonaill ... mo thruaighe gléire Gearailt' in *Beannacht
ar anmain Éireann* (Fear Flatha Ó Gnímh); in eagar: IBP: 26 §§ 8-9;

'Níor fhéagh liom Gaoidheal ná Gall ... . Mé im luing cheannaigh ... d'éis
chlann nGearailt' in *Ceist! cia do cheinneóchadh dán?* (Mathghamhain Ó
hIfearnáin); in eagar: IBP: 37 §§ 3,7;

'Filidh cláir Ghall a's Ghaoidheal/ann is cáir do chommaoidheamh' in *Fada
i n-éagmais inse Fáil* (Uilliam Nuinseann); in eagar: Murphy (1949: 15
§ 7);

'Do aomhsad Gaoidhil is Goill ... rí fíréanda do rádh ribh' in *Ag so an
chomairce, a Chormaic* (Tadhg Dall Ó hUiginn); in eagar: TD: 30 § 14.

Ach is tagairtí ginearálta iadsan ar fad agus sna dánta trí chéile atá luaite go dtí seo níl i gceist ach aon teaghlach d'áirithe á lua – Búrcaigh nó Díolúnaigh nó Gearaltaigh. An dearcadh fáilteach dearfa a nocht filí cheana i leith teaghlaigh áirithe tá sé á nochtadh ag Céitinn i leith na Sean-Ghall trí chéile. Aicme iomlán – agus ní teaghlaigh aonair – atá i gceist ag an gCéitinneach – athrú bunúsach nach léirítear sa litríocht go dtí an seachtú haois déag.

An rangú eitneach a rinne Céitinn idir Gaeil, Sean-Ghaill is Nua-Ghaill, bunús stairiúil a bhí leis sa mhéid gurbh í an tréimhse ama a bhí caite in Éirinn ag gach aicme acu a scar ó chéile iad. Ach níorbh é an bunús stairiúil sin an tréith idirdhealaitheach eatarthu. Bhí na Gaeil is na Sean-Ghaill araon le háireamh i measc 'áititheoirí' na hÉireann, mar 'Éireannaigh'; ní raibh na Nua-Ghaill. Bonn reiligiúnda a bhí leis an idirdhealú sin: san fhírtheist a bhí le tabhairt 'ar Éireannchaibh' ba ghá a áireamh 'a mbeith daingean i san gcreideamh Catoileaca' (FFÉ i: 76-8). Ní téarma cuimsitheach ag Céitinn é *Éireannach* más ea, ach téarma eisiatach mar go bhfuil aicme áirithe áititheoirí nach bhfuil san áireamh. Mar a mhínigh sé i gcaoineadh ar bheirt de na Buitléirigh, 'báidh cleamhnais' is 'combáidh creidimh' a bhí idir na Sean-Ghaill is na Gaeil; dhá dhrong chalma 'do chloinn Bhanbha' arbh iad na Nua-Ghaill a namhaid choiteann:

> Tig na Sean-Ghoill tar sáile
> go maicne Míle Easpáine,
> táin fhírbheach, ór bh'ionlúith inn
> ós mínleach fhionnmhúir Fheidhlim.

> Na Fionn-Ghoill seo ar dtús do threabh
> fearann cairte clann Míleadh,
> tig siad an t-am so 'n ár dtreas
> do ghníd 's an chlann so cairdeas.

> Báidh cleamhnais is cuisleann gaoil,
> combáidh creidimh do aon-taoibh,
> airmheas gach oirir ortha -
> cairdeas oinigh eatortha.

> Tig dá n-éis ar feadh Banbha
> saithe ain-teann allmhardha
> gan bháidh ris an gcéad-dhroing gcóir
> do shéan-roinn chláir an chomhóil.

> Na Nua-Ghoill seo, gidh nós grod,
> do nochtsad fíoch is formad,
> don dá dhroing chalma chruadha,
> do chloinn Bhanbha bhláthbhuadha ....[16]

Ach níor thuiscint ná idirdhealaitheacht aon duine amháin é sin. Is é an t-idirdhealú céanna atá ag Pilib Ó Súilleabháin Béarra freisin agus an comhcheangal a bhí laistiar den idirdhealú sin – comhaonta bráithreachais idir Gaeil is Sean-Ghaill – bhí an comhcheangal céanna á chur chun cinn ag filí tuata na Gaeilge chomh maith.

Sa leabhar *Zoilomastix* a scríobh Pilib Ó Súilleabháin Béarra timpeall na bliana 1625,[17] leabhar ar tuarascáil chuimsitheach é ar thopagrafaíocht, ar stair agus ar dhálaí nádúrtha, sóisialta is cultúrtha na hÉireann, cáineann an t-údar Stanihurst go dian as an téarma maslach "Angla-Éireannaigh" a úsáid i leith na Sean-Ghall; ní raibh a leithéid de dhream agus 'Anglo-Hiberni' ann: Éireannaigh ar Chaitlicigh iad uile agus Sasanaigh ar eiricigh iad uile an dá aicme eitneacha a bhí anois in Éirinn (1625: 62-3). Suimiúil go leor, i saothar a scríobh sé roimhe sin, d'úsáid Ó Súilleabháin Béarra féin[18] an téarma maslach céanna ach cuireann sé an milleán anois ar Stanihurst as é a chur in ócáid, caitheann uaidh mar théarma é, áitíonn gur chóra *Noviores Iberni* ('Nua-Éireannaigh') a ghairm díobh is impíonn ar na hÉireannaigh uile cur le chéile i gcoinne na Sasanach – eiricigh fhuafara nach raibh iontu ach barbaraigh (*ibid.* 73-4). An rangú nua a bhí á dhéanamh ag Ó Súilleabháin Béarra is ag Céitinn araon ar aicmí eitneacha na hÉireann agus an t-ailíniú nua is an dearcadh nua ideolaíoch a bhí laistiar de, is cinnte go dtéann a bhfréamhacha is a mbunús stairiúil siar go dtí an séú haois déag. Go dtí sin níor ghá d'idirdhealú a dhéanamh ach ceann simplí ciníoch dénártha idir *Gael* agus *Gall.* Le teacht na Nua-Ghall anall sa séú haois déag agus de bharr a gcomhdhéanamh reiligiúnda, níor leor feasta an sean-idirdhealú ciníoch, ba ghá do Ghael is do Shean-Ghall teannadh le chéile le 'báidh cleamhnais ... combáidh creidimh' mar a dúirt Céitinn.

Is ar an gceangal cleamhnais sin a dhíríonn Tadhg Mac Bruaideadha i ndán (*Fagham ceart a chlann Éibhir*) agus é á áiteamh aige in *Iomarbhágh na bhFileadh* go raibh Gearaltaigh, Búrcaigh is sleachta eile mar iad le háireamh freisin mar chraobha 'd'fhuil Éibhir':

> Do fhássad ard-chrainn oile
> a fréimh ar gcrann gcumhrai-ne
> ní choisc mé dá maoidheamh sin
> nach i ngné Gaoidheal gairmthir.
>
> Búrcaigh, Buitléirigh, Barraigh,
> Róistigh, gidh do río-Ghallaibh;
> cuir as a sean-mháithribh sin,
> 'na ndeagh-bhráithribh d'fhuil Éibhir.
>
> Do thaoibh ban is dar mbunadh
> Tomás Iarla Urmhumhan ....
> Do fhássad fós don bhfiodhbhaidh ...
> d'aicme ghnímh-éachtaigh Gearailt (IF: 29 §§ 31-4).

An t-áiteamh céanna a chuireann Mac Bruaideadha chun cinn i gcaoineadh (*Eascar Gaoidheal éag aoinfhir*) ar a phátrún Donnchadh Ó Briain, ceathrú Iarla Thuamhan, ar éag dó sa bhliain 1624. I measc na ngéag ginealaigh a bhí le maíomh ag Ó Briain,

> Tarla i gcomhuaim a chnis ghil
> tonn d'fhuil sinnsear mac Mílidh,
> - drúchtfhuil go ndeaghailt déaraigh -
> Gearailt, Búrcaigh, Buitléaraigh (Ó Cuív 1984a: § 33).

Níos luaithe san aois, i ndán a scríobh Maoilín Óg Mac Bruaideadha
(*Cuirfead comaoin ar chloinn Táil*) maíonn sé gaol ag na Brianaigh le
sleachta eile freisin:

> Do shliocht Donnchaidh fós féaghaidh
> Paoraigh agus Pluincéadaigh,
> > laoich thaghtha na bhfonn bhfásaigh,
> > 's an drong armtha Iúsdásaigh (RIA 23 F 16: 186 § 31).

B'fhíor don aos léinn, ar ndóigh; bhí dlúthghaol, gaol cleamhnais go
háirithe, idir príomhuaisle Éireann, idir Ghael is Ghall, agus, dá réir
sin, sa chnuasach ginealach a chuir muintir Chléirigh le chéile i dtús
an tseachtú haois déag, tugtar ginealaigh na nGearaltach, na
mBúrcach, na mBuitléarach, na mBarrach agus a ngaol le macaibh
Mhíle (Pender 1951).

Ach ní suim sna craobha ginealaigh amháin a spreag an
t-áiteamh a bhí á dhéanamh ag na filí ná an tuiscint nua a bhí laistiar
de. Aidhm shoiléir pholaitiúil a spreag í. I ndán ar Thoirdhealbhach
Luinneach Ó Néill, a cumadh sa cheathrú deiridh den séú haois déag,
molann an file, mar cheann dá thréithe, a chumas i ndéanamh
síochána 'ré seanSacsaibh': réaladh luath ar idirdhealú is ar
chomhcheangal nua.[19] Is é an réaladh litearta is suimiúla ar an
gcomhcheangal sin agus ar an tuiscint nua, an dán *A leabhráin
ainmnighthear d'Aodh* a scríobh Eoghan Rua Mac an Bhaird, dán
tíolactha a chuir an file le 'leabhar ar riaghlachaibh et ar inneall an
chogaidh' a bhí á chur go hÉirinn i dteannta Aodha Uí Dhónaill. Is é
is suimiúla i dtaobh an dáin sin, gur fhógair an file go raibh tairbhe an
leabhair le roinnt ar 'gach n-aon d'Éirionnchaibh' agus dá réir go
mbeannaíonn sé sa dán, ní hamháin do na Gaeil ach do na
'SeanGhallaibh' chomh maith; do na Búrcaigh, na Buitléaraigh, na
Gearaltaigh d'áirithe 'lér cheanglamair óig Éirionn':

> A leabhráin ainmnighthear d'Aodh,
> atá libh léigheann neamhchlaon
> > go hInis bhfódghlain na bhFionn,
> > bhus milis d'ógbhaidh Éirionn ....

> Aodh Ó Domhnaill, dóthchas cáigh,
> arnad léaghadh, a leabhráin,
> > a bhfuil leibh labhair iar soin,
> > ná ceil ar dhaghfhuil nDáloigh ... .

> Ní bad scíotha dot scéalaibh
> na Búrcaigh, na Buitléaraigh,
> > na Gearaltaigh do thuill toil
> > tar seanfholtaibh fhuinn Fhionntoin.

> Ar neach do shliocht Gaoidhil Ghlais
> ná ceil gach iúl dá n-úarais,
> > ná ar SheanGhallaibh fóid na bhFionn,
> > lér cheanglamair óig Éirionn ....

Ar son go sealbhuighim sibh
d'Ú Dhomhaill tar fonn bhfuinidh,
   an fonn ar gach taobh tiomchail,
   ronn ris gach n-aon d'Éirionnchaibh.

Ar nGaoidhil ar bhFionnGhoill féin
beannacht tré dhíograis dóibhséin
   beir mo bheannacht go fonn bhFáil
   beannacht sonn leibh, a leabhráin.[20]

Ar nGaoidhil, ar bhFionnGhoill féin: ba choincheap nua polaitiúil ag an
am é go gceanglódh na Gaeil is na Sean-Ghaill le chéile – dhá dhream
a raibh na céadta bliain tugtha ag troid i gcoinne a chéile acu – ach ba
choincheap é a bhí le cloisteáil go minic anois ar bhéalaibh na cléire, na
n-uasal agus na bhfilí. Fiú an téarma a úsáideann Mac an Bhaird –
FionnGhoill – tá tábhacht nach beag leis. Is mar sin a cuireadh síos ar
Lochlannaigh na hIorua i dtús ama, dream a comhshamhlaíodh de réir
a chéile. Téarma báúil ceana is ea anois é, téarma idirdhealaitheach,
téarma é a d'úsáid an Céitinneach is filí eile freisin:

Críoch Fhloinn 'gá FionnGhallaibh féin
ón drong iodhlannaigh aighmhéil ...;

Fine Gaoidheal, Fionn-Ghaill féin ...

Na Fionn-Ghoill seo ar dtús do threabh
fearann cairte clann Míleadh ...;

Ionann ciall leam dá laoidheadh
an FionnGhall, an fíorGhaoidheal ...;

Fios grianiomall fá aoinfhear
d'fhios t'fhionnGhall is t'fhíorGhaoidheal ... .[21]

An téarma céanna a tharraingíonn Lughaidh Ó Cléirigh is na Ceithre
Máistrí chucu agus an bhrí chéanna is an aidhm chéanna leis:

araill d'uaislibh na bhFionnghall ... (BAR:7);

araill do Fhionnghallaibh Éireann ina hagaidh ... (*ibid.* 104);

ní bhaí d'Fhionn-Ghallaibh Éireann ar triochad céad do dhúthaigh
lánamhain rob oirdhearca ináid sidhe (ARÉ v: 1798);

Teabóid mac Piarais mic Éamainn Buiteléar ... ro ba mó duanaire
d'Fhionn-Ghallaibh Éireann (*ibid.* vi:1996).

Ag freagairt dó, mar théarma, bhí Dubh-Ghaill is é á thabhairt go
maslach anois ar na Nua-Ghaill:

Bhós muna bheidís DubhGhoill
san Mhidhe thais thobarmhoill ...;

Réim na céadphéiste um an gcrann
do-bheirid damhradh DubhGhall ...;

Do b'é adhbhar do thoghla
d'eagla DubhGhall ndanardha ...;

> An laoidhse ...
> do dhealbhas dó ar DhubhGhallaibh ...;
>
> Foirne Dubh-Ghall, ní díth dhamh,
> ón dtroid seo atáid i mbaoghal ... .[22]

An comhaonta agus an chomhthuiscint sin idir Gaeil is Sean-Ghaill a bhí ag teacht chun cinn chomh soiléir sin, b'iad na 'perfidious, Machiavellian friars at Louvain', dar leis na húdarais, a thúsaigh is a chothaigh é: '[who] seek by all means to reconcile their countrymen in their affections and to combine both those that are descended of the English race, and those that are mere Irish, in a league of friendship and concurrence against your Majesty and the true religion, now professed in your Kingdoms' (Meehan 1886: 328). Ní gá gurbh fhíor sin, ar ndóigh; ní móide gurbh aon fhoinse amháin a bhí le hathrú chomh bunúsach sin agus ní móide gur thar oíche a tharla sé. Fós, tá sé áitithe ag Bradshaw (1973) agus ag Lennon (1977) araon gur chuaigh athrú mar sin ar an Íosánach Richard Stanihurst de bharr a dheoraíochta. Ag scríobh dó in Éirinn, is go maslach uaibhreach a chaitheann sé anuas ar na Gaeil agus ar a gcultúr barbartha primitíbheach; thar lear dó san Ísiltír, is go tuisceanach a labhrann sé orthu agus is le bá is meas a thráchtann sé ar a gcultúr; samhlaíonn sé am ag teacht a mbeidh Éireannaigh trí chéile 'united in a common culture' (Lennon 1977: 127). Ní móide gurbh eisceacht é Stanihurst ná gur air siúd amháin a chuaigh claochlú mar é.

Réaladh coincréiteach follasach ar an 'league of friendship and concurrence' sin is ea an saothar acadúil léannta is an saothar teagascach tréadach a bhí á stiúrú i Lobháin ag an am, saothar a raibh Messingham is Mac an Bhaird, FitzSimmon is Mag Colgáin, Céitinn is Ó Cléirigh, White is Ó Maoil Chonaire páirteach ann, saothar ar chuid den choimhlint reiligiúnda san Eoraip trí chéile é (Ó Buachalla 1985). A ndílseacht choiteann d'oileán na naomh, an reiligiún coiteann a bhí acu, agus an deoraíocht choiteann a rug orthu ba bhonn don chomhaonta. Is ina mheascsan thar lear a bailíodh is a seachadadh príomhchnuasaigh filíochta na tréimhse,[23] agus is ina mheascsan a cothaíodh go háirithe seánra nua filíochta, an 'dán deoraíochta', dánta atá ag cur thar maoil le tírghrá dá mbuime Éire is dá muintir:

> Diombáidh triall ó thulchaibh Fáil,
> diombáidh iath Éireann d'fhágbháil,
>   iath milis na mbeann mbeachach,
>   inis na n-eang n-óigeachach ....
>
> Mo bheannacht leat, a scríbhinn,
>   go hInis aoibhinn Ealga ....
>
> Cuirim séad suirghe chum seise,
>   searc mo chléibh do dháileas dí,
> Éire chliathbhras bhocht an bhánfhuinn
>   an gort iathghlas – álainn í ....

Beannacht siar uaim go hÉirinn,
críoch mín sleachta saoir-Fhéilim;
buime ar n-oileamhna is í soin,
ní doidhealbha í ar fhéachain ....[24]

Is iad na deoraithe sin freisin faoi deara leabhair a chur á bhfoilsiú ar an
mhór-roinn a mhíniú chás na hÉireann do Chaitlicigh na hEorpa. B'é
aonphort na leabhar sin gur chogadh ar son an Chaitliceachais é
cogadh na hÉireann agus nach raibh cur síos ná insint scéil ar an
inghreim bharbartha leanúnach a bhí á himirt ag na heiricigh ar
Chaitlicigh bhochta na hÉireann. Ní furasta a thomhas ná a bheachtú
cen anáil go díreach a bhí ag na leabhair sin ar aos liteartha na hEorpa
ag an am ná cén trácht a bhí orthu ach ní foláir nó chuadar i bhfeidhm
ar shlí éigin ar aicmí Caitliceacha áirithe. B'fhéidir nárbh áibhéil ar fad
ag Uilliam Óg Mac an Bhaird é a mhaíomh sa bhliain 1641 gurbh
fhollas 'fan Eóraip uile/bhur martra, bhur moghsuine'.[25]

Toradh follasach amháin ar an deoraíocht sin, dar le Carew, go raibh
na hÉireannaigh anois, de bharr a gcuid taistil 'civilized, grown to be
disciplined soldiers, scholars, politicians, and further instructed in
points of religion than accustomed'; ach níorbh fhóinteach amach is
amach an cor é, dar leis, mar dá bharr sin is cúinsí eile bhí an tseanfhala
is an naimhdeas sinseartha ceachtartha idir Gaeil is Sean-Ghaill á chur
ar ceal 'under the mask of religion' sa tslí 'they being then conjoined ...
it is worthy the consideration ... what more danger to the State their
union can now produce than in former ages' (Carew 1614: 305-6). Is
cinnte go raibh teacht ag na hÉireannaigh a chuaigh thar lear i dtús an
tseachtú haois déag, go raibh teacht acu ar thaithí, ar léann is ar oiliúint
nach raibh ar fáil ag baile. Is cinnte freisin gur chuaigh claochlú
cultúrtha orthu trí chéile de bharr a dteagmhála le gluaiseacht an
Daonnachais is an Fhrithreifirméisin agus, thar lear dóibh, gur
caitheadh i dteannta a chéile, dá ndeoin nó dá n-ainneoin, an Gael is an
Sean-Ghall, an tUltach is fear na Páile, an Gaeilgeoir is an Béarlóir.
Sampla ionadach amháin de is ea Coláiste San Antaine i Lobháin sna
blianta 1623-4 mar a raibh faoi aon díon amháin in aon chomhthionól
amháin Flaithrí Ó Maoil Chonaire, Hugh de Burgo, Tomás Fléimeann,
Roibeard Mac Artúir, Louis Dillon, Dónall Mac Dónaill, Antóin Mac
Geochagáin, Christopher Plunkett, Brian Mac Giolla Choinne, Aodh
Mac an Bhaird is Mícheál Ó Cléirigh (Jennings 1936: 26-33). Níor
chealaigh an t-aontíos sin – i Lobháin ná in aon choláiste eile – níor
chealaigh sé na haighnis chúigeacha ná na haighnis phearsanta ba
chuid lárnach leanúnach de shaol na nÉireannach thar lear,[26] ach níor
mhaolaigh na haighnis sin ach oiread dinimic na hathnuachana, ná na
hideolaíochta nua a bhí adhainte ina measc. Ní san Eaglais amháin a
bhí Éireannaigh ina ndeoraithe thar lear. Bhí na céadta acu freisin in
arm na Spáinne san Ísiltír is bhí dlúthbhaint is síorchaidreamh idir an
dá dhream acu (Henry 1989, 1992) agus na heaglaisigh ag feidhmiú

mar shéiplínigh, mar sheanmóirithe is mar chomhairleoirí ar na saighdiúirí. Sampla den tslí ar theagmhaigh an saol míleata is saol an léinn le chéile gur do Shomhairle Buí Mac Dónaill, a bhí ina chaptaen i reisimint Thír Eoghain san Ísiltír, a scríobhadh 'Leabhar Uí Chonchobhair Dhoinn' is 'Duanaire Finn' (n.23 thuas). Sampla maith den tslí ar theagmhaigh an saol míleata is an saol eaglasta le chéile is ea Teabóid Gallduff (Theobald Stapleton) a bhí ina shéiplíneach in arm na Spáinne san Ísiltír agus a d'fhoilsigh sa Bhruiséal sa bhliain 1639 caiticeasma i nGaeilge agus i Laidin. Ní i Lobháin amháin a bhí coláistí thar lear ag Caitlicigh na hÉireann, ach faoi mar b'í Ollscoil Lobháin ceanncheathrú intleachtúil Eaglais na Róimhe san am, b'é *Coláiste na mbráthar nÉirionnach*[27] sa bhaile céanna ceanncheathrú intleachtúil na hEaglaise sin in Éirinn. Ní mór cuimhneamh freisin go raibh an Ísiltír ag an am ar cheann de na ceantair ba bhíogúla fuinniúla i gcúrsaí ealaíne, léinn, polaitíochta – is reiligiúin – san Eoraip sa tslí nach móide aon dul amú mór a bheith ar an dream a cheap gur ón gcoláiste sin amach a scaipeadh cuid de na tuiscintí nua a bhí á bhfógairt. Éireannaigh is Sasanaigh amháin a bhí in Éirinn anois – téarmaí ciníocha idirdhealaitheacha a bhí comhchiallach le Caitlicigh agus eiricigh. B'é an reiligiún agus é sin amháin an t-aon pharaiméadar idirdhealaitheach a bhí á fheidhmiú de réir na tuisceana nua sin, tuiscint a raibh glacadh coiteann léi i bhfad na haimsire ach ar chasadh fíorthábhachtach i dtús an tseachtú haois déag é, tuiscint a raibh séala údarásach traidisiúnta á thabhairt di ag an gCéitinneach sa stair a bhí á scríobh aige ar 'fírinne stáide na críche, agus dáil na foirne áitigheas í' (FFÉ i: 2).

I bparagraf fíorspéisiúil i ndíonbhrollach FFÉ, mar a bhfuil masla eile de chuid Stanihurst á fhreagairt aige, tugann an Céitinneach tuarascáil ghrinn ar ról sinseartha na Sean-Ghall in Éirinn:

> Fiafraighim do Stanihurst cia budh honóraighe, budh huaisle, nó budh dísle do choróin na Sacsan, nó cia budh fearr do bharántaibh re cosnamh na hÉireann do choróin na Sacsan, coilínighe Fhine Gall 'náid na hiarlaidhe uaisle atá i n-Éirinn do Ghallaibh, mar atá iarla Chille-Dara, do rinne cleamhnas le Mac Cárrthaigh Riabhach, le hUa Néill, agus le drong eile d'uaislibh Gaedheal; iarla Ur-Mhumhan le hUa Briain, le Mac Giolla Phádraig, agus le hUa Cearbhaill; iarla Deas-Mhumhan le Mac Cárrthaigh Mór; agus Iarla Chlainne Riocaird le hUa Ruairc .... Is follus fós gur mionca do chuir coróin na Sacsan cúram cosnaimh agus coiméid na hÉireann ar iocht na n-iarladh do rinne cleamhnas le Gaedhealaibh ioná ar iocht a rabhadar de choilíneachaibh i bhFine Gall riamh (FFÉ i: 32-4).

Ní mar léiriú ar an stair amháin, is léir, a bhí Céitinn ag teacht thar ról na Sean-Ghall ná ar a dhlúithe a bhí a n-uaisle ceangailte i gcleamhnas le huaisle Gael; ní hea in aon chor, bhain a raibh á nochtadh is á chur in iúl aige, bhain sin le cor láithreach na tíre chomh follasach céanna is a bhain leis an stair. An roinn a rinne Stanihurst ar mhuintir na hÉireann, idirdhealú glan idir Gaeil is Gaill, ní fhéadfadh an

Céitinneach glacadh léi mar bhí idir Shean-Ghaill is Nua-Ghaill ann is
ba mhór eatarthu. Na drochnósanna a bhí chomh rábach sin i measc na
cléire go háirithe, dar le 'staraithe' na Nua-Ghall, ba 'i ndiaidh an t-
ochtmhadh Henrí do mhalairt a chreidimh' (FFÉ i: 58) a thángadar go
hÉirinn; an chléir 'do théidheadh go siosmaiticeamhail i n-easumhla ar
a n-uachtaránaibh eaglaise' amháin a chleachtadh iad. B'í an mhalairt
chreidimh sin an claochlú mór, an bhuntréith idirdhealaitheach
dhosháraithe a dhealaigh na Nua-Ghaill ón chuid eile, ó na
hÉireannaigh.

Léirigh an Céitinneach go cruinn soiléir cén bunús a bhí le gabháltas
Gall, gabháltas a raibh aidhm reiligiúnda mhorálta leis, agus a raibh
feidhm dlí leis; gabháltas a chuaigh siar go dtí an t-am ar bhronn

> Fíoruaisle Éireann ... d'aonaonta sealbh nÉireann d'Urbanus, an dara
> Pápa don ainm sin, an tan fa haois don Tighearna 1092; agus do bhí
> sealbh is cur is ceannas na hÉireann ag Pápa na Rómha ón am soin gus an
> am fár ghabh Adrianus an ceathramhadh Pápa don ainm sin comharbas
> Peadair, an tan fá haois don Tighearna 1154. Agus fá Sacsanach an Pápa-
> so agus ... bhronn an Pápa-so ríoghacht Éireann don dara Henrí rí Sacsan
> ... ar eacht go dtóigeobhadh an creideamh do bhí ar lár san gcrích agus
> go gceirteóchadh dobhéasa an phobail ... agus ar meas na gcoinghioll don
> chléir, aontuighid uile iad, is tugadar a n-aonta fá n-a lámhaibh scríobhtha
> ... (FFÉ iii:346-8).

Shéan an Céitinneach go raibh 'an creideamh ar lár san gcrích' ná go
raibh dobhéasa á gcleachtadh coitianta inti roimh theacht na nGall agus
is nuair ba léir do na Gaeil nach 'ceartughadh do dhéanamh ar
chreideamh ná leasughadh ar bhéasaibh i nÉirinn' (*ibid.* 366) a bhí mar
aidhm leis an ngabháltas a chuireadar ina choinne; ach ba léir 'gurab
d'anfhlaitheas is d'éagcóir is do neamhchoimhéad ar a ndlighe féin ag
uachtaránaibh Gall i nÉirinn, táinig iomad do neamhumhla na
nGaedheal do smacht Gall'. Cúigear d'áirithe de thaoisigh na nGall faoi
deara na feillbhearta fuilteacha a imríodh ar na Gaeil, dar leis, mar atá,
'Iarla o' Stranguell, Roibeard Mac Stiabhna, Hugo de Lacy, Seon de
Curcy, is Uilliam Mac Aldelmel' (*ibid.* 358) ach tháinig taoisigh eile anall
sa dara haois déag nach raibh inchomórtais leosan, taoisigh nach raibh
ciontach sna feillbhearta sin; go deimhin 'mórán maitheasa' is 'iomad
deighghníomh' a rinne na taoisigh eile sin, 'maille ré tógbháil teampull
is mainistreach ré dáil fhóid ré haltóir do chléircibh dá gcothughadh'
gur thug

> Dia do shochar d'á chionn soin dóibh iomad do shleachtaibh uaisle do
> bheith ar a lorg aniú i nÉirinn, mar atáid Gearaltaigh is Búrcaigh,
> Buitléirigh is Barraigh, Cúrsaigh is Róistigh, Puérigh, Clann Mhuiris is
> Grásaigh is Prionndarghásaigh, Pléimionnaigh, Puirséalaigh is
> Priosdúnaigh, Noinnsionnaigh is Breathnaigh, Tóibínigh is Suirtéalaigh is
> Bluinnsínigh, clann Fheorais, Conndúnaigh is Cantualaigh,
> Deibhriúsaigh, Dairsidhigh is Diolmhainigh, Moiréisigh, Easmontaigh,
> Léisigh, Brúnaigh is Kéitinnigh (*ibid.* 368).[28]

Feidhm phragmatach pholaitiúil, agus ní feidhm léannta acadúil, a bhí le scríobh na staire, dar le Baudouin is staraithe eile na hEorpa: bhí ceacht le foghlaim aisti, mar stair.[29] Feidhm chomhaimseartha pholaitiúil, is léir, a bhí ag an léamh áirithe a bhí á dhéanamh ag an gCéitinneach ar ról na Sean-Ghall in Éirinn; ag iarraidh ceacht follasach staire a mhúineadh a bhí sé as an choimhlint úd idir Gaeil is Sean-Ghaill: ag cur i gcoinne na héagóra, an anlathais is 'neamhchoimhéad ar a ndlighe féin ag uachtaránaibh Gall i n-Éirinn' a bhí na Gaeil; an t-aindlí ba mhó ba chionsiocair le 'neamhumhla na nGaedheal do smacht Gall' (ibid. 366-8); ní raibh cine san Eoraip, dar leis, is mó a bheadh géilliúil don dlí ná na hÉireannaigh 'dá roinntí comhthrom an dlighidh riú'. Sonrú tábhachtach a bhí ansin, sonrú a bhí tugtha faoi deara ag Sir John Davies féin, a dúirt sé, nuair a scríobh: 'ní fhuil cine fán ngréin lé n-ar ab annsa ceart is comhthrom breitheamhnais ní is fearr ionáid Éireannaigh ... acht go bhfaghdaois díon is sochar an dlighidh an tan iarraid é ar chúis chomhthroim'.[30] Sonrú tábhachtach a raibh ceacht tábhachtach le baint as, an té a thógfadh ceann de. Ní féidir gur mar eolas suimiúil ar bhéasa na nÉireannach a mheabhraigh an Céitinneach nach raibh cine san Eoraip b'umhla don dlí ná iad ach 'comhthrom an dlighidh' a roinnt leo; ní dócha gur gan chúis a tharraing sé as saothar Davies, duine de na priompalláin, mar chuid a ráite. Fad a bhí FFÉ á scríobh ag an gCéitinneach bhí idirphlé leanúnach ar siúl idir foinse an dlí sin agus uaisle Éireann maidir leis na 'fabhair is grása' a bhí an rí toilteanach a bhronnadh orthu ar choinníollacha áirithe; ní móide go raibh an sonrú sin an Chéitinnigh beag beann ar an idirphlé sin. Bhí glactha ag na huaisle sin trí chéile gurbh é an rí anois aonfhoinse an údaráis, an fhabhair agus na cumhachta in Éirinn is bhí aitheantas dá réir tugtha dó. Ba léir dóibh, agus móramh Protastúnach sa pharlaimint a tionóladh i mBaile Átha Cliath sa bhliain 1634, nach ón pharlaimint sin ná ó pharlaimint Phiúratánach Londan ach oiread a bhí 'díon is sochar' an dlí le fáil ach ó aonfhoinse an dlí sin, ón rí. Chuige sin go díreach agus ní chun an rialtais ná na parlaiminte a chuir uaisle Caitliceacha Éireann a n-uile impí, a n-uile iarratas ar choimirce an dlí: ba sa rí a bhí foinse bhunaidh na cumhachta polaitiúla in Éirinn. Mar a d'fhógair Patrick Darcy, dlíodóir, 'Ireland is annexed to the crown of England' (Clarke 1966: 146) is ba thuiscint í sin a raibh idir straitéis pholaitiúil is dearcadh dlíthiúil laistiar di, tuiscint a raibh glacadh coiteann i measc uaisle Éireann léi, tuiscint a raibh bailíocht chuí á cur ar fáil di ag an aos léinn.

'Coróin na Sacsan' (FFÉ i: 32)[31] a thugann an Céitinneach ar an chumhacht sin ag tagairt siar dó do thréimhse na Sean-Ghall; 'an rígh seo againn anois' (ibid. 208) a thugann sé ar Shéarlas I agus téann as a shlí a thaispeáint go húdarásach gur ó ríthe na Mumhan a shíolraigh teaghlach Lennox, sinsear Shéarlais. De réir an tseanchais, d'áitigh sé, shíolraigh Corc, a bhí ina rí ar chúige Mumhan sa chúigiú haois, ó

Éibhear mac Míleadh Easpáinne agus d'imigh mac mic leis siúd, Maine
Leamhna mac Coirc ó Éirinn go hAlbain agus ghabh fearann ann i
Maigh Leamhna in aice le Dún Breatan; is 'ón Maine Leamhna-so mac
Coirc do shíol Éibhir tángadar cineadha uaisle tighe Linox' (FFÉ ii:
386). An ginealach gan smál a bhí á sholáthar ag an gCéitinneach do na
Stíobhartaigh, léiriú foirmiúil é ar ghlacadh coiteann an aosa léinn leo
agus ar an réasúnú is an dlisteanú ba ghá a dhéanamh ar an nglacadh
sin trí ghinealach cuí a chur ar fáil dóibh. Gléas bailíochta a bhí sa
ghinealach ag aos léinn na Gaeilge riamh anall is má theastaigh
deimhniú ar bharántúlacht an ghinealaigh chéanna bhí i gcumas an
Chéitinnigh, faoi mar a bhí i gcumas an aosa léinn trí chéile, gléas
éifeachtach bailíochta eile a tharraingt chuige féin: ollúdarás uilíoch na
tairngreachta. Ag trácht dó ar an Lia Fáil, thagair sé don tairngreacht
ina taobh a dúirt gur chuma cén chríoch a mbeadh an chloch, gur
dhuine de Chine Scoit a chorónfaí uirthi. Fíoradh na fáistine sin a bhí i
gcorónú Shéarlais agus a athar roimhe:

> Is di gairthear an Lia Fáil. Agus is í do ghéimeadh fa gach rígh Éireann re
> mbeith ag a thogha dóibh go haimsir Chonchubhair, agus is do'n chloich
> sin gairthear i Laidin 'Saxum fatale'. Is uaithe fós gairthear Inis Fáil
> d'Éirinn .... Ainm eile dhi Cloch na Cinneamhna; óir do bhí i gcinneadh
> do'n chloich seo, cibé háit i n-a mbeidheadh, gurab duine do Chineadh
> Scoit, eadhon, do shíol Mhíleadh Easpáine, do bheidheadh i bhflaitheas
> na críche sin, do réir mar léaghtar ag Hector Boetius i stáir na hAlban. Ag
> so mar adeir:
>
>> Cineadh Scoit, saor an fine,
>> Mun ba bréug an fháisdine,
>> Mar a bhfuighid an Lia Fáil,
>> Dlighid flaitheas do ghabháil. ...
>
> Dála na cloiche, baoi aca amhlaidh sin sealad aimsire diaidh i ndiaidh go
> ráinig d'á éis sin go Sacsain, go bhfuil ann anois san gcathaoir i n-a
> ngairthear rí Sacsan, iar n-a tabhairt as Albain go haimhdheonach as
> mainistir Scón; agus an céid Eadbhard, rí Sacsan tug leis í, ionnus gur
> fíoradh tairrngire na cloiche sin i san rígh seo againn anois, eadhón, an
> céid rí Séarlus, agus i n-a athair an rí Séamas (táinig do chineadh Scoit,
> mar atá, do shliocht Mhaine mic Chuirc Luighdheach, táinig ó Eibhear
> mac Míleadh Easpáine), d'ár ghabhadar gairm ríogh na Sacsan ar an
> gcloich réamhráidhte (FFÉ i: 206-8).

Bhí lárionad riamh ag an Lia Fáil i dtuiscint thraidisiúnta ideolaíoch an
aosa léinn i dtaobh an fhlaithiúnais agus an ardríochais. Is í an chloch
sin a d'aithníodh an rí cóir; mar a mheabhraigh an Céitinneach féin,
'óir do ghéiseadh sí fa an neach d'ár chóra flaitheas Éireann
d'fhaghbháil' (FFÉ i: 100). I dTeamhair, dar leis an aos léinn, a bhí an
chloch sin riamh; ag glacadh le leagan an Albanaigh Boethius a bhí
Céitinn ar mhaithe le séala traidisiúnta na tairngreachta a chur ar na
Stíobhartaigh agus ar a réim. Ós rud é gur i Londain a lonnaigh 'coróin
iongantach Éireann', mar a dhearbhaigh Fearghal Óg Mac an Bhaird, is
inti freisin a bhí an Lia Fáil anois.

An saothrú sin ar stair a thíre féin a bhí á dhéanamh chomh dea-scríofa, chomh sofaisticiúil sin ag an gCéitinneach ba shampla ionadach Éireannach é den staireagrafaíocht chomhaimseartha Eorpach. Na trí riachtanais d'áirithe a d'áitigh La Popelinière (Kelley 1970:141) nár mhór a bheith i ngach stair scríofa – stíl, insint leanúnach is fealsúnacht – bhíodar comhlíonta go hiomlán is go healaíonta ag an gCéitinneach: stíl shainiúil is insint dá chuid féin fite aige le fealsúnacht ar dhearcadh nua comhaimseartha í ar chor láithreach na tíre. Tá áitithe ag Ranum (1975: 11) gurbh í feidhm na staireagrafaíochta sa chultúr polaitiúil in iarthar na hEorpa san aois sin dlisteanú is códú a dhéanamh ar athruithe móra na linne. Léirigh sí go háirithe na hathruithe institiúideacha is intleachtúla trí athscríobh a dhéanamh ar chanóin na staire d'fhonn an réaltacht pholaitiúil nua a nochtadh is a dhlisteanú. Sin é go díreach a rinne an Céitinneach: ag cur le canóin na staire traidisiúnta a bhí an Céitinneach; na hathruithe móra intleachtúla, ideolaíochtúla is institiúideacha a bhí tagtha i gcrích á bhfí isteach sa chuntas traidisiúnta aige ionas gur léiriú bailí é a insintsean ar an réaltacht pholaitiúil nua is ar na dálaí nua soch-chultúrtha. Ní dhéanann an Céitinneach aon litriú amach beacht ordaithe ar an réaltacht sin; ní fhágann sin nach bhfuil sí le tuiscint is le baint as ar scríobh sé agus gurbh í an réaltacht pholaitiúil chultúrtha sin fráma tagartha a shaothair: ríocht an stádas polaitiúil a bhí ag Éirinn a raibh an 'rígh seo againn' Séarlas I os a cionn; Éireannaigh a chónaigh sa ríocht sin, arbh í a ndaingne 'i san gcreideamh Catoilica' an tréith ba idirdhealaithí dar bhain leo, tréith a d'idirdhealaigh iad ó na Nua-Ghaill eiriciúla. Bhí foirm nua-aoiseach curtha ar 'shuim seanchusa' Éireann ag an gCéitinneach, foirm a bhí leaisteach solúbtha go leor go bhféadfaí ionad cuí is cúlra cuí a chur ar fáil inti do na Sean-Ghaill is go bhféadfaí bonn traidisiúnta a aimsiú inti do na Stíobhartaigh. A oiliúint sa léann dúchais is sa léann nua araon a chuir ar chumas an Chéitinnigh an táthú sin a dhéanamh chomh héifeachtach, chomh cúlánta sin; dálaí polaitiúla a linne féin a mhúnlaigh is a shocraigh an fhoirm áirithe is an insint áirithe a chuir sé ar fáil. Insint chomhaimseartha ar an seanchas traidisiúnta a sholáthair an Céitinneach: léiriú paiteanta ar shainmhíniú léir gonta Huizanga ar scríobh na staire: 'the intellectual form in which a civilization renders account to itself of its past' (Huizinga 1936: 9). Bíodh gur le gabháltas Gall go foirmiúil a chríochnaigh insint an Chéitinnigh, bhí an insint sin tabhartha anuas aige 'gus an am so' (FFÉ i: 94) ar a shon sin, mar dá laghad na tagairtí aige do tharlaingí a linne féin in Éirinn, agus dá mhéad an diminsean follasach Eorpach i dtionscnamh is i modheolaíocht an tsaothair, bhí freisin ó thús deireadh, idir dhíonbhrollach is téacs, diminsean polaitiúil inmheánach comhaimseartha.[32]

Ní lú ná sin a chítear ná a nochtar an diminsean polaitiúil céanna i saothar na gCeithre Máistrí. Teideal a bpríomhshaothair féin, *Annála*

Ríoghachta Éireann, léiriú baileach é ar an diminsean céanna. Annála na *ríochta* a mheasadar a scríobh, ní annála sleachta ná dúthaí ar leith, ní annála Uladh ná annála Chonnacht ach annála na ríochta uile ó bhliain na díleann anuas go dtí bás Aodha Uí Néill sa Róimh sa bhliain 1616. Níorbh é Ó Cléirigh an chéad duine den aos léinn a chuir an téarma nua *ríocht* in úsáid ag tagairt do stádas polaitiúil na hÉireann, ach is é cinnte a bhronn séala is údarás an aosa léinn air. Léiriú soiléir is ea úsáid an téarma mar theideal ar mhórshaothar liteartha ar a bhunaithe a bhí sé mar théarma is ar an nglacadh coiteann a bhí leis. Aonad polaitiúil amháin arbh é 'ríocht' an téarma cuí air a bhí in Éirinn anois, bhí an ríocht sin géilliúil 'don choróin' (ARÉ vi: 2346), agus b'é pearsantú láithreach na cumhachta sin 'ar rígh Carolus' ar ina ríghe a scríobhadh *Annála Ríoghachta Éireann*.[33]

Is sa bhliain 1626, an chéad bhliain de réimeas Shéarlais, a thosaigh Ó Cléirigh ar a thaighde in Éirinn agus chaith sé aon bhliain déag ina dhiaidh sin sa tír ag bailiú lámhscríbhinní, á n-athscríobh, á scagadh is á n-ullmhú le cur go Lobháin le foilsiú. Ní ábhar eaglasta amháin ba chúram dó is dá chomhghleacaithe ach 'a complete collection of all existing Irish antiquities, secular and ecclesiastical' (Plummer 1910: x). Cinnte, an ollscéim a thosaigh an obair – 'gather from all parties and countreys ... the ancient histories, offices, martyrologes of the birth, lives, death, feasts, churches, and cells of our Irish Sainctes ...' (HMC 4, 1874, 604) – ba chuid de obair acadúil na hEaglaise Caitlicí í sa choimhlint i gcoinne an dreama a raibh an stair féin i dteannta an chreidimh á cur as a riocht acu. Bhí 'naomhthacht ⁊ fíréandacht a mátharbhuime Éire' imithe ar gcúl 'tré gan beathaighthi, fearta nád míorbhaile a naomh do shíoladh innte féin ná fós i ríoghachtaibh eile', dar le Ó Cléirigh (GRS: 7) ach ní fhéadfaí, dar leis, seanchas na naomh a thabhairt siar 'go a mbunadhas gan seanchas na ríogh do bheith reampa, ar as uatha ro shíolsad' (GRS: 8) agus mar sin ghabh sé lena ais an uile bhlúire de sheanchas na tíre idir naomhsheanchas is rísheanchas, idir ghinealaigh is annála, idir phrós is fhilíocht a theaglamadh: 'omnia quae ad sacrum profanumque Hiberniae statum pertinent' (GIM: 82).

Ní fhéadfaí, dar le Baudouin (Kelley 1970: 134-5), an stair chathartha a scríobh gan an stair eaglasta a scríobh ina teannta; bhí sé dodhéanta, dar le Ó Cléirigh, an stair eaglasta a scríobh gan an stair chathartha a cheangal léi: dhá nochtadh dhifriúla ar aon tuiscint chomhchoiteann amháin. Mar bíodh gurbh í foirm thraidisiúnta annálaíoch na croinicíochta a chleacht Ó Cléirigh is a chomhghleacaithe in ARÉ, bhí an mhodheolaíocht sin is na tuiscintí ar a raibh a saothar bunaithe, bhíodar ag teacht go hiomlán le dearcadh a chomhghleacaithe comhaimseartha ar an mhór-roinn. Ní raibh fós – fiú sa seachtú haois déag – aon idirdhealú absalóideach á dhéanamh idir an t-annálaí is an staraí ná, dá réir sin, idir an fhoirm annálaíoch (ARÉ) is an fhoirm leanúnach scéalaíoch (FFÉ). An aidhm chéanna a bhí leis an dá fhoirm. Is é a bhí sa stair, a dúirt an staraí Iodálach Bisaccioni, "a narrative of the actions of princes and great men" (Burke 1969: 98); 'although I know that matters military and politic are the proper subjects of an historian', a dúirt Camden in *Annals of Queen Elizabeth* (1615), 'yet I neither could nor ought to omit ecclesiastical affairs (for betwixt religion and policy there can be no divorce) .... it is the law and dignity of an historian to run through the most eminent actions, and not to dwell upon small ones' (Burke 1969: 127-8). Stair na bpápaí, na n-impirí is na ridirí go príomha a bheadh sa *historia perfecta,* dar le Baudouin (Kelley 1970: 134); is é an bunábhar is uaisle agus is iomláine a bheadh ar fáil, na foinsí a bhain le ríocht na Fraince is le cúirt is le parlaimint Paris, a dúirt du Haillan (*ibid.* 131). D'áitigh an Pléimeannach ar Aodh Mac an Bhaird gurbh é an chéad imleabhar ba cheart dóibh a chur amach foclóir achoimreach d'Éireannaigh tháscúla (*de viris illustribus Hiberniae*) idir naoimh is tuataí (Jennings 1934: 214). Ba ní coiteann soiléir é, dar le Mícheál Ó Cléirigh, 'fón uile domhan in gach ionadh i mbí uaisle nó onóir ... nach bhfuil ní as glórmhaire 7 as airmhidnighe onóraighe ... iná fios seandachta na seanughdar 7 eolas na n-aireach 7 na n-uasal ro bhádar ann isin aimsir rcampa do thabhairt dochum solais' (RIA C iii 3: iii). Na huaisle, idir chléir is tuath, is na laochra uile, idir naoimh is tuataí, b'aon ábhar barántúil na staire, dar le staraithe na linne; níorbh aon chuid dá ndualgas gairmiúil é cur síos 'ar bhéusaibh fodhaoine agus cailleach mbeag n-uiríseal ... ar chróbhothaibh bochtán agus daoine ndearóil' (FFÉ i: 6,54).

Is é Aodh Mac an Bhaird, le cabhair ó Luke Wadding sa Róimh is le comhairle ó Roseweyde, duine de na staraithe Bollandacha, a leag an scéim a dtugann Kenney (1929: 40) 'Thesaurus Antiquitatum Hibernicarum' air agus nuair a ceapadh Mac an Bhaird ina ghairdian ar Choláiste San Antaine i Lobháin sa bhliain 1626 shocraigh sé ar an mbráthair bocht Mícheál Ó Cléirigh a chur go hÉirinn 'dochum a bhfuigheadh do leabhraibh ina mbeith énní do thiocfadh tar naomhthacht a naomh gona seanchasaibh 7 geinealaighibh do chruinniughadh go hénionadh' (GRS: 7). An t-ordú grinn a fuair Ó Cléirigh óna uachtaráin, mar atá, 'lorg na seinleabhar do leanmhain' (BR 2324-40: 273b), léiriú paiteanta é ar mhodheolaíocht is ar dhearcadh staraithe na haoise. An tasc ginearálta a cuireadh air féin is ar a chomhghleacaithe, mar atá, 'to gather from all parties and countryes, and prepare to the printe the ancient histories, offices ...' (HMC 4, 1874, 604), treoir mar í a fuair Leland ón rí i Sasana; obair mar í a bhí ar siúl ag Parker, Bale agus Foxe freisin: 'to search for books, manuscripts and what other evidences he could discover relating to the national past ... of recovering what could be retrieved of the historical materials dispersed at the dissolution of the monasteries' (Haller 1963: 58,108); an cúram céanna, a mhaígh du Haillan, a bhí airsean:

shaothraigh sé "lá agus oíche" ag bailiú bunfhoinsí lámhscríofa – 'livres, tiltres, chartes, memoires, enchartemens et autres monuments quil fault avoir pour le bastiment d'un si grand ouvrage' (Kelley 1970: 236). An nath seanchaite – *dochum glóire Dé agus onóra na hÉireann* – ar le Ó Cléirigh féin amháin a shamhlaítear de ghnáth é, leagan é de nath coitianta comhaimseartha a chleacht an t-aos léinn trí chéile:

> Ar mbeith don bhráthair Mícheál Ó Cléirigh san ríoghacht sa na hÉireann ag sgríobhadh a bhfuair do sheanchus naomh ⁊ ríogh Éirionn do chuir roimhe d'onóir na ríoghachta ... (GRS: 131);

> Ionnas go rachadh i nglóir do Dhia, i n-onóir do na naomhaibh, don ríoghacht ⁊ i leas anma dó bhudhéin (GRS: 5);

> Fágaim an mhéid atá agam ar an rígh re h-aghaidh an Clódh-Gaoidhilge agus neithe do chur i gcló do rachas in onóir do Dhia, i gclú dár násion agus d'Ord San Froinsias (TFG: 97);

> Atá súil lé Dia agam go léigfe dhúinn thú go fóill dochum a ghlóire féin ⁊ seirbhíse na tíre boichte (*Catholic Survey* I, 1951, 130-2);

> Ad Dei sanctorumque gloriam et Hiberniae decus et honorem (GIM:82);

> Do chuireas-sa an bráthair Mícheál Ó Cléirigh reamham an tseanchroinic darab ainm Leabhar Gabhála do ghlanadh do cheartughadh ⁊ do scríobhadh (amaille le toil m'uachtaráin) do chum go rachadh i nglóir do Dhia in onóir dona naomhaibh, do ríoghacht Éirionn ⁊ i leas anma dhamh féin ... (TCD 1286: 1);

> Considerantes utilitatem et honorem quae huic nostro Regno et Ecclesiae nostrae Hibernicae (HMC 4, 1874, app. 604);

> As mór do bhí faoi do sgríobhadh do rachadh i leas anma ⁊ i n-onóir shaoghalta don náision dá maireadh (SSA: 3080-2).

Is í an tsiocair cheannann chéanna a spreag Bale i Sasana agus Dumoulin sa Fhrainc: 'to the honour of God, beauty of the realm'; 'reipublicae Franciae ornandae causa; pour la bien et honneur du peuple francois'.[34] An t-eagrú áirithe a chuir na Ceithre Máistrí ar a saothar – grúpa scoláirí ag obair as láimh a chéile ar an tionscnamh céanna ar aon láthair – b'in é an t-eagrú a thosaigh na Bollandaigh san Ísiltír (Knowles 1963), eagrú ar lean grúpaí eile é ina dhiaidh sin.

Tá tugtha le tuiscint ag go leor scoláirí romham gurbh obair anróch chontúirteach ainniseach í saothar Uí Chléirigh in Éirinn;[35] gur i mbaol a anma, é ar an chaolchuid, é ar a choimeád is é ag teitheadh ó áit go háit a chuir sé an obair i gcrích. Ní móide go bhféadfadh gurbh fhíor sin. Saothar mar *Annála Ríoghachta Éireann* (nó *Foras Feasa ar Éirinn*),[36] ní fhéadfadh gur i bpluais thalún ná i mbothán sléibhe a scríobhadh: theastaigh, ar a laghad ar bith, tréimhsí fada leanúnacha suaimhnis is síochána; theastaigh an chuid ba lú ba ghann de chompord, d'oiriúintí, de throscán is d'fhothain; de bhia, de dheoch, de dhubh is de pháipéar; bord, leaba is pátrúnacht. Bhí sin uile ar fáil. 'We are apt to clothe the life of Brother Michael with an air of poetry and romance', a deir

Jennings, 'to imagine him working in a state of almost ecstatic fervour, carried on by his intense love of Ireland and her saints. Love there must have been. There was likewise a spirit, which never lessened, of loyal obedience to the orders of his superiors .... Let us rather think of Brother Michael as a realist' (Jennings 1936: 76-7). Réalaí, go deimhin, a bhí ann a raibh gnó gairmiúil á chur i gcrích go coinsiasach proifisiúnta aige. B'obair mhall mhaslach leadránach í, obair a thug ó cheann ceann na tíre de dhroim capaill é ach obair a bhí á déanamh go fadaraíonach díocasach aige ní hamháin chun 'go rachadh i nglóir do Dhia, in ónóir do na naomhaibh, do ríoghacht Éireann' ach 'i leas anma dhamh féin ... amaille le toil m'uachtaráin' (TCD 1286:1). Tá na lámhscríbhinní iomadúla a chuir Ó Cléirigh ar phár, táid breac le colafain a thugann mioneolas dúinn i dtaobh a chuid oibre is a chuid taistil; i dtaobh na mbunfhoinsí a thaithigh sé. Mar ba ghnách leis an scríobhaí gairmiúil tugann sé eolas beacht cruinn i gcónaí i dtaobh na bunfhoinse áirithe a bhí aige, na háite ar chóipeáil sé í agus dáta a scríofa idir lá, mhí is bhliain:

> As in leabhar do scríobh Tadhg Ó Cianáin do sgríobhadh an beagán sin ag Drobhaois, 28 do Mhárta, 1627 (BR 4190-200: 271b).

> I gconveint na mbráthar i dTeagh Mo Laga as leabhar Mheg Carthaigh ro sgríobh an bráthair bocht Michéul Ó Cléirigh beatha Mo Chua agus gach a bhfuil sunna go so. 18 Iunii 1629 (BR 2324-40: 113a).

> An bráthair bocht Micheál Ó Cléirigh ro sgríobh an bheatha so Bharra i gCorcaigh i gconveint na mbráthar as leabhar meamruim le Domhnall Ó nDuinnín, 24 Iunii 1629 (*ibid.* 128a).

> As leabhar muintire Duinnín ro scríobhadh an bheatha sin Fursa i gconveint na mbráthar i gCorcaigh 1629 (*ibid.* 16Ob).

> As na duilleogaibh do scríoph Cúmumhan mac Tuathail Í Chléirigh do sgríobhadh an beagán so i dtigh na mbráthar ag Drobhaois, 31 do Mhárta, 1627 (*ibid.* 82b).

Ach tugann sé eolas ina thaobh féin freisin agus i dtaobh a dhearcaidh ar an saothar. 'Atú tuirseach gan amharus ag Drobhaois', a deir sé; 'atú tuirseach, gion gub iongnadh'. Agus níorbh ionadh: 'sliocht droichleabhair sheanda meambruim' a bhí aige de *Beatha Bearaigh,* as 'seinleabhar cianaosta dorcha' a chóipeáil sé dán le hAonghus Céile Dé; as 'seanchairt dhuibh dhoirche meamruim' a chóipeáil sé *Sgrín Adhamhnáin.* I 'seinleabhraibh dubha doiléagtha' a fuarthas *Beatha Maodhóg* is admhaíonn 'gé go bhfuil mórán do mhiorbhuilibh móra maithe san mbeathaidhse ní thaitneand a deachtadh ná a hord sgríbhneorachta leamsa'. Bhí cuid den ábhar 'go neimh-chéill' ach fós 'sgríobhas amhail fuaras ... óir do haithnigheadh dhíom lorg na seinleabhar do leanmhain'; d'admhaigh sé go raibh an obair á déanamh go mall righin aige ach bhí an milleán sin le cur, a dúirt sé, 'ar na daoinibh do athain díom lorg na seinleabhar do leanmhain go ham a sgagtha'; 'in aghaidh mo thoile', a d'fhógair sé, a 'tugadh oram an bainsheanchus sin do sgríobh', ach fós scríobh sé é: go lá a bháis bhí sé dílis don mhóid umhlaíochta a ghlac sé in aois a óige. Réalaí ab ea é, mar a deir Jennings; giolla ab ea é freisin, bráthair bocht tuata nach raibh grádh sagairt aige fiú, a chaith orduithe a uachtarán a chomhlíonadh gan cheist. 'An chéad adhbhar', a dúirt sé, faoi deara dó cromadh ar an saothar an chéad lá riamh gur 'chuirsead m'uachtaráin do chúram oram beatha 7 seanchus naomh Éireann do chruinniughadh as gach áit a bhfuighinn iad ar fud Éireann'; toil na n-uachtarán sin a bhí á cur i ngníomh aige feadh a shaoil; ag cóipeáil go dílis an ábhair 'amhaill fuar san gcóip as ar sgríobh'; a raibh de mhíshásamh, de ghearán is de leadrán ag baint leis mar obair is ar na huachtaráin sin agus orthusan amháin a bhí sin le hagairt – 'ar na daoinibh a athain díom lorg na seinleabhar do leanmhain'.[37] Agus sin é aonghearán Uí Chléirigh ó thús deireadh a ghrafnóireachta: tagairt dá laghad níl aige in aon cholafan, in aon lámhscríbhinn don anró, don ainnise ná don inghreim reiligiúnda. Is fíor go raibh an inghreim sin á bagairt arís le linn dó a bheith in Éirinn, go háirithe idir 1629-30 (Edwards 1944: 6-8) ach eisceacht ab ea an bhliain sin, is mhaolaigh an dainséar arís le teacht an fhir ionaid nua Wentworth. Go hoscailte agus ní gan fhios a bhí Ó Cléirigh agus a bhuíon ag saothrú; d'admhaigh comhghleacaí leis go raibh 'fios a thurais ag cách' (FLK A30:4) agus na coinbhintí Proinsiasacha difriúla a ndearna sé an bhunghrafnóireacht ba choinbhintí iad a bhformhór a bhí athoscailte ag an ord le fiche bliain anuas agus a bhí ag feidhmiú go hoscailte i bhfios nó gan fhios don Stát.

Tugann liosta na gcoinbhintí sin, tugaid ní hamháin tuairim chinnte shoiléir dúinn de thaisteal Uí Chléirigh ach tugaid freisin an-léiriú dúinn ar théarnamh na hEaglaise Caitlicí trí chéile is go háirithe ar mhéad is ar bhuanacht na hathnuachana, mar miocracasm de théarnamh na hEaglaise trí chéile ab ea an athnuachan Phroinsiasach.[38] I bhfíorthús an tseachtú haois déag, ní raibh ach glac bheag den trí fichid coinbhint a bhí riamh ag an ord ináitrithe ach faoin bhliain 1618 bhí bráithre bochta ina gcónaí i gcomhthionóil bheaga i dteannta a chéile arís i dtithe príobháideacha i mBaile Átha Cliath, i Luimneach, i Ros Mhic Thriúin, i Loch Garman, i gCluain Meala, i Lios Gabháil, sa Mhaighean, i gCaiseal Mumhan agus sa Chabhán. Breis bheag agus céad Proinsiasach a bhí sa tír timpeall na bliana sin 1618 ach laistigh de chúig bliana eile áiríodh gur chóngaraí do dhá chéad ball a líon agus faoi na daicheadaí bhíothas ag trácht coitianta ar bhreis agus ceithre chéad Proinsiasach a bheith in Éirinn. Idir 1625 agus 1630 d'oscail agus stiúraigh na bráithre bochta scoileanna le fealsúnacht, le diagacht, is leis an sruithléann i nDroichead Átha, i nDún Dealgan, i Loch Garman, i gCaiseal Mumhan, i nGaillimh, i gCill Chainnigh, i Muilte Fearnáin, i dTigh Molaige is i mBaile Átha Cliath féin agus faoin bhliain 1630 bhí trí choinbhint déag is fiche dá gcuid ag gníomhú go hoscailte. Thaithigh Mícheál Ó Cléirigh cúig cinn fhichead de na coinbhintí sin (Jennings 1936: 62-3) thoir, theas, thiar is thuaidh; ó Chorcaigh go Droichead Átha is ó Loch Garman go Gaillimh ach an mhórchuid acu i líomatáiste laistigh de líne a ritheann ó Dhroichead Átha go Dún na nGall, go Luimneach is go Port Láirge. Is é an gnáthnós imeachta a chleacht Ó Cléirigh, an samhradh a thabhairt amuigh ag bailiú agus filleadh ansin ar an teach tearmainn ag Drobhaois nó ar choinbhint éigin eile i gcomhair an gheimhridh chun a raibh bailithe aige a athscríobh, a leasú is a theaglamadh. Is iad na coinbhintí difriúla Proinsiasacha a chothaigh eisean is a bhuíon cúntóirí fad a bhíodar acu ach is iad na pátrúin a bhí aige a dhíol as na costaisí eile, go háirithe as íocaíocht na scríobhaithe tuata. Is i gcoinbhint Átha Luain, sa bhliain 1630, faoi phátrúnacht Thoirdhealbhaigh Mheig Cochláin, a cuireadh le chéile *Seanchas Ríogh Éireann* agus *Geinealuighi na Naomh*; is faoi phátrúnacht Bhriain Rua Mheig Uidhir a chuir sé atheagar ar *Leabhar Gabhála Éireann*, i gcoinbhint Lios Gabháil sa bhliain 1631; agus faoi phátrúnacht Fhearghail Uí Ghadhra, i gcoinbhint Dhún na nGall ag Drobhaois, sna blianta 1632 is 1635-6, a cuireadh le chéile ARÉ. Baineann na pátrúin sin go mór le hábhar.[39]

Feisire parlaiminte ab ea Toirdhealbhach Mag Cochláin a raibh tailte fairsinge fós ina sheilbh féin agus i seilbh a mhuintire i gco. na hIarmhí agus in Ó bhFailghe. Brian Rua Mag Uidhir, 'Tiarna Inse Ceithleann', ba mhac é le Conchubhar Rua Mag Uidhir 'the Queen's Maguire' is b'é féin is a chol ceathrair, Brian (mac Cú Chonnacht) Mag Uidhir, an t-aon bheirt Ghael a bhí mar 'County Commissioners' ag an rí i bhFear Manach. B'é príomhghnó na gcoimisinéirí sin cánacha an rí a bhailiú. I gColáiste na Tríonóide a cuireadh oideachas ar Sir Fearghal Ó Gadhra, 'tighearna Mhaighe Uí Ghadhra 7 Chúile Ó bhFind, aon don dias ridereadh parleminte ro toghadh as condae Shligigh go hÁth Cliath an bhliadhain se Anno Domini 1634' (RIA C iii 3: iii). Phioc Ó Cléirigh agus a bhuíon a phátrúin go maith, is léir, agus tugann an triúr sin fráma tagartha inmheánach comhaimseartha cuí dúinn chun an saothar agus dearcadh lucht a scríofa a mheas. Laistigh den sistéam polaitiúil, agus ní lasmuigh de, a bhí Ó Cléirigh agus a bhuíon cúntóirí, idir chléir is tuath, ag feidhmiú. Ba chuid lárnach ghníomhach den sistéam sin Mag Uidhir, Ó Gadhra agus Mag Cochláin freisin; a raibh idir mhaoin is stádas acusan, dála na n-uaisle trí chéile, bhí sé ag brath ar fhabhar is ar ghrása an rí, an rí dá rabhadarsan ag fónamh agus ar sa bhliain sin d'áirithe dá ríghe a scríobh Ó Cléirigh gach ceann ar leith de na téacsanna a sholáthair sé dóibhsean:

> An ceathramhadh lá do mhí October do tionnsgnadh an leabhar so do sgríobhadh 7 an ceathramhadh lá do mhí November do forbhadh i gconveint na mbráthar réamhráite an cúigeadh bliadhain do ríghe King Carolus 1630 (GRS: 6).

Do chuireas-sa an bráthair Michéal Ó Cléirigh reamham an tseanchroinic darab ainm Leabhar Gabhála do ghlanadh, do cheartughadh 7 do scríobhadh ... A Bhriain Ruaidh Meig Uidhir, a thighearna Innsi Ceithlionn a chéidfhir dar goireadh an t-ainmsi do shíol Uidhir le mórdhacht Rígh Saxan, Franc, Alban 7 Éireann Carolus, an t-aonmhadh lá fichead Ianuarii an bhliadhainsi d'aois ar dtighearna Críost 1627 7 an treas bliadhain do ríghe an Rígh ... (TCD 1286: 1-4).

An dara lá fichead do mhí Ianuarii Anno Domini 1632 do tionnsgnadh an leabhar so i gconveint Dhúin na nGall 7 do críochnaigheadh isin gconveint céadna an deachmhadh lá do August Anno Domini 1636 an t-aonmhadh bliadhain déag do ríghe ar rígh Carolus ós Saxaibh, Frainc, Albain 7 ós Éirinn (GIM: 74),

Paraiméadar amháin sa fhráma tagartha úd is ea na tagairtí sin; ceann eile is ea dearcadh Uí Chléirigh féin ar imeachtaí corraitheacha na mblianta ar mhair sé, faoi mar a nochtar sin i dtreo dheireadh ARÉ. Bíodh gur sintéis go bunúsach atá in ARÉ, sintéis ar na hannála fréamhaithe a raibh teacht ag Ó Cléirigh orthu, ag cur síos dó ar tharlaingí na mblianta ó c.1600 anuas is í a insint féin, nó insint a chomhaosaithe, atá á tabhairt aige ar imeachtaí comhaimseartha a linne féin. Caoineann Ó Cléirigh briseadh tubaisteach Chionn tSáile is bás anabaí Aodha Rua Uí Dhónaill, ach 'ba follus diomdha Dé 7 a n-ainshén for Gaoidhealaibh' sa bhriseadh sin; Dia féin a dheonaigh is a cheadaigh bás an rílaoich sin 'a mallacht d'inis Éireamhóin'. Tráchtann sé ar ríoghadh Cing Séamas, rí a d'fhorógair 'síth coitcheann 7 aiseag a fhola 7 a dhúithche dá gach aon la badh áil ó mhórdhacht an rígh King Séamas'; is 'a hucht an rígh' chéanna sin a cheangail Mountjoy síocháin le Ruairí Ó Dónaill; nuair a goireadh Ó Dónaill de Niall Garbh sa bhliain 1603 is 'gan comhairléagadh d'fhior ionaid an rígh nó don chomhairle' a rinneadh sin; 'i n-aghaidh reachta an rígh' a d'éirigh Cathair Ó Dochartaigh amach, gníomh a raibh toradh iltaobhach anróch láithreach air agus ar uaidh a shíolraigh plandáil Uladh féin: 'ro badh dírimh do-aisnéise na huilc ro shíolraigh 7 ro chlandaigh i gcóigeadh Uladh uile trés an gcomhthógbháil chogaidh sin'; agus é ag trácht ar mhac Iarla Dheasmhumhan, fiú, a fuair bás sa bhliain 1582, fear a bhíodh fial ag bronnadh 'seód 7 iolmhaoinibh', deir sé go mba 'doiligh díth an deighfhir sin' ach amháin 'gurab i n-aghadh coróna Saxan baoi'; níor lú ná sin a bhrón ar bhás Iarla Dheasmhumhan féin – duine a bheadh 'do mhóirsgéalaibh Éireann' ach amháin go raibh sé, feadh a ré, 'for foghail 7 for díbheirg'; agus turnamh na nGearaltach trí chéile, níorbh aon ionadh é: 'díoghaltas Dé' faoi deara é toisc gur chuireadar 'i naghaidh a bPrionnsa' ar thug a shinsir dóibh 'mar thír dhúthchusa ó Dhún Caoin i gCiarraighe go Comar Trí nUisce 7 ó Oiléan Móir Arda Neimhidh i nUíbh Liatháin go Luimnech'.[40]

Níorbh é Ó Cléirigh an chéad duine ná an t-aon duine amháin den aos léinn a shamhlaigh 'síth coitcheann' le Cing Séamas – shamhlaigh údar anaithnid *Pairlement Chloinne Tomáis* is na filí Fearghal Óg Mac an

Bhaird is Eochaidh Ó hEodhasa leis chomh maith é – ach is é Ó Cléirigh is gonta agus is léire a nocht bunchloch na síochána sin: glacadh le haiseag 'a fhola 7 a dhúithche dá gach aon la badh áil ó mhórdhacht an rígh King Séamas'; admháil choincréiteach gur sa rí sin a lonnaigh foinse na cumhachta sa ríocht anois; léiriú paiteanta eile ar ghlacadh coiteann an aosa léinn leis. Níor chosc an glacadh sin Ó Cléirigh ná aon duine eile den aos léinn cáineadh a dhéanamh ar na gníomhartha barbartha a rinne oifigigh is fórsaí an rí chéanna in Éirinn lena linn ach ní air siúd a agradh aon phioc den cháineadh sin. Tugann Ó Cléirigh cuntas mioninste ar oidhe fuilteach Chonchubhair Uí Dhuibheannaigh, easpag Dhúin is Choinnire (ARÉ vi: 2380) ach is iad na 'Goill' a rinne an feillghníomh: bhí an rí lastuas de na hainghníomhartha gráiniúla sin agus níor ceanglaíodh a ainm riamh leo. An iontráil dheireanach in ARÉ, baineann sin le bás Aodha Uí Néill sa Róimh sa bhliain 1616. Sa mhód laochúil adhmholtach traidisiúnta a chuirtear síos ar Ó Néill: ba 'tighearna teand tóthachtach go ngaois, go ngliocas 7 go n-amhainse indtleachta 7 aigneadh ... tighearna cogthach conghalach airgtheach ionnsaightheach' (ARÉ vi: 2374) é feadh a ré; ach ní míniú traidisiúnta ach míniú comhaimseartha a thugtar ar a aidhmeanna: ag dídean *a irsi 7 a athardha* a bhí.[41]

Dá mhéad an tóir ar shinsearacht is ar ársaíocht a bhí ag na Ceithre Máistrí, ráiteas dá muintir féin ina lá féin a bhí i gceist acu a chur ar fáil. Ní mar chuimhne ar an seansaol, mar a thugann staraithe na linne seo le tuiscint go minic, a scríobhadh an saothar ach mar bhunús eolais, mar fhoinse údarásach ag an náisiún a bhí in Éirinn agus ag a dtiocfadh ina ndiaidh. Athinsint agus atógáil ar an stair a bhí á soláthar acu, ach ba stair í a bhí bunaithe ar eolas nua, ar an léann nua agus ar an teicneolaíocht nua; stair a bhí le cur i bhfoirm bhuan an chló 'ionnas nár éidir feasta a múchadh' ar mhaithe leis na glúnta a bhí le teacht; stair a bhí le haistriú go Laidin, teanga idirnáisiúnta an léinn, is 'i dteangthaibh eile'; stair a bhí le 'síoladh' in Éirinn féin agus 'i ríoghachtaibh eile'.[42] Ní féidir, dar liom, géilleadh do Kenney, an té is túisce a d'áitigh gurbh é a bhí i saothar na gCeithre Máistrí 'a conscious appeal from a doomed civilisation against the oblivion which it saw approaching' (1929: 37) ná do de Blácam a dúirt 'the Masters laboured in the cold belief that the Irish nation was dead, and that nothing remained to be salved save its memory' (1929: 234). Iarfhios is bun leis an tuairimíocht sin, tuairimíocht a iniúchann an seachtú haois déag ní le tuiscint chomhaimseartha na linne ach le tuiscintí na haoise seo. Ag glacadh le tuairimíocht na staraithe a chuaigh roimhe atá Canny (1982a: 102) nuair a deir gur 'as a memorial to a lost civilization' a scríobhadh ARÉ; tuairimíocht aithriseach mar í a nochtann Dunne (1980: 19) i dtaobh FFÉ: 'it was intended by its author as a monument to a doomed civilization' agus leanann Foster (1988: 43) Dunne is Canny araon go neamhcheisteach.

B'fhéidir gurb in é stádas is feidhm na saothar sin *inniu*, dar le
nuastaraithe na hÉireann; is cinnte nach leis an intinn sin a cumadh an
chéad lá iad. Míléamh bunúsach a bheith á dhéanamh ag staraithe ar an
ráiteas cáiliúil sin an Chéitinnigh ('narbh oircheas comhonóraighe na
hÉireann do chrích ... do dhul i mbáthadh') is bun, ní foláir, leis an
nóisean fréamhaithe iomrallach sin. Is é a bhí i gceist ag an
gCéitinneach nach mbeadh aon 'luadh ná iomrádh' ar Éirinn feasta
mura gcuirfí foirm údarásach *scríofa* dá seanchas ar fáil; ní hé go mbáifí
Éire ná go rachadh sí ar ceal ach go rachadh sí i ndíchuimhne.[43] B'in í
an tuiscint chomhaimseartha Eorpach: níor náisiún go stair, is níor stair
go stair scríofa. Mar a dúirt Valla, an cine nó an duine nach raibh a stair
féin ar eolas aige, ní raibh ann ach leanbh – *memoria temporum
gentiumque sine quibus nemo non puer est*; comhartha barbarachta ab ea é,
dar le Baudouin (Kelley 1970: 27,141), gan stair scríofa a bheith ag cine.
Ní tábhacht chomhaimseartha amháin ach tábhacht fháistineach
chomh maith a bhain le heolas a chur ar an stair, dar le Le Roy, go
háirithe ó d'fhéadfaí a thaispeáint go raibh a charachtar sainiúil féin ag
gach náisiún, carachtar a d'athraigh mar a d'athraigh an duine féin.
Teagasc na nglún a bhí le teacht, b'in í príomhaidhm na staire, a dúirt
La Popelinière ach ní fhéadfadh náisiún stair a sholáthar, a d'áitigh sé
(*ibid.* 83,141), mura raibh tréimhse fhada de thraidisiún béil laistiar de;
i bhfoirm annálaíoch ba cheart an stair sin a scríobh ar dtús agus ansin
i bhfoirm leanúnach scéalaíoch, foirm ina gceannglófaí idir stíl is
fhealsúnacht le hinsint leanúnach chróineolaíoch. An dá fhoirm
dhifriúla ar ar thrácht La Popelinière – an fhoirm annálaíoch agus an
fhoirm leanúnach scéalaíoch – sampla léiritheach díobh is ea ARÉ agus
FFÉ faoi seach. Dhá shaothar chomhlántacha iad de réir théarmaí
tagartha La Popelinière agus bíodh gur mealltach an smaoineamh é a
cheapadh gur ag obair as láimh a chéile a bhí a n-údair, níl aon fhianaise
dhíreach ann gur mar sin a bhí.[44] Ar a shon sin, dhá léiriú is ea iad araon
ar an ghluaiseacht choiteann Eorpach agus ar an 'réabhlóid' sa
staireagrafaíocht. Ní mar chaoineadh, feartlaoi ná eipealóg ar aon saol
a scríobhadh aon cheann acu ach mar phrólóg don saol nua a bhí ag
teacht. Is é go bunúsach atá in ARÉ agus FFÉ araon téacsaí bunúis an
náisiúin Chaitlicigh Éireannaigh a bhí tagtha ar an bhfód.

II

The regiment of that nation serving here is certainly nourished for no other purpose than to invade the realm of Ireland in case of any disgust between your Majesty and the King of Spain ... (HMC Downshire iii: 361).

Time passes, and our afflicted country groans weary, not by the labors which it is prepared to sustain in behalf of the faith even unto death, but by the prolonged hope and expectation of external aid ... (Eoghan Rua Ó Néill, Casway 1984:57).

It is observable that in the year 1641 Ireland was in great tranquility, and that not by accident or from any seeking of the Irish: but by reason of many Acts of Grace, which had newly passed in favour of them. So that Protestants and Papists lived very friendly together. When on a suddain upon the 23. of October, this storm arose ... (*A collection* ... 1641: ii).

Toisc a suíomh geografúil is comhdhéanamh reiligiúnda a muintire, bhí tábhacht nach beag ag Éirinn sa pholaitíocht Eorpach ón dara leath den seú haois déag amach. Ba mhóide an tábhacht sin dálaí eisceachtúla na hÉircann sa mhéid gur inti amháin in iarthar domhain nár fheidhmigh bunphrionsabal polaitiúil na hEorpa nua – *cuius regio eius religio*. B'í fadhb bhunúsach na hÉireann, dar leis an Stát, gur náisiún Caitliceach a bhí inti, náisiún a bhí *ipso facto* mídhílis don Phrionsa a chuir Dia os a gcionn. Is í an tuiscint sin – go raibh mídhílseacht aigeanta ag baint le Caitlicigh na hÉireann – a mhíníonn, ar thaobh amháin, a dhíograisí leanúnaí a chaith cinnirí na gCaitliceach a ndílseacht don choróin a fhógairt is a dhearbhú agus, ar an taobh eile, amhras is mímhuinín phaiteolaíoch an Stáit ina leith. Go simplí, níor dhream iad Caitlicigh na hÉireann, mar a mhínigh Wentworth do Shéarlas, 'for the Crown of England to be confident of' (NHI iii:250). Ní in Éirinn amháin a neadaigh foinse an amhrais is na mímhuiníne, óir is thar lear a bhí eilimint amháin den náisiún Caitliceach sin: thar lear in arm na Spáinne, an phríomhchumhacht Chaitliceach san Eoraip is príomhnamhaid chomhaimseartha na Breataine.

Ó thús an tseachtú haois déag bhí reisimint Éireannach in arm na Spáinne a raibh oiliúint phroifisiúnta uirthi is taithí cogaíochta dá réir. Sliocht na n-uasal a d'imigh thar lear i dtús na haoise agus a lucht leanúnasan is mó a bhí sa reisimint sin; sloinnte mar Ó Néill, Ó Dónaill, Ó Drisceoil, de Burgo, Ó hArgáin, Ó Mórdha, Ó Súilleabháin, Ó Raghallaigh, Mac Cárthaigh, Preston a bhí mar oifigigh uirthi; duine de mhuintir Shiadhail mar dhochtúir, duine de mhuintir Chalannáin mar lia, deich nduine fhichead de shéiplínigh ag fónamh dóibh agus Aodh Mac Aingil féin mar ardséiplíneach orthu (Jennings 1964: 6). Míle fear a bhí sa reisimint sna blianta tosaigh, in Éirinn a rinneadh an earcaíocht ba ghá chun an reisimint a choimeád suas, agus níor stopadh den earcaíocht sin riamh ó thús deireadh na haoise. Uaireanta ba le toil na n-údarás i Londain is i mBaile Átha Cliath a leanadh den earcaíocht,

uaireanta eile ba dá lom-ainneoin é. Aigne dhébhríoch a bhí ag na
húdaráis i leith na hearcaíochta sin: d'oir sé go rímhaith dóibh gur thar
lear, agus ní ag baile, a bheadh ógfhir theaspúla inairm na sleachta
dúchais ach thuigeadar chomh maith céanna an dainséar folaigh a bhí
sa reisimint sin a bheith thar lear agus a saighdiúirí ag feitheamh lena
seans 'until they do us a mischief in Ireland' (Jennings 1964: 50). Bhí
cúis mhaith leis an amhras is leis an easpa muiníne a bhí ag na húdaráis
as an reisimint, mar níorbh aon rún é gurbh é aonaidhm na n-iarlaí
filleadh agus gurbh é aondóchas a lucht leanúna go raibh an filleadh sin
i ndán dóibh lá éigin:

> In November last books were landed at Drogheda containing Tyrone's
> claim to Ulster, and a manifesto, apparently from the King of Spain,
> promising to send Tyrone there next year and 'denounce him King
> thereof', and containing promises of titles and support for the Papists ...
> (CSPI 1625-32: 227).

> Witness often heard Phelim McFieugh and Hugh McPhelim pray for the
> health and prosperity of O'Neal's son to the Earl of Tyrone, and heard
> them say that they would never have right till the Earl and the Spaniards
> came to the Kingdom ... (*ibid.* 425).

> Tirlogh O'Kelly brought news of the eagerness of the Irish regiment to
> invade Ireland under Tyrone's and Tyrconnell's sons, and of their wish to
> know the feeling in Ireland. To this end Connor McLaughlin, a Franciscan
> friar, was ordered to go through Ireland and test the state of public
> feeling, and is to take ship in the spring at Drogheda in order to carry
> intelligence to Spain and the Low Countries ... (*ibid.* 512).

Bunús iltaobhach a bhí leis an bhfaltanas idir an Spáinn is an
Bhreatain, faltanas a raibh idir thrádáil, reiligiún is pholaitíocht ag
roinnt leis ach sa dá thír bhí aicmí difriúla a chreid gurbh é a leas araon
teacht chun réitigh is comhthuisceana, go háirithe ó bhí cumhachtaí
Eorpacha eile anois – an Fhrainc is an Ollainn go háirithe – ag teacht
chun cinn is in inmhe. Is chun deireadh a chur leis an bhfaltanas sin a
cheangail Séamas I agus Pilib III conradh síochána idir an dá thír sa
bhliain 1604 agus is chun an tsíocháin sin a bhuanú a bhí tréaniarracht
á dhéanamh cleamhnas pósta a shocrú idir mac Shéamais (Séarlas I)
agus an bhunóc d'iníon a bhí ag Pilib.[45] Cleamhnas polaitiúil a bhí i
gceist ach nuair nach raibh aon toradh ar na hiarrachtaí sin, is le
deirfiúr rí na Fraince, Caitliceach nach raibh ach cúig bliana déag
d'aois, a pósadh Séarlas. Dá bharr seo, ar theacht i gcoróin dó sa bhliain
1625, bhí cogadh á bhagairt arís idir an Spáinn agus Sasana. Chuir an
pharlaimint ina luí go tréan ar Shéarlas gurbh é céadriachtanas slándála
na ríochta an Caitliceachas a chloí: dainséar polaitiúil a bhí riamh sa
Chaitliceachas ach ba chontúirtí an dainséar sin in aimsir chogaidh,
dainséar a nochtadh sa tuiscint bhunúsach straitéiseach a bhí laistiar
den tairngreacht *He that England will win / through Ireland he must come in*
(Quinn 1966: 117). Dá sheanchaite agus dá shimplí an deilín, bhí
bunús, idir bhunús stairiúil is bhunús comhaimseartha, leis an tuiscint

is leis an dainséar. Is ón Spáinn a tháinig cabhair armtha cheana go hÉirinn agus le briseadh an chleamhnais tuigeadh do Philib gurbh am oiriúnach arís ag an Spáinn é a ladhar a chur isteach i ngnóthaí na hÉireann. Mar sin beartaíodh an deis a thapú ionsaí armtha eile a dhéanamh ar Éirinn. Flaithrí Ó Maoil Chonaire is Eoghan Rua Ó Néill a bhí i mbun na beartaíochta is an idirphlé leis an Spáinn ach ní gan fhios a bhí an bheartaíocht sin ar siúl:

> The priests here assure the people that the preparations of Spain and Flanders are designed against England and Ireland, that the fleet is already at sea and will soon fall on both countries .... Translation by Thaddeus Lyshaght of an Irish letter to Robert Fleming. Saying that the writer has news of France, Rome and Spain. All are friends, and the King of France is neutral between England and Spain, who has the largest army ever raised in his country now ready to go for Ireland certainly ... (CSPI 1625-32: 153).

> The examinate had other letters addressed Cormack McTurlough McHenry O'Neale and his brother Phelim .... In one of them Tyrone held out hopes to his friends that, after the breaking off of the Spanish match, the King of Spain would send him with an army to Ireland, and this was written in English. Others were in Irish, and had caused great rejoicing when delivered to Hugh Buoy McTirlough and others ... (*ibid.* 210).

> In Thomond last May he had met Captain Patrick O'Donnelly disguised as a scholar, who had been sent by Tyrone to inspect all the sea-coast forts in Ireland. Had landed at Wexford and seen Dublin, Newry, Down, Knockfergus, Coleraine, Derry, Ballyshannon, and Limerick ... (*ibid.* 217).

Sa bhliain 1625 cuireadh fios go cúirt na Spáinne i Maidrid ar Fhlaithrí Ó Maoil Chonaire agus ar Eoghan Rua Ó Néill d'fhonn an bheartaíocht mhíleata a chur chun cinn.[46] De réir na bpleananna a leag Ó Maoil Chonaire amach aon long déag agus dhá reisimint a bhí le cur go hÉirinn agus b'é Fómhar na bliana 1627 a bhí beartaithe don ionsaí. Seán Ó Néill (mac Aodha) is Aodh Ó Dónaill (mac Ruairí) a bhí le bheith mar chomhghinearáil le comhchumhacht ar an bhfórsa sluaíochta is ní raibh aon Sasanach, Albanach ná éinne den "Anglicised Irish" le scaoileadh isteach ann; ar shroicheadh na hÉireann do na ginearáil bhí na Cealla Beaga is Doire Choluim Cille le gabháil acu, gníomh a bhéarfadh ceannas ar chúige Chonnacht is ar chúige Uladh trí chéile dóibh; ar theacht i dtír dóibh bhí gairm scoile le cur amach chuig uaisle uile Éireann "to encourage them to unite among themselves and free themselves from the heretical and tyrannical yoke under which they have laboured for so many years, and to call attention briefly to their servitude and slavery, which is much worse than that suffered by those Christians who live under the Turks" (Jennings 1964: 986-7).

Is ar an ócáid sin, ceapaim, agus Aodh Ó Dónaill ag ullmhú chun tabhairt faoi Éirinn a scríobh Eoghan Rua Mac an Bhaird, a bhí thar lear i dteannta na n-iarlaí,[47] an dá dhán úd *Fogas furtacht don tír thuaidh* agus *A leabhráin ainmnighthear d'Aodh*. Dán molta is dán gríosaithe is ea

an chéad cheann acu ina mórtar Aodh mar oidhre dlisteanach ar na
laochra sinseartha a chuaigh roimhe, óir bhí sé i ndán dósan anois a
raibh de thairngreachtaí ann i dtaobh a mhuintire a thabhairt isteach:

> Fogas furtacht don tír thuaidh,
> fogas furtacht di dom' dhóigh ... .
>
> Broid an chóigidh saorfaidh súd,
> fóirfidh ar ghaoltaibh a ghéag ... .
>
> Don scoith Bhreagh-sa do bhí i ndán
> gach ní do gealladh dá ghaol;
> an cuire do imthigh uainn
> fillfidh a mbuaidh uile ar Aodh ... .
>
> Iar ndul tar lear béaraidh buadh
> géabhaidh gach ar ghabh a ghaol,
> cuirfidh na talmha fa thréan,
> luighfidh séan a anma ar Aodh ... .[48]

Tá an dara dán acu luaite cheana againn: dán tíolactha é a chuir an file
le leabhar 'ar riaghlachaibh et ar inneall an chogaidh ar a ndearna
Eoghan Ruadh, translation et tionntudh i nGaoidheilg air. Et do rinne
a dhedication i ndán don Iarla Óg' agus é ar tí triall go hÉirinn.[49] Ach
níor bhain an 'tIarla Óg' Éire amach riamh mar nuair a mhaolaigh ar
an gcogadh idir an Spáinn is Sasana timpeall 1627, mhaolaigh dá réir ar
shuim na Spáinne san fheachtas.

Tá áitithe ag Ó Fiaich (1971) gurbh í aidhm na hiarrachta anabaí sin
'poblacht' a chur ar bun in Éirinn; má b'ea, is áirithe nach poblacht mar
a thuigtear an téarma sin inniu a bhí i gceist. Sna pleananna míleata a
leag Ó Maoil Chonaire is Eoghan Rua Ó Néill amach, léirítear soiléir go
maith idir aidhmeanna is aigne, idir phrionsabail is straitéis na gcinnirí.
Is *ag cosaint* "their religion and country" a bhíodar, "for the liberty and
religion of their country" a bhíodar ag troid:

> "And let it be added that if the Irish endeavour to unite, and fight in
> defence of their religion and country, God will help them .... It will be
> necessary to place all the nobles under obligation that when they reach
> Ireland they must always remain united for the liberty and religion of their
> country .... It will be of great importance, in order to avoid petty troubles
> and jealousy between the earls, that neither of them be declared General
> of the province of Ulster .... both of them should have the title of General,
> Defenders of the liberty of the Fatherland ..." (Jennings 1964:986-7).

An 'phoblacht' a bhí le bunú, is í an uaisle a bheadh mar rialtas uirthi
agus bheadh sí fós ina ríocht:

> "By establishing as the government a Republic ... in the name of the
> Republic and Kingdom of Ireland ... The Earls should be called Captains-
> General of the said Republic and Kingdom ... The aristocracy shall govern
> ... for the Kingdom and Republic of Ireland" ... (*ibid.* 1030).

Ní poblacht mar a thuigimidne an téarma a bhí i gceist, ach *res publica*
mar a tuigeadh i dtús an tseachtú haois déag é, go háirithe sa Spáinn.[50]

Mar a mhínigh Juan de Mariana ina thráchtas *De rege et regis institutione* é (1599: 87-99), is é an *res publica* a chuirfeadh teorainn le cumhacht an rí agus is le toil is comhoibriú an *res publica* a rialódh an rí. Dá réir sin, á thagairt do chás na hÉireann, bheadh Éire fós ina ríocht ach is í an uaisle dhúchais a bheadh ag rialú inti faoin choróin. Ach iarracht aontaithe mhíleata chosantach a dhéanamh dob fhéidir ansin coinníollacha réitigh leis an rí a leagan síos. Dá mhéad na contrárthachtaí a chífí dúinne i bpleananna agus i ndearcadh na gcinnirí inniu, i gcomhthéacs a n-ama is a ndálaí comhaimseartha féin, bhíodar loighiciúil réasúnta. Gníomhaíocht mhíleata chosantach le cabhair choigríche ach stádas dlíthiúil na ríochta á choinneáil, b'in iad na heilimintí a bhí i gceist in iarracht na bliana sin 1627; na heilimintí céanna is an patrún céanna a bhí i gceist in iarracht na bliana 1641. Agus dá pharadacsúla againne mar nóisean é éirí amach á fhearadh a chosaint na corónach, sin é go díreach a tharla: nuair a d'éirigh uaisle Uladh amach i nDeireadh Fómhair na bliana 1641 is 'in ainm an rí', in ainm Shéarlais I, a rinneadar é.

Dála a athar roimhe, ghéill Séarlas I gan cheist do cheart diaga na ríthe agus ó thús a ré d'éirigh achrann, míthuiscint is easaontas idir é agus an pharlaimint.[51] Nuair nach raibh ag éirí leis a thoil iomlán a fháil, scoir sé í sa bhliain 1629: 'Remember', a mheabhraigh sé, 'that parliaments are altogether in my power for their calling, sitting, and dissolution; therefore, as I find the fruits good or evil, they are to continue, or not to be' (Davies 1959:36). Agus Séarlas ag rialú cheal parlaiminte thabhaigh sé dó féin, mar a thabhaigh a fhear ionaid in Éirinn, diomaí na huile aicme sa tír agus is air féin a díríodh na gearáin iomadúla a d'eascair as tabhach cánach, príosúntacht éagórach, dlí ansmachtúil is absalóideachas i ngnóthaí stáit is reiligiúin. I réimse an reiligiúin go háirithe tharraing idir theoiric is phraitic Shéarlais míshásamh, amhras is fearg na bPiúratánach anuas air féin is ar a chúirt. Rinne cogadh oscailte den achrann reiligiúnda in Albain agus buadh go tubaisteach ar an arm a chuir Séarlas ó thuaidh i gcoinne na nAlbanach gur chaith sé géilleadh dóibh is dá n-éilimh. Ansin, is gan d'aidhm leis ach na hAlbanaigh easumhla a cheansú, thionóil Séarlas an pharlaimint arís sa bhliain 1640, bheartaigh ar arm nua 9,000 fear a thógáil in Éirinn agus chuaigh i gcomhairle go rúnda le príomhuaisle Éireann.

An pharlaimint sin a tháinig le chéile i Londain sa bhliain 1640 ba pharlaimint í a raibh na Piúratánaigh sa mhóramh inti is d'éirigh leo leasuithe radacacha a chur i bhfeidhm, leasuithe a chuir teorainn chinnte le cumhacht an rí (Coward 1980:163-4). Parlaimint fhrith-chaitliceach ab ea í freisin a d'iarr ar an rí an reachtaíocht fhrith-chaitliceach a fheidhmiú go hiomlán sa tslí gur tuigeadh coitianta abhus go rabhthas chun tréimhse eile ghéarleanúna a thionscnamh arbh é an toradh a bheadh uirthi 'the extirpation of both religion and nation' (CHA i:14). Dea-thoil an rí an t-aon chosaint a bhí ag Caitlicigh na hÉireann ar an leatrom reiligiúnda is ar an aindlí ach ó bhí an chuma ar an scéal anois go raibh an pharlaimint thall beag beann ar thoil an rí agus í meáite ar dhíothú an Chaitlicieachais, thosaigh cuid d'uaisle Éireann ag caint ar a gceart a chosaint le lámh láidir is cuireadh comhcheilg ar bun arís le cinnirí na nÉireannach thar lear, go háirithe le hEoghan Rua Ó Néill. Faoi Bhealtaine 1641 bhí na cinnirí Ultacha ag caint ar *coup d'etat* neamhfhuilteach a thabhairt i gcrích trí chaisleán Átha Cliath a ghabháil agus é a choimeád don rí. Sa choimhlint bhunreachtúil a bhí tagtha chun cinn sa Bhreatain, coimhlint idir rí is parlaimint, is leis an rí a thaobhódh uaisle Éireann: ach cabhrú leis an rí cur i gcoinne na parlaiminte thabharfadh an rí cosaint agus comhar dóibh; b'in é an machnamh a bhí laistiar den straitéis áirithe a bhí acu. Sceitheadh an plean a bhí ann caisleán Átha Cliath a ghabháil ach dá ainneoin sin d'éirigh Gaeil Uladh amach ar an 23 Deireadh Fómhair 1641. Coinne dá laghad ní raibh ag na húdaráis ná ag na plandóirí féin leis an éirí amach sin in Ultaibh is laistigh de chúpla lá bhí Ard Mhacha, Tír Eoghain, Fear Manach, Muineachán, Dún na nGall, contae an Chabháin, contae Liatroma agus deisceart an Dúin i seilbh na nGael. Sna seachtainí tosaigh, éirí amach Ultach amháin a bhí i gceist ach laistigh de thamall gearr rinne éirí amach náisiúnta de arbh eilimint amháin é i gcogaíocht aimpléiseach na dtrí ríochta. Bíodh gur choinbhliocht bhunreachtúil idir an pharlaimint agus an rí ba bhun leis an gcogadh sin go príomha, bhí diminsean reiligiúnda fite fuaite go dlúth leis. Sa Bhreatain is mar choimhlint idir Piúratánachas agus Anglacánachas a réalaíodh é; in Éirinn mar chogadh idir Caitliceachas agus Protastúnachas.[52]

I dtús na Samhna ghluais na cinnirí ó dheas i dtreo Dhroichead Átha agus ag cruinniú lasmuigh den bhaile sin mheabhraigh Ruairí Ó Mórdha d'uaisle Laighean na gearáin dlisteanacha a bhí acu araon, an éagóir fhollasach is an inghreim dho-inste a bhí imeartha orthu, an díothú a bhí á bhagairt ag parlaimint Shasana ar Chaitlicigh na hÉireann, an ceart a bhí acu chun feidhmeannais phoiblí ina dtúr dhúchais féin, an dualgas a bhí orthu ceart an rí a chosaint; mhínigh dóibh chomh maith an bonn ar a raibh sé ag impí orthu ceangal leo:

> These and noe other being our desires and designes, we came to invite you to joyne with us in soe glorious an undertaking. We are of the same religion, and the same nation; our interest and sufferings are the same; the bonds of freindship and alyance are mutuall betweene us ... (Gilbert 1882 i:37).

Bheartaigh uaisle Laighean ar thacú leis na hUltaigh a chosaint a gceart agus roimh dheireadh na bliana is beag tiarna nó uasal de shliocht Gaeil nó Sean-Ghaill nach raibh faoi airm. B'é Sir Donnchadh an Chúil Mac Cárthaigh, bíocunta Mhúscraí, an duine deireanach d'uaisle Mumhan a thaobhaigh leis an éirí amach agus i litir chun cara leis mhínigh go beacht conas gur scorn leis ar dtús taobhú leis na hUltaigh is na

Laighnigh toisc gur i reibiliún 'against the King and Commonwealth' a bhíodar páirteach; ach tar éis dó an scéal a mheas go cruinn agus iniúchadh a dhéanamh ar aidhmeanna na gcinnirí tuigeadh dó gurbh é buntobar an éirí amach 'the apparent ruin and destruction threatened to Catholic religion, King and country'; ó ba léir dó anois nach raibh sé i gceist ag na cinnirí aon díobháil a dhéanamh don rí, ach gur ag troid thar ceann 'religion, king and country' a bhíodar, ar an mbonn sin bheartaigh féin ar deireadh ar thaobhú leo (BL Add.25,277).

Ó thús dhearbhaigh cinnirí an éirí amach gur ag cosaint a gceart a bhíodar agus gur thar ceann an rí a bhíodar ag troid:

> Proclamation of Sir Phelimy (Phelim) O'Neall and others, Dungannon 24 October 1641: These are to intimate to all in this country that the present meeting and assembly of Irish is in no way intended against the King, or to hurt any of his subjects either of the English or Scottish nation; but only for the defence and liberty of ourselves and the natives of the Irish nation ... (CSPI 1633-47:342).

> Sir Phelim O Neale tould others in his hearing that he had commission for what he did not only from most of the chiefs of the nobility of this Kingdom but also from His Majesty .... And that their intentions were only for the liberty of their religion and for the recovery of those lands which should appear by the lawe of the land to be unjustlie held from them ... (TCD 839:3b).

Ní hamháin gur thar ceann an rí a éiríodh amach ach d'áitigh Sir Féilim Ó Néill go raibh barántas ón rí aige agus séala an rí air ag tabhairt údaráis dó gníomhú thar a cheann. Ní raibh aon bharántas dá leithéid aige ach tuigeadh coitianta ag an am go raibh agus b'é an barántas sin, a áitíodh, an t-údarás a bhí ag lucht an éirí amach. Is 'in ainm an rí', más ea, a ghabh Éamonn Ó Raghallaigh an t-easpag Uilliam Bedell (Bagwell i:345), 'in ainm an rí' a ghabh Piaras Feiritéar caisleán Thrá Lí, agus is san ainm céanna a rinneadh an iliomad gníomh reibiliúnach eile:

> George Cooke of Kilcrone in the parish of Lara, and County of Cavan ... further deposeth that the said Edmond O Goon being a constable) laid violent hands upon this deponent, & said he arrested him in the Kings name, further saying that if this deponent made much to doe he wold take of his head, further saying that all the English within this Kingdom were Rebells against the King, And that they (meaning himself and others) had the Kings seale for what they did ... (TCD 832:206).

> And this deponent heard one John McMorrice of the parish of Larah, and other rebells, publiquely say, that the proud Parliament of England was the cause of this rebellion ... (TCD 833:253).

> And this deponent likewise saith, that he heard Captain Pierce Ferriter and other rebels did say, that they had the King's Commission for what they did, and therewithal he sent a copy of the same unto the warders of the said castle, and said that we were the rebels and those with him the king's subjects ... (TCD 828:208b).

And the very morning that Armagh was burned, the said Turlogh Oge
O'Neil said in her hearing, that if the English army came on behalf of the
King, he would deliver to them the towne of Armagh, but that if they came
on behalf of the Parliament of England, then he would not surrender it to
such rogues, but would fight it out ... (TCD 836:45).

Léiríonn na sleachta sin go maith dearcadh na gcinnirí is go háirithe a
dtuiscintsean gurbh iad lucht na parlaiminte ba cheannfháth leis an éirí
amach, gurbh í an pharlaimint is a lucht tacaíochta in Éirinn na
reibiliúnaithe dáiríre, agus gur ag cosaint a gceart féin is cheart an rí a bhí
an dream a chuaigh i muinín na n-arm. A raibh déanta aigesean, d'áitigh
Raghnall Mac Dónaill, Marcas Aontroma, na blianta ina dhiaidh sin, 'was
by direction from his Royal Father and mother, and for the service of the
Crown'; 'our desires are not to withdraw our selves from the subjection of
our Lawfull King' a d'fhógair Sir Féilim Ó Néill; 'we are in no rebellion
ourselves', a dheimhnigh Eoghan Rua Ó Néill, 'but do really fight for our
Prince, in defence of his crown and royal prerogatives'.[53] Níorbh aon
straitéis, caolchúis ná leithscéal chun cogaidh ag cinnirí an éirí amach é a
áiteamh gurbh é ceart an rí a bhí á chosaint acu; b'éileamh é a raibh
bunús maith leis. Mar bíodh gur fíor go raibh cuid de na cinnirí uathu
féin ag cuimhneamh ar éirí amach le tamall roimhe sin agus bíodh gur
fíor freisin gur chothaigh na ráflaí a bhí coitianta i dtaobh intinn na
parlaiminte maidir le díothú an Chaitliceachais, gur chothaigh sin
míshuaimhneas agus fonn troda, fós is cinnte agus is soiléir anois gurbh í
beartaíocht rúnda an rí in Éirinn is mó a chuir dlús leis an éirí amach agus
a thug dinimic do lucht a phleanála.[54] Éiríodh amach, más ea, ar an
tuiscint go raibh toil an rí leis agus gur ag cosaint a chirtsean is cheart a
ghéillsineach i gcoinne na parlaiminte a bhíothas.

Muran paradacsúil mar chur síos é, éirí amach cosantach coisctheach
amháin a bhí i gceist ar dtús. Ag cosaint a raibh fós ina seilbh idir
thalamh is stádas a bhí cinnirí an éirí amach, á chosaint ar ionsaí eile a
measadh a bhí le teacht ó Phiúratánaigh na parlaiminte: 'the great
tempest', mar a dúirt Eoghan Rua Ó Néill, 'which will come down upon
them certainly, and deprive them of their faith and possessions' (Casway
1984:46). Ní athshealbhú iomlán a bhí á éileamh ag na cinnirí ach go
bhfágfaí ina seilbh na tailte a bhí fós acu. Na cinnirí Ultacha is túisce a
d'éirigh amach – Sir Féilim Ó Néill, Ruairí Ó Mórdha, Pilib Ó
Raghallaigh, Aodh Óg Mac Mathúna, Sir Conchobhar Mag Uidhir –
b'uaisle agus maithe iad arbh iad sliocht na 'deserving natives' úd iad ar
bhronn Séamas I tailte orthu aimsir na plandála; ba ridirí ríochta, feisirí
parlaiminte, sirriaim is oifigigh de chuid an rí iad a raibh páirt lárnach
leanúnach tógtha acu féin agus ag a muintir sa chóras riaracháin nua,
sa chóras dlí nua agus san ordú nua trí chéile: mionlach gradamúil
Caitliceach Gaelach arbh é a n-aoneagla go mbainfí díobh faoi dheoidh
a raibh fanta acu dá n-oidhreacht is de mhaoin shaolta a muintire. Ní
éirí amach réabhlóideach uileghabhálach a bhí ar intinn acusan ach

gníomh tomhaiste srianta chun teorainn a chur le forlámhas na parlaiminte thall agus a lucht tacaíochta abhus. Sampla na nAlbanach is mó a bhí á dtreorú. Bhí feicthe acu a raibh bainte amach ag na hAlbanaigh trí sheasamh daingean aontaithe a thógáil; bhí géillte ag an rí dóibhsean is bhí saoirse choinsiasa is pardún in éineacht bronnta aige orthusan. "The Scots have taught us our ABC" a d'fhógair duine de na cinnirí is mheas a thuilleadh acu go mbeadh cabhair chucu ó Ghaeltacht na hAlban.[55] Ní raibh i gceist ag na cinnirí ar dtús ach caisleán Átha Cliath a ghabháil agus ionaid chosanta na Sasanach a ionsaí; ní raibh aon chur isteach le déanamh ar na hAlbanaigh toisc dlúthghaol sinseartha agus bá thraidisiúnta a bheith acusan le Gaeil Uladh. I litir a scríobh Eoghan Rua Ó Néill chuig Sir Féilim Ó Néill mheabhraigh sé dó gur cheart a chur ina luí ar na hAlbanaigh 'that they weare for the most parte discended from the Irish', dhearbhaigh Sir Féilim do Sir William Stewart 'that the intention of these troubles is nothing against your nation', agus d'ordaigh na cinnirí dá lucht leanúna 'it is gevin out that you are not to meddle with anie of the Scotishe natioun, except they give cause'.[56] An t-idirdhealú sin a bhíothas a dhéanamh idir na hAlbanaigh is na Sasanaigh, ní móide gurbh í an straitéis chogaidh amháin ba bhun leis; is cinnte gur mheas na cinnirí gur leis na Gaeil a thaobhódh na hAlbanaigh, ach ní mar a síleadh ná mar a pleanáladh a d'iompaigh amach.

De réir mar a scaip an t-éirí amach, chaill na cinnirí smacht ar a lucht leanúna agus de réir mar a thógadarsan tosaíocht an chomhraic chucu féin rinne cogadh díoltach fuilteach seicteach de. Ní raibh ag an lucht leanúna sin – go háirithe ag an daoscar – aon tuiscint do straitéis shofaisticiúil pholaitiúil na gcinnirí; tuiscint shimplí neamhchas a bhí acusan ar an scéal: bhí an uain tagtha ar deireadh thiar, uain a raibh ullmhú is cothú síceolaíoch déanta ina comhair ag polaimic an Fhrithreifirméisin, ag seanmóireacht apacailipteach na cléire, ag fáistineacht dóchais na mbráithre is na bhfilí in éineacht. Mar a dúirt Uilliam Óg Mac an Bhaird, 'tánaig uair d'fhóirithin cáigh/róimhithidh an uain d'fhagháil' (istigh lch 110). Murab ionann is na cinnirí, aidhmeanna ansrianta míleannacha a nocht daoscar an lucht leanúna. Bhí na Sasanaigh le díbirt, na hAlbanaigh le díbirt, na Protastúnaigh uile le díbirt; athghabháil na dtailte sinseartha, díoltas a bhaint amach as easonóir is anorlann Gall:

> John Day of Drumleiff, in the county of Cavan, weaver, swoure ... which Rebells bade him open the dores of his howse, otherwise they would fyre his howse, and said that they had a Commission from the Queene and from beyond the Seas for what they did. And that they would not suffer an Englishman to stay in the land ... (TCD 832:222).

> John Copee ... deposeth ... One Hugh O'Ratty (late servant to Henry Manning Esqre) uttering these words viz., Wee have been your slaves all this tyme, nowe you shal be ours ... (TCD 835:95).

And further saith ... that the English and the Scotch had gotten all their lands and lived bravely and richly ... and that they would therefore retake their land again from them and their goods ... that they would never have any more chief governors, judges, justices, or officers of the English or Scotch but would name and appoint such themselves ... (Hickson i: 362-3).

That very shortly after, they began by degrees to plunder and rob the Scotts in Lissan of their goods, and after a while tooke all that they had, and made them their servants or slaves to worke for them ... (TCD 838:76b).

Yea, they boasted upon their success, 'That the day was their own, and that ere long they would not leave one Protestant Rogue living, but would utterly destroy every one that had a drop of English blood in them'. Their Women crying out, 'Slay them all, the English are fit meat for Dogs, and their children are Bastards' ... (*An Abstract* ... 1659:8).

William Wright of Culmonyn ... deposeth that John Good of Clonayfawne, and Dermot Mac Phelemi said, that they hoped to have all Protestants hanged within one fortnight ... (*An Abstract* ... 1642:2).

Ag cruinniú de chléir ard-deoise Ard Mhacha i gCeannanas, Márta na bliana 1642, fógraíodh gur chogadh cóir é an t-éirí amach a bhí á throid i gcoinne na bPiúratánach, arbh é a n-aidhm Caitlicigh is Gaeil a dhíothú agus ceart an rí a chealú; cuireadh faoi choinnealbhá aon Chaitliceach a chabhraigh leis an namhaid nó a dhiúltaigh aon pháirt a thógáil sa troid (Gilbert 1882 i: 290-2). Bhí cogadh reiligiúnda á dhéanamh de chogadh cosantach thar ceann an rí, agus ba róléir do lucht a pháirte go raibh lámh Dé 'sa deabhaidh', mar a d'fhógair Pádraigín Haicéad sa chaintic catha a chum sé *iar dtionscnadh don chogadh so na hÉireann insa bhliain 1641*. Ní móide gurbh é an Haicéadach an chéad Éireannach a d'áitigh go raibh lámh Dé san obair ach is é is fearr ar éirigh leis an nath úd a ghléasadh le friotal chomh fileata, chomh reiligiúnda sin. Bhí an tír féin ag éirí le Dia, dar leis, is í ag múscailt le mac Maria; ag éirí ón táire, ón ainbhreith is ón tsíorfhulaingt a bhí; a raibh i dtairngreachtaí na naomh, bhí sin uile le comhlíonadh anois ach ní le fir Éireann a bheadh an lá mura n-aontóidís le chéile agus iad uile páirt ghníomhach a thógáil sa ghleo:

> Éirghe mo dhúithche le Dia,
> a musgladh le mac Mairia,
>   seach na ndionn bhus daingean di
>   aingeal os cionn na críche ... .

> 'S nach raibh táir ná ciorrbhadh crom
> ná ainbhreath léir ná leatrom,
>   's nárbh fhéidir cumhang i gcuing
>   d'fhulang éigin, nár fhulaing ... .

> Go bhfíorthar riú do ráith Bhreagh,
> d'aithbheódhadh glóire Gaoidheal,
>   tar seal aindlighe an fhine,
>   tairngire a bhfear bhfáisdine.

Óir go dtig isteach go grod
d'inis Ghaoidheal ar gheallsod
   roighne an chuire chaoin gan choir
   (a naoimh uile 's a héarlaimh) ... .

Caithfid fir Éireann uile
ó aicme go haonduine,
   i dtír mbreic na mbinncheann slim,
   gleic 'na timcheall nó tuitim,

Más rochtain a-rís a-nall
don droing uathbhásaigh eachtrann;
   a neart dá ria, i ngléire ghlinn,
   ní bhia Éire 'na hÉirinn ... .

Ní heagal dóibh námha a-nos
is cheana féin gur follas
   (a shamhail d'fhál cia do chuir)
   a lámh ag Dia san deabhaidh.

Éirghe na hÉireann le Dia na ngrás,
's a naomhchroch 'na scéithbheirt um fhiannaibh Fáil,
tréanaingil Dé i gcathaibh iata, ar scáth
a léibheann-lucht léidmheach sa ghliaidh do ghnáth ...
                         (Ní Cheallacháin 1962:32).

Is í an t-aon tuairisc i nGaeilge atá againn ar imeachtaí an chogaidh an dialann a scríobh Toirdhealbhach Ó Mealláin, Proinsiasach ó chontae Thír Eoghain a bhí mar shéiplíneach ag Sir Féilim Ó Néill. Cuntas lom teicniúil a thugann sé ar an gcogadh, go háirithe in Ultaibh, ach dá loime neamaisithe mar thuarascáil a shaothar nochtar go soiléir neamhchas a thuisceantsan agus tuiscint na gcinnirí ar an choimhlint agus ar a raibh páirteach inti. Ar thaobh amháin bhí 'Éireannaigh'/ 'Caitlicigh' a bhí ag troid faoi 'Shéarlas'/'rí Séarlas'; ina gcoinne sin bhí 'an namhaid' – 'Albanaigh' is 'Sasanaigh' arbh ionann iad agus 'na heiricigh':

Do Shasanachaibh agus d'Albonchuibh ... mórán Sasanach ... na Sasanaigh ... Tugadar na hÉireannaigh ... ar na hAlbonachaibh ... ag creachadh na nÉireannach ... Táinic sluagh Albonach agus Sasanach ... ós comhuir na nÉirionnach ... táinic an Coronel .i. .ón námhuid ... in aghaidh armála in rí Séarlus ... 's do mharbhsad seacht gcéad don námhuid ... Do ghabhadar na Catoilcigh port Luimnigh i seilbh an rígh Séarlus ... Do chuirsead troid ar mhuintir Shéarlais ... do phill na heiricigh ... Do theannadar na hÉirionnaigh leó ... Do righni na heithricigh comhuirle ... (Ó Donnchadha 1931:1-3, 6, 10, 24-7, 31-2, 37-8).

I mbéal Eoghain Rua Uí Néill a thugtar an cur síos seo orthu:

Ag súd chugaibh eascairde Dé, agus naimhde bhur n-anma; agus déanaidh calmacht 'na n-aghaidh aniú; óir is iad do bhean díbh bhur dtighearnaidh, bhur gclann agus bhur mbeatha spioradálta agus teamporalta, agus do bhean bhur ndúthaigh díbh, 's do chuir ar deoruigheacht sibh ... (*ibid.* 37).

Léiriú eile ar sheasamh is ar dhearcadh na gcinnirí is ea an dán gríosaithe a chum Uilliam Óg Mac an Bhaird 'i dtús an chogaidh oirdheirc 1641' agus é ag iarraidh ar 'uaisle Gaoidheal is Gall' snaidhmeadh le chéile 'in éanbháidh charthannaigh et in éan aonta':

> Uilliam Óg mac Uilliam Óig Mic an Bhaird do rinne an dánsa ag greasacht fhear nÉireann et agá gcomhairliughadh im shnadhmadh rer oile in éanbháidh charthannaigh et in éan aonta i dtús an chogaidh oirdheirc 1641

> Dia libh a uaisle Éireann,
> tógbhaidh tosach caithréimeann;
>   tánaig uair d'fhóirithin cáigh,
>   róimhithidh an uain d'fhagháil.

> Fríth le fáidhibh fad ó shoin,
> acht amháin méad bhar bpeacaidh,
>   cosc an mhadhmasa chláir Cuinn
>   dáil na cabhrasa chugainn.

> Rath an tosaigh trialltar libh,
> cosnamh dúthchais, díon creidimh ....

> Follas fan Eóraip uile
> bhur martra, bhur moghsuine,
>   gach léan, gach imneadh, gach oil,
>   gach tréan dar himreadh oroibh.

> Atáid bhur mbailte bunaidh
> roinnte ar fhuirinn allmhuraigh ...

> Dóibh sin as oidhreacht ise,
> an ghasradh Ghall nuaidhise;
>   sibh féin as eachtrannaigh ann
>   fa neartdhrongaibh d'fhéin eachtrann. ....

> Tréigidh bhar dtuirse cridhe,
> liamhaidh bhar lanna meirgidhe,
>   scaoilidh bhar mbratach brios,
>   maoidhidh atach go háithios. ...

Léiriú paiteanta é an dán ar aigne oifigiúil na huaisle dúchais ar an gcogadh. 'Cosnamh dúthchais, díon creidimh'[57] a n-aidhm, troid a bhí á cur chun cinn ag 'FionnGhall' is ag 'fíorGhaoidheal' araon i gcoinne na Nua-Ghall, troid a bhí le fearadh in éineacht:

> Ionann ciall leam dá laoidheadh
> an FionnGhall, an fíorGhaoidheal;
>   is taosca is tírsin na bhfionn,
>   's do dhíslibh aosta Éirionn.

> Anois ar an uair as fhearr,
> in ainm Dé, a uaisle Éireann,
>   leanaidh go calma bhur gceart,
>   gabhaidh bhur n-arma in éinfheacht! ... (NLI G167:321).

Gabhaidh bhur n-arma in éinfheacht: b'é cothú an aontais an príomhriachtanas agus is chuige sin a tháinig Comhchomhairle Chill

Chainnigh le chéile sa bhliain 1642. Níor pharlaimint í an Chomhchomhairle, bíodh go raibh cuid mhaith de ghothaí parlaiminte aici, ach tionól den uaisle Chaitliceach, idir chléir is tuath, chun a gceart a éileamh ar an rí.[58] 'Prelates and noblemen ... and gentry' (Gilbert 1882 i:86) ab ea formhór na mball agus is ar éigean a bhí sloinne nó teaghlach uasal Caitliceach sa tír nach raibh páirteach sa tionól. Dhearbhaigh baill na Comhchomhairle arís 'with hearts bent lower than our knees' a ndílseacht iomlán don rí, mhóidíodar gur ag troid i gcoinne naimhde an rí a bhíodar, is d'iarradar air a gceart chun a gcreidimh, chun a saoirse agus chun a dtailte a fhaomhadh. An mhóid a chaith gach ball den Chomhchomhairle a thabhairt, ní hamháin gur mhóid cairdis is comhchumainn í ach ba mhóid dílseachta don choróin chomh maith í. Níor dhearbhú folamh dílseachta é sin ach glacadh iomlán le seasamh bunreachtúil a d'aithin an ceangal dlíthiúil le Sasana agus a dhearbhaigh gurbh í an choróin foinse an cheangail sin. Níor dhílseacht gan choinníoll í ar a shon sin; bhí sí bunaithe ar an bhféinleas agus ar an tuiscint gur de réir an dlí – dlí comónta Shasana – a dhéileáilfí le Caitlicigh na hÉireann:

> To that end onely, that you, our gratious Sovereign ... might alone reign over us; and we, in the just freedom of subjects, independent of any jurisdiction not derived from your Majesty, live happily under the Crown of England ... (Gilbert 1882 ii:49).

> To observe and to be ruled only by your Common Laws of England, and statutes here established and enacted by Parliament among us, which are not contrary to our Catholick Roman religion ... (*ibid.* 131).

Tugann an dearcadh bunreachtúil dlíthiúil atá le léamh ar an uile ráiteas dá dtáinig ón Chomhchomhairle, tugann sé an-léiriú dúinn ar an athrú bunúsach a bhí imithe ar straitéis pholaitiúil agus ar ideolaíocht uaisle Éireann le leathchéad bliain anuas. I gcoinne na corónach a throid Aodh Ó Néill is a chomhghuaillithe ag deireadh an tséú haois déag; in ainm an rí a éiríodh amach sa bhliain 1641, ag éileamh a gceart *faoin choróin* a bhí na cinnirí. Chun a ndílseacht don rí a thaispeáint go soiléir chuireadar coróin, mar aon le crois Ghaelach is an mana *Vivat Rex Carolus*, ar bhratach na Comhchomhairle agus ar na boinn a bhuaileadar cuireadh ceann an rí ar thaobh amháin is ceann Naoimh Pádraig ar an taobh eile. Na héilimh uile a rinne cinnirí an éirí amach agus na Comhchomhairle in éineacht b'éilimh iad a d'aithin ceart na corónach in Éirinn agus a d'admhaigh ceangal bunreachtúil na hÉireann leis an choróin; éilimh ar le toil an rí a bhainfí amach iad trí iarrachtaí aontaithe a ghéillsineach dílis in Éirinn. B'é an cúram céanna timpeall an aontais a thug ar an Chomhchomhairle an mana *pro Deo, pro rege et Patria Hibernia unanimis* a tharraingt chucu féin agus chun an t-aontas a chothú dhearbhaíodar nárbh fhéidir aon idirdhealú a dhéanamh idir cine, aicme, clann ná cúige agus go gcaithfí tarraingt le chéile nó titim.[59]

Ach, in ainneoin an aithisc sin is aithisc eile mar é, b'é an t-easaontas an ghné ba shuntaisí de obair na Comhchomhairle ó thús deireadh, easaontas a raibh bunús socheacnamaíoch is bunús reiligiúnda leis. Is mar easaontas idir Gaeil agus Sean-Ghaill a chuireann staraithe síos ar an easaontas sin de ghnáth,[60] ach is mó ba easaontas é idir an aicme a raibh a dtailte caillte acu agus na haicmí, idir Ghaeil is Shean-Ghaill, a raibh seilbh a dtailte fós acu. Bhí uaisle Laighean, tríd is tríd, lánsásta socrú na talún a fhágáil faoi mar a bhí; b'fhearr le cinnirí na nUltach, ní nach iontach, dul siar go tús na haoise agus seilbh na talún faoi mar a bhí roimh an phlandáil a athbhunú. I réimse an reiligiúin ba mhó d'easaontas é idir an chléir is na tuataí: nuair a rinne an ardchomhairle i gCill Chainnigh síocháin le Ormond sa bhliain 1646, síocháin nár thug aitheantas iomlán do cheart na gCaitliceach in Éirinn, shéan an cliarlathas an tsíocháin sin is chuireadar an ardchomhairle faoi choinnealbhá. Ní ag caint thar a cheann féin amháin a bhí an Haicéadach nuair a cháin sé go tarcaisneach an dream a dheadhail 'i gceilg agus i mbriseadh mionn, iad féin amach as an gcorp Catoilice ... as an gcomhcheangal síthe agus cabhra agus comhail do rinneadar Éireannaigh eatarra féin fá mhóidibh Bíobla Dé um cogadh do dhéanamh ag cosnamh an chreidimh fhírinnigh in Éirinn' (Ní Cheallacháin 1962:36). Bhí grúpa beag den chliarlathas a bhí toilteanach teacht chun réitigh éigin, ba chuma cén bonn réitigh é, leis an rí; ba lánleor leo filleadh ar an socrú pragmatach tuisceanach a bhí i bhfeidhm roimh 1641. An chuid eile den chliarlathas, ar Phroinsiasaigh iad a bhformhór, ní comhghéilleadh tuisceanach a bhí uathusan a thuilleadh ach aitheantas dlíthiúil iomlán don Chaitliceacheas, athbhunú na hEaglaise Caitlicí mar a bhí sa séú haois déag agus athshealbhú na dtailte eaglasta. 'Royalist' a thugann Kearney (1960:208) mar thréith idirdhealaitheach ar na heaspaig sin agus ar a lucht tacaíochta a bhí toilteanach teacht ar chomhthuiscint phragmatach leis an rí, ach is lipéad iomrallach é a chuireann idirdhealú nach bhfuil bailí in iúl. Óir ba ríogaithe iad an cliarlathas is an Chomhchomhairle go huile; a raibh d'easaontas eatarthu níorbh í an ideolaíocht ba bhun leis ach an straitéis: bhíodar uile, idir chléir is tuath, idir Ultach is Mhuimhneach, idir Ghael is Shean-Ghall ar aon fhocal is ar aon tuiscint gur le toil an rí, faoi chumhacht an rí agus le ceart an rí a shásófaí a n-éilimh. Is ar na héilimh sin nach bhféadfaidís aontú agus de réir mar a bhí na blianta ag imeacht is lagú ag dul de shíor ar sheasamh is ar neart an rí, bhí ag dul den dá thaobh teacht ar fhoirmle shásúil chomhréitigh. Réiteach neamhchas fíorshimplí a chuir Conchúr Ó Mathúna chun cinn ina leabhar (*Disputatio apologetica* ...) a d'fhoilsigh sé sa bhliain 1645: muintir na hÉireann prionsa Caitliceach dúchais a tharraingt chucu féin in ionad Shéarlais.[61]

B'Íosánach é Ó Mathúna a raibh blianta fada tugtha sa Spáinn aige mar a raibh sé ina ollamh le diagacht in ollscoil Évora. Ina leabhar

tharraing sé gan bac as teagasc Bellarmine is Suárez agus chosain sé go
láidir an teoiric gur tríd an bpobal – *sed mediante humana voluntare* (C.M.
1645:68) – a fuair na ríthe a gcumhacht agus, mar sin, go raibh sé de
cheart ag pobal tíoránach nó eiriceach de rí a athríú. Ach ní hamháin
gurbh Íosánach é féin a raibh teagasc na nÍosánach tugtha leis go
beacht aige, ach ba Ghael é freisin a bhí ag baint earraíochta as an
teagasc diagachta sin mar bhonn teoiriciúil le hionsaí fíochmhar a
dhéanamh ar sheasamh na nGall, idir shean is nua, in Éirinn agus le
exhortatio chun gnímh a chur faoi bhráid a mhuintire féin. Bhí an ceart
ar fad, dar leis, ag na Gaeil éirí amach i gcoinne na n-eiriceach sa bhliain
1641; mharaíodar 150,000 acu idir 1641 agus 1645 (*ibid*. 125) agus ba
cheart dóibh leanúint orthu go dtí go mbeadh Éire glan díobh *sicut
Hebrei fecerunt & Deus praecepit (ibid*. 104).[62] Ba cheart do na Gaeil sampla
na nIosraeilíteach fad ó shin is sampla na Portaingéile ó chianaibh a
leanúint, forlámhas na n-eiriceach a bhriseadh go deo agus rí
Caitliceach dúchais dá gcuid féin – *regem Catholicum, & vernaculum seu
naturalem Hibernum (ibid*. 103) – a thoghadh; ó b'eiriceach is ó
b'eachtrannach é Séarlas, ní raibh aon teideal aige chun coróin na
hÉireann agus níor ghá do Chaitlicigh aon ghéillsine a thabhairt dó;
níorbh aon pheaca é rí ciriciúil a mharú.

Ní furasta a mheas cén anáil go díreach a bhí ag an leabhar, fiú
amháin i measc an bheagáin a d'fhéadfadh é a léamh, ach is cinnte gur
tugadh aird air, ní hamháin nuair a foilsíodh é ach go cionn tamaill
fhada ina dhiaidh sin agus is cinnte gur mhúscail an leabhar
díospóireacht athuair ar cheist bhunúsach na dílseachta don choróin. Is
beag bá a nocht an t-uaslathas Caitliceach leis: tugadh scanmóirí ina
choinne ar fud na tíre agus d'ordaigh Comhchomhairle Chill
Chainnigh go ndóifí go poiblí é.[63] Ach de réir na fianaise a tógadh síos
ó na plandóirí bhí go leor de na reibiliúnaithe, i measc an daoscair go
háirithe, a bhí ag cuimhneamh mar a bhí Ó Mathúna, ar rí dúchais dá
gcuid féin a bheith orthu athuair:

> Richard Knowles of Newtowne ... deposeth that Rory Magwire, Richard
> Nugent, Donogh Magwire, by whose means he was robbed, some of the
> said robbers said, that they had a King of their own in Ireland ... (*An
> abstract ...* 1642:2).

> Thomas Middlebrooke ... deposeth that about the 26 of October last past,
> he heard one Cahell Boy Mac Dermot of Killrout say, that within one
> fortnight they should have a new King of Ireland crowned, one of the
> O'Neales ... (*ibid*. 3).

> Alice Chapman ... deposeth that she heard the rebellious Irish say that Sir
> Phellomy Roe Of Neale should be King of Ireland ... (*ibid*. 3).

> Anne Gill, of Newtown ... further sayith that when the said Rory Maguire
> ... gave forth that it was to noe purpose for them to flye to Dublin for
> succour, for Dublin was taken by the Lord Maguire who was to be King of
> Ireland ... (TCD 835:113).

Thomas Middlebrooke of Leag-MacCaffry in the parish of Drumully avers
that ... he heard the said Cahall boy McDermott say that within one
fortnight they should have a new Kinge of Ireland Crowned, of the Neales
... (*ibid.* 142).

And further saith, that the said rebel Patrick MacLaughlin MacMahon and
others of the rebels, often said in her hearing that if they might have their
own laws, and all Lord Deputys and other great general officers, judges,
and magistrates to be all of the Irish, then they would not forsake the King
of England, but if they might not they would make a king amongst them
of their owne ... (TCD 834:54b).

And it was the common talk of all the Irish thereabouts that Sir Phelim
O'Neil was king of Ireland, and they usually prayed for him by that name
... (Hickson i:325).

An fhianaise sin trí chéile ar teistíochtaí oifigiúla í a bailíodh, ní mór
a mheabhrú, go fiosach chun críche polaitiúla, is inti is túisce i bhfoinsí
iomadúla an tseachtú haois déag a thagaimid ar ghuthanna is ar aicmí
nach mbaineann leis an uasaicme ná leis an aos léinn. Ach bíodh gur
feidhm pholaitiúil go príomha a bhí le bailiú is le foilsiú na dteistíochtaí
sin, go háirithe ó bhí na parlaimintéirigh ag áiteamh nach dílseacht don
rí a spreag an t-éirí amach, mar sin féin is dóichí gur léiriú fírinneach
bailí í an fhianaise trí chéile ar sheintimintí is ar aidhmeanna na
'reibiliúnaithe', idir chinnirí is lucht leanúna. Más fírinneach í mar
fhianaise, is léir nach leasuithe bunreachtúla a bhí á lorg ag an daoscar
ach athbhunú cuimsitheach uileghabhálach, ar eilimint amháin de rí
'dá gcuid féin' a bheith orthu. Is léir go raibh eilimint chultúrtha i gceist
san athbhunú freisin:

And the deponent was credibly tould that the said Art McMaghan
publickly sayd that they who spake English should paye 10s. to the King.
The party to whom he spake it inqired to know what King. His answer was
'what King, but the Earle of Tirone ...' (TCD 834:58).

Wee heard from divers bitter words cast out against Dublin: That they
would burne and ruyne it, distroy all recordes and monuments of the
English government: And they spoke of lawes to be made, that the English
tounge should not be spoken: but whether in the whole Kingdome or in
Ulster onely he doth not remember: and that all the names given to landes
or places should be abolished, and the ancient names restored. The Erle
of Fingal asked the deponent what was the ancient name of Virginia, he
answered Aghanure (as he remembreth). The Erle then said that must be
the name againe ... (CHA i:533).

The next day they marched back to Oldstown, where they made a
proclamation, that any that spoke English should be hanged ... (Hickson
i:240).

Is áirithe go bhfuil simpliú á dhéanamh agamsa ar an fhianaise sin is gan
á aithint agam inti ach uaisle/cinnirí ar thaobh amháin, agus
daoscar/lucht leanúna ar an taobh eile. Is cinnte go bhféadfaí guthanna
is aicmí eile a aithint san fhianaise agus gur cheart gréasán soch-

chultúrtha níos casta ná sin a chur i bhfáth.[64] Ach fós tá an t-idirdhealú
sin bailí sa mhéid gur féidir, dar liom, dhá mhóraicme a aithint a raibh
aidhmeanna is straitéisí difriúla acu laistigh den chomhthuiscint
ideolaíoch chéanna. An dá phríomheilimint sa chomhthuiscint sin ná
an reiligiún agus an ríogachas. Ní mar fhórsa carthanachta ná
spioradálta a nochtar an reiligiún san fhianaise seo ach mar ghléas
idirdhealaithe seicteach: ní raibh d'idirdhealú le déanamh ach eiricigh
a bhí le marú a aithint ó Chaitlicigh a bhí le slánú. B'é an ríogachas, is
léir, an t-aon ordú polaitiúil dob fhéidir a shamhlú, de réir lucht
labhartha na fianaise seo. Gan amhras, b'é an ríogachas an t-aon ordú
polaitiúil a raibh eolas air is glacadh coiteann leis san Eoraip ag an am,
fós bhí cheana féin san Eoraip dreamanna difriúla ag éileamh go
ndéanfaí ríthe a threascairt is an saol ordaithe cliarlathach mar a bhí a
chur bunoscionn.[65] Níl oiread is frídín den saghas sin tuairimíochta le
fáil san fhianaise sin. Cinnte, bhí an saol le cur bunoscionn sa mhéid gur
Éireannaigh in ionad eachtrannach a bhí le rialú, ach is laistigh den
ordú cliarlathach céanna é: rí dúchais mar mhalairt ar rí iasachta, an
uaisle dhúchais i réim in ionad eachtrann. Gné fhíorshuimiúil den
fhianaise is ea a choitianta atá an nóisean "rí Éireann" ('King of
Ireland') le fáil inti agus gurb é an nóisean sin féin a sholáthraíonn an
t-idirdhealú atá agam á dhéanamh: an teideal sin "rí Éireann" á shamhlú
ag aicme amháin (uaisle/cinnirí) le Séarlas agus ag aicme eile
(daoscar/lucht leanúna) á shamhlú le tiarna dúchais – Mag Uidhir,
Féilim Ó Néill, Eoghan Rua Ó Néill.

De réir mar a bhí an cogadh ag dul ar aghaidh go héiginnte
éidreorach – cogadh iltaobhach aimpléiseach – agus plé na
Comhchomhairle ag dul in aimhréidhe agus chun leadráin, bhí ag éirí
ar na coinníollacha réitigh a bhí á leagan síos ag na cinnirí. D'admhaigh
Sir Féilim Ó Néill nach raibh uathu ar dtús ach saoirse choinsiasa ach le
síneadh amach an chogaidh is iad na coinníollacha a bhí á leagan síos
aige:

> They must have no Lord Deputy, great officers of State, Privy Councillors,
> judges, or justices of peace, but of the Irish nation. No standing army in
> the kingdom. All tithes payable by Papists to be paid to Popish priests.
> Church lands to be restored to their bishops. All plantations since *Primo
> Jacobi*, to be disannulled, none made hereafter. No payments of debts due
> to the British, or restitution of anything taken in the war. All fortifications
> and strengths to be in the hands of the Irish, with power to erect and build
> more if they thought fit. All strangers (meaning British) to be restrained
> from coming over. All Acts of Parliament against Popery and Papists,
> together with Poyning's Act, to be repealed, and the Irish parliament to be
> made independent ... (Hickson i:330).

Ráiteas léiritheach é aitheasc sin Fhéilim Uí Néill a shoiléire a nochtar
ann eilimintí is comhdhéanamh an náisiúnachais atá laistiar de:
reiligiún, talamh, eitneachas. Gan amhras éilimh gan taca ab ea na

héilimh sin aige san uair nach raibh ag éirí leis na reibiliúnaithe ceannas a fháil ar pháirc an áir ná teacht chun réitigh shásúil leis an rí. Ar deireadh, faoin am ar cheangail Ormond conradh síochána, thar ceann an rí, leis an Chomhchomhairle sa bhliain 1649 bhí an rí gan neart, gan chumhacht, a armsan cloíte ag arm na parlaiminte. Um Shamhain na bliana céanna sin maraíodh Séarlas agus d'éag Eoghan Rua. Mar a dúirt Éamonn an Dúna, bhí a ceann agus a céile caillte ag Éirinn in éineacht; bhí na trí ríochta 'gan rí, gan saorfhlaith' a d'fhógair file eile; ní raibh de thriath anois ag Éirinn, a dúirt comhghleacaí leis, ach 'Dia na Glóire'.[66]

Ach a raibh Séarlas curtha i leataobh ag parlaimint Shasana is an mhonarcacht curtha ar ceal aici dhírigh sí, mar pharlaimint, a haird ar Éirinn. An mhímhuinín chlaonta a bhí ó dhúchas as Caitlicigh agus as an gCaitliceachas ag baill na parlaiminte, bhí méadaithe as cuimse uirthi de bharr na dtuairiscí a bhí á scaipeadh i Sasana ar an bharbaracht ainsrianta a d'imir na Caitlicigh ar Phrotastúnaigh Uladh in éirí amach 1641. Mar sin nuair a tháinig Cromwell agus a arm Piúratánach ní concas amháin a bhí mar aidhm aige ach díoltas fuilteach chomh maith. Is le 'the assistance of God' a ráinig dó a bheith in Éirinn 'to hold forth and maintain the lustre and glory of English liberty in a nation where we have an undoubted right to do it' (NHI iii:345). Bhí lámh Dé san obair, dar le Cromwell freisin; b'eisean an té a bhí tofa ag Dia chun a chuid oibresean a chur chun cinn sa saol seo; is é Dia a threoraigh go hÉirinn é chun díoltas Dé a agairt ar na 'murderous papists' a lonnaigh inti. Ba léir laistigh d'achar an-ghearr gur threise a Dhia-san ná Dia an Haicéadaigh. 'Crumwell came over, and like a lightning passed through the land', a dúirt an tEaspag French (1676:12) is dhírigh sé féin is scríbhneoirí eile, idir chléir is tuath, ar fhulaingt dho-aithriste an náisiúin Chaitlicigh a ríomh:

> O poore nation, o more weake then goshlings that forbeares such an inevitable fate ... och, och, ... o poore condition of Irish nation, on whom waites onely distruction and desolation, the fruite of rent and distraction ... (CHA i:76-7).

> The author ... hath drawne another Iphigenia of the body of a noble, ancient Catholic nation cla'd all in redd robes not to bee now offered up as a victim; but already sacrific'd, not to a profane Deity, but to the living God for holy religion ... (French 1674:2).

> But Owen Roe unfortunately dying soon after, there was none left able to make head against Cromwell, who therefore carryed all before him where ever he went ... (Reily 1695:57).

Ba mheasa pianbhroid Cromwell in Éirinn, a d'áitigh John Lynch (1662:277-83), ná fulaingt na Róimhe faoi Nero, fulaingt na Traí faoi na Gréagaigh, fulaingt na Spáinne faoi na Múraigh; ba mheasa é ná anbhroid Iarúsailéim féin. Rinne filí na Gaeilge as a chéile cur síos mioninste ar a thuras díoltach fuilteach agus ar an mbrón báis a lean é:

Ó bhí clann Israél san Éighipt,
faoi bhroid is faoi dhaoirse in éineacht,
níor scríobhadh i leabhar is ní fhaca éineach,
anró mar anró na hÉireann ... (DMM:49 § § 19-22).

Ní bhfuil cliar in iathaibh Fódla,
ní bhfuilid aifrinn againn ná orda,
ní bhfuil baiste ar ár leanabaibh óga ... (ND i:26 §§ 17-9).

Och monuar! an uaisle ar dtréigean!
do measadh a stát is tá ar láimh na méirleach,
is táid a mbailte faoi bhastartaibh Béarla,
is táid a gcartacha daingean le tréimhse
ar láimh na nGall nach ceannsa céadfa,
is a ndúnta faoi mhúnlach lucht céirde ... (FPP:3 §§ 207-12).

Cá ngéabham anois nó créad do dhéanfam?
ní díon dúinn cnoc ná coill ná caolta,
níl ár leigheas ag liaigh in Éirinn
acht Dia do ghuí is na naoimh in éineacht ... (FPP:4 §§ 437-40).

Chuir Seán Ó Conaill in aon líne ghonta amháin é: b'é sin an cogadh 'do chríochnaigh Éire' (FPP:4 § 353). Ní hé gur chríochnaigh ach gur athraigh ó bhonn mar is é toradh is mó a bhí ar an socrú sin Cromwell, maoin agus talamh na hÉireann sa tír trí chéile a aistriú ó Chaitlicigh go Protastúnaigh. Roimh 1641 ba le Caitlicigh dhá dtrian de thalamh na hÉireann; níor leo ach an cúigiú cuid di faoi 1654. Ba chuma, a dúirt Éamonn an Dúna, dá mba chomplacht 'de ríoghaibh corónta' nó dá mba uaisle iad lucht an choncais; ba mhóide an aithis is an masla nach raibh iontu

acht broscán brocach de bhodachaibh ceirde,
de shíolbhach striapach, piast is méirleach
nach fios san Eoraip ó ló an chéidfhir
cén chú chac gach neach den fhéin duibh ... (FPP:5 §§ 290-6).

Caoineann rannaire anaithnid an tír a bheith faoi dhream 'gan chreideamh, gan chóir':

Cúis m'osna mo dhúiche fá mhoghsaine 's fá dhúbhroid
ag cosmhar clamh prútach gan chreideamh, gan chóir;
an lucht leanta so Cromwell lér teascadh ár bPrionsa
inár ngealbhroga ag damhsa 's ag imirt 's ag ól
(BL Add. 4779:1).

Dar le file eile nach raibh iontu ach 'scum na Sagsan ... bastardaibh Béarla ... lucht ceirde'; seintimintí a bhí coitianta ag scríbhneoirí eile na linne chomh maith.[67]

Is í an phríomhfhoinse Ghaeilge atá againn ar stair na mblianta sin an tsraith dánta polaitiúla a cumadh idir 1640 agus 1660, ar leor a gcéadlínte féin chun a leitmóitífeanna is a mbunéirim a léiriú:

Do fríth, monuar, an uain se ar Éirinn (Donnchadh Mac an Chaoilfhiaclaigh), in eagar: FPP:1;

Innisim fís is ní fís bhréige í ('An Síogaí Rómhánach'), in eagar: FPP:2;

Is buartha an cás so i dtarlaigh Éire (Dáibhí Cúndún), in eagar: FPP:3;

An uair smaoinim ar shaoithibh na hÉireann (Seán Ó Conaill), in eagar: FPP:4;

Mo lá leoin go deo go n-éagad (Éamonn an Dúna), in eagar: FPP:5;

Do chuala scéal do chéas gach ló mé, in eagar: ND i:26;

Gan bhrí, faraor, atá mo chéadfa (Séamas Carthún), in eagar: DMM:49.[68]

Caointe foirmeálta poiblí maorga is ea iad, sa mheadaracht a dtugtar *caoineadh* uirthi, ag cur síos ar anchás na hÉireann i bhfriotal fíoghartha reitriciúil. An dearcadh atá á nochtadh iontu, ní hé amháin gurb é dearcadh an aosa léinn é ach is é dearcadh na huasaicme é chomh maith. Mar ní hamháin go bhfuilid tuilte de léann na haimsire (tagairtí don bhíobla, don litríocht chlasaiceach, do sheanchas na Gaeilge) agus de thagairtí do shaol sóisialta an uasail (an fiach, an chláirseach, an éigse) ach táid trí chéile tuilte de bhá an uasail lena aicme féin. An chomhthuiscint idir Gael is sliocht na Sean-Ghall a bhí á cur chun cinn ag scríbhneoirí difriúla ó thús na haoise i leith, glactar léi gan cheist sna dánta seo, eilimint lárnach in ideolaíocht fhiosach na ndánta trí chéile is ea í. Is 'Gaill uaisle' iad a mbíonn 'a bpáirt de ghnáth le Séarlas', bhí gach aon 'den Ghallfhuil Ghaelaigh' seo 'fial bronntach tobharthach déarcach/do cheannaíodh fíonta is do dhíoladh éigse'; 'Sean-Ghaill tséimhe' is ea iad ar mhaith 'a ndlithe, a gcreideamh 's a mbéasa' is ó 'shíolraigh a bhfuil trína chéile/do bhí an Gael Gallda 's an Gall Gaelach'.[69] An tuiscint eile sin a rabhthas ag glacadh go coiteann léi ó thús na haoise – gur chogadh ar son an chreidimh fhír é cogadh na hÉireann – is buntuiscint uilí sna dánta seo í. Téama coiteann iontu, dá réir, is ea anchás na hEaglaise – 'Eaglais Éireann' – mar chuid lárnach den phianbhroid a bhí á himirt ar Éirinn; ní hé 'scrios ár dtíre' amháin a chaointear is a léirítear sna dánta seo, ach 'díth na cléire' freisin:

> Leis do hiarradh Dia do thréigean ...
> ord is aifreann do bacadh leis d'éisteacht ... (FPP:2 §§ 102-5).

> Is tinn an aithris dom Eaglais Éireann,
> mar chím in easpa a sagairt 's a cléirigh ...
> is baintreach gach teampall le tréimhse,
> is táid a mainistreacha dá dtreascairt gach lae acu ... (FPP:3 §§ 186-94).

> An uair smaoinim ar shaoithibh na hÉireann,
> scrios ár dtíre is díth na cléire ... (FPP:4 §§ 1-2).

> Prealáidí eagailse is easpaig ní fhéachaid
> gan a gcoscairt 's a gcrochadh san chéadchroich,
> bráithre d'áireamh a n-áir ní féidir,
> dochtúirí is sagairt ar bhearannaibh caolstoc ... (FPP:5 §§ 45-8).

> Scaipeadh ar an bhféin dár ghéill clár Fódla
> is Eaglais Dé dá claochlá is ordaibh ... (ND i:26 §§ 103-4).

Atáid a teampla – mar barr péine –
gan altóir, gan aifreann, gan sléachtain,
'na stáblaí each – is truaillí an scéal so ... (DMM:49 §§ 15-7).

Deorchaoineadh poiblí ar anchás na hÉireann go bunúsach atá i
ngach dán den tsraith, olagón uaillghuthach éagaointeach ach tugtar
gach dán faoi leith acu chun críche le léas beag dóchais, dá chaoile é.
Ina ghuí impíoch ar Dhia, ar Mhuire is ar na naoimh dhúchais a
nochtar an dóchas sin de ghnáth agus ceart nó cothrom, fortacht nó
saoradh á n-agairt do Ghaelaibh:

Cé tá an eangsa go teann ag tórmach
fá láimh leabhair na nGall so nua againn
áilim Aonmhac tréan na hÓighe
go dtí an ceart san alt 'nar chóir dhó ... (ND i:26 §§ 89-92).

Fágaim sin ar chur an Chomhachtaigh,
Aonmhac Muire gile móire
as a bhfuil ár n-uile dhóchas,
go bhfaghaidh sinne is sibhse comhthrom ... (*ibid.* 113-6).

A naoimh na hÉireann, éiridh go léir 'nois,
a Phádraig ba léir, beannaigh an tréad so ...
moscail, trá, ná bíodh mar scéal ort
nach bhfuil fortacht i ndán do Ghaelaibh ... (DMM:49 §§ 131-8).

A Chríost do shil t'fhuil 'na braonaibh,
leasú leo sirrim go dtugair don tréad so,
glóire thall in am an éaga
's a gceart abhus ria ndul dod naomhbhrog ... (FPP:1 §§ 169-72).

Guímse Dia, más mian leis m'éisteacht ...
go ndaingníd sin Gaoil dá chéile
is go dtige dhíobh an gníomh so a dhéanamh:
Gaill d'ionnarbadh is Banba a shaoradh ... (FPP:2 §§ 305-12).

Guím Eoin Baiste 's na hapstail le chéile,
naoimh an domhain i bhfoirm mar déarfainn,
do chur a nguí chum Críost dár saoradh
ón mbroid, ón bpeannaid is ón ngéibheann
'na bhfuilid Gaoil, mo dhíth, le tréimhse ... (FPP:3 §§ 291-5).

Guígse is guím Dia na ndéithe,
an tAthair 's an Mac 's an Spiorad Naofa,
ár bpeacaí uile do mhaitheamh in éineacht
's a gcreideamh 's a gceart d'aiseag ar Ghaelaibh ... (FPP:4 §§ 485-8).

Mar thairngreacht chaithréimeach fháistineach a nochtar an dóchas
céanna sin i ndán amháin acu:

Gidheadh fós, mo dhóigh níor thréigeas
's ní bhiaidh mise gan misneach éigin,
is treise Dia ná fian an Bhéarla,
mairidh fós de phór Mhiléisius
an tAodh Buí se d'fhuíoll na nGaelfhear ...
bualadh ar Ghallaibh i Saingeal do-bhéaraid,

i Mullach Maistean ar Dhanaraibh réabfaid ...
biaidh an bua ag slua na nGael so,
biaidh a n-uaisle in uachtar éirceach,
biaidh a gcreideamh gan mhilleadh gan éiclips ... (FPP:2 §§ 265-9, 292-302).

Comhthuiscint eile sna dánta trí chéile is ea lárnacht an ríogachais sa saol polaitiúil is lárnacht na Stíobhartach in ideolaíocht pholaitiúil na n-údar. Le Séarlas – *ceann* na hÉireann – agus ní le *Parliamentarians na dtarr maothlach* a bhí bá ag lucht cumtha is, ní foláir, ag lucht léite na ndánta seo.[70] Dá réir sin, tugtar le tuiscint go soiléir go raibh fortún is dán na hÉireann dlúthcheangailte le dán na Stíobhartach:

Go teacht ina ríghe do rí Séamas
is dá mhac 'na dhiaidh do riar rí Séarlas ... (FPP:1 §§ 109-10).

I ndiaidh na mná so tháinig Séamas
níor thuar faoisimh do chríocha Fhéilim ...
is gearr 'na dhiaidh gur thionscain Séarlas ... (FPP:2 §§ 89-95).

Rí na Breataine 's Alban Séamas,
Lúter leanaid 's an eaglais séanaid ...
nó gur thionscain an cogadh so Fhéilim
is gur chaill a cheann 's a theann Séarlas,
ag so an cogadh do chríochnaigh Éire ... (FPP:4 §§ 287-8, 351-3).

Do chaillis do cheann, do chlann is do chéile,
mar atá Séarlas séanmhar séadach,
t'iarlaí, do thiarnaí, do thréinfhir,
is Eoghan na gcath mac Airt Uí Néill, t'fhior ....

Go dtí chum críche díbhse an méid se:
teacht díbh fé neart tar ais gan bhaoghal,
is bhur rí corónta romhaibh 'na léadar,
is Duke of York mar phosta cléire,
ag teacht fé mheadhair 'n bhur n-oighreacht féin cheart. (FPP:5 §§ 401-16).

Toisc gur i dteannta a chéile mar shraith choiteann in aon eagrán amháin (FPP) a cuireadh formhór na ndánta sin in eagar, is rófhurasta aontacht is ionannas a shamhlú leo. File aonair, gan amhras, a scríobh gach ceann de na dánta seo is tá a thréithe is a théamaí indibhidiúla féin ag roinnt le gach dán acu. Muimhnigh a scríobh cuid acu is léir, sagairt a scríobh cuid eile; ar Eoghan Rua Ó Néill a dhíríonn file amháin, ar thurnamh na gCárthach d'áirithe a dhíríonn file eile; is treise dálaí áitiúla i gcuid acu seachas a chéile, agus is mó a nochtar cás pearsanta an inseora féin i gcuid eile acu. Ach dá phearsanta nó dá áitiúla aon chuid faoi leith d'aon dán acu, agus pé acu Muimhneach nó Ultach, Corcaíoch nó Ciarraíoch, tuata nó cléireach a scríobh, is é an fócas náisiúnta céanna agus an fráma tagartha céanna atá acu go léir – Éire is a hanchás:

Gan bhrí, faraor, atá mo chéadfa,
atá mo spiorad ag dul sna héaga ...
ag caoi go cráite stáid na hÉireann,
gan só ná sult ag éineach
dá rugadh riamh ar chlár Éibhir ....

Do shiúil gorta is plaígh ar Éire
's gach sciúrsa eile darbh fhéidir
ní haithristear fós fuíoll a péine ... (DMM:49 §§ 1-10,50-2).

Do chuala scéal do chéas gach ló mé,
is do chuir san oíche i ndaoirse bhróin mé ....

Is trua lem chroí is tinn, dar Ólainn,
nuachar Chriomhthainn, Choinn is Eoghain
suas gach oíche ag luí le deoraibh ....

Teagh Tuathail, mo-nuar! do toirneadh,
cró Choinn gan chuimhne ar nósaibh,
fonn Fheidhlimidh tréithlag tóirseach
iath Iúghaine brúite brónach ... (ND i:26 §§ 1-2, 61-8).

Do fríth, monuar, an uain se ar Éirinn
do fríth a faill 's a caill in éineacht ... (FPP:1 §§ 1-2).

Is buartha an cás so i dtarlaigh Éire
'na buaile phráisc dá cárnadh ag méirligh ... (FPP:3 §§ 1-2).

Do bhí riamh le rá Oileán na Naomh ort
gur léigis díot gach ní ded thréithibh ...
beag an t-iongnadh tú a thuitim, a Éire
tugais crábhadh cráite ar chraosaibh ... (FPP:5 §§ 361-2, 373-4).

Éire agus ní an t-inseoir féin, dá bhrónaí a chás, is príomhphearsa do na
dánta seo uile; Éire mar bhean atá á héigniú, Éire mar aonad geografúil
atá á scrios, Éire arb í a muintirsean uile atá i bpéinbhroid:

Díothú buíne chríche Fódla ....

Cé tá an eangsa go teann ag tórmach
fá láimh leabhair na nGall so nua againn ... (ND i:26 §§ 9,89-90).

Ar Leath Choinn an chuing dob éigceart
is ar Leath Mhogha dá bhfoghairt go héinfhear ... (FPP:2 §§ 97-8).

Táid na ríochta gan rí gan saorfhlaith,
is táid an uaisle buartha ón dtaom so
is táid na pobail faoi chogadh is faoi spéirling,
is na boicht go doilbh ag cosnamh na hÉireann ... (FPP:3 §§ 21-4).

Is ó theacht Chríost go críoch an tsaoghail
nach raibh, nach fuil is nach baoghal
do chur ar fhuirinn dár geineadh ó Éabha
samhail na bruide fár cuireadh críoch Fhéilim ... (FPP:3 §§ 180-3).

An uair smaoinim ar shaoithibh na hÉireann,
scrios ár dtíre is díth na cléire,
díothú na ndaoine is laghad a ngréithe
bíonn mo chroí-se im chlí dá réabadh ... (FPP:4 §§ 1-4).

Is iad so chríochnaigh *conquest* Éireann,
do ghaibh a ndaingin 's a mbailte le chéile
ó Inis Bó Fine go Binn Éadair
's ó Chloich an Stacáin go Baoi Béarra ... (*ibid.* 377-80).

Mo lá leoin go deo go n-éagad ...
ruaig an ráis se ráinig ort, a Éire,
d'fhág mo cheann gan mheabhair gan éifeacht ...
an uair do chímse maidhm is éirleach,
cinn na gcuradh curtha ar spéice,
is bail na cóipe cróine céire
ar do chloinn gach laoi dá léirscrios ... (FPP:5 §§ 1-12).

Tá áitithe ag O'Rahilly gur 'men of the people, and not professional poets' a scríobh na dánta seo agus, chomh maith céanna, gur 'for the people, not for the chosen few' (FPP:viii) a scríobhadh iad. Is deacair aontú leis an áiteamh sin, a léannta atá na dánta trí chéile agus a lárnaí iontu atá luachanna is dearcadh na huaisle. Is deacair go háirithe glacadh leis gur 'men of the people' a scríobh iad ach ní furasta, agus sinn ag diúltú do théis shimplí O'Rahilly, téis bheacht dheifnídeach – maidir le húdair is pobal – a chur ina háit. Is léir nach amhráin de chuid na ndaoine iad seo; is léir freisin nach dánta díreacha iad. Tá léann laistiar díobh cinnte, idir léann eaglasta is sheanchas traidisiúnta, ach ní le friotal ársa ná le bairdne stóinsithe a dhéantar an léann sin a léiriú ach i meadaracht neamhchas an chaointe agus i bhfriotal nach de ardréim teanga é ná de íosréim. Ní móide gurb í an t-aon rogha amháin atá ar fáil againn, agus anailís á déanamh ar dhálaí sóisialta na bhfilí Gaeilge sa seachtú haois déag, idirdhealú aontomhaiseach a dhéanamh idir 'professional poets' ar thaobh amháin agus 'men of the people' ar an taobh eile. Is áirithe go raibh an gréasán soch-chultúrtha níos aimpléisí ná a thabharfadh an deilíniú dénártha sin le tuiscint. Bhí, is cinnte, aicmí sóisialta eile ann seachas íseal is uasal agus aicmí difriúla filí seachas filí proifisiúnta is filí tuaithe. Aicme thábhachtach amháin acusan, mar shampla, a ghearrann trasna ar an idirdhealú sin, is ea an grúpa sagart a chleacht idir shagartóireacht is fhilíocht in éineacht, aicme a bhain, ó thaobh folaíochta is stádais de, leis an uasaicme ach a chaith, mar chuid dá misean tréadach, friotháil ar an bpobal trí chéile.

Is deacra fós a cheapadh nach raibh de rogha mar phobal ag filí na Gaeilge ach 'the chosen few' ar thaobh amháin nó 'the people' ar an taobh eile agus nach raibh aicmí eile idir eatarthusan a raibh tóir ar ábhar liteartha acu agus freastal á dhéanamh orthu. Agus a ilghnéithí atá litríocht Ghaeilge an tseachtú haois déag, idir fhilíocht is phrós, i gcomparáid le saothar na gcéadta bliain roimhe sin, ní móide gur féidir a cheapadh gurbh aon phobal monacrómach amháin a bhí aici nó pobal nach raibh de rangú le déanamh air ach idirdhealú idir uasaicme is íosaicme, idir éilít is daoscar, idir mionlach sofaisticiúil is móramh neamhléannta. I bhfianaise a ndeachaigh de dhibhéirsiú ar lucht cumtha agus ar ábhar na litríochta sin i rith an tseachtú haois déag ar fad, ní móide go mbeadh sé áiféiseach a áiteamh nach foláir nó chuaigh dibhéirsiú mar é ar phobal na litríochta sin freisin. Agus an dlúthbhaint a bhí ag an chléir Chaitliceach go háirithe ó thús na haoise le saothrú is le cothú na litríochta sin, ní foláir a chur i bhfáth, dar liom, gur i méid a bhí pobal liteartha na Gaeilge ag dul feadh an ama. Ceist bhunúsach í, gan amhras, cén pobal go díreach a bhí ag údair na ndánta áirithe seo atá faoi chaibideal. Ceist í nach féidir a fhreagairt ach níl sé as an cheist go raibh pobal (lucht léite/lucht éisteachta) níos fairsinge is níos ilghnéithí ag an saghas seo cumadóireachta ná a bhí ag gnáthshaothar fileata an aosa léinn go dtí sin.[71] Tugann líon is dáileadh na lámhscríbhinní ina bhfaightear na dánta seo an méid sin le tuiscint, tugann freisin nach éinne de na filí aitheantúla a scríobh aon cheann de na dánta agus gur shagairt iad cuid de na húdair; ach, níos tábhachtaí fós, tugtar le tuiscint sna dánta féin, gur le pobal mór na hÉireann atáthar ag caint.[72]

Mar dá mhéad a nochtar luachanna is eitic na huaisle sna dánta seo agus dá mhéad a tharraingítear as seanchas léannta na Gaeilge iontu, ní leis an uaisle ná leis an aos léinn amháin a nochtar bá, ná ní hé cás na n-aicmí sin amháin a chaointear. Cuirtear in iúl go soiléir gur clann/pobal/tréad/náisiún atá i dtreis agus gurb é a gcás-san trí chéile idir chléir is tuath, idir íseal is uasal, idir shaibhir is daibhir atá á n-éagaoineadh. Is grúpa cuimsitheach so-aitheanta é seo a mbíonn údair na ndánta ag labhairt go húdarásach ar a son uaireanta, ag labhairt go ciallmhar comhairleach leo uaireanta eile agus, níos minicí ná a chéile, iad ag labhairt sa chéad phearsa iolra agus iad á n-áireamh féin mar chuid den phobal fadfhulangach seo:

Do díbreadh uainn aoirí an tréada -
sinn an tréad seachránach créachtach ... (DMM:49 §§ 23-4).

D'imigh an ainnis orainn in éineacht:
an bocht 's an saibhir, an fann 's an tréinfhear,
an tiarna ler ghaothaíodh na céadta,
an calma neartmhar 's fear an chéachta;
tá tuath is eaglais faoi éanghoin
's a chroich ar ghualainn gach éinfhir ... (*ibid.* 60-5).

Do chaill ár gcláirseach a crann gléasta
le sinnfidhe cumhaidh na hÉireann ... (*ibid.* 85-6).

Mór na scéil, ní héidir d'fhólang,
ár ndíth do ríomh lem ló-sa ... (ND i:26 §§ 13-4).

Cár ghaibh ceannas ná tapa ná tréine
neart ná seasamh ná gaisce na nGael so ... (FPP:1 §§ 125-6).

Och ochón! mo bhrón géarghoirt!
mo ghol, mo chaoi, mo dhíth céille ...
trian a ngalair go follas ní léir dhom,
acht na Gaoil dá sníomh is dá réabadh ... (FPP:2 §§ 230-5).

Siúd an ní do bheir Gaoil fá mhéala,
do bheir ár mná faoi ghártha ag géarghol,
do bheir an phláigh ins gach aird dár dtraochadh
do bheir ár n-aibhne ar díth éisce ... (FPP:3 §§ 283-6).

D'imigh ár gcreideamh, ní mhaireann ach spré dhe ...
sinn féin do thuill gach ní tá déanta ... (FPP:4 §§ 448,456).

Bíd na mílte dínn in éineacht,
iad 'na mbanna dá dtarraing 'na gcéadaibh
chum gach cuain ar fuaid na hÉireann
dá gcur don Spáinn ar áis nó ar éigin ... (FPP:5 §§ 133-6).

Gach ar tharla dá náision féin leis,
dá dtuairt ceangailte do Ghallaibh ar théadaibh ... (*ibid.* 359-6).

Is léir freisin ar na dánta cén dream nach bhfuil rannpháirteach sa
phobal cuimsitheach seo, cé tá lasmuigh, cé a dtréithe is a sinsear, cé tá
deighilte amach ag teanga is reiligiún ó 'shíol na nGaelfhear':

'S gurb é a n-agallamh glafarnach Bhéarla ...
is leo nach mian do Dhia seal géilleadh
acht an creideamh do scriosadh le héirceacht ... (FPP:2 § 73-8).

Biaidh céad comharc i dtóin lucht Bhéarla
is Chailbhin chleasaigh bhradaigh bhréagaigh,
biaidh gáir fá tholl i dtoll Luitéarus ... (FPP:2 §§ 297-9).

A gcreideamh 's a ndlithe fá dheire gur chlaochlaigh
Cailbhin coiteann is Lúter craosach
dias do thréig a gcreideamh ar mheirdrigh ... (FPP:4 §§ 281-3).

An-léiriú iad na dánta ar reitric phoiblí an náisiúin Chaitlicigh agus ar
a chomhdhéanamh cultúrtha is reiligiúnda. Is cuma nó seanmóirí
poiblí iad, idir struchtúr, dhioscúrsa is teachtaireacht.[73] Is léir orthu
gurb as aon mhúnla amháin a d'eascair siad, múnla a fhágann go
dtagtar arís is arís iontu ar théamaí, ar sheintimintí, ar chonsaeiteanna
comhchoiteanna: anchás na hÉireann arbh iad peacaí na muintire
b'aontrúig leis, uirísle na gCromallach, uaisle is dílseacht na Sean-Ghall,
Éire á samhlú le bean mhídhílis, dosheachantacht na tairngreachta, an
achainí impíoch ar Dhia. Ach in ainneoin an mhúnla choitinn a bheith
orthu agus in ainneoin na haigne céanna a bheith laistiar díobh is féidir
aon mhór-idirdhealú a dhéanamh eatarthu. Seasann *Innisim fís is ní fís
bhréige í* (FPP:2) amach ón chuid eile den tsraith, ní hamháin ar an
móradh a dhéantar ann ar Eoghan Rua Ó Néill is ar an dóchas
dochloíte is bunaidhm don dán (*ibid.* §§ 265-) ach sa dearcadh a
nochtar ann ar Shéarlas féin. Is sa dán seo amháin d'fhilíocht na
haimsire trí chéile agus sa tsraith seo d'áirithe a fhaightear cáineadh ar
Shéarlas. B'é Séarlas, dar leis an údar, ba chiontach i bpéinbhroid na
hÉireann:

Is gearr 'na diaidh gur thionnscain Séarlas
ar nós a athar le cleasaibh 's le bréagaibh ...
do bhain sé díobh a gcíos 's a mbéasa,
a maoin 's a gclann, a n-arm 's a n-éadach,
trian a bhfearainn 's a ngairme i n-éinfheacht;
leis do hiarradh Dia do thréigean
's gan labhairt i dteanga na Gaeilge

is gan 'na háit ag cách acht Beárla;
ord is aifreann do bacadh leis d'éisteacht
tré gach gráin dá ndearnaidh ar Éirinn,
buan a mallacht ag fearadh go héag air,
marab é is cionntach, ní haithne dham féin sin ... (FPP:2 §§ 95-108).

B'é an file sin an t-aon fhile amháin d'fhilí na linne a chiontaigh Séarlas nó a liostáil a chionta chomh follasach, chomh hiomlán sin.[74] Is fíor go bhfuil eilimint den reitric sa díotáil agus nach bhféadfaí a chruthú go hoibiachtúil gurbh é Séarlas amháin a bhí ciontach nó go raibh sé ciontach i ngach cúis dar cuireadh ina leith ach is ciontú é, ciontú ginearálta ar na Stíobhartaigh agus ciontú pairticleártha ar Shéarlas. Chomh fada leis na filí eile, ní raibh de mhíniú acusan ar anró na hÉireann ach an míniú traidisiúnta – díoltas Dé as peacaí na muintire – ach go raibh casadh nua comhaimseartha tugtha acu dó, mar atá mallacht Rinuccini agus mallacht an phápa:

Ní hé shaoilim acht díoltas Dé uile
orthu ó nimh do shil 'na bhraonaibh ... (FPP:1 §§ 149-50).

Is é is cúis bhunaidh, mar thuigim, don méid sin:
mallacht an Phápa gach lá dá léirscrios ... (FPP:3 §§ 281-2).

An uair do díbreadh an Nuntius naofa
do rith pláigh is gorta orthu in éineacht ... (FPP:4 §§ 355-6).

Sinn féin do thuill gach ní tá déanta ... (*ibid.* 456).

Mo léan! ní hé tréine an tsló sin,
ná boirbe na foirinne ó Dhóbhar,
ná neart naimhead do chaill ár ndóchas
acht díoltas Dé tá i ndéidh a chóra ... (ND i:26 §§ 73-6).

Ní neart slua, ní heaspa bheatha
ní claoi cumais, ní díth spreagadh,
do chuir sluaite na hÉireann chum reatha,
faraor, faraor, ach méad a bpeaca ... (DMM:49 §§ 90-5).[75]

Guth aonair a bhí in 'An Síogaí Rómhánach'; dar leis na filí eile nach raibh aon locht ar Shéarlas agus pé duine nó dála a bhí le ciontú in anchás na hÉireann, nárbh eisean é. Dá mhéad an t-anró, an phianbhroid, an léirscrios a imríodh ar Éirinn agus dá ghlóraí agus dá reitriciúla a chuir na filí a cás i bhfáth, b'é a rí i gcónaí é 'rí Séarlas', 'Séarlas', 'rí Cormac' mar a thug Ó Bruadair air; 'this good, tho' unfortunate King' dar le hAodh Ó Raghallaigh; 'sliocht Shéarlais' a bhí sa Tálfhuil, dar le Ó Mocháin is leis an Haicéadach; b'é *ceann* na hÉireann é 'Séarlas séanmhar séadach', dar le hÉamonn an Dúna.[76]

Ní móide gur thuig Séarlas riamh an meas a bhí ag aos léinn na hÉireann air ná ní móide gur chás riamh leis a meas nó a ndímheas. Ní hé gurbh fhilistíneach i gcúrsaí léinn is cultúir é, níorbh ea in aon chor (ba phátrún ar Rubens, Van Dyck is ar Jordaens é), ach nár choinnigh aon ghné de chúrsaí na hÉireann riamh ó chodladh na hoíche é. Le blianta beaga anuas, agus an saol polaitiúil ag teannadh air, ba róchuma leis ina taobh ach eisean a theacht slán. Níor shamhlaigh aon duine riamh, faraor, ardaigeantacht ná móraigeantacht le Séarlas: 'a mild and gracious prince who knew not how to be, or be made great' (Kenyon 1970:72) a thug a dhlúthchara, an tEaspag Laud air. Ba dhuine onórach prionsábálta é, measadh, agus é á iompar féin ina shaol príobháideach mar dhuine uasal ach, níor tuigeadh riamh dó go raibh aon cheangal ag na prionsabail onóracha sin air ina shaol poiblí: chomh fada agus a bhain leis-sean ba dhá shaol nár tháinig riamh le chéile iad. De na trí coróna a chaith Séarlas b'í coróin na hÉireann, gan aon cheist, an ceann ba mhíchompordaí is b'achrannaí ach b'í, freisin, an ceann ba lú a raibh aire tugtha aige di. Dúirt sé féin go neamhbhalbh é – 'Ireland must at all times be sacrificed to save the crown of England' (Bagwell ii:108) – agus léirigh sé arís is arís eile nach raibh de shuim aige i gcúrsaí na hÉireann ach sa mhéid go bhféadfadh uaisle Éireann airgead is airm a chur ar fáil dó. Trí mhóraicme a bhí le sásamh ag Séarlas – Preispitéirigh na hAlban, parlaimint London is Caitlicigh na hÉireann – agus trí fhadhb a bhí le réiteach dá réir aige, ach díobh ar fad is ina dhéileáil lena ghéillsinigh Chaitliceacha in Éirinn is mó a nocht sé a chluain, a mhísheasmhacht is a leithleachas. Arís is arís eile gheall sé 'fabhair' dóibh agus arís is arís eile loic sé; thug sé le tuiscint go minic d'Ormond go raibh cumhacht aigesean déileáil le Caitlicigh na hÉireann thar a cheann ach rómhaith a bhí a fhios aige féin nach gcomhlíonfaí go deo a raibh á gheallúint aige: 'be not startled', a dúirt sé le Ormond, 'at my great concessions concerning Ireland, for that they will come to nothing' (Bagwell ii:171). Ní raibh i gCaitlicigh na hÉireann ach cárta amháin sa chamchluiche a bhí á imirt aige, ach ba léire is ba bharainní a thuig a bhean Henrieta Maria sin ná aon duine in Éirinn lena linn, is cosúil. Ní fhéadfadh sise a dhéanamh amach conas a d'fhan na Gaeil fós dílis dó: 'I wonder', a dúirt sí, 'that the Irish do not give themselves to some foreign King; you will force them to it in the end, when they see themselves offered as a sacrifice' (Bagwell ii:159). Ach ní mar sin a chonaic na Gaeil iad féin agus ní i gcoinne Shéarlais a d'iompaíodar ach i gcoinne na parlaiminte is na haicme 'lear fealladh ar Cing Séarlas' mar a dúirt Ó Bruadair (DÓB iii:12).

Drochmheas tarcaisniúil a nocht lucht léinn na hÉireann trí chéile ar na hAlbanaigh mhídhílse 'do reacadar an rí lá ar ór', ar lucht na parlaiminte 'tug bhóta re scólla a chinn den rí', ar na rímharfóirí gráiniúla 'by which Crumwell and the rabble of blooddy rebells murthered the good King Charles the first', ar 'lucht leanta so Cromwell lér teascadh ár bPrionsa'.[77] Chuir John Lynch a seintimintí uile go gonta in aon leathrann amháin – Alba a dhíol an rí, Sasana a mharaigh é, Éire amháin a d'fhan dílis dó go deireadh:

> Scotia vendiderat, mactaverat Anglia regem,
> Ast a rege sua semper Ierne stetit! (Lynch 1662:268).

Ní hionadh, mar sin, agus a cheann is a choróin in éineacht bainte de
Shéarlas I, nach do 'rí eachtrannach' mar a mhol Henrieta Maria ná do
'rí dúchais', mar a mhol Conchúr Ó Mathúna a thug an t-aos léinn iad
féin ach do Shéarlas II, mac an rí, agus thugadar dósan, mar a thug na
huaisle agus an chléir trí chéile, an dílseacht chéanna a thugadar dá
athair roimhe; b'eisean an *Prionsa*, a d'fhógair Ó Bruadair, ba chóir *a*
charthain (DÓB ii:276). Agus nuair a chaith seisean teitheadh go cúirt
Louis XIV in St Germain, tar éis cath tubaisteach Worchester sa bhliain
1651, theith a lucht leanúna in Éirinn ina theannta. Na blianta ina
dhiaidh sin, blianta a dheoraíochta, chruinníodar timpeall air is
leanadar ó thír go tír is ó chúirt go cúirt é. B'é a ndóchas, dhearbhaigh
duine dá gcinnirí eaglasta, "fónamh do rí Shasana agus don Duke of
York thar lear go bhféadfaidís filleadh fá dheoidh ar a dtír dhúchais a
athshealbhú a sealúchais" (CR v:205); ní raibh fortacht i ndán do
mhuintir na hÉireann, a mhínigh Séamas Carthún, 'nó go bhfille tar
farraige na tréinfhir' (DMM:49 § 87); dar le Ó Bruadair, gurbh iadsan,
ar fhilleadh dóibh, a d'fhuasclódh an bhroid:

> Casfaid na Scoit le fulang Dé tar toinn,
> ar gcaitheamh a gcionn go hinnis Éibhir Fhinn,
> scarfaid a scoir re truthaibh tréigthe an rí,
> is bainfid a broid a bhfuil i ngéibhinn dínn (DÓB i:6 § 52).

Tá áitithe gur liostáil 30,000 Éireannach in airm na Spáinne is na
Fraince sna blianta sin ach sa bhliain 1656, ar ordú Shéarlais II, d'fhág
na reisimintí Éireannacha arm na Fraince is cheangail le harm na
Spáinne. Go Flóndras a chuir rí na Spáinne iad ina dtrí reisimintí móra
arbh í an ceann ba mhó le rá orthu reisimint an Duke of York is an
Coirnéal Cormac Mac Cárthaigh, mac le Bíocunta Mhúscraí, mar
leifteanantchoirnéal uirthi. Ina theannta i bhFlóndras na blianta sin
agus iad go léir ag troid in aon arm amháin, faoi aon rí amháin, bhí an
Coirnéal Pilib Ó Raghallaigh, an Coirnéal Dónall Ó Briain, an Coirnéal
James D'Arcy, an Coirnéal Séarlas Díolún, an Coirnéal Risteard de Grás,
an Coirnéal Cormac Mac Cárthaigh Riabhach, an Coirnéal
Muircheartach Ó Briain, an Coirnéal Tomás Díolún, an Coirnéal Tadhg
Ó Meadhra, an Coirnéal Laoiseach Ó Fearghail, agus na mílte dá
dtineontaithe is dá lucht leanúna; iad go léir ag troid, mar a dúirt
Diarmaid Mac Cárthaigh, 'fá bhratachaibh Shéarlais'.[78] Is sna blianta
sin, blianta deoraíochta Shéarlais II, a buanaíodh an gréasán cairdis is
dílseachta idir uaisle Éireann agus cúirt na Stíobhartach, cairdeas is
dílseacht a bhláthaigh is a neartaigh faoin chomhdheoraíocht a rug
orthu araon. Sa Bhruiséal a bhunaigh Séarlas a chúirt agus is ansin
freisin a bhí ceanncheathrú na reisimintí Éireannacha agus an t-
idirnuinteas a bhí mar idirghabhálaí idir cléir na hÉireann is an Róimh.
Ar na príomhchomhairleoirí a bhí i dteannta Shéarlais ann bhí Ignatius
White ó Luimneach, Theobald Taafe ó chontae Lú, is a dhlúthchara an
'groom of the Bedchamber' Dónall Ó Néill, duine de Niallaigh

Chlainne Aodha Buí.[79] Eisean is mó a bhíodh ag plé le lucht tacaíochta Shéarlais i Sasana, dream arbh é a n-aidhm forlámhas Cromwell a bhriseadh trí éirí amach a eagrú ag baile nó trí ionsaí armtha, le cabhair na reisimintí Éireannacha, a eagrú ón choigríoch. Ach níor ghá do Shéarlas riamh glaoch ar a arm Éireannach mar, ar bhás Cromwell sa bhliain 1658, chuaigh an ghluaiseacht chun an mhonarcacht a athbhunú i neart agus sa bhliain 1660 glaodh ar ais ar Shéarlas chun a ríochta is chun a thrí coróna. Bhí guí an fhile Éamonn an Dúna tagtha fíor:

go dtí chum críche díbhse an méid se:
teacht díbh fé neart tar ais gan bhaoghal,
is bhur rí corónta romhaibh 'na léadar,
is Duke of York mar phosta cléire
ag teacht fé mheadhair is bhur n-oighreacht féin cheart (FPP:5 §§ 412-16).

III

Regium haeredem Dominus bonorum omnium applausu citra pulverem & sanguinem ad sua regna mirabiliter revocavit ... (O Flatherty 1685:180).

1653 Sep. 26. Nois ar mbeith do gach ní do réir mianadh ag clann Chrumuil do suigheadh feis riú in Áth Cliath 7 do hachtaidh an transplantasion .i. Gaoidhil uile do shocrughadh i gConnachtaibh ... Bhádar fón daoirse so go ríghe in dara Séarlus ... (Tadhg Ó Neachtain, NLI G 198:276).

It pleased Almight God, after a long exile, to bring back Charles the second to the throne of his ancestors ... the royal physician is come to heal the three bleeding nations and to give them the life of freeborn subjects. The great justiciary is seated again in his tribunal, to distribute justice amongst the oppressed, which had been banished from the land for twenty years before, so that the loyal people of the three Kingdoms may now call themselves happy, because they had suffered much for their Prince, who having been their fellow-sufferer, and now being restored to his power, cannot but share his happiness with them ... (Gilbert 1892:2).

An dóchas saonta a bhí ag Éireannaigh trí chéile as Séamas I i dtús na haoise, is í a leithéid chéanna dóchais a nochtadh as mac a mhic, Séarlas II, ar a chorónúsan. Ní hé nach raibh bonn maith leis an dóchas. Bhí geallta ag Séarlas go nglacfadh sé leis na téarmaí síochána a cheangail Ormond le Comhchomhairle Chill Chainnigh sa bhliain 1649, téarmaí a raibh cleachtadh oscailte an Chaitliceachais mar cheann acu. Ina theannta sin, bhí tugtha le tuiscint go minic aige do na hÉireannaigh a lean thar lear é is a sheas leis le linn a dheoraíochta go ndíolfadh sé an comhar leo ar theacht i gcoróin dó: 'for such of the Irish as have been loyal to me I will, by God's help, whatsoever my father or I have promised them, make good unto them' (Scott 1905:180). Na Díolúnaigh, na Cárthaigh, na Búrcaigh, na Grásaigh, na Súilleabhánaigh, is na sleachta uaisle eile a thug tacaíocht armtha thar lear dó, d'fhill an formhór acu i dteannta Shéarlais agus iad ag súil go dtabharfadh an rí a raibh seirbhís dhílis tugtha acu dósan ar an mhór-roinn, go dtabharfadh seisean ar ais dóibhsean seilbh a dtailte sinseartha. Bhí an chuma air i dtús a réime go seasódh sé lena gheallúintí.

Sa chéad ráiteas a rinne Séarlas sa pharlaimint, mheabhraigh sé dá lucht éisteachta nach bhféadfadh gurbh iad na hÉireannaigh amháin a bheadh gan tairbhe a thrócaire; ba ghá don pharlaimint, a dúirt sé, cúram a dhéanamh dá fhocal féin is dá raibh geallta aige dóibh (Bagwell iii:7). Mar sin, sa bhliain 1662, chuir sé faoi bhráid na parlaiminte 'His Majestie's gracious declaration for the settlement of his Kingdom in Ireland'.[80] De réir an tsocraithe sin Shéarlais bhí athshealbhú iomlán le déanamh láithreach ar shé dhuine dhéag is fiche d'uaisle is de mhaithe na ríochta. B'uaisle iadsan a chaill seilbh a dtailte faoi phlandáil Cromwell, uaisle a bhí mar dhlúthchuid de chúirt is de lucht tacaíochta Shéarlais, ina measc Donnchadh Mac Cárthaigh, Iarla Chlainne Cárthaigh; Sir Vailintín Brún, Uileag de Búrca, Iarla Chlainne Riocaird; Lucas Pluincéad, Iarla Fhine Gall; Séamas Bíocunta Díolún, Theobald Bíocunta Taaffe; Séamas Buitléar, Iarla Dhún Búinne; Sir Diarmaid Ó Seachnasaigh, Sir Dónall Ó Briain, Sir George Hamilton; James Nugent, Iarla na hIarmhí; James Coppinger, Richard Belling, Donnchadh Ó Ceallacháin ó Chluain Mín. Ina dteanntasan liostáil Séarlas breis bheag agus dhá chéad oifigeach airm 'such as continued with us or served faithfully under our ensigns beyond the seas' a raibh athshealbhú le déanamh orthu freisin. Lasmuigh díobhsan bhí na céadta eile ag déanamh a n-achainí féin chun an rí ag lorg a ghrása is a fhabhair. Is le díocas is le cáiréis a mheáigh Séarlas gach achainí acu agus ansin thug a bhreith ríoga orthu:

> The ancient inhabitants of Cork ... are fortwith to be restored to their lands free of all seizures, etc., and also to their ancient corporate priviliges, according to their former grants and charters ... (CSPI 1660-2:24).

> Capt. John Brien ... of Bawne Ricken, Co.Kilkenny ... may be restored to his lands, and that the rents reserved upon them by the late Usurper be put out of charge. We order accordingly, and the order is to be promptly carried out ... (ibid. 43).

> Patrick Sarsfield ... should be restored to all his lands, except certain lands which have been granted to Henry Warren for 21 years, and of these lands he should have the reversion ... (ibid. 81).

> The King to the Lords Justices for Captain Francis Coghlan ... He shall be restored to his father's estates which were lately in the possession of Gregory Clement, one of those put to death for the murder of Charles I ... (ibid. 141).

Pierce Butler ... is to be restored accordingly to his lands in Kilkenny and Tipperary ... (*ibid.* 147).

Terlagh O'Bryen ... has served for nine years in the Duke of York's regiment abroad, and shall be restored as an innocent Papist ... (*ibid.* 191).

Major Dominick Feriter ... be restored to his estate. His father, Capt. Pierce Feriter, acted loyally in the late war, sheltered many English Protestant families and was at length put to death by a court martial of the usurper Oliver. The son has also been loyal ... (*ibid.* 193).

Col. Cornelius O'Driscoll ... served in the Duke of York's regiment abroad, to which he brought five entire companies of foot. He shall be restored to the lands of which he was deprived by the late power ... (*ibid.* 210).

The King to the Lords Justices, for Arthur, Viscount Magenis of Iveagh, directing that he be restored to his estate ... (*ibid.* 226).

Daniel O'Neile, who is one of the Grooms of the Bedchamber, has merited our consideration by his loyalty to King Charles I and his service of us abroad ... shall thereafter be given the estates by patent without delay ... (*ibid.* 295).

Is cinnte gur sna blianta tosaigh sin de réimeas Shéarlais II a buanaíodh a sheasamh féin agus ionad na corónach i saol polaitiúil na hÉireann, bíodh nárbh ionann i gcónaí athshealbhú á ordú ag an rí is athshealbhú á chur i bhfeidhm. Mar lasmuigh de shocrú Shéarlais agus neamhspleách ar fad ar a dhea-thoil is ar a gheallúintí dá lucht leanúna, bhí geallta ag parlaimint Shasana roimhe sin do lucht leanúna Cromwell is don dream a chuir an t-airgead suas chun cogadh Cromwell a chur chun cinn, bhí geallta dóibh go n-aisíocfaí idir sheirbhís is airgead leosan freisin. Agus ní raibh d'fhoinse ar fáil le gach dream acu a aisíoc ach talamh na hÉireann – 'the great capital out of which all debts were paid, all services rewarded, and all acts of bounty performed' (NHI iii:360). Is faoina chomhairleoirí is a oifigigh a d'fhág Séarlas feidhmiú an tsocraithe a bhí déanta aige agus ós iad lucht na parlaiminte a chuir aisghairm ar Shéarlas ní raibh sé de neart aige cur ina gcoinnesean. Fágadh na Cromallaigh i gcumhacht agus is iad na Gaeil is lú a sásaíodh. Mar sin, bíodh gur athshealbhaíodh Iarla Chlainne Cárthaigh is roinnt bheag iarlaí dúchais eile, fágadh roinnt na talún tríd is tríd faoi mar a shocraigh Cromwell í: bhí fós agus Séarlas i gcoróin an chuid is mó de thalamh na hÉireann (75%) i lámha Protastúnach. D'fhágfaí na 'poor Irish', a dúirt Dónall Ó Néill, de dheasca Acht an tSocraithe 'in a fair way of extirpation' (Cregan 1965:70); b'é an barr ar an gcleas a bhí imeartha ag an saol lúbach ar Ghaeil bhochta é, dar le Séafra Ó Donnchadha an Ghleanna:

Nuair do chuir Rí Cormac II séala ar an roinnt ar thalamh na hÉireann do rinneadh fá Chromwell

Is barra ar an gcleas an reacht do théacht tar toinn
ler leagadh fá shlait an treabh sin Éibhir Fhinn;
cama na mbeart do shlad go claon ár gcuing
ler gearradh amach ár gceart as Éirinn oill ... (Ua Duinnín 1902:9).

Bhí 'poor Teague' fágtha arís go dealbh, a dúirt rannaire anaithnid go magúil:

> A court of claiming he shall call
> Poor Teague again is out of all;
> His claim rejected, and his lands
> Restor'd into the English hands ... (*The Irish Hudibras*:128).

'We expected some toleration and connivance when our King would be crowned', a dúirt Éamonn Ó Raghallaigh ardeaspag Ard Mhacha, 'but no such thing took place: those who hoped for such were disappointed' (Ó Fiaich 1957:203). Ach dá mhéad é a ndíomá agus dá mhéad is dá bhrónaí iad cuimhne a lucht leanúna ar na tubaistí a thit orthu, ní raibh iontu ach sceo beag seachas an t-olláthas a bhí orthu go raibh a rí féin faoi réim arís, a dúirt John Lynch, ard-deagánach Thuama, sa réamhrá tiomnaithe dá leabhar *Cambrensis Eversus*.

Mar is léir ar an teideal, is é a bhí i leabhar an Linsigh bréagnú cosantach eile ar chuntais fhalsa éagóracha Giraldus Cambrensis ar Éirinn ach thug scríobh an leabhair caoi oiriúnach don údar an bonn dlíthiúil agus an bonn diagachta a bhí le ceart Shéarlais chun coróin na hÉireann a shoiléiriú is a dheimhniú. Dhearbhaigh sé go raibh tiarnas dleathach ceannasach ag ríthe Shasana ar Éirinn ó aimsir Anraí II i leith, bíodh gur ghéill sé nár glacadh go hiomlán leis an tiarnas sin go teacht Shéamais I; chruthaigh sé gur rí dleathach é Séamas a raibh gaol sinseartha aige le ríthe Uladh, ríthe Mumhan, ríthe Chonnacht is ríthe Laighean agus go raibh, dá réir sin, ceart aige chun ríocht na hÉireann nach bhféadfaí a cheistiú; aineolas, dar leis, ba bhun lena rá gurbh eachtrannach é Séarlas ach fiú dá mb'fhíor sin ba choir fós é cur i gcoinne na dílseachta a bhí dlite dó mar rí *dleathach*, óir mhúin dochtúirí na hEaglaise go raibh sé peacúil éirí amach i gcoinne an phrionsa chóir; ar na daoine aineolacha sin a d'áitigh gurbh eachtrannach é Séarlas bhí Conchúr Ó Mathúna, údar *Disputatio Apologetica*, ach ní as teagasc na hEaglaise Caitlicí a bhí Ó Mathúna ag tarraingt ina leabharsan, ach as teagasc na n-eiriceach, teagasc a chuir parlaimint Shasana i bhfeidhm trí Shéarlas I, an rí dleathach, a athriú is a dhícheannú; d'ionsaigh sé idir aineolas is cheannairc Uí Mhathúna, d'fhógair gur mhór idir a theagascsan is teagasc na hEaglaise agus dhírigh aird na léitheoirí ar na ranna aoir a bhí scríofa ar a leabhar dainséarach:

> "Quaeritur, iste liber fuerit cur igne crematus?
> In promptu causa est, seditiousus erat" ....

> "Dignus luce liber, modo flammis luceat ustus,
>   Et scriptor libro sit comes ipse suo.
> Seditionis erat nam fax authorque, liberque,
>   Ambo perire pari sic meruere rogo".[81]

Dhá bhliain ina dhiaidh sin d'fhoilsigh an Linseach leabhar eile (*Alithinologia*) inar fhill sé arís ar an ábhar céanna: ceart ríthe Shasana

chun ríocht na hÉireann, ceart an rí dhleathaigh chun dílseacht iomlán
a ghéillsineach, mímhoráltacht an éirí amach, ionracas na Sean-Ghall.
Ach oiread le *Cambrensis Eversus*, ní tráchtas acadúil ar cheist theibí a bhí
sa leabhar ach plé poiblí ar cheist bheo agus, go háirithe, freagra
léannta tomhaiste ar shaothar eaglaisigh eile. Is é a bhí á fhreagairt ag
an Linseach in *Alithinologia* paimfléad a scríobh Risteard Ó Fearghail,
Caipisíneach, cúpla bliain roimhe sin inar mhínigh sé do chomhthionól
an *De Propaganda Fide* sa Róimh cúrsaí na hÉireann trí chéile is
imeachtaí na mblianta 1641-9 go háirithe. Dar le Ó Fearghail, pé ceart
a bhí ag ríthe Shasana le sinsearacht chun ríocht na hÉireann, go raibh
an ceart sin forghéillte le tamall acu toisc gurbh eiricigh iad; b'é an
dream is mó a chabhraigh le ríthe Shasana forlámhas a fháil ar Éirinn
na Sean-Ghaill, dream nár Chaitlicigh chearta in aon chor iad.[82]

Ní raibh san iomarbhá sin idir Ó Fearghail agus Lynch ach babhta
amháin den aighneas poiblí a bhí briste amach i measc na n-eaglaiseach
Éireannach ar an mhór-roinn, aighneas gairgeach aisbhreithnitheach ar
leanadh de go ceann i bhfad i bPáras, sa Róimh, sa Phráig i leabhair, i
bpaimfléid agus i saothar léannta na tréimhse trí chéile. Go dromchlach
is mó ábhar áitimh, idir dhiagacht, stair is pholaitíocht, a chothaigh an
t-iomarbhá ach b'í eithne na hargóna trí chéile agus an cheist ar filleadh
uirthi arís is arís, cé aige a raibh an ceart i 1649: an dream a sheas le
síocháin Ormond nó an dream a chuir ina coinne?[83] Dabht dá laghad ní
raibh ar Ó Fearghail maidir le freagra na ceiste sin. De na haicmí
difriúla eitneacha a chónaigh in Éirinn b'iad na Gaeil amháin, a mhair
faoina bhflatha dúchais ó thús an tsaoil, a bhí riamh dílis don Eaglais
Chaitliceach, dar leis; ní hionann cás do na "hAngla-Éireannaigh":
chabhraíodarsan le hAnraí II i dtús an choncais is chabhraíodar arís le
hEilís; thaobhaíodar le "heiricigh na plandála" i dtús na haoise agus sa
chogadh déanach bhíodar toilteanach plé is teacht chun réitigh leis na
heiricigh arís; ní hé leas na hÉireann ná leas na hEaglaise a bhí
uathusan ach a leas leithleasach féin agus b'iadsan amháin faoi deara
mallacht Rinuccini is fearg Dé a tharraingt anuas ar an tír; mar a léirigh
an stair, níorbh fhéidir iontaoibh a thabhairt leis an aicme seo (CR
v:485-504). Ní móide go bhféadfaí a áiteamh gurbh oibiachtúil mar
bhreith í anailís Uí Fhearghail. B'í anailís an duine í a d'fhás suas in
Anghaile i gcontae Longphoirt i dtús na haoise is a chonaic tailte a
mhuintire á gcoigistiú, á bplandú is á dtabhairt do "eiricigh na
plandála"; ní hamháin sin, b'í anailís an té í a chonaic iarracht chun an
phlandáil sin a chealú á bhac, dar leis, ag mídhílseacht, ag féinleas, ag
cluain na "nAngla-Éireannach".

Ní raibh a leithéid de théarma ná d'aicme ann, a d'fhreagair John
Lynch; Éireannaigh amháin a bhí in Éirinn, is ba áiféiseach an mhaise
é gan an t-ainm sin a thabhairt ar aicme a bhí sa tír le cúig chéad bliain;
cinnte bhí ginealaigh níos faide le maíomh ag na Gaeil, ach níor
dhaoine gan sinsearacht iad na Sean-Ghaill, is bhí a gcion féin déanta

ag an dá dhream acu don aon náisiún Caitliceach amháin; níorbh iad
na Gaeil amháin a bhí dílis don chreideamh, agus ní i measc na Sean-
Ghall amháin a bhí daoine a ghéill don eiriceacht; go deimhin is iad na
Sean-Ghaill ba thúisce a d'fhear cogadh ar son an reiligiúin in Éirinn,
mar a rinne Baltinglass is Iarla Dheasmhumhan; ar son an reiligiúin sin
agus ar a shon sin amháin a bhí na Sean-Ghaill ag troid sa chogadh
déanach, agus is fearr a d'éireodh leo ach amháin míréasún is mí-
éifeacht na nGael; ní hamháin nár éirigh leosan cúige Uladh a ghabháil
ach, tar éis cath na Binne Boirbe fiú, chuaigh díobh a raibh bainte
amach a bhuanú; an cogadh ar le marú is le creachadh a thosaíodarsan
é, thugadar chun críche é trí shíocháin a dhéanamh le heiricigh is le
rímharfóirí; ba shíocháin onórach phraiticiúil thairbheach í an
tsíocháin a ceanglaíodh le Ormond, is ba den chríonnacht glacadh léi,
ach bhí daoine áirithe in Éirinn arbh fhearr leo a bheith ag troid go bás
ná teacht chun réitigh le hollchumhacht na corónach; amaidí ab ea é a
áiteamh gur de bharr imeacht Rinuccini a d'agair Dia díoltas ar Éirinn;
easaontas na nÉireannach féin b'aonchúis leis an ainscrios uilí; anois
féin agus an t-iomlán caillte ag gach n-aon bhíothas fós ag leanúint den
aighneas is den easaontas.[84]

Tá a chúlra, a thraenáil is tuiscintí a mhuintire is a aicme le léamh ar
an uile abairt den Laidin léannta thomhaiste a scríobh John Lynch. Mar
ní hamháin gur dhuine de Linsigh na Gaillimhe é, sliocht ar de bharr a
ndílseachta don choróin a bhí ionad chomh rafar, chomh gradamúil sin
bainte amach sa saol acu, ach ba ardoifigeach san Eaglais Thriontach in
Éirinn é ina theannta, eaglais ar cheann dá príomhaidhmeanna ó thús
an chéid í sibhialú a dhéanamh ar dhúchasaigh na hÉireann. An col a
nochtann Lynch do na hUltaigh go háirithe, ní aicmeachas ná
cúigeachas amháin ba bhun leis ach dímheas an duine shibhialta ar an
dream a bhí fós ina dtuathánaigh mhíshibhialta. Is dá réir sin a chreid sé
nár thubaiste ná éagóir ar fad í plandáil Uladh; iarracht ag Séamas I ab
ea í an sibhialtas a scaipeadh i measc pobail iargúlta, laibhín riachtanach
a bhí sna plandóirí is bhí an teideal "Éireannach" tuillte acusan freisin.[85]
An dearcadh cuimsitheach éacúiméineach uileghabhálach a nochtann
an Linseach, ba dhearcadh é a d'eascair go loighiciúil réasúnta as an
chosaint ba ghá dó a dhéanamh ar ionsaí fíochmhar Uí Fhearghail ar
sheasamh is ar ghníomhaíocht na Sean-Ghall in Éirinn. Ní nach iontach,
is le tuiscint shochma dhearfa a chosain sé an sliocht dár shíolraigh a
mhuintir féin. Nár leor cúig chéad bliain, a d'fhiafraigh sé go reitriciúil,
chun aon chine amháin (*unam gentem*) a dhéanamh de na Gaeil is na
Sean-Ghaill?; agus tharraing véarsa Gaeilge chuige chun cás priaclach a
shleachta a léiriú is iad mar 'abhall tuinne' idir na Gaeil is na Gaill:

> Gaoidhil dar gcur i leith Gall,
> Goill dar bhfógra ó'r bhfearann;
> don chruinne as cumhang ar gcuid
> mar abhall tuinne támuid.[86]

An t-imcheistiú, an comhchoiriú agus an tsíorfhéachaint siar arbh eilimintí lárnacha iad i saothar uile iomarbhá na n-eaglaiseach, ba léiriú follasach iad ar easaontas buanmharthanach na n-aicmí difriúla a bhí páirteach i gComhchomhairle Chill Chainnigh. Dar le Lynch, le Dominic O'Daly is le mórán scríbhneoirí eile, gurbh é an t-easaontas sin ba bhunchúis le díothú na hÉireann sa chogadh déanach.[87] Ba Chiarraíoch é O'Daly, Doiminiceach ó dheoise Ard Fhearta, agus sa leabhar a scríobh sé ar stair na nGearaltach (1655) d'aimsigh sé go cruinn ábhar an easaontais is lochtaigh go géar dream a chothaithe:

> Is it not a fact, beyond all doubt, that men who sprang from the soil of Ireland wished not to be recognised as Irish? Do not savage tribes love and almost worship the land which gave them birth? And what then are we to think of those whose ancestors for five hundred years enjoyed large possessions in Ireland, and were of the same religion? How are we, I ask, to think of them, when we find them turning their swords against their mother's breast? But there are exceptions to be found among the Butlers, Burkes, Barrys, Roches, and Plunkets .... Are not the modern Irish[88] intimately connected with the ancient? ... One unanimous and soul-knit effort might have prostrated England's tyranny ... (Meehan 1878:133-4).

Is faoin tíorántacht ansmachtúil sin anois a bhí, ní hamháin seanáititheoirí na tíre báite, ach, ina dteanntasan chomh maith, síolrach lucht an choncais, dream a comhshamhlaíodh thar oíche, dar leis:

> Scarcely had they come among us, when they exchanged the soil and salt of England for that of our island; they adopted our habits, our language, and customs; those invaders and their posterity resisted English tyranny and extortion with a boldness and determination which was only equalled / by that of the old Celtic[89] race (*ibid.* 21).

Is mór idir dearcadh báúil an Dálaigh i leith na Sean-Ghall agus dearcadh dobhogtha Uí Fhearghail. Is leor é le taispeáint nach féidir an t-iomarbhá seo na n-eaglaiseach a mhíniú ar bhonn ciníochais amháin agus nach aon dearcadh monacrómach amháin a bhí i measc na nGael ar na Sean-Ghaill féin ná ar theip thubaisteach an chogaidh dhéanaigh.[90] Dá mhéad, dá leanúnaí, dá bhinibí mhaslaithí idir easaontas is iomarbhá, ghlac gach scríbhneoir acu leis (ach amháin Ó Fearghail) gurbh achrann aontís é idir aicmí difriúla san aon náisiún amháin, náisiún a throid i dteannta a chéile ar son tíre is creidimh:

> So that in a few short years these Cilician strangers and the Cyprians blended together and became an united nation; and this union was daily cemented by intermarriages and community of blood and interest; their closest bond being, in these last times, the defence of the Delphic faith (O'Kelly:28).

An drochthuairim mhímhuiníneach a nocht Ó Fearghail i dtaobh na Sean-Ghall trí chéile, ní raibh glacadh coiteann léi; níorbh in í tuairim Roibeaird Uí Chonaill, Sheáin Mhic Ceallacháin, Sheáin Uí Chonaill, Chormaic Uí Cheallaigh, ná go leor scríbhneoirí eile.[91] Is lú fós a bhí glacadh lena dhearcadh diúltach ar cheart Shéarlais in Éirinn.

Mhúscail aisghairm Shéarlais idir dhíocas agus dóchas i measc uaisle Éireann agus mar thoradh amháin ar an bhflosc dóchais sin tháinig grúpa acu le chéile ag deireadh na bliana 1661 agus dhréachtadar dearbhú sollúnta dílseachta don rí ar ar thugadar 'The Loyal Formulary or Irish Remonstrance'.[92] San Fhoirmlí dílseachta sin, a bhí bunaithe ar *remonstrance* den saghas céanna a chuir Caitlicigh Shasana faoi bhráid Shéarlais I sa bhliain 1640, liostáladh gearáin dlisteanacha Chaitlicigh na hÉireann, admhaíodh gurbh é Séarlas 'our true and lawful King' agus séanadh go sollúnta 'all foreign power, be it either papal or princely' (Walsh 1674:8). A raibh de dhiagacht laistiar den Fhoirmlí, b'í diagacht an Ghailleachais í, teoiric Fhrancach arbh é neamhspleáchas ríthe na Fraince ar an bpápa sa réimse teamparálta a cloch bhoinn pholaitiúil. Peter Walsh, Proinsiasach ó chontae Chill Dara, is mó a bhí ag iarraidh an Fhoirmlí a chur chun cinn ach laistiar dósan bhí fear ionaid an rí, Ormond. Tuiscint shoiléir shimplí a stiúraigh iad: is trí dhílseacht gan cheist, gan choinníoll a thaispeáint dá rí is fearr a d'fhéadfadh Caitlicigh na hÉireann a gcás a chur ar aghaidh. Cháin an Róimh agus Dámh na Diagachta in Ollscoil Lobháin an Fhoirmlí ach dá ainneoin sin, lean an Breatnach is a lucht tacaíochta orthu á cur chun cinn agus bheartaigh Ormond ar sheanad náisiúnta de chléir na hÉireann a thionól chun cinneadh deimhnitheach a dhéanamh ina leith.

I mBaile Átha Cliath, i Meitheamh na bliana 1666 a tháinig an seanad le chéile agus ardeaspag Ard Mhacha i gceannas air. Pléadh an cheist go mion ar feadh coicíse, plé mion achrannach a chuaigh chun aighnis go minic ach nuair a bhí deireadh pléite is deireadh ráite, ní raibh ach naonúr is trí fichid as míle sagart ar fad toilteanach an Fhoirmlí ina hiomláine a shíniú, bíodh go raibh formhór dá raibh láithreach toilteanach glacadh le leagan maolaithe di. Ach ghoill an leagan maolaithe sin fiú ar an Róimh agus níorbh ionadh sin; comhshnaidhmthe leis an leagan maolaithe bhí cuid de bhunphrionsabail an Ghailleachais faoi mar a leag diagairí an Sorbonne síos iad:

> We do hereby declare, That it is not our Doctrine, that the Pope hath any Authority in Temporal affairs over our Sovereign Lord King Charles the Second; yea, we promise that we shall still oppose them, that will assert any Power, either direct or indirect, over him in Civil and Temporal affairs.

> That it is our Doctrine, That our Gracious King Charles the Second is so absolute and independent, that he acknowledgeth not, nor hath in Civil and Temporal affairs any Power above him under God: and that to be our constant Doctrine, from which we shall never decline.

> That it is our Doctrine, That we Subjects owe such Natural, and just obedience unto our King, that no Power under any pretext soever, can either dispense with us, or free us thereof ... (Walsh 1674:685).

Bhí an chléir ag iarraidh dul chomh fada agus a d'fhéadfaidís a ndílseacht dá bprionsa a chur in iúl gan an pápa a mhaslú. Is léir gurbh í an aidhm phríomha a bhí acu nach mbeadh aon rian de smál an amhrais ar dhílseacht na gCaitliceach in Éirinn feasta. Mheasadar go leanfadh tairbhe fhollasach an deimhniú dílseachta sin is bhíodar toilteanach séanadh iomlán a dhéanamh ar chumhacht theamparálta an phápa chuige sin. Ní mór a mheabhrú nach raibh de dhifríocht idir lucht tacaíochta an Bhreatnaigh agus formhór na cléire, nach raibh an formhór acu toilteanach teorainn a chur le cumhacht spioradálta an phápa. Ag glacadh le leagan amach Bellarmine agus Suárez a bhíodarsan is iad ag iarraidh an dá chumhacht dheoranta a bhí ag feidhmiú sa tír – an Choróin is an Phápacht – a thabhairt dá chéile; ag glacadh gan cheist le ceart diaga na ríthe a bhí an Breatnach agus a lucht leanúna.

Is é a mhol an Breatnach, geallúint go mbeifí umhal don rí 'in all civil and temporal affairs, as much as any other of Your Majesty's subjects and as the laws and rules of Government in this Kingdom do require': glacadh iomlán le cumhacht absalóideach an rí; is é an rún ar glacadh leis, geallúint a bheith umhal don rí 'as any subject ought to be to his Prince, and as the laws of God and nature require': admháil go raibh teorainn éigin le cumhacht an rí agus go raibh cumhacht eile fós os a chionnsan.[93] Ní raibh sé i gceist ag aon taobh acu diúltú d'údarás an rí in Éirinn ná a bhailíochtsan a cheistiú; glacadh gan cheist leis go raibh ceart doshéanta ag Séarlas chun coróin na hÉireann agus go raibh dílseacht dlite dó ag an uile Éireannach. Na guthanna fánacha a cheistigh idir cheart an rí in Éirinn is an dílseacht a bhí dlite dó – leithéidí Uí Mhathúna is Uí Fhearghail – caitheadh leo mar a chaithfí le heiricigh: b'é an t-aon chinneadh amháin de chuid an tseanaid ar glacadh *nemine contradicente* leis go ndamnófaí is go ndóifí leabhair Chonchúir Uí Mhathúna agus Risteaird Uí Fhearghail (Walsh 1674:742). Agus eiriceacht ab ea é ceart na Stíobhartach chun ríocht na hÉireann a cheistiú. An polasaí a leag Lombard amach i dtús na haoise, b'in é an ceartchreideamh anois; athdheimhniú údarásach poiblí ar sheasamh an rí i saol polaitiúil na hÉireann ab ea cinneadh an tseanaid sin na cléire. San am céanna bhí athdheimhniú mar é á dhéanamh ar dhearcadh an aosa léinn ina leith freisin.

An bhliain chéanna sin ar tháinig seanad na cléire le chéile bhí 'Bunadhas craobhsgaoileadh et geinealach Ríoghraidh Stíobhardach' á scríobh amach ag an Dubhaltach Mac Fhirbhisigh mar chuid den *cuimre* a bhí á dhéanamh aige ar 'Craobh coibhneasa agus géaga geinealuigh gacha gabhála dar ghabh Éire ón am so go hÁdhamh'.[94] Saothar é a thosaigh sé i gcoláiste 'San Niocól i nGaillimh ... aimsir an chogaidh chreidmhigh edir Chatoilcibh Éireann agus eiriticibh Éireann Alban agus Saxon go háirithe isin mbliadhain do aois Críost, 1650' agus ar chuir sé leis na blianta ina dhiaidh sin. Teaglamadh údarásach deifnídeach ar chraobha coibhneasa agus ar ghinealaigh na Gaeilge a bhí i saothar Mhic Fhirbhisigh agus istigh ina lár bhí ginealach na Stíobhartach is an gaol coibhneasa a bhí acu le ríthe Éireann á léiriú go soiléir ann. San achoimre a rinne an seanchaí féin ar an saothar sa bhliain 1666, ní coimriú atá aige ann ar ghinealach na Stíobhartach ach forlíonadh, an t-eolas comhaimseartha láithreach á thabhairt isteach sa ghinealach traidisiúnta:

> Dhícheannaigh Pairlimint Saxon Séarlus I anno Christi (1649). Séarlas 2 réamhráite Rí Saxon, Alban is Éireann, iar ndícheannadh a athar Séarlus I le pairlimint Saxon mar do ráidheas cheana: Baoi bliadhna iomdha ar deoraighiocht seal i mbáigh Rígh Frangc, seal eile i mbáigh Ríogh Easpáinne, 'sa uamhan fa dheóigh tré ar ghabhsad aroile dá eascaroid leis asteach arís ina Ríoghachtuibh anno Christi 1660. Conadh é as éanrígh aca uile isin mbliadhainsi 1666 isna trí ríoghachtaibh Saxain, Alba, Éire
> (RIA 24 N 2:166).

Cuid thraidisiúnta de chúram an aosa léinn riamh ab ea saothrú na nginealach is ba dhíol spéise acu ó thús na haoise d'áirithe ginealach na Stíobhartach is a gcraobha coibhneasa le ríthe Éireann. Bhí suim faoi leith acu sa ghaol a bhí ag na Stíobhartaigh le ríthe Shasana, an gaol trínar shealbhaigh Séamas I coróin na Sacsan, agus sa cheist acadúil cé acu ó Éibhear nó ó Éireamhón a shíolraigh sé.[95]

Toradh amháin a bhí ar shaothar Mhic Fhirbhisigh go raibh curtha ar fáil aige bunfhoinse chanónda údarásach de sheanchas phríomhshleachta Éireann. Ba chuid bhuan lárnach den insint chanónda sin feasta ginealach na Stíobhartach agus a gcraobha coibhneasa le ríthe Éireann – deimhniú is dlisteanú údarásach an aosa léinn atá ar aon dul leis an dlisteanú údarásach a rinne an chléir ar na Stíobhartaigh i seanad na bliana 1666. Bhí athdheimhniú mar é curtha ar fáil cheana i Laidin ag John Lynch (1662), ard-deagánach Thuama, agus earraíocht bainte aigesean freisin as foinsí traidisiúnta an léinn dúchais. Léiríonn sin arís nár dhá aicme ar leith iad, gan cheangal ná cumann acu le chéile, cléir na hÉireann is aos léinn na Gaeilge. Bíodh gur ord tuata amháin é ord na mbard sna meánaoiseanna, gur ghairm thuata í gairm na filíochta, agus gur thuataí iad tríd is tríd intleachtra na hÉireann, ó thús an tseachtú haois déag amach d'athraigh sin de réir mar a thóg an chléir Chaitliceach páirt lárnach is páirt thionscnach i saol intleachtúil na hÉireann. De réir a chéile is féidir comhthuiscint, comhdhearcadh is ideolaíocht choiteann a fheiceáil ag teacht chun cinn is á nochtadh féin ina saothar. Sagart ab ea Brian Mac Giolla Phádraig arbh é cás na hÉireann uile – agus ní cás na hEaglaise amháin – b'ábhar dá chuid filíochta; file tuata ab ea Eoghan Rua Mac an Bhaird, ar dhainid leis scrios na hEaglaise mar chuid d'anchás na hÉireann.[96] Sagart a scríobh 'Deorchaoineadh na hÉireann' (DMM:49), tuata a scríobh 'Aiste Dháibhí Cúndún' (FPP:3); scrios coiteann na hÉireann is a muintire, idir chléir is tuath, is cás leo araon. Pé difríochtaí stairiúla a shamhlaítear de ghnáth leis na ciní ónar shíolraigh John Lynch is

Dubhaltach Mac Fhirbhisigh faoi seach, is é is mó atá le tabhairt faoi
deara i dtaobh na beirte áirithe a mhéad cosúlachta a bhí eatarthu idir
chúlra, oiliúint is dearcadh. Bhaineadar araon le teaghlaigh léannta is
bhíodar ar aon scoil le chéile i nGaillimh – scoil cháiliúil na Linseach –
mar ar cuireadh oiliúint orthu sa léann nua; bhí teagmháil acu beirt le
léann dúchais na Gaeilge agus le foinsí an léinn sin; bhí idir Ghaeilge,
Laidin is Bhéarla acu araon agus is trua leo araon lagú na Gaeilge lena
linn féin; seasaid araon go diongbhálta leis na Stíobhartaigh trí chéile
agus go háirithe le ceart Shéarlais II chun coróin is ríocht na hÉireann.[97]

Cúig bliana fichead (1660-85) a mhair réimeas an dara Séarlas.
Tréimhse chomh síochánta, chomh rafar léi ní raibh sa tír le céad
bliain. Chuaigh an daonra i méid is an caighdeán maireachtála in airde.
Ar an olainn is ar an im a bhí an dul chun cinn is an rachmas nua
bunaithe agus, bíodh gurbh iad na tiarnaí talún is an lucht gnó is mó a
bhain tairbhe as an dul chun cinn sin, agus gur sna bailte is mó a léirigh
sé é féin, bhí sé le brath freisin ar an tuath i measc an phobail trí
chéile:

> Ireland was in a most flourishing condition. Lands were everywhere
> improved, and rents advanced to near double what they had been in a few
> years before. The kingdom abounded with money, trade flourished, even
> to the envy of our neighbours. Cities, especially Dublin, increased
> exceedingly. Gentlemen's seats were built on building everywhere, and
> parks, enclosures, and other ornaments were carefully promoted,
> insomuch that many places of the kingdom equalled the improvements of
> England. The papists themselves, where rancour, pride, or laziness did not
> hinder them, lived happily, and a great many of them got considerable
> estates, either by traffic, by the law, or by other arts and industry ...
>
> (King 1692:42).

Léiríonn ábhar agus glór an tsleachta sin cén aicme a bhí i gcumhacht
is cén aicme ar ina lámhaibhsean a bhí an mhaoin. An rath a raibh fiú
'the papists themselves' páirteach ann bhí sin bunaithe ar bhonn an-
chúng – pribhléid Phrotastúnach – agus bíodh go raibh an córas dlí,
socrú na talún, an córas riaracháin is rialtas Shasana féin laistiar den
bhonn pribhléideach sin, mar sin féin ba bhonn é nach raibh buan agus
bhí an baol i gcónaí ann go bhféadfadh olc is míshástacht an tromlaigh
baint den bhonn is den phribhléid araon.

Is i réimeas Shéarlais freisin a tháinig Eaglais an tromlaigh sin chuici
féin arís tar éis scrios Cromwell. Aon easpag Caitliceach amháin a bhí sa
tír sna blianta 1654-9; faoin bhliain 1671 bhí ceithre easpag déag
ceaptha agus iad ag feidhmiú go héifeachtach. Thar lear a oileadh
formhór na n-easpag sin is bhí aithne phearsanta curtha ag cuid mhaith
acu ar Shéarlas is ar a chúirt. Séarlas féin a d'ainmnigh mar easpaig don
phápa iad is bhí tuiscint léir idir an rí is an Róimh i dtaobh na
gcáilíochtaí is na dtréithe ba riachtanach agus easpagacht á líonadh:

> That those to be appointed should not be odious to the Government for

reasons other than religion and their pastoral office ... (*Collectanea Hibernica* 6, 1963, 71).

These should be ... noted not only for their virtuous living and their learning but also for the nobility of their family ... be men not unacceptable to the King and the State ... (*ibid.* 90-91).

Only those who are acceptable to and friends of the King should be promoted ... (*ibid.* 107).

Na heaspaig a ceapadh sna blianta sin, dá réir sin, bhíodar uasal, bhíodar dea-bheathach, bhíodar léannta is, seachas aon tréith eile, bhíodar dílis don rí. D'admhaigh easpag Fhearna go raibh sé rídheacair acu bheith umhal don Róimh agus fós bheith tuisceanach don rí in éineacht (*ibid.* 171), ach d'éirigh leo. D'éirigh leo chomh maith atógáil is atheagrú a dhéanamh ar an Eaglais Chaitliceach in Éirinn agus an gréasán riaracháin á athleagadh arís acu. Tionóladh seanaid deoise go rialta ó 1670 amach agus seanaid chúige is seanaid náisiúnta chomh maith. Áiríodh go raibh, timpeall na bliana sin, míle sagart saolta sa tír agus sé chéad rialtach agus bíodh gur mhídhleathach is gur choiriúil an gnó acu é bhíodar ag feidhmiú go hoscailte den chuid is mó agus teagasc is beatha shacraimintiúil á soláthar acu dá bpobal. Is iad na heaspaig is mó a bhí laistiar den athnuachan is den atheagrú sin Dónall Ó Mathúna, Seán Ó Braonáin agus Oliver Plunkett: triúr carachtar láidir a raibh cumas thar an ngnách iontu, luí leis an riarachán acu is oiliúint na mór-roinne orthu. D'éirigh leo a dtriúr smacht, disciplín, ord is eagar a chur ar an chléir Chaitliceach athuair agus an Eaglais Rómhánach in Éirinn a thabhairt leo píosa fada eile i dtreo na hEaglaise Triontaí.[98]

An fhadhb is mó a bhí le réiteach ag gach gobharnóir in Éirinn i réimeas Shéarlais, bhain sin le socrú na talún agus chuaigh de gach duine acu réiteach a fháil uirthi. Ní raibh aon dul air: níorbh fhéidir éilimh na sean-úinéirí is éilimh na n-úinéirí nua a thabhairt dá chéile. Ba ghá, a dúirt Ormond, dul amach ar 'new Ireland' má bhíothas chun lucht leanúna Cromwell is lucht leanúna Shéarlais a shásamh (Carte ii:140). Mar thoradh ar achainí eile ó na huaisle Caitliceacha, achainí a dhearbhaigh a ndílseacht don Choróin is a ghearáin nach bhféadfaidís teacht i seilbh a dtailte faoi mar a bhí achtaithe ag an rí, chuir Séarlas féin coimisiún ar bun sa bhliain 1671 chun oibriú Acht an tSocraithe a iniúchadh. Ach nuair a chuir idir Phrotastúnaigh abhus is an pharlaimint thall i gcoinne an choimisiúin chuir sé ar ceal go pras arís é. Fuar is te a shéideadh Séarlas de réir mar a d'oireadh agus chaith sé lena ghéillsinigh in Éirinn sa tslí chéanna ar chaith sé lena chuid airí is lena chuid ban thall: 'he used them, but he was not in love with them' (Kenyon 1970:117). Ach b'eisean an rí, foinse na cumhachta, ceann na hÉireann; an té a raibh an ceart aige talamh a bhronnadh nó a choigistiú, reachtaíocht a fheidhmiú nó a chur ar ceal agus ba chuigesean ar deireadh a chaitheadh gach achainí a dhul. Sna leabhair a bhí á scríobh aige agus é thar lear, é ar deoraíocht 'for religion, and loyalty to my Prince' (1676: § 2), labhair an tEaspag French go hoscailte leis an rí féin ag iarraidh é a mhealladh le béal bán is le dílseacht neamhchoinníollach:

> It will seem a Paradox to posterity, that the Irish Nation ... should now be condemned to an eternal extirpation by a King of old Irish extraction (lineally descended from Fergusius a Prince of the Royal bloud of Ireland) .... I do not think that the English Crown was ever worn by a Prince more benign and merciful than Charles the Second ... for, since the creation of Adam to this day ... we cannot produce another example of the like measure extended to a Christian people, under the Government of a most Christian Prince ... (French 1668:32-3).

> Nothing was less feared (I am confident) by the Catholicks of both Kingdoms than a tempest of this nature to come upon them lying safe (as they conceived) under the wings of soe great and mercyfull a Monarck, as Charles the Second, a King of pardons ... (French 1674: § 4).

> But why great King (give mee pardon for speaking to you) why have wee, your Catholick subjects of Ireland been neglected, even to ruine and destruction ... why are wee cast off, why left under a staine of Rebellion, the true Rebells being forgiven? ... (ibid. 65-6).

I bPáras agus i Lobháin a d'fhoilsigh an tEaspag French na leabhair sin; é ag iarraidh aird a dhíriú ar 'Catholick Ireland's destruction' (1676:428) i measc Chaitlicigh na mór-roinne agus san am céanna é ag nochtadh 'to my Soveraigne our calamity's, ruine and miserys and ... humble prayers, for ease and mercy' (1674:74). Ach má chuala Séarlas riamh ina dtaobh nó má léigh aon cheann acu ní léir gur chuaigh an t-adhmholadh ná na paidreacha i bhfeidhm air.

Ba dhuine réchúiseach é Séarlas nach raibh iontaoibh as aon duine ná as aon dream aige; b'é an féinleas, dar leis, a stiúraigh cúrsaí an tsaoil agus is beag tuiscint a bhí aige do dhílseacht shoilíosach. Bhí sé éirimiúil beartach tionscnach ach nach bhféadfaí brath air; bhí sé deisbhéalach líofa is bhí tóir ar an *mot juste* riamh aige ach ní i gcónaí a bhíodh sé de réir a fhocail; ó bhí taithí as a óige ar chomhghéilleadh aige ní mór riamh a chuaigh prionsabail ardaigeanta i bhfeidhm air.[99] Agus é ar deoraíocht bhí sé lántoilteanach, a dúradh, geallúint ar bith a thabhairt uaidh d'aon dream le súil is tacaíocht an dreama sin a fháil chun a choróin a athshealbhú. Gheall sé do Chaitlicigh na hÉireann go gcuirfeadh sé síocháin Ormond i bhfeidhm; gheall sé do Phreispitéirigh Alban go séanfadh sé na téarmaí síochána: níor shéan riamh is níor chuir i bhfeidhm. Gheall sé don phápa go gcaithfeadh sé go maith le Caitlicigh na hÉireann ach níor mhínigh riamh go beacht cad a chiallaigh na focail sin. Agus é i seilbh na corónach bhí sé toilteanach dul i muinín na cluaine is an éithigh ach í a choimeád. Go poiblí d'fhan sé dílis don Eaglais Anglacánach ach dúirt duine dá leannáin ina thaobh gur Chaitliceach ina chroí istigh é. De réir an chonartha a cheangail sé le rí na Fraince sa bhliain 1670, gheall sé 'being convinced of the truth of the Catholic religion and resolved to declare it and reconcile himself with the Church of Rome as soon as the Welfare of his Kingdom will permit' (Ashley 1973:177); ach ní bhfuair sé an uain tráthúil chuige go dtí go raibh sé ar leaba a bháis. Is dian, bíodh gur dealraitheach gur fíor, an bhreith a thugann a bheathaisnéisí léirthuisceanach air – 'he was a habitual liar' (Ashley 1973:328) – ach ní mór a phearsantacht iomlán agus cúinsí comhaimseartha a linne a chur i bhfáth sula dtugtar breith dheiridh air.

Leisceoir cruthanta a bhí ann a raibh dúil as cuimse sna mná aige. Le linn a dheoraíochta amháin, bhí seacht leannán déag á lua leis agus d'aithin sé féin ceithre leanbh déag dá chuid a saolaíodh lasmuigh de chuing an phósta. Bhí bunús maith, a measadh, leis an tsuim a bhí aige sa Chaitliceachas agus leis an bhá a bhí aige leis: thabharfadh an Eaglais Chaitliceach tacaíocht mhorálta dá chumhacht absalóideach agus mhaithfeadh sí gan cheist na mionpheacaí solathacha dá raibh sé tugtha. Naoi mbliana déag a bhí Séarlas nuair a dícheannaíodh, de dheoin a pharlaiminte féin, a athair; deich mbliana fichead a bhí sé nuair a glaodh ar ais air féin. Ní hionadh, agus cuimhne rímharú a athar go glé ina aigne aige, nár bhraith sé cinnte de féin ná buan ar an ríchathaoir, sa chás gur ghá dó dul i muinín an éithigh agus an chluainbhirt le greim a choimeád uirthi. Níor mhar a chéile, a ghearáin sé, a chumhachtsan agus cumhacht absalóideach rí na Fraince: 'I have to humour my people and my parliament' (Ashley 1973: 134). Bhí an frithchaitliceachas fós an-tréan sa phobal agus sa pharlaimint chéanna agus chaith sé, feadh a ré, cur i gcoinne an tseicteachais sin chun seilbh na Stíobhartach a choimeád ar an ríocht. Bhí amhras nach beag ag an pharlaimint ar an chúirt féin toisc bá pholaitiúil a bheith ag Séarlas le Louis XIV agus leis an Fhrainc, príomhchumhacht Chaitliceach na hEorpa, agus níor lúide an t-amhras sin dearth[áir] an rí, Séamas an t-oidhre dleathach, a bheith ag cleachtadh an Chaitliceachais go hoscailte. Is fíor go raibh Séarlas glan i gcoinne na géarleanúna ach, dála a athar is a shean-athar roimhe, níorbh é cás Chaitlicigh na hÉireann ba mhó ba chúram dó. Nuair a rinne sé conradh síochána le Louis sa bhliain 1670, d'iarr an dá theach parlaiminte i Londain ar Shéarlas an chléir Chaitliceach a dhíbirt as Éirinn ar mhaithe le slándáil na ríochta. Dhiúltaigh sé ar dtús agus sna blianta 1672-3 rinne iarracht choinsiasach an reachtaíocht fhrithchaitliceach a mhaolú, ach nuair a d'aithin an pharlaimint arís air é ghéill sé is d'fhógair an chléir Chaitliceach sa bhliain 1673, bíodh nár cuireadh an ruagairt i bhfeidhm riamh.[100] An chaonfhulaingt a bhí geallta ag Séarlas is a rabhthas ag súil léi ó thús a réime, níor tháinig sí agus bíodh gur ghéarleanúint thallannach áitiúil is mó a bhí ann don chuid is mó dá réim, nuair a spréach an ghéarleanúint dáiríre arís, mar a tharla aimsir phlota Titus Oates, níor éirigh leis an rí í a mhaolú ná í a chealú. Nuair a tugadh Oliver Plunkett go Sasana chun a dhaortha is chun a chrochta ní dhearna Séarlas aon ní chun an éagóir fhollasach sin a stop, nó má rinne níor éirigh leis.

Thuig Séarlas go maith do chás na gCaitliceach sna trí ríochta, bhí dea-chroí aige dóibh, is bhí claonadh chun na caonfhulaingthe ann. Dúirt sé féin an méid sin go minic is dúirt freisin gur cheart an reachtaíocht fhrithchaitliceach a chealú, ach ní i gcónaí a thagadh focal agus gníomh Shéarlais le chéile:

> We have a pretty witty King
> whose word no man relies on:
> he never said a foolish thing
> and never did a wise one ... (Kenyon 1970:139).

Maidir le Caitlicigh na hÉireann, ní raibh aon chumhacht, fiú cumhacht armtha, acu anois is bhí Séarlas ag brath feadh a ré ar na haicmí ar acu a bhí an chumhacht: na Nua-Ghaill in Éirinn agus an pharlaimint i Sasana. Is cinnte gur bhac mór ar a shaoirse ghníomhaíochta sa réimse reiligiúnda ab ea frithchaitliceacheas na parlaiminte sin ach, ar deireadh thiar, is deacair gan teacht leis an bhreith a thug Eoghan Ó Comhraí air:

> Gér mhaisiúil mín míonla a phearsa dhaonna,
> gér gheanúil grinn gnaoighlan go snas a chéadfa,
> gérbh fhearúil binn fíorshnoite breas a bhréithre
> bhí cealg 'na chroí suite nach measfadh céadtha.
>
> Ní mheasaim go fíor, sílim nach measfadh éinne
> gur taitneamh do mhínthíortha na Sacsan airde,
> ná caradas caoin d'fhírshliocht na bhflaith nár shéan é,
> fo ndeara dhó tíocht choíche tar lear dá n-éileamh ....[101]

Ach is sa naoú haois déag a bhí seisean ag scríobh agus níorbh in iad seintimintí an aosa léinn dhá chéad bliain roimhe sin. Má bhí éinne de na Stíobhartaigh go dtí seo a thuill díomá is diomaí na nGael b'é Séarlas II é; má bhí éinne acu ar chóir, ba dhóigh leat, go n-iompófaí uaidh is go séanfaí é, b'eisean é. Ní mar sin a tharla.

I ndán a scríobh sé i dtreo dheireadh ré Shéarlais, timpeall na bliana 1684 ceaptar, dán ar thug sé 'Suim Purgadóra bhFear nÉireann' mar theideal air, déanann Ó Bruadair léiriú liodánach ar an phurgadóireacht sin le tríocha bliain anuas, ó mharú Shéarlais I sa bhliain 1649 go dtí plota Titus Oates sa bhliain 1680. Tráchtann sé go seanbhlasta go háirithe ar an luach saothair a tugadh don dream a lean Séarlas II thar lear is a sheas leis le linn a dheoraíochta – 'amharc a bhfearann' amháin a fuaireadar mar dhíol fiach ar fhilleadh dóibh:

> I dtamall a thaistil do leanadar díne é amuich
> is d'fhanadar farais go caitheamh a gcaointréimhse
> ar gcasadh do bhaile níl acu dá ndíméadaibh
> acht amharc a bhfearann mar mhadra an mhill d'fhéachain ....[102]

Ní mhúsclann an seanbhlas díomách sin aon cháineadh ar an Séarlas céanna ná aon ghearán: an phurgadóir dhanartha a d'fhulaing Gaeil chomh fadaradhnach sin, b'é 'peacadh na prímhfhéinne' a ghin is a chothaigh í agus is dá bharr sin a thit an uile anchumhacht 'i nglacaibh na haicme lear fealladh ar Cing Séarlas', aicme fhealltach mheirleach a bhí fós i réim agus fós ag cothú mioscaise is éagóra. Sna tagairtí pearsanta atá ag Ó Bruadair do Shéarlas II sa dán sin, 'ríchéillidh', 'an Dara Cormac', 'flaith', nó 'Cing Séarlas' a thugann sé air agus is le meas is tuiscint a labhrann air tríd síos; meas is tuiscint a léirítear níos soiléire fós i ndánta eile a chum sé timpeall an ama chéanna. Sa bhliain 1680 nuair a tugadh pátrún Uí Bhruadair, Sir Seán Mac Gearailt, go Sasana lena dhíotáil i bplota Titus Oates thairngir an file go scaoilfí saor é ach a bhfeiceadh an rí tréithe an té a bhí os a chomhair amach:

> A prophecie I made for Sir John FitzGerald when he was carryed for England upon account of the pretended Popish Plot in the year 1680:

> > Dá bhfaice mo Phrionsa gnúis is géaga an fhir,
> > a acfainn is a iomchar, a fhionnchruth, a fhéile is a iocht;
> > is dearfa liom i gcúrsa céille is cirt
> > nach glacfadh ó thrú gur thúirling méirle ina ucht –

> agus níor ghlac (DÓB ii:218).

Mo Phrionsa: an téarma[103] teicniúil meánaoisiúil Eorpach ar an rí, an rí ba 'cóir a charthain', mar a dúirt sé i ndán eile ar an ábhar céanna; an 'caomhrí', 'flaith na bhfonn', ar 'by virtue of your gracious King's authority' (DÓB ii:287) a scaoil Seon Céitinn, príomhghiúistís na hÉireann, uaisle eile saor ón díotáil chéanna. Gníomh dlíthiúil – *oirbheart lonndlí an Phrionsa aird fhéilse thoir* – a bhí sa scaoileadh sin, gníomh arbh í 'cairt Chormaic' an t-údarás a bhí leis is an fhoinse dlí a bhí aige, gníomh trína raibh *umhlaíocht réidh* dlite don té faoi deara é:

> Searc na suadh an chrobhaing chumhra
> do chraobh ghealGhall Innse Fáil ....

> Flaith na bhfonn le faisnéis éithigh

> d'airigh uaidh féin é 'gá ghoid ....

> Scaoiltear chucu le cairt Chormaic

> cóir a charthain, tur gan tlás ....

> Scrúdas go grian cúis an chaoimhríogh

> creanaid cách re a chur i ndíon ....

> Le hoirbheart lonndlí an Phrionsa aird fhéilse thoir,
> chugainn do stiúraíodh tonn chaoin chéille is chirt,
> cuirim in úil tríd d'iomchloinn Éibhir Scoit
> go bhfuilid i ngioll faoi umhlaíocht réidh don fhior ... (DÓB ii:264).

Is cinnte gur féidir ollghairdeas an dáin seo a mhíniú agus a thuiscint: b'é ollghairdeas an té é ar scaoileadh cairde agus éarlaimh leis saor ó dhíotáil éagórach; ach ní leor an t-ollghairdeas amháin chun na tuiscintí a nochtar sa dán a mhíniú – an tuiscint don dlí agus do phróiseas an dlí, an tuiscint gur sa Phrionsa a bhí foinse an dlí sin, an

tuiscint don umhlaíocht, don mheas, don urraim a bhí ag dul don dlí
agus don Phrionsa araon; an dea-ghuí a bhí dlite óna phobal dó:

> Go gcaomhna Dia dea-rí Sacsan,
>   Séarlas mac Shéarlais ár stiúir;
> Prionsa gart 's a ghrádh dá phobal,
>   lámh do thacht an cogal ciúin (*ibid.* 274).

Ní hé dearcadh pearsanta an fhile aonair atá á nochtadh ansin, is léir,
ach dearcadh aicme: dearcadh ríogúil na héilíte uasaicmí ar sa
ríogachas amháin a bhí a n-uile dhóchas. An dea-ghuí chéanna, ach
údarás bagartha na hEaglaise a bheith léi, a chan Luke Wadding, easpag
Fhearna:

> God bless our King and Queene
> Long may they live in peace,
> Long may their dayes be seen,
> Long may their joyes increase,
> And those who do not pray
> That Charles in peace may raigne
> I wish they never may
> See priest nor masse againe (Wadding 1684:45).

An dearcadh céanna atá laistiar den réasúnú a rinne Ó Raghallaigh, Ó
Ceallaigh, Lynch, French agus scríbhneoirí eile ar theip Shéarlais.
Chuir Aodh Ó Raghallaigh síos go beacht agus go truamhéileach ar an
'most dismal condition' a raibh na Gaeil a lean Séarlas thar lear, iad
'rack'd with daily apprehensions', agus gan de chompord acu ach 'the
hopes to see the happy day of their Prince's restoration, which they
doubted not but wou'd redeem them from their present captivity and
besides restore them to the inheritance of their fathers' (Reily 1695:60);
is é an lucht leanúna sin thar lear a rinne Séarlas 'the more considerable
among strangers, and gain'd him most of his bread during the dismal
time of his banishment' (*ibid.* 69); bhí i gceist aige a gceart a thabhairt
do na Caitlicigh agus d'éireodh leis murach cealg is feall na
gcomhairleoirí is na ministrí a bhí timpeall air:

> Yet certain it is, that his Majestie was so far from intending to deprive the
> Catholicks of Ireland of their birthright, that he was fully resolv'd at first
> to do them all the justice imaginable; and wou'd have certainly done it,
> but that he was perfidiously circumvented by those he confided in, who
> notwithstanding all their pretended loyalty did alwayes preferre their own
> ends before their Princes interest, and therefore took all possible care to
> obstruct his Majestie's good intentions towards his Irish subjects ... (Reily
> 1695:98).

> There is no doubt but the late King was grossely abus'd and impos'd upon
> by his wicked Ministers to suffer all this injustice to pass for his act and
> deed ... (*ibid.* 118).

> Tis true, his Majestie did in the beginning expresse himself very resolute
> for doing justice to the later; but the craft and corruption of some
> grandees about him wrought upon him by degrees to give way ... (*ibid.* 72).

No, this plaine and palpable injustice cannot be call'd the effect of any policy in the King ... but it was a form'd design of some of his ministers ... (*ibid.* 77-8).[104]

Is faoi 'a few of his familiars', a dúirt Ó Ceallaigh, a d'fhág Séarlas na mórchúraimí tromchúiseacha poiblí, fad a bhí seisean féin 'immersed in his pleasures, and a slave to his slothful and inglorious indulgence'; ní nach iontach, faillí i leas poiblí na ríochta a lean sin (O'Kelly:14). Ní ar na comhairleoirí trí chéile a dhírigh an tEaspag French ach ar an bhfear ionaid, Ormond, d'áirithe. B'eisean an 'unkinde desertor of loyall men and true friends'; ba léir go raibh sé i gceist ag Séarlas 'the pardon and act of indemnity as well for the Catholics of Ireland ... But this Ormond (to his eternall infamy be it said) hath cruelly opposed ... for which the mallediction of God will likely fall upon him and his posterity' (French 1676:421-2); ní raibh na hÉireannaigh féin gan locht, óir pheacaigh siadsan freisin is bhí lámh dhíoltach Dé ag agairt an pheaca sin ar an tír ó shin (*ibid.* 429-30). Aithrí agus aithrí amháin a mhaothfadh an fhearg thairbheach sin anois:

> I conclude with a word or two to my deare countrymen, recommending seriously to them all, at home and abroad, to humble themselves under the Judgements of God, and poure forth their harts like water upon the earth, in contrition, tears and prayers; which is the only way left for asswaging the anger of God, come upon us ... for our own sinns, and those of our forefathers ... (French 1674: § 6).

An bhochtaineacht féin, ar chuid de dhíoltas is de thoil Dé í, ba shuáilce gan teorainn í, ach í a fhulaingt; is bhí sólás le fáil inti freisin mar gur chlaíomh défhaobhrach é fearg Dé:

> Beare patiently your poverty, and you shall find poverty a great blessing .... Let this alsoe be some comfort to you, that you have but lost those things you could not long hould, nor shall the present possessors long enjoy them. Though they think their fortuns in that land surely settled; they are but pilgrims in the way as you are ... and then they shall know and feel God's judgment for what they have done to you ... (*ibid.* 73).

Díothú iomlán a bhí i ndán fós don aicme a bhí anois i gceannas; fuascailt ghlórmhar a thuillfeadh an fhoighne don mhuintir fhadfhulangach mar, dá ghéire nó dá fhad é an céasadh, ní raibh buaine i ndán dó:

> Likely these people are now contented, having their harts desire in this world, soe as they may say with out feare *Ireland is ours*. But their memory will perish, and themselves, or their posterity will be distroy'd by as wicked men as themselves that distroy'd us ... (*ibid.* 31).

> Doe not therefore feare all that men can doe against you, while with teares and patience you march under the purple standart of crucify'd Jesus, for in the end, the day, and victory will be yours .... Hee that led the children of Israel out of Egypt ... never wants power to deliver you; waite for his good tyme, for hee will come ... (*ibid.* 5).

'Méid ár gcionta', a dhearbhaigh Ó Bruadair, is neamhaird á
thabhairt ar 'nuallghuí na sagart' ba chúis 'dár leagadh' (DÓB i:5 § 45).
B'é teagasc síoraí na cléire don phobal, a dhearbhaigh John Lynch
(1662:261), gur cheart an éagóir fhollasach a imríodh ar na
hÉireannaigh in ainm an rí, gur cheart í a fhulaingt go foighneach. B'in
teagasc an easpaig Wadding freisin agus chuir an teagasc sin abhaile sa
véarsaíocht shimplí theagascach a bhí á cumadh aige, saothar a
bhunaigh sé ar fhoinn thraidisiúnta. Mar a mhínigh sé i ndán a chum
sé 'To The Poore Distressed Gentry Cast Out of Their Estates',[105] is í an
fhoighne is an fhulaingt sin a shealbhódh neamh ar ball dóibh:

> My dear and poore friends I do pitty your teares,
> Your troubles and sorrows, afflictions and feares ....
> But your patience most stronge cannot vanguished be
> With your crosses like Christians yee sweetly agree,
> As gould in the furnace they make yee more pure,
> Your vertues more glorious, the more yee endure,
> Tis by suffering with patience that Heaven yee must gain
> An eternal reward for your temporal paine,
> A great crowne of glory which ever doth last,
> For those crowns of thorns which quickly are past (Wadding 1684:8).

Is dá mhéad a d'fhulaing na hÉireannaigh, a mheabhraigh sé i ndán
eile, níor ghá ach cuimhneamh ar ar fhulaing Séarlas féin chun léan a
lucht leanúna a chur ar neamhní:

> Why twice I was banish'd this cause is most true
> For rendring to God and to Caesar their due;
> When first I was banish'd noe cause could they bring,
> But that I was subject to Charles my King,
> What for him I suffer'd, the cause give content,
> 'Twas for him and with him away I was sent;
> For suffering with him I could not complaine,
> One thought of his sufferings did ease all my paine (Wadding 1684:71).

Ní hé go raibh gach éinne sásta le hiompar ná le polasaí Shéarlais. I
measc na huaisle féin bhí grúpa beag acu, idir chléir is tuath, ag
cuimhneamh, le teann míshástachta, ar Éire a chur go díreach faoi
fhlaithiúnas na Fraince agus chuige sin bhíodar toilteanach glacadh le
cabhair armtha na Fraince.[106] Ach is cuma cén mhíshástacht a nochtadh
le Séarlas, nó pé cúis a bhí ag na Gaeil air, nó pé díomá a bhraitheadar
toisc an tslí ar theip sé orthu, ní léir gur bhain sin aon phioc den
seasamh ná den údarás a bhí aige, dar leis an aos léinn, ná níor bhain
dá ndílseachtsan dósan. An t-athdheimhniú údarásach a bhí déanta i
dtús a ré ag Lynch, Mac Fhirbhisigh is ag an chléir ar cheart Shéarlais
in Éirinn is ar ghéillsine na nÉireannach dósan, níor ceistíodh riamh é,
níor baineadh riamh de ina dhiaidh sin is níor maolaíodh. I mbuaine a
chuaigh an dílseacht sin feadh a ré agus sula bhfuair sé bás bhí an
dílseacht is an ghéillsine chéanna á samhlú gan cheist, gan choinníoll
leis an té a raibh sé i ndán dó teacht i gcomharbacht air.

San am bhí tráchtas léannta ar sheanchas na hÉireann á scríobh sa Laidin ag Ruairí Ó Flaithearta, duine de na príomhscoláirí Gaeilge a bhí fágtha i gConnachta. Dála a chomhghleacaithe, Mac Fhirbhisigh is Lynch, bhí an Flaitheartach freisin gafa leis an léann nua chomh maith leis an seanléann. Shaothraigh sé idir Ghaeilge, Laidin is Bhéarla agus chabhraigh sé le Molyneaux geograife nua ar phrionsabail nua a sholáthar d'Éirinn. Ina thráchtas Laidine tharraing sé as leabhar a charad John Lynch (*Cambrensis Eversus*), á dhearbhú nach le Muimhnigh ná le hUltaigh amháin a bhí gaol ag na Stíobhartaigh ach go raibh gaol chomh dlisteanach céanna acu le Connachtaigh is le Laighnigh; ach ní don rí Séarlas a thiomnaigh Ó Flaithearta a leabhar ach dá dhearbháir Séamas, an Duke of York. Is í breith atá tugtha ag staraí de chuid na linne seo ar shaothar an Fhlaitheartaigh gurb é atá ann 'the most learned exposition of Gaelic loyalty to the Stuart dynasty and to the concept of the Kingdom of Ireland ...' (NHI iii:574). Is fíor sin, is dócha, ach ní tráchtas léannta acadúil amháin a bhí sa leabhar aige ach achainí chomh maith. Sa tiomna a scríobh sé don Diúc, mhínigh an Flaitheartach a chás anróch féin agus a aontoisc – ainriocht na tíre. Ach bhí de shólás ag Éirinn fós go raibh teaghlach ríoga amháin dá cuid i gceannas na dtrí ríochta is ba chúiteamh leor an onóir sin ar ar fhulaing sí riamh d'anachain. Le teacht chun cinn na Stíobhartach bhí deonú Dé, ina shlí dhosheachanta féin, á nochtadh go soiléir sa sliocht mórga sin. Is le linn athair an Diúic a bheith ina rí a saolaíodh é féin, a dúirt sé, rud a d'fhág *pacis beneficia* aige as a óige; ar bhás a athar féin is gan é ach dhá bhliain d'aois rinneadh coimircí cúirte de faoi Shéarlas I agus fágadh tailte sinseartha na bhFlaitheartach i Maigh Cuilinn ina sheilbh gur baineadh de iad aimsir Cromwell. Níor éirigh leis iad a athshealbhú ó shin. Mar sin shíolraigh a anró pearsanta féin ó dhúnmharú uafar Shéarlais I. Ón lá cinniúnach sin ar doirteadh fuil shacrálta na mórgachta bhí laincis an mhionúir mar bhac ar a shaoirse. Ach bhí sé ag súil anois nach fada go sealbhódh sé a atharga athuair.[107]

An-léiriú é an tiomna sin Uí Fhlaithearta ar aigne an aosa léinn, ar a ndílseacht do na Stíobhartaigh, ar a lárnaí sa dílseacht sin a bhí athshealbhú na talún, agus ar an tslí ar seachadadh an dílseacht go neamhcheisteach ón rí go dtí a chomharba.

Caibidil 3

'James Our True King'

I

This good Prince, sayd he, has all that weakness of his father without his strength. He loves, as he saith, to be serv'd, in his own way, and he is as very a Papist as the Pope himself, which will be his ruine ... . Yes, if he had the Empire of the whole world he would venture the loss of it, for his ambition is to shine in a red letter after he is dead ... .[1]

B'é a Chaitliceachas an ghné de charachtar Shéamais II is mó ar díríodh uirthi is é ina rí agus an ghné is mó ar cuimhníodh uirthi is é marbh.[2] Ach sular shealbhaigh sé an chóroín in aon chor, agus é ina Duke of York, is mar shaighdiúir cumasach cróga is mó a bhí cáil air, cáil a thuill sé ar pháirceanna an áir sa Fhrainc is san Ísiltír. Sa bhliain 1652, agus an teaghlach ríoga ar deoraíocht i bPáras, liostáil Séamas in arm na Fraince faoin marascal mórchlú Turenne. Laistigh de dhá bhliain, agus gan é fós fiche bliain, bhí sé ceaptha ina leifteanantghinearál, an té ab óige den ochtar a raibh an gradam sin acu. Cúig bliana a chaith Séamas in arm na Fraince is thóg páirt shonrach sna cogaí móra a troideadh ag Bar-le-Duc, Dunkirk is Arras idir an Spáinn is an Fhrainc. B'in an chéad radharc a fuair na mílte Éireannach air.

Crógacht is curatacht a samhlaíodh le Séamas sa chogaíocht sin: ag Arras nuair a bhí Turenne i sáinn phriaclach is é Séamas a tháinig i gcabhair air agus is leis a bhí an lá. Mar thoradh ar an gconradh síochána a rinne Sasana leis an Fhrainc sa bhliain 1656, bhí ar theaghlach na Stíobhartach an Fhrainc a fhágáil is d'aistrigh Séamas dá bharr sin go harm na Spáinne. Ní heisean amháin a d'aistrigh. Toisc an meas a bhí air is an bhá a bhí leis, lean na coirnéil is na saighdiúirí Éireannacha a bhí in arm na Fraince é agus is faoina cheannas-san a cuireadh in arm na Spáinne iad. Ar athchur an teaghlaigh ríoga sa bhliain 1660, cheap Séarlas an Diúc mar Lord High Admiral ar an gcabhlach. Post riaracháin go príomha a bhí san oifig sin ach nuair a bhris cogadh amach idir Sasana agus an Ollainn sa bhliain 1665 chuaigh Séamas féin i gceannas an chabhlaigh sa chath cáiliúil farraige ag Lowestoff i gcoinne Obdam. De bharr a laochais sa chath fuilteach sin bhronn an pharlaimint £120,000 air 'in token of the great sense they had of his conduct and bravery' (Ashley 1977:85). Mar ardaimiréal chuir Séamas eagar níos éifeachtaí ar an gcabhlach trí chéile is d'fheabhsaigh go mór a chumas mar ghléas cogaidh; d'fheabhsaigh chomh maith coinníollacha oibre na mairnéalach. De réir a rúnaí Samuel Pepys, bhí meas air mar riarthóir coinsiasach cumasach, buanna a chuir sé chun tairbhe freisin mar bhall den ríchomhairle. Sa bhliain 1670 cheangail Séarlas is Louis XIV conradh síochana is cairdis le chéile d'fhonn cur i gcoinne na hOllainne athuair agus sa chogadh fíochmhar mara a troideadh idir an dá mhórchumhacht sna blianta 1672-3 is é Séamas arís a bhí i gceannas an chabhlaigh. Ach b'é an cogadh sin an gníomh deireanach dá ghníomhréim mar ardaimiréal agus b'é a reiligiún a chuir deireadh leis.

As a óige bhí luí ag Séamas leis an gCaitliceachas, reiligiún a mháthar, agus is ag éirí ar an luí sin a bhí feadh a shaoil óir réitigh cinnteacht, ceartchreideamh, is údarás absalóideach na Róimhe go mór leis. Timpeall na bliana 1668, ceaptar, shéan sé an Protastúnachas agus chuir sé an t-athrú creidimh sin in iúl go soiléir feasach, céim i ndiaidh céime, bliain i ndiaidh bliana as sin suas. Sa bhliain 1672 d'éirigh sé as glacadh comaoine de réir dheasghnáth an Anglacánachais agus um Cháisc na bliana 1673 dhiúltaigh go hoscailte is go foirmeálta comaoin phoiblí a ghlacadh i dteannta an rí, mar ba ghnách leis an teaghlach ríoga. Go luath ina dhiaidh sin phós Séamas an banphrionsa Iodálach Caitliceach Mary of Modena, gníomh a thug scanall mínáireach 'to the whole nation that their heir to the throne and the son of a martyr for the Protestant religion should apostasize. ... God only knows and wise men dread what the consequences of James's apostasy will be' (Ashley 1977:111). D'admhaigh Séarlas gur dhóigh leis go gcuirfeadh pápaireacht Shéamais an Choróin féin i gcontúirt.

Rídheacair atá againne inniu impleachtaí na ngníomhartha sin Shéamais a mheas ná na fritorthaí a bhí orthu a thuiscint. Is éigean a mheabhrú gur chuma nó tréas é ag an am i stát Protastúnach an Protastúnachas a shéanadh. Ní hé amháin gurbh é an Protastúnachas (an leagan Anglacánach de) eaglais bhunaithe an Stáit ach ba chuid uilí den náisiúnachas Sasanach é. Faoi thús na haoise bhí ionannú iomlán tarlaithe i Sasana idir an Protastúnachas is an náisiúnachas: níor Shasanach go Protastúnach, mar atá léirithe ag Haller (1963) is Wiener (1971). Ba de dhlúth is d'inneach na hideolaíochta náisiúnta é an Protastúnachas agus ba chuid lárnach den ideolaíocht sin an frithchaitliceachas: 'no good Englishman could have defined his national identity without some mention of his distaste for Rome, and this remained the case for the greater part of the seventeenth century' (Wiener 1971:27). An t-amhras coitianta sin i dtaobh na gCaitliceach, ar chuid bhunúsach de chultúr na Sasanach sa seachtú haois déag trí chéile é, is é d'áirithe ba bhun leis an eagla roimh na Caitlicigh agus leis an éadulaingt ina gcoinne. Ba láidre an t-amhras is ba mheasa an éadulaingt in aimsir phráinne, ach fiú ag an am ba shocra cúrsaí polaitiúla níor mhaolaigh riamh ar an eagla. Sa bhéaloideas, i seanmóirí na linne, sa litríocht eaglasta, samhlaíodh leis na Caitlicigh trí chéile drochthréithe is cáilíochtaí drochshamplacha a neartaigh an t-amhras is a d'fhadaigh an eagla. Ní reiligiún a chleacht pápairí ach piseogaíocht, ní hé Dia a d'adhradar ach íola, naoimh is Muire; níor léadarsan briathar Dé is ní hé a leanadar, blaisféim a bhí san aifreann; dhíol an chléir bheartach a bhí acu loghanna leis an bpobal simplí chun go bhféadfaidís féin saol pléisiúrtha sóúil a chaitheamh. Ní mar phearsana indibhidiúla a taibhsíodh Caitlicigh ach mar steiritíp nósúil nár thuill ach drochmheas, amhras is fuath – carachtar nach raibh ag teacht leis an idéal náisiúnta. B'í foinse bhunaidh na steiritípe sin an easpa muiníne a bhí as Caitlicigh trí chéile, ón tiarna b'airde gradam go dtí an píosán b'uirísle ina measc: 'Papists are close and cunning, so subtill and craftie, that their hearts and intentions cannot be knowne ... for outwardly they are lambes, but inwardly ravening wolves' (Wiener 1971:42). Creideadh coitianta go raibh sé i gceist ag na Caitlicigh, ach an deis a fháil, nádúr Protastúnach an Stáit a athrú, ár a imirt ar na Protastúnaigh, agus Sasana a chloí. Dia amháin a sheas idir í agus an namhaid chealgach uilebheartach:

> Tis he alone doth this poor island keep
> From Romish wolves, which would us soon devour,
> If not defended by his mighty power (Wiener 1971:56).

Oileán Protastúnach i muir gháifeach Chaitliceach ab ea Sasana, dar leis an amharc Sasanach. Timpeall uirthi ní raibh ach tíortha Caitliceacha – Éire, an Spáinn, an Fhrainc – is laistiar díobhsan cumhacht áititheach uilí na Róimhe. Ach ní mar choimhlint sheicteach a samhlaíodh an seasamh i gcoinne na Róimhe, ach mar chogadh apacailipteach idir an mhaith is an t-olc: laistiar den Reifirméisean bhí lámh Dé is ina choinne bhí an tAinchríost. Bhí sé i ndán go gcloífí an tAinchríost is bhí tairngreachtaí na bhfáithe, Leabhar na bhFáithe féin, mar dheimhniú air sin; ach idir an dá linn ba ghá a bheith de shíor ag faire is ar airdeall. Dá ngéillfí orlach do na Caitlicigh, ní fhéadfaí aon srian a chur leo: 'if it once get but a connivancy, it will press for toleration: if that should be obtained, they must have an equality: from thence they will aspire to superiority, and will never rest till they get a subversion of the true religion' (Coward 1980:273). Is é paradacsa an scéil nach raibh i líon na gCaitliceach i Sasana sa dara leath den aois ach céatadán beag den daonra iomlán, bíodh gur athraigh sé ó aicme go haicme agus ó cheantar go ceantar. I measc na n-uaisle bhí, ar a mhéad, 10% acu fós ina gCaitlicigh; i measc an ghnáthphobail bhí a líon chomh híseal le 1% in áiteanna.[3] Ach ní raibh comhchoibhneas dá laghad idir a líon agus an eagla mhíchuíosach a bhí rompu. Bonn réasúnach ar bith ní raibh leis an eagla sin ach bhí bonn stairiúil leis is bonn comhaimseartha polaitiúil chomh maith: cumhacht theamparálta pholaitiúil a bhí sa phápaireacht go príomha agus ní fórsa spioradálta.

Cuid rialta choitianta de ghnáthshaol Shasana le linn na haoise ar fad ab ea 'ye Alarme of Popish plots', mar a dúirt scríbhneoir amháin. B'in é an druma a bhuailtí ó cheann ceann na tíre agus a úsáidtí mar mhíniú uilí ar an uile thubaiste, ón scliúchas áitiúil go dóiteán mór Londan féin. An-léiriú ar aigne na coitiantachta i leith na pápaireachta is ea an tslí a dtéadh sráideanna, bailte is pobail chun scaoill ar chlos an aláraim sin dóibh, aláram a thógtaí ar chúinsí iomadúla nach mbíodh aon bhaint de ghnáth acu le cúrsaí reiligiúin in aon chor. Ní i measc na coitiantachta amháin a cothaíodh an líonraith imeaglach. Scríbhneoir ab ea Henry Care is léiríonn a thuarascáil scéiniúil tuairim mheáite an aosa liteartha ar conas a bheadh ag Protastúnaigh faoin anfhorlann Chaitliceach.

> Yourselves forced to fly destitute of bread and harbour, your wives prostituted to the lust of every savage bog-trotter, your daughters ravished by goatish monks ... whilst you have your own bowels ripped up ... and holy candles made of your grease (whish was done within our memory in Ireland),[4] your dearest friends flaming in Smithfield, foreigners rendering your poor babes that can escape everlasting slaves, never more to see a Bible, nor hear again the joyful sounds of Liberty and Property. This, this gentlemen is Popery (Miller 1973: 75).

An t-anbhá míréasúnach a d'adaigh an frithchaitliceachas sin, d'eascair sé as tuiscint shimplí uilí: tréatúir fholaigh a bhí sna pápairí trí chéile; comhcheilg in aghaidh an Stáit a bhí sa phápaireacht. Mar a chuir feisire parlaiminte amháin é, 'Papists are enemies not because they are erroneous in religion but because their principles are destructive to the government' (Miller 1984:187).

San atmaisféar áirithe sin ba den chríonnacht ag Caitlicigh é gan a ndílseacht reiligiúnda a fhógairt ná í a chleachtadh róphoiblí. Agus sin mar a rinne a raibh fanta den uaisle Chaitliceach i Sasana – chúbadar chucu féin ina dtithe móra tuaithe is mhaireadar. Níor ghnáthshaoránach é Séamas, ar ndóigh; b'é deartháir an rí é, an té a bhí i dteideal, ó nach raibh aon oidhre dlisteanach ar an rí, teacht i gcomharbacht air. Níor ghné phríobháideach de shaol ná de charachtar Shéamais a Chaitliceachas, más ea, ach eilimint phríomha i bpolaitíocht na Breataine: an bhuncheist, dar le Miller (1973:121), a bhí laistiar de pholaitíocht uile na linne. Agus de réir mar a d'fhógair is mar a nocht Séamas a Chaitliceachas go poiblí, fadaíodh arís go hoscailte is go neamh-leithscéalach an fíoch frithchaitliceach. Dá mbeadh aon ruainne den phragmatachas polaiteach ag baint le Séamas, os íseal a chleachtfadh a reiligiún nó d'fhanfadh go lá a bháis, mar a rinne a dheartháir Séarlas, chun iompú. Ach níorbh in é a mheon ná a shlí. D'admhaigh sé féin go minic go mbeadh sé ar dhuine de na ríthe ba chumhachtaí riamh i Sasana agus go n-áireofaí ar phríomhríthe na hEorpa féin é, dá mba mar ghnó príobháideach amháin a d'fhéachfadh sé ar a reiligiún. Ach ó tuigeadh dó go raibh sé glaoite ag Dia chun a sheirbhísesean agus gurbh é an dualgas bunaidh a bhí air cur chun cinn an Chaitliceachais, bhí sé toilteanach a raibh aige de ghradam is de mhaoin shaolta a ofráil mar íobairt sa tseirbhís mhórluaigh sin. Mar a dúirt a bhean Mary of Modena ina thaobh, bhí sé 'so firm and steady in our holy religion ... that he would not part from it for anything in the world' (Ashley 1977:99). Léirigh sé féin é sin go soiléir sa bhliain 1673 nuair a d'éirigh sé as a phost mar ardaimiréal ar an gcabhlach toisc gur chuir an pharlaimint acht i bhfeidhm an bhliain sin a d'eisiaigh Caitlicigh ó aon oifig phoiblí.

Ba léiriú eile é an gníomh sin na parlaiminte ar an amhras frithchaitliceach, amhras a fadaíodh go forleathan sa bhliain 1678 nuair a d'éiligh Titus Oates go raibh comhcheilg Íosánach ann Séarlas a mharú is a dheartháir a chorónú ina ionad. Ní raibh aon bhunús le fantaisíocht Titus Oates ach creideadh coitianta ag an am go raibh agus gurbh í aonaidhm na comhcheilge 'to change the lawful government of England into an absolute tryanny and to convert the established Protestant religion into downright Popery' (Ashley 1977:119). Foilsíodh mórán paimfléad i dtaobh an phlota i Londain ag an am, cuid mhaith acu ag tabhairt chun cuimhne an phobail arís barbaracht bhrúidiúil na gCaitliceach in Éirinn in éirí amach 1641. Toradh láithreach amháin a bhí ar fheachtas Titus Oates gur tugadh bille isteach sa pharlaimint a chuirfeadh bac ar Shéamas nó ar aon Chaitliceach eile a bheith ina rí go deo. Níor glacadh leis an mbille an chéad uair is b'é réiteach Shéarlais ar an fhadhb Séamas a chur ar deoraíocht le súil is go maolódh sin fíoch frithchaitliceach na parlaiminte. Chaith Séamas an bhliain 1679 san Ísiltír agus an dá bhliain ina dhiaidh sin i nDún Éideann is é ag feidhmiú mar fhear ionaid an rí. Thaitin blianta a dheoraíochta in Albain go mór leis is bhíothas buíoch de, de réir gach tuairisce. Bíodh gur leadránach leis saol na cúirte i nDún Éideann, réitigh sé go maith leis an pharlaimint áitiúil is dhéileáil sé léi go cumasach cothrom, mar a dhéanfadh státaire maith. Ach dhiúltaigh sé an mhóid ghnách a thabhairt mar bhall de ríchomhairle na hAlban, móid dílseachta a dhearbhaigh i gcoinne an reiligiúin Rómhánaigh (Ashley 1977:130). Sa bhliain 1681 cuireadh faoi bhráid na parlaiminte i Londain, den tríú huair, an bille a chuirfeadh bac dlí ar aon Chaitliceach a bheith ina rí. Glacadh leis ach b'é freagra Shéarlais an pharlaimint a scor is gan í a thionól arís. An bhliain ina dhiaidh sin ghlaoigh sé ar ais go Londain ar Shéamas agus d'athcheap é ina bhall den ríchomhairle agus ina ardaimiréal ar an gcabhlach. Ó b'eol go forleathan go raibh sláinte Shéarlais ag teip, bhíothas ag glacadh leis narbh fhada go mbeadh Séamas ina rí.

Dhá bhliain déag is daichead a bhí an comharba ach a bhfuair Séarlas II bás agus i bhFeabhra na bliana 1685 tháinig an dara Séamas i gcoróin gan chur ina choinne, gan cheistiú. Bhíothas lánsásta, ar dtús, leis an rí nua. Bhí a chumas mar státaire cruthaithe aige, bhí cuimhne a chaithréime ar pháirceanna an áir fós beo, bhí dínit ag baint leis is ionracas nár samhlaíodh riamh lena dheartháir. Ba mhorálta é, a tuigeadh, ná an rí a chuaigh roimhe: ní raibh an caitheamh céanna i ndiaidh na mban aige, go poiblí ar aon nós; cháin sé an ró-ólachán, an comhrac aonair, is an droch-chaint agus rinne iarracht ar dheireadh a chur leis an abhlóireacht ag na drámaí; thug sé cuma níos sollúnta don chúirt trí chéile. An t-aon agús amháin a cuireadh leis an fháilte choiteann a fearadh roimhe agus an t-aon amhras a bhí air, bhain sin go dlúth lena reiligiún. Iarracht dá laghad ní dhearna Séamas an t-agús sin a chealú ná an t-amhras a mhaolú. Ar an chéad Domhnach dá réimeas d'fhreastail sé go poiblí ar aifreann in Whitehall agus ag an gcorónú níor ghlac aon sacraimint chun nach mbeadh air a bheith páirteach i riotuál a bheadh bunoscionn lena reiligiún féin. Ar theacht i gcoróin dó, d'ordaigh do na giúistísí áitiúla Caitlicigh a bhí daortha faoi na dlíthe peannaideacha a shaoradh agus shaor chomh maith breis agus míle ball de Chumann na gCarad a bhí daortha faoi na dlíthe céanna. Tá an dá dhearcadh fós ann, faoi mar a bhí lena linn féin, i dtaobh aidhmeanna reiligiúnda Shéamais. De réir a bhriathra féin, 'he was all against all persecution for conscience sake, looking upon it as an unchristian thing and absolutely against his conscience' (Ashley 1977:184) agus is laistigh de fhráma na caonfhulaingthe *do chách*, a d'áitigh sé, a bhí cás na gCaitliceach á chur chun cinn aige. Ní mar sin a chonacthas gníomhartha Shéamais don phobal i gcoitinne lena linn. B'í an tuairim choitianta gurbh í a phríomhaidhm díchur an Phrotastúnachais agus go raibh Séamas, ó ba Chaitliceach é, rannpháirteach i ngluaiseacht a bhí naimhdeach, ní hamháin don Phrotastúnachas ach don Stát féin. Ó b'é an Protastúnachas reiligiún oifigiúil an Stáit, bhí sé de dhualgas ar an rí é a chosaint is a chaomhnú: b'eisean an *fidei defensor*. Ba mhar a chéile Caitliceach a bheith ina rí ar Shasana san am agus Caitliceach a bheith ina phríomhaire ar na Sé Chontae inniu. Ní slán go hiomlán an comórtas, ach is í analach is fearr í a léireodh do léitheoirí an lae inniu cás Shéamais. Go simplí, bhí Caitliceach neamh-leithscéalach ina rí absalóideach ar náisiún is ar stát Protastúnach. Ní hé an Protastúnachas a bhí i mbaol ach an Stát féin.

Ní móide go raibh aon difríocht idir an ceart diaga mar a thuig agus mar a chleacht Séamas II é, agus mar a thuig is a chleacht aon Stíobhartach eile dár chuaigh roimhe. Ina phearsa siúd a bhí an difríocht óir b'é an chéad rí ar na trí ríochta é ar Chaitliceach é, Caitliceach diongbhálta a bhí lántiomnaithe dá reiligiún féin agus don cheart diaga in éineacht. Chomh fada is a thuig seisean an scéal, ní raibh aon fhadhb rómhór le sárú aige; b'eisean an rí a bhí ceaptha ag Dia: 'God hath given me this dispensing power and I will maintain it' a d'fhógair sé (Weston 1981:242). Ina theannta sin, tuigeadh dó gurbh é an ról a bhí leagtha amach ag Dia sa saol dósan an Caitliceachas a bhuanú ina ríochta. Ní le lámh láidir ná géarleanúint a dhéanfadh sin ach trí shaoirse chreidimh a bhaint amach do chách; agus sin bainte amach, chreid sé go leanfadh an pobal trí chéile sampla an rí agus go n-iompóidís ina gCaitlicigh. A raibh déanta aigesean – an tAnglacánachas a thréigean ar mhaithe leis an gCaitliceachas – níor chéim rómhór í, dar leis, i gcúrsaí diagachta ná deasghnátha ach céim loighiciúil réasúnta, is b'ionadh leis nach raibh sé chomh soiléir céanna do chách. Níor thuig sé in aon chor gurbh í an chéim loighiciúil réasúnta sin a cheangail le chéile in aigne an mhóraimh, in aon mhana comhchiallach amháin, an dá uafás ba mhó a bhí ag bagairt ar an bProtastúnachas – 'Popery and arbitrary government'. Níorbh aon fhanaiceach ná tíoránach é Séamas, mar a áitítear go minic. Éagann a bhí ann nach raibh aon tuiscint aige do mhothúcháin a phobail ná do pholaitíocht phraiticiúil a linne; éagann misniúil, ní mór a admháil, ach gur theip an misneach sin féin air nuair is mó a bhí ina ghá.

Thug an conách a bhí ar Shéamas i dtús a ré uchtach nach beag dó agus tuigeadh dó go bhféadfadh sé a pholasaithe féin a leanúint gan bhac. Ach nuair a chuir sé in iúl go neamhbhalbh go raibh sé ar intinn aige cealú a dhéanamh ar na dlíthe a bhac ar Chaitlicigh a bheith ina bhfeisirí parlaiminte, d'fhógair an pharlaimint nach bhféadfaí na dlíthe sin a chealú 'but by an act of parliament' (Weston 1981:232). B'é freagra Shéamais an pharlaimint a scor. Níor thionóil arís í. Ní institiúid bhunreachtúil amháin, ná gléas reachtaíochta fiú, a bhí scortha ag Séamas ach, dá dtuigeadh sé féin é, fóram náisiúnta díospóireachta ar ghá dó a chomhoibriú agus a thuiscint a fháil dá mb'áil leis aon pholasaí caonfhulaingthe a chur i gcrích. Agus an pharlaimint scortha aige, bhraith Séamas go raibh saoirse ghníomhaíochta aige agus is í an tuiscint sin a thug spreagadh dó dul níos tapúla is feidhmiú níos díograisí ar bhóthar na caonfhulaingthe ná bhí polaiteach ná measartha: thug pardúin do Chaitlicigh a raibh díotáil déanta orthu faoi na dlíthe peannaideacha is thug ceadúnais dóibh poist mhíleata is oifigí cathartha a bheith acu san arm, sa chomhairle is sna cúirteanna; cheap sé Caitlicigh ina máistrí agus ina ndéin i gcoláistí difriúla in Oxford is Cambridge, cheap sé Caitlicigh mar easpaig, cheap sé Caitlicigh mar bhaill den ríchomhairle, cheap sé Caitliceach (Ignatius White ó Bhaile an Fhaoitigh) mar ionadaí chun na hOllainne, cheap sé ionadaí uaidh féin chun na Róimhe, is ghlac le nuinteas ón bpápa go Sasana; bhris sé a phríomhaire as a phost is chuir Caitliceach isteach ina bheart; bhris sé a fhear ionaid in Éirinn as a phost is chuir Caitliceach ina ionadsan; mhéadaigh sé an t-arm seasta go 40,000 fear is scaoil reisimintí ó Éirinn isteach ann.

Ba bheag an bhá a bhí ag uaisle Shasana riamh le harm seasta (míliste áitiúil faoina smacht féin ba ghnách is ba rogha leo), ach b'uafásaí fós arm seasta ollmhór agus Caitlicigh mar earcaigh ann. Chomh fada is a bhain leis an ngnáthphobal nó, ar a laghad, le bailéid an phobail, is leis a bhí Séamas gafa le Tadhganna fealltacha fuilteacha is le hÍosánaigh chluainbheartacha, nach raibh d'aidhm acu araon ach díothú na bProtastúnach:

Tis thus our sov'reign keeps his word
  And makes the nation great,
To Irishmen he trusts the sword,
  To Jesuits the State ... (Lord iv: 55).

They say the Jesuit priests have order'd
That all the Protestants must be murder'd;
The faithless Irish with 'em join
As partners in their black design ... (*ibid.* 301).

I bhfoirm tairngreachta a léirigh scríbhneoir anaithnid[5] conas mar a bheadh an saol ag Protastúnaigh na hÉireann agus Séamas i gcumhacht. Éireannach – Enees (Aonghus) – atá ag caint, mar dhea:

He dead, his brother mounts the throne,
And once more Ireland is our own.
Slie Petre now shall bear the sway,
And Popery shall come in play ...

Gospel and law shall trample o're,
By a supreme dispensing power ...

And by his will, which is the law,
Shall keep the hereticks in awe ...

Shall turn the nobles in disgrace,
For Teague and Rory to make place ... (*The Irish Hudibras*: 129-30).

Go dtí seo, ní raibh aon seasamh poiblí tógtha ag an Eaglais Anglacánach i gcoinne Shéamais ach nuair a d'eisigh sé 'Declaration of Indulgence' sa bhliain 1688 dhiúltaigh ardeaspag Canterbury agus seisear dá easpaig é a léamh amach sna séipéil, faoi mar a d'ordaigh an rí. Chuir Séamas go túr Londan iad go gcuirfí triail orthu. Mhol na comhairleoirí ba stuama a bhí aige, mholadarsan do Shéamas tarraingt siar ón mbruach ach bhí sé ródheireanach aige: b'é an gníomh sin na n-easpag Anglacánach céad chéim na réabhlóide ina choinne. Amhras dá laghad ní raibh ar Shéamas ach go raibh an polasaí a bhí á chur chun cinn aige ceart bailí: 'I have not made one step', a dúirt sé, 'but which is for the good of the Kingdom in general as well as for the monarchy' (Ashley 1977:205). Má bhí aon imní in aon chor air, is le buaineadas a pholasaí amháin a bhain sin agus leis an chomharbacht.

Bhí Séamas ag tarraingt ar thrí fichid bliain anois is ní raibh fós oidhre dlisteanach fireann air. Mac leis ab ea an Duke of Berwick ach is do leannán dá chuid a saolaíodh eisean is, mar sin, ní raibh sé i dteideal teacht i gcoróin. B'í Máire an iníon dlisteanach ba shine ag Séamas ach bhí sise pósta le Uilliam Oráiste, *statholder* na hOllainne, príomhchumhacht Phrotastúnach na hEorpa. Le blianta beaga anuas bhí suim á cur ag Uilliam i gcúrsaí inmheánacha na Breataine agus bhí tuairiscí rialta á gcur sall chuige ag a spiairí ar pholasaí Shéamais agus ar a éifeacht. An pholaitíocht idirnáisiúnta ba bhunchúis le suim Uilliam Oráiste i ngnóthaí inmheánacha na Breataine. Ó b'iad an

Fhrainc is an Ollainn an dá mhórchumhacht ar an mhór-roinn, bhí tábhacht nach beag, don dá thaobh acu, ag seasamh na Breataine sa tsíorchogaíocht eatarthu. Is leis an Fhrainc a bhí bá Shéarlais II agus Shéamais II is bhí eagla ar Uilliam, agus Séamas II i réim, go súifí an Bhreatain isteach ar thaobh na Fraince sa chogadh a bhí ag bagairt arís. Dá bhféadfadh sé é, b'fhearr le Séamas fanacht neodrach ach tuigeadh dó nach raibh aon dul ar an bpolasaí neodrach sin a fheidhmiú ná ar a pholasaí caonfhulaingthe a bhuanú cheal oidhre. Ó tháinig sé in aois fir, bhí Séamas an-tugtha do mhná macnasacha is d'éirigh leis idir leannáin is mhná céile a shásamh in éineacht feadh a ré. Ach is ar a bhean amháin a dhírigh sé anois is dhlúthaigh léi. Mhéadaigh ar a chuid paidreacha ag achainí ar Dhia mac a bhronnadh air is rinne sé oilithreacht go tobar naoimh Winifred a chothú a achainí. San am céanna chrom a bhean ar uiscí íocshláinteacha Bath a thaithí le súil, mar a creideadh, go réiteodh sin bóthar an toirchis. Bhí toradh ar an bhfeachtas faoi fhómhar na bliana 1687 ach níor fógraíodh an toircheas go poiblí go dtí mí na Samhna, moill as ar eascair míthuiscint is amhras ar ball. Ní raibh dul amú dá laghad ar éinne i Sasana ná thar lear i dtaobh thábhacht an toirchis sin; mar a dúradh sa tuairisc a cuireadh chuig Uilliam Oráiste ar an scéal trombhríoch, 'judicious people think if a prince is born, an effort will be made to prevent the Catholic succession' (Ashley 1977:218). Ar an deichiú lá Meitheamh an bhliain dár gcionn saolaíodh mac don lánúin ríoga; James Francis Edward a baisteadh air is an Prince of Wales a bronnadh mar theideal onórach air. Bhí ríora Caitliceach á bhunú sna trí ríochta, tarlang a chuir lúcháir ar Shéamas is ar a chomhairleoirí ach a thug, mar an gcéanna, 'the greatest agonies imaginable to the generality of the Kingdom' (Ashley 1977:229), léan nár mhaolaigh nuair a tugadh le fios go raibh an pápa toilteanach a bheith mar athair baistí ar an bprionsa óg.

An lá céanna sin ar saolaíodh oidhre Shéamais, chuir seachtar de phríomhiarlaí na ríochta, agus easpag amháin ina measc, chuireadar a n-ainm le litir ag achainí ar Uilliam Oráiste teacht go Sasana chun gníomhartha Shéamais a fhiosrú. Agus cuireadh foirmeálta anois aige, d'fhógair Uilliam i bhFómhar na bliana 1688 go raibh sé ar intinn aige teacht go Sasana 'to secure the religion, laws and liberties of the realm'; d'fhógair chomh maith, sa ráiteas oifigiúil a chuir sé amach, nár oidhre dlisteanach ar Shéamas in aon chor an mac óg agus gur chreid 'all good subjects of those kingdoms' gur mhac tabhartha é (Ashley 1977:246). Bhí Séamas fós lán dóchais go dtiocfadh sé slán. Bhí arm ollmhór aige is cabhlach cumasach dea-eagair, ach níor éirigh leis an gcabhlach an t-ionsaí a chosc agus tháinig Uilliam is a fhórsa sluaíochta i dtír in Dover i dtús na Samhna. Den chéad uair ina shaol theip ar mhisneach Shéamais is ní dhearna aon iarracht an t-ionsaí a chloí. De réir mar a ghluais Uilliam go mall timpeallach ar Londain, is gan éinne a chur ina choinne, líon anbhá lucht tacaíochta Shéamais is thréigeadar ina nduine is ina nduine é: a chomhairleoirí, a phríomhoifigigh stáit, a chinnirí míleata, na dlúthchairde ba dhílse a bhí aige, a oifigigh airm, go fiú an dara hiníon dá chuid, Anne; thaobhaíodar go léir le Uilliam. Ar deireadh thiar thuig Séamas olcas a cháis is shocraigh go dteithfeadh a bhean is a mhac óg chun na Fraince. Lean sé féin iad laistigh de mhí eile is chuir Louis an pálás ríoga in St Germain ar fáil dóibh. Nuair a tháinig an pharlaimint le chéile arís i Londain, i mí Eanáir na bliana 1689, glacadh le rún, nár chuir ach ball amháin ina choinne, a d'achtaigh:

> That King James the Second, having endeavoured to subvert the constitution of the kingdom, by breaking the original contract between king and people, and, by the advice of Jesuits, and other wicked persons, having violated the fundamental laws, and having withdrawn himself out of this kingdom, has abdicated the government, and that the throne is thereby become vacant (Weston 1981:255).

Thairg an pharlaimint an choróin do Uilliam is dá bhean Máire agus i bhFeabhra na bliana sin corónaíodh an bheirt acu mar rí is banríon faoi seach.

Agus mar sin ráinig go bhfuair Séamas é féin ar ais arís in St Germain, i dtús na bliana 1689, gan choróin ina sheilbh aige, gan ríocht faoina smacht. Is ansin, beagnach daichead bliain roimhe sin, a thosaigh a chaithréim mhíleata nuair a liostáil sé faoi Turenne. An uair úd freisin bhí an teaghlach ríoga ar deoraíocht i bPáras, iad díbrithe mar an gcéanna ag fórsaí na parlaiminte. Ach dá mhéad na cosúlachtaí idir an chéad deoraíocht agus an t-ionnarbadh láithreach, ba mhór idir inné is inniu ag Séamas féin é. Idir an dá dheoraíocht bhí seanóir spadánta déanta den saighdiúir curata, seanóir ag druidim ar thrí fichid bliain d'aois a thug le tuiscint dár bhuail uime in St Germain nach raibh aon suim feasta sa saol aige. Thaitin áilleacht is ailtireacht Versailles leis, thaitin an dúiche máguaird, thaitin an onóir is an t-ómós a thug Louis féin dó, ach ba léir do chách go raibh a shaol tite as a chéile, é criogtha go smior ag réabhlóid na bparlaimintéireach. B'ionadh le daoine a shuaimhní dhochorraithe a bhí sé, is gan aon rian den cheannaire míleata, den státaire, den rí absalóideach le feiceáil. Bhíodh sé ag labhairt de shíor ar an mífhortún a thug chun na Fraince é, ach ba le neamhshuim is patuaire é 'as if he did not feel them or had never been a king' (Turner 1948:459). An dream ar mar oifigeach cróga in arm Turenne ba chuimhin leo é, chailleadar a meas air ó bhí fear eile ar fad, fear nár aithníodar, déanta de, a mhóidíodar. Sagairt is mó a thaithíodh sé mar chompánaigh is bhí sé tógtha suas go mór le peacaí a óige is le cruimh na cuimhne, a leannán peacaidh ag luí go trom ar a aigne, eisean cinnte de gur réaladh follasach ar fhearg Dé ab ea a mhífhortún is a thurnamh.[6]

San Eoraip bhí cogadh briste amach arís idir an Fhrainc is Impire na Hapsburgach is bhí Sasana is an Ollainn tagtha isteach sa chogadh ar

thaobh an Impire. De réir a chéile bhí arm na Fraince á theanntú ag
fórsaí an Impire is tuigeadh do Louis go n-oirfeadh sé go maith dó
cogadh a bhriseadh amach in Éirinn – dibhéirsean a thógfadh aird agus
arm Uilliam ó mhórthír na hEorpa ar feadh tamaill. B'í comhairle Louis
do Shéamas iarracht a dhéanamh a choróin a athghabháil trí ionsaí
míleata a dhéanamh ar Éirinn, an t-aon ríocht de na trí ríochta a raibh
bá is toil an phobail leis. Is beag suim a chuir Séamas sa phlean sin ar
dtús ach nuair a thathain a bhean is Talbot, a fhear ionaid in Éirinn, an
beart céanna air ghéill sé is bheartaigh ar dhul go hÉirinn. Bhí áitithe
ag Talbot air nár theastaigh ach airm is airgead amháin mar chabhair
ón Fhrainc; bhí go leor fear ar an bhfód in Éirinn is iad ullamh chun
troda. Chuir Louis idir lón cogaidh, airgead is chomhairleoirí míleata ar
fáil do Shéamas, d'fhág an loingeas Brest i dtús an Mhárta is le cóir
ghaoithe bhain Cionn tSáile amach gan aon rómhoill.

II

Cé hé súd thall ar lár na farraige?
tá ansúd rí Séamas, ceann gan eagla,
cúl breá dualach na gcocán airgid
ag dul go Whitehall agus garda breá shagart leis ... .[7]

Atá an lá inniu fuar is tá sé gaofar
le linn an rí seo a thíocht go hÉirinn,
d'aimhdheoin anbhroid bhodaigh an Bhéarla
beid na trí ríochta arís ag Séamas ... .[8]

All along the road, the country came to meet his Majesty with staunch
loyalty, profound respect, and tender love, as if he had been an angel from
heaven. All degrees of people, and of both sexes, were of the number, old
and young; orations of welcome being made unto him at the entrance of
each considerable town, and the young rural maids weaving of dances
before him as he travelled ... (Gilbert 1892:46).

An léiriú is an t-amharc atá faighte againn ar Shéamas go dtí seo is
léiriú agus amharc iad atá teoranta ag fócas áirithe is deilínithe ag
paraiméadair áirithe: fócas is paraiméadair an náisiúin pholaitiúil i
Sasana lena linn. Léiriú eile ar fad is féidir a dhéanamh air ach an fócas
a aistriú ó Shasana go hÉirinn. An tréith dá charachtar ba mhó ba chúis
amhrais ina thaobh i Sasana, a Chaitliceachas, b'é ba mhó a spreag
muinín is dóchas as in Éirinn. A pholasaí reiligiúnda, ar taibhsíodh do
mhórán thall gurbh é a bhí ann fabhair a bhronnadh ar an mionlach, is
mar cheart don mhóramh a féachadh air in Éirinn. A dhearcadh i leith
an ríogachais, ar tuigeadh gur ag baint de chumhacht na parlaiminte a
bhí thall, is mar ghléas fuascailte do Chaitlicigh in ainneoin na

parlaiminte a chonacthas é abhus. Breith a mhic, ar mar bhuanú ar an aindlí absalóideach a féachadh air thall, is mar dheimhniú ar leanúnachas an ríora chirt a chonacthas abhus é. I mBaile Átha Cliath, i Luimneach is i mbailte eile nach iad ba chúis ghairdeachais phoiblí é breith an phrionsa óig.[9] Ábhar mór dóchais ab ea é ag Ó Bruadair, an seans deireanach, dar leis, go n-ísleodh ar a anchás féin:

> Dáibhidh Ó Bruadair cct. ar an ngáirdeachas do bhí ar feadh Éireann an seachtmhadh lá déag do June, iar mbreith an phrionnsa óig dá ngairmthear an Pretender do rugadh an deachmhadh lá don mhíosa chéadna Domhnach na Tríonóide 7 do hionnarbadh a Sagsana an deachmhadh lá do December san mbliadhain chéadna 1688:
>
> > Uim úr-eolais an sceoil se thig i dtír
> > i bhfonn Fódla le seoladh an spioraid naoimh ...
> >
> > cúis dóchais ní dóigh im ghoire i gclí
> > an prionnsa óg sa mun dtóga an tubaist díom (DÓB iii: 15).

Díchur Shéamais, ar mar 'Glorious Revolution' i gcoinne an absalóideachais ansmachtúil a féachadh thall air, is mar pheaca i gcoinne an rí dhleathaigh a d'fhéach Ó Bruadair agus an lucht léinn trí chéile abhus air:

> 24 Decembris 1688 iar n-iompughadh bhfear Saxan uile go rothruaillithe i n-aghaidh a rí dhlighthigh féin le Prionsa na bPléimionnach:
>
> > Na dronga sin d'iompaigh cúil re creasaibh córa
> > is d'imir a bPrionsa ar chuntas airmdheoraidh,
> > ba ionann, dar liom, a gcúrsa i searbhghlórthaibh
> > is cumasc na dtrúp uim thúr na Baibiolóine (DÓB iii: 16).

Shealbhaigh Séamas i súile an aosa léinn na tréithe dúchais a samhlaíodh lena mhuintir roimhe – ba Ghael é, dála na Stíobhartach eile. Ach, murab ionann is na ríthe a chuaigh roimhe, ba Chaitliceach é chomh maith, an chéad Chaitliceach a bhí ina rí ar Éirinn. Lonnaigh ann in éineacht, más ea, tréithe aircitípeacha idirdhealaitheacha Éireannaigh an tseachtú haois déag. Seachas aon duine eile de na Stíobhartaigh is é Séamas an chéad duine acu a raibh aithne choiteann air in Éirinn. Na scórtha mílte a chuaigh thar lear tar éis léirscrios Cromwell – lucht leanúna na gCárthach, na mBúrcach, na Súilleabhánach, na nDíolúnach, na mBrianach is na mórshleachta eile – is faoina cheannas-san a throideadar, in arm na Fraince ar dtús is ina dhiaidh sin in arm na Spáinne i gcathanna móra na linne: Mardyke, Arras, Dunnes. Is nuair a d'fhill seisean is a dheartháir abhaile a athshealbhú na corónach, d'fhilleadarsan chomh maith; cuid acu go Sasana in arm Shéarlais, an formhór acu go hÉirinn ag súil le hathshealbhú a n-atharga. Is beag teaghlach uasal Caitliceach in Éirinn nach raibh duine éigin dá gclann mhac páirteach i gcogaí na hEorpa i dteannta Shéamais; idir é agus an chuid b'oirirce díobh ceanglaíodh dlúthchairdeas nár scaoileadh riamh.[10] Ní cúis iontais é, más ea, go raibh eolas beacht ar fáil ag aos léinn na Gaeilge i dtaobh ghníomhréim Shéamais: ba bhuan a ghníomhartha gaile 'i mbéalaibh suadh is éigeas', mar a dhearbhaigh Ó Bruadair (DÓB iii:82). B'é an dála céanna acu é ag a ghinealach: ní 'drochfhuil dheoranta' a bhí san fhéinics seo, a d'fhógair Ó Bruadair, ach 'sreabh den fheolfhuil i gclannaibh Eoghain /is fearra fós den phór uile' (DÓB iii:88); cuireadh leis na ginealaigh fhréamhaithe, ionad Shéamais sa chraobh coibhneasa á dheimhniú is a ghinealach ar an dá thaobh, á rianadh siar go hÉibhear is go hÉireamhón faoi seach.[11]

Bhí an deimhniú céanna déanta i Laidin ag Ruairí Ó Flaithearta agus gaol docheistithe Shéamais le ríthe Mumhan, Laighean, Chonnacht is Uladh léirithe is cruthaithe aige (O Flaherty 1685). Sular shealbhaigh Séamas an choróin in aon chor a scríobh is a d'fhoilsigh Ó Flaithearta an tráchtas sin, ag athdheimhniú go poiblí ba dhóigh leat – ar eagla a cheistithe – ceart Shéamais chun na corónach. Ar theacht i gcoróin dó sa bhliain 1688, d'fhoilsigh an Flaitheartach (O Flaherty 1688) dán fada Laidine á mholadh, a ghníomhartha is a ghinealach á dtabhairt chun cuimhne arís aige, agus an dóchas ollmhór a bhí coitianta as á mheabhrú dó: b'é Séamas *spes maxima Hibernicae Gentis et una salus*; b'é *Patriae Pater Unicus Haeres* é. Is cinnte go dtugann saothar léannta acadúil an Fhlaitheartaigh an-léiriú dúinn ar dhílseacht ideolaíochtúil an aosa léinn don ríora Stíobhartach, ach nochtann sé freisin nár dhílseacht theibí idéalaíoch altrúch amháin í. Bhí Ruairí Ó Flaithearta ag súil, mar ba dhual do ionadaí den aos léinn, go mbeadh luach saothair na dílseachta sin le titim chuige in am tráth. An dearcadh céanna a nochtann Brian Ó Néill sa réamhrá tiomnaithe a chuir sé lena thráchtas-san ar stair na hÉireann.[12] Meabhraíonn sé don rí gur lean na hÉireannaigh é féin is a dhearth.áir thar lear a throid ar a son i gcogaí na hEorpa, gur fhilleadar abhaile ina dteannta nuair a iarradh orthu é, go bhfuair mórán acu bás ina seirbhís, a athair féin ina measc; gur fhulaingíodar ainnise is dímheas ina n-ainmsean. Bhíodar fós toilteanach é a leanúint go dílis i pé slí is pé feidhmeannas ba mhian leis:

> These and their brethren of the conquest are the people who followed and faithfully adhered to your majestie and your royall brother abroad, and tho' some of them were provided for by their own inocency, merritts or gradious provisoes and clauses mentioning them in the late acts, yett havening benefitt by neither, wander as strangers in their own country bearing as it were like the scape goat the sinns and crimes of the three nations on their hands only. And yett being fully resolved that whatsoever station your majesties conveniency requires they should be in, they will be always ready to show that none shall become more loyall to your Crowne or affectionate to your person ... (RIA H iii 3a).

Ba shoiléir ó thús a réime go raibh sé i gceist ag Séamas athruithe follasacha a chur i gcrích in Éirinn. Sampla ionadach amháin a feidhmíodh láithreach ab ea tuarastal stáit a bhronnadh ar na heaspaig Chaitliceacha agus cead a thabhairt dóibh a n-éide easpaig ('long black cassocks and long cloaks') a chaitheamh go poiblí (Simms 1969:27). Ach is dóichí gurbh í céadbheart Shéamais a léirigh go soiléir dá lucht leanúna in Éirinn go raibh malairt dlí chucu Richard Talbot a cheapadh mar cheann ar arm an rí in Éirinn agus Saorbhreathach Mac Cárthaigh a cheapadh mar mhaorghinearál air. Mac le Donnchadh an Chúil Mac Cárthaigh, Iarla Chlainne Cárthaigh, ab ea Saorbhreathach agus deartháir é do Chormac Mac Cárthaigh. Bhí dlúthbhaint ag na Cárthaigh seo leis na Stíobhartaigh is aithne phearsanta acu ar a chéile óir thug an triúr acu – Donnchadh, Cormac is Saorbhreathach – na blianta thar lear i dteannta na Stíobhartach.[13] Duine de mhóruaisle Laighean ab ea Richard Talbot is ba dheartháir é don Dr Peter Talbot a bhí ina ardeaspag ar Bhaile Átha Cliath idir 1669 agus 1680. Léiriú follasach soiléir ar pholasaí Shéamais in Éirinn ab ea ceapadh na beirte sin is chuireadarsan polasaí Shéamais i bhfeidhm láithreach go ndearnadh athmhúnlú iomlán ar arm an rí in Éirinn trí Phrotastúnaigh a dhíbirt is Caitlicigh a chur ina n-áit. Sa bhliain 1685 ní raibh aon Chaitliceach i measc na n-oifigeach a bhí ar reisimint Mhic Cárthaigh; i dtús na bliana dár gcionn ní raibh mar oifigigh ar an reisimint chéanna, a bhí lonnaithe i gcathair Chorcaí, ach Ceallachánaigh, Ríordánaigh, Barraigh is Cárthaigh: athrú bunúsach soiléir, sampla ar leanadh de ar fud Éireann de réir mar a chuir an Talbóideach polasaí Shéamais i bhfeidhm chomh habsalóideach is a dhéanfadh an rí féin é, 'so that in one year, or a little more, after Tyrconnel assum'd the Government, there was very few downright honest Protestant officers, either civil or military in the whole Kingdom ...' (*Ireland's Lamentation*:14). Go luath sa bhliain 1687 bhronn Séamas an teideal Iarla Thír Chonaill (an seanteideal a bhí ar Ruairí Ó Dónaill) ar Talbot is cheap ina fhear ionaid le lánchumhacht thar a cheann féin in Éirinn é. Ní raibh aon aicme in Éirinn dall ar thábhacht an cheapacháin sin, an chéad Chaitliceach a bhí ina leasrí in Éirinn le breis agus céad bliain:

> Ho! brother Teague, dost hear de decree,
>   Lillibulero bullen a la;
> Dat we shall have a new debittie,
>   Lillibulero bullen a la. ...
>
> Ho! by my shoul it is a Talbot,
>   Lillibulero bullen a la;
> And he will cut all the English throat,
>   Lillibulero bullen a la. ...
>
> Now Tyrconnel is come ashore,
>   Lillibulero bullen a la;
> And we shall have commissions gillore,
>   Lillibulero bullen a la.
>
> And he dat will not go to mass,
>   Lillibulero bullen a la;

Shall turn out and look like an ass,
  Lillibulero bullen a la.

Now, now de heretics all go down,
  Lillibulero bullen a la;
By Chreist and St. Patrick de nation's our own,
  Lillibulero bullen a la.

There was an old prophecy found in a bog,
  Lillibulero bullen a la;
That Ireland should be rul'd by an ass and a dog:
  Lillibulero bullen a la.

And now this prophecy is come to pass,
  Lillibulero bullen a la;
For Talbot's the dog, and Tyrconnel's the ass.
  Lillibulero bullen a la.
  Lero lero lero lero Lillibulero bullen a la
  Lero lero lero lero Lillibulero bullen a la (Ó Buachalla 1990).

Is mar lagaithris mhagúil ar amhráin na nGael ag fáiltiú roimh cheapachán an Talbóidigh is go háirithe mar mhagadh ar an mburdún dúchais 'Lilí bu léir ó' a cumadh an rannaireacht mhagaidh sin. D'áitigh scríbhneoir comhaimseartha go raibh 'wretched scribblers' fostaithe ag na huaisle dúchais 'to make barbarous songs in praise of Tyrconnell ... and prophetically decree'd him the honour of *destroying the English church*. These infamous ballads were bawled about the streets and serv'd to inflame their lewd mirth' (Oldmixon 1716:45). Níl aon chuid de na 'infamous ballads' sin againn ach chuir Diarmaid Mac Cárthaigh, file na gCárthach, chuir seisean i bhfriotal suairc somheanmnach cuid éigin de sheintimintí na nGael ar athmhúnlú an airm is ar theacht an Talbóidigh. Bhí an geimhreadh thart, bhí an dream a bhí in uachtar go dtí seo treascartha, bhí ar thairngir na naoimh is na fáithe tagtha isteach:

  Céad Buí re Dia
  Diarmaid Mac Cárthaigh .i. mac Sheaghain Bhuidhe cct. in aimsir an Rí Séamas an tan do chonnairc Tadhg agus Diarmaid in arm an rí chéanna agus bathlaigh an Bhéarla ag filleadh ar a gceardaibh dúchais ...

  Céad buí re Dia i ndiaidh gach anaithe
  's gach *persecution* chugainn dár bagradh,
  rí glégheal Séamas ag aifreann
  i Whitehall is garda sagart air ... .

  A chairde chroí d'éis mhílte a chailleamhain
  screadaim go dian ar Dhia sna flaitheasaibh
  ag breith buíochais gach laoi gan dearmad
  gur re linn an rí so mhaireamar.

  Naoimh is fáidhe a lán do tharrangair
  go bhfaigheadh Éire cabhair san am do ghealladar
  de t' fheartaibhse, a Chríost, le guí do bhanaltrann
  tiucfa i gcrích gach ní do mheasadar.

Sin é táinig slán tar farraige
an Talbóideach cróga calma
le cumhachta an rí is gach slí 'na dtaitneann ris
biaidh gach ní aige scaoilte is ceangailte ... (DÓB iii: 14).

Is mar aiméan le dán buíochais Dhiarmada a chum Ó Bruadair an dán ar thug sé mar theideal air 'Caithréim Thaidhg', a léiríonn a chéad líne féin éirim mheidhreach an tsaothair: *A Mhic Uí Dhálaigh, is sásta an bheatha dhuit* (DÓB iii:20). A raibh cumtha d'fhilíocht ag Ó Bruadair le blianta beaga anuas, lasmuigh de na dánta molta foirmeálta, is filíocht í atá lán suas de sheirfean domheanmnach an té a bhí thíos, é féin is a thurnamh á inbhreithniú aige le seanbhlas, é ag féachaint anuas go tarcaisneach ar na bathlaigh a bhí tagtha aníos nach raibh *siolla de shéadaibh rúin* na seanfhilí acu ná aon tuiscint acu dóibh; aon cheacht bristechroíoch a bhí le baint aige as blianta an dóláis is blianta an bhochtanais: *mo thrua ar chaitheas le healadhain/gan é umam ina éadach* (DÓB i:132). Athraíonn meanma a chuid filíochta go tobann timpeall na bliana 1680, nuair a fuarthas a éarlamh neamhchiontach i ndíotáil éagórach, agus ar theacht an rí nua spréachann sí ina buinne mheidhreach áthais: bhí an roth casta, bhí *rí dá ríribh againne*, bhí Diarmaid is Tadhg faoi mheas, bhí Seón is Ráif á ndíbirt as an arm; le guí shoilíosach a chríochnaigh an dán gliondarach:

A rí do chruthaigh muir is machaire,
buanaigh gan uamhain gan anachainn
an té fád bhrí do ghní na fearta so -
Séamas mac Séarlais ó Albain.

Ardrí nach sáiríseal seanchas,
cnú na gcliar is cliath ár gcabhartha,
fíor-Ghael de ríchraobh ar gCaisilne
is Franncach do plandadh ó Pharamond (DÓB iii:20 §§ 22,23).

Lean an rí air, le cabhair a fhir ionaid, a dheimhniú a pholasaí: osclaíodh séipéal Caitliceach i gcaisleán Bhaile Átha Cliath, cuireadh an t-aifreann á rá arís in ardeaglais Chríost, níor líonadh na heaspagóideachtaí Protastúnacha a bhí folamh; ceapadh sagart Caitliceach, an Dr Mícheál Ó Mórdha, mar phropast ar Choláiste na Tríonóide, is sagart eile, an tAth. Tadhg Mac Cárthaigh, mar leabharlannaí air; ceapadh ardeaspag Ard Mhacha mar shéiplíneach ginearálta ar an arm trí chéile is tugadh cead séiplínigh Chaitliceacha a cheapadh sna reisimintí difriúla; thosaigh an t-arm ar an aifreann a thaithí go poiblí, glacadh seilbh athuair ar shéipéil a bhí tréigthe is tógadh séipéil nua; d'iompaigh idir oifigigh phoiblí is uaisle ina gCaitlicigh thar oíche, ina measc Donnchadh Mac Cárthaigh, Iarla Chlainne Cárthaigh, ar ina Phrotastúnach a tógadh é; ceapadh Caitlicigh mar shirriaim i ngach contae, cuireadh na seanbhardais ar ceal is tugadh cairt nua dóibh a d'fhéach chuige gur Chaitlicigh a bheadh sa mhóramh iontu; Caitliceach a ceapadh mar sheansailéir, is

Caitliceach, duine de mhuintir de Nógla, a ceapadh mar Ardaighne.[14]
B'é an gníomh sin, díchur na mbreithiúna Protastúnacha, a spreag an
dara *Te deum* ag Ó Bruadair 'Caithréim an Dara Séamais', dán a fhásann
as codarsnacht a dhéanamh idir an dán molta a cumadh ar Eilís I agus
an dán seo. Ní hí *Eilís mhóraimse* a fhógraíonn sé ach *Séamas Stíobhard an
réalta ríoga/d'éirigh faoi dár bhfóirithin*. Dán caithréimeach adhmholta é
ina mórtar an rí de réir na rúibricí traidisiúnta; ach ní adhmholadh
áibhéalach é, ach moladh atá de réir na ngníomhartha gaile a cuireadh
síos dó ar pháirceanna an áir, ar muir is ar tír:

> Is iomdha cruachéim gruig is guaisbhéim
> fionntrach fuair sé i ródannaibh,
> ag cumhdach cairte is clú bhfear Saxan
> glún re gleacaibh glórthoinne ... .
>
> Tug mo phrionsa cruthghlan cumtha
> miochair múirneach móroinigh,
> goil is gártha i longaibh arda
> amuigh ar bhántaibh bóchlinne;
> do chuaidh a thormán suas don Ghearmáin
> suairc an chongháir chomhlannach ... (DÓB iii:13 §§ 6,9).

Agus adhmholadh, níos tábhachtaí fós, de réir na mbeart ríoga a bhí
déanta aige ó rinneadh rí de: ar éag dá dheartháir b'é a chéadbheart
dul *d'éisteacht aifrinn Dé*; b'eisean *an céad rí Saxan d'aomh gnaoi is gradam
... d'fhearaibh Éireann*; bhí *saoirse a saobhchruth eolchaire* bainte amach aige
d'uaisle Bhanbha; bhí anois curtha ar an mbinse aige Dálaigh is Rísigh
is á dtreorúsan bhí saoi de Nóglachaibh *re héisteacht agartha an té nach
labhrann/Béarla breaganta beoiltirim*. Chríochnaigh an dán caithréimeach
scléipeach le mallacht ar an dream meangach meabhlach *bhíos 'na
mheirleach do Ching Séamas*, le beannacht mórchroíoch ar an rí féin is ar
a lucht leanúna agus le tagairt dá chás féin: de bharr fhearta *an ardrí
d'athraigh na cártaí* bhí malairt bhisigh ar a bhail shaolta féin, *sloígh bhfear
bhFáil ó táid in oifig an rí*.[15]

Tá dóchas dochloíte le brath ar an uile chéim de mheadaracht
luaimneach luascach an dáin sin, dóchas, mar a léiríonn Ó Bruadair, a
raibh bunús cinnte leis. Ní ag súil le hathrú a bhí na Gaeil a thuilleadh
– bhí na hathruithe sin á gcur i gcrích cheana féin is bhí a thuilleadh
geallta. An chomhairle a thug Ó Bruadair d'uaisle Bhanbha – *fáiltidh
roimhe sin, gairdidh, goiridh an tArdrí ionmhain óirdhlitheach* (DÓB iii:86) –
níor ghá dhó é; fáilte spontáineach a chuir Caitlicigh na hÉireann
roimh Shéamas, fáilte a bhí bunaithe ar dhóchas sinseartha ach dóchas
a bhí á fhíoradh anois ar deireadh thiar, fáilte a d'eascair, dar le Charles
O'Kelly, údar *Macariae Excidium*, as an gceangal fola is reiligiúin a bhí
idir é is iad:

> But it was with no simulated joy the Cyprians [Gaeil] exulted; in the
> assured hope, that their Sovereign, sprung of their own most ancient royal
> race, tied to them both by blood and by religion, would fortwith restore to

the heavenly powers their temples and altars, and also to the natives their properties and estates of which they has been for so many years, so unjustly despoiled ... (O'Kelly:15).

Nochtann an dileagra oifigiúil a chuir maithe Chill Chainnigh faoi bhráid Shéamais, nochtann sé na seintimintí sin i mBéarla stóinsithe gradamúil na linne, seintimintí a chuireann idir dhílseacht shinseartha is fhéinleas praiticiúil in iúl:

> Great Monarch, ...
> Never was a King of England so kind to this country; never was this country so kind to a British prince. We conducted a Fergus to Scotland; we welcome in James the Second the undoubted heir of Fergus by the lineal descent of one hundred and ten crowned heads, with that boast of antiquity, to which no other monarch of the universe can aspire. We acquit Scotland for the principal and interest of thirteen hundred years by receiving your Majesty, in whose person we consider no stranger, we behold no conqueror, but our own blood restored to us after the absence of so many centuries, a son of Fergus, King of Ireland, and actually present in Ireland, which verifies an old proverb of ours that avereth we should have about this time a King of our own, and continue under him and his issue a most happy nation for ever ... (HMC Ormond 8, 1688-1713, 389-90).

Dar le húdar *A Light to the Blind*, fáilte chaithréimeach a cuireadh roimh Shéamas an uile orlach den tslí ó Chorcaigh go Baile Átha Cliath, 'as if he had been an angel from heaven' (thuas lch 158); dar le cuntas eile, gurb é mana a bhí ar an meirge os cionn chaisleán Bhaile Átha Cliath *now or never, now and forever* (Bagwell iii:209); dar le cuntas claonta ó 'English protestants', go raibh idir cheol cruite, rince is amhráin san fháilte chroíúil a fearadh roimhe sa phríomhchathair:

> At Carloe he was slabber'd with the kisses of the rude Country Irish Gentlewomen, so that he was forced to beg to have them kept from him. ... And at his first entrance into the Liberty of the City; there was a Stage built covered with Tapestry, and thereon two playing on Welsh-Harps; and below a great number of Friers, with a large Cross, singing; and about 40 Oyster-wenches, Poultry and Herb-women, in White (and among them some known to have two or three Bastards, yet passing for Maids) dancing, who thence ran along to the Castle by his side, here and there strewing Flowers ... As he was riding along in this Order, one Fleming. ... suddenly rushed though the Croud, flung his Hat over the King's Head, crying, in French, with a loud voice, *Let the King live for ever.* ... As he marched thus along, the Pipers of the several Companies played the Tune of, *The King enjoys his own again*; and the People shouting and crying, *God save the King* ... (*Ireland's lamentation*:26-8).

Amhrán Béarla a tháinig anuas ar bhéalaibh daoine gur bhailigh Croker céad go leith bliain ina dhiaidh sin é, tugann sé leis go maith meanma is seintimintí an tslua sin a d'fháiltigh roimh Shéamas; dar leis an té a thóg síos é gur dóichí gurbh é an t-amhrán é a dúirt na 'oyster-wenches, poultry and herb-women in white' an lá cinniúnach sin i mBaile Átha Cliath:

King James's Welcome to Ireland

Play, piper – play, piper
Come, lasses, dance and sing,
And old harpers strike up
To harp for the king.
He is come – he is come,
Let us make Ireland ring
With a loud shout of welcome,
May God save the king.

Bring ye flowers – bring ye flowers,
The fresh flowers of spring,
To strew in the pathway
Of James our true king.
And better than flowers,
May our good wishes bring
A long life of glory
To James our true king.

Huzza, then – huzza, then,
The news on the wing,
Triumphant he comes
Amid shouts for the king.
All blessings attend him,
May every good thing
Be showered on the brave head
Of James our true king (Croker 1841:29).

Den chéad uair riamh i stair na hÉireann, bhí rí sa phríomhchathair a raibh an ghéillsine a bhí dlite dó, dar leis féin, á tairiscint gan cheist dó ag an bpobal trí chéile. Mar a dhearbhaigh Ó Bruadair, bhí 'rí dáiríribh' ar an bhfód – 'ardrí ionmhain óirdhlitheach'.

An pharlaimint a ghairm Séamas i mBaile Átha Cliath i mBealtaine na bliana 1689, b'ionadaí í ná aon pharlaimint dár tionóladh roimhe sin in Éirinn. B'í an chéad pharlaimint riamh í a raibh móramh Caitliceach inti, an chéad pharlaimint a raibh an uaisle dhúchais trí chéile páirteach inti.[16] Ní hionadh, mar sin, gurbh é an chéad éileamh a rinne na feisirí go ndéanfaí aisghairm ar Acht an tSocraithe (*Act of Settlement*), an t-acht, mar a dúirt Séafra Ó Donnchadha, a chuir 'séala ar an roinnt ar thalamh na hÉireann do rinneadh fá Chromwell' (thuas lch 130). Ar chealú an achta sin don pharlaimint thréig cuid mhaith de na hoifigigh airm a bhfeidhmeannas chun dul ag féachaint ar a dtailte sinseartha, tailte a bhí le titim chucu gan mhoill, mar a measadh (Simms 1969:83). Dóchas dochloíte neamhcheisteach a bhí á gcothú, dóchas nach bhfaca aon fhadhb, nár mheáigh aon deacracht, is a shamhlaigh ceann cúrsa bainte amach cheana féin:

On Good Friday, the King touched for the evil, and all that were touched brought their own money. ...[17] It was talked that the King would be in his throne before Midsummer by the aid of fifteen thousand French to join the Irish, and so into Scotland, to join those, so for England, where were forty thousand ready to rise, and nothing could stop them it was so certain ... (HMC Ormonde 8, 1689-1713,362-3).

The Irish are so generally puffed up with the thoughts of a sudden change of affairs ... (Thorpe 1834:234).

Ar na hachtanna eile a d'achtaigh an pharlaimint bhí acht eisreachtaithe i gcoinne lucht leanúna Uilliam Oráiste. De réir an achta sin fógraíodh ina meirligh na daoine a bhí ag taobhú le Uilliam; liostáladh breis agus dhá mhíle acu is coigistíodh a dtailte, tailte a bhí le tabhairt do lucht leanúna Shéamais (King 1691:241-98). Achtaíodh chomh maith gur don chléir Chaitliceach amháin a dhíolfadh Caitlicigh deachúna, cuireadh ar ceal na bacanna dlíthiúla a bhí ar thrádáil na hÉireann, agus cuireadh cosc ar ghual a iompórtáil ó Shasana. B'achtanna tábhachtacha gach ceann acusan, ach b'achtanna iad a raibh a bhfeidhmiú is a mbuanéifeacht ag brath ar aon choinníoll simplí amháin: gur ag Séamas a bheadh an bua i gcogadh an dá rí.

Ní róshásta a bhí Séamas in Éirinn is b'fhada leis go mbainfeadh sé Sasana amach arís. Ní raibh in Éirinn ach cúldoras ar ais go Sasana féin; slí thimpeallach go hAlbain ar dtús, is ansin ó dheas go Londain. Protastúnaigh chúige Uladh a tháinig idir é is an aidhm sin. San uair nach raibh an bóthar trí chúige Uladh slán, bhí Séamas ag cuimhneamh ar éirí as an iarracht ar fad is filleadh ar an Fhrainc nuair a bheartaigh Uilliam féin ar theacht go hÉirinn. D'athraigh sin aigne Shéamais: 'he was resolved', a dúirt sé, 'not to be tamely walked out of Ireland, but to have one blow at it at least' (Clark 1816 ii:373). Ag an Bhóinn a mheas sé an buille sin a bhualadh ach, de réir an bhéaloidis, is é Séamas féin is túisce a shroich an phríomhchathair oíche an chatha is é ag teitheadh ón namhaid. Ní dhearna aon mhoill ina dhiaidh sin gur bhain an Fhrainc is St Germain amach arís.

III

Is iomdha saighdiúir láidir mómhar
do chaill a chlaíomh, is do chaill a chlóca,
do chaill a stocaí is d'imigh gan bhróga
ag teitheadh óna namhaid, lá bhriste na Bóinne ... .

Nárb é do bheatha anall chugainn, a rí ghil Séamas
red leathbhróg ghallda is red bhróg eile Gaelach,
ag déanamh buartha ar fuaid na hÉireann
's nach tug tú bualadh uait ná réiteach ... .[18]

Is beag tarlang i nuastair na hÉireann is mó a chuaigh i bhfeidhm ar shamhlaíocht na coitiantachta ná cath na Bóinne. Go dtí an lá inniu féin, ní hamháin go gcomórtar an cath go bliantúil ach maireann íomhánna an chatha i gcónaí in aigne daoine is ar bhallaí is thithe ar fud an Tuaiscirt. An dá bhuníomhá a ghin an cath, táid le fáil ar bhoinn airgid a buaileadh aimsir an chatha féin. Léiríonn ceann de na boinn sin Uilliam ag trasnú na Bóinne go buacach de dhroim capaill agus an mana *Apparuit et Dissipavit – Liberata Hibernia MDCLXXXX* greanta air; ar an mbonn eile léirítear fia ag teitheadh ar cosa in airde agus an mana *Pedibus Timor Addidit Alas* ar a aghaidh.[19] Níl aon cheist ach gurbh é an teitheadh sin Shéamais agus an mheatacht a samhlaíodh leis an ghné de lá briste na Bóinne is mó ar díríodh uirthi sa bholscaireacht chomhaimseartha. I measc na bProtastúnach go háirithe b'ábhar aoire is paor é Séamas. Léiríodh dráma nua *The Royal Flight, A New Farce* (Simms 1969:154), clóbhuaileadh is scaipeadh an t-aitheasc a thug Séamas uaidh oíche an chatha, aitheasc a leag milleán an bhriste ar na Gaeil, agus cumadh is clóbhuaileadh bailéid aorúla ar a 'ghaisce':

> Old James with his rascally rable of rogues,
>   He drew up his army pretending to stand;
> But as they march'd they must trust to their brogues,
>   The devil take the hindmost was his command ... .[20]

> But now the old prophecy's come to pass,
> *Lewis le Grand* now looks like an ass,
> When William the great rode over the Boyne,
> He thought that his enemies battel wou'd join.

> Stout Jemmy in rage a perspective drew out,
> And valiantly saw at a distance the rout,
> 'Come away', out he crys, 'the day is our own';
> 'Tis fitting however that I should be gone' ... (Chappell 1899: 718).

Taobh leis an mheatacht sin Shéamais is go laochúil curata móraigeantach a d'iompair Uilliam é féin lá an chatha:

> July the first, in Oldbridge town,
>   there was a grievous battle,
> Where many a man lay on the ground,
>   by the cannons that did rattle;
> King James he pitched his tents between
>   the lines for to retire,
> but King William threw his bomb-balls in,
>   and set them all on fire ... .

> Come, let us all, with heart and voice
>   applaud our lives' defender,
> who, at the Boyne, his valour shewed,
>   and made his foes surrender;
> to God above the praise we'll give
>   both now and ever a'ter;
> and bless the glorious memory of

King William that crossed the Boyne water (Croker 1841:60-3).

King William called his officers,
   Saying 'gentlemen mind your station,
And let your valour here be shown
   Before this Irish nation' ... .

He wheeled his horse – the hautboys played,
Drums they did beat and rattle
And Lilli-bur-lero was the tune
We played going down to battle ... (Hume 1854: 12).

Is cinnte nach i measc na bProtastúnach amháin a cothaíodh drochmheas ar Shéamas. Ar fud Éireann mhair ar bhéalaibh daoine, anuas go dtí ár lá féin, an buafhocal maslach úd 'Séamas an Chaca', agus mhair, fad a mhair an Ghaeilge in aon cheantar faoi leith, an leathrann easonórach, nó leagan éigin de, a ceanglaíodh leis:

Séamas an Chaca a chaill Éirinn
lena leathbhróg ghallda is a leathbhróg Ghaelach.[21]

I nGaeilge agus i mBéarla nochtann idir véarsaíocht dhí-ainm is bhéaloideas an drochmheas, an aithis, an déistean céanna leis an té a raibh 'ceann gan eagla' á thabhairt air cúpla bliain romhe sin:

Aige Dún Uabhair a buaileadh an droma leis,
is aige Damhliag cuireadh *siege* ag troideadh leis,
dá bhfeicfeá rí Séamas is bean Teamhrach ag magadh air:
'sin chugat an tóir, chugat an tóir, chugat an tóir a Shéamais!'
(Ó Muirgheasa 1915:5).

As I went down by Oldbridge banks
I saw an ould wan shitin',
With the roars and the moans you'd surely know
that the Battle o' the Boyne was a-fightin'.

O the shit came thick and the shit came thin
you never heard such murder,
and the rattles of her piss scared all the fish
from Oldbridge to Dunover.

O she shit east and she shit west
she shit the country over,
such ropes of shit I never saw
from Duleek to Dunover ... .[22]

Tar éis catha na Bóinne bhí rí Séamas ag imeacht len anam fé dhéin Baile Átha Cliath nuair casadh seanbhean air. 'Cén chaoi a bhfuil an troid ag goil'?, ar sise. 'Ó, arsa an rí, 'rith siad uaim'. 'Mh'anam má rith, ar sise, 'gur tusa ghnóthaigh an rása mar gur tú an chéad mharcach acu a chonnaic muidne' (Ó Coisdealbha:358).

Traditions about James were numerous in South Ulster: 'I have the three kingdoms under my eye', said the sharpshooter as he had William covered by his piece at the Boyne. 'Hold, hold', cried James, 'don't leave my daughter a widow' (Ó Muirgheasa 1915:178).[23]

'Sé tíocht rí Séamas do bhain dínn Éire
lena leathbhróig gallda 's a leathbhróig gaelach;
ní thiubhradh sé buille uaidh ná réiteach
's d'fhág sin, fhad 's mairid an donas ar Ghaelaibh (Hyde 1899: 594).

Séamas an Chaca tis you did betray
And left us in bondage till this very day (RBÉ 485: 212).[24]

Séamas an Chaca milleán géar air,
thug a iníon d'Uilliam mar mhnaoi is mar chéile,
is é a rinne Gaelach Gallda agus Gallda Gaelach,
mar chuirfeá cruithneacht agus eorna trína chéile ... (Ó Coigligh 1987: 147).

Is deimhneach mura mbeadh de thuairim nó de dhearcadh ar fáil ar Shéamas ach a bhfuil le baint as seintimintí an bhéaloidis sin, nach mbeadh a thuilleadh le rá ina thaobh is go mbeadh caibidil deireanach theagmháil na Stíobhartach le hÉirinn le fáil is le hinsint in imeachtaí mífhortúnacha na Bóinne. Ach ní mar sin atá, rud a fhágann nárbh fhéidir ag an am agus nach féidir anois clabhsúr na Stíobhartach a cheangal ná a shamhlú leis an mbriseadh sin. Dá ghontacht mar bhuafhocal é 'Séamas an Chaca', dá leanúnaí a mhair sé, dá mhéad a léiríonn sé féin is an véarsaíocht a théann leis déistean is míshástacht, ní hé iomláine an scéil é. Dá mb'é, ní deireadh paragraif a bheadh san abairt seo ach deireadh leabhair chomh maith.

I gcúrsaí míleata de, níor chogadh mór ná briseadh mór é cath na Bóinne; ba mhó ba chosúla le scirmis é. Ach i gcomhthéacs polaitiúil na hEorpa ba chogadh ríthábhachtach é óir féachadh air mar bhriseadh tubaisteach ar Louis is ar a chomhghuaillí Séamas is, mar sin, mar bhua taibhseach cinniúnach do Uilliam. I bpríomhchathracha na hEorpa gabhadh buíochas le Dia as tíoránach na hEorpa, *Le Roi Soileil*, a chloí. Dar le Séamas féin, agus é ag cur de i mBaile Átha Cliath oíche an chatha, gurbh iad na Gaeil a theip airsean sa tslí nach bhféadfadh sé brath arís orthu is gur chaith sé déanamh dó féin agus imeacht láithreach. Mhachnaigh sé agus é ar ais in St Germain gur chuma cad a dhéanfadh sé an lá sin – seasamh nó teitheadh – gur air siúd d'áirithe a dhíreofaí an milleán; daoine ag gearán gur chuaigh sé san fhiontar, a thuilleadh acu gearánach gur róthámáilte a bhí; dar leis féin gur isteach san fharraige a ruaigfí a arm mura ndéanfadh sé seasamh, mar a rinne, ag an Bhóinn. Easpa gaoise a chuir Charles O'Kelly, údar *Macariae Excidium*, i leith Shéamais: ní raibh a phleananna ná a ghníomhartha ag teacht le rialacha na críonnachta, na dea-pholaitíochta ná na cogaíochta; agus níor éist sé, níor éist le gearáin na saighdiúirí singile ach oiread le comhairle a ghinearál. Ní raibh aon locht le cur ar an arm, a d'áitigh údar *A Light to the Blind* mar nár triaileadh a leath; ní raibh aon chúis bhailí ag an rí imeacht ó Éirinn de dheascaibh an chatha sin; laigí sa riarachán míleata dar leis, b'aonchúis le briseadh na Bóinne.[25] Is mó cuntas – agus sin ón dá thaobh – atá againn ar lá briste na Bóinne (Simms 1963) ach níl aon cheann acu a thugann tuarascáil chomh grinn, chomh fírinneach ar imeachtaí an lae thubaistigh sin is a thugann an cuntas a d'fhág John Stevens ina dhiaidh. Leifteanant, ar Chaitliceach is Sasanach in éineacht é, i reisimint coisithe in arm Shéamais ab ea Stevens a scríobh tuarascáil dhea-scríofa fhíorshuimiúil ar chúrsaí na hÉireann lena linn. Eisean is fearr a thugann leis idir mhearthall, mhí-éifeacht is mheatacht an lae sin:

> I thought the calamity had not been so general till viewing the hills about us I perceived them covered with soldiers of several regiments, all scattered like sheep flying before the wolf, but so thick they seemed to cover the sides and tops of the hills. The shame of our regiment's dishonour only afflicted me before; but now all the horror of a routed army, just before so vigorous and desirous of battle and broke without scarce a stroke from the enemy, so perplexed my soul that I envied the few dead, and only grieved I lived to be a spectator of so dismal and lamentable a tragedy. ... Some had lost their arms, others their coats, others their hats and shoes, and generally every one carried horror and consternation in his face. ...[26] Of those who appeared several had thrown away their leading staves, others their pistols they were before observed to carry in their girdles, and even some for lightness had left their swords behind them, and I can affirm it as a truth being an eyewitness I saw an ensign had cast off his hat, coat and shoes to make the better use of his heels ... (Murray 1912:123-4).

Chomh fada le foinsí Gaeilge de, níl againn i bhfoirm chuntais ar an gcath féin ná ar na heachtraí a lean é, ach sraith véarsaí i ndánta dí-ainm ar sa litríocht bhéil, go príomha, a thángadar anuas chugainn. Is cosúil, ar a bhfuil de thagairtí cruinne comhaimseartha san ábhar trí chéile, gur cumadh na véarsaí aimsir an chatha féin agus sin í an tuairim a nocht an uile scoláire a rinne staidéar orthu.[27] Is ag tagairt do cheann de na dánta sin a bhí Frank O'Connor (1961:95) nuair a dúirt, 'For the first time we hear the voice of the plain people of Ireland, left without leaders or masters'. Ach pé ní i dtaobh 'the plain people of Ireland' (nath gan bhrí), is cinnte go bhfaighimid sna dánta seo nochtadh ar ghuth agus ar dhearcadh nach é guth foirmeálta an aosa léinn é is nach é dearcadh uaibhreach na huasaicme é. Siod iad na dánta áirithe atá i gceist agam:

A bhuachaillí an chúige, bainigí an eorna (5 v.). Foinse: Ó Muirgheasa 1934:22-3. Teideal: 'Briseadh Eachdhruim'.

A bhuachaillí na páirte, bainigí an fómhar (11 v.). Foinsí: UCD C 13: 6, UCC T52: 8-9. Teideal: 'Caoineadh Rí Séamas, agus Tubaist na nGael'.[28]

A chlanna Gael, do fuaireabhair náire (12 v.). Foinse: MN M10: 75-6. In eagar: Fáinne an Lae 2 Bealtaine 1925: 5-6; An Lóchrann Feabhra 1927: 116.

A Phádraig Sáirséal, slán go dtí tú (17-24 v.). Foinsí: RIA 12 E 24: 182-5, 23 H 43: 146-8, 23 E 12: 308-12, 24 L 12: 375-86, 23 L 48: 69-72, 12 F 3: 45-47, 24 P 49 b: 24-7. In eagar: O'Daly 1850: 270-9; Ó Concheanainn 1978: 2-3. Teideal: 'Slán chum Pádraig Sáirséal', 'Marbhchaoine Phádraig Sáirséal'.[29]

Do tháinig rígh Séamas chughainn go hÉire (8 v.). Foinse: Lenihan 1866: 218.

Is baintreabhach bhocht mise a d'fhág Dia breoite (10 v.). Foinse: UCD C 14: 232. In eagar: Ó Concheanainn 1972:225-6. Teideal: 'On the Battle of Aughrim, etc.'.

Thug sinn an chéad bhriseadh ag bruach na Bóinne (7 v.). Foinse: RIA 3 C 4i:29. In eagar: Laoide 1914:37-9; Ó Muirgheasa 1934:458, Ó Buachalla 1976:4. Teideal: 'Tuireamh na hÉireann nó Máirseáil an tSáirséalaigh.

Tugaim 'dánta' orthusan sa mhéid gur i bhfoirm véarsaíochta atá siad is gur faoi líne thosaigh áirithe atá siad cláraithe agamsa is ag scoláirí eile. Is é is mó atá iontu bailiúchán véarsaí ar théamaí comhchosúla a bhfuil an-dealramh ag cuid mhaith acu le chéile. Rannaireacht is ea na dánta seo den chuid is mó, bíodh gur rannaireacht íogair mhothaitheach in áiteanna í. Tá aontacht áirithe ag baint leo ina n-iomláine, idir aontacht dhromchlach theicniúil is aontacht inmheánach théamúil. I bhfoirm scaoilte de mheadaracht an *caoineadh* atáid uile, agus leagan éigin den loinneog *(seinn) och, ochón* mar aguisín le gach véarsa ar leith acu.[30] Is le himeachtaí na mblianta 1689-91 a bhaineann gach dán acu, bíodh nach iad na himeachtaí céanna go baileach a luaitear i gcónaí i ngach ceann faoi leith. Go minic is iad na línte céanna is na véarsaí céanna nó leaganacha malairteacha de na línte is na véarsaí sin, a fhaightear ó dhán go dán acu. Ar na véarsaí a thógáil le chéile, is féidir léiriú téamúil leanúnach áirithe a dhéanamh orthu ó theacht Shéamais (1689) go himeacht an tSáirséalaigh (1691), toisc tagairtí cruinne réalaíocha a bheith iontu do phríomheachtraí na linne agus do na príomhionaid ar tharladar. Mar sin is féidir cuid mhaith de na véarsaí a shuíomh i gcomhthéacs cinnte stairiúil comhaimseartha:[31]

Do tháinig rí Séamas chughainn go hÉire
rena bhróg ghallda 's rena bhróg Ghaelach;
tóin an oighin bhuí dá leaghadh mar *phay* dhúinn,
bíodh an t-athphrás ag Gallaibh na hÉireann ... (Ó Buachalla 1989:89).

Is ag an mBaile Mór a chodail muinn an oíche sin,
is ag an tSeandroichead a ligeamar ár scíste,
dul anonn ar an tSionainn bhí gruaim ar na míltibh,
is ag Luimneach na long a bhí an mhairseáil aoibhinn ... (*ibid.* 91).

A chlanna Gael, ní hionadh dubhach sibh,
is feabhas do lasaid na Sacsanaigh púdar,
atá Cluain Meala acu agus Carraig na Siúire
agus baile beag eile inarb ainm dó Durlas ... .

Lá Sparr Thuamhan ba chruaidh an chéim sin,
's ár ndaoine uaisle i gcuan a bheith traochta
go dtáinig anuas scuaine an Bhéarla
do thug léirscrios Luain ar chuallacht Shéamais ... (*ibid.* 92).

Is mó saighdiúirín meidhreach meanmnach
do ghaibh an tslí seo le seacht seachtaine,
faoi ghuna, faoi phíce, faoi chlaíomh cinn airgid,
's táid sínte thíos in Eachroim ... (*ibid.* 94).

Ach ní insint scéalaíoch amháin a thugann na véarsaí sin dúinn, agus ní léiriú cróineolaíoch amháin is féidir a dhéanamh orthu. Déantar nochtadh coscrach iontu freisin ar mhothúcháin lucht leanta Shéamais agus is go hoscailte bristechroíoch a labhartar iontu ar an mbriseadh, ar an léirscrios, ar an náire is an dobrón:

> Is iomdha daoine uaisle faoi chlócaí dearga,
> faoi chlócaí uaithne 's clócaí gorma,
> agus saighdiúir singil is a ghuna ar a ghualainn
> do chuaidh go cóige Uladh 's nár fhill, ná a thuairisc ... (*ibid.* 89).

> Is iomdha saighdiúir láidir mómhar
> do chaill a chlaíomh, is do chaill a chlóca,
> do chaill a stocaí is d'imigh gan bhróga
> ag teitheadh óna namhaid, lá bhriste na Bóinne ... (*ibid.* 90).

> Ar an bpáirc do bhí an rás ar Dhiarmaid,
> do chaill sé a chlóca is a chórú ciarsach,
> do chaill sé a phiostal, a ghunna is a dhiallait,
> is do chaill an t-anam, gidh mhairbh sé an diabhal díobh ... .

> A chlanna Gael do fuaireabhair náire,
> do chailleabhair Corcaigh agus Cionn tSáile,
> Baile Átha Luain agus Droichcad Átha,
> is briseadh na Bóinne is é is mó a chráigh mé ... (*ibid.* 91).

> Tá leasú ag Ó Ceallaigh 's ní gainimh é ná aoileach,
> acht saighdiúirí tapa dhéanfadh gaisce le píce;
> do fágadh iad in Eachroim 'na sraitheanna sínte
> mar bheadh feoil chapaill ag madraí á sraoileadh ... (*ibid.* 94).

I gcuid de na véarsaí is é cás ainnis an duine aonair atá á chaoineadh, is an guth ag labhairt go híogair mothaitheach sa chéad phearsa uathu:

> Is baintreabhach bhocht mise, a d'fhág Dia breoite,
> d'imigh le saighdiúir nach raibh pósta,
> a bhfuil a dhrom briste agus fuil a chroí dóite
> agus d'fhág súd mise i gcúige Uladh go brónach ... .

> Céad léan ar an bhfiabhras do bhain mo ghruaig díom,
> is d'fhág sé maol mé, gan aon ruainne;
> tá sí ag teacht chomh hard lem chluasaibh
> 's an uair fhéachaim siar, is fada liom uaim í ... (*ibid.* 90).

> Is saighdiúir bocht creapailte mé bhí in arm rí Séamas,
> 's an gcuala sibh na scéala mar chaill muidne Éire?
> do dhíol mé mo dhúiche ar aon chárta dí géire
> is buaileadh buille dhroma liom ar fad amach ó Éirinn ... (*ibid.* 93).

> 'Cé súd thall ar chnoc Bhinn Éadair?'
> 'saighdiúir bocht mé le rí Séamas;
> bhí mé anuraidh in arm is in éadach,
> is tá mé i mbliana ag iarraidh déirce ...' (*ibid.* 95).

Ach de ghnáth is grúpa cuimsitheach a bhíonn ag labhairt linn is, dá réir, an guth á réaladh sa chéad phearsa iolra:

Ag Iúr Chinn Trá bhí ár gcompáin cloíte,
is os cionn Dhún Dealgan bhí ár gcampaí sínte,
an áit arbh fhéidir linn gan an-mhéad saothair
rí Uilliam a mhúchadh 's a anréim a chríochnadh ... (*ibid.* 89).

Is ag an mBaile Mór a chodail muinn an oíche sin,
is ag an tSeandroichead a ligeamar ár scíste ... (*ibid.* 91).

Thug sinn an chéad bhriseadh ag bruach na Bóinne
an dara briseadh ag Móta Ghráinne Óige,
an tríú briseadh in Eachroim Dé Domhnaigh,
buaileadh buille dhroma linn is cha mhór a bhí beo againn ... (*ibid.* 94).

Nach ait an áit 'nar fágadh aréir sinn,
ar bhruach na trá gan snáithe den éadach,
tá an loingis ag snámh 's ár mná ag géarghol,
's mo chúig céad slán go brách leatsa a Éire ... (*ibid.* 95).

An lá úd a chuaidh muinne os cionn sruth Bóinne,
gé go raibh bombaí arda is grán linn á scaoileadh ... (*ibid.* 96).

Is cinnte agus is léir go bhfuil idir bhriseadh is léirscrios, dhobrón is
atuirse, náire is mhíshástacht, mar théamaí coiteanna sa véarsaíocht
chaointeach seo trí chéile. Ach ní caoineadh, olagón ná féintrua amháin
atá inti; nochtar chomh maith céanna athmhúscailt misnigh, athnuachan
spioraide, dóchas fuascailte, agus rún díoltach díoltais in am tráth:

A scológaí na Mí, na goilleadh oraibh an fómhar
nó an mórchloí fuaramar ag briseadh na Bóinne;
tá an Sáirséalach láidir is a thrúpaí aige in ordú
le gunnaíbh is dromaíbh leis na bodaigh a chur as Fódla ... .

A chlanna Gael chalma, bainigí an fómhar so
's ná cuirigí suim i lá bhriste na Bóinne ... .

A chlanna na ndeathrach, cuiridh an eorna,
is ná cuiridh i suim briseadh na Bóinne,
atá an Sáirséalach láidir is a shaighdiúirí óga
is mo thrua mar cailleadh Alastram Mac Dónaill ... (*ibid:* 91).

Nár fhagha mise bás 's nár fhága mé an saol seo,
go bhfeice mé an bhuíon Shacsanach ag stealladh na déirce,
bróga boga fliucha orthu mar bhíodh ar chlanna Gael bocht ... .

Achainím ar Mhuire is ar Rí na féile,
go bhfeicead na Sacsanaigh ag stealladh na déirce,
a rámhainne ar a nguaillibh ag tuilleamh pá lae leo,
is a mbróga lán d'uisce mar bhíos ar Ghael bocht ... (*ibid:* 97).

Foinse sin an dóchais, an athfhillte is an díoltais, bhí sí lonnaithe, is léir,
i bpearsana an tSáirséalaigh is Shéamais agus bhí sí dlúthcheangailte
leo. Is iadsan príomhcharachtair na véarsaíochta seo. Ní hionann go
baileach an tslí a gcaitear leo beirt, ach ar deireadh thiar is í an fheidhm
chéanna a thugtar dóibh araon – feidhm athmhúscailte is slánaithe. Le
cion is le mórtas a labhartar de shíor ar an Sáirséalach,[32] is a
ghaisciúlacht á móradh go caithréimeach glórach:

A Phádraig Sáirséal, bua is biseach leat,
bua gach áit ina mbéarfaidh tú sinne leat ... (UCD C 13: 6).

A Phádraig Sáirséal, guí gach nduine leat,
mo ghuí-se féin is guí mhic Muire leat;
ó thóg tú an t-each caol ag gabháil trí Bhiorra dhuit
is gur ag Cuilinn Ó gCuanach buadh leat Luimneach ... (Ó Buachalla
1989:92).

A Phádraig Sáirséal, is duine le Dia thú,
is fearrde an talamh ar sheasaigh tú riamh air,
do bhuainteá allas as clanna na striapach,
's do sciob an báire ó láimh rí Uilliam leat ... *(ibid.).*

Is go brónach eolchaireach uaigneach a fhágtar slán leis is a chuirtear
beannacht chuige:

A Phádraig Sáirséal, slán go dtí tú
ó chuais don Fhrainc is do champaí scaoilte,
ag déanamh do ghearáin leis na ríthe,
's d'fhág tú Éire is Gaeil bhocht cloíte ... *(ibid.* 95).

Tá pinginn ar an gcárta is an cárta líonta,
is a Phádraig Sáirséal, mo shlán go dtí thú ... *(ibid.* 96).

Ansúd atá siad, barr uaisle Éireann,
Diúicigh, Búrcaigh, 's mac rí Séamas,
Caiptín Talbóid croí na féile
is Pádraig Sáirséal, grá ban Éireann ... *(ibid.* 96).

Ach is go dóchasach ardmheanmnach a bhí súil lena fhilleadh slán
abhaile:

A Phádraig Sáirséal slán go bhfille tú,
thug tú clú na Mumhan go huile leat,
do thug tú an láir riabhach ar srian tré Bhiorra leat,
's i gCuilleann Ó gCuanach do bhuaigh tú Luimneach ... .

A bhuachaillí an chúige, bainigí an eorna,
is ná cuirigí faoi gheasaibh bheith ag briseadh na Bóinne,
tá an Sáirséalach ag teacht is beidh leis na slóite,
ar chuala sibh mar cailleadh Ball Dearg Ó Dónaill ... *(ibid.* 96).

Tiocfaidh an rí is tiocfaidh an bhanríon,
tiocfaidh an Sáirséalach is an dá Mhac Cába,
tiocfaidh na Francaigh tá lúfar láidir,
is cuirfidh siad lucht bútaí 'na gcúplaí thar sáile ... *(ibid.* 97).

Is coimpléascaí an láimhseáil a dhéantar ar Shéamas. Cuirtear fáilte
roimhe go hÉirinn is cuirtear mallacht air as teacht, mórtar é is
maslaítear é, labhartar le cion air is le fearg, fágtar slán fada leis – is
bítear ag guí is ag tuar go bhfillfeadh sé go buacach:

Atá an lá inniu fuar is tá sé gaofar
le linn an rí seo a thíocht go hÉirinn ... *(ibid.* 89).

Nárb é do bheatha anall chugainn a rí ghil Séamas
red leathbhróg ghallda is red bhróg eile Gaelach ... *(ibid.* 90).

Cuirimse mo mhallacht ortsa, a rí Séamas,
is iomdha mac máthara a d'fhág tú in éide ... .

Is iad na buachaillí so, buachaillí Gaelach,
ag briseadh a gcroí ag siúl na sléibhte,
ag amharc amach ar chuantaí na hÉireann
is ag sileadh na súl ag siúl gan Séamas ... (*ibid*. 91).

Is iomdha saighdiúir láidir meanmnach,
mac duine uasail is sárfhear ceannasach,
faoi chlócaí uaithne, dubha agus dearga
do cailleadh le Séamas thíos in Eachroim ... (*ibid*. 94).

An chlann sin Bhullaí is gan aon duine acu le chéile,
buaidh agus biseach le cuid bhuachaill Shéamais ... .
Tiocfaidh an rí is tiocfaidh an bhanríon,
tiocfaidh Séarlas is an dá Mhac Cárthaigh;[33]
tiocfaidh na Francaigh ina rancaí ina dhéidh sin
's beidh na fir ghruama á ruagadh as Éirinn ... (*ibid*. 97).

Ní bhaineann sé le hábhar anseo ceist chasta na cumadóireachta sa litríocht bhéil a phlé i bhfianaise na véarsaí sin, go háirithe an cheist bhunúsach cé acu údar amháin a bhí acu go léir nó údair dhifriúla; nó an amhlaidh gur véarsaí fréamhaithe atá ina mbunús ar cuireadh leo de réir mar a ghluaiseadar ó cheantar go ceantar. I gcúrsaí teanga amháin de, is léir gur in Ultaibh a cumadh nó a saothraíodh roinnt mhaith de na véarsaí; shamhlófá a thuilleadh acu le leath Mhogha. Gheofá an tuairim láidir gur le linn na n-eachtraí a thitim amach, nó go gearr ina ndiaidh, a cumadh formhór na véarsaí agus go raibh lucht a gcumtha i láthair nó cóngarach do dhream a bhí. Chomh fada leis an fhianaise inmheánach, is í 1685, agus Séamas ag dul go Whitehall, an bhliain is túisce a d'fhéadfaí a lua le haon véarsa faoi leith acu; is í 1704, an bhliain a d'éag Ball Dearg Ó Dónaill, an bhliain is déanaí. Ní maoile ná ní ceansa an magadh, an cáineadh ná an aithis ar Shéamas i gcuid de na véarsaí sin seachas a bhfuil le tuiscint as an mbuafhocal maslach 'Séamas an Chaca'; ach ní aithis, mallacht ná olagón amháin atá iontu. Nochtar mar an gcéanna anbhá is adhnáire an bhriste, chomh maith le hathnuachan meanman agus dóchais, dóchas a réalaítear ar dhá mhodh chomhlántacha: mar ghuí (*go bhfeicead* ...) agus mar thairngreacht (*tiocfaidh an rí* ...). Is áirithe go bhfuil sna véarsaí sin againn nochtadh éigin ar chuid éigin d'aigne is de mhothúcháin an dreama a throid is a theith ag an Bhóinn, a sheas go cróga i Luimneach, a scriosadh in Eachroim, agus a chosain Luimneach athuair go fadaraíonach stóinsithe. Na guthanna atá le cloisteáil sna véarsaí sin, is léir nach iad guthanna na huaisle *faoi chlócaí uaithne, dubha agus dearga* iad ach gurb iad atá ag caint, an dream a mbíodh *a rámhainne ar a nguaillibh ag tuilleamh pá lae leo* is *a mbróga lán d'uisce* agus gurb é a bhfeargsan, a míshástacht, a ndíomá, a seirfean cnoíoch, a mbrón, a n-atuirse, a n-áthas, a ndóchas-san, atá á nochtadh go coscrach

neamhbhalbh. 'Cuallacht Shéamais' nó 'cuid bhuachaill Shéamais' a
thugaid orthu féin sna véarsaí seo, 'buachaillí Shéamais' a thugann
duine acu orthu féin i ndán dí-ainm eile a bhaineann leis an tréimhse
chéanna.

Is le briseadh Eachroma d'áirithe a bhaineann an dán seo, ach san
oscailt tá tagairt olagónach don Bhóinn is do theip mheata Shéamais:

> Chailleamairne Bóinne le foirneart an lae sin,
> Cornal Stangan a bhí farannach méiniúil,
> bhí ina sheasamh go bhfaca rí Séamas -
> rí meata do ghlac na ritréada,
> rí meata do ghlac na ritréada,
> is d'fhág buaireadh naoi n-uaire ar Ghaeil bhocht.

Leanann an guth air le tagairtí cruinne réalaíocha comhaimseartha do
léigear Luimnigh is do chath Eachroma:

> Seacht seachtaine bhí suídse ann le Gaelaibh,
> bhí Turcaigh, bhí Duits ann, bhí Daein ann,
> bhí na Breatnaigh ag teacht isteach ar gach taobh ann ... .

> Ar na mhárach 'ndéidh an fhómhair sin a dhéanamh
> is tinn breoite bhí Gordon Ó Néill ann,
> Seán na Seamar á ghearradh le faobhair,
> is an ginearal Francach a d'fhág angar ar Éire
> ina cheathrúnaí ar leataoibh an chlaoin ann ... .

Is le léiriú ar a chás pearsanta féin a thugann sé an dán chun críche:

> Tá mo chluasa bochta buartha gan éisteacht,
> is mo shúile dúnta gan radharc ar bith,
> is trua nach in uaigh thalúna i gcré bheinn,
> ó tharla mé beo is gan cabhair 'na ndéidh agam;
> is gur furas do na bodaigh nach bhfaca an saol sin
> labhairt go trom trom ar bhuachaillí Shéamais.[34]

Buachaillí Shéamais: is ait agus is suimiúil an téarma é. Tá cion le baint
as is tíriúlacht, tréithe nach bhfuaireamar aon léiriú go dtí seo orthu i
litríocht na Stíobhartach. An litríocht sin a mórtar na Stíobhartaigh inti,
idir fhilíocht agus phrós, is laistigh de luachanna áirithe is de
pharaiméadair fhréamhaithe áirithe a dhéantar é: luachanna sinseartha
an rí chóir, ceart dlíthiúil an rí chirt, dílseacht is urraim an ghéillsinigh
dá phrionsa: ceart, dlí, is foirmeáltacht na huasaicme. Tugann
'buachaillí Shéamais' diminsean eile don dílseacht shinseartha,
diminsean a raibh croí is mothú ag baint leis, bráithreachas
neamhshofaisticiúil is comrádaíocht; an chomrádaíocht chéanna a
léirítear i gcuid de na véarsaí thuas trí úsáid éifeachtach a bhaint as an
chéad phearsa iolra de na briathra: *chodail muinn an chéad oíche ...,*
ligeamar ár scíste ..., thug sinn an chéad bhriseadh ..., chuaidh muinne os cionn
sruth Bóinne ..., throidfeamais arís iad. An grúpa cuimsithe atá ag labhairt
is ag gníomhú sna sleachta sin, is mar seo a chuirtear síos orthu sa tríú
pearsa i véarsa eile:

Is iad na buachaillí so, buachaillí Gaelach,
ag briseadh a gcroí ag siúl na sléibhte,
ag amharc amach ar chuantaí na hÉireann
is ag sileadh na súl ag siúl gan Séamas ... (thuas lch 176).

Sa mhéid is gur féidir aon cheann de na véarsaí atá faoi chaibideal
againn a thagairt d'aon eachtra nó d'aon ócáid faoi leith, is dóichí gur
tar éis do Shéamas imeacht a cumadh an véarsa sin, véarsa a bhfuil le
tuiscint as go raibh uaigneas ina dhiaidh, agus súil éigin len é a chasadh
ar ais. Ag siúl go Luimneach is dóichí a bhí 'na buachaillí Gaelach',
socrú is léir a bhí pleanáilte roimh ré acu (Simms 1969:155); bhí an
Bhóinn is ar bhain léi á ligean i ndearmad acu is na rannairí a bhí ina
measc ag iarraidh a ndóchas is a meanma a mhúscailt athuair:

A scológaí na Mí, na goilleadh oraibh an fómhar,
nó an mórchloí fuaramar ag briseadh na Bóinne ... .

A chlanna na ndeathrach, cuiridh an eorna,
is ná cuiridh i suim briseadh na Bóinne ... .

A chlanna Gael chalma, bainigí an fómhar so
's ná cuirigí suim i lá bhriste na Bóinne ... (thuas lch 174).

Ionadh, is dócha, is mó a chuireann na seintimintí sin orainne inniu –
ionadh nach éagaoineadh síoraí a bhíothas a dhéanamh d'éis an
chatha. Chaith an saol dul ar aghaidh – bhí fómhar le baint is eorna le
cur – is ba ghá aghaidh a thabhairt ar Luimneach is ar an chéad
choimhlint eile, d'éagmais Shéamais. Na seintimintí céanna agus an
dóchas soirbhíoch céanna a nochtar i ndánta dí-ainm eile a cumadh, ní
foláir, timpeall an ama chéanna.

Níorbh aon bhriseadh in aon chor é cath na Bóinne, dar le dán acu, is
ní raibh aon ábhar gairdeachais ag lucht an Bhéarla a bhí ag 'síorchumadh
bréaga' ina thaobh; ní ar aon taobh amháin, pé scéal é, a bhí an t-ármhach
agus ba ghearr go bhfeicfí díoltas gan chairde á bhaint amach dá bharr; ba
mhinic briseadh agus ceann faoi á bhfulaingt ag pobal Iosrael ach a
ndálasan, bheadh fóirithint i ndán do Ghaelaibh ar deireadh thiar:

Goidé é an scléip seo ar scriúdairí an Bhéarla
ag síorchumadh bréaga is á dtreorú,
ag síorchur i gcéill gur scrios siad na Gaeil
is gur hardaíodh a gcéim ag an Bhóinn dóibh?;
b'olc, olc bhur rún gidh gur mhór bhur ndúil
's níl gar dhúinn anois bheith buartha
go dtiocfaidh an t-am a dtabharfaí díol dá cheann
agus cuntas ann gan chairde! ... .

Nárbh fhada bhí Maoise agus pobal Íosraeil
i gcogadh is faoi chíos ag Pharaoh?
is nárbh fhada bhí Críost ar thalamh dár saoradh
ó chathaibh na ndiabhal naimhdeach?
's nach minic a léirscriosadh Jerusalem
le baothchogadh mallaithe gach náisiúin,

is amhail tá ár dteampaill sárbheannaithe féin
anocht faoi ghéarsmacht na Galltacht ... .

Níl aon bhodach gallta ó so go Droichead Átha
nár chóir a chrochadh in airde le rópaí,
ná a gcur i mbrannraí nó i mbairillí sparrtha
'gus a leigean le fánaidh na Bóinne;
ós iad a leag lámha go trom orainn an lá sin
le feall, le clampar 's le treoirbheart,
acht tiocfaidh loing faoi spás go Carraig na mBárc
bhainfeas cuntas san ármhach le comhrac.[35]

Tosaíonn dán eile le ceist chuig na daoine a bhí fós 'dílis don rí sin ar Éirinn':

A dhaoine tá líonta dhen tsaol so,
tá díoltach i maoin is in éadach,
ag díonú bhur dtús go gléasta,
is tá dílis don rí sin ar Éirinn,
nó an gcaoineann sibh claoiteacht na nGael so,
nó díbirt na bhfaolchon as Éirinn ... .

Leanann sé féin air ag caoineadh na tubaiste a d'imigh ar Ghaelaibh, go mor mór an scrios a rinneadh ar an uaisle dhúchais in Eachroim:

Thugadar orthu cruinniú na féinne
gur ghluaiseadar uaisle na hÉireann
go hEachroim Uí Cheallaigh dá féachaint,
ní Eachroim is ainm go héag di -
sí Eachroim an leatroim ag Gaeil í,
mo mhallachtsa is mallacht mhic Dé dhi,
an ghráigbhaile ba ghráinne bhí in Éirinn,
ní buaúil an chuairt sin do Ghaelaibh,
mo thrua mar a chuadar dá féachaint,
fágadh ann tábhacht na hÉireann ... .

Mar 'King Séamas' nó 'rí Sagsan' a thagraíonn sé do Shéamas, ach ní cheileann a thuairim de agus é ag trácht ar an Bhóinn:

Fealladóir stadach nár shéanúil,
rí meata nach ndeachaigh chun feidhme,
chuir buaithríní crua faoi Ghaelaibh
an uair a bhí uain acu ar éifeacht,
is dúil acu cúnamh le chéile,
in aigne chum gaisce a dhéanamh ...
is rí Sagsan ag glacadh ritréata ... .[36]

Fógraíonn dán dí-ainm eile nach raibh aon éifeacht le briseadh na Bóinne, ná aon bhriseadh eile go cath tubaisteach Eachroma:

Ní raibh éifeacht i mbriseadh na Bóinne,
ná i mBaile Átha Luain cí go raibh cathbheart rómhór ann,
ná in aon chath dá dtugamar in Éirinn
nó gur tugadh orainne cruinniú na féinne
go hEachroim Uí Cheallaigh dár bhféachaint ... .

Mar shaighdiúir bocht a chuireann an té atá ag caint sa dán síos air féin:

> Saighdiúir bocht mé is táim go tréithlag,
> saighdiúir bocht mé atá faoi chréachtaí,
> gan tréintíos agam ná cóta craorac,
> ná léine den phreabán tá glégheal,
> ná hata den fhaisean do bhí ag na Gaelaibh
> ó chailleamar arm rí Séamas ... .

Nochtann go soiléir fáth a bhróin:

> Na tiarnaí 'na ndúthaí is iad is díth liom,
> nó caiptíní na scairléad síoda
> a fágadh in Eachroim an lá sin sínte,
> gan léinteachaí orthu ná mná dá gcaoineadh,
> acht féigh dhubha ag déanamh orthu díoltais
> agus madraí gearra ag imeacht le dímheas ... .

Le seirfean na míshástachta ceistíonn idir chinnireacht is laochas an tSáirséalaigh:[37]

> A Sháirséalaigh ar do chodladh do bhí tú?
> nó goidé an suan do tháinig ó Chríost ort?
> is gur shíl mé féin gur laoch tú bhí líofa,
> do rachadh i dtús nó i dtoiseach na bruíne,
> agus *front and rear* do choinbheáil síos leobh ...

is cuireann gaisciúlacht na saighdiúirí singile i gcomhard le meatacht an rí a bhí orthu:

> Mo dhola, mo dhochar is mo léanscrios
> ar leagadh le feallbheart an lae sin ...
> is ár gcoisíní bochta dá ngéarloit,
> 'sé ba shamhail dóibh talamh a mbeadh tréad air
> dá leagadh chun eallachaí méithe,
> gan fascadh de thalamh dá gcaomhaint,
> a gcorp rotaí ó mhórtheas na gréine,
> a gcairde ag teacht dá bhféachaint,
> ag cur aithne ar na marcaigh bhí tréasach;
> níor bhealach leo bealach rí Séamas
> ach bealach ler cailleadh na céadta,
> an fealladóir bradach, gan séan air!

Tá ansin againn arís an masla is an aithis ar Shéamas atá ina n-orlaí tríd an chumadóireacht dhí-ainm trí chéile ach tagaimid chomh maith céanna ar mholadh air agus cion. 'Rí Séamas' a thugtar air tríd an dán seo nuair a labhartar air as a ainm agus istigh ina lár guíonn an file go soilbhir soirbhíoch:

> Iarraim ar Mhuire, is go gcluinead mar scéal é,
> is a theacht dúinn aríst ar chuanta na hÉireann,
> ár ngalltrompaí againne dá séideadh,
> agus ár ndrumaí dá mbualadh go haerach,
> agus rí geal Séamas i Whitehall mar ba mhéin linn.[38]

Sa líne dheireanach sin tá 'rí geal Séamas', go samhlaitheach ar aon nós, ar ais arís ag an bhfile san áit ar thosaigh a ghníomhréim ríoga – in Whitehall – agus an véarsaíocht féin fillte ar an bpointe tosaigh: Séamas *ag dul go Whitehall/agus garda breá shagart leis* (thuas lch 158). Tá an roth casta ina iomláine; tá Séamas imithe ach fós tá sé ar ais arís.

Ní foláir nó is léir faoi seo gur mhíléamh iomrallach simplíoch ar na foinsí comhaimseartha é, agus ar an stair féin, a cheapadh gur leor an nath 'Séamas an Chaca' mar léiriú bailí ar 'dhearcadh na nGael' i leith Shéamais. Ba leor é, is dóichí, mar léiriú ar sheintimint pháirteach aicmeach dhíomuan; níor leor é mar léiriú cuimsitheach uilí leanúnach. Is í fírinne an scéil nach bhfuil a fhios againn – is nach mbeidh go deo – cad a mheas 'na Gaeil' de Shéamas ná d'aon eachtra a raibh sé páirteach. Is féidir linn, le cabhair na bhfoinsí comhaimseartha, is féidir linn a rá cad dúirt daoine áirithe ina thaobh ag an am nó cad a mheas aicmí áirithe fiú, ach ní hionann sin agus a rá go bhféadfaimis na foinsí céanna a úsáid mar réaladh ar aigne nó ar dhearcadh an phobail nó an náisiúin trí chéile. Tuiscintí earráideacha is ea iad, ach tuiscintí atá buanmharthanach fós i measc scoláirí na Gaeilge, a áiteamh gur 'litríocht phobail' is ea litríocht na Gaeilge agus gur scáthán ar shaol an náisiúin trí chéile í. Daoine aonair, agus ní pobail ná náisiúin, a chumann litríocht agus sin mar a bhí riamh anall, chomh fada agus is eol dúinn. Ach oiread lena shinsir nó a shíolra in aon aois eile, níorbh aon ghin aontomhaiseach mhonacrómach é Éireannach an tseachtú haois déag. Is cinnte go raibh daoine suas ag deireadh na haoise a raibh dia beag déanta acu de Shéamas is nach séanfadh go deo é, cuma cén chríoch a bhéarfadh air; bhí daoine eile ar dóichí gur tuigeadh dóibh go raibh deireadh ráite ach ar theith sé ón Bhóinn agus ar léiriú gonta soiléir ar a dtuairim de 'Séamas an Chaca'; bhí aicme eile – uaisle a bhformhór – a bhí ag plé leis an tuairim gurbh fhearr Éire a chur faoi choimirce Louis féin; bhí daoine ann a chreid gur cheart na Stíobhartaigh a shéanadh go hiomlán is gurbh é a leas é glacadh le Uilliam mar rí ceart. Duine acusan ab ea údar anaithnid *The Groans of Ireland,* paimfléad achainíoch éagaointeach a scríobh uasal Muimhneach éigin ag séanadh na Stíobhartach is á chur féin is 'the Irish birth of Ireland' faoi choimirce 'a King given them by the just judgement of Heaven'. Dar leis an údar go raibh an ceart céanna ag Uilliam chun ríocht na hÉireann is a bhí ag Anraí II is na ríthe a shíolraigh uaidh. Is le *force majeure* a ghabhadarsan uile Éire; chomh fada leis na Stíobhartaigh, bhí an ceart sin forghéillte acu lena mídhílseacht is a mionna éithigh.[39]

Is léir gur dhuine míshásta díomách é an t-údar, duine uasal a raibh a mhuinín uile curtha as na Stíobhartaigh aige, a raibh troidthe aige ar a son is a raibh Séamas féin leanta thar lear aige. Ní raibh aon ní saothraithe dá bharr aige is anois bhí sé toilteanach casadh i gcoinne an Stíobhartaigh le teann míshásaimh is cancair. An mó duine eile mar é a bhí in Éirinn lena linn? An mó duine a ghlac lena chomhairle? An mó duine a bhí ar aon aigne leis? Níl a fhios againn is ní bheidh go deo. An dearcadh sin atá á nochtadh ag údar *The Groans of Ireland*, níl aon réaladh air i bhfilíocht Ghaeilge na linne, ná aon léiriú ach oiread ar dhearcadh na nGael a thaobhaigh le Uilliam is a throid ina armsan. Níl aon chúis go mbeadh, ar ndóigh, ach ba cheart go meabhródh sin dúinn nach scáthán ar aigne an phobail ná an náisiúin atá sa véarsaíocht dhí-ainm ach, chomh fada le tátal soch-chultúrtha nó brí pholaitiúil a bhaint as, léiriú páirteach, is go minic léiriú aeistéitiúil, ar sheintimintí áirithe comhaimseartha a nocht daoine áirithe. Ní fhágann sin nach uirlis bhailí staireagrafaíochta í an litríocht. Ach oiread le haon fhoinse eile staire, artafacht chultúrtha is ea í, sa chéill is leithne, ar féidir adhmad áirithe a bhaint aisti a chabhródh linn idir dhálaí is daoine, aicmí is tréimhsí difriúla a thuiscint. Is deacra an léamh sin a dhéanamh, is léir, i gcás na litríochta béil san uair gur foinse fhréamhaithe neamh-chomhaimseartha í go príomha nach féidir í a thagairt d'aon údar faoi leith ná d'aon aicme chinnte. Fós, mar a léiríonn an véarsaíocht atá scrúdaithe thuas againn, is foinse í a bhfuil guthanna cinnte le cloisteáil inti, bíodh nach féidir i gcónaí iad a aithint. Ach is cuma cén léiriú a dhéanfar ar an véarsaíocht sin, ní féidir neamhshuim a dhéanamh d'aon ghné shuaithinseach amháin di: nach aon ghuth aontomhaiseach amháin ná aon dearcadh leanúnach de réir a chéile amháin atá á nochtadh in aon 'dán' faoi leith nó sna véarsaí trí chéile ach guthanna difriúla agus dearcadh a athraíonn is a mhalartaíonn, nach bhfuil ag teacht go hiomlán ná de shíor le chéile, agus a bhíonn ag iomlat anonn is anall ó dhóchas go héadóchas is ar ais arís. Fiú na véarsaí a bhfuil tagairt chinnte iontu do Shéamas féin, miocracasm iad den phatrún iomlatach sin; fáilte roimhe, mallacht air, cumha ina dhiaidh, dóchas is ráiteas dearfa fáistineach go bhfillfeadh sé:

> Cé hé súd thall ar lár na farraige
> tá ansúd rí Séamas, ceann gan eagla ...
>
> Do tháinig rí Séamas chugainn go hÉire ...
>
> Beid na trí ríochta arís ag Séamas ...
>
> Nárb é do bheatha anall chugainn a rí ghil Séamas ...
>
> Cuirimse mo mhallacht ortsa a rí Séamas ...
>
> Is iad na buachaillí so, buachaillí Gaelach ...
> ag sileadh na súl ag siúl gan Séamas ...
>
> Is iomdha saighdiúir láidir meanmnach ...
> do cailleadh le Séamas thíos in Eachroim ...
>
> Tiocfaidh an rí is tiocfaidh an bhanríon ... .

Sa véarsaíocht dhí-ainm bhéil sin atá scrúdaithe againn, tá idir dhóchas is éadóchas, idir náire is ghairdeachas, idir fhearg is áthas, idir mhallacht ar Shéamas is bheannacht, idir aithis is mholadh; tá freisin cion air is cumha ina dhiaidh. Is léir nach bhféadfaí réimse iomlán na mothúchán is na seintimintí sin a thagairt d'aon ócáid amháin ná d'aon phointe ama amháin. Tá réimse ama is, dá réir sin, réimse tuairimíochta i gceist. Ceist eile í, ceist nach féidir a réiteach, arbh fhéidir an réimse tuairimíochta sin a thagairt d'aon duine amháin nó d'aon aicme daoine amháin.

Fadhb í sin nach mbaineann le cumadóireacht na bhfilí aitheantúla, saothar ar féidir ainm cinnte a chur leis, is uaireanta, dáta áirithe freisin. An saothar sin an aosa léinn, saothar Mhic Cuarta, Mhic Cárthaigh is Uí Bhruadair d'áirithe, tá sé difriúil go maith, ní nach iontach, ag leibhéal na láimhseála, na teicníce is na samhlaíochta, leis an véarsaíocht bhéil. Chífear sin go soiléir ach na véarsaí thuas, a labhartar as a ainm leis 'an Sáirséalach' le cion is le dlúthas (thuas lch 175), ach iadsan a chur i gcomparáid leis an dán ríshnoite a chum Ó Bruadair ar an *iarla ó Lucan*, an *dragan dána data dáilteach*, dán a mórtar é sa fhriotal laochúil uamach cuí:

> Fál bhfear anbhfann d'fhás dár n-anacal
>   mál is caithbhile cáirbhéasach,
> taoscach trúpach laomhga lonnghart
>   laochda lúfar lántréitheach;
> ursa chróga bhrufar bheoga
>   chuireas deoraidh fá ghéilleadh
> an t-iarla ó Lúcan, Dia dá chumhdach ... .[40]

Ní lú an difríocht sa láimhseáil ná sa dearcadh atá idir na véarsaí íogaire ar Eachroim (thuas lch 179) agus an caoineadh nósmhar ar an ábhar céanna a chum Mac Cuarta. Caoineadh foirmeálta is ea dán Mhic Cuarta ar Shomhairle Mac Dónaill, duine de na huaisle a thit ar pháirc an áir. Luann an file, in imeacht dhá chéad líne i meadaracht an chaointe, luann sé ginealach oirirc an té atá á chaoineadh is a chraobha coibhneasa le príomhuaisle Éireann. Molann sé a chrógacht, a fhéile, is na suáilcí traidisiúnta eile ba dhual don uasal; liostálann na luachanna soch-chultúrtha ar sheas sé dóibh, is an ghníomhaíocht chultúrtha a shamhlaigh sé leis:

> Ba mhian leis teaxa na n-easpal do chomhdhach -
> gáir na hEaglaise in eagna na Rómha,
> gáir na sagart ag tagra san gcomhra,
> gáir na n-aifreann is a bhfreagra as na leabhraibh,
> gáir na bhflea is gan caigilt ar chornaibh,
> gáir re greadhaibh, ar maghaibh dá seoladh,
> gáir ag gaiscíbh ag leasú na n-óigeach,
> gáir na ngadhar le meadhair chum spórta,
> i lár an Fheadha is an fheadhain dá dtreorú;
> na gártha solais fá dhoras an longfoirt,
> gáir na scolta san mbaile dá chóngar,
> gáir na n-ollamh is é ag bronnadh an óir dhóibh,

gáir chláirseach ar fheabhas le meabhair is le meoraibh,
is baird gan chodladh ag labhairt a chur leotha ... .[41]

Bíodh gur duine aonair go dromchlach atá á chaoineadh, is léir gur mar
phearsantú ar shaol is ar aicme áirithe atá sin á dhéanamh: sistéam soch-
chultúrtha, agus ní duine faoi leith, atá á chaoineadh ag Mac Cuarta is
fágann sin an caoineadh aigesean fuar is oifigiúil i gcomparáid le mothú
is déine na véarsaíochta dí-ainm.

   Tá olldifríocht, mar is léir, idir cúlra cultúrtha is peirspictíocht
shóisialta an dá shaghas saothair, difríocht a léirítear go háirithe san
fhoclóir is sa réim theanga a úsáidtear iontu. Léiríd araon raon fairsing
na filíochta Gaeilge, idir theicníc, fhriotal is stílíocht, ag deireadh an
tseachtú haois déag. An lucht léite a bhí ag Mac Cuarta is Ó Bruadair is
áirithe nár d'aon aicme oideachais, sóisialta ná cultúrtha iad agus an
lucht éisteachta a bhí ag na rannairí anaithnid; ní hionann go hiomlán
ach oiread na seintimintí polaitiúla a nochtar sa dá shaghas
ceapadóireachta. An mhallacht, an caitheamh anuas, an t-aithisiú ar
Shéamas, atá chomh tréan sin sa véarsaíocht dhí-ainm, níl aon rian in
aon chor de i saothar na bhfilí aitheantúla. Na tagairtí atá ag Mac
Cuarta do Shéamas is tagairtí stairiúla iad, agus an rí á shuíomh sa
chomhthéacs oiriúnach aimsire aige:

   Is Talbóidigh an óir bhí i gcomhar rí Séamas ...
   is Buitléirigh ba mó faoi rí Séarlas
   nó milord i record Shéamais ...[42]

   Ní raibh siad sa tóir ag bascadh go leor,
   acht macnaí na seod rí Séamas ...[43]

   Is fada an ré liom ó chogadh Shéamais,
   Danair éirceach a bheith i bhFódla Fáil ... .[44]

Dob fhéidir a áiteamh nach bhfuil mothú dá laghad sna tagairtí sin, ach
tá cion is meas áirithe, dá neodraí an friotal, le baint astu.

   Is oscailte fós Ó Bruadair is níl neodracht dá laghad ag baint lena
fhriotalsan ná lena dhearcadh. Is 'ruire' fós é Séamas, dar leis;
'fuilngidh feardha', 'caithbhile carthannach', mar a thugann sé air i
ndán a scríobh sé i ndeireadh na bliana 1691 agus é ag féachaint siar ar
imeachtaí dólásacha na mblianta roimhe sin. Ná níl le tuiscint uaidh gur
theip Séamas ar aon slí, a mhalairt is fíor: is iad na Gaeil, nó aicmí
áirithe díobh, a theip. 'An Longbhriseadh' a thugann sé mar theideal
cuí ar an dán is léiríonn an cheannscríbhinn ghonta éirim na haiste:
'amhail dorónsad peacadha a cloinne féin longar langar d'Éirinn san
mbliaidhain sin, *Regnum in se divisum desolabitur*'. Níorbh aon ionadh leis
'innmhe ag Gallaibh', a dhaingne a bhíodarsan sa chaingean agus a
mbuaine a bhí a gcairdeas le chéile; ní hionann is na Gaeil a bhí ag ithe
a chéile is ag ciorrú na hÉireann féin le gangaid, feall, easpa smachta, is
briseadh na dlí. Ní hiad 'na deaghdhaoine barantamhla biadhmhara
bunáiteacha' (DÓB iii:170 n.a) a bhí i gceist ach an daoscar – 'an

cuimreasc caitcheann', 'cine na n-athach'. Gach ainnise, gach díomua catha, gach a raibh fulaingthe ag cléir is tuath le blianta beaga anuas, bhí sin uile le cur i leith na haicme meata sin agus a gcuid peacaí:

> Ar chiorraigh an t-arm i ndeabhaidh dár n-uasalaibh,
> 's ar cuireadh dár bhfearaibh chum fairge i bhfuarlongaibh,
> a bhfuilingid pearsana ár n-eaglaise d'fhuacht amuigh,
> is d'iomlat beatha na healta so anuas do thuit.[45]

An dearcadh atá á nochtadh ag Ó Bruadair, dearcadh an ríogaí uasail, tá sé ar aon rian go hiomlán le dearcadh an údair anaithnid a scríobh *A Light to the Blind*, cuntas fíorshuimiúil, ó thaobh na Seacaibíteach de, ar chogadh an dá rí.[46] Locht ní raibh le fáil aige siúd ach oiread ar Shéamas; mí-éifeacht, éidreoir, is faillí na n-oifigeach a bhí ag fónamh dó ba chúis leis an teip, agus mar aonfhoinse acu sin uile bhí peacaí gnácha na muintire:

> Here we remark that providence did put human means enough into the hands, and into those of his faithful people of Ireland, to subdue Londonderry and Enniskillen. ... Alas! they did not help themselves in this glorious occasion offered by favouring providence, which if they had done, the day was their own; for, as St. Augustine says, 'Deus conantes adjuvat, exauditque deprecantes' – 'God helps the self-helpers, and hears those who pray unto Him'. Moreover, a just cause is not enough to gain the victory, the managers of that cause must be also just; that is, they must be free from sinning during the management. We see the examples hereof in the combats of the Israelites with the Arabians in their journey from Egypt to the land of promise, and in the holy wars of the Christians against the Saracens and Turks in Asia. ... And so it was in the present case. ... Stealth in the commonalty was insupportable, which certainly drew down from heaven the greatest vengeance on the nation ... (Gilbert 1892:66-7).

Ba shearbh leis an údar céanna críoch dhomlasta an chogaidh, bíodh go raibh sé cinnte nach raibh ann ach díomua sealadach; ach a bhfillfeadh an rí cóir, chaithfí leis an dream a d'fheall ar Éirinn de réir mar a bhí tuillte acu:

> This disappointment of our gentlemen in their expectations hath brought them down between hope and despair. For, in the future, when the rightful king is re-inthroned, it will likely not go well with them; as it will not with such governors of towns as had easily surrendered them to the enemy; so will it not with those Catholicks who turned Protestants to temporize during the usurpation ... (*ibid.* 190).

Is deacair againne a shamhlú go bhféadfadh aon duine in Éirinn, d'aithle na Bóinne agus Eachroma, a bheith ag cuimhneamh ar an am 'when the rightful king is re-inthroned', ach tá seintimintí mar é coitianta sna foinsí comhaimseartha – ag Stevens, ag Ó Bruadair, sa véarsaíocht dhí-ainm agus ag údair eile. Is gnách linne inniu, ag féachaint siar ar an stair dúinn, is gnách linn tréimhsí difriúla is dátaí suaithinseacha a aithint; na dátaí sin ag feidhmiú mar theorainneacha idir na tréimhsí idirdhealaitheacha. Is iad 1601 is 1691 dátaí cinniúnacha an tseachtú haois déag faoi mar a fhéachaimidne siar uirthi; an dá dháta acu mar thús ré is mar dheireadh ré faoi seach. Gné de mhodheolaíocht na staireagrafaíochta is ea an tréimhsiú, agus gné bhailí di, fad is a thuigtear gur sinne le hiarfhios atá ag cur an phatrúin shuibiachtúil áirithe sin siar ar an stair. Níl aon fhianaise ann gur ghéill muintir na linne féin in aon chor don deilíniú áirithe sin; leanúnachas an tsaoil is mó atá le léamh ar na foinsí comhaimseartha, leanúnachas a chothaigh dóchas síoraí. Má briseadh ar na Gaeil ag an Bhóinn, d'éirigh leo seasamh cróga diongbhálta a dhéanamh ag Luimneach, chomh diongbhálta sin gur fhill Uilliam ar Shasana is é míbhuíoch de féin nach raibh an cogadh tugtha chun críche in Éirinn aige. Nochtann litir a scríobh eaglaiseach a thug *Cormac comharba Ciaráin* air féin, nochtann sí go soiléir dóchas an dreama a raibh Luimneach cosanta ag an am acu agus nochtann chomh maith príomhchúis a ndóchais. Is chun an Dochtúra Mícheál Ó Mórdha, a bhí anois i bPáras, a scríobhadh an litir:

> Beatha Sláinte,
>   Táinig do scéala don aonbhadh lá fithchiod do mhí Márta noch do chuir sólás mór orm ní headh amháin ar son glaineacht an bhéarla tá i n-uachtar na deaghlabhartha mar shamhluighthear damhsa, acht fós go dtugais le tuigsin go bhfuil dóchas fós an dúthaigh róbhocht so do thromloit an cogadh theacht tar a hais. Go deimhin ní beag an eagla do bhí oruinn agus fós ní gan chúis ... go dteileóchfuí sinn tar lear go tíorthaibh imigéine mar do thuit do chuid do thírtheoiribh na tíre so i gcoga Chromuil reimhe so, mífhortún do mheasuim nach fuileóngfadh Éirionnach níos mó ná an bás. ... Má ní Rígh Franc comhlíona ar a gheallúint le cur ceann catha chughuinn as ríochtanach ná go ndéanfamuid an dútha do ghlanadh ó neart Gall. Atá meanmna mhór ar na mílibh, atá toil ghlan ag na ceannlaochaibh agus comhintinn aig áitritheoiribh na tíre a mbaoin tsaoghalta 7 fós a mbeatha más ríochtanas é do chur i gcontúirt; i n-éaghmuis sin atáid ár n-eaglais ag tabhairt sóláis go mór uatha, cuid díobh atáid ag déanamh fiannachta idir cheannuibh an tsluath, cuid eile ag cur mheanmna le searmóintibh saorlabhartha ar an uile dhuine chum an mhaitheas phoibillidh do chosnamh 7 do chur ar adhaigh. Féachaigibhse atá amuith san am so, ar son go bhfuil sibh as béal an chogaidh nach bí bhur gcughnamh ar iarraidh. Atáid mórán slithibh chum cobhartha do thabhairt ... (BL Add. 34727:159-62).[47]

Ní briseadh ná olagón síoraí is ábhar don litir sin ach ardú meanman is dóchais, súil le ceann catha, cúnamh ón Fhrainc agus *an dútha do ghlanadh ó neart Gall.* Mar a dúirt sé, bhí 'dóchas fós' ina measc; is má briseadh ar na Gaeil arís in Eachroim, fós do mhair *taoisigh againn/dhíolfas fala lá éigin* mar a d'fhógair Ó Bruadair (DÓB iii:150). An Sáirséalach féin, an t-aon duine amháin de na cinnirí ar éirigh leis samhlaíocht na saighdiúirí a adhaint lena ghaisce teaspúil i mBaile an Fhaoitigh, tuigeadh dó, agus é ag dul thar lear in arm na Fraince, tuigeadh dó nárbh imeacht gan teacht arís aige é. Gheall sé don dream a leanfadh thar lear é nach fada go mbeidís go léir ag filleadh i dteannta a chéile arís, iad armtha is iad níos fearr as. B'í comhairle a sagart dóibh

mar an gcéanna gurbh é a leas féin is a leas spioradálta é an Sáirséalach
a leanúint thar lear:

> That afternoon, my Lord Lucan and Major General Waughop made
> speeches to the Irish souldiers in town and in the King's Island, telling
> them, that though they were under indifferent circumstances at present;
> yet next spring, or soon after, they would either be landed in England, or
> else in Ireland, with a powerful army; every officer amongst them keeping
> their present posts, at least ... . The sixth in the morning a sermon was
> preached to each Irish regiment by their priests, declaring the advantages
> to them of their religion, by adhering to the French interest, and the
> inconveniences, nay, certain damnation, of joining with hereticks; and
> then a good quantity of brandy given them to wash it down. After that the
> bishops gave them their blessings ... (Story 1693:259-60).

I ndán a chum sé mar aguisín leis 'An Longbhriseadh', díríonn Ó
Bruadair ar an dream *(ar na ropairíbh)* nár ghlac le conradh Luimnigh
agus cuireann ina leith gurbh iad a bpeacaísean, *a slad gan stad ... do
scaip ár saoithe uainne*; i ndán eile cáineann sé saighdiúirí is lucht
leanúna a éarlaimh, Sir Seán Mac Gearailt, toisc nár leanadar eisean
thar lear in arm na Fraince.[48] B'é an Gearaltach príomhéarlamh is
príomhthaca Uí Bhruadair le tamall de bhlianta anuas; á éagmais,
tuigeadh dó go raibh sé fágtha tréigthe ar uireasa cothaithe, is gan ina
thimpeall ach 'moghaidh is maistíní':

> Do chealg mo chom go trom le haicídíbh
> aistear na gcodhnach lonn do leasaíodh sinn,
> 's nach bhfaicim ar bonn san bhfonn do thaithídís
> gan easpa, gan foghail acht moghaidh is maistíní (DÓB iii:27).

I lár an tseirfin domlasta sin, agus Ó Bruadair ag caitheamh anuas go
huaibhreach ar a raibh ina thimpeall, spréachann a dhóchas arís nuair
a thagann tuairisc chatha Landen (1693) chuige, cath inar throid Sir
Seán Mac Gearailt go cróga *gur bhuaigh tú an lá*. Leigheas leasaithe *ar
chiach do charadsa* a bhí sa scéala sin, dea-scéala as ar eascair guí nárbh
fhada go bhfeicfí an curadh ag baile is a naimhde aige cloíte, guí i
meadaracht luaimneach a ndearna ráiteas fáistineach dearfa di in
imeacht an dáin – an dream a dhiúltaigh imeacht i dteannta an
Ghearaltaigh gurb iadsan anois a bheidh ag cur fáilte roimhe abhaile:

> A thriathfhir cheannasaigh riarfas anbhfainn
> d'iarsma th'eachtra is fuaidiúil d'fhás,
> mian is meanma bhias is mhairfeas ort
> tiacht faoi ghradam ag fuasclú a gcáis;
> i dtrias na mbailte se thiar go bhfaicearsa
> grian do leacan ag stuamú stáit,
> na bhfiadhchon magaidh se in iasacht t'atharga
> is iad gan acfainn ar chuardú id dheáidh. ...
>
> ar dtiacht chum baile dhuit biaid do t'fhairese
> ag iarraidh taise 's budh fuarchúis dáibh
> an chliath nár cheangail ribh diu na Carraige
> is iad re t'fhaicsin an uair úd tláth. ...[49]

Léiriú eile é saothar Uí Bhruadair ar an iomlat ó éadóchas go dóchas atá feicthe cheana againn, iomlat anonn is anall de réir mar a bhí *na bearta sin do mhalartaigh an saoghal clis*, mar a thug sé féin orthu, á n-oibriú féin amach. Léiriú liteartha eile is ea é, ar ndóigh, ach má tá uainn léiriú réalaíoch a fháil nach ar fhoinsí liteartha atá sé bunaithe, tá teacht air sa tiomna a rinne Saorbhreathach Mac Cárthaigh. Doiciméad léiritheach léargaiseach é an tiomna céanna, uacht duine nach raibh oidhre air ná maoin shaolta aige, is nach raibh le fágáil ina dhiaidh anois aige ach a ainm, a theidil onóracha, agus a dhílseacht do chúis nach raibh caillte fós, dar leis:

> I, Justin MacCarthy, Lord Viscount Mountcashel, Baron of Castle Inchy and Blarney, Duke of Clancarthy, Lieutenant-General in the army of H.M. the King of France and Navarre, and Commander of the Regiments of the Irish Brigade ... I desire that my body may be buried in Ireland, if it is possible for my dear and well-beloved wife, Arabella Wentworth-Strafford, to have it taken over to my family burial-ground there. I also ask her to have prayers offered up for the repose of my soul. Having no longer any wealth, since my property was confiscated by the English, I can only now dispose of my name and the titles which I hold from His Majesty King James II. Wishing to perpetuate this name and these titles, and it not having been God's will to grant me any children, I give and bequeath them, for him and all his descendants, the issue of lawful marriage, to my well-beloved cousin, Florence Callaghan MacCarthy, son of Cormac MacCarthy, son of Donal MacCarthy of Carrignavar. The said Florence MacCarthy I adopt as my son and institute him after my death heir of all my rights and titles of Duke of Clancarthy, Lord Viscount Mountcashel, Baron of Castle Inchy, Baron of Blarney, and of all the others that may afterwards come to him as my heir and successor. I counsel Florence to bear these titles with honour, and to endeavour by all means to reconquer what the English have taken from our family; and to devote himself to the service of the Stuarts and of His Majesty the King of France and Navarre, his legimitate Sovereigns ... .[50]

Buanú maoine de ghnáth, is aidhm le huacht a dhéanamh; sa chás áirithe seo buanú dílseachta is ideolaíochta a bhí i gceist go príomha, dílseacht a sholáthródh athshealbhú is buanú maoine, a measadh, in am tráth.

I bhfad ó fhód a dhúchais, agus uiscí íocshláinteacha Bareges na hEilbhéise á dtaithí aige, a d'éag Saorbhreathach sa bhliain 1694 agus is sa bhaile sin, i gcoinne a thola, a cuireadh é. Ach mar ba dhual is mar ba dhleacht, is iad símhná a mhuintire féin a chaoin ag baile é:

> Do chuala gol ban i gcéin,
> is mairg dhom do chluin an gháir,
> ag caoine Shaorbhreathaigh na lann,
> ceathrar dhíobh cé binn a táid.
>
> Gol mná ó Chorcaigh na gcuan,
> gol aduaidh ó Fhear Maí,
> gol ó Bhéal Inse na mbarc,
> is bean ó Chionn tSáile ag caoi.

Adhbhar a ngoil faraor is trua,
  Tiarna cróga Caisil cháidh
do thuit in arm Laoise Mhóir,
  aon chú chúnta chríche Fáil.

Péarla na hÉireann is posta na Mumhan,
  Phoenix shleachta Éibhir dob oiriric clú,
tá in' aonar i ngéibheann na cloiche seo fút,
  Saorbhreathach éachtach mac Donncha an Chúil.[51]

Is furasta, agus sinn ag léamh ar Justin McCarthy a bhí pósta le Arabella
Wentworth, is furasta a ligean i ndíchuimhne gurbh é Saorbhreathach
Mac Cárthaigh ó dhúchas é, mac le Donnchadh an Chúil Mac
Cárthaigh is le hEilionóir de Buitléar iníon diúic Urmhumhan é. Bhí an
Eoraip siúlta lena linn aige ó Mhúscraí go dtí an Ghearmáin, ón Spáinn
go dtí an tSualainn, is bhí aithne dá réir air mar shaighdiúir cumasach
cróga i measc ghinearáil aitheantúla na linne. Bhí aithne aige ar ríthe is
mhóruaisle na hEorpa; bhí an Fhraincis is an Béarla ar a thoil aige, ach
is i Múscraí a saolaíodh é agus is ann ba mhian leis a chuirfí é. An t-ainm
a bhí air, bhí sin á iompar ag na Cárthaigh ón dcichiú haois ar a
dhéanaí; mac le Saorbhreathach eile ab ea Cárthach, sinsear an chine.
An sloinne a bhí air b'in, dar leis na Cárthaigh féin, sloinne sinscarach
na Mumhan ó shíolraíodar go díreach ó ríthe Chaisil, a n-áitreabh
dúchais.

Is léir gur léamh uireasach ar Shaorbhreathach Mac Cárthaigh ab ea
é díriú ar a shaighdiúireacht ghairmiúil nó ar a ghníomhaíocht
pholaitiúil amháin, gan a chúlra cultúrtha ina iomláine a chur i dtreis.
Diminsean lárnach, ní foláir, ina charachtar is ina chomhdhéanamh
féin ab ea an cúlra sin; diminsean a bhaineann go mór le hábhar. Ba
phearsantú follasach coincréiteach é Saorbhreathach ar an dá ghné den
Seacaibíteachas ag teacht le chéile in aon duine amháin, mar atá,
Seacaibíteachas gníomhach an tsaighdiúra phroifisiúnta is
Seacaibíteachas reitriciúil liteartha an aosa léinn; eisean ag fónamh dá
rí cóir thar lear, a lucht leanúna ag baile ag súil lena fhilleadh slán ar ais:

Mó shíleas de dhroim an chósta
tú theacht le loingeas go n-iomad de sheolta,
le gasra laoch go héasca ar bhordaibh,
ag teacht chun tailimh, gan seasamh le t'fhórsa.

Anoir nó adtuaidh chun cuain ba dhóigh linn
go raibh do theacht le neart do dhóthain,
i gcuan Chinn Mara nó ar cheannaibh Tí Móire,
i gcuan an Daingin nó ar shleasaibh Trá Móire ... .[52]

Cuimsíonn na véarsaí grástúla sin tuiscint lárnach bhuanmharthanach
de chuid an aosa léinn: go raibh sé i ndán don dream a chuaigh thar
lear, go raibh sé i ndán dóibhsean filleadh in am tráth. Is furasta an
tuiscint sin a rianadh sna foinsí liteartha ó thús an tseachtú haois déag
amach ach is cinnte nach téama fréamhaithe litríochta amháin é. Ba

ghné lárnach de shaol soch-chultúrtha na hÉireann ó thús deireadh na haoise é díbirt is imeacht na huaisle dúchais, ach níl le tuiscint as ar scríobhadar féin nó ar scríobhadh ina dtaobh gurbh imeacht bhuan acu é. Is í bunteachtaireacht na bhfoinsí comhaimseartha go raibh filleadh – filleadh buacach – i ndán dóibh.

Dhá fhoinse dhifriúla dóchais a léirítear i saothar an aosa léinn agus sna foinsí comhaimseartha eile ó thús an tseachtú haois déag amach. Thar lear i dteannta uaisle Gael a lonnaigh foinse amháin acu. Thar lear mar a raibh, i dtús na haoise, Aodh Ó Néill is Ruairí Ó Dónaill, Seán Ó Néill is Aodh Ó Dónaill, a ghaolsan Eoghan Rua Ó Néill níos déanaí; na scórtha mílte de lucht leanúna Shéarlais – Cárthaigh, Díolúnaigh, Gearaltaigh, Niallaigh, Nuinseanaigh, Ruarcaigh is scór sliocht eile nach iad – a theith ó ainscrios Cromwell; a sliochtsan is sliocht a sleachta, lucht leanúna Shéamais, a theith ó ainscrios Uilliam. I bpearsa an rí féin a neadaigh an dara foinse dóchais. Chomh fada is a bhain leis na haicmí a mhúnlaigh an tuairimíocht phoiblí i rith na haoise – an chléir, na huaisle, an t-aos léinn – agus chomh fada leis na foinsí liteartha a d'fhágadar ina ndiaidh, ní fhéadfaí amhras dá laghad a chaitheamh ar cheart na Stíobhartach chun coróin is ríocht na hÉireann; amhras ní raibh ach oiread i dtaobh na géillsine ná na dílseachta a bhí dlite dóibh. B'é an rí amháin – agus níorbh í an pharlaimint Phrotastúnach – a d'fhéadfadh is a dhéanfadh fóirithint ar Ghaelaibh: b'in tuiscint a raibh idir ideolaíocht pholaitiúil is straitéis phraiticiúil ag baint léi ó thús deireadh na haoise; tuiscint í nár mhaolaigh uirthi riamh, d'ainneoin teip fhollasach na Stíobhartach, ach a chuaigh chun cinnteachta agus chun buaice agus Séamas II i réim. Ba Ghaeil iad na Stíobhartaigh uile de réir ginealaigh is fola, dar leis an aos léinn, ach ba Chaitliceach é Séamas lena chois sin, Caitliceach caithréimeach neamh-leithscéalach. Agus fiú an choróin caillte aige, b'é an rí ceart fós é, an rí *de jure* ar Shasana, Albain is ar Éirinn, dar le cléir, uaisle is aos léinn na hÉireann.

An dá fhoinse dóchais sin atá luaite agam – na huaisle thar lear agus pearsa an rí – bhíodar tagtha le chéile in aon ionad amháin agus in aon duine amháin roimh dheireadh na haoise; mar atá, Séamas II in St Germain mar aoi ag Louis na Fraince, cléir is uaisle Éireann cruinnithe ina thimpeall ann, iadsan ag beartaíocht ar fhilleadh, a lucht leanúna ag baile deimhnitheach de gur mar sin fós a thitfeadh amach:

> Tiocfaidh an rí is tiocfaidh an bhanríon,
> tiocfaidh an Sáirséalach is an dá Mhac Cárthaigh,
> tiocfaidh na Franncaigh ina rancaí ina dhéidhsin
> is beidh na fir ghruama á ruagadh as Éirinn.[53]

Sa véarsaíocht lom neamaisithe sin tá againn an dóchas sin á nochtadh go simplí neamhchas. I ndán dobrónach dólásach caoineann Eoghan Ó Caoimh na huaisle a thit ar pháirc an áir in Eachroim agus an chuid acu a dibríodh thar lear dá éis, ach is le guí dhóchasach mheanmnach a thugann sé an dán chun críche, guí a raibh a fíoradh ceangailte le filleadh Shéamais:

> Ar treascradh in Eachroim de shíol Éibhir
> is cailleamhain an mhachaire don droing chéanna ...

> tar farraige go ndeachadar an bhuíon tsaoghain
> chum cathaithe le Danaraibh i gcrích éigin ...

> Gach Sagsanach ón Daingean toir go Binn Éadair,
> 's ó Dhún Dealgan mar ghabhaid sin go Baoi Bhéarra,
> go gclaiseamna gan eachra gan míntréada
> dá n-argain gan tearmann le rí Séamas ... (Ó Donnchadha 1912:6).

Is suimiúla fós mar dhéantús dán le file anaithnid a cumadh, ní foláir, idir na blianta 1691-3. Is é an port céanna dóchais atá aige, ach go láimhseálann sé an téama ar shlí níos sofaisticiúla. I bhfoirm neamhchoitianta an mhacalla a scríobhadh an dán seo agus b'í teachtaireacht an mhacalla go raibh Séamas II, Pádraig Sáirséal, is Ó Ruairc le filleadh i gcionn dhá mhí:

> Ní hé m'eagla an loch
>   a ríoghan na rosc mall;
> an chabhair go dtig
>   foillsigh sin ar ball – ar ball.

> A inghean mhaiseach mhín
>   fochtaim díot anos
> cé an rí re mo ré
>   a bhfaicfe-se é i bhfos? – Séamas.

> Damhsa fiosraigh fós
>   a ríoghan na nós glic,
> cé an damhna rí
>   do ní an t-iompá tric? – Pádraig.

> Cé bhus neasa dhó
>   can gan ghó go beacht,
> a ríoghan iodhan ógh
>   dá dtugas ró-shearc – Ó Ruairc.

> Cá fad go dtí an dream
>   dá mbí greann agus gnaoi
> labhair a fholt mar ór
>   do ghlór mur Dháibhí – dhá mhí ... .[54]

An dóchas fáistineach sin go bhfillfeadh Séamas, b'in í buntuiscint a lucht tacaíochta, cuma cén teanga ar scríobhadar nó cén aicme nó tír lenar bhaineadar. Críochnaíonn John Stevens an cuntas íogair a scríobh sé ar lá briste na Bóinne leis an ghuí dhóchasach seo:

> But God who gave the cross gave me the strength to carry it, that I might have part in the remainder of our chastisement and I hope in his mercy, when our sins by our sufferings shall be expiated and his anger appeased, He will also grant me the blessing of seeing my sovereign restored to his throne victorious (Murray 1912:130).

Ní guí ach cinnteacht gan cheist a nochtann an scríbhneoir anaithnid a
scríobh *A Light to the Blind*. Agus é ag tagairt go bagarthach díoltach don
dream a theip ar Shéamas, deir 'For in the future, when the rightful
King is re-inthroned, it will likely not go well with them' (Gilbert
1892:190). Cinnteacht mar í, a dúradh, a bhí á nochtadh ag Séamas féin
agus ag na hÉireannaigh a bhí ina theannta in St Germain:

> We may daily expect strange changes and with reason; we may expect to
> see our royal Master in Whitehall before Michaelmas (Thorpe 1834:179).

> We have no small hope that divine Providence will shortly restore our
> fortunes (HMC Stuart 1, 1689, 36).

> That the Irish at St.Germains were never in so good hopes as now; that one
> Graham has said that King James would soon be restored again ... (HMC
> Bath 3, 1698, 205).

Ní raibh an tuiscint choiteann sin ná an dóchas a spreag í gan bhunús
éigin, mar ní díomhaoin a bhí Séamas ó d'fhill sé ar St Germain.
Chomh luath le deireadh na bliana 1690, chuir sé teachtairí uaidh go
Sasana agus tuairimí a lucht tacaíochta á lorg aige. Tuairiscí lán dóchais
a tháinig ar ais chuige: bhí comhcheilg amháin i gcoinne Uilliam tagtha
chun solais cheana féin, comhcheilg anabaí a phlotáil roinnt uaisle i
Londain; ach ionsaí míleata a dhéanamh ar Shasana féin, ní sheasfadh
an rialtas; na hairí a bhí ag fónamh do Uilliam fiú, mhalartóidís a
ndílseacht ach Séamas féin a theacht ina measc arís. Le spreagadh ó na
tuairiscí muiníneacha sin chuaigh Séamas i mbun pleanála chun ionsaí
armtha a dhéanamh ar Shasana agus le cabhair mhíleata Louis
d'eagraigh sé fórsa sluaíochta 12,000 fear agus thug le chéile in
iarthuaisceart na Fraince é. Cuid nár bheag den fhórsa sluaíochta sin ab
ea arm Shéamais féin a d'fhág sé ina dhiaidh in Éirinn ach a lean amach
é d'éis chonradh Luimnigh. Chuaigh Séamas chun fáiltiú rompu ar
theacht i dtír sa Fhrainc dóibh agus is uaidhsean a fuaireadar a
gcoimisiúin. Dúirt Arthur Dillon gur bhronn Louis saoránacht na
Fraince orthu agus lean air: 'and then it was, that, in order to stamp with
a name, for ever memorable, those strangers admitted to the honour of
being French citizens, they were termed Jacobites, that is to say, *faithful
to King James*'.[55] Go Boulogne a cuireadh an reisimint Éireannach ar dtús
agus an Sáirséalach mar Marechal de Camp orthu, agus is ann a
d'fhanadar ag feitheamh leis an ionú a bhéarfadh go Sasana iad. Bhí sé
i gceist gur de theipeagan gan choinne a bhainfeadh an loingeas cósta
theas Shasana amach ach chuir an aimsir mhíchóiriúil moill
mhífhortúnach ar loingeas Louis, moill a thug caoi do Uilliam cabhlach
ollmhór a thiomsú gur briseadh go tubaisteach ar loingeas na Fraince
lasmuigh de chuan La Hougue i mBealtaine na bliana 1692. Ach níor
mhaolaigh an briseadh sin dóchas Shéamais.

Má bhí sé gan choróin ar a cheann ba rí fós é, an rí *de jure* ar na trí
ríochta a raibh sé i ndán dó, dar leis féin is dar lena lucht leanúna,

filleadh orthu gan mhoill. Idir an dá linn bhí cúirt le stiúradh is le rith aige in St Germain, cúirt a bhí á cothú ag Louis ar chostas 600,000 livre in aghaidh na bliana. Bhí gradaim, teidil, is poist onóracha á mbronnadh ag Séamas i gcónaí faoi mar a dhéanfadh aon rí; bhí easpaig á n-ainmniú in Éirinn aige faoi mar a rinne sé ón chéad bhliain a oirníodh ina rí é, bhí ambasadóirí ar fud na hEorpa aige ag plé le prionsaí na hEorpa; lean sé air agus gothaí an ríogachais á gcomhlíonadh aige; ní raibh ann de dhifríocht ach gur ar deoraíocht shealadach a bhí idir rí agus chúirt. I dtuairisc fhíorspreagúil a chuir an tiarna Melfort, rúnaí stáit Shéamais, chuige i bhfómhar na bliana 1693 thug sé le tuiscint go raibh an tír trí chéile ullamh le héirí amach ach Séamas féin a theacht i dtír, go raibh eachshlua de bhreis agus 3,000 fear réidh le dul ina choinne, go dtréigfeadh an t-arm is an cabhlach Uilliam ar a theacht agus go ngairfí rí arís de. Slua 16,000 a chuir Louis ar fáil faoin leifteanantghinearál Richard Hamilton is ghluais Séamas go Calais chun dul i gceannas orthu. Ach níor tháinig aon ghaoth chóir, chuaigh rialtas Londan amach ar an bplota is éiríodh as.[56]

Is go díomuach a d'fhill Séamas ar St Germain is ar a phaidreacha. Den chéad uair nocht sé chuige go mall go mb'fhéidir nárbh é toil Dé é go n-athshealbhódh sé a choróin. Ghlac sé go géilliúil leis an toil sin, faoi mar a bhí á nochtadh chuige, agus nuair a cuireadh in iúl dó go raibh aicmí áirithe i Sasana anois toilteanach an choróin a thairiscint dá mhac, Séamas III, ach eisean a iompú ina Phrotastúnach, dhiúltaigh sé glan don tairiscint easonórach sin. Sa bhliain 1695 buaileadh go dona breoite é is buaileadh breoite arís is arís na blianta ina dhiaidh sin é. Níor mhór an t-ardú meanman ná údar bisigh dó conradh síochána Rijswijk a cheangail Uilliam is Louis le chéile sa bhliain 1697. De réir choinníollacha an chonartha sin, gheall Louis Uilliam a aithint mar rí *de jure* ar na trí ríochta. Cling an bháis don Seacaibíteachas a bhí san aitheantas sin Louis, dá mbuanófaí an tsíocháin; ábhar corrbhuaise is náire do Shéamas ab ea é agus díspeagadh nach beag ar a sheasamh. Chun spadántachta is patuaire a chuaigh sé in aghaidh na bliana ina dhiaidh sin gur chaill a shuim sa saol ar fad, fiú san fhiach, gur dhírigh níos díograisí fós ar a phaidreacha is ar a mhoirtniú; é céasta go deireadh ag ciontacht phiúratánach na bpléisiúr collaí dá raibh sé tugtha. Agus comhairle ríoga a leasa á cur ar a mhac aige, mheabhraigh sé príomhcheacht a thaithí is a shaoil féin dó: 'nothing has been more fatal to men, and to great men, than the letting themselves go in the forbidden love of women' (Carlton 1980:197). I Lúnasa na bliana 1701, agus é ag éisteacht aifrinn, bhuail stróc marfach eile é gur ghlaoigh Dia chuige féin é ar an 5 Meán Fómhair dá éis. Laistigh de chúpla bliain i ndiaidh a bháis bhí ráflaí ag imeacht go raibh míorúiltí á ndéanamh do dhaoine ag a thuama i bPáras. B'fhéidir gurbh iad na ráflaí sin a bheir do rannaire anaithnid ó Éirinn an tuama a bhaint amach gur chum, go leathmhagúil ba dhóigh leat, an feartlaoi seo os a chionn:

An dara rí Séamas is é atá i dtalamh faoi fhód,
Saxain dar ghéill is tréinfhir Alban fós,
'a leac so cad do bhéarfadh réx na Breatan is mó
i dtaiscidh fád thaobh is gan aon neach 'na aice dá phór?'

An Freagra

dá athair bain scéala ós é dar gearradh a scóig (BL Eg.161:64).

B'iarmhartaí go mór, b'éifeachtaí is ba mharthanaí mar fheartlaoi air
dúthracht dheiridh Louis. Agus Séamas ar leaba a bháis in St Germain,
thug Louis turas air agus chuir cogar ina chluais á dhearbhú dó go raibh
sé ar intinn aige a mhac, Seamas III, a aithint mar rí ar na trí ríochta. An
t-aitheantas sin Louis, a d'fhógair sé go poiblí arís ar bhás Shéamais agus
ar chuma nó athfhógra cogaidh i gcoinne Uilliam é, is é a bhuanaigh an
Seacaibíteachas mar eilimint lárnach sa pholaitíocht idirnáisiúnta agus
is é a thug foinse shíoraí dóchais do na Seacaibítigh ag baile.

Le ciniciúlacht nár bheag is le hurraim nár mhór a chuir Macauley
síos ar sheachadadh na hoidhreachta ríoga chun Séamais III is ar
shealbhú siombalach na ríogachta dó:

> A herald made his appearance before the palace gate, and, with sound of
> trumpet, proclaimed, in Latin, French and English, King James the Third
> of England and Eighth of Scotland. The streets, in consequence doubtless
> of orders from the government, were illuminated; and the townsmen with
> loud shouts wished a long reign to their illustrious neighbour. The poor
> lad received from his ministers, and delivered back to them, the seals of
> their offices, and held out his hand to be kissed. One of the first acts of his
> mock reign was to bestow some mock peerages in conformity with
> directions which he found in his father's will ... Meanwhile the remains of
> James were escorted in the dusk of the evening, by a slender retinue to the
> Chapel of the English Benedictines at Paris, and deposited there in the
> vain hope that, at some future time, they would be laid with kingly pomp
> at Westminster among the graves of the Plantagenets and Tudors.
>
> Three days after these humble obsequies Lewis visited Saint Germains
> in form. On the morrow the visit was returned. The French Court was now
> at Versailles; and the Pretender was received there, in all points, as his
> father would have been, sate in his father's armchair, took, as his father
> had always done, the right hand of the great monarch, and wore the long
> violet coloured mantle which was by ancient usage the mourning garb of
> the Kings of France ... (Macauley v:294-5).

Ní siombalachas amháin a bhí i gceist ach buanú éilimh is buanú cirt,
agus ag freagairt dóibhsean buanú dílseachta, dílseacht shinseartha a
raibh a brí is a héifeacht inghreamaithe san abairt shimplí
thrombhríoch a d'fhág Macauley ar lár as a chuntas: *Le roi est mort! Vive
le roi!*

Caibidil 4

'Na Leoin Tar Toinn'

I

Here you have seen the wayes and means whereby we lost our country ... .
And tho' some will say that this remonstrance is now too late, yett it may
be beneficial to our children and perhaps to ourselves. For new ocassions
sooner or later will happen, that may well change the state of affairs ... . In
the interim all true patriots should have preparations of mind, not to be
wanting to their natural devoir in the day of opportunity; and they shou'd
mark the deserters of their country and avoy'd their intimacy. So they
shou'd observe their ould enemyes newly become perfidious, through the
breach of publick faith; and decline their familiarity, as far as policy
adviseth. But above all, they shou'd make noe allyance with them by
marriage. For this way hath much weaken'd our intererst for these
hundred years past, by draweing from our religion several considerable
familyes ... . Infin, lett noe man of honour amongst us, be any more
cringeing to the groundless haughtiness of our oppressors, as too many of
us have done since the peace of Lymerick to noe purpose. For cringeing
to mean foes, rather rayses their pride than gaines their compassion. It is
enough to be civil; and a man may be civil without being abject
                                                    (NLI 477:11/10-11).

Seacaibíteach anaithnid Éireannach a scríobh agus comhairle a leasa
á cur ar fáil aige dá chomh-Éireannaigh, comhairle maidir lena n-
iompar is a ngníomhaíocht faoin reacht nua. Bíodh nach eol dúinn le
cinnteacht cérbh é an t-údar seo, ceaptar gur de Phluincéadaigh Fhine
Gall i gcontae Bhaile Átha Cliath é, uasal léannta a scríobh sraith
paimfléad idir 1696 agus 1712 inar léirigh go grinn agus go
cuimsitheach a dhearcadh agus a aigne ar chás na hÉireann.[1] Is leis a
labhrann sé sa saothar, le 'Lords and Gentlemen' na hÉireann, le 'The
Irish Nobility at St Germain', le 'The Catholics of Ireland', agus tugann
teidil na bpaimfléad féin tuairim mhaith dá n-éirim is dá
gcuimsitheacht:

'A Treatise or Account of the War and Rebellion in Ireland';
'The State of Ireland';
'For the Reinthroned King';
'The Case of the Roman Catholics of Ireland';
'An Exhortation to Stand for their Country';
'The Calamity of the Times';
'The Improvement of Ireland';
'The State of the Nation *anno* 1712';
'The Horrid Injustices Don by Protestants';
'The Title of Protestants to Lands in Ireland'.

195

Is é príomhthábhacht an tsaothair seo go gcuireann sé ar fáil leagan
amach éinne amháin de lucht leanúna an Stíobhartaigh ina iomláine
agus go ndéantar síneadh amach mion leanúnach ar an leagan amach
sin sa saothar trí chéile. Saothar toirtiúil cumasach é a chuimsíonn stair
léanmhar na hÉireann, a cás anróch láithreach, agus a dán glórmhar
ach saothar, dá chuimsithí é, atá neadaithe go daingean i mbuntuiscintí
léire a shoilsíonn is a threoraíonn an saothar uile ó thús deireadh.

Ba bhuntuiscint lárnach acusan, tuiscint ar a bhfuil a dhearcadh
polaitiúil bunaithe, go raibh in Éirinn náisiún ársa uasal Éireannach
Caitliceach a bhí anois faoi chuing na daoirse:

> The Roman Catholic nation of Ireland who should enjoy all the comforts
> of their native country ... yett are constrain'd to live in the land, which
> Providence had assigned for their birth and habitation, as if they were in
> a remote exile of bondage. Thus they are treated by the ruleing powers
> not as subjects, but in the quality of slaves. For what share have they in the
> Commonwealth to support life with? They are barr'd from imployments in
> the State, in the Army, in the Church, in the Treasury, in the Judicature,
> and in all the civil station ... (NLI 477: 4/1).

> The case of the Roman Catholic Nation of Ireland ... And thereby the Irish
> are reduc'd to a worse condition than the Christians under the Turkish
> Empyre, or the Israelites in the bondage of Egypt ... (*ibid.* 3/1).

Bhí machnamh léir déanta ag an údar ar choincheap an náisiúin, ar a
bhrí, ar an dualgas a bhí ar gach náisiún é féin is a thír dhúchais a
chosaint:

> We say then, that a nation is a natural society or association of people born
> upon the same soyl ... (*ibid.* 15/1).

> Providence assign'd this great Island of the west for the place of our birth
> and habitation. It is therefore we are mutually oblig'd to preserve this
> country unto ourselves against all intruders ... (*ibid.* 11/1).

> It is a duty from nature ... incumbent on us to defend that country wherein
> Providence had ordained our birth and settled being .... This devoir all
> nations have understood ... (*ibid.* 10/1).

B'é a reiligiún an tréith idirdhealaitheach a bhain le baill an náisiúin sin
agus is é a tháthaigh le chéile na heilimintí difriúla ina
chomhdhéanamh:

> For the Roman Catholicks of Ireland being the nation ... (*ibid.* 3/2).

> I call the Irish Catholicks *the nation of Ireland,* because Protestants therein
> are deemed generally but intruders and newcomers ... (NLI 476:503).

> The Catholick noblemen and gentilmen of Ireland now liveing are, for the
> greater proportion, the descendants of those ould heros ...[2] And as to the
> more antient Irish noblemen and gentilmen, since they have been for
> several generations lincked in blood to the ould English of Ireland, and
> are of the same religion, which obliges her professors to fidelity upon the
> pain of damnation, these persons have the same firmness of loyalty and
> the same interest (*ibid.* 199).

Chomh fada leis na 'intruders and newcomers', ní raibh iontusan ach eiricigh gan reiligiún cóir, dream uiríseal de shliocht táir, coilíneacht shuarach arbh é claíomh fuilteach Cromwell a bhunaigh is a bhuanaigh í, reibiliúnaithe mídhílse a dhoirt fuil rí amháin, a dhíbir dhá rí eile, agus a tharraing anachain danartha anuas ar an tír is ar a muintir:

> When Clotworthy, Broghill, Coot, and the rest of those little phanatick scabs demonstrated themselves enemyes to the ... crown of England ... (*ibid.* 199).

> Persons against whom the Irish were to complain in their grievances were a parcel of raskals, were murderers of harmless people in Ireland in the year 1641 ... were notorious rebells to the present King, were atheists in their liveing, were pittiful mean men in their extraction, and were not to be endur'd to rayse head against their betters and a noble, antient nation ... (*ibid.* 212-3).

> It is no wonder upon that score to see Oliver's souldiers, poor bakers, shoomakers, taylors, and the like artizans, lord it in their coaches thro out the kingdom of Ireland, while the true lords and gentilmen of those lands are goeing afoot ... (*ibid.* 226).

> That an antient noble nation is thus enslav'd for to support a mean colony therein planted by the regicide sword of Cromwell ... (NLI 477:4/3).

> You know, my Lords, to what misery the Catholic nation of Ireland is reduc'd by the injustice of the Cromwellian colony in that Kingdom. We have not the benefit of our birth in our native country, nor of publick faith plighted unto us by the great and solemn Treaty of Lymerick. So that there is not a nation under the sun more oppressed by Government, be that Government Christian, Mahomettan, or Pagan ... . And tis a burning shame to an antient illustrious nation to see themselves, like worms, trod upon by a mean and regicide colony, without moveing to their own defence by an application to such powers, as are able to afford us relief ... (*ibid.* 17/1-2).

Aon aidhm leanúnach amháin a bhí ag an aicme fhuafar sin – 'the ould dessign of ruining the Catholick nation of Ireland' (NLI 476:196) – ach níor cheart gurbh aon chúis iontais í barbaracht ná tíorántacht na n-eiriceach. Mhúin stair léanmhar an tseachtú haois déag léireasc docheistithe ba cheart ba léir do chách: is iad na Protastúnaigh a chothaigh idir reibiliún is cheannairc, is iad a mharaigh is a dhíchuir an rí; na Caitlicigh amháin a d'fhan dílis dó:

> It is an experience above controulment, that the pretended reformed people of England are prone to rebellion; that *de facto* they have dethroned three Kings one after another, of late years; that of the three nations, the Catholick people of Ireland have shewed themselves most loyal; nay constantly loyal ... they alone stood faithful ... this loyalty is in them fixed by the principles of their religion ... (NLI 476:469-70).

> We must not admire at the Tyrannyes and barbarietys of hereticks. For they have noe religion that is qualify'd to check their conscience ... (NLI 477:2/3).

All revolutions of State are destructive one way or other. But when a change of Government is made by rebellion or usurpation, hell breakes out ... (*ibid.* 16/1).

Buntéama lárnach eile ina shaothar is ea an phurgadóireacht a raibh Éire is a muintir gafa tríthi, purgadóireacht mharthanach a gcuireann sé síos go mion uirthi agus a chaoineann sé go deorchaointeach:

The Irish have lost their whole country ... . Besides this calamity, they are otherwise insulted in a barbarous measure for (amongst other hardships) they are not suffer'd to use a horse above the price of five pounds, noe regard being had to quality, or to necessity; nor to carry a sword as a mark of their birth and dignity; unless some few, who must purchas license and who are again disarmed widely upon every pretended motive ... (NLI 477:1/18).

We'l conclude this compendious narrative by applyeing the Lamentation of the people of Jerusalem when destroy'd by their enemyes to the present case of the Irish. *Remember, o Lord, what is fallen unto us. Behould and regarde our reproach. Our inheritance is turned to aliens and our houses to strangers. We are pupills without fathers. The joy of our heart hath fayld. Our Queene is turned to mourning* ... (*ibid.* 1/21-2).

Ach, dar leis go raibh an inghreim, an díomua, an turnamh inmhínithe agus, dá réir sin, inghlactha:

If the Irish at this tyme had used their due efforts to ayd themselves, doubtless God wou'd assist them, as Saint Augustine says, *Conantes adjuvat, exauditque deprecantes* ... (NLI 476:210).

Alass! they did not healp themselves, in this glorious occasion offered by favouring Providence, which if they had don, the day was their own. ... Moreover, a just cause is not enough to gain the victory, the managers of that cause must be also just; that is they must be free from sinning dureing the management ... (*ibid.* 528).

O people of Ireland! you were not, it seems judged by heaven worthy of those blessings which you expected by undertaking this warr, that is, to reinthrone your king, and in sequel to establish your religion, your property and liberty. Your sins, your sins have been the barriere to that felicity ... (*ibid.* 693).

This matchless confusion of the realm must needs be the work of the allmighty hand ... (NLI 477:20/1).

Mar is léir, tá mórchosúlachtaí idir dearcadh is seintimintí an údair seo agus dearcadh is seintimintí an aosa léinn, faoi mar a nochtar iad i litríocht chomhaimseartha na Gaeilge. Inghreim dho-inste na n-eiriceach, pianbhroid Cromwell, ruaigeadh an rí chóir, an Deonú ag feidhmiú go huilíoch is go síoraí: tuiscintí iadsan a casadh orainn go minic go dtí seo i saothar na bhfilí Gaeilge. Is fíor nach bhfaightear sa saothar Gaeilge aon mhíniú ar cad is 'náisiún' ann, ná léiriú áititheach fealsúnta air, mar a fhaightear aigesean; fós is iad na tuiscintí céanna atá acu araon ar chomhdhéanamh is ar stair an náisiúin sin, ar anchás na hÉireann is ar a leigheas. Ruaigeadh an rí chirt ba bhunchúis le hanchás láithreach na hÉireann, a fhilleadhsan amháin a thabharfadh chuici féin ar ais í agus b'in tuiscint choiteann uilí ag lucht leanúna an Stíobhartaigh trí chéile, pé acu i nGaeilge nó i mBéarla a scríobhadar. I gcás na hÉireann de, ní hé an rí amháin a díbríodh, ná a bhí ar deoraíocht, ach aicme shoch-chultúrtha, uaisle is cléir go háirithe:

> Is léir gur cartadh a maithibh i gcéin tar cuan,
> do dhéanfadh anacal eagailse is éigse tuath ... .

> Gur díbreadh an rí ceart go claonmhar,
> easpaig, sagairt, abaidh, is cléirigh,
> bráithre diaga is cliar na déirce,
> agus uaisle na tuaithe le chéile ... .

Agus, dá réir sin, ní hé an rí amháin a bhí le filleadh ach an aicme uaslathach ina theannta:

> An Stíobhartach dá dtíodh chughainn tar caladh
> 's gan dearmad Tiarna an Chláir,
> beidh Gaoil bhocht le haoibhneas i ngradam
> 's Gallaibh arís le fán ... .

> Ó lagaigh cuisle Carathach ag droing tar lear,
> is sliocht Eachadh mhir ba chalma do dhíogadh amach
> beidh aicme suilt na rann a chur i scríbhinn ceast
> gan tearmann go gcasaid sin arís tar n-ais ....[3]

Ach oiread le filí na Gaeilge, ní mar dhóchas ná mar ghuí amháin a nochtann an Pluincéadach an chomhthuiscint sin ach mar chinnteacht. Ní ar na cónaisc choinníollacha *má* ..., nó *dá* ..., atá a réamhphleanáil is a chreideamh bunaithe ach ar an gcónasc dearfa ama *nuair*:

> Yett their own king in after tymes, when by Providence a restoration is made ... (NLI 476:469).

> Their children and their kindred may hereafter reape out of their blood a plentiful harvest of blessings, when Providence shall think fit to putt an end to oppression ... (*ibid.* 568).

> At that happy juncture of the King's restoration, it will conduce much to your good settlement to send a hands on deputation for to welcom his majesty home ... (NLI 477:9/113).

> For the Reinthroned King a method of governing England, Ireland and Scotland ... (*ibid.* 13/1).

Níl, is fíor, aon mhachnamh fadtéarmach ná pleanáil mar sin le fáil sna foinsí Gaeilge – níorbh é ról na bhfilí riamh é tráchtais pholaitiúla a chur ar fáil agus níorbh í an véarsaíocht an meán cuí chuige. Ach is ionann tuiscint agus ideolaíocht don dá shaghas saothair: tá idir véarsaíocht is phrós ar tinneall leis an nóisean, ní hamháin go raibh an rí le filleadh ach go raibh an uaisle a díbríodh le filleadh ina theannta agus go raibh athbhunú iomlán i ndán dóibh araon:

> I only give you here a thint of what you are to do, when the King comes home ... (NLI 477:12/3).

But in order to reape your due consolation in your native soyl after your long fatigues in foreign regions, you are to help yourselves with zeal and union after some such manner as followeth ... (*ibid.* 14/1).

My Lords and Gentlemen ... the King's happy restoration to his throne being near at hand; I thought it fitt to putt you in mind of what is best to be done for your own restoration to your birth-rights ... (*ibid.* 12/1).

Is deimhin dá dtigeadh tar uisce chughainn maithibh Éireann
fé mheadhair i gcumas chum siosma ná cogadh a dhéanamh ...

Ná héagaoin feasta na ceasta so ag leanúin díot –
sin Séamas againn is an dragan dár cheart Dún Baoi ...

Fós dá dtagadh an dragan de shíol Éibhir
tar bóchna ag taisteal le ceannas go crích Éireann ... .[4]

Sa tslí chéanna gurb é prós an Phluincéadaigh is fearr a léiríonn idir choincheap is chomhdhéanamh 'an náisiúin Éireannaigh' is í véarsaíocht na bhfilí is fearr agus is iomláine a léiríonn feidhm is seasamh na coda den náisiún sin a bhí ar díbirt. Mar aon aicme amháin a chuireann an Pluincéadach síos ar 'the Irish nobility at St. Germain', ach is mar uaisle indibhidiúla chomh maith dob fhéidir le filí na Gaeilge cur síos orthu agus an tuiscint uilíoch chuimsitheach – 'na leoin tar toinn' – á suíomh acu i gcomhthéacs áitiúil agus á háiteamh acu ar bhonn pearsanta. Bíodh gur téama coiteann ag filí an ochtú haois déag é turnamh na huaisle agus anchás na tíre dá dheasca, is cinnte gurb é Ó Rathaille is éifeachtaí a láimhsíonn an turnamh sin mar ábhar filíochta. Téama lárnach aige is ea an ainriocht ainniseach a raibh Éire ó treascradh an uaisle trí chéile is na Cárthaigh go háirithe – 'dreagain Leamhain, Léin, is Laoi'. Is truamhéalach eolchaireach an íomhá a chumann sé, sa liric is aitheantúla dá chuid, den inseoir cois mara ar uireaspa maoine:

Is fada liom oích' fhírfhliuch gan suan, gan srann,
gan ceathra, gan maoin, caoire, ná buaibh na mbeann;
anaithe ar toinn taoibh liom do bhuair mo cheann,
is nár chleachtas im naíon fíogaigh ná ruacain abhann ...

An Carathach groí fíochmhar ler fuadh an meang,
is Carathach Laoi i ndaoirse gan fuascladh fann,
Carathach rí Chinn Toirc in uaigh 's a chlann
's is atuirse trím chroí gan a dtuairisc ann ... (AÓR:7 §§ 1-4, 9-12).

Is dearóile fós d'íomhá é, i ndán eiligiach eile, é 'dealbh ... ar easbha bróg':

Monuarsa an Chárthfhuil tráite, tréithlag
gan rí ar an gcóip ná treorach tréanmhar,
gan fear cosnaimh ná eochair chum réitigh
is gan sciath dín ar thír na saorfhlaith ...

Mo ghreadadh bróin na dragain chróga scáinte ón gcioth,
's na Galla móra i leaba an leoin san mBlarnain ghil;
gach aicme den chóip lér mhaith mo shord mar táid gan chion,
thug dealbh fós mé ar easbha bróg don tsráid inniu (AÓR:2 § § 1-4,69-72).

Sa dá chás is é turnamh na gCárthach d'áirithe b'aontrúig leis an ainnise mhífhortúnach, ach níl aon chúis gur go liteartha réalaíoch is gá glacadh le léiriú féintruach rómánsúil an inseora ná ní gá in aon chor, mar atá déanta go dtí seo, glacadh leis an insint sin mar réaladh beathaisnéiseach ar chás an fhile. Meafair liteartha an-éifeachtacha is ea iad an t-inseoir a bheith 'gan ceathra, gan maoin' agus é ar 'easbha bróg', meafair atá neadaithe sa tuisint nár inghlactha ag pobal léite Uí Rathaille é go mbeadh file go holc as, gan stádas, gan mhaoin. Is meafair iad freisin a eascraíonn go nádúrtha as an gconsaeit coiteann fréamhaithe gur neach ainnis truamhéalach é an file Gaeilge d'uireasa pátrúnachta. Ba mhinic, sna caointe oifigiúla a scríobhadar, filí na Gaeilge, ó na meánaoiseanna i leith, ag áiteamh gur fágadh go dealbh uireasach ainnis iad d'éagmais a bpátrún. 'Ní buan ollamh d'éis a ríogh' a chaoineann file amháin; 'Fréamh gach oilc oidheadh flatha' a deir file eile, agus ní hannamh na filí a bheith, dar leo féin, ar uireaspa sláinte, ar díth céille, ar tí éaga fiú, sa riocht éagruach a fágadh iad ar bhás a n-éarlamh.[5] Ach na filí iomadúla a nochtann na seintimintí sin is ag trácht ar a bpátrúin féin a bhíd nó ar theaghlaigh uaisle a raibh ceangal gairmiúil cinnte acu leo. I gcás Uí Rathaille níl aon fhianaise ar fáil a cheanglódh sa tslí chéanna é le haon bhrainse de na Cárthaigh a chaoineann sé. Ceangal samhlaíoch amháin a bhí idir an file agus iad: samhlaíonn sé é féin mar fhile ag na Cárthaigh agus, dá réir sin, dá maireadh 'an rí díonmhar' (Mac Cárthaigh Mór) agus an gasra eile de na Cárthaigh a rialaigh uair sa Mhumhain, ní dealbh inniu a bheadh an file ná a chlann; b'iad na Cárthaigh, dar leis féin, 'na flatha fá raibh mo shean roimh éag do Chríost'.[6]

Ní móide gur go liteartha is gá an ráiteas uaibhreach sin a thuiscint ach oiread, ná gurb é fírinne an scéil é, ach amháin sa mhéid go dtéann an cine daonna trí chéile siar go hÁdhamh is Éabha. Is cosúil go maíodh na Cárthaigh féin sinsireacht ársa mar é, ach is é fírinne na staire nach raibh iontu go dtí an deichiú haois ach mionsliocht a lonnaigh in aice le Caiseal Mumhan. Is ina dhiaidh sin a scaipeadar siar is ó dheas isteach i gcontae Chiarraí is Chorcaí ach níor bhaineadar aon ionad ceannasach amach i measc uaisle Mumhan go dtí na meánaoiseanna agus is as sin suas a d'éirigh leo forlámhas a bhaint amach ar shleachta eile, go háirithe i Múscraí.[7] Níl aon trácht i stair na gCárthach ar aon bhaint riamh a bheith acu le muintir Rathaille ná acusan leo. Mionsliocht gan tábhacht, gan áireamh a bhí sna Rathailligh riamh, is cosúil; dream nach bhfuil lua ná trácht orthu sna ginealaigh ná sna hannála, cine nárbh fhiú riamh leis an aos léinn a mbunús, a seanchas, ná a gcraobha coibhneasa a chur ar fáil. Bhí muintir Rathaille, is cosúil, ar cheann de na mionsleachta a tháinig aníos sa seachtú haois déag le madhmadh an tseanchórais shoch-chultúrtha. Sa tslí chéanna a samhlaíonn Ó Rathaille é féin mar fhile na gCárthach, samhlaíonn sé go raibh a mhuintir riamh ceangailte i gcleithiúnas leo: samhlú rómánsúil, ach ceann as ar eascair filíocht den scoth.[8]

Thuairimigh O'Reilly gur ó mhuintir Aodhagáin a shíolraigh
Ó Rathaille ar thaobh a mháthar agus deir O'Daly go míníonn sin a
ainm baistí. B'iad muintir Aodhagáin a bhí mar bhreithiúna riamh ag
Cárthaigh Mhúscraí agus talamh dá gcuid féin acu dá réir. D'áitigh
Ó Rathaille go raibh seilbh ag a mhuintir tamall in Uíbh Laoghaire
agus, sa cheantar céanna, tá dhá logainm a bhfuil an sloinne le fáil
iontu: Inis Uí Rathaille agus Gort Uí Rathaille.[9] Má bhí muintir Rathaille
lonnaithe sa cheantar sin is dóichí gur mar thionóntaí ag Cárthaigh
Mhúscraí a bheidís, an brainse den chine ar ar bhronn Séarlas II
iarlacht Chlainne Cárthaigh sa bhliain 1662. Seirbhís leanúnach
dhiongbhálta don choróin a thabhaigh an gradam sin don chéad iarla,
Donnchadh an Chúil; an tseirbhís dhiongbhálta chéanna ba
chionsiocair leis an gcoigistiú a rinneadh ar a thailte fairsinge faoi
phlandáil Cromwell. Ach ar athbhunú na ríogachta sa bhliain 1660,
bhronn Séarlas II na tailte ar ais air. Nuair a shealbhaigh a mhacsan,
Ceallachán, an tríú hiarla, idir theideal is eastát, d'iompaigh sé ina
Phrotastúnach agus is ina Phrotastúnach a tógadh an ceathrú hiarla,
Donnchadh, a saolaíodh sa bhliain 1668 agus a tháinig i seilbh a
oidhreachta agus Ó Rathaille ina ógfhear. Ba chomhaosaithe iad Ó
Rathaille is an tIarla agus ní hionadh, is dócha, aird faoi leith a bheith
ag an bhfile air is ionad faoi leith a bheith ag an Iarla ina shaotharsan,
bíodh nárbh ionann in aon chor saol ná tabhairt suas dóibh.

I gColáiste na Tríonóide ar dtús agus ina dhiaidh sin in Ollscoil
Oxford, faoi chúram an eaglaisigh cháiliúil an Dr Fell, a cuireadh
oideachas ar Dhonnchadh Mac Cárthaigh. Agus é sé bliana déag d'aois
shocraigh a uncail Saorbhreathach cleamhnas dó le Elizabeth Spencer,
iníon an tiarna Sutherland, cleamhnas a chuaigh chun tairbhe do
Dhonnchadh is do Shaorbhreathach araon. Ar theacht Shéamais II go
hÉirinn, d'iompaigh Donnchadh ina Chaitliceach agus nuair a thionóil
Séamas a pharlaimint i mBaile Átha Cliath shuigh Donnchadh sa teach
uachtair mar Iarla Chlainne Cárthaigh. Chuir Séamas i gceannas a airm
i gcúige Mumhan é ach ní mór an t-éacht a rinne sé. Murab ionann is a
uncail Saorbhreathach, ní crógacht ná móraigeantacht a samhlaíodh
riamh le Donnchadh ach baois is teaspach na hóige, cruáltacht,
drabhlás is ainriantacht fiú. Nuair a ghabh fórsaí Uilliam Corcaigh sa
bhliain 1691 gabhadh Donnchadh is cuireadh láithreach go túr Londan
é. Le linn dó a bheith ann coigistíodh breis agus 140,000 acra dá chuid
tailte i gcontae Chorcaí is 'bronnadh' an chuid is mó díobh níos déanaí
ar Lord Woodstock. Ach bhí teacht aniar a mhuintire san iarla óg is
d'éirigh leis éalú ón túr sa bhliain 1694 gur bhain an Fhrainc is arm
Shéamais amach. An reisimint mharcach a bhíodh ag an Sáirséalach is í
a thug Séamas II dó agus d'fhan ina ceannas-san gur chríochnaigh
cogadh na hEorpa sa bhliain 1697. Gan fhios a d'fhill sé ar Londain an
bhliain ina dhiaidh sin chun turas a thabhairt ar a bhean féachaint an
bhféadfadh sise a thailte a fháil ar ais dó ach sceith deartháir a chéile,

an t-iarla Spencer air, gabhadh é is díotáladh é. Le cabhair na gcairde maithe a bhí i gcúirt an rí aige, thug Uilliam féin paitinn mhaithiúnais is pinsean £300 sa bhliain lena shaol dó, ar acht gur lasmuigh de na trí ríochta a chuirfeadh sé faoi. Sa bhliain 1699 d'imigh sé féin is a bhean an loch amach, chuireadar fúthu san oileán beag Altona i ribhéar na hEilbe in aice le Hamburg agus is ann a mhaireadar go lá a mbáis.[10]

Ag leibhéal amháin is deacair patrún saoil óige an Chárthaigh – Coláiste na Tríonóide, Oxford, an Dr Fell, muintir Spencer – is deacair é a shamhlú ar aon slí le cultúr ná le litríocht na Gaeilge. An t-aon véarsaíocht amháin is eol dúinn a chum Donnchadh – véarsaíocht mholta ar bhean Shéamais II – fáiscthe as traidisiún liteartha eile ar fad atá sí:

> Wellcome from storms shore mighty pledg of fate
> and the worst shipwreck of a tottering state,
> when torn from friends and by your foes oppress'd
> no port was left you but your consort's breast ... (BL Burney:390).

Ó oiliúint, ar ndóigh, agus ní ó dhúchas a shealbhaigh Iarla Chlainne Cárthaigh teicníc na véarsaíochta Agustaí sin arbh é Dryden is mó a mhúin idir theicníc is ábhar do lucht a chomhaimsire. An t-aon eachtra amháin ina shaol a thugann le fios go raibh teagmháil freisin aige le cultúr eile seachas cultúr deismíneach an Dr Fell is le léigear cáiliúil Dhoire a bhaineann sé. Agus an léigear faoi lánseol i Meitheamh na bliana 1689, ghluais an tIarla óg ó thuaidh, é féin is a reisimint, chun cabhrú le fórsaí Shéamais léigear na bProtastúnach a bhriseadh agus ballaí daingne Dhoire a bhearnú. An chéad oíche dó lasmuigh den bhaile, agus braon maith ar bord aige, d'fhógair sé go raibh sé sa tairngreacht go leathfadh geataí Dhoire roimh Mhac Cárthaigh Mór. Dá fheabhas a dhícheall, is dícheall a chuid fear, níor leath agus níor ghéill pobal an bhaile do Shéamas, dó féin, ná d'aon Chárthach eile, beag ná mór.[11] Ach pé míchlú a bhain an Cárthach amach dó féin le baois na hóige, agus in ainneoin an oideachais a cuireadh air, b'é Iarla Chlainne Cárthaigh é – an dream, dar le Ó Bruadair 'do tháilfeadh ... fuascladh' ar Éirinn (DÓB i:11 § vi); ba mhac mic le Donnchadh an Chúil Mac Cárthaigh é is shealbhaigh sé, dá réir sin, ní hamháin iarlacht is talamh a sheanathar ach dílseacht shinseartha an aosa léinn chomh maith:

> Gríofa is Hedges, gan cheilg im scéalaibh,
> i leabaidh an Iarla, is pian is is céasta;
> an Bhlárna gan áitreabh ach faolchoin,
> is Ráth Loirc scriostaithe nochtaithe i ndaorbhroid ... .
>
> Dairinis tiar Iarla níl aici den chlainn úir
> i Hamburg, mo chiach, Iarla na seabhac síoch subhach ... .[12]

Níorbh é Aogán Ó Rathaille an t-aon fhile amháin a chaoin imeacht Iarla Chlainne Cárthaigh, ná a léirigh go truamhéalach ainriocht na tíre is anstaid na héigse dá dheasca; chaoin Eoghan Ó Caoimh,

Diarmaid Ó Súilleabháin, Tadhg Ó Duinnín, Diarmaid Mac Cárthaigh
is filí eile freisin é ar an mbonn céanna leis an tuiscint chéanna –
b'ainnis a riocht is a ndála á chealsan is cheal na huaisle trí chéile:

> Is é bheir mé ar thaobh cnoic i gcáibín chúng
> ag éagnach mo phéine is mé im ghnáthluí im lúib,
> éileamh ar tréinrith ag báillí chugham
> is gan éinneach beo in Éirinn ba scáth dín dúinn.
>
> Saorbhreathach éachtach 'na lánluí in úir
> is céile na Claonghlaise is crá croí liom,
> scéal goirt tug saobhluisne ar chlár mhín Mumhan
> muna réitear le haontoil an Ardrí a bpúir ... .
>
> An triath dearfa sin Chairbreach go rómhaoite
> 's gach triath fairis sin den Chairbrigh san mórthimpeall,
> triath Sheanaghlais in Amburg sé is mó chaoinim ... .
>
> I dtuathaibh Chaisil ní mhaireann, mo léan a lua,
> an chuallacht chalma cheannachadh dréacht is duain;
> an uair ná faicimse flatha na féinne suas,
> monuar bead feasta fá Ghallaibh dom chéasadh is trua ... .
>
> Dragan an deachroí is seasc suí i Hamburc shoir,
> gan eachra ag fastaoim ná bannaoi i ngarda uime,
> le Gallaibh gé anaoibh, dar Bríd, gáirfid a fhir
> ón ngeata go Mais síos is fearfaíor fáilte fris ... .
>
> Is léan liom leagadh na bhflatha 's na bhfíoruaisle
> bhféastach bhfreastalach bhfleasc-chupach bhfíonchuachach,
> do bhéaradh fearann dom shamhailse faoi dhualgas,
> saor ó shrathaibh gan tagairt ar chíos uainne ... .
>
> Is é thug atuirseach cathach mé fíorbhuartha
> Séamas airgthe a Breatain gan dlí ar chuantaibh,
> a thréad ar scaipeadh dá ngreadadh 's dá síor-ruagadh,
> is an mhéid noch mhaireas dá mhaithibh i bhfíorchruatan.
>
> Mo ghéargoin trascairt na seabhac ón Laoi bhfuairghil
> nár réigh le Gallaibh acht tarraing thar toinn uathu,
> is an t-aon beag mhaireas den ealtain fhinnfhuadraigh
> re tréimhse i Hamburg mo dheacair gan slí chuarda ... .[13]

De na filí difriúla a chaoin imeacht na gCárthach agus ar chás leo go
háirithe Iarla Chlainne Cárthaigh ar deoraíocht in Hamburg, is é
Diarmaid Mac Cárthaigh amháin, is dóichí, a raibh ceangal cinnte aige
le teaghlach an Iarla agus aithne phearsanta aige air. Is cinnte go
léiríonn a chuid filíochta go raibh dlúthbhaint aige le Cárthaigh
Mhúscraí agus gurbh eisean, is dóichí, a d'fheidhmigh mar fhile
teaghlaigh acu sa dara leath den seachtú haois déag. Air siúd a leagtar
an dán a cumadh do Dhonnchadh an Chúil, an chéad Iarla; eisean a
chum a chaoineadhsan agus caoineadh a mhic Cormac, eisean a chuir
in eagar is in ordú ginealach Shaorbhreathaigh agus a chaoin é ar a
bhás.[14] Eisean freisin a scríobh an dán fáiltithe roimh an gceathrú hiarla,

Donnchadh, duain mholtach fháilteach is duain fháistineach a nochtann gur do Dhonnchadh a bhí sé i ndán, de réir na tairngreachta, Éire a fhuascailt:

> D'fheartaibh an Ghrásaigh tharla beo san gcrois,
> a Bhanba is gearr go bhfaghairse fóirithin;
> 's don Charathfhuil aird ba dhána i ngleo do chuir
> chun gaisce gur fáisceadh ardfhlaith óigleinibh ...

> Fuascladh Banba tharraing duit Fítheall fáidh,
> is ruagairt Danar ó fhearannaibh críche Fáil,
> buanacht cheannais ó Eamhain go Baoi na mbárc,
> is tuatha Chaisil ort d'aiseag le cíos an Chláir ...

> T'ainmse shíor tá i bhfír is i bhfáistine,
> is Caiseal na rí fát chíos go háthasach,
> an Saingealchath daor de ghníomh do lámh do chur,
> 's de ghradam an rí go finnlic Fáil do dhul ... (DMC:3 §§ 1-4, 33-6, 41-4).

Ní mar a tuaradh a d'iompaigh amach. Roimh dheireadh na haoise bhí Iarla Chlainne Cárthaigh ar deoraíocht in Hamburg agus a thailte fairsinge tugtha ar láimh stróinséara; bhí an file, dar leis féin, fágtha gan taca, gan éarlamh: 'Im Oisín, d'éis na Féinne is trua mar táim'. Mar bharr ar gach donas fuair capall Dhiarmada – an fhalartha ghorm – bás is gan aon duine de na Cárthaigh ar an bhfód anois a thabharfadh malairt chapaill dó:

> Caoinfidh mise m'fhalartha,
>   caoinfid caraid is comharsain;
> mar táim anois im iarsma
>   gan rith, gan rath, gan fónamh ... .

> Éag na falartha is barra ar gach pian dom soin,
> 's mé tréith 'na heaspa go hainnis ag triall im chois;
> i gcéin ó bhaile do chailleas, mo chiach, na fir
> do bhéarfadh airgead, capall is iallait dom (DMC:9 §§ 1-4, 33-6).

An cásamh sin Dhiarmada, gur shíolraigh ainnise a cháis ó imeacht na n-uaisle thar lear, shín na filí eile a d'fhreagair é amach é, is gach re sea acu le chéile, sna véarsaí éadroma taitneamhacha a scríobhadar ar an ábhar:

> Triath córach sleachta Eoghain ó Mhuisire i gcéin,
> 's an chliath leoghan go Flóndras do imigh dá éis,
> an fhian leointe atá leosan ag feitheamh gach lae
> is sia dhóibhsean an t-orlach ná an choinneal go léir ... (*ibid.* 10 §§ 57-60).

> Níor chás dom a aithne ar chaibidil Dhiarmada
> gurbh fhánach eatarthu an aicme do riaradh truip,
> clann Chárthaigh Chaisil, mo dhainid, i gcian tar muir,
> fáth na ceasta fá ndeara dhó triall 'na chois ... (*ibid.* 13 §§ 145-8).

Ag freagairt don téama sin na hainnise is an éagrutha bhí téama a bhí chomh lárnach is chomh bisiúil céanna – gur le filleadh na huaisle a thiocfadh an athnuachan:

Dá dtaga anoir Donnchadh i gcothrom is i gceart tíre,
lucht capaill do bhronnadh bheadh orthu so i nglainchrích Loirc ...

Acht mo threighead dá dtagadh an Carathach láidir fial
le meidhir thar caladh agus gasra stáit ina dhiaidh,
is radharc a phaitinn ó Anna ina láimh ag triall,
do bheinnse i ngradam im sheanduine shámh san iath ... (*ibid.* 11 §§ 81-2,
93-6).

An t-ionannú is an comhchoibhneas a shamhlaítear do Dhiarmaid
Mac Cárthaigh idir cás tubaisteach na hÉireann, dálaí na huaisle agus a
anchás pearsanta féin is samhlú coiteann é. Mar a chuir Diarmaid
Ó Súilleabháin é:

Is deimhin dá dtigeadh tar uisce chughainn maithibh Éireann,
fé mheadhair i gcumas chum siosma ná cogadh a dhéanamh,
go mbeadh Tadhg is tusa agus mise in arm gléasta
ag roinnt na tubaiste ar an bhfoirinn seo an ghalla Bhéarla ... .

Is é dóchas an fhillte sin, filleadh abhaile a thiarnaí féin, Ó Súilleabháin
Mór is Ó Súilleabháin Béarra, is buntéama don dán is gliondraí meidhrí
dar chum sé:

Fós dá dtagadh an dragan de shíol Éibhir,
tar bóchna ag taisteal le ceannas go crích Éireann;
leoghan d'eascair d'fhuil Eachadh ler maíodh féile,
ba dhóigh le haiteas gurbh eagal dom chroí réabadh ... .

Ansan Daingean dá dtagadh na cathmhílte,
na campaí fairsinge 's a gceanna le harm Laoisigh,
ba gheall le flaitheas dá mairinn 's a theacht chum críche –
scanradh is scaipeadh ar Ghallaibh gan casadh choíche ... .[15]

Fuascailt is cabhair, a mhínigh Séamas Dall Mac Cuarta, a bhí i ndán
agus Barún Shláine ag filleadh:

Mo chiansa fir na hÁistria, Fléimeannaigh dob áille,
's gan anois ar fáil díobh, mo chrása, ach faoi leán,
nó go dtiocfaidh Barún Shláine, le flíte longa lána
dár bhfuascailt as na cásaibh dar fhág sinn i bpéin ...
's anois tá cabhair i ndán díbh ó Chriostóir Óg mac Raghnaill
ar a fhilleadh anoir ón Státa is ón mbanrín le céim ...
					(Ó Gallchóir 1971:16 §§ 1-4, 17-8).

I bhfilíocht Mhic Cárthaigh, Uí Chaoimh, Uí Shúilleabháin, Mhic
Cuarta agus Uí Rathaille tugtar le fios go soiléir fiosach go raibh a ndálaí
pearsanta féin – a ró, a gcompord, a maoin, a ngradam sa saol – ag brath
go príomha ar dhán na hÉireann, faoi mar a bhí sin á chinneadh ag
turnamh na huaisle. Tríd an véarsaíocht eiligiach ina gcaoineann na filí
a n-ainriocht féin d'uireasa na huaisle, nochtar go soiléir tuiscintí na
bhfilí féin ar a ról is a n-ionad sa saol, na tuiscintí traidisiúnta ar an
gcumann cóir ba cheart a bheith idir an file is a éarlamh. Dá mbeadh
Iarla Chlainne Cárthaigh fós in Éirinn is é a bhéarfadh 'airgead, capall
is iallait' do Dhiarmaid Mac Cárthaigh, bheadh talamh gan chíos ag

Tadhg Ó Duinnín; ní dealbh a bheadh Ó Rathaille ná a chlann, dá mb'iad na Cárthaigh a bheadh fós i gceannas i gcúige Mumhan; ar a n-athréimiú 'ní bhia easbhaidh ormsa', dar le hEoghan Ó Caoimh.[16] Is léir gur chuaigh turnamh na gCárthach i bhfeidhm go mór ar shamhlaíocht na bhfilí Muimhneacha, idir bheag is mhór, sa chéad cheathrú den ochtú haois déag agus go raibh éifeacht nach beag ag an íomhá choiteann a shaothraíodar: Iarla Chlainne Cárthaigh ar deoraíocht in Hamburg agus an file tréigthe ainnis go haonarach dealbh, gan chothú ag baile. Ní mór a mheabhrú go raibh an tIarla ar na huaisle ba rachmasaí i ndeisceart Mumhan lena linn, go raibh breis agus céad ochtó míle acra talún ina sheilbh ag síneadh siar ó chathair Chorcaí, feadh dhá thaobh na Laoi, isteach i gcríocha Chiarraí; gur leis féin leath na talún sin, agus go raibh mar fhothionóntaí aige mórshleachta sinseartha Chorcaí: muintir Chaoimh, muintir Mhathúna, muintir Dhonnabháin, muintir Laoghaire, muintir Ríordáin, muintir Shuibhne, muintir Chróinín, muintir Iarlaithe.[17] Ní imeacht uasail aonair a bhí i gceist ach tonnbhriseadh agus is mar sin a thuig is a léirigh an t-aos léinn é. Le díbirt Iarla Chlainne Cárthaigh, bhí an t-ordú nádúrtha pollta, an saol curtha bunoscionn, scrios déanta ar thír is ar dhaoine. Agus bíodh gur léir gur laistigh de mhód áirithe cumadóireachta – an mód eiligiach (Ó Buachalla 1993) – atá an véarsaíocht éagaointeach sin á cumadh, mód a raibh a théamaí, a mhóitífeanna, a chonsaeiteanna, a mheafair oiriúnacha féin ag roinnt leis, ní fhágann sin nach raibh bunús comhaimseartha agus comhthéacs cinnte soch-chultúrtha leis an chumadóireacht.

Faoi dheireadh an tseachtú haois déag bhí Ó Bruadair is Mac Cárthaigh go maith os cionn trí fichid bliain d'aois, ní foláir. Chonaiceadar araon léirscrios Cromwell agus ar lean é, go háirithe tailte a bpátrún féin á gcoigistiú ag an pharlaimint agus a n-únaeirí sinseartha ag dul thar lear in arm an rí. Ach chonaiceadar freisin an t-athbhunú: Séarlas II ag filleadh ar a ríochtaí sa bhliain 1660, teidil onóracha á mbronnadh aige ar a bpátrúinsean agus iad ag filleadh ar Éirinn a athshealbhú a dtailte a bhí bronnta ar ais ag an rí orthu; beart a chuaigh chun leasa, ní hamháin do na huaisle a athbhunaíodh ach don aos léinn a bhí ag brath orthu is ag fónamh dóibh. Tá idir shocracht, shó, agus leanúnachas saoil le brath ar fhormhór na filíochta a chum Ó Bruadair idir 1660 agus 1680, ar filíocht mholta ar mhaithe is ar mhóruaisle Mumhan an chuid is mó di. Bhí an saol mar a thuig Ó Bruadair é – saol ordaithe cliarlathach – ag brath ar na huaisle sin agus na luachanna soch-chultúrtha dár ghéill sé ag brath ar a mbuaineadas-san. An dílseacht a nochtann Ó Bruadair is Mac Cárthaigh ina saothar, is dílseacht dá bpátrúin is dá dtaoisigh oidhreachta go príomha í ach ba thaoisigh iadsan a bhí ar an dream ba dhílse is ba chóngaraí don Stíobhartach, a bPrionsa, agus b'é an Prionsa sin aondóchas na huaisle – agus, dá réir sin, aondóchas an aosa léinn. Chonaic Ó Bruadair is Mac

Cárthaigh araon teacht caithréimeach Shéamais II i gcoróin sa bhliain 1685 is chaitheadar leis go téamúil is go hideolaíochtúil faoi mar a chaith filí na Gaeilge riamh lena dtaoisigh dhúchais (DÓB iii: 13, 14). Ach ní fada a mhair an chaithréim. Laistigh de sheacht mbliana bhí an roth casta arís, an rí cóir treascartha, na huaisle thar lear, Diarmaid Mac Cárthaigh gan na fir 'do bhéarfadh airgead, capall is iallait dom' (DMC: 9 § 36), agus Ó Bruadair, dar leis féin, 'gan truis do chuirfeadh ciall im dhuain' (DÓB iii:36 § 4). An dearcadh a nochtann Ó Bruadair ar a fheidhm is a ionad féin sa saol, tá sé ar aon dul le tuiscint ghairmiúil fhilí an dána dhírigh. Ach oiread leis na filí teaghlaigh a chuaigh roimhe, ní mar chaitheamh aimsire a bhí seisean ag scríobh ach mar ghairm a raibh a coinníollacha gnó féin á leanúint, idir sheirbhís agus íocaíocht. Sa dán a chum sé ar imeacht a éarlaimh, Sir Seán Mac Gearailt, chun na Fraince i bhfómhar na bliana 1691, luann Ó Bruadair an 'caradas nár chealgach' a bhí eatarthu ach admhaíonn nárbh é scarúint an fhile óna thaca an deireadh a mheas sé a bheadh ar an gcumann sin; a mhalairt: go mbeadh Sir Seán, de bharr an chogaidh, 'ceannasach rem thaoibh san bhfód' agus, mar sin, guíonn 'gan bhascadh ar bith go dtagairse don chrích seo beo'. Is oscailte fós a nochtann sé a raibh i gceist sa dán aige ar 'An Longbhriseadh'. Ach an cogadh a bheith i leataobh agus a éarlamhsan is an rí dá raibh sé ag fónamh buacach sa ghleo, bhí sé ag súil go mbeadh sé féin go maith as arís agus post gradamúil éigin dá bharr aige:

> Gé shaoileas dá saoirse bheith seascair sódhail,
> im stíobhart ag saoi acu nó im ghearraphróbhast ....[18]

Ar an chuma chéanna tugann Diarmaid Mac Cárthaigh le tuiscint go raibh socrú gairmiúil éigin idir é féin is Saorbhreathach Mac Cárthaigh, socrú nach bhféadfaí a chomhlíonadh anois:

> Do chíos i gCaiseal do gheallais go dtógfainn,
> 's i dtuathaibh ba dhual duit 'na chomhgar;
> dá dtigeadh leatsa leath do dhóchais,
> mo thuirsese ní tusa ná comhallfadh ... (DMC:2 §§ 149-52).

Sa chomhthéacs áirithe sin is furasta 'tuirse' Dhiarmada a thuiscint is 'meath' a dhóchais; is fusa díomua creimeach Uí Bhruadair a thuiscint is nach raibh aigesean anois 'culaith ná capall' dá bharr; bhí sé ar 'beagán lóin', 'gan airnéis', é taobh 're scaoinse seanchóta', é ag plé le 'síol gach searbhóige'; eagla air go dtiocfadh fear na cánach agus é dian san éileamh; dá mba ag baile a bheadh na leoin ní mar sin a bheadh:

> Is fada liom go dearfa 's is lánbhrónach
> don aicme sin a bhfacamairne lá ar comhgar ...

> Dá mb'acfainneach im aice inniu na sárleoghain,
> le gcleachtainnse le macanas bheith áirleogach
> re hairgead an teallaigh se gach tráthnóna,
> mo gharbhchuilt ní heagal liom i láimh Ódail ... (DÓB iii:33 §§ 1-2, 5-8).

Dá mb'acfainneach im aice inniu ..., Dá dtaga anoir Donnchadh ..., Dá mcaireadh an rí díonmhar ..., Fós dá dtagadh an dragan de shíol Éibhir ... : an tuiscint shimplí uilí chéanna agus an dóchas neamhcheisteach síoraí céanna ag na filí idir shean is óg, idir chléir is tuath; ag Ó Bruadair is Mac Cárthaigh a bhí ag titim chun aoise agus ag an dream óg, ag Ó Súilleabháin, Ó Caoimh, Mac Cuarta is Ó Rathaille a bhí díreach ag dul i mbun pinn.

Sa dara caoineadh a scríobh sé ar chath Eachroma, caoineann Mac Cuarta go bhfuil na huaisle a thaithíodh sé tráth ina luí faoi fhód nó díbeartha thar lear anois; á n-éagmais, tá sé féin is Fódla araon go hatuirseach ainnis:

> Sé é mo ghéardheacair chlíse mar d'éag treibh na dtíortha,
> is na Gaeil bhras ar díbirt is ag osnaidh faoi ghruaim,
> 's gan aoineach dár ndísle den taobh dheas nó chlí dhínn
> dár gcraobhghaisce dhídin le seastaí ár gceart suas ... .
>
> Is bocht Fódla gan aon rath faoi mhórsmacht na n-éirceach,
> gan eolas, gan éadáil, gan tapa dá ndíth ...
> Gan aoibh táimse i gCréamhain 's níl taobh slán de dh'Éirinn
> nár gríoschrádh na tréinfhir tá in Eachroim faoin fhód ... .
>
> Tá grianán inis Banba gan triatha gan ceannfoirt,
> gan iarlaí i dteannta le gcasaintí Gaeil,
> gan fiafraí ar champaí, gan tiarnaí, gan bhantracht,
> gan chliartha chum cantála teastais a léinn ... .
>
> gan féile, gan fiontaí, gan braighde dá scaoileadh,
> gan téada dá ngríobháil, gan ceannach ar cheol;
> gan éadach ar dhraoithe, ó d'éag clanna Mhíle,
> gan éirghe gach aoinfhir tá in Eachroim faoi fhód ... .[19]

Gan éadach ar dhraoithe ó d'éag clanna Mhíle: b'in buntuiscint, is léir, san oidhreacht liteartha choiteann a shealbhaigh Mac Cuarta is Ó Rathaille araon.

Isteach is amach le fiche bliain d'aois, is dóichí, a bhí Ó Rathaille ar bhriseadh amach chogadh an dá rí. Murab ionann is Ó Bruadair is Mac Cárthaigh, ní fhaca seisean riamh léirscrios Cromwell ná ar lean é, ach is léir go raibh a fhios go maith aige cén stair í ag an gceantar ar chónaigh sé féin agus ag an dúthaigh máguaird: ba le Mac Cárthaigh Mór na tailte sin le sinsearacht ach sa bhliain 1596 lig Donnchadh Mac Cárthaigh Mór uaidh iad ar mhorgáiste do Sir Vailintín Brún. Ba phlandóirí iad na Brúnaigh ach ba Chaitlicigh agus ríogaithe iad a thaobhaigh leis na Stíobhartaigh ó thús deireadh an tseachtú haois déag. Toisc an pháirt a thóg sé sa chogadh i gcoinne na bparlaimintéireach (1642-9), chaill an Brúnach seilbh na dtailte le plandáil Cromwell ach toisc a sheasmhaí a bhí sé féin is a mhuintir do chúis na Stíobhartach, bhronn Séarlas II ar ais arís orthu iad sa bhliain 1660. Chaill Sir Nicholas Brown seilbh na dtailte arís de bharr a dhlúthbhainte le cúis is le harm Shéamais II, agus nuair a coigistíodh a

shealúchas sa bhliain 1691, chaill an captaen Eoghan Mac Cárthaigh
seilbh na dtailte a bhí ar cíos aigesean ón mBrúnach.[20] Rómhaith a thuig
Aogán Ó Rathaille tábhacht na díbeartha sin dó féin, dá mhuintir, is
don dúthaigh trí chéile:

<blockquote>

Don Taoiseach Eoghan mac Chormaic Riabhaigh Mac Cárthaigh

Cnead agus dochar do ghortaigh mo chéadfa,
is d'fhág mé i mbrón lem ló go n-éagfad,
do bhris mo chroí is mé ag caoi gan traochadh,
do chuir mo radharc gan feidhm is m'éisteacht ... (AÓR:35 §§ 1-4).

</blockquote>

Leanann an file air i meadaracht an chaointe ag moladh Eoghain as a
dhea-thréithe, a bhuanna iomadúla, a ghníomhartha gaisce, a
ghinealach ró-oirirc; liodán adhmholtach a bhristear go tobann le
tagairt réalaíoch don díbirt féin agus dá hiarmhairt:

<blockquote>

Is trua do thalamh ag clanna na gcaorach,
do ráinig eatarthu in aiscidh gan éiric,
stéig fána uilinn de ag Muiris an bhréide,
stéig na tubaiste ó Mhuiris de ag Éamonn ... .

An té bhí acu anuraidh i gcumas na tréine,
atá i mbliana ag iarraidh déirce ... .

A Dhia tá ar neimh do chluin na scéalta,
a Rí na bhfeart is a Athair naofa,
créad fár fhuilngis a ionad ag béaraibh,
a chíos aca, is é singil 'na éagmais (*ibid*. §§ 93-124).

</blockquote>

Cromann an file ansin ar an díbirt a chaoineadh arís gur chaoin déithe,
aibhneacha, is símhná uile na hÉireann í; ar chríochnú an chaointe sin
tagann an file ar Fhíonscoth (síbhean na gCárthach) agus í ag caoi ina
haonar go gcuirid agallamh ar a chéile:

<blockquote>

D'fhreagair Fíonscoth sinn go héadmhar,
le glór doilbh go follas in éifeacht,
tá a sháirfhios agatsa dearbh mo scéalta,
is go dtig nimh 'na sruith óm chréachtaibh ... .

Gur díbreadh an rí ceart go claonmhar,
easpaig, sagairt, abaidh, is cléirigh,
bráithre diaga is cliar na déirce,
agus uaisle na tuaithe le chéile.

D'inseas go fíor di mo scéalta:
go raibh Eoghan fós gan baoghal,
a thalamh má bhí 'na dhíth go mb'fhéidir
a fháil dó arís le linn an réx chirt ... (*ibid*. §§ 197-212).

</blockquote>

   Sa leathrann deiridh sin nochtar go soiléir neamhchas buntuiscint
shimplí na bhfilí agus buntobar an dóchais a chothaigh í: le filleadh an
rí chirt, bheadh an saol ag Eoghan Mac Cárthaigh taoiseach agus, dá
réir sin, ag Aogán Ó Rathaille file ina cheart arís. Ní raibh sé riamh i
gceist nach bhfillfeadh sé agus ar a fhilleadhsan d'fhillfeadh an uaisle

dhúchais ina theannta; go dtí sin saol uireasach éagruthach a bheadh ag a lucht leanúna a d'fhan ag baile:

> Choíche beimídne mar tám go deo
> muna dtíd sin tar toinnmhuir is Spáinnigh leo ... .

> Mo threighid, mo thubaist, mo thurainn, mo bhrón, mo dhíth,
> an soilseach muirneach miochairgheal beoltais caoin
> ag adharcach foireanndubh mioscaiseach coirneach buí;
> 's gan leigheas 'na goire go bhfillid na leoin tar toinn.[21]

II

> Nach léar dheitse Gaeil bhochta na glanáille,
> na héachtchoin nach géilleann dá n-eascairdibh,
> spréite fón Éaraip 'na sealbhánaibh,
> gan spré ghlan, gan éadach, gan dea-tháinte?

> Tá tréan acu i bhfeidhm ag an Easpáinneach
> is tréanaicme shéaghainn sa nGearmáine;
> ní féidir ar aon chor a ndea-áireamh,
> an mhéid atá i gcéin díobh san Eadáine.

> Gidh éifeachtach tréan-neartmhar treasláidir,
> réx rathmhar réimchathrach na Vearsáille,
> do ghéabhainn uaidh in éiric an amhráin so
> mo léigean a dh'fhéachain na seanáite ... (ND i:44 §§ 1-12).

Ó lonnaigh Séamas II is a bhean, Mary of Modena, in St Germain sa bhliain 1689 is ar an chúirt sin a bhí triall na mílte Éireannach, idir chléir is tuath, idir easpaig, shaighdiúirí, lucht gnó, lucht dlí, lucht leighis, lucht léinn agus dídean nó aitheantas á lorg acu ón rí ceart.[22] Ón tús bhí Ardeaspag Thuama, Ardeaspag Ard Mhacha is ceathrar easpag eile ó Éirinn i dteannta Shéamais; bhí Aodh Ó Raghallaigh, an t-aturnae a bhí aige in Éirinn, is Sir Richard Nagle, a rúnaí cogaidh, agus mar dhuine de mhná uaisle na cúirte bean Phádraig Sáirséal. Éireannaigh ab ea formhór an gharda a bhíodh de shíor á chosaint agus ina dteannta sin uile bhí ionadaithe mhórshleachta Éireann a raibh poist fheidhmeannais, idir bheag is mór, acu i seirbhís a rí:

> Charles Macartie, to be Gentleman and Yeoman of the Wine Cellar ... Bryan O'Bryan, Denis O'Bryan, ... to be Footmen ... Mary Callanan, to be Laundress and starcher of the Body ... Christian Plunkett, to be Seamstress ... Garret Fitzgerald to be King's Barber ... Donough (MacCarthy), fourth Earl of Clancarty, to be a Gentleman of the Bedchamber ... Theobald Butler, to be a Gentleman of the Privy Chamber ... Randal MacDonnel Equery of the stables ... Teige O'Connell, to be one of his Majesty's Physicians Extraordinary ... (Ruvigny 1904: 219-25).

Dháil Séamas is Máire airgead go fial ar na deoraithe sin, idir dheontais
ón bpápa is a maoin phearsanta féin. D'éirigh leo tacaíocht airgid a fháil
don *College des Irlandais* i bPáras agus poist dhifriúla don iliomad sagart
ó Éirinn i gcathracha ar fud na Fraince. Ná níor mhaolaigh bás
Shéamais II díograis ná carthannacht a mhná ar son na nÉireannach
thar lear. Rinne sí cúram faoi leith de choinbhint na mBeinidicteach in
Ypres agus de na comhthionóil eile bhan rialta agus chabhraigh sí féin
agus a mac, Séamas III, le costais na sagart a bhí ag filleadh ar Éirinn a
ghlanadh. Is í freisin, le cabhair a mic, a bhac an nascadh a bhí á
bheartú idir Coláiste na nÉireannach agus Coláiste na nAlbanach sa
Róimh. Go lá a báis níor spáráil sí í féin ná a raibh aici ag fónamh do na
hÉireannaigh, ach ní obair charthannachta amháin a bhí i gceist. Bhí
suim faoi leith aici, mar a bhí ag a fear is ag a mac, sna reisimintí
Éireannacha agus dúradh ina taobh go raibh a maoin caite aici ar 'arms
and other necessarys she had sent to Ireland' (HMC Finch 3:342). Lena
beo, mhaígh Charles Forman gurbh í 'the mother of the poor ... the
help of the afflicted' í (HMC Stuart 6:413); bhí idir chion is mheas ag
gach éinne in arm Shéamais agus sa ríocht trí chéile uirthi, a
dhearbhaigh Ormond (HMC Finch 2:310); tubaiste dho-inste ab ea a
bás, dar le hEoghan Ó Ruairc:

> I cannot be silent on the death of our dear Queen, one of the best and
> most accomplished princesses that Europe has seen of many ages. It is a
> subject of sorrow for all the King's good subjects, but an irreparable loss
> for some hundreds of helpless people, that subsisted by her charity and
> goodness, and are left now in the utmost confusion and misery, unless the
> Regent takes them into his particular protection ... (HMC Stuart 6:447)

Dá adhmholtaí na cuntais a thugann Ó Ruairc, Ormond, is Forman ar
Mary of Modena, is ar a bá ollmhór le cúis is le cás na nÉireannach, táid
ar aon dul leis na seintimintí a nochtar sa chaoineadh a chum Seán
Ó Neachtain uirthi. Dán foclach uamach traidisiúnta é, ach fós dán a
aimsíonn go cruinn an bunús réalaíoch a bhí faoin meas a bhí uirthi,
thar lear agus in Éirinn:

> Fáth éagnach mo dheor
> d'fhág Gaela fa cheo –
> bean riartha na n-iarrach,
> scoith dhiaga cheart chóir ... .
>
> So an Mháire gan ghó
> rinn bás de mo bheo,
> an ríbhean, a d'íoc súd
> a chíos leis an gcró.
>
> Frae Séamas ba mhó
> ná Caesar na sló,
> an rífhaith ba naofa
> 's ba dílse don Róimh;
> measc naoimh agus ógh

tá an dís seo ba gnó,
sliocht Mhíle go híseal
fa dhaoirse 'na ndeoidh ... .

A dtuairisc 's a gcáil
tá luaite i ngach aird
a gcaoineas, a gcríonnacht
's a ndaonuacht do dháimh ... .

Mo mhallacht de shíor
is mallacht na naomh
don díne do dhíbir
a flaitheas an dís ... .[23]

Mar a léiríonn an dán sin Uí Neachtain, dá leimhe féin é, ní gan fhios a bhí an chúirt Stíobhartach ag fónamh do na hÉireannaigh; is cinnte gur láidrigh is gur bhuanaigh an fónamh sin seasamh is meas an ríora, ní hamháin i measc an aosa léinn ach i measc na n-éilíteanna soch-chultúrtha trí chéile. Ní hé gur sásaíodh gach deoraí acu a thriall ar Shéamas ná go bhfuair gach éinne feidhmeannas, ach tuigeadh coitianta cár luigh foinse an fhabhair is na pátrúnachta anois. An achainí a sheol Éamonn Buí Ó Raghallaigh chun Séamais, nochtann sí go léiritheach nach carthanacht amháin a bhí á lorg ach díol fiach, sa chás áirithe seo luach saothair ar chrógacht dhiongbhálta sa ghleo:

Dá gcloise rí Séamas mo scéala is a ghlacadh mar is cóir,
créad é an t-éifeacht do rinne Éamonn Buí ag Seanainn na sló,
beidh an chéad chuid den éadach, den arm is den ór
ag Raghallaigh na bhfaolchon, na ndragún is na leomhan.[24]

An dearcadh ceartaiseach céanna a nocht grúpa anaithnid oifigeach san achainí impíoch a chuireadarsan faoi bhráid an rí:

That they had fought, during 10 years, in defence of their religion, and of their legitimate Sovereign, with all the zeal, and all the fidelity, that could be required of them. ... That for this cause, they had made a sacrifice of those who were the authors of their birth, of their relatives, their properties, their country, and their lives. ... That they most humbly prayed his Majesty to cause some of the effects of his accustomed goodness and charity to be experienced by men, whose misfortunes had proceeded from their attachment to the service of their King, the ally of his Majesty, and to that of his Majesty himself (O'Callaghan 1870: 189-91).

Idir Deireadh Fómhair na bliana 1691 agus Eanáir 1692, áiríonn O'Callaghan gur fhág isteach is amach le 20,000 fear Éire chun liostáil in arm Shéamais sa Fhrainc, an chéad tonn den eicseadas leanúnach a thionscain conradh Luimnigh; idir 1691 agus 1745 liostáil, dar leis, 450,000. Níl áirithe ansin aige ach na deoraithe míleata amháin, gan aon áireamh ar na mná ná na teaghlaigh a lean iad ná ar na haicmí iomadúla eile a thréig a dtír féin de réir mar a dhaingnigh rialtas Bhaile Átha Cliath a ngreim dlíthiúil ar an uile ghné den saol in Éirinn.[25] Bhí sé dodhéanta go bhféadfadh cúirt na Stíobhartach in St Germain

fóirithint go pearsanta ar an uile dhuine acusan ach d'fhéadfadh an
chúirt, agus rinne, an bóthar a réiteach dóibh go cúirteanna agus
prionsaí eile na hEorpa. Ba chuma cá raibh triall na ndeoraithe sin ó
Éirinn – an Spáinn, an Ostair, an Fhrainc féin mar ar lonnaigh a
bhformhór mór – nó cén ghairm bheatha a bhí acu, theastaigh teastas
folaíochta is uaisleachta uathu; b'in é an pas isteach sna gairmeacha
measúla i dtíortha Caitliceacha na hEorpa. Cheap Séamas Sir James
Terry ó Luimneach mar aralt sa chúirt arbh é an príomhchúram a bhí
air an buntaighde a dhéanamh chun craobhacha ginealaigh na
ndeoraithe a sholáthar. Mar áis chuige sin aige bhí ceann de
phríomhleabhair sheanchais na hÉireann – Leabhar Mór Leacáin féin
– agus chuir sé le chéile 'Book of Arms' mar a raibh armais is bunús
ginealach phríomhshleachta Éireann.[26] Is é Sir James Terry a
dheimhnigh is a sholáthair idir armais is ghinealaigh; is é an rí féin sa
chúirt in St Germain a dhearbhaigh idir charachtar, fholaíocht is
uaisleacht agus a chuir an teastas ba ghá ar fáil:

> Certificate that Mademoiselle Jeanne Macarty, now at Lisbon, is
> descended from the ancient house of the Macartys, and that three of her
> brothers have been slain in the King's service ...

> Certificate that John and Thomas Lyons, Catholics, have served with credit
> twelve years in Ireland and France ... they cannot return home, being
> banished for their loyalty ...

> Declaration of the noblesse of John O'Cahane, an Irish officer now at
> Strasburg, eldest son of Colonel Roger O'Cahane, head of the old and
> gentle family of O'Cahane, and of Catherine O'Neil, daughter of the late
> Phelix O'Neil, who belonged to one of the principal branches of the noble
> family of O'Neil ...

> Declaration of the noblesse of Miss Mary Charlotte Fleming, daughter of
> Richard Fleming of Ardagh, Co. Meath, who is descended from the old
> and noble family of the Barons of Slane ...

> Declaration of the noblesse of Charles Macarthy, born at Brest, son of
> Timothy Macarthy, surnamed Latousche, and of Dame Eleanor Shèe of
> the house of Shee of Kilkenny, and grandson of Denis Macarthy, Seigneur
> de Themolegue, descended from the illustrious family of Macarthy Reagh,
> Lords of Carbery ... (Ararat 1974: 195-209).

Áitíonn Hayes gurbh í Páras 'the capital city of Catholic Ireland's
hopes and aspirations' i dtús an ochtú haois déag; is cinnte gurbh í
ceanncheathrú an 'little Ireland' a bhí thar lear ag an am í.[27] Tugann
Dulon (1897) cuntas cuimsitheach ar an chúirt sin Shéamais agus ar a
raibh d'uaisle Éireann bailithe ina thimpeall inti, ach is é an t-amharc is
léirithí a fhaighimid ar an gcomhluadar sin, saothar fileata an Athar
Mánus Ó Ruairc, duine den cheithre chéad sagart ó Éirinn a bhí
lonnaithe i bPáras i dtús an ochtú haois déag.[28] Cnuasach trítheangach
(Gaeilge/Béarla/Laidin) é de véarsaíocht thaitneamhach ócáidiúil, idir
chaointe is amhráin mholta ban, idir dhánta cráifeacha is dánta

polaitiúla. Na Stíobhartaigh ba bhunábhar do na dánta polaitiúla; a nginealach, a ngníomhréim, a ndán:

> Cuir Banba arís fá rachmas is fá shuim,
>   fá arm, fá bhuín gléasta;
> fá bhratain an rí ag seasamh i gclí
>   le gaisce is le fíorlaochas;
> gach a maireann dá clainn is speaca is gach croí,
>   is eaglais Chríost t'éinmhic;
> tarraing tar toinn 'na mbailte is 'na dtír,
>   agaraimse guí Dé dho.[29]

Maíonn an file féin go raibh na véarsaí sin ar eolas 'by alle the Irish in courte and in France, ivin by the keene and the young King' (FLK A24:22). Léiríd arís an dóchas dochloíte a bhí á nochtadh de shíorghnáth ag na hÉireannaigh a bhí i dteannta Shéamais in St Germain. B'í an chúirt sin anois, agus an ríora a lonnaigh inti, príomhfhócas a mbeartaíochta agus príomhfhoinse a ndóchais. Is é íoróin an scéil é gurbh amhlaidh a láidrigh – agus ní a mhalairt – deoraíocht na Stíobhartach a gceangal le huaisle Éireann agus a mbrathsan orthu.

B'í cúirt na Stíobhartach in St Germain ceanncheathrú na nÉireannach, idir chléir is tuath, sa Fhrainc agus idir 1689 agus 1714 d'fheidhmigh sí mar aon chúirt eile agus teidil, fabhair, carthanacht, feidhmeannais á mbronnadh ag an Stíobhartach ar uaisle is ar chléir Éireann, faoi mar ba rí *de facto* i gcónaí é:

> 1701, Nov. 17. Warrant for John White to be a pursuivant of the Kingdom of Ireland ... (HMC Stuart I:166).

> 1702, Dec. 7. James III to Dominick Lynch. Commission to be consul in the ports of Ostend, Nieuport and Bruges ... (*ibid.* 179).

> 1703, June 14. Grant to Elizabeth Tricot, widow of David Bourke, formerly captain of dragoons in Ireland ... (*ibid.* 184).

> 1709, June 15. Certificate that in consideration of the services of the old and gentle family of Sarsfield, and particularly of those rendered to the late King by Patrick, Earl of Lucan ... he had conferred the honour of Knighthood on James Sarsfield, a native of Nantes, son of Paul and grandson of James Sarsfield, natives of Limerick, who belongs to the same house ... (*ibid.* 232).

> 1710, Nov. 29. St. Germains. Certificate that Bryan Dermot, an Irish merchant at Rouen, had served the late King during the Irish wars as a foot captain ... (*ibid.* 238).

> 1711, March 2. St. Germains. James III to Pope Clement XI. Nominating the said Christopher Butler, now at Rome, to the archbishopric of Cashel, for whose appointment the clergy of the diocese have petitioned ... (*ibid.* 239).

> 1712. May 20. St. Germains. Warrant appointing Daniel Huoluhan, M.D., an Irishman, to be his physician ... (*ibid.* 245).

Is é tábhacht na n-iontrálacha sin, agus na mílte eile mar iad, gurb iad
is léirithí a nochtann dúinn a lárnaí i saol na n-imirceach ó Éirinn a bhí
cúirt is ríora na Stíobhartach agus gurb í an chúirt sin a chuir gréasán
sóisialta ar fáil do éilíteanna na hÉireann le linn a ndeoraíochta. Do
chléir is uaisle Éireann go háirithe, níor phearsa imigéiniúil é an
Stíobhartach, ná siombail shamhaltach, ach rí feidhmiúil a raibh aithne
phearsanta ag cuid mhaith acu air, dlúthcheangal cleithiúnais idir é
agus iad; rí a raibh an dílseacht chéanna dlite dó is a bhí dá shinsir.

Chomh fada leis an chléir, b'í an tsnaidhm ab fhollasaí a cheangail
iadsan agus an ríora Stíobhartach le chéile an ceart a d'éiligh agus a
d'fheidhmigh an ríora easpaig na hÉireann a ainmniú.[30] Chuaigh an
ceart sin i bhfad siar, ar shlí go dtí na meánaoiseanna, nuair ba ghnás
coiteann é ag an bprionsa áitiúil a rogha féin a ainmniú mar easpag. Sa
bhliain 1687 bhronn an pápa Innocent XI an phribhléid ainmniúcháin
ar Shéamais II agus d'úsáid sé í go rialta is go leanúnach ó thús deireadh
a ré. Na heaspaig uile a ceapadh in Éirinn idir 1688 agus 1697 – trí
dhuine dhéag acu – is é Séamas a d'ainmnigh iad. Agus bíodh gur
ceistíodh an ceart ainmniúcháin, nuair a bhí a choróin caillte ag
Séamas, dhearbhaigh an pápa go sollúnta arís sa bhliain 1693 nach
bhféadfaí easpag a cheapadh in Éirinn gan toil Shéamais. Ar bhás
Shéamais sa bhliain 1701, d'aithin an pápa agus Louis XIV araon a
mhac, Séamas III, mar rí dleathach ar na trí ríochta ach go dtí gur
tháinig sé in aois is í a mháthair, Mary of Modena, a d'ainmnigh, in
ainm a mic, easpaig na hÉireann. Sa bhliain 1706, agus Séamas III bliain
is fiche, ghlac sé an ceart ainmniúcháin chuige féin agus d'ainmnigh sé
seachtar easpag idir sin agus 1707. Nuair a measadh ina dhiaidh sin go
raibh neamhshuim á dhéanamh dá cheart, ghearáin sé go tréan leis an
Róimh is dhearbhaigh an pápa Clement XII sa bhliain 1714 arís ceart
ainmniúcháin Shéamais III. Níor cheart dlíthiúil amháin an ceart sin
Shéamais agus thóg sé féin páirt lárnach is go minic páirt
thionscnamhach i gceapachán na n-easpag in Éirinn. Níor dhiúltaigh an
Róimh riamh d'aon ainmniúchán dá chuid agus tuigeadh coitianta i
measc na cléire in Éirinn gur go cúirt an Stíobhartaigh in St Germain
ba chóir don ábhar easpaig triall nó gur ann ba chóir dó a chás a chur.
Idir Márta 1718 agus Fómhar 1730 ceapadh ceithre easpag fichead in
Éirinn; is é Séamas III a d'ainmnigh gach duine acu. Eisean, mar an
gcéanna, a d'ainmnigh an uile dhuine den chúig easpag déag is
daichead a ceapadh in Éirinn idir 1731 agus 1750. Faoin bhliain 1742,
den chéad uair ó 1648 i leith, bhí cliarlathas iomlán Caitliceach ag
feidhmiú arís in Éirinn. Den tríú huair as a chéile, ó thús an tseachtú
haois déag, bhí an cliarlathas sin tagtha chuige féin arís agus athordú is
athnuachan iomlán déanta air. An tríú huair sin, bhí páirt nach beag ag
na Stíobhartaigh (Séamas II, Mary of Modena, Séamas III) leis an
athnuachan, trí easpagacht éifeachtach dhúthrachtach a sholáthar in
Éirinn. Ba cháilíochtaí riachtanacha ainmniúcháin iad riamh an t-ábhar

easpaig a bheith uasal, dílis, is dea-bheathach; féachadh chuige freisin de ghnáth go raibh glacadh leis ag cléir is ag maithe a dheoise féin.

Do na Stíobhartaigh, cuid mhaith, mar sin, atá buíochas ag dul gur cheap an Róimh easpaig go rialta is go leanúnach in Éirinn sa chéad leath den ochtú haois déag, agus go raibh cliarlathas éifeachtach ar fáil a thug treoir, teagasc, is cinnireacht don phobal Caitliceach, in ainneoin ghéarleanúint an Stáit. Tá le tuiscint freisin gur chuid lárnach den teagasc sin na cléire dílseacht do na Stíobhartaigh, don ríora ceart, a chothú is a dhlisteanú ar bhonn morálta. Is cinnte gur tuigeadh do na húdaráis gur i measc na cléire ba láidre an Seacaibíteachas agus gurbh iadsan ba mhó a bhí á chur chun cinn. Dob ionann, dar leis na húdaráis, pápaireacht is Seacaibíteachas; mar a mhínigh an príomhghiúistís Sir Richard Cox é, 'Popery and the Pretender are the greatest and most irreconcileable enemies we have in the world' (Burke 1914:192). Ní raibh an t-ionannú a bhíothas a dhéanamh idir pápaireacht is Seacaibíteachas gan bhunús éigin. Bhí Séamas III aithinte mar rí *de jure* ar na trí ríochta ag an Phápacht agus ag rí na Fraince, an dá chumhacht sheachtracha a raibh dlúthcheangal ag cléir is uaisle Éireann leo. In arm na Fraince bhí an bhriogáid Éireannach a bhí ullamh, creideadh, troid ar son an Stíobhartaigh ach an deis a fháil. Bhí na reisimintí Éireannacha páirteach i ngach feachtas míleata dár fhear an Fhrainc is na Seacaibítigh i gcoinne na Breataine, uaisle Éireann a bhí i gceannas na reisimintí sin, bancaeirí ó Éirinn a rinne na feachtais a mhaoiniú, agus is in Éirinn, den chuid is mó, a rinneadh an liostáil.[31] Ó dheireadh an tseachtú haois déag amach, ba ghné mharthanach de chogaíocht is de pholaitíocht na hEorpa iad na reisimintí sin in arm na Fraince; fad a bheidís ann, bhí seasamh is tathag ag an Stíobhartach is taca ag a chúis san Eoraip:

> I cannot comprehend by what honest policy it is that the Irish regiments are still permitted to remain in the service of France. ... As long as there is a body of Irish Roman Catholic troops abroad, the Chevalier will always make some figure in Europe by the credit they give him; and be consider'd as a Prince that has a brave and well-disciplined army of veterans at his service ... (Forman 1728:17).

Is beag clann uasal in Éirinn nach raibh duine dá clann mhac ina oifigeach sna reisimintí Éireannacha in arm na Fraince, agus bhí an chuid b'oirirce is ba tháscúla díobh ar na príomhghníomhairí is na príomhchomhairleoirí a bhí ag an Stíobhartach – Eoghan Ó Ruairc, Artúr Díolún, Walter Bourke, Charles Wogan, Count Thomas Lally, Séarlas Ó Briain, Sir Patrick Lawless, Sir Toby Bourke, Dónall Ó Súilleabháin Béarra, Uilliam Ó Seachnasaigh, Roibeard Mac Cárthaigh. Chuaigh ceangal na dteaghlach sin leis an ríora Stíobhartach i bhfad siar; ba cheangal é a bhí bunaithe ar sheirbhís, ar chleithiúnas, ar dhílseacht; ceangal a buanaíodh is a athnuadh ó ghlúin go glúin. Léiríonn stair na dteaghlach trí chéile an leanúnachas iltaobhach

fadmharthanach sin; tugann teaghlach Thiarna an Chláir léiriú
ionadach amháin air.

Séarlas II, sa bhliain 1662, a bhronn an teideal Tiarna an Chláir ar
Dhónall Ó Briain mar dhíol fiach as an tseirbhís oirirc a thug sé féin, a
mhac (Conchúr an dara tiarna), is mac a mhic (Dónall an tríú tiarna),
thar lear dó. Séarlas freisin a bhronn ar ais ar an teaghlach na tailte
sinseartha – ceithre fichid míle acra – a baineadh díobh trí phlandáil
Cromwell. Ar theacht Shéamais II go hÉirinn cheap sé Dónall, an tríú
tiarna, ina bhall den ríchomhairle agus ina fhear ionaid ar chontae an
Chláir. Eisean a thóg is a bhí mar chéad choirnéal ar an reisimint
cháiliúil 'Clare's Dragoons', agus is thar lear ag troid in arm na Fraince
a d'éag sé féin (†1691) agus a mhac, Dónall eile, an ceathrú tiarna
(†1693). Ar a bhás-san, is é a dhearbháir Séarlas a shealbhaigh an teideal
mar chúigiú tiarna. Dála a mhuintire roimhe, lean seisean freisin
Séamas II thar lear is thóg páirt shonrach tháscúil i gcogaí na hEorpa,
mar *Maréchal de Camp* in arm Louis, gur éag de dheasca a ghonta ag cath
cáiliúil Ramilles sa bhliain 1706. Sa chaoineadh a chum sé air, thug
Aodh Buí Mac Cruitín léirthuairisc ar a ghníomhréim ghlórmhar i
seirbhís na Stíobhartach:

> Is é do Mhars ba dalta cíche,
> do chuaidh 'na leanbh tar sleasaibh na taoide
> d'fhoghlaim gaisce is bearta gaoise,
> is táinig ar ais i dteas na bruíne
> le Séamas ag caomhnadh na críche ...
> ag sruth na Bóinne tug sompla laochais,
> an Geinearál is armáil mar aon ris ...
> dob ard a réim ag caomhnadh Luimnigh,
> ag Sparr San Seon tug gleo dá naimhde ...
> is tar éis na gcealg ler cailleadh an chríoch so,
> is ler cuireadh na Gaeil fá ghéill mar chí-se
> do chuaidh don Fhrainc go campa Laoisigh,
> is do gheall dó cló gach bíobha ...
> san Savoy theas ba feas an ní seo,
> tá an Rhine go dearbh dá aithris go cuimhneach ... .[32]

Is thar lear, in St Germain sa bhliain 1699, a saolaíodh a mhacsan
Séarlas an séú tiarna. Bhain seisean freisin ardcháil amach dó féin mar
shaighdiúir in arm na Fraince gur thabhaigh sé an gradam ab airde
Maréchal de France dó féin. Is dósan, dar le hAodh Buí Mac Cruitín, a bhí
sé i ndán filleadh chun bua a bhaint 'in éiric a athar':

> Tá éinghin fhearga lasfas mar spré san ngual,
> Séarlas a ainm ó theastaigh an féinics uaibh,
> is baoghal go gcasfaidh go Caiseal 'na léadar slua
> is in éiric a athar ná glacfaidh gan géilleadh is bua ... .[33]

Níor bhain Éire ná tailte a mhuintire amach riamh, ach feadh a ré bhí
ag plé le cúirt na Stíobhartach ag dearbhú na dílseachta 'my ancestors
always shew'd for the Royal family' agus a thoilteanaí a bhí sé, ach an

deis a fháil, 'to be in a way of sacrifying my life in so just a cause'.[34] Ní móide gur dearbhuithe bréagacha gan bhunús iad sin aige: ar thuras dó i Londain, thairg Seoirse I tailte oidhreachta na mBrianach a bhronnadh ar ais air ar acht é a iompú ina Phrotastúnach; dhiúltaigh sé. Sa bhliain 1759, agus ionsaí armtha eile ar an Bhreatain á phleanáil ag an Fhrainc, bhí páirt thionscnamhach san ionsaí á bheartú do Thiarna an Chláir is dá reisimint mhórchlú.

An dlúthshlabhra dílseachta is seirbhíse a shnaidhm na Brianaigh is na Stíobhartaigh le chéile, is féidir ceangal leanúnach mar é a rianadh freisin idir iad agus mórshleachta Éireann trí chéile, go háirithe idir iad agus clann mhac na mBuitléarach, na gCárthach, na nDíolúnach, na Nuinseanach, na mBúrcach, na nGearaltach, na gCearúllach, na Seachnasach, na Ruarcach, na Súilleabhánach.[35] Tá patrún coiteann áirithe ag baint le stair na dteaghlach sin freisin: chaill an formhór acu seilbh a dtailte i bplandáil Cromwell, is d'éirigh le cuid mhaith acu iad a athshealbhú le filleadh Shéarlais II sa bhliain 1660; ina theannta sin is ag baill na dteaghlach sin a bhí na poist, na feidhmeannais, is na gradaim phoiblí mar shirriaim, mar oifigigh airm, mar bhaill pharlaiminte le linn Shéamais a bheith in Éirinn sna blianta 1688-1690. Agus Séamas II i réim bhí conách ar uaisle dhúchais na hÉireann, lena thurnamhsan treascradh an uaisle ina theannta. Mar a chuir an Pluincéadach é:

> the said Catholic proprietors lost all again when King James lost the Kingdom of Ireland, and they remain so depriv'd unto this day; and will do so until justice reigns in *terram nostram* (BLO Carte 229:54).

Bhí parailéalachas nach beag idir fortún na Stíobhartach agus fortún na huaisle dúchais agus bhí ionannú iomlán sa dán a samhlaíodh leo araon:

> Beidh againne an leanbh sin 'na shuí sheolta
> i Sasana, in Albain, is i gcrích Fódla,
> le haigeantacht, le calmacht, le fíorchrógacht,
> mar Shalamon ag seasamh ar an ndlí chóirte.[36]

Beidh againne: an comhluadar Seacaibíteach i gcúirt Shéamais in St Germain, comhluadar a chuimsigh idir uaisle, shagairt, is scoláirí nach raibh amhras dá laghad orthu i dtaobh an dáin a bhéarfadh ar 'an leanbh sin' dá rabhadar uile ag fónamh. Na seintimintí cinnte dóchasacha céanna, sa ghuth iolrach cuimsitheach céanna, a bhí á nochtadh ag an aos léinn a bhí fanta ag baile:

> Tar toinn má thagann an leanbh nach aithnid dúinne,
> go buíonmhar acmhaingeach armach garbhthrúpach,
> fíochmhar feargach draganta teannaphúdair –
> is mín gan magadh ar bith an aicme seo leanann Liútar ... .

> Níor cheist ar Dhia go mbeidh ina dhiaidh so againn Prionsa
> do scaipfidh ciach den chreideamh dhiaga, feracht Iúdas;
> deirid siad is do bheirim sliabh gurb aiteas liomsa
> go mbiaidh an Chevalier le treise triath ag teacht don dúiche ... .[37]

III

Agus is é an Brian réamhráite is lán beoil do na tuathaibh coimhneasa. ...
Agus bíodh nach mbeith dá chomaoin ar chliaraibh agus ar uaislibh
Éireann acht amháin an tionól agus an tiomsughadh do rinne ar
phríomhleabhraibh bunbhúsacha glaneolais na nGaoidheal agus ar
leabhraibh diadhachta – an mhéid do cuireadh i nGaoidhilg in Éirinn
díobh – ba mhór an leachta re cur 'na mharbhnadh sin féin amháin ... .
Agus is amhlaidh do comóradh sin leis .i. iar mbeith don náision[38] bocht
so – an mhéid do mhair dhíobh tar éis chogaidh Rí Séamais agus Rígh
Uilliam rer oile – fa léan agus fa leatrom tar éis a n-argain agus a
lomchreachadh faoi phersécution agus sglábhuigheacht. ... is é inntleacht
do foillsigheadh dhó .i. fógra do chur fá na coigcríochaibh 'na thimchioll
chum gach uile sgoláire Gaoidhilge dhá iarraidh orrtha an mhéid do
thiocfadh leo d'fhagáil le cruinniughadh nó re tiomsughadh go hard nó
go híseal do leabhruibh maithe Gaoidhilge do thabhairt chuige ...

(RIA C vi 1:2-3).

Acht níor áirmheas ann so na mórchomaoin do chuir ar an dteanga
nGaeilge ag bronnadh óir et airgid d'éigsibh et d'aois téad nó ealadhan,
et d'fhileadhaibh foghlamtha agus bíodh a fhianaise sin ar an leabhar
suathantais noch atá le taisbeánadh agus do rinneadh in onóir agus in
adhmholadh an riodaire réamhráite ... .[39]

Is í an staitistic lom a luaitear de ghnáth mar léiriú ar thurnamh na
huaisle dúchais, nach raibh ach ceathair déag faoin gcéad de thalamh
na hÉireann i seilbh na gCaitliceach faoi thús an ochtú haois déag
(Simms 1956:195). Is fíor an staitistic sin tríd is tríd ach amháin nach
féidir í a úsáid go huilíoch ná go habsalóideach. Chomh fada is a bhain
le húinéireacht na talún, níorbh ionann in aon chor an patrún seilbhe
ná na dálaí soch-chultúrtha áitiúla ó chúige go cúige ná, go minic, ó
chontae go contae. Ní móide go raibh aon tiarna talún Caitliceach
fágtha i gcontae Ard Mhacha; in oirthear Chorcaí bhí grúpa dlúth den
mhionuaisle Chaitliceach fós i seilbh a dtailte; chaill Mac Cárthaigh Mór
seilbh a thailtesean chomh luath le 1596, bhí tailte sinseartha Uí Eadhra
fós i seilbh na muintire sin dhá chéad bliain ina dhiaidh sin; chomh
déanach le 1659 ní raibh aon choilíniú, arbh fhiú trácht air, déanta ar
chontae Mhaigh Eo; bhí coilíniú iomlán, geall leis, déanta ar chontae an
Dúin ó dheireadh an tséú haois déag; chomh déanach le 1641 ba le
dúchasaigh fós breis agus nócha faoin gcéad de thalamh shochrach an
Chláir. I gcuntas fíorshuimiúil a scríobh an Pluincéadach ar *The State of
the Nation anno 1712*, tugann sé liosta de na 'Catholick Lords and
Gentilmen in present possession of Estates'. Ceithre dhuine dhéag de
thiarnaí Caitliceacha a bhí fós in Éirinn, dar leis, agus breis agus céad
go leith uasal: ceathrar i gcúige Uladh, ocht nduine fhichead i gcúige
Chonnacht, naoi nduine fhichead i gcúige Mumhan, agus dáréag is
ceithre fichid i gcúige Laighean.[40] B'fhurasta samplaí difriúla eile de
chontrárthachtaí mar iad a liostáil is a léiriú ach is é is tábhachtaí go

dtuigfí nach féidir patrún simplí aontomhaiseach a leagan síos ar an tír trí chéile. Is tábhachtaí fós go dtuigfimis nárbh ionann riamh – ó thús deireadh an tseachtú haois déag – coigistiú agus díshealbhú coiteann. Chaill an mhóruaisle seilbh (.i. úinéireacht) a dtailte ach d'fhan a dtionóntaí is a bhfothionóntaí ar na tailte céanna faoi na máistrí nua. Bhí seilbh a thailtesean caillte ag Iarla Chlainne Cárthaigh, ach bhí na sleachta a bhí faoi – muintir Laoghaire, muintir Shuibhne, muintir Shúilleabháin, muintir Ríordáin – fós ag áitreabh a dtailte dúchais. Ní hamháin sin, ach d'fhan cuid mhaith de na seantiarnaí freisin ach iad anois mar léasaithe nó mar thionóntaí ag na tiarnaí nua. Ina theannta sin, cuid mhaith den uaisle a d'iompaigh ina bProtastúnaigh chun a dtailte a choimeád níorbh iompú ó chroí é, is léir, ach iompú ainmniúil amháin. Ar na cúinsí sin uile agus cúinsí eile nach iad, is léir anois nach díothú iomlán uileghabhálach ó cheann ceann na tíre a imríodh ar an uaisle dhúchais, ach díchur páirteach nárbh fhéidir a chur i bhfeidhm go huile ná go hiomlán. Faoi mar atá léirithe le blianta beaga anuas ag Lyne (1975, 1977), Cullen (1986) agus Whelan (1988, 1995) mhair fós, go háirithe i Leath Mhogha, eilimint bhuan láidir den tseanuaisle dhúchais sna sean-áitribh, mar thiarnaí nó léasaithe, mar thionóntaí nó feirmeoirí láidre, in ainneoin plandála, coigistithe, is péindlíthe. Is don aicme sin a scríobh Ó Rathaille, Mac Cuarta, is Mac Cruitín agus is léir go raibh dlúthbhaint aici mar aicme le cothú na litríochta Gaeilge agus, chomh maith céanna, le cothú an tSeacaibíteachais.

Bíodh gur téama gnách i bhfilíocht an ochtú haois déag é an file a bheith in éagruas d'uireasa pátrúnachta, is léir nach i bhfolús soch-chultúrtha a shaothraigh scríobhaithe ná filí ach, go háirithe sa chéad leath den aois, i gcomhthéacs inar fheidhmigh fós an eitic uaslathach. In ainneoin na ndánta éagaointeacha eiligiacha a scríobh Ó Rathaille, ní léir ar a shaothar ina iomláine go raibh aon easpa pátrúnachta air ó thús deireadh a shaoil. An mhórchuid mhór dá shaothar dánta molta, caointe, is fáiltithe iad do mhaithe is mhionuaisle iarthair Mumhan: Ó Ceallacháin, Mac Donnchadha, Ó Mathúna, Brún, Gúl, Blennerhasset, Ó Donnchadha, Mac Cárthaigh, Ó Laoghaire, Ó Cróinín, Warnar. Formhór mór na filíochta a scríobh Aodh Buí Mac Cruitín is filíocht phoiblí í don uaisle áitiúil freisin – do chlann Mhic Dhónaill, do mhuintir Lochlainn, do chlann Mhic Con Mara, do bhrainsí difriúla de na Brianaigh. Is é an dála céanna ag Mac Cuarta é: is do mhionuaisle Lú a scríobh sé níos mó ná leath dá shaothar. I gcás gach duine de na filí sin, bhí idir chléir is tuath i gceist sna pátrúin a bhí acu agus sa chomhluadar sóisialta a thaithíodar, faoi mar a bhí i gcás an chláirseora Ó Cearbhalláin.[41]

Níor scoláire Gaeilge é an uile shagart dá raibh in Éirinn san ochtú haois déag, ach sna ceantracha inar leanadh de shaothrú an léinn dúchais thóg an chuid ba léannta is ba chultúrtha den chléir áitiúil – idir rialtaigh, shaoltaigh, is easpaig – páirt ghníomhach sa saothrú sin mar fhilí, scríobhaithe, is go háirithe mar phátrúin. Bhain idir chléir is fhilí leis an aicme liteartha sa tír agus bhaineadar araon, tríd is tríd, leis an aicme shóisialta chéanna freisin, go háirithe sa chéad leath den aois. Bhí deartháir ag Diarmaid Mac Cárthaigh ina easpag ar dheoise Chorcaí, bhí gaol gairid don Athair Conchúr Ó Briain ina easpag ar dheoise Chluana, ba shagairt is filí in éineacht iad Conchúr Ó Briain, Eoghan Ó Caoimh, Pól Mac Aodhagáin, Liam Inglis, Nioclás Mac Dónaill, Mánus Ó Ruairc, mar shampla. A bhfuil d'fhilíocht mholta na cléire ar fáil, is iad na luachanna traidisiúnta – féile, léann, folaíocht – is mó a mhórtar inti, agus is mar chuid den uaisle go príomha a áirítear an chléir freisin.[42] B'iad an chléir agus an uaisle dhúchais príomhthacaí an ríogachais in Éirinn sa seachtú haois déag agus is iad is daingne a sheas leis an ríora Stíobhartach san aois dár gcionn. Ag fónamh dóibh araon bhí an t-aos léinn agus is cinnte gurb é an neicseas soch-chultúrtha seo is túisce agus is díograisí a chothaigh an Seacaibíteachas in Éirinn agus a mhúnlaigh a reitric phoiblí. Litríocht pholaitiúil na Gaeilge is fearr a léiríonn an reitric sin, an ideolaíocht a chothaigh í agus an neicseas soch-chultúrtha a d'fheidhmigh í. Léiriú ionadach amháin ar an neicseas sin ag feidhmiú is ea *Párliament na mBan*, téacs teagascach morálta a scríobh an tAthair Dónall Ó Colmáin sa bhliain 1697, nó tamall de bhlianta ina dhiaidh sin. Aistriúchán é go bunúsach ar cheann de na *Colloquia Familiaria* a scríobh Erasmus, agus ar fhoinsí eile Laidine (seanmóirí, urnaithe, etc.) a chuir Ó Colmáin le chéile i bhfoirmle liteartha na parlaiminte. Dá dhalta féin a scríobh Ó Colmáin an téacs, do Shéamas Óg Mac Coitir, mac an tiarna áitiúil, Sir Séamas Mac Coitir.[43]

Bhí Sir Séamas ar dhuine de na ríogaithe ba tháscúla is ba rafaire i gcúige Mumhan ag deireadh an tseachtú haois déag. Bhí a shaol tugtha aige ag fónamh don ríora Stíobhartach – i gcéin is i gcóngar – is bhí comhar na seirbhíse diongbhálta sin, idir theidil, eastát, is fheidhmeannas, díolta go maith leis ag Séarlas II is Séamas II. Is é an gníomh gaisciúil is mó a thabhaigh clú is onóir don Choitireach, marú an rímharfóra John Lyle in Lausanne sa bhliain 1664, eachtra a thug ábhar molta is gairdeachais don aos léinn ar feadh tamaill mhaith ina dhiaidh sin.[44] Sa bhliain 1682 d'fhill Sir Séamas abhaile ar a cheantar dúchais in oirthear Chorcaí gur bhunaigh a chúirt ag Baile na Speire, in aice le Carraig Tuathail, cúirt a d'fheidhmigh mar thearmann ag cléir is éigse an cheantair fad a mhair sé. Ar athmhúnlú an airm sa bhliain 1688, thug Séamas II ardoifig dó agus cheap ina ghobharnóir ar chathair Chorcaí é. Le linn chogadh an dá rí is é an Coitireach a bhí i gceannas arm Shéamais sa chuid is mó de chúige Mumhan ach toisc gur ghéill sé in am bhí sé i dteideal, de réir chonradh Luimnigh, fanacht in Éirinn agus i seilbh a oidhreachta. Ar a bhás sa bhliain 1705, shealbhaigh an mac ba shine, Séamas Óg, in ainneoin na bpéindlíthe, an oidhreacht chéanna idir theideal is tailte fairsinge, tailte a shín, mar a mhínigh Ó

Colmáin féin 'ó Abhainn Móir go fairrge' (PB:49). Sampla maith iad na
Coitirigh, sampla ionadach go leor, den uaisle Chaitliceach dhúchais a
bhí fós i seilbh a dtailte i dtús an ochtú haois déag. Ach ba cheart a
mheabhrú go raibh an taobh sin tíre (oirthear Chorcaí), go háirithe
abhantrach na hAbhann Móire, difriúil le ceantracha eile sa mhéid go
raibh crioslach dlúth ann ar mhair fós na seanteaghlaigh Chaitliceacha:
Nóglaigh, Aonghusaigh, Búrcaigh; agus bhronn sin tábhacht nach beag
ar na teaghlaigh sin – ina súile féin agus i súile na n-údarás.

Tugann an téacs féin an-léiriú dúinn ar chúlra soch-chultúrtha na
haicme lenar bhain Mac Coitir: a gcultúr ilbhéarlach, a léann, a
reiligiún, a bhféinmhuinín, is a bhféinmheas.[45] Is é is fearr a léiríonn an
comhthéacs cultúrtha inar scríobhadh an téacs gur i Laidin is i
nGaeilge, i bprós is i véarsa, atá na hadhmholtaí a ghabhann leis,
adhmholtaí a chuir idir chléir is tuath ar fáil, ag moladh do dhaoine an
téacs a léamh (PB:2315-85); chomh fada leis an gcomhthéacs sóisialta,
ní gá a mheabhrú ach gurbh iad an bheirt a d'fheidhmigh mar athair
baistí ag an gCoitireach óg, easpag Chorcaí is Tiarna Lú. Mar *speculum
principis* a scríobh Erasmus an buntéacs; mar 'theagasc flatha' (PB:24) a
chuir Ó Colmáin a leagansan ar fáil agus é mar oide i dteach an
Choitirigh: léaspairt shoilseach ar ghné fhíorthábhachtach amháin
d'fheidhm na cléire in Éirinn ag an am.

Is é tá i dtéacs *Párliament na mBan* go bunúsach, sraith seanmóirí
teagascacha ar ábhair mhorálta, seanmóirí a thugann mná uaisle uathu
dá chéile i bparlaimint. Faoi mar a mhínigh an t-údar, 'insa mbliain
1697 do bhádar insa ríocht so na hÉireann dias ós cionn a deich is fiche
do bhaintiarnaibh uaisle onóireacha críonna ...' (PB:240-42) ar ghnách
leo teacht le chéile go rialta 'go háirithe nuair do bhíodh trácht ar
neithibh do bhaineadh ré creideamh, nó ré coinsias, nó re haon ní eile
do rachadh chum sochair nó chum fónaimh don mhaitheas poiblí'
(*ibid.* 247-50). Shocraigh na bantiarnaí uaisle sin 'seanad nó párliament
ban do chur 'na shuí ... ar mullach an Charragáin Mhóir ar bruach
Ghleanna Maghair' (*ibid.* 253-65) lasmuigh de chathair Chorcaí, agus
cuireadh teachta go gach contae in Éirinn á fhógra do na mná ba
'thuisceanaí, chríonna, líofa, chéillí' dá raibh ann teacht le chéile chun
na parlaiminte, agus a 'bheith ag an gcúirt réamhráite so an deichiú lá
do Mheitheamh insa mbliain 1697' (*ibid.* 269-71). Aidhm theagascach,
is léir, atá leis an *Párliament*: teagasc morálta á chur ar fáil ag Ó Colmáin
trí bhíthin na seanmóirí a chuireann na mná uaisle díobh i láthair na
parlaiminte. Ag deireadh gach seanmóra acu tugtar achoimriú grinn
véarsaíochta ar éirim an cheachta:

> Teagasc gan bhéim is é do chanaimse dhíbh,
> Paidear is Cré in bhur mbéal bíodh agaibhse shíor,
> scaipidh an déirc gach lae go carthannach caoin,
> is aitheanta Dé ná réabaidh, fanaidh go mín (*ibid.* 421-4).

Is é an rince do ghríosann cuisleanna an choirp,
san rince so smaointear turrainn gach oilc,
san rince so cítear buile agus broid,
's le rince théid mílte go hifreann dubh (*ibid.* 1720-3).

Ná bí gangaideach, sladaitheach, díchúiseach,
ná bí bradaitheach, malartach, mírúnach,
bí go carthannach, geanmnach, caoin, súgach,
is ná díol flaitheas an anma ar bhithiúntacht (*ibid.* 1926-9).

Is léir gurbh í feidhm na véarsaíochta sin, arbh é Ó Colmáin féin a
chum í, teagasc traidisiúnta na cléire a chur ar fáil dá oide – agus do
lucht léite an téacs – i bhfoirm shochuimhneach. Ach bíodh gur ríléir
gur teagasc morálta a chur ar fáil ab aidhm don saothar trí chéile, bhí
chomh maith, dar liom, diminsean polaitiúil sa teagasc sin freisin. Ní i
gcorplár an téacs féin a réalaítear an diminsean polaitiúil sin ach sa
fhráma inar chuir an t-údar an téacs i láthair a dhalta, go háirithe sa
réamhrá a thiomnaigh Ó Colmáin 'chum an ógáin uasail, mo
dheisceabal grách féin .i. Séamas Óg Mac Coitir'.

Tagraíonn an t-oide i dtús an réamhrá don seanfhocal Fraincise a
mheabhraíonn nach féidir d'éinne cúiteamh cuí a thabhairt do Dhia,
dá thuismitheoirí ná dá oidí; ach go mb'fhéidir go dtuigfeadh an dalta
fós 'gurab iomdha dúthracht agus díograis' a rinne a oide chun léann,
tréanfhoghlaim agus 'lonradh na ndea-bhéas do dhortadh go
duibheagánta id intleacht' (*ibid.* 18-20). Cuireann sé ar a shúile dá
dhalta ansan gur gnách le hoidí múinte 'beatha rí nó riodaire nó
dhuine oirirc éigin do scríobh chum a bheith mar riail, mar shampla,
nó mar theagasc flatha agá ndeisceablaibh' (*ibid.* 21-5). Níl éinne is
oiriúnaí, dar le daoine léirchiallacha, a chuirfeadh patrún saoil ar fáil
don dalta óg ná a athair féin agus is é a bheathasan, beatha Sir Séamas
Mac Coitir, a chuireann an t-oide faoi bhráid a mhic fhoghlama mar
'scáthán et mar réaltan eolais le haithris do dhéanamh ar a
mhaithghníomhaibh, ar a mhóiréachtaibh' (*ibid.* 28-30). Ar dtús liostáil
sé buanna iomadúla a athar dó, idir chorp agus aigne: 'croí cróga,
cuisleanna calma, cuntanós cogúil et seasamh saighdiúrtha ... tuigsin
tapa, breithniú, géirmheabhair mharthanach, ciall fhorasta ... gliocas
chum cosnaimh, et réimhfhéachain chum teilgean beart' (*ibid.* 37-45),
agus mheabhraigh dó an mhórchomaoin a bhí curtha ag a athair ar an
rí, ar an gcreideamh, agus ar an léann.

'Féach', adeir sé leis go hoideasúil, agus móréacht táscúil a athar á
thabhairt chun cuimhne, 'créad é an mhuinín do bhí ag Rí Cormac ina
lúth, ina mhisneach, et ina chomhall' (*ibid.* 52-3); gníomh é ba chóir 'do
chur i gcroinicibh i leitribh óir', gníomh ar díoladh a chomhar go huile
is go hiomlán 'do bhí Rí Saxon comh buíoch sin don tseirbhís et don tí
noch do rinne í' (*ibid.* 62-7). Ní lú an cion 'do bhí ag Rí Séamas air tar
éis bheith farais féin i seacht gcathaibh i gcogadh na fairrge' (*ibid.* 75-6),
agus tar éis dó seirbhís ghníomhéachtach a thabhairt i gcogadh an dá

rí. Lean an t-oide air, 'D'éis na seirbhíse sin do rinne sé san gcogadh budh tairbheach é san tsíocháin' (*ibid.* 90). Chosain sé é féin is a chuid maoine go cliste cumasach ar an dream a shantaigh í d'éis chonradh Luimnigh, mar do thuigeadar dá n-éiríodh leo eisean a chloí 'go mbeith rith chinn ré fánaidh acu ar gach n-aon eile noch do bhí fá airteaglaibh Luimní ar feadh na hÉireann' (*ibid.* 98-100). Níor éirigh leo mar 'íslíonn Dia lucht an uabhair agus na hiomarca et go n-ardaíonn an dream noch bhíos umhal dea-chroíoch' (*ibid.* 106-8). Agus bíodh gur mhaith sin, 'níorbh fhearr é iná an oibleagáid agus an chomaoine do chuir sé ar an náisiún Éireannach so ar son a gcreidimh' (*ibid.* 110). Chuir sé teach tearmainn ar fáil i gcúirt Bhaile na Speire don Easpag Mac Sleidhne sa tslí gurbh fhéidir don chléir agus easpaig 'do bheith ag triall go laethúil agus ag teacht ag fiosrú an easbaig' (*ibid.* 120-2). Ní raibh áirithe fós aige 'na mórchomaoin do chuir ar an dteanga nGaeilge ag bronnadh óir et airgid d'éigsibh et d'aois téad nó ealadhan, et d'fhileadhaibh foghlamtha'; ní hionadh, mar sin, gur cuireadh le chéile ina onóir duanaire cuimsitheach 'do bhrí go madh mian leis an oiread sin do cheirtchleachta gnáthuasal na nÉireannach bhfírfhial do chongmháil ar cuimhne go mbeireadh fortacht Dé orthu' (*ibid.* 129-38). Is í an tréith dheireanach de charachtar a athar a chuireann Ó Colmáin faoi bhráid a dhalta, a charthanacht is a dhéirciúlacht 'dá ghaol et dá chomhgas do chill et do thuaith, agus go sonrach do dhaoinibh uaisle bochta, noch do chuaidh chum riachtanais tré dhíchur a gcairde' (*ibid.* 150-52). Agus é sin go léir a chur san áireamh, 'cia nách déarfadh', fiafraíonn sé dá dhalta, 'gurab é Séamas an mac is feirrde fine, díonaitheoir na cléire, cosantóir na héigse, ciorraitheoir na meirleach ... onóir a dhúthaí, cosantóir gach ponc dlí, et gaiscíoch na bPrionsaí' (*ibid.* 181-6). Ar eagla go bhfuil sé dearmadtha ag an dalta cad chuige an léiriú seo ar shaol is ar charachtar a athar, meabhraíonn a oide arís dó é go neamhbhalbh agus a aitheasc á thabhairt chun críche aige:

> Sin agad, a mhic m'uchta, eiseamláir agus sompla chum líntí do bheatha do tharrang dá réir. Sin agad scáthán chum tú féin do cheartú dá réir. Sin agat pointí an chompáis chum stiúrthóireacht do dhéanamh ort féin tré mhuir mhailísigh an tsaoil se ... (*ibid.* 187-91).

Bíodh nach ráiteas polaimiciúil polaitiúil amach is amach é aitheasc Uí Cholmáin, fós, nuair a chuimhnímid ar log agus aimsir a scríofa, is deacair gan fothéacs polaitiúil a bhrath tríd agus an t-údar ag díriú ar ghnéithe áirithe de shaol an athar agus aird an dalta á threorú aige. Tá, is cinnte, cuma adhmholtach ar chuid de charachtracht an athar ach tá, chomh maith, réaltacht dhainséarach i dtréithe eile dá chuid a thugann sé chun cuimhne: a chrógacht, a 'réimhfhéachain chum teilgean beart' (*ibid.* 45), a rá nach le feall a shealbhaigh is a shaothraigh seisean 'atá féna chumas ó Abhainn Móir go fairrge' (*ibid.* 49); an mhuinín a bhí ag rí Cormac as; marú an tréatúra Lyle, gníomh a rinne sé le hordú speisialta an rí 'in éiric et i ndíoltas bháis Rí Séarlais' (*ibid.* 57); an cion a bhí ag Séamas II air, a ghníomhéachta ar pháirc an áir, an tslí ar sheas sé go tréan in aghaidh 'slua na nGall' a chosaint a atharga, an oibleagáid agus an chomaoin a chuir sé 'ar an náisiún Éireannach so ar son a gcreidimh' (*ibid.* 110), na buafhocail a shamhlaítear leis: 'díonaitheoir na cléire ..., ciorraitheoir na meirleach ..., gaiscíoch na bPrionsaí'.

Ní leantar den fhothéacs diamhair polaitiúil sin i gcorp an téacs, ach tugann na mná uaisle difriúla seanmóir i ndiaidh seanmóra uathu agus an teagasc ceartchreidmheach traidisiúnta Críostaí á chur abhaile acu gan tagairt dá laghad do chúinsí comhaimseartha polaitiúla. Ach i dtreo dheireadh an téacs tugtar ábhar nach bhfuil dípholaitiúil ar fad ar fad isteach arís. Is é atá i bhformhór na seanmóirí, cáineadh ar na peacaí gnácha (fearg, drúis, díomhaointeas, cúlchaint, leisce, craos, etc.) agus ar dhrochnósanna (ólachán, rince, éide, is faisean, etc.), ach is air a thráchtar sna seanmóirí deireanacha 'ar na cheithre suáilcibh cairdineálta .i. eagna, ceart, neart agus measardhacht' (*ibid.* 204-6). B'í an chéad suáilce acu – an eagna – 'tobar prionsabálta gach aon mhaithis mhórálta' (*ibid.* 2034) agus, mar a míníodh sa naoú seanmóir fichead, in 'Óráid Mhonica Chórach', b'é an ceart 'an dara suáilce chairdeanálta ... ag tabhairt is ag ministreáil chirt agus córa don iomlán do na daoinibh'. Leanann sí uirthi:

> Is é an ceart chruinníos na daoine farra a chéile, cheanglas iad i ngrá agus i gcumann ré chéile, agus chongbhas i síocháin iad. Is é fós an ceart síocháin an phobail, cosnamh na dúiche, daingean na gciníoch, lúcháir na ndaoine, suaimhneas na spéire, ceannsacht na fairrge agus torthúlacht an tailimh.
>
> Is ris an ribhéar ar a dtugthar Euphrates do chosúlaidís na seandaoine an ceart do bhrí, an ribhéar so an uair do sceinn sí tar a portaibh ar na bántaibh, is comhartha rath mhór do theacht ar na torthaibh é. Mar sin an ríocht do stiúraíthear lé ceart, sealbhann sí gach aon tsord maitheas poiblí ... (*ibid.* 2056-70).

Bhí dlúthbhaint ag an bhfocal agus ag an gcoincheap *ceart* le hideolaíocht na ríogachta in Éirinn riamh: bhraith rath is torthúlacht na tíre féin ar an rí *ceart* a bheith i réim. Ba íotam lárnach é *ceart* freisin i leicseacan an tSeacaibíteachais; d'úsáid an t-aos léinn go héifeachtach is go síorghnách é chun dlisteanas an Phrionsa a áiteamh. Focal é ar leathan is ar ilbhríoch a shéimeantaic, mar a léirigh Donnchadh Caoch Ó Mathúna go héifeachtach nuair a ghuigh sé *Ós ceart a cheart ina cheart go dtaga go luath.*[46]

Ní chuirtear aon chríoch fhoirmeálta le seisiún na parlaiminte. Molann an cainteoir deireanach dá lucht éisteachta an t-olc a sheachnadh agus na suáilcí Críostaí a mheabhrú agus a shaothrú. Iarrtar orthu 'urraim agus ómós agus onóir' a bheith acu don chléir, do na sagairt agus do na heaspaig agus a bheith ag guí de ló is d'oíche ar Dhia uilechumhachtach 'sláinte coirp agus anma' a thabhairt do Eoin

Baiste Mac Sleighne, easpag Chorcaí is Chluana.[47] Ba chóir dóibh, mar
an gcéanna, a bheith ag guí 'ar dhaoine uaisle agus ísle ar an dtaoibh
thall d'fhairge chum iad do theacht slán, agus gan aon díobh do thuitim
i mídhóchas'. Agus, chomh maith céanna, ba chóir dóibh a bheith

> ag iarra fad saoil agus sláinte do thabhairt don mhéid atá insa náisiún so
> díobh, agus go speisialta guí chum Dé rath agus bail agus beannú, grása
> agus trócaire agus fad saoil do thabhairt do dhíonadóir na cléire insan
> aimsir seo, .i. an fhlaith fhíoruasal, Sir Séamas mhac Éamoinn Mhic Coitir

> Mo chumann, mo pháirt, mo ghrá, mo dhíograis cléibh,
> marcach na n-airdeach sásta, síormhear, séin,
> an churadh nár thláth chum fáscadh ar bhruínte baoil
> 's an faraire stáit go brách dá rí nár chlaon ... (*ibid.* 2262-86).

Dá rí nár chlaon: abairt dhébhríoch a chiallaigh, nó a d'fhéadfadh a
chiallú, nár ghéill sé dá rí nó nach raibh sé riamh mídhílis dó.[48] Abairt
thrombhríoch pholaitiúil ar bhraith a brí is a héifeacht ar pé rí a bhí i
gceist. Níor dhualgas sóisialta ná gnás traidisiúnta é feasta a bheith
umhal don rí; ba ghníomh ceannairceach freisin é óir sna trí ríochta trí
chéile bhí anois rogha ag daoine idir dhá ríora. Ní fhéadfadh aon dabht
a bheith ar éinne i dtaobh dhílseacht Sir Séamas Mac Coitir, ná i dtaobh
an ríora ar fhóin sé dó feadh a shaoil; don ríora céanna, is léir, a bhí
dílseacht a mhic á múnlú is á treorú go cáiréiseach ag a oide. Ní móide
gur go cinniúnach ar fad é gurbh é an dáta ar tháinig an pharlaimint sin
na mban le chéile ar an 10 Meitheamh – lá breithe Shéamais III, an dáta
príomha i bhféilire na Seacaibíteach.[49] Ná ní móide gur de sheans a
tharraing an t-údar isteach ina théacs teagascach, agus é á thabhairt
chun críche aige, na nóisin shíolmhara sin ceart, neart, fírinne: ceart
'síocháin an phobail', neart a chuireann 'arm agus anam insa cheart'
agus an fhírinne a gcaithfeadh an rí féin géilleadh di. Agus ní dócha
nach go fiosach toiliúil a dhírítear aird i dtús agus i ndeireadh an téacs
ar an mhaitheas phoiblí agus ar an náisiún – 'an náisiún Éireannach'.
Ní dhéanann Ó Colmáin aon bheachtú ná deilíniú ar chomhdhéanamh
an náisiúin sin, mar a dhéanann an Pluincéadach, ach, a dhálasan,
tuigtear do Ó Colmáin go raibh dhá chomhchuid de ann – an dream a
d'fhan ag baile agus an aicme a d'imigh thar lear. Áiríonn Ó Colmáin,
murab ionann is an Pluincéadach, daoine 'uaisle agus ísle' ina meascsan
agus is é a ghuí iad a theacht slán ar ais is gan éinne acu a thitim 'i
mídhóchas'.

Ní heol dúinn, gan amhras, cé chomh cumasach a bhí Ó Colmáin
mar oide múinte, ná chomh díocasach i mbun foghlama a bhí a dhalta.
Níl a fhios againn, ach oiread, cén éifeacht ar aigne an dalta óig a bhí
ag na coincheapanna síolmhara a tharraing an t-oide chuige féin ná
conas mar a chuaigh patrún saoil a athar, mar a cuireadh ina láthair é,
i bhfeidhm air. Ach tá a fhios againn gur chuige a cuireadh an patrún
saoil sin faoi bhráid an mhic óig, chun go bhféadfadh sé aithris 'do
dhéanamh ar a mhaithghníomhaibh, ar a mhóiréachtaibh' (*ibid.* 30).

Agus tá a fhios againn freisin go raibh an mac óg, dála a athar, dílis do reiligiún a mhuintire; gur chothaigh sé, dála a athar, léann na Gaeilge agus go raibh sé dílis dá rí – mar a bhí a athair roimhe.

Crochadh Sir Séamas Óg Mac Coitir i gcathair Chorcaí ar an 7 Aibreán 1720. Fuadach is éigniú mná an díotáil oifigiúil a cuireadh ina leith ach creideadh coitianta ag an am, agus tá áitithe ag scoláirí go minic ó shin, gurbh í cúis a chrochta dáiríre gur Sheacaibíteach é, dála a athar.[50]

CUID A DÓ

An Seacaibíteachas:
Reibiliún, Reitric is Ideolaíocht

Toisc nár éirigh leis an Seacaibíteachas riamh sa phríomhaidhm a bhí aige – athbhunú an ríora Stíobhartaigh – is mar chúis chaillte is mó a fhéachtar inniu air in Éirinn agus is í an teip sin is mó faoi deara brat rómánsúil a chur uime, brat a cheileann fós tábhacht is cumhacht an tSeacaibíteachais mar fhórsa polaitiúil. Ach ní gluaiseacht pholaitíochta, mar a thuigtear an téarma sin inniu, a bhí sa Seacaibíteachas ach feiniméan coimpléascach, comhdhéanta d'eilimintí difriúla, a léirigh é féin san iliomad slí san iliomad áit: reibiliún oscailte sa Bhreatain féin, polaitíocht idirnáisiúnta i gcúirteanna ríoga na hEorpa, comhcheilg na ngníomhairí Seacaibíteacha, círéib an ghnáthphobail, freasúra na dTóraithe sa pharlaimint; seanmóireacht, paimfléadaíocht is bailéadaíocht; saothar an aosa léinn sna trí ríochta.

Tá litríocht Ghaeilge an ochtú haois déag le háireamh ar phríomhfhoinsí an tSeacaibíteachais in Éirinn. An fhilíocht pholaitiúil a scríobhadh sa Ghaeilge idir c. 1690-1780, is filíocht Sheacaibíteach go príomha í; dála Dryden i Sasana agus Iain Lom in Albain, is filí Seacaibíteacha freisin iad filí aitheantúla na Gaeilge – Ó Rathaille, Mac Dónaill, Mac Cruitín, Ó Neachtain, etc. Agus bíodh nach gnách an aidiacht 'Seacaibíteach' a shamhlú lena saotharsan, is samhlú bailí é: ideolaíocht an tSeacaibíteachais is cloch choirnéil dá bhfilíocht pholaitiúil, is reitric Sheacaibíteach í a reitricsean, luachanna na Seacaibíteach a chothaíonn a saothar trí chéile.

Ní hamháin go nochtar idir reitric is ideolaíocht an tSeacaibíteachais san fhilíocht sin ach, chomh maith céanna, go háirithe suas go dtí 1745, go bhfaightear réaladh ar ghníomhaíocht reibiliúnach na Seacaibíteach sa Bhreatain (1708, 1715, 1719-22, 1745-6) is réaladh ar ghníomhréim na Stíobhartach féin ó theitheadh Shéamais II go cloí Shéarlais Óig. Ach, níos tábhachtaí fós, tugann an fhilíocht sin freisin an-léargas dúinn ar aigne an aosa léinn féin agus aigne na haicme soch-chúltúrtha a chothaigh iad.

Caibidil 5

'Le Roi Ne Jamais Meurt'

I

In the first place, tis a maxim, *the King never dyes:* that is, when one king departs this life, another of the nearest blood of what eaver religion doth in that very moment succeed without asking the people's consent

(NLI 477: 22/7).

Tis on this the maxim runs, *the King never dyes*: when one expires, the nearest in blood is in the very next instant the true successor, independent of the consent of the people (*ibid.* 19/7).

An Pluincéadach a scríobh agus ceist na comharbachta ríoga á plé aige. An maicseam a tharraing sé chuige mar léiriú ar a dhearcadhsan ba thuiscint choiteann in iarthar na hEorpa í, go háirithe i Sasana agus sa Fhrainc, ó na meánaoiseanna déanacha i leith agus is ar an tuiscint sin a bhí institiúid na ríogachta bunaithe.[1]

Bhí leanúnachas an tsaoil ar cheann de na coincheapanna bunúsacha ar chaith fealsúna is scolaistigh dul i ngleic leis sna meánaoiseanna. Ó bhí glactha ag na scolaistigh trí chéile leis an léireasc fealsúnta gur contanam síoraí é *am*, bhí an tréith sin na síoraíochta á samhlú le heiseanna eile chomh maith, leis an *corpus mysticum*, mar shampla, i saol an reiligiúin, leis an *universitas* i saol an oideachais, leis an *regnum* i saol na polaitíochta. Leanúnachas thar am an tréith bhunúsach a bhain le gach institiúid chorparáideach a d'éiligh buaine di féin; bhíodar go léir bunaithe ar an tuiscint go rabhadar síoraí, nach leis an am láithreach amháin a bhaineadarsan ach leis an am a bhí thart agus leis an am a bhí fós le teacht. Bhain an tréith chéanna – leanúnachas síoraí – le gach pearsantú dá ndearnadh i saol na litríochta, na polaitíochta nó na hideolaíochta – *Patria, Fortuna, Britannia, la Coronne,* etc. Is as an tuiscint sin a d'fhás an nath *La France éternelle,* mar shampla, agus is as a d'fhás an mana *rex qui nunquam moritur* (Kantorowicz 1957:316). D'eascair an coincheap sin – "rí nach n-éagann choíche" – as cúinsí comhlántacha a bhain le carachtar corparáideach na ríogachta féin, le pearsa shacrálta an rí agus go háirithe le buanadas an ríora, le leanúnachas ginealach ó ghlúin go glúin. Glacadh leis coitianta in iarthar na hEorpa gur le ceart oidhreachtúil a seachadadh is a sealbhaíodh an choróin agus gur sa síolrú ríoga sin a bhí foinse an teidil chun na corónach. Ní raibh sa chorónú ach sollúnú poiblí ar an síolrú ríoga, mar is ar bhás an rí – ar nóiméad an bháis féin – a shealbhaigh an comharba idir choróin agus ríghe; mar a mhínigh Séamas I féin: 'For at the very moment of the expiring of the King reigning, the nearest and lawful heire entreth in

231

his place' (McIlwain 1918:69). Fuair rí indibhidiúil bás ach ní bhfuair an
ríora, d'éag corp fisiciúil nádúrtha aon rí amháin (*corpus naturale*) ach
mhair an cnuaschorp iolrach, an corp polaiteach (*corpus politicum*);
chuaigh an rí (*persona personalis*) in éag, níor éag an Rí (*persona idealis*).
Mar a mhínigh giúistísí an rí in aimsir Anraí VIII é:

> And *King* is a name of continuance, which shall always endure as the head
> and the governor of the people, as the law presumes ... and in this the King
> never dies ... he as *King* never dies, although his natural body dies ... but
> the *King* ... does ever continue ... (Kantorowicz 1957:407-8).

B'é an dála céanna ag an choróin é: bhí idirdhealú le déanamh idir
an choróin shaolta neamhbhuan a chaith aon rí faoi leith ag aon am
faoi leith agus an Choróin (*la Coronne/The Crown*) theibí bhuan
pholaitiúil a mhair ó rí go rí agus a shiombalaigh an chumhacht
shuthain agus an ceart ceannasach. Faoin séú haois déag is iad an dá
mhana a léirigh buanadas na ríogachta sa Fhrainc agus sa Bhreatain
araon, *Le roi ne jamais meurt/The King never dies* agus *Le roi est mort! Vive le
roi/The King is dead! Long live the King!* Manaí iad a d'fheidhmigh ag
leibhéal an dlí agus na polaitíochta, mar theoiric is mar phraitic araon.
Ag freagairt dóibh – agus á léiriú – i réimse na litríochta bhí meafar an
féinics, an t-éan draíochta a d'éagadh ach a d'aiséiríodh láithreach arís
as a luaith féin.[2] Níl aon mheafar eile is fearr a léirigh an leanúnachas
síoraí a bhain leis an ríogacht agus an t-ionannú pearsanta a bhí le
déanamh idir an rí marbh agus a chomharba beo, idir indibhidiú ríoga
amháin agus a shinsear is a shliocht. Bhí an meafar sin – agus an miotas
ar a raibh sé bunaithe – fiorúsáideach ag an aos liteartha chun an
ríogachas trí chéile nó ríora faoi leith a mhóradh is a dhlisteanú: níorbh
annamh *le petit Phénix* á thabhairt ar chomharba rí na Fraince; dar le
Ben Jonson gur Araib eile a bhí i Sasana le linn Shéamais I, toisc gur inti
anois a lonnaigh 'the nest of an eternall progeny' (Jonson:281). Ach ní
raibh brí sa mheafar, dá leanúnaí a úsáideadh é, lasmuigh den
chomhthéacs polaitiúil inar fheidhmigh sé, ná ní raibh éifeacht leis
lasmuigh den tuiscint as ar fhás sé: tuiscint a bhí bunaithe ar shíolrú
leanúnach oidhreachtúil.

B'in tuiscint a raibh glacadh coiteann léi agus, mar a léiríonn na
sleachta thuas, ní sa Bhreatain ná sa Fhrainc amháin a bhí eolas ar an
maicseam ná ar a éifeacht. Ní mar choincheap teibí ná mar cheacht
staire, is léir, a bhí an maicseam á chur in ócáid ag an bPluincéadach,
ach mar argóint áititheach i gcomhthéacs comhaimseartha, agus
impleachtaí an mhaicsim is na hargóna araon á gcur abhaile aige.
D'fheidhmigh an chomharbacht oidhreachtúil gan spleáchas do thoil
an phobail ná do reiligiún an oidhre agus, mar sin, níorbh fhéidir ceart
Shéamais II chun na corónach a cheistiú ná a shéanadh:

> Was not James the Second acknowledged the lawful King by the three
> kingdoms, and as such did he not reigne four years? What shou'd then

oblige the people of Ireland to disown him, their lawful sovereign, for the rest of his life? ... (NLI 476:804).

Ní toisc gur chuir parlaimint is pobal Shasana an rí ceart ar díbirt gur chuí d'Éirinn an eiseamláir cheannairceach sin a leanúint; níor shéan pobal na hÉireann a rí ceart riamh agus toisc gur shéan Sasana ní raibh feidhm feasta ag réimeas Shasana in Éirinn:

> The behaviour herein of the people of England is noe rule to Ireland, a distinct realm, a different nation. ... Moreover, you are to know that England, separated from the lawful king, has no more right in Ireland than has France or Spain or hath Ireland in England ... (*ibid.* 806-9).

An dílseacht gan choinníoll a bhí dlite do Shéamas II mar rí ceart, shealbhaigh a mhac Séamas III gan cheist í is shealbhaigh chomh maith an dóchas sinseartha a lonnaigh sa rí ceart:

> King James the Second of England left at his death issue ... Both are the children of mighty hopes ... (NLI 477:742).

> And now that we have don, we will presente a few words of love and respect to this young monarch who is goeing to rule nations that stand in need of a just rule ... (*ibid.* 1436).

I saothar an Phluincéadaigh agus na bhfilí Gaeilge araon, shealbhaigh Séamas Óg an dlisteanas céanna a shealbhaigh a athair roimhe agus, dá réir sin, bronnadh ar an oidhre óg an dílseacht a lean an dlisteanas sin gan bhriseadh, gan bhearna, gan cheistiú, gan mhaolú. Chomh fada le hideolaíocht de, níl aon difríocht idir an dá fhoinse seachas an difríocht teanga. I mBéarla amháin a scríobh an Pluincéadach, fós tá sé ar aon dearcadh go hiomlán le Ó Bruadair, Ó Colmáin, Ó Neachtain, is Ó Rathaille.[3] Níl aon trácht ag na filí Gaeilge, is fíor, ar an maicseam *Le roi ne jamais meurt* a dtagraíonn an Pluincéadach go minic dó, ach tá an meafar litearta a léirigh an coincheap polaitiúil sin – an féinics – le fáil go flúirseach ina saothar.[4] Agus is í an earraíocht chéanna a bhain na filí abhus as an meafar a bhain aos liteartha na hEorpa: dlisteanú an ríora chirt. B'é Séamas II, dar le Ó Bruadair, 'an féinics aiste d'éirigh'; nuair a corónaíodh é, dar le file eile, ba chúis ghairdeachais é 'the Phoenix James of York' a bheith ina rí; ina dhiaidh sin, is iad Séamas III agus Séarlas Óg faoi seach a samhlaíodh mar Fhéinics:

> Cé Féinics tu i bhfoirm ghléghil mar lil,
> 's do bhéasa mar mhil na bhfírbheach ...

> De bhrí gurb é seo an Féinics ceart,
> trí ríocht gan bhéim a réim 's a reacht,
> 's gur díbreadh é i gcéin tar lear,
> fé dhaoirse i bpéin re claonadh beart ...

> An Féinics, flaith de phór Gaoil,
> ní mór díbh a chur ar fáil
> le faobharneart frasa foirní,
> 's le fórsaí go dtige im dháil ... .[5]

An ideolaíocht choiteann a nocht aos liteartha na hÉireann, pé acu i nGaeilge nó i mBéarla a bhíodar ag scríobh, b'in freisin ideolaíocht choiteann na Seacaibíteach. Agus bíodh nárbh ionann go hiomlán mar a réalaíodh an Seacaibíteachas in Éirinn, i Sasana ná in Albain, is í an ideolaíocht chéanna a chothaigh ó thús deireadh is ó ríocht go ríocht é. B'í bunchloch na hideolaíochta sin an ceart oidhreachtúil.[6]

Eilimint amháin den cheart diaga a bhí sa cheart oidhreachtúil riamh agus b'eilimint í ar chuir an ríora Stíobhartach an-bhéim uirthi ó thús; agus Séamas II ruaigthe b'é príomhargóint na Seacaibíteach é. B'é an ceart oidhreachtúil sin a dhearbhaigh teideal na Stíobhartach chun na corónach; b'é an ceart *dochealaithe* sin, ceart na céadghine, a bhí á chealú i gcás Shéamais III. Mar a chuir Iain Lom MacDhomhnaill i dtús an ochtú haois déag é, ní 'rìgh iasaid' ach

> Rìgh Seumas 's a shìol
> a dh'ordaich Dia dhuinn g'ar dìon ... (OIL:2424-5).

Ní raibh sé ceadaithe, a mhínigh Aonghus MacDhomhnaill, an rí saolta a shéanadh, mar b'é an t-oidhre fíordhleathach é:

> Chan eil e ceadaicht' dhuinn claonadh
> no'n rìgh saoghalta mhùchadh
> 's gur e'n t-oighre fior dhligheach
> on a ghineadh ó thús e ... (MacDonald 1911:80).

Na hiarlaí a bhí dílis do Shéarlas, dílis 'do'n chòir' a bhíodar, a d'áitigh Eachann Bacach, file chlann Ghill-Eathain; ach ní hé a shliochtsan a tháinig ina dhiaidh ach 'Uilleam O Holland' arbh olc 'an chòir' a bhí aige chun na corónach. Ní dá shinsirsean a throid clann Ghill-Eathain riamh, a mheabhraigh file eile, ach do theaghlach 'nan rìghrean-sa dh'fholbh'; ba chóir d'Albain, dar leis, an choróin a thairiscint 'ri fear de shliochd Fhearghas nan còrn'. I ndán a leagtar an an gCláirseoir Dall (Ruairí Mac Mhuirich), séidtear faoi na hoifigigh airm a thréig an 'rìgh dleasdanach' is a thug umhla do Uilliam, ach ba léir dóibhsean anois go raibh an roth ag casadh agus nach fada go mbeadh Séamas ag teacht 'gu chòir'; dar le filí eile gurbh é Séamas 'an t-oighre dligheach', an 'rìgh bu dual daibh', an 'rìgh dleasanach'. Focail lárnacha iad i reitric an tSeacaibíteachais Albanaigh 'dligheach' agus 'còir': ón chéad reibiliún i 1689 anuas go dtí 1746 ba ghuí shíoraí ag filí na hAlban í 'rìgh dligheach na còrach' a fhilleadh arís orthu, an 'rìgh dligheach dh'an còir a' géilleadh'.[7]

Ó thús leag na Seacaibítigh trí chéile an-bhéim ar dhlisteanas agus ar cheart. Má b'é Séamas II an rí ceart sa bhliain 1685, b'é an rí ceart fós é sa bhliain 1700 agus, dá réir sin, b'é a mhacsan Séamas III an t-oidhre dleathach ar aige agus aige amháin a bhí an ceart chun na corónach. Dá séanfaí an ceart oidhreachtúil sin ní raibh le cur ina áit, dar le Seacaibítigh, ach nóisin dainséaracha réabhlóideacha: ríogacht choinníollach, ríogacht chonartha, ríogacht thofa, cearta an phobail fiú

– anarcacht. Sin é a lean réabhlóid na bparlaimintéireach cheana, a mhínigh Dryden, tráth eile ar ruaigeadh an rí *ceart*, Séarlas II:

> For his long absence Church and State did groan;
> Madness the pulpit, faction seiz'd the throne:
> Experienc'd age in deep despair was lost
> To see the rebel thrive, the loyal crost ... (Dryden i:16).

Go háititheach loighiciúil chuir sé ceacht follasach na staire abhaile ar a lucht léite:

> If the people
> May give and take when e'er they please
> Not Kings alone (the Godhead's images)
> But Government it self at length must fall
> To nature's state, where all have right to all ...
> What people is so void of common sense
> To vote succession from a native Prince? (Dryden i:198).

Níorbh in é nós na hÉireann riamh, a mhínigh an Pluincéadach:

> Ireland hath never acknowledged her King to be chosen by the people, but to succeed by birth; nor her King to be deposable by the people upon any cause of quarrel ... (NLI 476:808).

Agus bíodh gurbh fhéidir cruinneas stairiúil an ráitis sin a cheistiú, fós tá an bhuntéis inchosanta óir is cinnte gur le ceart folaíochta is ginealais ('to succeed by birth') de ghnáth a seachadadh an ríogacht in Éirinn.[8]

De réir an tsistéim atá leagtha síos sna seandlíthe, bhí gach ball den *derbfine* (na firinn a shíolraigh ón sin-seanathair céanna), go teoiriciúil ar aon nós, intofa mar rí. Ach go praiticiúil is laistigh den bhrainse céanna den *derbfine* a coimeádadh an ríogacht ó thréimhse go tréimhse agus is ón athair go dtí an mac de ghnáth, a shíolraigh sí. Is ar an bprionsabal sin a leagadh amach ginealaigh na ríthe freisin agus laistigh den sistéam sin, de réir na maicseam dlíthiúil pé scéal é, bhí gradam faoi leith is tús áite ag an sinsear: *aracae osor sinnsir, dligid sinnser saortogha; sinnsear la fine, feabta la flaith* ... (Binchy 1978 iv:1289). Is cinnte gur mhair an tuiscint sin; sna hannála agus i bhfoinsí eile dearbhaítear arís is arís eile príomhacht an tsinsir:

> Truagh ámh in chomhuirle do rónadh ann sin .i. ríghe do thabhairt don mac ba só 7 in mac ba sineamh do dhíochur ... (AC:1228.4).

> Dhá Mhac Uilliam do dhéanamh dar éis Tomáis a Búrc ... 7 a chreideamhain do Mhac Uilliam Clainne Riocaird ar shindsireacht (*ibid.* 1401.10).

> 'Dortadh flaitheasa, a óga', ar rí Éireann, '.i. ríghe don tsósar roimh an tsinnsior' (ITS 5:22).

Tá go leor fianaise ar fáil a thabharfadh le fios go raibh tuiscint mhaith fós, fiú sa séú is sa seachtú haois déag, ag an aos léinn do cheart an tsinsir. Ba chúis iontais is cáinte ag na Ceithre Máistrí é gurbh é sóisear na clainne a cheap an bhanríon Eilís I mar iarla Thuamhan sa bhliain 1558 (ARÉ v:1562, 1724) agus b'í an bhunchúis aighnis in *Iomarbhágh na*

bhFileadh ceist sin na sinsearachta: cé acu ba shinsear ar mhacaibh Mhíle
– Éibhear nó Éireamhón – agus, dá réir sin, cén ceart a bhí ag an sinsear
thar an sóisear?[9]

Ach níor theoiric theibí ná coincheap dlíthiúil amháin é an ceart
oidhreachtúil; ba ghnás sóisialta freisin é, gnás traidisiúnta ar a raibh
maoin is cumhacht na huasaicme sa Bhreatain bunaithe: gur ón athair
go dtí an mac a shíolraigh an oidhreacht, idir theideal is eastát. Agus
laistiar den ghnás sin bhí údarás bíobalta: *óir is é céadtoradh a chumais é,
is leis ceart na céadghine* (Deot. 21.17). Is go déanach, de réir mar is eol
dúinn, a tháinig idir cheart is ghnás go hÉirinn. Faoin seanreacht in
Éirinn is é an sistéam dlíthiúil a bhí i bhfeidhm, maidir le seachadadh
maoine, an talamh a roinnt ar an chlann mhac go léir ach sa sistéam sin
freisin bhí tús áite sa roinnt ag an sinsear. Agus bíodh go raibh an
seansistéam sin fós á chleachtadh in áiteanna áirithe i dtús an tseachtú
haois déag, níorbh é an gnás a thuilleadh é, mar is léir go raibh an t-
uaslathas dúchais, ón gcúigiú haois déag ar aghaidh, ag glacadh de réir
a chéile le gnás na Breataine. D'áitigh Dónall Ó Súilleabháin Béarra i
dtús an tseachtú haois déag gur 'from the father to the son' a
seachadadh tiarnas na Súilleabhánach *riamh*; sa tslí chéanna, a áitíodh,
a seachadadh na tailte a bhain le Ó Súilleabháin Mór, Mac Cárthaigh
Mór is Cárthaigh Mhúscraí. Pé sistéam a d'fheidhmigh go praiticiúil sa
seansaol, faoin reacht nua, bhí idir mhaoin is teidil i measc
mhórshleachta Éireann, i measc na gCárthach, na mBrianach, na
nDíolúnach, na mBuitléarach, na bPluincéadach, na Nuinseanach, á
seachadadh de réir cheart na céadghine.[10]

Pé acu sealbhú maoine nó ríogachta a bhí i gceist, is é an prionsabal
céanna a d'fheidhmigh, a mhínigh an Pluincéadach:

> For the great inheritance of the Crown is as firmly fixt in the Royal Blood
> as the private inheritance of such a Gentleman now mentioned is in his
> children and descendants. And as his tenants cannot reject his son and
> heyr, so the subjects cannot lay aside their King's son and heyr
>
> (NLI 477:22/5).

An prionsabal céanna a d'fheidhmigh an t-aos léinn i réimse na
polaitíochta. Ó shealbhaigh Séamas I coróin na hÉireann i dtús an
tseachtú haois déag níor cheistigh an t-aos léinn riamh ó shin – mar
ghrúpa gairmiúil ná go hindibhidiúil – ceart ná dlisteanas na
Stíobhartach chun na corónach. A mhalairt ab fhíor; is amhlaidh a
dhearbhaigh gach duine acu a phléigh an cheist ceart docheistithe na
Stíobhartach: Céitinn, Mac Fhirbhisigh, Ó Bruadair i nGaeilge; Lynch is
Ó Flaithearta i Laidin, O'Reily is an Pluincéadach i mBéarla; ceart agus
teideal a shíolraigh gan bhriseadh ó Shéamas I go Séamas III. I
bhfilíocht Sheacaibíteach thús an ochtú haois déag trí chéile chítear an
leanúnachas sin go soiléir, idir dhílseacht shinseartha agus cheart
oidhreachtúil á sealbhú gan cheistiú, gan mhaolú ag Séamas Óg.

I saothar an Phluincéadaigh i mBaile Átha Cliath, i saothar an athar Mánus Ó Ruairc in St Germain, i saothar Aogáin Uí Rathaille i gCiarraí, ina saotharsan go háirithe, léirítear an leanúnachas sin ar shlí an-phearsanta is an-éifeachtach: léirítear an dá phearsa ríoga – idir athair is mhac – agus an gradam céanna, an ceart céanna, an dílseacht chéanna á mbronnadh orthu araon. I measc an tsaothair ilghnéithigh a d'fhág an Pluincéadach againn tá caointe nósúla Béarla ar bhás Shéamais II, ach is é Séamas III is pearsa lárnach dá shaothar trí chéile.[11] Maidir lena ghinealachsan, níor cheart am a chur amú, dar leis, á phlé fiú; ní raibh le déanamh ach an fhírinne lom a dhearbhú:

> There is no more to be don herein than to demonstrat, that England is an hereditary Kingdom; and that the said James the Third is the son of James the Second, the lawful King of England ... (NLI 477:22/2).

Caoineadh Laidine ar bhás Shéamais II is ea ceann de na dánta Seacaibíteacha a scríobh Mánus Ó Ruairc; Séamas III is ábhar don chuid eile acu.[12] Sna dánta polaitiúla is túisce a chum Ó Rathaille, is é Séamas II an rí ceart, an t-ábhar dóchais:

> Do bhodhair an tSionainn, an Life 's an Laoi cheolmhar ...
> ó lom an cuireata cluiche ar an rí corónach ...
>
> Bráthair gar do Mhac Uí Néill tu ...
> bráthair glún don Phrionsa Séamas ...
>
> Do ghlac fanntais dream an Bhéarla,
> do shaoileadar go bhfillfeadh arís chughainn Séamas ... .

Ach san fhilíocht a chum sé ó 1700 amach, agus go háirithe sna haislingí trí chéile, is é Séamas III a líonann an ról, an fheidhm is an teideal céanna:

> Tig an Fánaí gan aon locht, cé ráitear leis bréaga,
> 'na lánchumas caomhghlan dá ionad;
> báifidh sé an tréada thug táir agus béim dó,
> is ní ráimse aon rud 'na choinnibh ...
>
> Beidh Éire go súgach 's a dúnta go haerach ...
> is Séamas 'na chúirt ghil ag tabhairt chúnta do Ghaelaibh ...
> an Laoiseach 's an Prionsa, beidh cúirt acu is aonach ... .

Arís nochtar an ceangal eatarthu, idir fholaíocht is ról, go soiléir is go neafaiseach, ach go fíoréifeachtach:

> Níl faoiseamh seal le tíocht 'na gar
> go bhfillfidh Mac an Cheannaí ... .
> Monuarsa go tréithlag mac Shéarlais ba rí againn
> in uaigh ina aonar is a shaordhalta ar díbirt.[13]

Le húsáid éifeachtach na mionfhocal *mac* agus *dalta* bhí trí ghlúin den ríora Stíobhartach cuimsithe ag Ó Rathaille in aon leathrann amháin. Eithne thrombhríoch tráchtais pholaitiúil ar an gceart oidhreachtúil atá sa leathrann sin Uí Rathaille, dá ghonta is dá shimplí

a chuireann sé in iúl é. Is léir gur thuig an t-aos léinn trí chéile an ceart
sin: is 'do chosnamh cheirt a Phrionsa' a bhí an caiptín Éamonn Ó
Dónaill ('caiptín díobhraictheach Dubh-Ghaill'), ag troid, dar le Peadar
Ó Maoil Chonaire; 'ag cosnamh cirt na corónach mar budh dú don
chine chaithréimeach ó ar fhás' a bhí Cú Chonnacht Mag Uidhir nuair
a fuair sé bás in Eachroim, a dúirt Aodh Buí Mac Cruitín; ag seasamh
'ar son an cheirt et an rígh do hoirníodh forru' a bhí na Gaeil i gcogadh
an dá rí, dar le Tadhg Ó Neachtain; mar a d'áitigh Seán Ó Neachtain,
b'é 'Séamas mac Shéamais' an 'rí ceart ó dhualgas 's ón uaisle darb é':

> Díbirt is fuadradh, luathscrios is léan
> ar mhaoin, ar chuallacht, ar bhualach, ar thréad
> na ndaoine tá ag fuagradh 's ag ruagan an té
> is rí ceart ó dhualgas 's ón uaisle darb é.
>
> Is é sin Séamas mac Shéamais an saoi,
> gealáilléan na scéimhe lámh éachtach i ngníomh,
> lánghrá fhear nÉireann dá ngéillid mar rí,
> is tá díreach ceart dílis gan staonadh ar a thaobh ... .[14]

Comhcheangailte leis an tuiscint thraidisiúnta do cheart oidhreachtúil
na Stíobhartach bhí, is léir, an dílseacht shinseartha ríoraíoch a bhí ag
dul dóibh. In Albain, ní nach iontach, ba láidre an dílseacht sin, ó bhí
na Stíobhartaigh ina ríthe ar Albain ón bhliain 1371 nuair a shealbhaigh
Roibeard II coróin na hAlban gur bhunaigh an ríora Stíobhartach. Ón
Roibeard sin a shíolraigh gan bhriseadh Séamas I, 'an deachmhadh
deighphrionnsa' (AD: 44 § 14); eisean a cheangail le chéile ríocht na
hAlban, na hÉireann is ríocht Shasana agus uaidhsean shíolraigh ina
líne dhíreach a mhacsan Séarlas I is a chlann mhacsan Séarlas II is
Séamas II. Eolas coitianta, eolas ab fhéidir a fhíoradh, ab ea an méid sin
ach, dar leis an aos léinn nach raibh ansin ach eireaball an ghinealaigh,
óir chuaigh an ríora Stíobhartach siar dhá mhíle bliain is ba thuiscint í
sin a bhí coiteann go maith freisin.

I leabhar a d'fhoilsigh Sir George MacKenzie, Lord Advocate na
hAlban sa bhliain 1685 (*A defence of the antiquity of the royal line of
Scotland*), d'áitigh sé gurbh fhéidir ginealach na Stíobhartach a rianadh
siar gan bhriseadh trí Banquo, duine de phríomhcharachtair *Macbeth*
(Paul:1950), go Cionaodh Mac Ailpín a rialaigh in Albain sa naoú céad,
go Fearghus an chéad rí a bhí ar Albain sa tríú céad, siar go Míle
Easpáinne, sinsear na nGael. B'é conclúid a chuid taighde:

> That his Majesty who now reigns has deriv'd from his Royal Ancestours a
> just and legal right by law to all those crowns, without needing to found
> upon the right of conquest; so that the very endeavour to exclude him
> from all those legal rights, by arbitrary insolence, under a mask of law, was
> the height of injustice, as well as imprudence ... (MacKenzie 1685:189-90).

Ní ag caint thar ceann an aosa léinn amháin a bhí MacKenzie agus tá an
chuma ar an scéal nach raibh á nochtadh aige ach tuiscintí agus instinní

a bhí coitianta go leor. Mar a dhearbhaigh parlaimint na hAlban féin agus mál á bhronnadh ar Shéamas sa bhliain 1685:

> This nation hath continued now upwards of two thousand years in the unalterable form of our monarchical government, under the uninterrupted line of one hundred and eleven kings ... (Lenman 1980:17).

Tuiscint mar í a nocht maithe is uaisle Chill Chainnigh agus fáilte á cur acu roimh Shéamas:

> We welcome in James the Second the undoubted heir of Fergus by the lineal descent of one hundred and ten crowned heads, with that boast of antiquity, to which no other monarch of the universe can aspire ... (HMC Ormonde 8:389).

Tuiscint mar í ba bhunchloch don saothar léannta a bhí déanta abhus ag Mac Fhirbhisigh, ag Ó Flaithearta agus ag John Lynch ar stair is ar ghinealach na Stíobhartach. Mar a dúirt Ó Bruadair, bhain Séamas le

> Ríghe den Scotfhuil chraoisigh chorcraigh
> daoibh ní drochfhuil deoranta,
> acht sreabh den fheolfhuil i gclannaibh Eoghain
> is fearra fós den phór uile.[15]

Taobh le ginealach oirirc Shéamais II, ní raibh in Uilliam ach rí 'fallsa', a tháinig 'anall'; rí iasachta nach raibh an 'chóir' aige (FM:255). Ná níor lagaigh bás Shéamais sa bhliain 1701 an tuiscint sin, ná an creideamh. Shealbhaigh a mhac Séamas III dílseacht shinseartha na Stíobhartach gan cheist, gan mhaolú agus is air feasta a díríodh idir dhóchas is dílseacht:

> Dá gcasadh Íosa Críost le tréin-neart sló
> go ceart a shinsear an rí seo Séamas Óg ...

> Léig feasta ded ghéarghol, a phéarla an chúil doinn,
> sin chugat do chéile go faobhrach tar toinn,
> an cúl trupach dréimreach is faobhar air chun *siege*,
> is sin é an treas Séamas againn in Éirinn 'na rí ... .[16]

Is chun an dílseacht sin a lagú agus ceart na Stíobhartach a cheistiú a scaip Uilliam Oráiste agus a lucht leanúna an ráfla mailíseach, nach raibh aon bhunús leis, nár mhac dlisteanach é Séamas III in aon chor; gur mhac brícléara é is nach raibh ann ach Pretender. Ach ní raibh aon cheist i dtaobh ghinealach Shéamais Óig, dar lena lucht leanúna, is bhí na foinsí údarásacha ar fáil mar chuid a ráite. Bhí curtha leis na ginealaigh shinseartha cheana féin; in Éirinn ag na scríobhaithe, in St Germain ag na scoláirí a bhí ar deoraíocht ann. Ansin, sa bhliain 1705, is ea a d'fhoilsigh an Dr Mathew Kennedy *A chronological, genealogical and historical dissertation* ar na Stíobhartaigh inar rianaigh sé go húdarásach ginealach oirirc an Phrionsa. San aois ar scríobhadh an leabhar agus go háirithe sa tír ar foilsíodh é bhí éifeacht nach beag sa saol polaitiúil is sa saol sóisialta ag folaíocht uasal agus, dá réir, ag ginealach ársa gan cháim. Frídín an amhrais ní fhéadfaí a chaitheamh ar chraobha

coibhneasa Shéamais Óig; ginealach rí-oirirc a bhí le maíomh aige, is sin
ón uile thaobh:

> He is, as I remark'd already, the stock of the Dalriadys and consequently
> of the royal line of Scotland. This is not the only way that our gracious
> Sovereign King James the Third is descended from the Kings of Ireland.
> In the male line of the Stuarts by Bancho ... He comes from Maine Leavna,
> the Son of Corc and brother of Nadfroy who were successively Kings of
> Munster ... descended in a direct line from the great Brien-Borrive mac
> Kennedy, Monarch of Ireland ... His majesty is also come from the Kings
> of Conacht ... He is descended from ... the stock of the Kings of Uriell,
> alias Orgail ... and of Ive Neils, the hereditary Principality of the Race of
> K. Neil of the 9 hostages ... from him, I say, Our King is come several ways
> ... He is also come from the Kings of Leinster ... He is descended from the
> Royal Blood of Clanna-Rory, by Mesibocalla grand-daughter to Conor K.
> of Ulster (Kennedy 1705:48-51).

Ach ní ginealach tur leadránach is mó a bhí sa leabhar ach seanchas
traidisiúnta ar an uile rí – breis agus céad acu – ónar shíolraigh an
Stíobhartach, móide léargas fíorshuimiúil ar aigne a lucht leanúna.
B'aon chogadh leanúnach amháin é coinbhliocht an tseachtú haois
déag, dar leis an údar; cogadh a d'fhear uaisle Éireann ó thús deireadh
na haoise ar son an Stíobhartaigh:

> Their later proceedings in a war of 8 years in pursuance of King James's
> Right, against Queen Elizabeth, and in a longer for the King Charles the
> first and second against the long rebel Parliament of England, and the
> Usurper Cromwell will always be remembered to their honour and
> renown; and what they have acted since the invasion of the usurper
> Orange in 1688 and still continue to do in Right of the late and Present
> Kings James 2nd and 3rd ... to which they have postpon'd their bloud,
> their fortunes and their Country (ibid. 35).

An dearcadh ceartchreidmheach ríogúil maidir le ceart na staire, ceart
an rí, is páirt dhlíthiúil onórach na nÉireannach i scéal na Stíobhartach
a chuireann sé chun cinn:

> The King soon afterwards was beheaded in London, at a time the
> Catholics of Ireland ... were in actual arms, fighting under his banner
> against the Parliamentarians in that Kingdom; but being at last
> overpower'd by the usurper Cromwell ... they followed in a great body
> their lawfull Sovereign K. Charles the 2nd first into France, and afterwards
> into Flanders ... and chearfully imparting what bread they earn'd, at the
> expence of their blood, to the support of his royal dignity (ibid. 222).

Ba rí cráifeach móraigeanta neamhchiontach é Séamas II, dar leis, arbh
iad na heiricigh, le cabhair ó Chaitlicigh mhídhílse, a threascair is a
chuir chun fáin é:

> Catholic princes joyn'd in a confereracy with heretics to disconcert his
> pious intentions, for a toleration in religion, and to oppress and dethrone
> this innocent and Royal Confessor; whose only crime, in the eys of his
> disaffected subjects, was his religion; to which he sacrific'd the sovereignty

of the three Kingdoms ... which put him under the necessity of exposing a
tender Queen, and a royal babe to the mercy of the waves and weather in
the most stormy time of the year ... (*ibid.* 227).

Ag cur síos dó ar bhás Shéamais II, ní iontráil lom a thugann sé ach
'16th of September 1701, in the 68th year of his age, 13 years after the
unnatural invasion of his Crown and Kingdom, by the Usurper, William
Prince of Orange ...' (*ibid.* 232); iontráil dheireanach an leabhair,
baineann sí le breith Shéamais III is úsáideann an t-údar go
héifeachtach í, ní hamháin chun bá a lucht léite a chothú ach chun a
cheart a léiriú is ról oiriúnach a aimsiú don oidhre óg:

> James 8. 3. R. Born in London on the 10th of June old style anno 1688,
> was christen'd James Edward Francis ... he succeeded, in his Father K.
> James's Right, King of Great Britain and Ireland on the 16th of September
> 1701 ... He was but six months old, when driven into banishment, like
> another Moses, expos'd to the mercy of the waves and rais'd by divine
> providence ... (*ibid.* 232-3).

Bhí an réasúnaíocht Sheacaibíteach sin, bhí sí bunaithe ar thuiscint
shoiléir áirithe ar ar tharla sa bhliain 1688 agus is i soiléire a chuaigh an
tuiscint sin le himeacht ama. Chomh fada leis na Seacaibítigh de, bhí a
gcás, a gcúis is a gcaingean bunaithe ar an tuiscint neamhchas
ríshoiléiseach sin: is le neart claímh a d'éirigh le Uilliam Oráiste an
chóróin a shealbhú agus an rí cóir a dhíbirt; a raibh i seilbh Uilliam is
de bharr concais amháin a ghnóthaigh sé é, 'an absolute conquest of
these Kingdoms' mar a d'áitigh Séamas II féin (Kenyon 1977:5).

Mura mbeadh laistiar den rí ach neart, a dúirt an feimineach Mary
Astell, ní bheadh ann ach mar a bheadh 'a highway-man, so long as he
has strength to force, has also a right to require our obedience' (Astell
1730:66). Ní ag tagairt don ríogacht amháin a bhí Astell; an pósadh go
ginearálta a bhí ina ceann aici, ach b'é an prionsabal patrarcach céanna
a bhí i gceist: an ceann, pé acu ceann an tí nó ceann an Stáit é, a d'éiligh
géillsine ó neart is ní ó cheart, níor bhuan is níor shlán dá údarás. Nuair
a ghabh Uilliam 'crùn nan trì rìoghachd', a dúirt Aonghus
MacDhomhnaill, gníomh 'mì-nàdurr' a rinne sé agus éagóir 'air an
Rìgh'; bhí 'an còir' curtha bunoscionn aige, dar le hIain Lom: bhí
'oighreachd' Shéamais tógtha uaidh aige dá ainneoin agus an cúigiú
haithne briste aige 'an aghaidh labhairt an sgriobtair'; is 'le fórsa is le
héitheach' a baineadh a choróin de Shéamas, a mhínigh Seon
Ó hUaithnín; 'le iomairt 's le éiginn' a ruaigeadh rí Séamas ó Whitehall,
dar le file Albanach.[17] Gníomh éagórach peacúil a bhí déanta ag Uilliam
Oráiste agus ag a lucht leanúna, gníomh dá dtáinig díbirt an rí chirt.
Agus is é a dhíbirt a rinneadh, nó mar a mhínigh Seacaibíteach amháin
'a Prince violently forced away ... under the terrors of dangers
threatening his life and liberty' (Montgomery 1692:2). Léirigh
Ó Rathaille go cruinn dá lucht léitesean cúis na díbeartha agus
d'aimsigh analóg chuí stairiúil mar bhonn comparáide:

Is fearr an chúis do bhí ag Cairbre ná do bhí ag bodachaibh Shacsan rí Séamas agus a mhac do dhíbirt le fuacht is le fán ar son a mbeith ina Rómhánchaibh (AÓR:295).

Sa seanchas ba aitheach é Cairbre Caitcheann ar éirigh leis ríocht Éireann a bhaint amach le feall 'i gcoinne ríogh is uaisle Éireann' (FFÉ ii:238); de bharr an fhill sin ní raibh in Éirinn lena ré ach 'gorta mhór agus teirce toradh is iomad míoratha', ach ar a bhás-san is ar fhilleadh an rí chóir tháinig 'a rath féin ar Éirinn arís'. Is léir go raibh scéal Chairbre ar eolas coitianta ag an aos léinn, go háirithe an leagan de a chuir an Céitinneach ar fáil agus b'é an leagansan, is dóichí, foinse Uí Rathaille. Dhíbir Cairbre an rí cóir, mar a dhíbir 'bodachaibh Shacsan' Séamas, díbirt chlaonmhar éigneach:

Gur díbreadh an rí ceart go claonmhar ...

Mar do cuireadh ar díbirt choíche Séamas ...

Monuarsa go tréithlag mac Shéarlais ba rí againn
in uaigh ina aonar is a shaordhalta ar díbirt ... .[18]

Íotam coiteann lárnach i leicseacan an tSeacaibíteachais ab ea an *díbirt* agus is é an briathar sin féin (*díbir*) is briathra comhchiallacha (*fógair, cuir ó, drive from, expell*) a d'úsáid aos liteartha na dtrí ríochta ag cur síos dóibh ar an mbeart peacúil a bhí déanta i gcoinne an rí chirt:

Saormhac an bhrícleagtha is é mó chás
ar díbirt ag daoithe do thréig gach rann ... .

's na daoine do dhíbir gan chéill, gan ádh
an rí maith ba naofa dar chéim ar shráid ... .[19]

Driv'n from his native land to foreign grounds,
He with a gen'rous rage resents his wounds ... (Dryden ii:966).

Then they, who brothers better claim disown,
Expell their parents, and usurp the throne ... (*ibid.* iii: 1222).

D'fhògradh leò e gu mi-dheas ... (FM:171).

Chuir Rìgh Seumas air fògar ... (*ibid.* 201).

'N uair a chuir iad thar cuan Rìgh Séamas uainn ... (OIL:2498).

Aindlí, leatrom is slad a lean an feillghníomh sin. Agus contrárthacht á déanamh aige idir 'the glorious title of succession' ar thaobh amháin agus, ina choinne sin, 'the mean, hated and precarious one of conquest', liostáil is chaoin Charles Lawton (1693) iarmhairt an choncais: 'we lament the taxes, the imprisonments, the plunderings and the pillaging of England'. Ba thuiscint choiteann ag Seacaibítigh í sin, tuiscint a ghin agus a chothaigh téama lárnach liteartha: scrios is díothú na tíre féin de bharr an ainbhirt.

Is mar dhán coinbhinseanach aorga a chuir Alexander Pope 'Windsor Forest' faoi bhráid a lucht léite, ach is léir anois gur dán fíorthopaiciúil é a láimhsíonn an téama sin an choncais go diamhair meafarach.[20] An pictiúr idéalaíoch den fhoraois – gairdín pharthais – a léirítear i dtús an dáin, is í an Bhreatain roimh theacht na tubaiste í, agus an rí cóir ag rialú go hatharúil dea-chroíoch:

> Here in full light the russet plains extend,
> There wrapt in clouds the blueish hills ascend;
> Ev'n the wild heath displays her purple dies,
> and 'midst the desert fruitful fields arise ...
> Here blushing Flora paints th' enamel'd ground,
> Here Ceres' gifts in waving prospect stand;
> And nodding tempt the joyful reaper's hand,
> Rich industry sits smiling on the plains,
> And peace and plenty tell, a Stuart reigns ... (Pope:196).

Ach réabadh an t-aoibhneas idileach sin aimsir an choncais. Concas Uilliam I go dromchlach a bhí i gceist ag Pope, ach gurbh fhéidir an slad, an cogadh, an díothú a bhí á léiriú aige a thagairt d'fhear a chomhainme Uilliam III:

> Not thus the land appear'd in ages past,
> A dreary desert and a gloomy waste,
> To savage beasts and savage laws a prey,
> And Kings more furious and severe than they ... .
>
> What wonder then, a beast or subject slain
> Were equal crimes in a despotick reign;
> Both doom'd alike for sportive tyrants bled,
> But while the subject starv'd, the beast was fed ... .
>
> Th' oppresor rul'd tyrannick where he durst,
> Stretch'd o'er the poor, and Church, his iron rod
> And serv'd alike his vassals and his God ... (*ibid.* 196-8).

Síocháin shoilbhir an rí is an réimis chóir ag filleadh athuair a ruaigfeadh ainriail eachtrann:

> Oh stretch thy reign, fair peace! from shore to shore
> Till conquest cease, and slavr'y be no more ... (*ibid.* 210).

Ba thír ainnis scriosta í Éire freisin faoin ainriail, dar le Ó Rathaille; a huaisle díbeartha, í gan dídean, gan taca; í á sracadh ag eachtrannaigh mhadrúla:

> Monuarsa an Chárthfhuil tráite tréithlag ...
>
> Tír is cráite tráite tréanfhir,
> tír ag síorghol í go héadmhar,
> baintreach dheorach leointe léanmhar,
> staite brúite cúthail créachtach.
>
> Is fliuch a grua go buan le déaraibh,
> gruaig a mullaigh ag tuitim 'na tréanrith,
> srothanna fola as a roscaibh go caobach,
> a haghaidh ar shnua an ghuail le chéile.
>
> Fuil a croí 'na linntreach shéideas,
> is gadhair Bhristó dá hól le géar-airc,
> a hablach tá dá stracadh as a chéile
> ag madraibh Sacsan go cealgach d'aontoisc ... (AÓR:2 §§ 1-36).

Bíodh nár chonsaeit lárnach riamh i litríocht an Bhéarla é an tír féin a
phearsantú mar bhean, fós i bhfilíocht pholaitiúil an tseachtú haois
déag ní hannamh an Bhreatain (*Britannia*) á cur i láthair mar mháthair
nó mar chéile ag duine den ríora Stíobhartach.[21] Agus an ríora ceart
ruaigthe, b'íomhá choiteann ag filí an Bhéarla feasta í an Bhreatain a
shamhlú le bean a raibh éigniú déanta uirthi, gur bhain a buaic
liteartha amach i saothar Pope, 'The Rape of the Lock':

> Yet the ravishers' honesty she unjustly accused:
> She's made mere whore, by a vote of our state,
> Cause she freely her maidenhood did abdicate ... (Lord v:59).

> But late is all defence and succoour vain;
> The rape is made, the ravishers remain ... (Dryden iv:1756).

> What wonder then, fair nymph! thy hairs shou'd feel
> The conqu'ring force of unresisted steel? ... (Pope:232).

Argóint mhorálta go bunúsach a bhí in áiteamh na Seacaibíteach,
argóint a bhí tógtha ar phrionsabail ardaigeantacha i dtaobh an chirt is
na héagóra agus a bhí fréamhaithe go daingean i dtuiscintí traidisiúnta
ceartchreidmheacha an ríogachais. Sna trí ríochta trí chéile b'iad na
hEaglaisí difriúla a sholáthair an príomhthaca morálta don ríogachas
agus do chultas na Stíobhartach. Tuigeadh riamh don Eaglais
Anglacánach i Sasana agus don Eaglais Easpagóideach in Albain gur
chuid dá bhfeidhm shaolta mar eaglais Stáit é an t-ordú cliarlathach, is
an ríogacht go háirithe, a chosaint is a chaomhnadh le diagacht
cheartchreidmheach. B'í buneilimint na diagachta sin ceart diaga na
ríthe agus is é a d'éiligh praitic na diagachta sin géilleadh don ordú
traidisiúnta sóisialta agus don urraim a chothaigh é: urraim an ísil don
uasal is an daibhir don saibhir, urraim an ghiolla dá mháistir is an
tionónta dá thiarna, urraim na mná dá fear is an teaghlaigh do cheann
an tí, urraim an tuata don sagart is an tsagairt don easpag, urraim an
uile dhuine is na huile aicme don rí a bhí os a gcionn, rí arbh é Dia féin
a d'oirnigh é. Umhlaíocht fhulangach don Phrionsa – fiú dá mba
thíoránach féin é – an prionsabal diagachta ba lárnaí a bhain leis an dá
Eaglais sin agus is iad is mó a chothaigh – go fiosach coinsiasach – cultas
an ríogachais.[22] In Éirinn, bíodh nárbh í an Eaglais Chaitliceach an
Eaglais Stáit b'í Eaglais an mhóraimh í. Is í is túisce a d'aithin ceart
dlíthiúil na Stíobhartach chun coróin na hÉireann agus is í is díograisí
leanúnaí a theagasc moráltacht an chirt sin agus oibleagáid na géillsine
a bhí dlite don rí cóir. Pé acu saothar Mhic Aingil i dtús na haoise é,
saothar John Lynch ina lár, nó saothar an easpaig French sa cheathrú
dheiridh den aois é; pé acu i nGaeilge, i Laidin, nó i mBéarla a
scríobhadar; pé acu Séamas I, Séarlas I, Séarlas II, nó Séamas II a bhí i
gceist, níor athraigh ná níor mhaolaigh an teagasc ó cheann ceann na
haoise: b'é an Stíobhartach rí ceart na hÉireann a raibh géillsine
dhlíthiúil mhorálta ag dul dó. Pé difríochtaí diagachta nó gnáis a bhí

idir na hEaglaisí sin, ba chuid chomhchoiteann dá dteagasc é an treoir mhorálta *reddite ad Caesarem* ... agus ba ghnách le cinnirí na nEaglaisí sin dílseacht is íobairt an ríora Stíobhartaigh a mhóradh is a thabhairt chun cuimhne go rialta. Sna trí ríochta trí chéile is cinnte gurbh iad na blianta 1640-1660 ba léanmhaire don ríogachas ach, fós, ba bhisiúla do chultas na Stíobhartach óir, i reitric an tSeacaibíteachais, mairtíreach ab ea Séarlas I a d'íobair é féin go bithdhílis ar son a phobail; deoraí fáin a ruaigeadh óna oidhreacht is a d'fhulaing deoraíocht uaigneach ainnis ar son an chirt ab ea a mhac Séarlas II.

Beart mínádúrtha a bhí i ndícheannadh Shéarlais I, a dúirt Ruairí Ó Flaithearta; lá cinniúnach ab ea an lá ar doirteadh a fhuil in Whitehall; mar a mheabhraigh Tadhg Ó Neachtain dá lucht léitesean, blianta ina dhiaidh sin, is é a rinneadh 'the bloody murther of his Sacred Majesty of blessed memory'; ón lá sin ar 'mhurtadh Rìgh Seurlas/chaidh droch bheusan an cleachtadh' a dúirt file Albanach.[23] Agus an ríogacht curtha ar ceal, bhí Alba, a dúirt Iain Lom, 'fo chìoschain', a muintir ar aon dul le 'cloinn Israéil', an rí 'na thaisdealach bochd rùisgte', mar bheadh long gan stiúir:

Mar bha Cloinn Israéil
fo bhruid aig Rìgh na hEiphit,
tha sinn air a' chor cheudna,
    chan éigh iad ruinn ach 'Seoc'.

Ar Rìgh an déis a chrùnadh
mun gann a leum e ùrfhas
'na thaisdealach bochd rùisgte,
    gun gheàrd gun chùirt gun choisd.

Ga fharfhuadach as àite
gun duine leis de chàirdean,
mar luing air uachdar sàile
    gun stiùir gan ràmh gun phort (OIL:667-78).

Ar dhíbirt Shéarlais II, díbríodh an fhilíocht lena chois, a dúirt Dryden; ar a fhilleadhsan, bhláthódh an fhilíocht athuair:

Of moral knowledge poesie was queen,
And still she might, had wanton wits not been;
Who like ill guardians liv'd themselves at large,
And not content with that, debauch'd their charge:
Like some brave captain, your successfull pen
Restores the exil'd to her crown again;
And gives us hope, that having seen the days
When nothing flourish'd but fanatique bays,
All will at length in this opinion rest,
'A sober Prince's government is best' (Dryden i:14).

Bhí na Gaeil, dar le Tadhg Ó Neachtain, faoi dhaoirse ag clann Chromail 'go ríghe an Dara Séarlas' sa bhliain 1660 (NLI G 198:276); mhínigh Mánus Ó Ruairc go raibh an baol céanna ag bagairt ar Shéamas Óg is a bhí ar a sheanathair:

Muna seachnadh an fhairrge, mar a réin Maois abha,
an leanbh sin ar Shasana le héachtghníomh amhail,
dob anacra dho an chealgoin i gclaontaí meang
mar a sheanathair gur scaradh dhe le daorghníomh a cheann ....[24]

Chuir cás an dá Chormac patrún áirithe is sampla teagascach ar fáil
do na Seacaibítigh a raibh ceacht, inspioráid is dóchas le baint as:

Kind heaven, our rightful Sovereign to restore
King James the Third as he did Charles before (Monod 1989:53).

I ndán dar teideal 'Britannia's Miseries', mheabhraigh Richard Savage
dá chomh-Sheacaibítigh tátal a gcáis:

Britons, shall userpation taint the throne,
And make the land in sad oppression groan?
O think how far sad poverty's intail'd,
Think how injustice has by wrongs prevail'd ...
O think of Charles, and give the youth his due,
Think of that King that lost his life for you.
Think of the uncle and the sire exil'd.
Think of the unhappy parents and the child.
Think how the good old King, when he retir'd,
Griev'd at your faults in foreign climes expir'd.
Think of his widdow and his orphan left
In exile wretched, of their rights bereft ... (Savage:21).

An ceacht céanna a mheabhraigh file anaithnid Gaeilge, ach gur le
Séamas Óg féin a labhair sé:

Cuimhnigh an scamall fuair do mháthair,
   cuimhnigh d'athair do bhí faoi léan,
cuimhnigh Séarlas do chaill a cheann,
   tabhair aire don dream rinne an tréas ...
Cuimhnigh Séarlas éachtach meanmnach mór,
   'raibh a cheann dá éagmais gan géilleadh le feall chum spóirt,
cuimhnigh Séamas do chuaidh ó Ghaeil don bhFrainc faoi bhrón,
   tabhair aire dhuit féin 's ná taobh an dream go deo ... .[25]

Bhí idir íobairt is dílseacht, idir dheoraíocht is fhulaingt, inghreamaithe
i gcultas na Stíobhartach ó thús agus bhí, chomh maith, ceacht soiléir
staire: díbríodh an Stíobhartach cheana – ach d'fhill sé. Tarlang lárnach
i stair na Stíobhartach agus i gcuimhne a lucht leanúna ab ea díbirt
léanmhar is filleadh glórmhar Shéarlais II. Agus 'Suim Purgadóra
bhFear nÉireann' á ríomh ag Ó Bruadair, ba dhainid leis gur i lámhaibh
'na haicme lear fealladh ar King Séarlas' a bhí an tír; glúin ina dhiaidh
sin ba chás le Ó Rathaille 'dlithe na bhfear ler leagadh rí Séamas'; dar
le Tadhg Ó Neachtain agus an Pluincéadach gurbh í an aicme fhuafar
chéanna – 'clann Chromail', 'Oliver's soldiers' – ba chiontach sa dá
chás.[26] An t-áiteamh céanna a dhéantar i ndán dí-ainm Béarla arb é
Séamas II féin atá ag labhairt ann:

The same disloyall brood
Did shed my father's sacred blood ...

And that my royal parent should not be alone,
I'm heir both to his suff'rings, and his Throne ... (Monod 1989:50).

Chomh fada is a bhain leis an Seacaibíteachas is a chur chun cinn, níor thubaiste amach is amach í deoraíocht an Stíobhartaigh. Ar shlí amháin bhraith an Seacaibíteachas ar an deoraíocht sin a bhí á shíorchothú agus murach í ní móide go mairfeadh an ghluaiseacht chomh fada. Bhí sé furasta tacaíocht is bá a chothú don Stíobhartach agus é thar lear go huaigneach tréigthe; b'fhusa fós an Stíobhartach, agus é thar lear, a ionannú le cúiseanna difriúla ag baile. Is cinnte, más ea, gur chothaigh an deoraíocht, ní hamháin comhbhrón do na Stíobhartaigh is bá lena gcúis, ach chothaigh sé mar an gcéanna dóchas dochloíte go raibh sé i ndán dóibh filleadh. Mar dhíbirt shealadach amháin a bhí i gceist, dála Shéarlais II, agus, a dhálasan arís, athnuachan is athchur iomlán a leanfadh an filleadh:

The land, if not restrain'd, had met your way,
Projected out a neck, and jutted to the sea.
Hibernia, prostrate at your feet ador'd,
In you, the pledge of her expected Lord ... (Dryden iv:1464).

Airteagal creidimh i measc na Seacaibíteach ab ea é go raibh sé i ndán do Shéamas filleadh. Buntéama lárnach sa reitric Sheacaibíteach ab ea an tuiscint chéanna, tuiscint a réalaítear mar chinnteacht dhoshéanta sa véarsaíocht Sheacaibíteach trí chéile idir véarsaíocht léannta is neamhléannta, idir véarsaíocht aitheantúil is dí-ainm:

Tiocfaidh an rí is tiocfaidh an bhanríon ... (thuas lch 176).

Thig Rìgh Seumas gu àite
  Dh'aindeoin cràbhadh Phresbìri ... (FM:205).

Ach gu'n éisdear liom an sgeula:
Rìgh Seumas thiochd chun àite ... (*ibid.* 213).

Ach nuair a thig Rìgh Seumas
  's a dh'éibhear e 'na chóir ... (*ibid.* 257).

When the King enjoys his own again ... (Simpson 1966:764).

B'é an t-amhrán sin an bailéad Seacaibíteach ba thraidisiúnta is ba mhó a raibh eolas air i measc na coitiantachta sa Bhreatain (Wedgwood 1960:85). Do Shéarlas I a cumadh den chéad seal é, ach mhair idir bhailéad is fhonn ar bhéalaibh daoine i bhfad ina dhiaidh sin gur thug díbirt Shéamais II beatha nua dóibh araon is go háirithe don churfá cáiliúil *When the King enjoys his own again*. Bhí an dobhriathar sin *again* fíorthábhachtach is fíorúsáideach. Chuir sé athnuachan in iúl, filleadh ar an norm, casadh an rotha, athbhunú an rí chóir, agus bhain an t-aos liteartha sna trí ríochta earraíocht lánéifeachtach as:

Nuair thig mo Rìgh-s' *a rìst* gu chrùn ... (FM:233).

Go dtaga dár bhfuascailt buachaill Ristird *arís* ... (istigh lch 351).

Cabhair dá dtíodh *arís* ar Éirinn bháin ... (AÓR:7 § 19).

Beid na trí ríochta *arís* ag Séamas (thuas lch 158).

And when James *again* shall be plac'd on the throne ... (Hogg ii:72).

For then I can tell all things will be well,
When the King comes home in peace *again* ... (Simpson 1966:764).

For England will never be happy
Till Honour comes over *again* (SP 35:41/86).

Á uireasa-san, saol truaillithe easpach éagothrom ab ea é; ach eisean a fhilleadh ar ais, d'fhillfeadh an t-athaoibhneas ina theannta:

Here we are, and here we must be eternally, till we learn wit of a carter, and set the overturned cart on the wheels again; in plain terms, till we resettle King James on his throne. The happiness of England depends upon a rightful King, we see it always went out with him, and 'tis in vain to hope it ever will, or can return without him ... (Straka 1963:18-9).

Seacaibíteach anaithnid i Sasana a scríobh i ndeireadh an tseachtú haois déag, ach bhí a raibh á áiteamh aige, dar leis na Seacaibítigh, chomh fíor trí fichid bliain ina dhiaidh sin agus a bhí am a scríofa. Níor chealaigh an aimsir ná níor mhaolaigh na glúnta an creideamh diongbhálta sin ná an tuiscint shimplí ar a raibh sé bunaithe: má b'é Séamas II an rí dleathach sa bhliain 1685, b'é Séarlas Óg an t-oidhre dleathach sa bhliain 1745. B'in fíric is ní raibh dlí ná cúinse ar bith a d'fhéadfadh an fhírinne sin a chealú. Ba ríthábhachtach ag na Seacaibítigh an leanúnachas a chruthú. Athghin Shéarlais a bhí i Séamas III, dar le Charles Leslie, agus é ag dul i gcosúlacht leis in aghaidh an lae: 'He is tall, straight and clean limbed, slender, yet his bones pretty large. He has a very graceful mien, walks fast, and his gate has great resemblance of his uncle King Charles II, and the lines of his face grow daily more and more like him' (Leslie 1714: 1); 'sliochd a' mhartair' a bhí i Séarlas Óg, dar le hAlasdair mac Mhaighstir Alasdair, a bhí fógraithe *arìs* (HS: 9 §§ 85-6).

Ba rífhurasta ag aos léinn na Gaeilge an leanúnachas a léiriú. Ní hamháin gurbh é Séamas II *an dóú rí den ainm chéanna* ach b'é *mac Shéarlais* is Séamas *mac Shéarlai*s é; ní hamháin gurbh é Séamas III *an treas réacsa, an treas Séamas*, ach b'é *Séamas Óg, Séamas mac Shéamais, mac an Rí* is *mac an Cheannaí* é; ní hamháin gurbh é Séarlas *mac Shéamais*, ach b'é an *Prionsa Óg, Séarlas Óg, Teàrlach Óg* is *Cormac Óg* é; b'é *Teàrlach mac Sheumais, mhic Sheumais, mhic Theàrlaich* é, mar a mhínigh Alasdair mac Mhaigstir Alasdair (HS: 5 § 1): deimhniú soiléir traidisiúnta ar a shinsear is a ghinealach. An dílseacht shinseartha a shealbhaigh Séamas II, shealbhaigh a mhacsan is mac a mhic chomh maith í, gan cheist gan bhearna. An reitric liteartha ar réaladh í ar an dílseacht sin, dob fhéidir í a thagairt do Shéarlas Óg chomh bailí céanna le Séamas II. An greim a bhí ag Séamas II ar aigne, ar shamhlaíocht, is ar dhílseacht a lucht leanúna sna trí ríochta, shealbhaigh a mhacsan is mac a mhic é gan mhaolú, gan cheistiú. An ideolaíocht a chothaigh an Seacaibíteachas ó thús deireadh, mhair sí is d'fheidhmigh sí, ní toisc gur Stíobhartaigh iad Séamas is a shliocht ach toisc gurbh é an Stíobhartach an rí ceart.

Filleadh an rí chirt agus a fhilleadhsan amháin, an t-aon leigheas a bhí ar an ainscrios coiteann. Trídsean amháin a thiocfadh an slánú – athaoibhneas don tír trí chéile:

> Bidh na mionnan-sa gun bhrígh
> Nuair thig mo Rìgh-s' a rìst gu chrùn ...
> Ni so uireasbhuidh no dìth
> a chuirear air mo thìr,
> ach an tig mo rìgh le sìth chun áit ... (FM:233).

> Appear O James! approach thy native shore
> And to their antient State thy realms restore,
> When thou arrivest this nauseous tribe will fly
> Right shall revive and usurpation dye (Monod 1989:45).

> Beidh Éire go súgach 's a dúnta go haerach,
> is Gaeilge á scrúdadh 'na múraibh ag éigsibh;
> Béarla na mbúr ndubh go cúthail fá néaltaibh,
> is Séamas 'na chúirt ghil ag tabhairt chúnta do Ghaelaibh ...[27];

dá muintir:

> And when James again shall be plac'd on the throne,
> All mem'ry of ills we have borne shall be gone,
> No tyrant again shall set foot on our shore,
> But all shall be happy and blest as before (Hogg ii:72).

> 'N nuair théid esan a chrúnadh
> ann an dùthaich a shinnsear,
>   horo, togaibh an aird;
> gheibh móran dibh àite,
> 's cha bhi 'chàirdean air díbirt,
>   horo, togaibh an aird;
> bidh maithean nan Gàidheal
> mar is àill leo go dìllinn ... (HS: 2 §§ 76-83).

> Máití móra agus maoin lena n-ais
> bainfeamna arís go fras,
> iar dteacht don dá thrí thar sáil
> is luch i Laidin in aon lá;[28]

agus don duine aonair:

> My father was a good lord's son,
> My mother was an earl's daughter,
> And I'll be Lady Keith again,
> That day our King comes o'er the water ... (Hogg i:47).

> Us nan tigeadh tu rithist
>   bhiodh gach tighearn' 'na àite,
> us nan càiricht' an crùn ort
>   bu mhùirneach do chàirdean (HS: 15 §§ 25-8).

> Ná héagaoin feasta na ceasta so ag leanúin díot,
> sin Séamas againn is an dragan dar ceart Dún Baoi;

laochra in Albain araid ag ceartú a gclaíomh,
is in aolbrog sheascair beidh agatsa lastlong d'fhíon ....[29]

Is cinnte gur mhó eilimint dhifriúil a bhí sa dílseacht fhadmharthanach
a cothaíodh, i gcéin is i gcóngar, do na Stíobhartaigh agus gur mhó slí
ar léiríodh an dílseacht sin sna trí ríochta. Uaireanta is le gníomh
reibiliúnach a réalaíodh í, níos minicí ná a chéile le reitric fhileata. Ach
is í an ideolaíocht chéanna a chothaigh idir reitric is ghníomh ó ríocht
go ríocht agus ó ghlúin go glúin. B'ideolaíocht thraidisiúnta
cheartchreidmheach í sin a raibh glacadh coiteann fós léi san ochtú
haois déag. Níorbh í laige, aduaine ná ársantacht na hideolaíochta ba
bhun le teip na Seacaibíteach, ach go raibh aicmí eile sna trí ríochta a
d'fheidhmigh an ideolaíocht chéanna – i leith ríora eile. Agus fad a bhí
na Seacaibítigh ag guí, ag plotáil, ag scríobh, ag amhrán, ag troid thar
ceann an ríora chirt bhí, feadh an ama, an ríora eile i seilbh na
corónach. Dá mhéad a d'áitigh Seacaibítigh gur *leis* an Stíobhartach na
trí coróna, ní aige a bhí.

II

In short, we had not ... another chance to save us, our liberties, estates, or
religion, but this one, of His Majesty's coming to the rescue of these
Kingdoms: and his undertaking it has been carried on by such a
miraculous chain of Providences, that we must acknowledge, that it is by
the grace of God, that William and Mary are now our King and Queen ...
(King 1691:21).

That they have been instructed in the doctrines of passive obedience, non-
resistance and hereditary right and find them all necessary for preserving
the present establishment in Church and State .... This I say, seems to be
the politicall creed of all the high-principled men I have for some time
met with of forty years old, and under; which although I am far from
justifying in every part, yet I am sure it sets the Protestant succession upon
a much firmer foundation ... (Swift 1714:92).

Is beag réabhlóid sa stair ar i ndiaidh an bhirt a cumadh réasúnú
uirthi, ach is mar sin a tharla i gcás réabhlóid na bliana 1688. Ag an am,
níor shoiléir in aon chor do dhaoine cad a bhí ag titim amach nó cad a
bhí le déanamh. Formhór mór an phobail, fiú formhór mór an náisiúin
pholaitiúil, níor thógadar aon pháirt sa ghnó; d'fhanadar, féachaint
conas a d'iompódh cúrsaí amach. Ar theacht Uilliam Oráiste go Sasana
sa bhliain 1688 agus ar imeacht Shéamais II, ní mór a bhí suas, sa
Bhreatain féin, a bhí cinnte conas ab fhearr tuarascáil a dhéanamh ar a

raibh tite amach nó réasúnú cuí a chumadh dó. Is le himeacht ama a chonacthas go soiléir na himpleachtaí tromchúiseacha a bhain le himeachtaí na bliana 1688 do pholaitíocht na Breataine agus is de réir a chéile a thángthas ar réasúnú uirthi mar 'Glorious Revolution'.

B'é an tAnglacánachas reiligiún an mhóraimh is reiligiún an Stáit sa Bhreatain agus is i measc na nAnglacánach, go háirithe i measc na cléire, is túisce agus is mó a d'éirigh áiteamh i dtaobh na réabhlóide. Den dá aicme a bhí sa pharlaimint – Tóraithe is Fuigeanna – rinneadh na Tóraithe a ionannú coitianta leis an Anglacánachas agus sna hiarrachtaí iomadúla a rinne na Fuigeanna sna blianta roimh 1685 ar Shéamas a eisiamh ón choróin thaobhaigh na Tóraithe go tréan is go leanúnach le Séamas. Prionsabal dosháraithe de theagasc traidisiúnta an Anglacánachais a threoraigh a seasamh polaitíochta dóibh: ba pheaca in aghaidh Dé é cur i gcoinne an Phrionsa nó an oidhreacht shinseartha a threascairt. Agus an choróin bainte amach ag Séamas II agus a pholasaí reiligiúnda á chur i bhfeidhm go habsalóideach aige, bhí ar na Tóraithe rogha phianmhar a dhéanamh idir a ndílseacht don rí agus a ndílseacht don Eaglais. Agus gan de rogha acu ach é, ghlacadar le Uilliam toisc gurbh é is fearr, dar leo, a shábhálfadh an Eaglais Bhunaithe ón mbaol a raibh sí. Shéanadar Séamas, ní toisc gur rí absalóideach ansmachtúil é ach toisc gur Chaitliceach é a raibh a pholasaí reiligiúnda ag déanamh aimhleasa a nEaglaise féin. D'admhaigh Edward Wetenhall, easpag Chorcaí is Rois, go neamhbhalbh nach raibh laistiar dá n-easumhlaíocht ach cúinse reiligiúnda; ach an reiligiún *ceart* a bheith ag Séamas ní shéanfadh aon Phrotastúnach é: 'I may safely avow in behalf of the Protestants of the three kingdoms, there is not a conscientious man amongst us, would ever have withdrawn from King James even our active obedience, could we have secured our religion and good conscience by active adhesion to him' (Wetenhall 1691:5). Ní go furasta a thángthas ar an gcinneadh Séamas II a thréigean is a shéanadh agus ní túisce déanta é ná lean amhras, áiteamh, scrúdú coinsiasa is aithrí é. Chuaigh den Eaglais Anglacánach déileáil leis an réabhlóid arbh í féin, cuid mhaith, a thosaigh í agus nuair a ghlac Uilliam leis an choróin dhiúltaigh breis is ceithre chéad den chléir Anglacánach móid dílseachta a thabhairt dó. Ar an chléir sin tugadh frithmhóidigh (*non-jurors*) feasta, mionlach i measc na cléire trí chéile ach mionlach an-éifeachtach is an-tábhachtach a chuir cinnireacht intleachtúil ar fáil do na Seacaibítigh ó cheann ceann na tíre.[30]

Tuigeadh coitianta i measc na nAnglacánach gurbh aisiompú obann ar theagasc is ar chleachtadh traidisiúnta na hEaglaise a bhí sa réabhlóid agus go raibh baol ann gurbh é a thiocfadh dá bharr siosma inmheánach san Eaglais Stáit. Tar éis an tsaoil, ní raibh á áiteamh ag na Seacaibítigh sna blianta iar-réabhlóide ach teagasc ceartchreidmheach an mhóraimh sna blianta réamhréabhlóide, teagasc arbh iad ceart diaga

Shéamais II, ceart dosháraithe na hoidhreachta, is urraim fhulangach don Phrionsa a chlocha coirnéil. Ba bhunteagasc de dhiagacht na nAnglacánach é, ón séú haois déag i leith, agus ceann dá tréithe idirdhealaitheacha é, gur cheart géillsine fhulangach a thabhairt i gcónaí don Phrionsa, fiú amháin dá mba thíoránach féin é. Chomh déanach leis an bhliain 1683, dhearbhaigh comhghairm Ollscoil Oxford (ar chliarscoil náisiúnta ag an Eaglais Anglacánach í) gurbh é an teagasc sin 'the badge and character of the Church of England' (Lenman 1980:15). Chomh déanach leis an bhliain 1686, i gcnuasach seanmóirí a foilsíodh mar 'a specimen of loyalty towards his present majesty James II', rinne Edward Wetenhall, easpag Chorcaí is Rois, léiriú clasaiceach Anglacánach ar bhunús bíobalta na dílseachta a bhí dlite don rí agus ar a údarás diaga. Is é a d'ordaigh an dílseacht sin go raibh d'iachall ar an uile dhuine a bheith umhal don rí san uile chás, fiú amháin dá mbeadh iompar nó reacht an rí mídhleathach nó mímhorálta; dob fhéidir achaainí nó impí a dhéanamh ach níor cheadaithe, ar aon chúinse, cur i gcoinne an rí. Ba dheacair teacht in aon fhoinse ar léiriú níos simplí, níos soiléire ar theagasc traidisiúnta na nAnglacánach:

> Where the thing commanded is *lawful* to be done, we ought to do it: we owe *active obedience* .... But in case the thing commanded be *unlawful*, that is, against any plain command of God, or that thou without fraud or dissimulation apprehendest and believest it to be so, there is then *passive obedience* that thou art to pay: that is, thou must meekly and patiently submit thy self to suffer whatever penalty the lawgiver thinks fit to inflict for the breach of his law. We may petition and supplicate for forbearance and mercy; but in case we cannot obtain it, we may not resist. *For whosoever resisteth the power, resisteth the ordinance of God, and they that resist shall receive to themselves damnation.* Rom. xiii 2 (Wetenhall 1686:16).

B'in é an teagasc a bhí anois á shéanadh, dar leis na Seacaibítigh, is ba den riachtanas é ag lucht a shéanta, dar leo, míniú sásúil a thabhairt air. Sa pharlaimint, san eaglais, i seanmóirí is i bpaimfléid na linne, leanadh den phlé is den áiteamh; áiteamh idir Seacaibítigh is Fuigeanna ar thaobh amháin, plé idir Fuigeanna féin ar thaobh eile, is iad ag iarraidh teacht ar chomhthuiscint shásúil eatarthu féin ar chasadh cinniúnach na bliana 1688.[31] Dar leis an diasaí John Toland, agus daoine eile, go raibh ócáidí faoi leith ann agus cúinsí neamhghnácha ar ghá na gnáthrialacha a bhriseadh ar mhaithe leis an mhaitheas phoiblí; ócáid acusan, ba léir, ab ea an réabhlóid:

> The parliament at the Revolution was governed by this principle of eternal truth, that a Nation can never be reduced to such circumstances as not to have a right to act for its own preservation; but that upon extraordinary occasions, it will always be lawful to break thro the ordinary rules in all such things, as could have no other reason for their institution, than the common safety, that supreme law of nature and nations (Toland 1710:6).

Bailíocht an choncaire a bhí ag Uilliam Oráiste, dar le dream eile, bailíocht a bhí chomh hinchosanta – go morálta is go stairiúil – le haon bhailíocht eile. D'áitigh daoine eile go raibh 'original contract' an rí lena phobal briste ag Séamas; go raibh an bunreacht séanta aige; go raibh an choróin tréigthe aige is mar sin go raibh sí folamh is go bhféadfadh an pharlaimint í a thairiscint do rí eile. Ach níor sheas aon cheann de na hargóintí sin i bhfad is níor leanadh díobh. Rófhurasta a bhí sé ag na Seacaibítigh iad a fhreagairt is an bonn a bhaint díobh: dá mb'í bailíocht an choncaire amháin a bhí ag Uilliam, níor ghá ach concaire eile a theacht chun eisean a dhíchur; ní raibh sa bhunreacht ach ar shamhlaigh daoine a bheith ann; ní ar chonradh idir rí is pobal a bhí an ríogachas bunaithe ach ar cheart diaga; dá mb'í toil an phobail foinse na cumhachta is na ríogachta, d'fhéadfadh an pobal a rogha rí a thoghadh aon uair; má bhí de cheart ag an pharlaimint seo an choróin a thairiscint do Uilliam, d'fhéadfadh parlaimint eile í a bhaint de arís is í a thairiscint do rí eile.

Is i seanmóirí na cléire ar dtús a tháinig chun cinn, go háirithe ó 1691 ar aghaidh, an argóint ar glacadh léi coitianta de réir a chéile, ós í is fearr a chuir réasúnú sásúil soghlactha ar fáil ar a raibh tagtha i gcrích: an Deonú. Ós é Dia a cheadaigh is a dheonaigh an réabhlóid agus ós É a chuir Uilliam sa choróin, ba cheart glacadh leis is lena réim. Ach géilleadh don Deonú, dob fhéidir an urraim is an ghéillsine chéanna a bhí dlite do Shéamas roimhe sin a éileamh do Uilliam anois. B'é tábhacht láithreach an léirisc sin gur bhronn sé ceart diaga chun na corónach ar Uilliam freisin. Níorbh é an ceart oidhreachtúil é, ach ba cheart diaga é chomh maith céanna, ceart a shíolraigh le toil Dé, ó láimh Dé: casadh nua i seanchoincheap a dtugann Straka 'the divine right of Providence' air (Straka 1962a:639). Ba théama lárnach feasta é i réasúnú na réabhlóide sin 1688 an slánú deonaitheach – Uilliam ag teacht, trí Dheonú Dé, ní mar choncaire ionsaitheach, ach mar chabharthach cosantach a shlánú na Breataine agus níor dheacair caolagróireacht ná eicsigéiseas bíobalta a chur ar fáil dó. Eascaire bíobalta ar fad a bhí mar bhunús le leabhar údarásach an Dr Sherlock, déan St Paul i Londain (*The case of the Allegiance due to Sovereign Powers* ...), leabhar fíorthábhachtach a mhúnlaigh is a dhaingnigh an réasúnú sin:

> That all sovereign Princes who are settled in their thrones, are placed there by God, and invested with his authority, and therefore must be obeyed by all subjects, as the ministers of God, without enquiring into their legal right and title to the throne .... All civil power and authority is from God ... and where new families, and new governments began ... it is in vain for us to enquire after it now .... But now God governs the rest of the world, removeth Kings, and setteth up Kings, only by his Providence; that is, then God sets up a King, when by his Providence he advances him to the throne, and puts the Soveraign Authority into his hands; then he removeth a King, when by his Providence he thrusts him from his throne, and takes the government out of his hands: for Providence is God's government of the world ... (Sherlock 1691:10-12).

B'é an Deonú fós 'the age's leading concept of natural and historical causation' (Straka 1962:79). Is é a bhí á fheidhmiú coitianta mar an t-aon mhíniú ar tharlaingí uile an tsaoil nádúrtha agus ar tharlaingí, idir bheag is mhór, i saol an duine is an phobail trí chéile. Cor cinniúnach eile i stair Shasana ab ea an 'Glorious Revolution', cor a bhí le háireamh mar léiriú follasach eile ar ladhar Dé sa stair, ar mhaithe leis an bProtastúnachas. Faoi mar a shábháil Dia Sasana is an Protastúnachas araon, aimsir an armada, ó ansmacht na Róimhe is na Spáinne, is É a shlánaigh arís iad aimsir an 'Glorious Revolution' ó ansmacht na pápaireachta is na Fraince.

I measc na nAnglacánach féin, b'iad easpaig na hÉireann is mó ar chuir an réabhlóid corrbhuais is náire orthu. An chuid acu nár theith go Sasana ar theacht Shéamais go hÉirinn sa bhliain 1689, d'fháiltíodar roimhe go géilliúil is thógadar páirt mar thiarnaí sa pharlaimint a thionóil sé i mBaile Átha Cliath. Briseadh na Bóinne a d'athraigh a ndearcadh is a ndiagacht; agus ní luaithe thart é ná d'fháiltíodar, chomh humhal céanna, roimh Uilliam agus ghealladar dósan an ghéillsine a bhí tugtha cheana do Shéamas acu. Ní raibh aon mhoill ar easpag Chorcaí is Rois a mhíniú go soiléir dá phobal conas ab fhéidir, go loighciúil is go morálta, rí amháin a mhalartú ar rí eile, mionn dílseachta a chur i leataobh, is géilleadh don reacht nua; concas, slánú is Deonú á bhfí le chéile in aon argóint chomhchodach amháin aige:

> God has now put us under the power of the Second William the Conqueror, whom I must affirm (besides his being, more ways than one, otherwise justly intitled) to have a right to our allegiance by conquest; that which gave the King of England the first (and still avowed) title to Ireland. I do averr us in Ireland conquered and with my heart bless God for it. For besides our being thereby delivered (intirely and finally I hope) from Popery, we are delivered also, if we attend thereto, from all scruple which would stick in us touching the will of God as to our subjection to our new King: For we cannot doubt but that we ought to be subject to them, whom God has set over us. And when by his Providence, he so plainly pulls down one and sets up another, we cannot doubt, who it is whom he has set over us (Wetenhall 1691:6).

Iompar pragmatach neamhscrupallach mar sin, ní foláir, a spreag an rabhcánaí anaithnid a chum 'The Vicar of Bray'; léiriú géar ciniciúil ar viocáire nár scorn leis glacadh le haon rí, le haon reacht, le haon réimeas, fad is chun a leasa féin é:

> In good King Charles's golden days,
>   When loyalty no harm meant,
> A zealous High-Churchman I was,
>   And so I got preferment;
> Unto my flock I daily preached
>   Kings were by God appointed,
> And damned was he that durst resist
>   Or touch the Lord's anointed ....

When William was our king declared
  To ease the nation's grievance,
With this new wind about I steered,
  And swore to him allegiance;
Old principles I did revoke,
  Set conscience at a distance;
Passive obedience was a joke,
  A jest was non-resistance.
And this is law, I will maintain,
Until my dying day, Sir,
That whatsoever king shall reign,
I'll be the Vicar of Bray, Sir (Paulin 1986:191).

Ní móide go raibh an scéal chomh simplí sin. Dá mhéad é col na bProtastúnach sa Bhreatain le polasaí reiligiúnda Shéamais – polasaí a chuir ceannas na hEaglaise i mbaol, dar leo – alltacht, sceoin is imeagla a chuir a pholasaí ar Phrotastúnaigh na hÉireann. Murab ionann is an Eaglais Anglacánach i Sasana, pribhléid, agus pribhléid amháin, an t-aon bhonn a bhí faoin Eaglais chéanna in Éirinn, agus chun go leanfadh is go mbuanófaí an phribhléid sin, ba den riachtanas é go gcoimeádfaí faoi chois na Pápairí is nach ngéillfí ceart an dlí dóibh. Agus cearta á mbronnadh de réir a chéile ar Chaitlicigh ag Séamas, is ag éirí a bhí ar scanradh na bProtastúnach in Éirinn gur thréigeadar uile, idir Anglacánaigh is Phreispitéaraigh, é is gur thaobhaíodar le Uilliam. Prionsabal fíorshimplí a bhí laistiar den chinneadh sin a d'admhaigh Preispitéarach amháin – 'the powerful principle of self-preservation, and that alone' – ach níor leor an féinleas ann féin mar mhíniú sásúil air.[32] Chaith déan Eaglais Phádraig i mBaile Átha Cliath, an Dochtúir William King, chaith sé tamall fada léanmhar ag iomrascáil lena choinsias i dtaobh na ceiste agus is é is mó a chuir treoir is cinnireacht ar fáil don Eaglais Anglacánach in Éirinn ina taobh. Chuir arm Shéamais láthair is tréimhse oiriúnach rinnmhachnaimh ar fáil dó – caisleán Bhaile Átha Cliath, mar ar príosúnaíodh é faoi dhó sna blianta 1689/90 – agus ar a scaoileadh saor, thuig sé go maith cár luigh a leas is an ceart. I seanmóir bhuíochais a thug sé uaidh sa bhliain 1690, i leabhar substainteach a foilsíodh an bhliain dá héis, agus ina dhírbheathaisnéis, mhínigh sé go húdarásach mionchúiseach cás na bProtastúnach in Éirinn, an baol priaclach a rabhadar, an rogha a bhí le déanamh acu ar mhaithe leo féin is lena nEaglais. Thuig seisean go maith, mar a thuig a chomhghleacaithe, gurbh í seilbh na talún an bonn a bhí faoin heigeamanaí Protastúnach in Éirinn, go raibh an heigeamanaí sin i mbaol agus ríora Caitliceach sa choróin, agus nach raibh de chosaint ag Protastúnaigh na hÉireann ar an dísceach uileghabhálach a bhí ag bagairt orthu ach Uilliam.[33] Bhí féinleas na hinstitiúide féin i gceist go mór, mar sin, is pragmatachas follasach, ach sna himeachtaí corraitheacha go léir bhí lámh Dé le feiceáil go soiléir is an toradh á shocrú ag a Dheonú dosheachanta féin:

It is property that makes government necessary and the immediate end of government is to preserve property; where, therefore, a government instead of preserving intirely ruins the property of the subject, that government dissolves it self ... (King 1692:109).

We were brought to the very brink of destruction. There remain'd therefore no other prospect, or possibility, for us to avoid this destruction, but his present majesties interposing on our behalf, as he had done for England: A Providence of which we so little dreamt ... and that he [Uilliam Oráiste] was raised up by God to be a deliverer to us and the Protestant cause .... We neither had nor have in our utmost view another chance, besides this, to preserve us from slavery, misery and ruin (*ibid.* 253-5).

But when I saw the whole settled constitution of the State overthrown ... I doubted no longer but that it was lawful for me and others to accept that deliverance which Providence brought by the Prince of Orange
(King 1906:22-3).

Ach glacadh le teideal Uilliam chun na corónach, dob fhéidir umhlaíocht a éileamh ina leith ar bhonn praiticiúil nó ar bhonn diagachta. Ní raibh de bhunús leis an argóint phraiticiúil ach gurbh é Uilliam anois an rí *de facto*, gur aige a bhí seilbh na corónach agus ós aige a bhí, bhain sé le céill a bheith umhal dó. Ach ba ghá dul i muinín an reiligiúin, nó an pholaitreiligiúin, chun umhlaíocht *de jure* a éileamh dó. Ós é Dia féin a chuir Uilliam i seilbh na corónach, d'fhág sin go raibh ceart diaga chun na corónach aige agus ó bhí, ní hamháin go raibh d'oibleagáid mhorálta ar chách umhlú dó, bhí crosta ar chách chomh maith cur ina choinne nó é a dhíchur. Dá réir sin, lean an chléir Anglacánach orthu agus an ceart diaga is an umhlaíocht fhulangach fós á dteagasc acu, ach an teagasc á thagairt anois acu don rí nua. Ba chúis scanaill is mhagaidh ag na Seacaibítigh é go raibh na Fuigeanna anois ag seasamh don 'Glorious Revolution' agus do theagasc traidisiúnta an chirt dhiaga in éineacht: má dhíchuireadh Séamas *de facto*, níor díchuireadh – is níorbh fhéidir a dhíchur – *de jure*; má b'é Séamas II an rí ceart sa bhliain 1686, b'é an rí ceart fós é sa bhliain 1700 agus ar a bhás-san, b'é a mhac, de réir cheart na hoidhreachta, an rí ceart. Má bhí an ceart ag an Eaglais Anglacánach anois, teagasc éithigh, ní foláir, a bhí á chur chun cinn aici roimhe sin, a d'áitigh Charles Leslie. Dar leis nach raibh ar siúl ag an chléir anois ach 'recanting and preaching down their former principles, and proclaiming it out of their own mouths, that they have been false teachers all their days before this turn' (Leslie 1692:xviii).

Bhí Leslie ar dhuine den fhíorbheagán den chléir Anglacánach in Éirinn a sheas leis an Stíobhartach, dílseacht ar dhíol sé go daor aisti, óir baineadh a bheathúnas de dá bharr is ruaigeadh as oifig é gur chaith imeacht as Éirinn is lonnú i Sasana. Má ba chadhain aonair é Charles Leslie i measc a mhuintire is a chléire féin in Éirinn, níorbh amhlaidh dó sa Bhreatain mar ar bhall amháin é de chéadta den chléir Anglacánach a chloígh go diongbhálta leis an Stíobhartach. Ansin thóg sé páirt an-ghníomhach sa saol intleachtúil eaglasta is sa díospóireacht phoiblí pholaitiúil agus cás na Seacaibíteach á áiteamh go hoscailte leanúnach aige. Is é is túisce agus is fearr a d'fhreagair is a d'ionsaigh William King as an treoir a bhí curtha ar fáil aigesean don Eaglais Anglacánach in Éirinn; is é a bhí freagarthach as cuntas beacht, ach cuntas fíorcháinteach, a scríobh ar ár Glinne Comhann, saothar a raibh an-tionchar ar an tuairimíocht chomhaimseartha aige.[34] De na scórtha paimfléad a scríobh Leslie – cuid acu faoi ainmneacha cleite, cuid acu go hanaithnid – is dócha gurbh í an iris pholaitiúil *The Rehearser* a chuir sé amach trí huaire sa tseachtain sna blianta 1704-9, is mó a chuaigh i bhfeidhm ar dhíospóireacht pholaitiúil na linne agus a tharraing aird an Stáit air féin arís. Chaith sé teitheadh ó Shasana sa bhliain 1711 de bharr a scríbhinní 'ceannairceacha' is chuir sé faoi mar shéiplíneach i gcúirt Shéamais III in St Germain ar dtús, ina dhiaidh sin in Bar-le-Duc agus ar deireadh thiar sa Róimh. Ach, cuma cén áit nó tír a raibh sé, níor staon sé riamh den bholscaireacht ar son na cúise polaitiúla ar chreid sé ná ar son na diagachta traidisiúnta ar oileadh é féin is a mhuintir. Dála na bhfrithmhóideach trí chéile, b'aon chúis amháin aige polaitíocht is diagacht; an teagasc morálta céanna a mhúnlaigh iad araon, na prionsabail dhosháraithe céanna a stiúraigh iad, na luachanna céanna a chothaigh iad:

> Without the belief of a divine authority, lodged in the character of bishops and Kings, it is impossible for any to be a sound church-man, or a loyal subject .... So closely is religion and government linked together, that the one supports the other, and corruption in a Christian government cannot come in, but by the corruption of religion, and overthrowing those principles which it teaches ... (Clark 1985:298).

Aighneasóir poiblí den scoth a bhí ann ar sheas a thraenáil phroifisiúnta go maith dó is é ag áiteamh; abhcóide a raibh riamh ar a chumas an freagra oiriúnach cuí a aimsiú, pé acu ceist reitriciúil, fíric staire, prionsabal morálta nó athfhriotal bíobalta a theastaigh:

> In hereditary government the right is in proximity of blood. And you cannot say that James III has not this right .... And will you exclude your lawful King because he is a Christian of a different denomination? (Leslie 1715:4).

> Think not, my Lord, that I deny Providence here. No, far from it, I believe a sparrow does not fall to the ground without the Providence of God .... God has not founded government (wherein all are concerned) upon such observations as these, but fix'd it upon positive rules and precepts, which are obligatory to all ... (*ibid.* 7).

> Has every body liberty and property, and a right of inheritance, but the King? ... (*ibid.* 9).

> There can be no inter-regnum in an Heriditary Monarchy, where the King never dies .... They enquir'd not for the next heir, nor who he was ... they might have set up an Aristocracy, Democracy, or what they would, or fill'd the throne with any of themselves, with any Turk, Saracen, or Jew ...
> (*ibid.* 10).

Woe to the rebellious children, saith the Lord, that taketh counsel, but not of me ...
Isai 30:1.

They have set up Kings, but not by me ... Hos. 8.4 (*ibid.* 16).

B'é an bíobla fós foinse bhunaidh an tsaoil intleachtúil. Comhartha maith é ar uilíocht na foinse céanna, ní hamháin go bhféadfadh gach taobh bailíocht bhíobalta a éileamh dá seasamh féin ach go bhféadfaidís an téacs bíobalta céanna a chur in ócáid mar shéala údarásach ar a ngníomhaíocht féin. Chomh fada leis na Seacaibítigh, ghéilleadar tríd is tríd, do cheithre theagasc a bhí ceangailte le chéile go dlúth, a bhí spleách ar a chéile, is a shíolraigh ón aon mhórfhoinse amháin: bunús is ceart diaga na monarcachta, ceart dosháraithe oidhreachtúil na corónach, freagarthacht na ríthe do Dhia amháin, an aithne léir bhíobalta a cheangail ar dhaoine a bheith umhal géilliúil don rí i gcónaí. Dob fhéidir téacsanna oiriúnacha a aimsiú do gach prionsabal acu ach b'é an príomhcheann acu, is an ceann ba mhó ar baineadh earraíocht as:

> Bíodh gach duine géilliúil do na húdaráis atá os a chionn, mar níl údarás ar bith ann ach ó Dhia; agus na húdaráis atá ann is é Dia a cheap iad. Aon duine, mar sin, a chuireann in aghaidh an údaráis, is in aghaidh ordú Dé a bhíonn sé ag cur agus na daoine a chuireann ina aghaidh sin tarraingeoidh siad daorbhreith orthu féin (Rómh. 13:1-2).[35]

An fad a bheadh an téacs sin sa bhíobla, a d'áitigh easpag York sa bhliain 1700, 'the doctrine of non-resistance or passive obedience, must be of obligation to all Christians' (Clark 1985:159). Ach bhí idir théacs is áiteamh á gcur chun cinn aige, ní chun tacú leis an ríora Stíobhartach ach chun umhlaíocht fhulangach do Uilliam a éileamh. An aithne bhíobalta a bhí á cur chun cinn anois ag na Fuigeanna mar thaca lena seasamh polaitiúil, is í an aithne sin go díreach a bhriseadar féin aimsir na réabhlóide, a d'áitigh na Seacaibítigh. Ó chuaigh de na Fuigeanna teacht ar aon teoiric pholaitiúil a dhlisteanódh réabhlóid 1688 ach a chrosfadh aon réabhlóid eile dá héis, bhíodar taobh leis an teagasc traidisiúnta ceartchreidmheach: ceart diaga is umhlaíocht fhulangach. Ní hé an teagasc féin a bhí á cheistiú ach conas a chuirfí i bhfeidhm é; cé dó a ndéanfaí an teagasc a thagairt: do Shéamas nó do Uilliam?, don ríora Stíobhartach nó do theaghlach Hanover? B'í an rogha sin, rogha idir dhá ríora, agus ní rogha idir monarcacht agus foirmeacha eile rialtais, an bhuncheist pholaitiúil a bhí le réiteach sa Bhreatain idir 1690 agus 1750. Ar deireadh thiar, ní hí an diagacht, an mheitifisic, ná an mhoráltacht a réitigh í mar cheist, dá mhéad a úsáideadh na sistéim argóna sin sa dioscúrsa poiblí, ach neart airm ar pháirc an áir sa bhliain 1746. Go dtí sin ba cheist oscailte í.

III

Labhair an Gràmach a b'fheàrr nàdur:
    'A chlanna nan Gàidheal, na faiceam ur gruaim,
Togaibh ur n-intinn, thàinig an tìm dhuibh,
    's mithich dhuinn marsadh do'n tìr so shuas' .... (OIL:2370-4).

O last and best of Scots who didst maintain
Thy country's freedom from a foreign reign;
New people fill the land now thou art gone,
New Gods the temples, and new Kings the throne ... (Dryden iv:1777).

Le fiche bliain anuas tá ionad lárnach bainte amach ag an Seacaibíteachas i staireagrafaíocht an ochtú haois déag sa Bhreatain. De bharr na taighde bunúsaí reibhiseanaí a rinne Sedgwick (1970), Cruickshanks (1979, 1982, 1988), Lenman (1980) agus Clark (1985, 1986) glactar leis anois nach feiniméan rómánsúil imeallach neamhdhíobhálach a bhí sa Seacaibíteachas ach gurbh ann a lonnaigh príomhfhadhb pholaitiúil na linne. Ó thús an ochtú haois déag amach, b'é leanúnachas an ríora Phrotastúnaigh an príomhchúram a bhí ar státairí na Breataine agus ba chúram leanúnach acu é go dtí an dara leath den aois. Sa tréimhse chéanna, b'é an Seacaibíteachas an t-aon dúshlán leanúnach a bhí ag an ríora sin agus ag an Stát féin.

Ní hamháin go raibh an Seacaibíteachas lárnach i saol polaitiúil na Breataine, ach b'é eagla an tSeacaibíteachais a mhúnlaigh polasaí na Breataine, thar lear agus ag baile, sa tréimhse chéanna; eagla go háirithe go n-éireodh leis na Seacaibítigh cabhair mhíleata tíre eile a earcú chun an ríora Stíobhartach a athbhunú. Níorbh eagla gan bhunús í. Gan trácht ar iarrachtaí mífhortúnacha 1692, 1696, 1708 agus móriarracht na bliana 1745, d'éirigh leis na Seacaibítigh reibiliún a eagrú sna blianta 1717-8, tabhairt faoi ionsaí anabaí arís sa bhliain 1719, plota eile a thionscnamh sa bhliain 1723. Sna hiarrachtaí difriúla sin tarraingíodh, ní hamháin an Fhrainc, ach an Spáinn freisin, an tSualainn is an Rúis féin isteach i bpolaitíocht na Breataine.[36] Sna trí ríochta trí chéile is in Albain is túisce agus is déanaí a ardaíodh meirgire na Seacaibíteach agus is i measc na nAlbanach is fairsinge agus is díocasaí a cothaíodh dílseacht don ríora Stíobhartach. Ní móide gur cúis iontais sin óir, de na trí coróna a d'éiligh an Stíobhartach, b'í coróin na hAlban an ceann ba lú a bhféadfaí frídín an amhrais a chaitheamh léi nó a bhféadfaí a cheartsan chuici a cheistiú. Bhí an choróin sin i seilbh na Stíobhartach ón gceathrú haois déag nuair a shealbhaigh Roibeard II í den chéad uair agus uaidhsean shíolraigh sí gan bhriseadh ina líne dhíreach go dtí Séamas II. Dhearbhaigh parlaimint na hAlban an ceart oidhreachtúil sin go sollúnta sa bhliain 1685 agus d'fhógair go húdarásach gur shíolraigh ceart Shéamais, ní ó Shéamas I ná ó Roibeard II, ach ó Fhearghus Mór féin: líne leanúnach neamhbhearnaithe 'of one

hundred and eleven kings' (Lenman 1980:17). Níl aon léiriú is fearr ar
a thapúlacht a chealaigh gníomhaíocht chiotach Shéamais bá is
dílseacht uasaicme Alban, gurbh í an pharlaimint chéanna a d'achtaigh,
sa bhliain 1689, go raibh an choróin forghéillte aige.

An éilít a riaraigh Alba do na Stíobhartaigh ó na meánaoiseanna i
leith, thaobhaigh a bhformhór le Uilliam toisc gurbh é ab fhearr, a
tuigeadh dóibh, a chosnódh iad féin is a chothódh a leas. An chuid acu
nár thaobhaigh le Uilliam, briseadh as gach oifig is feidhmeannas Stáit
iad, gníomh nach raibh de thoradh air ach a ndílseacht shinseartha dá
rí cóir a dhaingniú, a bhfuath don rí iasachta a neartú, agus an chéad
reibiliún ina choinne a chothú. Ach ba reibiliún é nach bhfuair aon
tacaíocht in aon chor ó na móruaisle ná ó bhuirgéisigh na gcathracha is
na mbailte móra. Is iad amháin a d'éirigh amach sa bhliain 1689, na
mionchlanna i lár is in iarthar na tíre agus i gceannas orthu bhí
bíocunta Dhundeagh, James Graham of Claverhouse.[37] Agus é ag
gríosadh a lucht leanúna roimh dhul sa chath dóibh, mheabhraigh an
Gràmach dóibh gur ag troid a bhíodar ar son 'your King, your religion,
and your country; against the foulest usurpation and rebellion'
(Macpherson 1775 i:371-2). Ní móide gurbh í an tuiscint shoiléir
neamhchas sin a bhí ag an uile dhuine dá lucht leanúna, ach léiríonn a
chuid focal féin, ní hamháin an ideolaíocht a chothaigh an
Seacaibíteachas, ach an chontúirt fholaigh pholaitiúil a bhí sa
ghluaiseacht. Protastúnach – Easpagóideach – ab ea an Gràmach ach
Caitlicigh ab ea cuid mhaith de na clanna a throid faoi. Ní fhéadfadh
gurbh í an aidhm reiligiúnda chéanna a bheadh acusan uile, ach bhí de
chumhacht ag an Seacaibíteachas na haicmí difriúla sin a tháthú le
chéile in aon chúis amháin faoin gceann siombalach amháin. Is cinnte
gur léir do na húdaráis ó thús an chontúirt fholaigh sin freisin. Ar
mhadhmadh an chatha orthu, d'fhill na clanna abhaile arís, ach ní
díoltas a bhagair an rialtas ar na taoisigh ach pardún is slánaíocht ar
acht iad a ghéilleadh do údarás Uilliam. Go huaibhreach
neamhghéilliúil d'fhreagraíodar: 'We declare to you and all the world,
we scorn your usurper and the indemnities of his government .... We will
all die with our swords in our hands before we fail in our loyalty and
sworn allegiance to our sovereign' (Prebble 1968:72).

Faoi mar a tharla in Éirinn, is ag dul i mbuaine a bhí dílseacht na
nGael Albanach don ríora Stíobhartach ó thús an tseachtú haois déag
amach. Dílseacht í a snaidhmeadh go dlúth aimsir Shéarlais I agus a
bhain a buaic amach le turnamh Shéamais II. Feasta is le dán na
Stíobhartach a shamhlaigh Gaeil Alban a ndán féin freisin (Stevenson
1980: v) agus, dá réir sin, tuigeadh do rialtas Uilliam go gcaithfí teacht
chun réitigh – ar ais nó ar éigean – le taoisigh na Gaeltachta. Tuiscint
shimplí phragmatach, agus ní móraigeantacht, a bhí laistiar den
chinneadh áirithe sin: níorbh fhéidir do Uilliam cath a thabhairt san
Eoraip, in Éirinn, agus in Albain in éineacht. Dá réir sin, i Lúnasa na

bliana 1691, d'fhógair sé go dtabharfaí pardún iomlán is slánaíocht ó chúiseamh dlí d'aon taoiseach a thabharfadh móid dílseachta dó roimh Lá Caille; an taoiseach nach dtabharfadh an mhóid roimh an sprioclá, bheadh sé inphionóis 'to the utmost extremity of the law' (Prebble 1968:144-5).

Chuir Séamas teachtaireacht chuig a lucht leanúna in Albain a thug saoirse ghníomhaíochta dóibh agus, mar sin, de réir a chéile thosaigh na taoisigh ag géilleadh, bíodh gurbh ó chaoithiúlacht agus nach ón gcroí, den chuid is mó é. Tar éis an sprioclae a ghéill cuid acu, ina measc Mac Dhòmhnaill Ghlinn Comhann a bhí, de mhíthapa mífhortúnach, déanach á chur féin i láthair an ghiúistís chuí. Ghlac sé an mhóid dílseachta ach fógraíodh nár mhóid bhailí í toisc an sprioclá a bheith istigh. Mar sin in earrach na bliana 1692 ghluais dhá chomplacht de reisimint Earraghaidheal isteach i nGlinn Comhann (Glencoe), d'fhan ar coinmheadh ann, is cuireadh cóir thraidisiúnta orthu ar feadh coicíse. Ansin, gan choinne, dhíríodar ar phobal an ghleanna gur folcadh an gleann le fuil na nDòmhnallach is gur airgeadh, creachadh is loscadh a raibh ann. An sléacht barbartha a imríodh ar chlann Iain Abrach i nGleann Comhann, is cuid de chuimhne shinseartha Ghael Albain go dtí an lá inniu é; ag an am b'é an chéad léiriú follasach é ar dhéileáil Uilliam is a rialtais leis an Ghaeltacht. De réir orduithe an lae, is é a bhí i gceist gach fear faoi bhun deich is trí fichid de chlann Iain a chur de ghion claímh. Mar ar tharla, d'ainneoin na n-orduithe míleata, níor maraíodh ach dhá scór acu, an t-ochtú cuid díobh; d'éirigh leis an chuid eile acu éalú is teacht slán. Mhaireadar is mhair an chuimhne ar *mhio-rùn mór nan Gall.*[38]

Ní raibh i 'murt Ghlinne Comhann' (OIL:198) ach éagóir amháin, bíodh gurbh í b'uafásaí is ba scéiniúla iarmhartaí, de liodán uafar éagaointeach a cheangail Seacaibítigh na hAlban le hainm Uilliam agus d'éirigh leo leas éifeachtach poiblíochta is polaitíochta a bhaint as. Tháinig Seacaibítigh Dhún Éideann ar chóipeanna de threoracha míleata an rí chuig Fort William is scaipeadar iad; d'fhoilsigh siad tuairisc ar an sléacht sa *Paris Gazette*, agus scríobh Charles Leslie paimfléad paiseanta polaimiciúil air gur chum briathar nua don ócáid a chuir ainm an ghleanna, agus ar tharla ann, go héifeachtach os comhair an phobail:

> If the man such praises have,
> What must he employes the K- ...?

> What can you expect from him, but to be Glen Co'd for your pains? *Qui Glencoat, Glencoabitur* ... (Leslie 1695:17).

Níor léir in aon chor go raibh socrú na bliana 1689 buan ná daingean fós in Albain agus is cinnte nár chabhraigh dearcadh ná gníomhaíocht Uilliam lena bhuanú. Is beag suim a bhí ag Uilliam i gcúrsaí na hAlban. Ach í a bheith ciúin síochánta agus oiread fear is cánach a chur ar fáil dó a chuirfeadh ar a chumas Louis a bhascadh ar pháirceanna Fhlóndrais, níor chúis bhuartha dó í agus ba léir sin. Dhiúltaigh sé taisteal go Dún Éideann go gcorónfaí é is ba ghá do ionadaithe na parlaiminte dul ó dheas chuigesean chun coróin na hAlban a bhronnadh air; go Londain a ghlaodh sé baill na ríchomhairle nuair a bhíodh gnó práinneach le socrú agus i Londain a choinnigh sé rúnaí stáit na hAlban; níor ghlaoigh sé aon toghchán parlaiminte go cionn naoi mbliana agus sa bhliain 1693 d'éiligh go gcaithfeadh gach feidhmeannach san eaglais, san arm, is sa státchóras móid a ghlacadh á aithint mar rí *de jure* agus *de facto*. Is i measc na n-eaglaiseach ba mhó a ghoill an cuntar sin is dhiúltaigh breis agus a leath acu an mhóid a thabhairt (Lenman 1982:55).

Dhá mhórghrúpa a bhí san eaglais Phrotastúnach in Albain, na Preispitéirigh is na hEaspagóidigh. Ní raibh aon mhórdhifríocht diagachta ná creidimh eatarthu ach bhí difríocht bhunúsach sa dearcadh a bhí acu araon ar rialú na heaglaise féin agus ar bhunús na cumhachta saolta. Ghéill na hEaspagóidigh, mar is léir ar a n-ainm, don phrealáideacht agus don ordú cliarlathach; tuiscint fhulangach a bhí acu don chumhacht, tuiscint a bhí bunaithe ar urraim don té a bhí i gceannas is go háirithe don Phrionsa. Olc gráiniúil mídhaonlathach, peaca i gcoinne dhlí Dé, a bhí sa phrealáideacht agus san ordú cliarlathach, dar leis na Preispitéirigh; ar chúnant a bhí foinse na cumhachta bunaithe, dar leosan, cúnant idir an Prionsa agus an pobal. Le linn an tseachtú haois déag ar fad bhí an dá ghrúpa acu de shíor ag coimhlint le chéile agus ceannas Eaglais na hAlban mar aidhm acu araon. Ar athbhunú an ríogachais is na prealáideachta sa bhliain 1660, ghlac na hEaspagóidigh ceannas intleachtúil na hEaglaise in Albain chucu féin is níor scaoil leis go díchur na prealáideachta arís, aimsir na réabhlóide. Sa tréimhse sin, idir 1660 agus 1690, is faoi na hEaspagóidigh a bhí riaradh na gcúig ollscoil a bhí in Albain (St. Andrews, Dún Éideann, Glaschú, King's College agus Marischall College in Obar Dheathain) arbh é an príomhchúram a bhí orthu cléir easpagóideach a oiliúint i luachanna traidisiúnta an ríogachais is na prealáideachta. Isteach is amach le sé chéad sagart a bhí san eaglais Easpagóideach in Albain i dtús an ochtú haois déag agus is ina meascsan a bhí smior an chreidimh Sheacaibítigh le fáil. Ní hé gurbh ionann i gcónaí Easpagóideach agus Seacaibíteach ach gur ina meascsan in Albain ba bhíogúla is ba líonmhaire na Seacaibítigh agus gur ina measc is mó a cothaíodh is a seachadadh ideolaíocht ghlinn an tSeacaibíteachais. In oirthear na tíre, sa Ghalltacht lastuas de abhainn Tatha go háirithe, ba líonmhaire na hEaspagóidigh agus is ansin freisin ba líonmhaire na Seacaibítigh. Ach oiread le haon ord sagart eile in aon chultúr eile, ní feidhm reiligiúnda amháin a bhí ag na ministrí Easpagóideacha. Ba chuid lárnach iad den saol soch-chultúrtha freisin agus iad ag feidhmiú mar mhúinteoirí is mar ollúna ollscoile, mar shéiplínigh ag na huaisle áitiúla is mar oidí ag a gclann mhac. Is é an dlúthghaol sin le maithe is tiarnaí na hAlban a mhíníonn tábhacht na nEaspagóideach is an anáil ollmhór a bhí acu.

Débhríochas dá laghad ní raibh ag baint le teagasc na nEaspagóideach. Ghéilleadar gan cheist do cheart diaga na ríthe, don ordú cliarlathach i gcúrsaí eaglasta, don ordú cliarlathach sa saol trí chéile; dob ionann an rí ceart, foinse an údaráis shaolta, a dhíchur agus an saol ordaithe faoi mar a bhí sé leagtha amach ag Dia a chur bunoscionn. Céimithe ollscoile ab ea formhór na ministrí easpagóideacha agus is iad is mó a bhí mar mhúinteoirí is mar ollúna i scoileanna is in ollscoileanna an oirthuaiscirt. Orthusan, mar sin, is mó a ghoill an dlí a chuir parlaimint na hAlban i bhfeidhm sa bhliain 1690 á achtú go raibh d'iallach ar gach múinteoir scoile is ollamh ollscoile móid dílseachta a thabhairt do Uilliam agus don Phreispitéireachas. Ach ní raibh de thoradh ar an acht peannaideach sin ach gur dhomlasta fós a bhí na hEaspagóidigh leis an socrú sin Uilliam agus gur ceanglaíodh níos dlúithe fós le chéile an tEaspagóideachas is an Seacaibíteachas in Albain.[39]

Ba chuma cén rí nó cén rialtas a bheadh i gcumhacht in Albain sa deichniúr deiridh den seachtú haois déag, ní fhéadfadh nach dtarraingeoidís drochmheas is míghnaoi an phobail chucu féin. An rath eacnamaíoch a tháinig chun cinn in Albain le hathbhunú na ríogachta sa bhliain 1660 agus a bhláthaigh go rafar ina dhiaidh sin, mhaolaigh go tobann air timpeall na bliana 1690 agus chuir sraith timpistí mí-ámharacha deireadh ar fad leis roimh thús na haoise dár gcionn. I Sasana, ar mhaithe le haicmí áirithe i Sasana, a cuireadh réabhlóid na bliana 1688 i gcrích; dá bharr tarraingíodh, agus ní dá deoin féin, Alba isteach i mórchogaí Eorpacha idir 1689 agus 1698 agus arís ó 1702 amach. Is go daor a dhíol Alba as an chogaíocht óir chuir sí isteach go mór ar thrádáil na hAlban leis an Fhrainc. Dá bharr, ardaíodh ar na cánacha chun díol as costaisí an chogaidh is cuireadh coinscríobh foiréigneach i bhfeidhm chun dóthain fodair a chur ar fáil sa chogadh i gcoinne Louis. Mar bharr ar gach donas, bhuail gorta anróch Alba sa bhliain 1695 a mhair, gan ach maolú beagán, go dtí 1699. Dar le hEaspagóidigh Alban, nach raibh ach an t-aon mhíniú soiléir amháin ar phurgadóireacht leanúnach na tíre:

> The great corruption of all ranks and degrees both in church and state within this kingdom, during a long course of prosperity, peace, and plenty, under the auspicious reign of Charles the Second of happy memory, and that of his Royal brother James the Seventh, did provoke God in his just judgement to punish us with an unhappy, dysmal Revolution, which has proved a fruitful mother of many myseries, and calamities under which this nation has groan'd this twenty-seven years last past. By it our then King was, against all divine and human law, deposed by a prevailing faction of his own seditious and unnatural subjects, with the help of a forraign prince and forc'd into exile with his Royal Consort of the Crown, and the

Heir (our present King) in his cradle: the fundamental laws and
constitution of his Kingdom subverted, the Hereditary right of succession
to the Imperial Crown of this Realm diverted from the right line .... As the
banishment of the late King James gave the rise to all the miseries and
calamities that have ensued so the only natural and proper remedy, for
removing the same, in subordination to the good and gracious Providence
of God, is the restauration of his present Majesty, James the 8th., our
natural and rightful King ... (NLS 1012:1).

An tuiscint sin an tseanmóirí go mairfeadh an t-anó danartha fad a
cheilfí ar an rí cóir a cheart oidhreachtúil, ba thuiscint choitianta i
measc na Seacaibíteach í; is gonta agus is dírí, más go
neamhshofaisticiúil féin é, a nocht Iain Lom an tuiscint chéanna:

'S e Prionns Uilleam 's a shluagh
Dh'fhàg an dùthaich so truagh
'N uair a chuir iad thar cuan Rígh Sèamas uainn (OIL:2496-8).

Ach ní i measc na Seacaibíteach amháin a bhíothas míshásta.
Parlaimintéirigh, idir uaisle is bhuirgéisigh, a raibh glactha acu go
féinleasach pragmatach le socrú na bliana 1688, bhí ag dul dá
bhfoighne is ag éirí ar a míshástacht is a náire, de réir mar a bhí rialtas
Londan ag rialú faoi mar nárbh ann do pharlaimint Dhún Éideann in
aon chor. D'achtaigh parlaimint na hAlban sa bhliain 1696 go gcaithfí
an pharlaimint sin a thionól ar bhás an rí, ach nuair a d'éag Uilliam sa
bhliain 1702 níor tionóladh an pharlaimint is d'fhógair an rialtas i
Londain cogadh ar an Fhrainc gan chead ó pharlaimint na hAlban. Ba
mhaslaithí fós do fhéinmheas na bparlaimintéireach in Albain gur
shocraigh parlaimint Londan, gan é a chur faoi bhráid Dhún Éideann
fiú, gur ar theach ríoga Hanover a bhronnfaí coróin na dtrí ríochta ar
bhás Anna. B'é freagra Dhún Éideann a achtú nárbh fhéidir cogadh a
fhógairt feasta in ainm na hAlban gan chead a parlaiminte féin, gur ag
parlaimint na hAlban amháin a bhí an ceart rí Alban a ainmniú, agus go
gcaithfeadh an té sin a bheith ina Phrotastúnach 'and of the ancient
royal stock of Scotland' (Lenman 1980:73). Ba léir do na húdaráis i
nDún Éideann is i Londain nach raibh an socrú bunreachtúil a
rinneadh sa bhliain 1603 ag oibriú agus b'é an réiteach a bhí á chur
chun cinn anois aontacht iomlán pharlaiminteach idir an dá ríocht. Ach
is é réiteach a mhol Andrew Fletcher i bparlaimint Dhún Éideann ríocht
neamhspleách na hAlban faoina rí féin a athbhunú: 'It cannot be
denied', adúirt sé, 'that we have been but indifferently used by the
English nation ... we will separate our crown from that of England'
(Fletcher 1737:302-3).

Léiriú maith ar an náisiúnachas Albanach a bhí cothaithe chomh
díocasach sin ag polaiteoirí neamhthuisceanacha Londan is ea
óráideanna Andrew Fletcher. Thóg seisean páirt shonrach i bparlaimint
na hAlban ag cosaint leas na hAlban agus, de réir mar a chuaigh an
teannas idir an dá pharlaimint i ngéire, labhair sé go hoscailte

neamheaglach, gach seans dá bhfuair, a chosaint neamhspleáchas a thíre dúchais:

> All our affairs since the union of the crowns have been managed by the advice of English ministers, and the principal offices of the kingdom filled with such men ... that we have from that time appeared to the rest of the world more like a conquered province, than a free independent people ...
> (Fletcher 1737:271).

> We may, if we please, dream of other remedies; but so long as Scots-men must go to the English court to obtain offices of trust or profit in this kingdom, those offices will always be managed with regard to the court and interest of England ... (*ibid.* 274).

> So that the question comes to no more than, whether this nation would be in a better condition, if in conferring our places and pensions the prince should be determined by the parliament of Scotland, or by the ministers of a court, that make it their interest to keep us low and miserable. We all know that this is the cause of our poverty, misery and dependence. But we have been for a long time so poor, so miserable and depending, that we have neither heart nor courage, though we want not the means, to free ourselves (*ibid.* 275).

Ó dhúchas ná oiliúint níorbh aon Seacaibíteach é Fletcher; náisiúnaí Preispitéireach ab ea é arbh í saoirse na hAlban a chúram síorghnách. An tsaoirse sin a bhí i mbaol anois is mar sin, thacaigh seisean agus mórán mar é, leis na Seacaibítigh, laistigh is lasmuigh den pharlaimint, cur i gcoinne na haontachta. Níor éirigh leo. Le brú is bagairt, feall is fabhar, agus an t-earra ar a dtugann Lenman 'the usual lubrication of patronage' (Lenman 1977:57), chuir parlaimint Dhún Éideann í féin ar ceal is chuir aontacht reachtach idir an dá ríocht i bhfeidhm i mBealtaine na bliana 1707. B'é an tabharthas polaitiúil ba rafaire fós ag polaiteoirí Londan don Seacaibíteachas é óir rinne sé Seacaibítigh oscailte de náisiúnaithe measartha ar nós Fletcher. Scríobh duine de na ceannairí Seacaibíteacha, Sir George Lockhart, scríobh sé chun Séamais in St Germain á nochtadh dó an t-athrú mór a bhí imithe ar dhearcadh an mhóraimh:

> The Union commenced upon the first of May, 1707, a day never to be forgot by Scotland, a day which the Scots were stripped of what their predecessors had gallantly maintained for many hundred years, I mean their Independency and Soveraignty ... .

> These fellons treated the natives with all the contempt and executed the new laws with all the rigour imaginable; so that before the first three months were expired, there were too apparent proofs of the truth of what had been often asserted in relation to the bad bargain Scotland had made ... .

> And the people of all ranks and persuasions were more and more chagrin'd and displeased, and resented the loss of the Soveraignty, and were daily more and more perswaded that nothing but the Restoration of the Stewart Royal Family, and that by the means of Scotsmen, could restore them to their rights ... (Terry 1922:1-3).

Chuir an tÉireannach Nathaniel Hooke, duine de na gníomhairí rúnda a bhí ag Séamas III i Sasana ag an am, chuir sé tuarascáil fhíordhóchasach chuig St Germain ag léiriú na tacaíochta a bheadh ar fáil go forleathan ag Séamas anois, ach é a theacht anall:

> Mr. Hall informs me ... that he and all his friends are ready to risk every thing for the King of England, provided that Prince comes in person; that without his presence there will be nothing done ....

> The greatest part of Scotland has always been well-disposed for the service of its lawful King ever since the revolution ... but this good disposition is now become universal ....

> The Presbyterians are resolved never to agree to the Union, because it hurts their consciences, and because they are persuaded that it will bring an infinite number of calamities upon this nation, and will render the Scots slaves to the English. They are ready to declare unanimously for King James ....

> The whole nation will rise upon the arrival of its King: He will become master of Scotland without any opposition, and the present government will be intirely abolished ... (Terry 1922:8-23).

Tuarascáil áiféalach rídhóchasach, is deimhin, a bhí i gcuntas Hooke ach ní raibh sí gan bhunús éigin. Tacaíocht nach beag don Seacaibíteachas a bhí in aontacht na bliana 1707, mar is í a dheimhnigh gur ag na Seacaibítigh a bheadh ceannas iomlán an náisiúnachais Albanaigh go cionn leathchéad bliain ina dhiaidh sin. Is mó eilimint éagsúil a bhí sa náisiúnachas sin (frith-Shasanachas, mórtas áitiúil, diagacht Easpagóideach, neamhspleáchas Preispitéireach, dílseacht shinseartha don ríora oidhreachtúil), ach is i bhfoirm an tSeacaibíteachais amháin a nochtadh é d'éis na haontachta, aontacht ar le láimh láidir amháin anois dob fhéidir í a chur ar ceal.

Roimh dheireadh na chéad bhliana den socrú bunreachtúil nua tuairiscíodh i bparlaimint Londain go raibh ar bun arís 'dangerous plots between some in Scotland, and the court of France and St Germains' (Lenman 1980:74). 'Tha fir do thìre glé ullamh' a d'fhógair Iain Lom (OIL:2865); b'í sin an aimsir, a dúirt Iain Dubh Mac Ailein, 'an dearbhar an tairgeanachd dhùinn':

> Is í so an aimsir an dearbhar
>   an tairgeanachd dhùinn,
> is bras meanmnach fir Albann
>   fo an armaibh air thùs.
> an uair dh'éireas gach treun laoch
>   'nan éideadh glan ùr,
> le rùn feirge agus gairge
>   gu seirbhis a' chrùin ... (BG:4026-33).

Chuir grúpa d'uaisle Alban teachtaireacht lán dóchais chuig rí na Fraince:

> The whole nation will rise upon the arrival of its King; he will become

master of Scotland without any opposition, and the present government will be entirely abolished. Out of the numbers that will rise we will draw 25000 foot and 5000 horse and dragoons and with this army we will march strait into England ... (Hooke 1760:70).

Chuir Proibhinseal na nDoiminiceach in Éirinn teachtaireacht chomh dóchasach céanna chuig bean Shéamais II:

They assured me that if the King could send but a small number of troops, with arms and ammunition, there would not be wanting a sufficient number of men to support his party ... and that all the true Irish throughout the whole Kingdom were ready to hazard their lives to serve the King .... He has assured me that in these five counties above,[40] the King could raise, in a short time, 20,000 men provided he furnished them with arms ... (*ibid.* 159-62).

B'í an bhliain a bhí chucu 'bliain ár slánaithe', dar leis an scríobhaí Seán Stac:

Dáibhíth Ua Bruadair (trócaire ó Dhia dho) do sgríobh an dán agus do rine an t-abhrán tuas an 25 lá do Shamhara .i. Satharn Cingcíse na bliaghna 1672 et ar na aithsgríobh le Seaghan Stac lá St. Pól a mbliadhain ar slánuighthe 1708/9 (RIA 23 L 37:158).[41]

IV

1702. Proclamation for restraining the spreading false news, and printing and publishing of irreligious and seditious papers and libels ... . Proclamation forbidding all persons to hold or keep her Majesty's enemies or supply them with provisions of any sort ...[42]

London, April the 10th. They write from Dublin of the 1st. of April, that there were committed to that Castle the following persons ...
(*The Flying Post*: 15 April 1708).

Dublin, March 27. On the 23d Their Excellencies the Lord Justices and Council issued out a Proclamation for the apprehending of all Popish Priest or Priests who are not already secur'd; and forbidding all manner of persons to conceal, comfort or support any Popish Priest or Priests in their houses or other places ... (*The Dublin Gazette*: 23-27 March 1708).

Léiriú maith iad na forógraí sin ar an atmaisféar polaitiúil i mBaile Átha Cliath, agus in Éirinn trí chéile, i mblianta tosaigh an ochtú haois déag. Bhí idir imeagla, mhíshuaimhneas is scaoll i gceist, ach ní ag baile go príomha a bhí foinse an atmaisféir sin ach thar lear mar a raibh príomhbhógaí na n-údarás agus buntobar a n-imeagla:

Dublin, March 20, On the 16th. Their Excellencies the Lord Justices and Council, issued out a Proclamation, for seizing and apprehending the pretended Prince of Wales and all his traiterous confederates and

adherents, and taking the arms, ammunition, horses, etc. belonging to any
Papist or Disafected Person, and for seizing and committing all Popish
Priests to Goal till further Orders (*The Dublin Gazette*: 16-20 March 1708).

Monday, March 29th, 1708
Basil, March 21. The emissaries of France and Rome tell us, the Pope has
supply'd the Pretended Prince of Wales with 1500000 crowns for his
intended expedition against Scotland ... (*The Flying-Post*: 29 March 1708).

Dublin. In the prints this week from London were receiv'd an account
from North Britain, of the most impudent, bare-fac'd piece of Jacobitism,
and insolence as ever appear'd in publick, relating to a medal of the
Pretender ... (*The Dublin Intelligence*: 14 August 1711).

1714. Proclamation against persons that enlist men for the service of the
Pretender.[43]

Is í an bhagairt sin a samhlaíodh leis an 'Pretender', leis an 'pretended
Prince of Wales' [Séamas III], is í d'áirithe a mhúnlaigh polaitíocht uile
an ama agus is í an ghníomhaíocht pholaitiúil sin – i gcéin is i gcóngar
– an comhthéacs cuí a mhíníonn litríocht pholaitiúil na tréimhse. Dhá
eilimint chomhlántacha a bhí sa chomhthéacs sin: an chomharbacht
ríoga ag an leibhéal inmheánach agus, go seachtrach, cogadh na
hEorpa.[44]

Bíodh gurbh í an Spáinn an impireacht ba mhó fós ar domhan bhí a
cumhacht, a tionchar is a gabháltais san Eoraip á lagú de réir a chéile
de bharr chogaí an tseachtú haois déag. Ar bhás an rí Séarlas II sa
bhliain 1700, agus é gan oidhre, is é Pilib V, mac mic le Louis XIV na
Fraince, a tháinig i gcomharbacht air. D'oir sé go feillbhinn do straitéis
fhadtéarmach Louis rí dá theaghlach ríoga féin a bheith i gcoróin na
Spáinne, ach ní róshásta a bhí an Bhreatain ná tíortha eile na hEorpa,
óir bhí cothromaíocht na cumhachta san Eoraip trí chéile curtha as
riocht. Sa bhliain 1701 d'ionsaigh airm na Breataine is na hOstaire an
Spáinn ag iarraidh an rí óg a ruaigeadh is a rogha féin (Séarlas Ard-diúc
na hOstaire) a chur ina ionad. Cogadh chomharbacht na Spáinne a
thugtar coitianta ar an gcogadh sin, ach ba chogadh fada leanúnach
Eorpach go bunúsach é nár chríochnaigh go dtí gur síníodh conradh
Utrecht sa bhliain 1714. Ar thaobh amháin sa chogadh bhí an Fhrainc
is an Spáinn, agus ina gcoinne sin bhí an Bhreatain, an Ollainn, an
Ostair is an Ghearmáin, nó mar a chuir Seán Ó Neachtain in *Scéal
Jacobides agus Carina* é:

> Óir atá an triúr fathach as uathbhéalta ar dhroim talmhan ag a
> dhearbhráthair Germanicus ina aghaidh .i. Briotan Mór, fear nár chum
> Dia a shamhail eile ar neart, ar mhéad agus ar mhíchreideamh, agus níor
> ullmhaigh an diabhal dúil is lugha truaighe, trócaire agus carthanacht ná
> é, agus ní bhfuil fear a chlódha faoi an ngréin acht Jacobides amháin; an
> dara fathach Holandus láidir agus an treas fathach Sabhorius lúbach
>
> (BL Eg. 165: 37-8).

Cé gur ó Ros Comáin ó dhúchas do Sheán Ó Neachtain, is i mBaile

Átha Cliath a bhí sé féin is a mhuintir lonnaithe ó thús na haoise agus is é, is cosúil, a bhí mar cheann comhairle ar ghrúpa scoláirí Gaeilge a bhí ina theannta sa cheannchathair.[45] Dála go leor de scoláirí a linne, ba scríobhaí agus file in éineacht é Ó Neachtain ach, murab ionann is formhór a chomhghleacaithe, ba scríbhneoir cruthaitheach próis é chomh maith, bíodh gur scéalta rómánsaíochta ar an seandéanamh is mó a scríobh sé. Ceann de na scéalta sin is ea *Scéal Jacobides agus Carina*, fabhalscéal atá bunaithe ar chogaíocht chomhaimseartha na hEorpa.[46] Seasann Jacobides, laoch an scéil, do James FitzJames (Duke of Berwick), mac le Séamas II is Arabella Churchill, duine dá leannáin iomadúla. Bhí ardcháil ar Berwick mar oifigeach cróga is ceannaire cumasach in arm Shéamais II is thóg sé páirt shonrach i gcogadh an dá rí ag an Bhóinn, Inis Ceithleann, Doire is Luimneach. Thar lear dó, dá éis sin, phós sé Lady Honora Sarsfield, baintreach Phádraig Sáirséal, is thabhaigh a ghníomhartha gaisce urraim is onóir dó mar urradh catha in arm na Fraince gur bronnadh an teideal Marascal air.[47] Bíodh gur tagairtí fáthchiallacha amháin atá ag Ó Neachtain do ghníomhréim Berwick ar an mhór-roinn, is cinnte gurb é atá i gceist agus gurb é atá i bpríomheachtra an scéil tagairt do chath Almanza sa bhliain 1707 mar ar bhuaigh arm na Fraince, faoi cheannas Berwick, ar airm na Breataine is na Portaingéile in éineacht. Ríshoiléir atá sé cé leis a bhfuil bá an scéalaí:

> Do ghluaiseadar iar sin mar a raibh an cura cneadhach créachtach lomnochtaithe dá dteilgean féin ar a nglúinibh ina fhiadhnaise ag rádh, 'a chura gan chomhmheas 7 a ardghaiscígh an domhain daonda, buadh 7 biseach 7 séan 7 sonas sudhan ag faire san uile chonair 7 bealach ort ...'
> (*ibid.* 57-8).

Ach ní mór a rá nach scéal róshuimiúil é *Scéal Jacobides agus Carina* agus nach scéal é a n-éiríonn leis ach oiread. Scoláire go príomha, agus ní file ná scríbhneoir, a bhí i Seán Ó Neachtain agus, sa chás áirithe seo, is léir nach raibh ina chumas an t-ábhar a ionramháil go healaíonta ná go héifeachtach. Ina choinne sin, dá fhadálaí an insint is dá thimpeallaí an plota, tá an teachtaireacht pholaitiúil soiléir go leor:

> Do tháinig Briotan Mór mar a raibhe an Prionsa, dá léigion féin ar a ghlúinibh, ag rádh: 'A ríghmhílidh an domhain, os comhair an Impir agus na n-uile oile dá raibhe ina éisteacht, admhuighim gur tú is rígh ceart dlistionach ar na trí ríochta a bhfuilimsi arnam thriathadh os a gcionn .i. Banbha, Scotia, Anglia ...' (*ibid.* 169).

Na seintimintí Seacaibíteacha a bhí á nochtadh go fáthchiallach ag Ó Neachtain sa scéal sin, tréas inchúisithe ab ea iad ag an am is míníonn sin, cuid mhaith, an fhoirmle fholaitheach fháthchiallach. Ach ní mhíníonn sé an tsuim ollmhór a bhí ag Ó Neachtain in Berwick féin ná ina ghníomhréim. In dhá dhán dá chuid – ceann i nGaeilge is ceann i mBéarla – déanann sé adhmholadh ar a ghaiscíoch is tugann mionchuntas ar a ghníomhartha gaisce is gaile san Eoraip. Bíodh gurb

iad coinbhinsin liteartha an Bhéarla – idir fhriotal, fhoirmle is
mheadaracht – a tharraing sé chuige féin sa dán Béarla, fós d'éirigh leis
a leagansan de chaithréim an ghaiscígh is a aonaidhm féin a chur in iúl
go soiléir:

> Muse, help to blaze the fame of Berwick grand
> That worthy is the wordly orb's command
> Whose great exploits, anxious toyle and care
> Whose prudent conduct, deeds without compare
> Whose stratgems, whose will, whose management
> Whose valour, lead by wisdom excellent ...
>
> Portugal tell truth – do not dissemble!
> At his success did the soyle all tremble?
> Did not the King, the peer, the all I say
> Dreading his dent, disordered run away? ...
> My prayer is, and evermore shall be:
> O're all his foes God send him victorie (BL Eg. 139:88).

Dán an-neamhchoitianta é an ceann Gaeilge ó thaobh foirme de, toisc
an-mheascán meadarachta a bheith ann, idir véarsaíocht uamach,
véarsaíocht shiollach, is véarsaíocht aiceanta; ach arís, cuma cén
mheadracht atá idir lámha aige, tá a thuiscint féin is a aidhm féin soiléir
go leor:

> Brac buaidh na gcath,
> earr éachtach ard,
> réalt réghlan úr,
> breas buancheart bláith,
> thall do thuill clú ...
>
> Tógfaidh Gaeil ó dhaoirse Gall
> ag aiseag foinn is fearainn;
>   cuirfidh Peadar is ceann don chléir
>   ag rince ar lomchruit Lúitéir. ...
>
> An t-uasal maiseach masclach méinmhaith mór,
> an guaiseach gasrach galach éachtach óg,
> is luaimneach lascach scathach tréan i ngleo,
> ba buan 'na bheatha is Gallaí ag géilleadh dhó.[48]

I ndán eile dá chuid tráchtann Ó Neachtain ar Sir Cloudesley Shovel,
ceannaire cáiliúil i loingeas na Breataine, ar cailleadh é féin is a long in
aice le hoileán Silí ag filleadh abhaile dó ó chath Toulon inar throid
Berwick. Déarfá gur fada ó bhaile a bhí ábhar filíochta á lorg ag Ó
Neachtain, ach dá imigéiniúla iad Toulon, Shovel is Berwick ní i gcéin
a bhí tábhacht na heachtra le suíomh, mar bhí ceacht teagascach
sólásach le baint as:

> Shíl mé riamh go mba láidir
> Dia ró-ádhmhar na Sagsan,
> anois do chím gur cródha
> Dia na Rómha go fada.

Ní chreidim nach bhfuil Muire
ag síor-ghuidhe a haoin-Mhic,
'g iarraidh treise na cléire
's lucht a séanta do dhíbirt ... .[49]

Is léir gur thug Berwick is a ghníomhréim mhíleata ábhar dóchais is ardú meanma d'aos léinn Bhaile Átha Cliath; cúis mhór ghairdeachais ab ea é, is léir, go raibh ar a chumas-san arm na Breataine a phlancadh san Eoraip. An tábhacht is mó a bhaineann le suim Uí Neachtain i gcathréim Berwick, go léiríonn sí an mioneolas a bhí aige ar pholaitíocht chomhaimseartha na hEorpa, go háirithe chomh fada is a bhain sin le cúis an Stíobhartaigh is a lucht leanúna. Léiriú eile ar an mioneolas sin is ea an dán a scríobh comhghleacaí Uí Neachtain, Cathal Ó hIsleanáin, sa bhliain 1706 nuair a bhí ráfla á scaipeadh ar fud na Breataine go raibh Berwick marbh sa Spáinn. Ach ní raibh aon bhunús leis an ráfla, ní raibh ann ach 'adhbhar gáire'.[50]

An comhluadar liteartha a thaithigh Ó Neachtain i mBaile Átha Cliath, bhí idir chléir is tuath ina measc, idir Mhuimhnigh, Chonnachtaigh, Ultaigh is Laighnigh. Tá na diminsin chéanna ag baint lena chuid véarsaíochta: cás na hÉireann uile is cúram dó agus cás a muintire, idir chléir is tuath, ó cheann ceann na tíre. Ní furasta idirdhealú a dhéanamh ina shaothar idir véarsaíocht pholaitiúil agus véarsaíocht chráifeach ná idir véarsaíocht phearsanta agus véarsaíocht phoiblí, mar is iad pearsana is imeachtaí a linne féin – i gcéin is i gcóngar – a spreag formhór a shaothair agus is é an dearcadh céanna a nochtar ann trí chéile, cuma cé acu dán polaitiúil poiblí ar imeachtaí idirnáisiúnta Berwick é, dán ar dhíbirt na cléire abhus é, nó dán simplí cráifeach i nguth pearsanta é:

Do ghuidh mé Muire mháthair
go róchráifeach mar gach nduine;
de chionn nár labhair mé Béarla
níor chuir spéis in mo ghuidhe.

An dream dise ná géilleann
siad is tréine san dtalamh;
An drong a thug di adhradh
trua tá i ndaoirse ag Danair (TCD H.4.20:124).

Gné shuaithinseach de véarsaíocht Uí Neachtain is ea an t-ionad ina shaothar atá ag Muire. Is é an chéad fhile Nua-Ghaeilge é ar pearsa lárnach ina shaothar í, pearsa a labhrann sé léi go minic ag gearán léi, á himpí, á spreagadh:

Is trom do chodladh, a Mhuire mhór,
nach gcluinir an t-óg, an sean 's an chliar
ag gul 's ag screadaigh ort gan tsó,
is nach gcuirir tóir nó meas ar a bpian.

A chumainn, a stóir, a shoineann gan cheo,
a úirfhionn ghlan óigh, ler hoileadh mo thriath,

guím thú, fóir ar an bhfoirinn seo i mbrón,
ná fulaing a ngleo, guidh eatarthu is Dia ...[51]

'Do scabadh mo bhláth gach aird', ol Éire bhocht,
'do chailleas mo dhán, mo chláirseach-théad 'na tocht,
mo theanga gan fáir fo thár ag Béarla anocht;
tarasa, a Mháire, tráth, is féachsa seo' (BL Eg. 139:100).

Tá idir chráifeacht is chreideamh i véarsaíocht Uí Neachtain – cráifeacht thraidisiúnta is creideamh diongbhálta – ach tá freisin reiligiún garg seicteach. Bhí an saol mar a chonacthas do Ó Neachtain é, saol comhaimseartha na hÉireann, bhí sé éagothrom, anróiteach, is anfhorlannach. Léiriú simplí neamhchas a thugann Ó Neachtain ar an saol sin, mar nach raibh le haithint ann ach dhá aicme agus buntéama ina chuid véarsaíochta is ea an chontrárthacht idir an dá aicme sin. Bhí aicme amháin gustalach brúidiúil ceannasach tiarnúil, Béarla a labhradar, is bhí mac Mhuire séanta acu; dream ainnis faoi leatrom anacrach na daoirse ab ea an aicme eile; Gaeilge a dteangasan is bhíodar riamh dílis; i dtír ainnis scriosta a mhaireadar:

Mo scóladh na Fódlaigh fa ghreama mar táid,
'na ngeoinigh gan chóta, gan bheatha, gan ádh,
gan fó cheart 'na gcomhairsean chum seasta ar a scáth,
sliocht Orla na mbróintibh dá saltairt de ghnáth.

Tá an fó sin dar córtas an talamh fa thár
ag cóipibh na ndóibheart, sliocht Sagsan an stáit ... .[52]

Olagón gearánach éagaointeach atá i gcuid mhaith de véarsaíocht Uí Neachtain: 'tréad na bpápairí' faoi dhaoirse ag 'aicme an Bhéarla', an chléir bhocht á bpríosúnú is á ndíbirt, lucht an chreidimh fhír á satailt ag drong an díchreidimh, Éire féin -

Fódla an bhean fo fhrasaibh deor i ngruaim,
gan treoir, gan cheart, gan rath, gan eol, gan stuaim ...;[53]

í féin is a muintir mar a bheadh bád gan stiúir, gan chaoi

Gan an maraí bídh an loing
ó thoinn go toinn, gan stiúir, gan chaoi;
is ionann sin is sinne an drong
gan cheann, gan chom ar easbha an rí ....[54]

B'é easpa sin an rí – an rí ceart – an bhunchúis le hainriocht na hÉireann is a muintire; b'é a dhíbirtsean a tharraing an uile thubaiste anuas ar an tír is ar a muintir:

An chríoch so ba naofa is ba féile cáil,
mo chaoi-se, mo dhíth agus léan mo láir,
gan chríonnacht, gan dílseacht, gan béasa tá
is míchreidigh ag díbirt na nGael tar sáil ....

Saormhac an bhrícleagtha, is é mo chrá,
ar díbirt ag daoinibh do thréig a rán ... .[55]

Tá seasamh Sheáin Uí Neachtain i leith an tsaoil is na tíre ar mhair sé soiléir, deimhnitheach is diongbhálta: Seacaibíteach is ea é. Tá príomhchúram a chuid véarsaíochta soiléir freisin – 'na Fódlaigh' is cás leis agus a bhfuil i ndán dóibh, dán atá i gcodarsnacht go hiomlán le dán na haicme eile nach raibh á thuar is á ghuí dóibh ach díbirt, ainscrios is ár, ós iadsan faoi deara scrios na muintire, díbirt na cléire, is ruaigeadh an rí:

> Mo ghreadadh géar is creachta tréad na bpápairí,
> is scath na cléire i gcarcar chaol, gan aird, gan chaoi;
> fearta Dé go bhfeara sé tapa tráth gan scíth,
> lagadh léir ar aicme an Bhéarla a chrá mo chroí ....
>
> Claoiteacht is daoirscrios, éag is ár,
> is pianta gan íce ar feadh féith is cnámh
> an tí sin ar mhian leis lucht Béarla slán
> do díbir lucht Ír agus Éireamháin ....
>
> Péin is tubaiste, léan is uireasbha,
> caor is sruith-thine, éag is ár;
> péin is tubaiste, léan is uireasbha,
> caor is sruith-thine, éag is ár
> ar na Sasanaigh thréasach ghangaideach
> a shéan do sheanchreideamh Dé is Fáil;
> och, a Dhia, díbir iad, drong na mallachta
> uainn go tapa gan tiobadh go tráth ....
>
> Monuar an aicme reachtmhar réidh ceart cóir
> go cruaidh i nglas san Mhadadh mhéalach mhór;
> bualadh, bascadh, lagar léir is cró
> ar shlua na Sacsan, 's mallacht Dé go deo ....
>
> Mo dhíthse go n-éagad, mo léan is mo chrá,
> sé díbirt na cléire gan réiteach tar sáil,
> is mar tchímse na Gaeil 'na dtréigthigh fo thár,
> a maoin is iad féin ag an mBéarla fo cháin ....
>
> Díbirt is fuadradh, luathscrios is léan
> ar mhaoin, ar chuallacht, ar bhualach, ar thréad
> na ndaoine tá ag fuagradh 's ag ruagan an té
> is rí ceart ó dhualgas 's ón uaisle darb é ....[56]

Ag cur i gcoinne na héagóra is an pheaca a bhí an Seacaibíteachas, sa tslí gur tharraing sé chuige féin ó thús cinnteacht mhorálta is ceartaiseacht a chothaigh idir fhearg dhíoltasach – fearg na bhfíréan – agus fhoighne Chríostaí. Bhí an t-olc le cloí, an éagóir le scrios, aicme an fhill le díbirt, ach is le toil Dé san am cuí a dhéanfaí é:

> 'A leinibh mo chléibh', ol ise, 'ó is duit féin is dleacht ceart gach tíre a choingmheál i ngnáthbhun, is iongnadh liom nach bhfóireann tú ar na Gaedhil bhochta tá ag fagháil bháis don ghorta agus a maoin agus a bhfonn, a ndúthchas agus na huile eile dá gceart ag Gaill, re ar díbreadh a sean agus a sinsior le feill agus le inghreama' ....
>
> 'Agus cúis na nGall de, tá a n-am féin re teacht, ar son go bhfuil siad mar sciúrsa agamsa. An gcualaidh tú mar dubhairt an file:

Gé tá fá ghreama lag an Fhódla mhín,
ag dáimh nach ceart, mo chreach is cró mo chlí;
ní gnáth an tslat a ghreadas tóin an naín
acht tráth beag gar fo mheas is dóitear í ...' (Ó Neachtain 1918: 2551-68).

Is ina scéal fáthchiallach, *Stair Éamoinn Uí Chléire*, a nocht Ó Neachtain na seintimintí teagascacha sin. Léiriú íogair iad ar bhunéirim an mhachnaimh atá ina orlaí trína shaothar, idir phrós is fhilíocht: ainscrios uilí na nGall á fhulaingt go foighneach dóchasach mar go raibh 'a n-am féin re teacht'. An véarsa sin a tharraing Ó Neachtain chuige sa sliocht thuas, is é an t-amhrán ceangail é ar dhán a labhrann an file le Banbha féin, agus a peacaí iomadúla á gcasadh aige léi go himchúiseach:

Mór do choir is do cháin,
  a Bhanbha bhán gan mhaith;
díomas, col agus craos,
  is iad de shíor do shearc ... .

Ach dá thruaillithe náirí a cás, ní raibh deireadh léi fós:

Nílir go léir fágtha fós,
  is déan do dhóigh do Dhia,
do fheidhm, gidh gur fíorlag fann
  is cróga teann tréan an Triath.

An rotha ag rith 'na raon
  a íochtar thíos robudh thuas;
an oíche bhus duibhe dáil
  is gairid lá gusan ghluair ... (NLI G 135:90).

Dá fheargaí bhinibí na dánta is mothaithí de chuid Uí Neachtain, tá sochmacht áirithe ag baint lena shaothar freisin, sochmacht an tsaoi léannta ar féidir leis breithiúnas fadtéarmach machnamhach a dhéanamh ar chora an tsaoil. An tsamhail a úsáideann sé sa dán sin – *an rotha* – roth an fhortúin ag casadh atá i gceist, ach nach é fortún na bpágánach é ach toil Dé ag feidhmiú é:

Tiocfaidh sé, gidh mall an teacht,
Dia go foirfe re furtacht;
  ár dtoil féin nár shire sinn,
  acht toil ár nÍosa ionmhain ....[57]

Is é an t-achoimre is gonta agus is éifeachtaí ar a chreideamh is a dhóchas féin dár chuir Ó Neachtain ar fáil, an t-iarscríobh próis a chuir sé lena dhán ar Berwick; iarscríobh a chuimsíonn go comhlántach idir thuiscintí traidisiúnta agus dóchas comhaimseartha:

Ar láimh m'athar is mo mháthar is beag an t-iongna nach bhfoileona Dia dháibh a theacht ag tabhairt cughanta ná cabhra don druing mhallaithe mhíthrócaireach lé ar díbre an eagluis naomhtha agus ár rígh caomh ciúin ceannsaithe gan fháth gan tsiocair ... Agus go háirmhithe na Gaedhil bhochta a bhfuil a ndóchas ann agus ann a bhfuil a ngnáth-mhuinghín go dtiugfa lé cobhair chuca dá saora ó antreise eachtrannach agus éirceach faoi bhfuilid fa níos mó de dhaoirse ná bhí clann Israel san Éigipt ... .[58]

Sa bhliain 1707 ní foláir, nó go gearr ina dhiaidh, a chum Ó Neachtain an dán a bhfuil an sliocht léiritheach dóchasach sin mar agús leis. Níorbh é Ó Neachtain an chéad duine den aos léinn a chuir peannaid na nGael i gcomhard le fulaingt chlann Iosrael, téama lárnach marthanach ab ea é; ná níorbh é an chéad duine acu a chaoin gur díbreadh 'an eaglais naomhtha agus ár rígh caomh ciúin ceannsaithe'; ach is beag duine acu a chuimsigh chomh hathchomair gonta céanna na buntuiscintí a mhúnlaigh dearcadh is seasamh an aosa léinn trí chéile: an rí á dhíbirt 'gan fháth, gan tsiocair' ag drong mhallaitheach mhíthrócaireach agus dóchas is muinín na nGael go raibh sé chun teacht chucu arís 'dá saoradh ó antreise eachtrannach agus éirceach'. Téama lárnach marthanach eile i bhfilíocht pholaitiúil na Gaeilge is ea an aintreise chéanna, ach i gcás Uí Neachtain go háirithe níor théama fréamhaithe ná gotha reitriciúil aige é, mar bhí an aintreise sin le feiceáil aige ina chathair féin, de réir mar a dhírigh na húdaráis ar an chléir arís agus aláram scaollmhar á fhógairt go raibh an Pretender ar a shlí:

> Dublin, November 19. On Friday, Saturday and Monday last, the following persons were taken into the custody of Her Majesty's messengers on suspition of printing and vending *Popish Prayer-Books* contrary to law ...
> (*The Dublin Intelligence*: 27 November 1708).

> Dublin, March 23. On Saturday last the Lords Justices sent for Mr. Elmor, Bagot, Butler, Daly (Judge in King James's time) Cooke, Dr. FitzPatrick and Wogan and tended them the oath of Abjuration which they refus'd .... Yesterday our Lord Mayor put out a proclamation, with the names of 31 Popish Priests in this city, who have withdrawn themselves from their usual places of aboad, requiring them to appear this day ...
> (*The Flying-Post*: 29 March 1708).

I measc na cléire a príosúnaíodh i mBaile Átha Cliath sna blianta sin bhí Pól Mac Aodhagáin, dlúthchara agus comhvéarsadóir Uí Neachtain, a bhí ina shagart ag an am i gCill Mhaighneann. Véarsaíocht léannta ócáidiúil is mó a scríobh Mac Aodhagáin (DMM:53-63); dánta cumainn, dánta cráifeacha, dánta éagaointeacha ar staid léanmhar na hÉireann, sa tslí gur saothar fíoreisceachtúil is ea an dán is suimiúla ar fad dá chuid, aisling a taibhsíodh do Ghiollarnaomh Ó hUallacháin ar chnoc Bhinn Éadair, an chéad lá de Mhárta 1708:

> Aisling bheag ar Éirinn
>   do chonairc mé gan ghó,
> bratach ar Bhinn Éadair
>   ba fíorghorm snó;
> 'meirg súd mhic Shéamais',
> ar an síogaí bréagach,
> 'gasra Gaol dho ag géilleadh
>   feadh an fhoinn gan bhrón' ... (DMM:53 § 1).

De réir na haislinge tháinig cabhlach, a raibh slua mór ar bord, sa chuan, triath óg ina thaoiseach orthu, agus 'mionn óir' ar a cheann

aige. Scaip slua an ríthaoisigh soir siar ar fud Éireann go ndearnadar ár
dí-áirmhe ar na Gaill:

> Ba thrua Gaill na hÉireann
>   an uair se gan tsó,
> Ar díth crodh is éada
>   gan a samhail beo,
> gártha caointe is éimhe
> ar feadh na gcríoch re chéile
> soir, siar is don taobh theas
>   ar easbha maoin' is óir (*ibid.* § 6).

Ach ní raibh ann ach 'aisling shuarach mhagaidh', agus ar dhúiseacht
do Ghiollarnaomh, ní raibh neach ná ní dár taibhsíodh dó le feiceáil:

> Iar múscladh ar maidin dhamh
>   ní fhaca na slóigh,
> aisling shuarach mhagaidh
>   do chonairc mé, mo ghleo!
> uch, ba trua mé im aonar ann,
> ag gol is ag caoi ag éirghe dhamh,
> gan neach dar shaoil in Éirinn ann,
>   ná san tsaol mhór (*ibid.* § 7).

Léiriú maith é ábhar na haiste sin ar an dóchas coiteann a bhí in Éirinn,
agus sna trí ríochta trí chéile, sna blianta sin as filleadh an
Stíobhartaigh; léiriú maith é críoch na haislinge ar theip na hiarrachta
sin agus ar an díomá a lean é.

Bunús fíorshimplí a bhí le hiarracht na bliana sin 1708: d'oir sé do
Louis XIV a ladhar a chur isteach i ngnóthaí inmheánacha na Breataine
athuair.[59] Ón bhliain 1706 amach, nuair a bhain Marlborough bua
máistriúil ar arm na Fraince i gcath clúiteach Ramillies, theastaigh ó
Louis baint d'éifeacht arm na Breataine ar mhórthír na hEorpa. B'í an
tslí ab éifeachtaí chuige sin, ionsaí míleata a dhéanamh ar an Bhreatain
féin, le cabhair na Seacaibíteach, chun gur ghá don Bhreatain tarraingt
siar ón Eoraip. Mar sin, i Márta na bliana 1708, d'fhág tríocha long
chogaidh agus sé mhíle saighdiúir Dunkerque agus é d'aidhm acu dul i
dtír ar chósta thoir na hAlban. Bhí Séamas III féin ar bord agus gairm
scoile réidh aige, mar rí Alban, á achainí ar phobal dílis a ríochta ársa
féin an aontacht le Sasana a scaoileadh is parlaimint neamhspleách a
bhunú i nDún Éideann arís. Ach bíodh gur chorraigh Seacaibítigh
Stirlingshire, ní raibh aon éirí amach ann. Níor éirigh le Séamas ná leis
an loingeas dul i dtír, is bhí orthu seoladh leo ó thuaidh fan chósta na
hAlban is ansin timpeall na hÉireann gur fhilleadar ar an Fhrainc.[60]

Níorbh í an chéad teip Sheacaibíteach í ná an ceann deiridh; eachtra
mhífhortúnach eile ab ea í a d'adhain idir dhóchas is díomá, i measc
lucht leanúna an Stíobhartaigh. Is ar phatrún mar é, ard-dóchas is
fíordhíomá, atá dán Mhic Aodhagáin ('Aisling Bheag ar Éirinn')
bunaithe agus is patrún mar é a nochtann na haislingí a chum Ó
Rathaille timpeall an ama chéanna. In 'Maidean Sul Smaoin Titan', mar

shampla, nuair a d'fhiafraigh an t-inseoir d'Aoibheall cén fáth a raibh na trí coinnle á lasadh ar Chnoc Fírinne, teachtaireacht lán dóchais a bhí aici dó:

> D'fhreagair an bhríd Aoibheall nár dhorcha snua
> fachain na dtrí gcoinnle do lasadh ar gach cuan:
> 'in ainm an rí dhíograis bheas againn go luath,
> i gceannas na dtrí ríochta 's dá gcosnamh go buan' (AÓR:5 §§ 13-16).

Ach níor tháinig an rí go luath agus ní rófhada a mhair an aisling:

> As m'aisling do shlimbhíogas go hathchomair suas,
> is do mheasas gurbh fhíor d'Aoibhill gach sonas dár luaigh;
> is amhlaidh bhíos timchreathach doilbhir duairc,
> maidean sul smaoin Titan a chosa do luaill (ibid. §§ 16-20).

Is le teachtaireacht dhóchais a osclaíonn 'Mac an Cheannaí' freisin:

> Aisling ghéar do dhearcas féin
>   im leabaidh 's mé go lagbhríoch,
> ainnir shéimh darbh ainm Éire
>   ag teacht im ghaobhar ar marcaíocht;
> a súile glas, a cúl tiubh casta,
>   a com ba gheal 's a malaí,
> dá mhaíomh go rabh ag tíocht 'na gar,
>   a díogras, Mac an Cheannaí ... (AÓR:3 §§ 1-4).

Ach b'aisling í nár fíoradh. Scéala éagaointeach éadóchais ar deireadh a bhí ag an inseoir do bhean na haislinge:

> Dúrtsa léi, ar chlos na scéal,
>   i rún gur éag a chleacht sí,[61]
> thuas sa Spáinn go bhfuair an bás
>   's nár thrua le cách a ceasnaí;
> ar chlos mo ghotha i bhfogas di,
>   chorraigh a cruth is scread sí,
> is d'éalaigh a hanam d'aonphreib aisti;
>   mo léansa an bhean go lagbhríoch (ibid. §§ 29-32).

Ní deacair idir dhóchas is éadochas na n-aislingí sin a thuiscint. Bhí ina scéal reatha is ina ráfla coiteann ar fud Éireann sna blianta sin 1708-9, go raibh an Stíobhartach is a lucht leanúna ar a slí. Scéal é a thug sásamh thar meon do phápairí na hÉireann, mar a tuairiscíodh sa pharlaimint i mBaile Átha Cliath sa bhliain 1709:

> We have found by dear bought and fatal experience, that the Protestant religion and British interest in this Kingdom are no longer safe ... and with abhorrence call to mind the satisfaction, which too visibly appeared in the faces, and by the insolent behaviour of the generality of them, when the late attempt was made by the Pretender on the north part of Great Britain (JHC 3:573).

Is sa chomhthéacs sin is fearr a thuigfear Aoibheall is a buíon ag lasadh trí coinnle ar gach cuan ó Ghaillimh go Corcaigh i ndán álainn Uí Rathaille; an ríthaoiseach is a shlua ag teacht i dtír i mBinn Éadair in aisling Mhic Aodhagáin; Éire ag súil le Mac an Cheannaí is é ar loingeas a slánaithe ag seoladh timpeall na hÉireann:

> Do bheir súil ó dheas gach lá faoi seach
> ar thráigh na mbarc an cailín,
> is súil deas-soir, go dlúth thar muir,
> mo chumha anois a haicíd;
> a súile siar, ag súil le Dia,
> tar tonntaibh fiara gainimhe;
> cloíte lag beidh sí gan phreab,
> go bhfillfidh Mac an Cheannaí (AÓR:3 §§ 21-4).

Ar chlos do na húdaráis i mBaile Átha Cliath go raibh Séamas ag déanamh ar chósta na Breataine, cuireadh gairm scoile amach 'for seizing and commiting all popish priests to gaol until further orders' (Wall 1989:17-21), gabhadh clódóirí is díoltóirí leabhar freisin as bheith 'printing and vending popish prayer-books contrary to law', agus socraíodh ar bhille frithchaitliceach eile a thabhairt isteach. An reachtaíocht pheannaideach a bhí achtaithe ag parlaimint Bhaile Átha Cliath ón 'Glorious Revolution' i leith, dhá aidhm shoiléire chomhlántacha a bhí léi: díshealbhú na huaisle dúchais agus díothú an Chaitliceachais. D'éirigh go hiomlán, geall leis, leis an chéad aidhm acu; teip iomlán a bhí i ndán don dara ceann. Ní mór a admháil nár feidhmíodh go leanúnach ná go comhordaitheach riamh an reachtaíocht fhrithchaitliceach agus gur le linn éigeandála – agus ionsaithe Seacaibíteacha á dtuar – is mó a cuireadh i bhfeidhm í. Ansin féin is go mí-éifeachtach a feidhmíodh í agus is ar an chléir is mó a díríodh í.[62] Cúinse polaitiúil amháin a bhí le díbirt na cléire, a mhínigh an rúnaí stáit Vernon: bhí a fhios ag cách gur Sheacaibítigh iad an uile dhuine den chléir rialta. Is é an ceangal sin a samhlaíodh idir Caitliceachas is Seacaibíteachas a spreag cuid mhaith den fhíoch frithchaitliceach agus a d'fheidhmigh mar réasúnú air chomh maith.

Dob fhéidir a áiteamh go raibh bunús éigin leis an samhlú. Bhí Séamas III aitheanta mar rí *de jure* ag an Phápacht agus ag rí na Fraince; idir cléir Éireann agus an ríora Stíobhartach bhí dlúthcheangal cleithiúnais is pátrúnachta; is cinnte gur chothaigh sin dílseacht do chúis is do phearsana na Stíobhartach i measc na cléire in Éirinn, dílseacht a léiríodh go soiléir poiblí sa bhliain 1709. Mar thoradh láithreach ar scaoll na bliana 1708, achtaíodh go gcaithfeadh an chléir anois an 'Oath of Abjuration' a thabhairt go poiblí sa chúirt; an sagart a dhiúltódh an mhóid a thabhairt, bhí sé le díbirt. Bhí an mhóid sin á cur i bhfeidhm ar oifigigh phoiblí ó bhás Shéamais II i leith, móid í a dhearbhaigh:

> That I do believe in my conscience, that the person pretending to be
> Prince of Wales, during the life of the late King James, and since his
> decease pretending to be, and taking upon himself the style and title of
> King of England by the name of James III, hath not any right or title
> whatsoever to the crown of this realm, or any other of the dominions

thereto belonging, and I do renounce, refuse and abjure any allegiance or
obedience to him ... (Wall 1989:15).

Dar leis an bPluincéadach nár cheart aon aird a thabhairt ar mhionn
nach raibh aon bhunús leis; nár cheart aird a thabhairt air, mar nach
raibh le déanamh ach

> To demonstrate that England is an hereditary Kingdom, and that the said
> James the 3rd is the son of James the 2nd the lawful King of England
>
> (NLI 477:22/2).

Mheabhraigh filí difriúla don chléir an dainséar a bhain le mionn
éithigh a thabhairt, go háirithe mura raibh sé cinnte, mar a
dhearbhaigh na húdaráis, cérbh é athair an Phrionsa:

> A shagairt, ná dearbhaigh gan fios do chúise
> is gan fhios againn cia is athair do mhac an Phrionsa ....
>
> Fóill, a shagairt, ná dearbhaigh gan fios do chúise
> ar chomhairle namhad an t-anam ná cuir i bhfiontar ....
>
> Ná creid an chliar so leigeas rian le dearbhú anois ....[63]

Ach níor ghá an chomhairle, mar as an 1,089 sagart a bhí cláraithe sa
tír níor ghlac ach breis bheag agus deich nduine fhichead acu an mhóid
agus, dá bharr sin, níor feidhmíodh riamh an t-acht. An chléir
mhífhortúnach a thug móid an tséanta, b'ábhar magaidh is aithise iad
agus is go tarcaisneach míthrócaireach a thug filí na Gaeilge, idir chléir
is tuath, fúthu – dream 'do thréig creideamh na sean' (BL Eg. 133:4),
mar a dúirt Seán Ó Neachtain. Chomh maith le Ó Neachtain, scríobh
Ó Rathaille, Mac Cruitín, Ó hUaithnín, an tAthair Uilliam Ó Dálaigh,
an tAthair Conchúr Ó Briain dánta ar an aibiúráisean, dánta a léiríonn
go soiléir a ndearcadh ar thábhacht is ar impleachtaí an mhionna. Is é
a bhí á áiteamh, a mhínigh Ó Neachtain,

> nach oidhre dlitheach díreach
> mac ceart díleas ar a athair ...;

ba thruaillithe is ba chlaonmhar an 'tréasan' é ag droing an oilc, a
d'fhógair Ó Rathaille, a éileamh

> nár dhual do chlainn tSéamais
> coróin tsaor na dtrí ríochta ...,

bhí gach 'teallaire mí-eolach' ag scríobh, a ghearáin Uilliam Ó Dálaigh,
'gurab d'Anna is ceart sealbh na dtrí gcoróineach'.[64] B'é an ceart a bhí
á shéanadh, ceart Shéamais Óig chun na corónach.

Ach ba bheag ab fhiú tréas na cléire sin, ná a móid éithigh, mar ba
ghearr, a dhearbhaigh Seon Ó hUaithnín, go scaipfí ar inghreim na
hEaglaise le teacht an Phrionsa:

> Ná creid an chliar so leigeas rian le dearbhú anois ...
>
> Níor cheist ar Dhia go mbeidh ina dhiaidh so againn Prionsa
> do scaipfidh ciach den chreideamh dhiaga fearacht Iúdas;
> deirid siad is do bheirim sliabh gurb aiteas liomsa
> go mbiaidh an Chevalier le treise triath ag teacht don dúiche.

> Biaidh Berwick dian ag teacht ina dhiaidh is Ó Mathúna,
> is biaidh an Monsieur gan teipe triath ag tabhairt cúnta ...
>
> (SÓH:4 §§ 1-10).

Ach oiread le Ó hUaithnín, níor luigh smál an mhionna éithigh róthrom ná rófhada ar Ó Rathaille. Ba dhainid leis, gan amhras, feall is tréasan aicme an fhill, is ba bhocht leis anchás ainnis an Stíobhartaigh ach, dála Uí Uaithnín, cúis mhór dhóchais a chonaic sé san eachtra léanmhar mar, de réir na tairngreachta a rinne Donn Fírinne, níorbh fhada go scaipfeadh an ceo arís:

> An trua libhse faolchoin an éithigh is an fhill duibh
> ag ruagairt na cléire 's dá léirchur fá dhaoirse ....
>
> Stadfaidh an toirneach re foirneart na gréine,
> is scaipfidh an ceo so de phórshleachtaibh Éibhir,
> an tImpire beidh deorach is Flóndras fá ghéarsmacht,
> is an brícléir go mómhrach i seomra rí Séamas.
>
> Beidh an bíobla sin Liútair is a dhubhtheagaisc éithigh,
> is an bhuíon so tá ciontach ná humhlann don chléir chirt,
> dá ndíbirt tar triúchaibh go Newland ó Éirinn,
> an Laoiseach is an Prionsa, beidh cúirt acu is aonach ... (AÓR:28 §§ 1-16).

An dán a scríobh Aodh Buí Mac Cruitín ar an ábhar, b'fhreagra é ar an rann a scríobh a chara is a chomharsa, an tAthar Uilliam Ó Dálaigh. Molann Mac Cruitín an chléir nár thug an mionn éithigh agus misníonn iad le scéala ardmheanmnach dóchais:

> Cara mo chroí-se an bhuíon nach raobann reacht,
> 's nár thairg breith chlaon ag luí le bréig ar acht,
> geallaimse dhíbh go bhfillfidh an Saesar ceart,
> 's go mbiaidh calg na síon ar dhaoithe an éithigh ar fad.
>
> Atá Laoiseach leadarthach lannartha líonmhórga,
> 's an Prionsa paidreach ag preabadh go prímhbheoga,
> chum saoirse a thabhairt dá leanfadh an fíorchóimhdhe
> 's biaidh bríste salach ag meathach na míomhóide ....[65]

Teachtaireacht dhóchais mar í a bhí á fógairt ag an Athair Conchúr Ó Briain chomh maith, teachtaireacht a mheabhraigh dá lucht éisteachta go raibh sé san fháistine nach fada a mhairfeadh an gallsmacht ach 'an fear san d'áirithe' do thriall anall:

> Dá dtrialladh feasta an fear san d'áirithe
> ag riar na Breatan – beart na fáistine -
> bheadh an chliar so ag leathadh a gclab go gáiritheach
> 's is dian bheadh laiste ar chlab an pharlaimint ....[66]

Na seintimintí dóchais a nochtann an tAthair Conchúr Ó Briain ina dhánsan, táid ar aon rian is ar aon intinn le seintimintí Uí Rathaille, Mhic Cruitín is Uí Uaithnín. Ní hamháin go nochtaid arís buntuiscintí is dóchas aigeanta na Seacaibíteach, ach léiríd chomh maith a dhlúithe a bhí an chléir is an t-aos léinn in Éirinn ceangailte le hideolaíocht an tSeacaibíteachais. Dá réir sin, is beag idirdhealú is féidir a dhéanamh, sa

chéad leath den ochtú haois déag, idir cúraimí liteartha na cléire is na
bhfilí tuata: ba chás coiteann leo araon, mar a léiríonn an tsraith dán a
scríobhadh ar an aibiúráisean, ainscrios na tíre is feall lucht leanúna
Chailbhin is Liútair, díbirt na cléire is turnamh na huaisle, ruaigeadh an
rí chirt is a fhilleadh buacach. Ach chun ardmheanma na ndánta sin a
thuiscint, ní mór a thuiscint chomh maith go bhfuil an dóchas
doshrianta atá mar phort coiteann acu, go bhfuil an dóchas sin ag
teacht le céadfa choiteann na tuairimíochta poiblí in Éirinn agus sa
Bhreatain féin ag an am. Mar dá dheimhnithí is dá thapúla a cuireadh
socrú na bliana 1688 i bhfeidhm, níor creideadh go coitianta fós go
raibh an socrú sin daingean ná buan.

V

> I humbly beg of you in the name of many of us, the ignorant people of
> Great Britain, that you will be pleased to give us an entire and complete
> set of Revolution Principles, that we may be better informed what they are;
> as also to direct us in the use of them, that we may apply them to all cases
> and incidents which may happen. But if that be not so convenient at this
> time, we desire to be instructed whether those principles that served us
> then may not be out of date at present, or by what alterations we may adapt
> them to any future emergencies ... (Kenyon 1977:165).

I bpaimfléad, a scríobh sé sa bhliain 1713, a chuir an scríbhneoir
George Sewell an cheist sin ar an staraí, easpag Anglacánach Salisbury,
an dochtúir Gilbert Burnet. Ba cheist í a raibh mórán sa Bhreatain
buartha ina taobh, ceist a bhí fós ina háiteamh poiblí cúig bliana
fichead d'éis na réabhlóide: cé na prionsabail ar a raibh an réabhlóid úd
bunaithe agus cén treoir a chuir na prionsabail sin ar fáil don
ghníomhaíocht pholaitiúil feasta?[67] Ní raibh aon fhreagra sásúil ar an
cheist ag Burnet, ná ag aon easpag Anglacánach eile, ach chomh beag.
B'í ceist í, chomh fada is a bhain leis an chléir Anglacánach: ar chuid dá
dteagasc bunúsach fós é an ceart diaga agus an ghéillsine fhulangach a
chuaigh leis? Níor cheist pholaitiúil amháin í, ach ceist a bhain go dlúth
le húdarás morálta is le seasamh poiblí na hEaglaise.

Is go lúcháireach a shoiléirigh Charles Leslie a bhfadhb bhunúsach
do na hAnglacánaigh: 'If the Church should preach any more her old
doctrine of non-resistance, she must be again the Revolution, and if she
owns Hereditary, she must be for the Pretender' (Leslie 1710a:8). Ba
léir nach leanfadh ach siosma an ceart diaga a shéanadh; dá gcloífí fós
leis an gceart diaga, ba ghá dearcadh is seasamh na hEaglaise i leith
1688 a mhíniú, a réasúnú, a mhaolú, nó a dhearmad ar fad. Sin é ba
thoil le staraithe eaglasta áirithe – sciorradh thar 1688 agus na

himpleachtaí tromchúiseacha a bhain léi, faoi mar nár bhliain chinniúnach in aon chor í, ach níorbh fhéidir é. Mhair an chuimhne, an t-amhras, an ceistiú, an chiontacht chreimeach nárbh fhéidir a ghlanadh: 'The case of the Revolution is a public, national case of conscience .... For the matter is now reduced to this: whether we lie under a national guilt, or not ...' (Kenyon 1974:43). Fealsúna móra an eimpíreachais féin – Locke, Hume, Berkeley – bhí dulta díobhsan chomh maith aon phrionsabal fealsúnta nó aon teoiric pholaitiúil a chur ar fáil a dhlisteanódh réabhlóid na bliana 1688 ach, san am céanna, a chrosfadh aon réabhlóid eile (McLynn 1981). Teoiric radacach dhaonlathach amháin, teoiric a d'áiteodh gurb é an pobal amháin aonfhoinse na cumhachta, an t-aon fhreagra a bhí ar an gceart diaga agus ar na Seacaibítigh, ach ba theoiric í sin ná leomhfadh aon eaglais, aon pháirtí, aon fhealsamh a chur chun cinn. Is cinnte gur thrácht Locke, mar shampla, Defoe is Fuigeanna eile thar an bpobal agus cearta an phobail; ba nóisean coiteann ina measc é an 'original contract' idir an pobal agus an rí, ach bhí an-éiginnteacht ina measc féin freisin i dtaobh chomhdhéanamh an phobail sin agus i dtaobh na n-aicmí sa phobal a raibh an chumhacht acu. Mar ba dhual, chuir Charles Leslie a fhreagra orthu go gonta: 'That it was never yet known, nor ever can be, what is meant by the word *people* in this scheme of government. For the whole people never chose, and a part of the people is not the whole' (Leslie 1705:2). Chuir sé an argóint abhaile le ceist reitriciúil chuig tiarna de na Fuigeanna: 'Was your Lordship's noble family first raised to that honour by the people? Did the mob first summon your ancestor to parliament? And is that the tenure by which you hold your baronage?' (Leslie 1709:7). Níorbh fhéidir imeacht ó leagan éigin den cheart diaga, óir is ar an gcoincheap patrarcach sin a bhí an t-ordú sóisialta ina iomláine bunaithe. D'fhág sin go raibh an maorlathas Breataineach, idir chléir is tuath, taobh i gcónaí le nóisean pragmatach an rí *de facto* agus le coincheap traidisiúnta an Deonú mar mhíniú ar ar tharla agus mar réasúnú ar ghlacadh leis. 'This chain of Providence', mar a d'áitigh Burnet féin (Kenyon 1977:169), a mhínigh, ní hamháin 1688 ach gach tarlang eile dár shíolraigh uaidhsean. Ach bhí pragmatacht fhéinleasach is fallsacht éigiallda an áitimh sin soiléir:

> Conquest, an odious name, was laid aside,
> Where all submitted; none the battle try'd.
> The senseless plea of right by Providence,
> Was by a flatt'ring priest invented since:
> And lasts no longer than the present sway;
> But justifies the next who comes in play ... (Dryden iv:1739).

Agus é mar *poet laureate* idir 1670 agus 1688 d'fhéadfadh Dryden na prionsabail ar ghéill sé dóibh, prionsabail bhunaidh na dTóraithe – ceart diaga is géillsine fhulangach – a fhógairt go poiblí gan scáth.[68] Is mar laoch fulangach a léiríonn sé Séarlas II in 'Astrea Redux' agus

déanann an rí a ionannú le Críost san uair gurbh é Séarlas céile na
Breataine agus Críost céile na hEaglaise (Dryden i:16). I ndánta luatha
eile cáineann sé na Piúratánaigh is na Cromallaigh, glóiríonn Séarlas II
is a fhilleadh cinniúnach sa bhliain 1660, fáiltíonn go lúcháireach roimh
Shéamas II is roimh bhreith a mhic mar a rinne Ó Bruadair abhus agus,
a dhála-san, na luachanna sinseartha – ríogachas, cliarlathas,
uaslathacht – á móradh i gcónaí aige:

> When our great monarch into exile went
> Wit and religion suffer'd banishment ....
> At length the muses stand restor'd again
> To that great charge which nature did ordain ... (Dryden i:28).

> Distemper'd zeal, sedition, canker'd hate,
> No more shall vex the Church, and tear the State;
> No more shall faction civil discords move,
> Or onely discords of too tender love ....
> Discord that onely this dispute shall bring,
> Who best shall love the Duke, and serve the King ... (*ibid.* 264).

> See on his future subjects how he smiles
> Nor meanly flatters, nor with craft beguiles;
> But with an open face, as on his throne
> Assures our birthrights and assumes his own ....
> A harvest ripening for another reign
> Of which this royal babe may reap the grain ... (*ibid.* ii:544-5).

Ach sa bhliain 1686 d'iompaigh Dryden ina Chaitliceach agus, dá
bharrsan, baineadh a phost mar fhile cúirte de. Feasta is go cliathánach
meafarach a nocht sé a ideolaíocht pholaitiúil. Níor labhair sé go
hoscailte riamh arís lena lucht léite ar chúrsaí polaitiúla ach níor staon
riamh, ach oiread, ón tráchtaireacht phoiblí, bíodh gur go hindíreach
anois é. Pé acu ag aistriú ó údair eile a bhí sé, nó ag cur síos ar thíortha
eile, ar thréimhsí eile, nó ar phearsana stairiúla, bhí an scéal is an
teagasc le tagairt i gcónaí do chúrsaí polaitiúla a linne féin sa Bhreatain.
Sa réamhrá a chuir sé lena aistriú ar an *Aeneid*, mhínigh sé go soiléir
aidhm is modheolaíocht an údair Virgil:

> But we are to consider him as writing his poem in a time when the Old
> Form of Government was subverted and a new one just established by
> Octavius Caesar: in effect by force of arms, but seemingly by the consent
> of the Roman people .... I say that Virgil having maturely weigh'd the
> condition of the times in which he liv'd: that an entire liberty was not to
> be retriev'd: that the present settlement had the prospect of a long
> continuance in the same family, or those adopted into it: that he held his
> paternal estate from the bounty of the conqueror .... Our author shews us
> another sort of Kingship in the person of Latinus. He was descended from
> Saturn .... He is describ'd a just and a gracious Prince; solicitous for the
> welfare of his people; always consulting with his Senate to promote the
> common good .... And this is the proper character of a King by
> inheritance, who is born a father of his country ... (*ibid.* iii:1012-1017).

Is cinnte gur thuig lucht léite Dryden cé bhí i gceist aige le 'the conqueror' agus le 'a King by inheritance' agus sin é an modh tagartha a chleacht sé feasta – claontagairtí, comhthéacs parailéalach, peirspictíocht stairiúil – ach critic leanúnach á déanamh aige feadh na huaire ar chor comhaimseartha na Breataine agus leicseacan an tSeacaibíteachais (*conquest, rape, force, foreign; native, right, lawful, return*) á ionramháil go cliste ealaíonta aige:

> But we who give our native rights away,
> and our inslav'd posterity betray
> Are now reduc'd to beg an alms and go
> On holidays to see a puppet show ... (*ibid.* ii: 724).

> Driv'n from his native land, to foreign grounds,
> He with a gen'rous rage resents his wounds ...
> Often he turns his eyes, and with a groan,
> Surveys the pleasing Kingdoms, once his own,
> And therefore to repair his strength he tries ... (*ibid.* 967).

> When both the chiefs are sund'red from the fight,
> Then to the lawful King restore his right ... (*ibid.* 983).

> Thine is the conquest, thine the royal wife:
> Against a yielded man, 'tis mean ignoble strife ... (*ibid.* iii:1423).

> This fellow wou'd ingraft a foreign name
> Upon our stock, and the Sysiphian seed
> By fraud and theft asserts his father's breed ... (*ibid.* iv:1689).

> Right I have none, nor hast thou much to plead;
> 'Tis force when done must justify the deed:
> Our task perform'd we next prepare for flight;
> And let the losers talk in vain of right ....
> Then second my design to seize the prey,
> Or lead to second rape, for well thou know'st the way ... (*ibid.* i1754).

Seintimintí dainséaracha ab ea cuid mhaith acusan, ach léamh comhaimseartha polaitiúil a dhéanamh orthu; go folaitheach indíreach a chuir Dryden i láthair a phobail iad: ag tagairt do chríocha in imigéin (Sparta, Crete, Troy), nó do phearsana a mhair anallód (Ajax, Letinus, Saturn), ag cur síos ar shaol na litríochta (Congreve, Granville), nó ag tarraingt as saothar ársa na seanúdar (Virgil, Ovid) a bhí. Ach bíodh nár leomh sé feasta aon cheist shubstainteach pholaitiúil a phlé go mion ná aon ionsaí oscailte a dhéanamh ar shocrú na bliana 1688, agus gur ghlac sé, feadh a ré, leis an rí *de facto*, fós bhí ar a chumas, laistigh den mhód indíreach folaitheach a chleacht sé, gríosadh chun gnímh is dúshlán ceannairceach an réimis nua a thabhairt.

Is caoineadh coinbhinseanach aorga é 'The Lady's Song', go dromchlach gona mhóitífeanna seanchaite de 'nymphs', 'shephards', is 'May-lady' agus a rithim éadrom thaitneamhach:

> The Lady's Song
> A quire of bright beauties in Spring did appear,
> To chuse a May-Lady to govern the year:

All the nymphs were in white, and the shepherds in green,
The garland was giv'n, and Phillis was Queen:
But Phillis refus'd it, and sighing did say,
I'll not wear a garland while Pan is away.

While Pan, and fair Syrinx, are fled from our shore,
The graces are banish'd, and love is no more:
The soft God of pleasure that warm'd our desires,
Has broken his bow, and extinguish'd his fires;
And vows that himself. and his mother, will mourn,
'Till Pan and fair Syrinx in triumph return ....

Ach sa tríú véarsa réabann guth Seacaibíteach an tsaontacht bhúcólach is an rithim thaitneamhach le gairm dhásachtach chatha:

Forbear your address, and court us no more,
For we will perform what the deity swore:
But if you dare think of deserving our charms,
Away with your sheephooks, and take to your arms;
Then lawrels and myrtles your brows shall adorn,
When Pan, and his son, and fair Syrinx, return (Dryden iv:1774).

Má ba rún é cérbh iad Pan (Séamas II) is Syrinx (a bhean), ba rún oscailte é sa tslí nach ionadh 'a steely current of uncompromising Jacobitism', 'a deft and dancing incitement to arms' a bheith á thabhairt ag léirmheastóirí air, mar dhán.[69] Sa bhliain 1695 a scríobh Dryden é ach níor foilsíodh go poiblí é go dtí 1705. Fós níor lúide a éifeacht an mhoill sin, mar is ann go príomha a lonnaigh an Seacaibíteachas, sa líne dheiridh: 'When Pan *and his son*, and fair Syrinx *return*'. Seánra seanchaite fréamhaithe a tharraing Dryden chuige in 'The Lady's Song', an dán is ceannaircí dár chum sé; is seanchaite fós an consaeit a tharraing Ó Rathaille chuige nuair a scríobh go mbeadh Éire go deo ina spreas 'go bhfillfidh Mac an Cheannaí'. An dá thraidisiún dhifriúla liteartha as ar eascair na dánta sin a mhíníonn a bhfuil de dhifríochtaí eatarthu; reitric choiteann an tSeacaibíteachais iontu a mhíníonn éifeacht a dteachtaireachta comhaimseartha: nach mbeadh rath ar an tír athuair 'go bhfillfidh Mac an Cheannaí', go dtí go bhfillfeadh 'Pan and his son'. Is sa *son*, sa *mac* a luigh an dainséar ba mhó is an dúshlán ba mhó don socrú nua, óir is é a dheimhnigh leanúnachas an ríora chirt agus leanúnachas a n-éilimh. Sna boinn nua a bhí á mbualadh ag na Seacaibítigh i mblianta tosaigh an ochtú haois déag, cuirtear an bhéim chéanna ar an mac mar chruthúnas dlisteanais is mar ábhar dóchais agus ní hannamh an dóchas sin á léiriú ar na boinn mar ghrian ag éirí (Hawkins 1889 ii:193-4). Sa reitric liteartha freisin is sa mhac a luigh dóchas uile an dreama a chreid nach raibh buaine i ndán don socrú eadramhach, socrú a scuabfaí chun siúil mar a ruaigeann an tsoineann an doineann:

As when a sudden storm of hail and rain
Beats to the ground the yet unbearded grain,
Think not the hopes of harvest are destroy'd

On the flat field and on the naked void;
The light, unloaded stem, from tempest free'd,
Will raise the youthful honours of his head;
And soon restor'd by native vigour, bear
The timely product of the bounteous year (Dryden ii:548).

Stadfaidh an toirneach le foirneart na gréine,
is scaipfidh an ceo so de phórshleachtaibh Éibhir,
an tImpire beidh deorach is Flóndras fá dhaorsmacht,
is an brícléir go mómhrach i seomra rí Séamas ....[70]

Faoi mar a bhí an díospóireacht phoiblí buaite ag na Seacaibítigh, bhí
an comórtas folaíochta buaite acu freisin agus gach bliain is gach
tarlang pholaitiúil á dtabhairt níos cóngaraí do athréimniú an ríora
chirt, dar leo. Bás na banríona Máire sa bhliain 1694, bás aonmhic a
deirféar Anna sa bhliain 1700, bás Uilliam sa bhliain 1702, bás phrionsa
na Danmhairge, fear na banríona Anna, sa bhliain 1708: ba chúis
·dhóchais an uile cheann acu ag na Seacaibítigh trí chéile, óir
mhéadaigh gach bás acusan an dóigh, dar leo, nach fada go n-
athbhunófaí an ríora ceart. Ach níos tábhachtaí fós, chuir gach tarlang
acusan ceist na hoidhreachta chun cinn arís agus choinnigh an
oidhreacht féin agus ceist ghaolmhar na réabhlóide beo mar eilimintí
lárnacha sa díospóireacht phoiblí. Ba leithne is ba bhinibí an
díospóireacht sin agus Anna, iníon Shéamais II, sa choróin (1702-14).
Ba Stíobhartach í Anna, ach Stíobhartach nach raibh aon chinnteacht i
dtaobh a cirt chun na corónach.[71] Ceart parlaiminte amháin a d'éiligh
na Fuigeanna a bhí aici, ceart oidhreachtúil dar leis na Tóraithe.
Tuigeadh di féin gurbh fhearr a ceartsan chun na corónach ná ceart
Uilliam III, ach thuig sí freisin, feadh a ré, nár shlán di: 'for as long as
the young man in France [Séamas III] lives ... nobody can doubt but
there will be plots against my crown and life' (Gregg 1972:369). Ceist
bhunúsach leanúnach lárnach ab ea í, agus Anna i réim, ceist na
hoidhreachta. Ó fuair a haonmhac bás sa bhliain 1700 ní raibh aon
sliocht uirthi; b'é a leasdeartháir, Séamas III, an gaol ba ghaire di; gaol
sínte amháin a bhí ag teaghlach Hanover leis na Stíobhartaigh: b'é
Séamas I seanathair Sophia, máthair Sheoirse I. Ach, mar a léirigh na
Seacaibítigh go héifeachtach ina gcuid prapaganda, bhí breis agus
leathchéad prionsa eile beo a raibh gaol oidhreachtúil níos dírí acu le
Séamas I agus ceart níos deimhnithí chun na corónach acu.[72] Agus
bíodh go raibh sé achtaithe ag an pharlaimint gurbh é rítheaghlach
Hanover a shealbhódh coróin na dtrí ríochta ar bhás Anna, fós bhí idir
amhras, i measc na bhFuigeanna, agus dóchas, i measc na dTóraithe,
nach mar sin a d'iompódh amach; creideadh coitianta gurbh í toil Anna
féin í gurbh é Séamas a thiocfadh ina diaidhsean.[73] B'é cás cáiliúil an Dr
Sacheverell is mó a chothaigh idir amhras is dóchas i mblianta deiridh
a ré.

Sagart Anglacánach agus comhalta de Ollscoil Oxford ab ea an Dr

Sacheverell a raibh cáil fhorleathan air mar sheanmóirí éifeachtach poiblí. Port coiteann dá chuid seanmóireachta ab ea é go raibh an Eaglais Anglacánach i mbaol agus a naimhde, laistigh is lasmuigh di, á síorionsaí; i measc na naimhde sin bhí na Fuigeanna – 'a base, treacherous and undermining set of fellows ... these public blood-suckers that had brought our Kingdom and Government into a consumption' (Holmes 1973:55). Polaimiceoir gangaideach ab ea Sacheverell agus ní móide go mbeadh aon chuimhne air inniu, seachas seanmóirithe eile dá shórt, murach an cuireadh a fuair sé ó ardmhéara Londan an tseanmóir bhliantúil a thabhairt in ardeaglais Naomh Pól ar an 5 Samhain 1709. B'é an lá sin, comóradh bliantúil theacht Uilliam III go Sasana sa bhliain 1688, an phríomhfhéile i bhféilire na bhFuigeanna agus ba ghnách seanmóir fhrithchaitliceach phoiblí a thabhairt mar chuimhne chuí ar an lá cinniúnach sin. Níor chloígh an Dr Sacheverell leis an ngnás, ach bhain earraíocht as an láthair ghradamúil is an ócáid thaibhseach chun filleadh ar a sheanport: *The perils of false brethern, both in Church and State* ... (Sacheverell:1709). Tugann an teideal sin féin tuairim éigin de mhianach is de éirim na seanmóra, ach ní thugann aon tuairim den éifeacht a bhí ag an tseanmóir ar an saol poiblí. Mar is í brí choiteann a baineadh as an tseanmóir gur ag ionsaí an rialtais, na bhFuigeanna, is go háirithe na réabhlóide a bhí sé; á áiteamh gur thír thruaillithe bhochtaithe mhímhorálta í an Bhreatain de dheasca na réabhlóide agus gur reibiliún i gcoinne an Phrionsa chóir a bhí i gceist. Dá mb'áil leis na húdaráis gan aon aird a thabhairt ar an tseanmóir, ní móide go samhlófaí aon tábhacht faoi leith léi, ach cuireadh tréas i leith an tseanmóirí, táinsíodh é, is cúisíodh os comhair na parlaiminte é. D'aimsigh duine de na cúisitheoirí impleachtaí na seanmóra gan dua agus chuir eithne an chúisimh go soiléir faoi bhráid a chomhphiaraí i dTeach na dTiarnaí:

> My Lords, the present consideration is of the greatest importance; no less than whether so many of your Lordships and the Commons of Great Britain who took up arms at the Revolution, and were then thought patriots of your country, were really rebels; whether our late Deliverer was an usurper; and whether the Protestant succession is legal and valid. All these considerations depend upon the lawfulness of the resistance at the Revolution ... (*Tryall*: 88).

Pé aidhm a bhí ag Sacheverell féin, pé léamh oibiachtúil ab fhéidir a dhéanamh ar éirim a sheanmóra, is mar ionsaí ar shocrú na bliana 1688 a bhíothas ag féachaint anois uirthi, ionsaí ar éirigh leis an bhuncheist is an tseancheist – bailíocht na réabhlóide is ceart na hoidhreachta – a chur os comhair an phobail athuair. Breis agus trí seachtaine a mhair an triail, nár thriail a thuilleadh í ach díospóireacht phoiblí náisiúnta; faoin am ar ciontaíodh Sacheverell, ba laoch náisiúnta é a raibh a ainm is a sheanmóir i mbéal an phobail trí chéile. Tuairiscíodh a chás go fada fairsing sna nuachtáin áitiúla i mBaile Átha Cliath is i gCorcaigh, fiú; clóbhuaileadh eagráin dhifriúla – ceann amháin i mBaile Átha Cliath –

den tseanmóir féin is scaipeadh 40,000 cóip di; foilsíodh is scaipeadh sé
chéad paimfléad eile i dtaobh na seanmóra is tugadh cuireadh don
seanmóirí cáiliúil turas a thabhairt ar bhailte difriúla ar fud Shasana;
bhris scliúchas ollmhór ainsrianta amach i Londain nár mhaolaigh go
ceann bliana agus a scaip go hiliomad baile eile, siar chomh fada le
hiarthar na Breataine Bige. B'í triail an dochtúra Sacheverell agus an
chorraíl a lean í an phráinn pholaitiúil ba mhó sa Bhreatain ó 1688 i
leith. 'National crisis' a thugann staraí amháin (Bennet 1975:137) ar an
éiginnteacht choiteann a bhí anois á nochtadh i dtaobh na
hoidhreachta, éiginnteacht ar mhéadaigh go cuimseach uirthi nuair a
bhain na Tóraithe móramh i dtoghchán na bliana 1713.[74]

Faoi mar a bhí sistéam dépháirtí (Tóraithe is Fuigeanna) tagtha chun
cinn i bpolaitíocht is i bparlaimint na Breataine, bhí an deilíniú céanna
á nochtadh féin i bparlaimint Bhaile Átha Cliath freisin agus is i ngéire
a chuaigh an choimhlint eatarthu sna blianta deireanacha de réimeas
Anna.[75] Sa Bhreatain agus in Éirinn ba thuiscint choiteann í Tóraithe
agus Seacaibítigh a ionannú le chéile; mar a dúirt John Toland, 'the
party in general is now known by the names of Jacobites, Frenchmen,
the adherents of the Prince of Wales, etc.' (Toland 1702:9). Níorbh
fhíor go hiomlán riamh an t-ionannú, ach bhí bunús cinnte leis an
tuiscint choiteann a neartaíodh go mór de réir mar a chuaigh an
choimhlint idir an dá pháirtí i ngéire. Nuair a scoireadh parlaimint
Bhaile Átha Cliath sa bhliain 1713, lean toghchán gangaideach
achrannach a troideadh mar choimhlint idir Fuigeanna is Tóraithe, idir
'the ideological heirs of King-killers and the friends of popery and the
pretender' (Burns 1989:27). Ó tuigeadh coitianta go dtacódh na
Tóraithe le hathbhunú na Stíobhartach, is leis na Tóraithe a thaobhaigh
na Caitlicigh – an uile shlí ab fhéidir. Lá an toghcháin i mBaile Átha
Cliath chruinnigh slua ollmhór a ghríosadh na vótóirí – nós coiteann ag
an am – is lean gráscar inar maraíodh saighdiúir amháin. Dar leis na
húdaráis nach raibh sa slua an lá sin ach 'Papists, Jacobites'; gurbh
iadsan faoi deara an 'riot' agus an dúnmharú agus gur go bagarthach
dúshlánach a chruinnigh siad:

> In a riotous manner with a crow'd of Papists, Jacobites, and Black-Guards,
> with clubs in their hands and long broad swords by their sides ... With
> trumpets, hautboys and other musick playing before them, and attended
> with a vast crowd of people; shouting and huzzaing; most of which were of
> the lowest rank of the people, and of the Popish religion ... .[76]

Mhéadaigh ar mhíshuaimhneas is amhras na n-údarás de réir mar a
tháinig tuairiscí chucu, ó áiteanna difriúla den tír, ar ghníomhaíocht
easumhal cheannairceach:

> Whereas a letter ... directed for Father Murphy, at his Lodgings in Cavan,
> was lately dropt at the Four-Courts in Dublin and the said letter being laid
> before us and containing an account of Wicked and Treasonable Designs
> against Her Majesties Person and Government ... (NAI: 1A/44/28).

Whereas we have received information that a certain wicked and infamous libel under the specious title of *Honest Resolves* was lately written, containing divers treasonable expression and others highly reflecting on the honour of Her Most Sacred Majesty ... (*The Dublin Intelligence*: 20 December 1712).

Francis Higgins Clerk, Rector of Ballruddery ... since his last return from London, hath by many repeated insolences, abus'd traduc'd and ill treated several of the said justices of the peace, and other persons of known loyalty and affection to her Majesty's Government ... a sower of sedition and groundless jealousies amongst her Majesty's Protestant subjects ... (SP 63:367/17).

Belfast. The surprising dangers that threaten these nations by the Pretender's preparations from abroad encourag'd by a restless and rebellious party at home ... (SP 63:378/78).

Sa bhliain 1712 tuairiscíodh go raibh na bráithre ag taisteal ar fud chúige Chonnacht á fhógairt do na daoine 'that the ould abbeys were about to be set up again'; go raibh buíonta armtha agus léinte bána á gcaitheamh acu ag taisteal tríd an gcúige istoíche 'houghing and destroying the cattle belonging to persons who were unacceptable to the Irish as having taken lands to farm'; duine darbh ainm Ever Joyce a bhí mar cheannaire ar na buíonta armtha seo, arbh é a bhí iontu 'King James's old soldiers' agus arbh í a n-aidhm, a dúradh, cúige Chonnacht trí chéile a chlipeadh 'till an army could arrive which they expected from France'. Bíodh gur chúinsí áitiúla tuaithe ba bhunchúis leis an speireadh forleathan sa bhliain 1712, fós is spéisiúil a thabhairt faoi deara gur samhlaíodh comhthéacs polaitiúil leis an bhfeachtas freisin – léinte bána is ionsaí armtha ón Fhrainc. Níorbh fhéidir aon mhíniú eile ná comhthéacs eile a aimsiú d'aon ghníomhaíocht phoiblí ach comhcheilg cheannacirceach Stíobhartach, dar leis na húdaráis.[77]

Níor imigh Coláiste na Tríonóide féin saor ón drochamhras. Creideadh go diongbhálta go raibh gasra dainséarach Seacaibíteach neadaithe sa choláiste, agus ní i measc na mac léinn amháin é. I dtráchtas cáiliúil a scríobh sé sa bhliain 1712, ar mhaithe le teagasc morálta a chur ar fáil do mhic léinn an choláiste, chuir George Berkeley, easpag Chluana, go tréan i gcoinne na claontuairime 'that subjects may lawfully resist the supreme authority'. B'í buntéis a thráchtais go raibh d'iachall morálta ar dhaoine 'an absolute unlimited non-resistance or passive obedience due to the supreme civil power' agus gur ghá géilleadh don fhógairt údarásach bhíobalta: 'whosoever resisteth the Power, resisteth the ordinance of God'; ag tagairt don reacht nua agus á chosaint go diagachtúil a bhí Berkeley; mheas na Tóraithe gur ag tagairt siar do 1688 a bhí sé, míthuiscint a thabhaigh cáil an tSeacaibíteachais do Berkeley féin agus dá shaothar.[78] An cháil chéanna, ach í a bheith tuillte an uair seo, a bhí ar phropast an choláiste san am, an tUrramach Peter Browne. Seanmóirí den scoth a bhí ann ach is é is mó a chuir a ainm in airde, paimfléad a scríobh sé, agus é ina easpag i gCorcaigh, a d'áitigh ar bhonn fealsúnta morálta nár chuí sláinte an mhairbh a ól. Ní raibh aon dul amú ar dhaoine ach gur theagasc polaitiúil go bunúsach a bhí á chur chun cinn aige: 'This is the same *Jacobitical gentleman*, who, because he could not bear that any person should drink the health of King William, wrote a pamphlet against health-drinking as being a profination of the Lord's Supper'.[79]

B'é rí Uilliam agus a dhealbh lasmuigh de gheataí an choláiste príomh-shiombail na réabhlóide agus príomhíocón na bhFuigeanna i mBaile Átha Cliath; is é ba lárionad na bpróisisiamaí a eagraítí ar an 5 Samhain gach bliain. B'é an dealbh céanna príomhfhócas na mac léinn freisin:

> In the early part of the last century the spirit of Jacobitism ... incited the students to inflict repeated indignities upon the statue, which was frequently found in the mornings decorated with green boughs, bedaubed with filth, or dressed up with hay; it was also a common practise to set a straw figure astride behind that of the King ... (Gilbert 1861 iii:42-3).

Gan amhras, ní féidir a áiteamh gurbh í an pholaitíocht amháin ba chúis le gníomhaíocht na mac léinn; bhí idir mhioscais is mheisce i gceist chomh maith, ní foláir, ach fós is mar ghníomhaíocht fhollasach pholaitiúil a d'fhéach na húdaráis air, ceannairc ar dhíol na mic léinn go daor aisti. Díbríodh cuid acu ón gcoláiste dá bharr is cuireadh lándéine an dlí i bhfeidhm ar a thuilleadh acu:

> That the Lords being informed that great indignitys were offered last night to the statue of his late Majesty King William of Glorious memory .... That all persons concerned in that barbarous fact are guilty of the greatest insolence, baseness and ingratitute ... (SP 63:366/133).

> Proclamation ... offering a reward of £100 for discovering and apprehending the defacers of King William's statue on College Green ... .[80]

> Dublin. On Saturday last, the gentlemen that defac'd the statue of His Late Majesty, King William, receiv'd sentence, to this purpose, That they shall stand for some time at the said statue, tomorrow with their crimes written on their breasts, to be 6 months imprison'd, and find each a 100 l.
> (*Dublin Intelligence.* 21 November 1710).

Comhartha eile ab ea an eachtra sin ar mhíshuaimhneas paiteolaíoch na n-údarás agus ar a n-imeagla scéiniúil, imeagla a bhí ag borradh in aghaidh an lae de réir mar a d'fhás an ghníomhaíocht pholaitiúil agus na ráflaí a chothaigh í. Thuairiscigh John Toland, i bpaimfléad dá chuid, go raibh pápairí na hÉireann éirithe as an gcur i gcéill anois, 'their abominable idolatry' á chleachtadh acu go hoscailte, iad ag liostáil agus 'providing themselves with arms' (Toland 1714:5). Léiríonn bailéad a foilsíodh i mBaile Átha Cliath sa bhliain 1712, léiríonn sé go grinn ábhar an mhíshuaimhnis: *Beware of the Pretender* ..., agus bíodh gur dhearbhaigh bailéad eile go sólásach *Hannibal not at our gates* ..., ba léir gur creideadh coitianta go raibh:

> Dublin, July 10. On the 7th., Their Excellencies the Lords Justices and Council of this Kingdom publish'd Her Majesty's proclamation, promising a reward of 500 l. to any person or persons who shall apprehend the

Pretender, whenever he shall attempt to land in any of her Majesty's Dominions. On Tuesday last 21 persons received sentence at Kilmainham, to be drawn, hang'd and quarter'd for listing and being inlisted in the Pretender's service (*Dublin Gazette*: 6-10 July 1714).

B'eolas coiteann é go raibh cuid de airí an rialtais féin – na hiarlaí Bolingbroke, Oxford is Ormond – ag plé go hoscailte leis an Stíobhartach agus bhí a chomhairleoirí, Charles Leslie ina measc, ar a ndícheall á chur ina luí ar Shéamas III a pholaití phragmataí a bheadh sé aige anois iompú ina Phrotastúnach. Ba chreideamh coiteann i measc na dTóraithe é, ach an bac reiligiúnda sin a scaoileadh, nach bhféadfaí cur i gcoinne Shéamais agus gur chuige a thitfeadh an chomharbacht ar bhás Anna. Ach ba mhac dílis é Séamas a bhí chomh diongbhálta i gcúrsaí creidimh is a bhí a athair roimhe agus a chreid gurbh é an reiligiún ar baisteadh é an sólás ba mhó a bhí aige sa saol seo is an fhoinse dhóchais ba mhó don saol eile. Ar bhás a athar, sa bhliain 1701, dhearbhaigh sé don phápa Clement XI go raibh sé ar intinn aige lorg a athar a leanúint go dílis is gheall 'that we should always prefer the eternal salvation of our soul and the profession of the Roman Catholic faith to all transitory things and to all temporal advantages whatsoever' (HMC Stuart 1:161). Chloígh sé go seasmhach leis an rún sin go deireadh a shaoil is níor bhog cúinsí saolta riamh a phrionsapáltacht ná a dhaingne sa chreideamh Caitliceach. Ní fhaca sé féin aon choimhlint idir bheith ina rí sa Bhreatain is ina Chaitliceach – chaithfeadh sé go cothrom le gach aicme, a dúirt sé – is níorbh fhéidir a chur ina luí air gurbh é a reiligiún faoi deara dá athair an choróin a chailliúint agus gurbh é an reiligiún céanna a bhí á choimeádsan ón choróin a bhí ag dul chuige le hoidhreacht. Níor thuig sé ach oiread, is níorbh fhéidir a léiriú dó, col fuafar na bhFuigeanna leis an gCaitliceachas. Chuir an tiarna Bolingbroke an-ghonta é: 'England would as soon have a Turk as a Roman Catholic for King' (Roberts 1963:9).

Faoi mar a tharla, ar bhás Anna sa bhliain 1714, is é Seoirse I, Toghdóir Hanover, a shealbhaigh coróin na dtrí ríochta. Agus faoi mar a tharla cheana sa bhliain 1688 i gcás Uilliam III, níor ardaíodh lámh ina choinne ná níor scaoileadh gunna. Ina staic a bhí na Seacaibítigh, idir chinnirí is lucht leanúna, iad ag feitheamh le gairm nár tháinig. Agus a chinnte dhóchasaí a bhí na cinnirí dá raibh i ndán, ní raibh aon phlean cinnte leagtha amach acu is, le bás obann Anna, baineadh dá dtreoir iad. Agus í ar leaba a báis, cheap Anna an tiarna Shrewsbury, Fuig neamhscrupallach, mar phríomhaire agus is eisean a shocraigh an chomharbacht agus a dhaingnigh greim na bhFuigeanna arís ar inneall an Stáit. Ag labhairt (Clarke 1985:134) leis an pharlaimint den chéad uair dó, i bhfómhar na bliana 1715, is í an bhailíocht cheartchreideamhach thraidisiúnta – an Deonú is an ceart oidhreachtúil – a tharraing Seoirse I chuige ag dlisteanú a chomharbais ríoga: 'Since it pleased almighty God, of his good Providence, to call me to the throne of my ancestors'.

Caibidil 6

'Ólamaoid Sláinte Sheoirse'

I

Ar feadh na hEorpa fáilte
go raibh roimh Sheoirse cátach
  is andúil liom
  anfhlaith nár chrom
fo smacht neamhchumtha an Phápa ... .

Léimimid suas a chairde
's ólamaois cuach fo shláinte
  an rí dár cóir dúinn
  stríocadh dhó
's nár spíogadh fós go dtrásta ... .

Seán Ó Neachtain a scríobh agus 'fáilte' (*fál te*) á cur aige roimh Sheoirse, mar dhea, le hamhrán tréasach Seacaibíteach. Amhrán meanmnach ólacháin é freisin ach amhrán débhríoch ar bhraith a thábhacht pholaitiúil ar an bhrí a thabharfaí do *fáilte, andúil, anfhlaith, sláinte*, etc.:

Tógaimís siar ár lámha
is guímís Dia go cráite:
  gach neach dár shíl
  an fhlaith se a chloí
bíodh leagan síos go tráth air ....

Don oidhre is ceart ó shinsir,
a Dhé na bhfeart, déan impir
  ar Bhreatain bháin
  gan reacht, gan rán
scath go tráth an Pretender ....

Achainím naoimh is ógha
achainím rí na glóire:
  bíodh pianta is airc
  go dian san bhfear
nach n-iarrfadh a cheart ar Sheoirse ....

Guímse Dia na ngrása
liom go n-iarra a mháthair:
  na *rebels* teann
  a bheith go fann
fo bhreith is bhang a námhad ....

Ólamaoid sláinte Sheoirse
pláigh ar an gcách nach n-ólfadh
  go deontach í
  gan bhrón, gan scís,
gan deor ná braon di a dhortadh.

An fear os ard a sloinntear
mar mhagadh ghnáth 'Pretender'
  sláinte a shóirt
  ní háil liom ól
is í sláinte Sheoirse is milse ....[1]

Mód coiteann cumadóireachta i measc na Seacaibíteach ab ea é, go
háirithe agus Seoirse i réim, dánta débhríocha a thug le fios, mar dhea,
nach raibh sé soiléir cérbh é an rí ceart. Mar a mhínigh Richard Savage
dá chomh-Sheacaibítigh i Sasana é:

> Two kings we have, the one is true
> The other a pretender;
> To him, so call'd is that name due?
> Or him we call Defender? ...
>
> No longer let us then mistake
> The King for the pretender,
> Nor the pretender a king make,
> But Right to right surrender (Savage:17).

Is go cliathánach meafarach rúnda a chaith an t-aos liteartha – i
mBaile Átha Cliath agus sa Bhreatain – a mbá leis an Stíobhartach a
chur in iúl, ach ní móide go raibh aon dabht ar lucht léite Uí Neachtain
ná Savage cén rí acu a raibh a mbásan leis.[2] Seacaibíteach aitheanta ab
ea Savage agus ní raibh sa dán sin aige ach ceann amháin de shraith inar
ionsaigh sé an rí nua is a lucht leanúna go fíochmhar
neamhthrócaireach. 'An Ironical panagerick on his pretended Majesty
G- by the Curse of G- Userper of Great-Britain France and Ireland, Non-
defender of the faith etc.' an teideal a chuir sé ar dhán eile dá chuid,
agus comhairle a leasa á chur ar fáil do Sheoirse aige:

> George looks when he the name of King assumes,
> Like Esop's Jay, drest up in borrow'd plumes.
> All gaze surprised, to see him thus adorn'd;
> By none he's envy'd, but by Princes scorn'd ....
> O quick ere thou are tost about by fate,
> Recall thy honour ere it is too late,
> Forsake ambition and no more be vain;
> Thou are not young – this thirst of power restrain.
> Resign to Royal James what is his Right ... (*ibid.* 16-7).

In 'Britannia's Miseries' liostáil sé go mionchúiseach liodán na n-olc a
bhí á bhfulaingt ag an Bhreatain ó díbríodh an rí cóir is tuarann a bhfuil
fós i ndán di faoi ainriail Sheoirse:

> First grieve her King's a royal exile made,
> Proscrib'd her patriots and her church betray'd.
> Her laws corrupted, and her land become
> As sway'd by tyrants was unhappy Rome ...
> The skies in prodigies foretell each year
> New cruelties for England's soil to bear ... (*ibid.* 19-20).

Cuireann sé leis an liodán atruach sin in 'A Littany for the Year' agus

'Another Littany', dánta olagónacha cáinteacha a thugtar chun críche
le guí dhóchais go bhfillfeadh an t-athaoibhneas:

> And may the throne ne'er want the land to grace
> A Royal offspring of the Stuart's race ...

> Defend us Heaven, and to the throne restore
> The Rightful Heir and we will ask no more ...

> And last from Whigs deliver us, who bring
> Userping rulers and abjure their King (*ibid.* 25-6).

Níor foilsíodh saothar Savage riamh lena bheo; os íseal a scaipeadh na
dánta, sampla maith den ábhar ceannairceach a bhí á chraoladh
d'ainneoin na n-údarás is an dlí. Chothaigh teacht Sheoirse an-saothrú
liteartha, ón mbailéad ba shimplí go dtí an tráchtas ba léannta, i measc
lucht leanúna an Stíobhartaigh, saothar a dhírigh go háirithe ar
Sheoirse féin, *anfhlaith* mar a thug Ó Neachtain air, agus ar an áit
dheoranta ar dhi é. Thar oíche, bhí dhá eilimint nua – Hanover is
George – tagtha isteach sa reitric Sheacaibíteach:

> What a cursed crew have we got now,
> From a country call'd Hanover ... (Hogg 1819 i:94).

> Ungrateful Prince Hanover,
> Go home now to thy own! (*ibid.* 99).

> It's Geordie's now come hereabout,
> O wae light on his sulky snout ... (*ibid.* 91);

agus is go gonta éifeachtach a cheangail lucht leanúna an Stíobhartaigh
iad le chéile agus Seoirse á chur chun bóthair arís acu:

> Tiocfaidh Séamas in éifeacht is a shluaite go hÉirinn,
> imeoidh Seoirse gan cóistí fríd an bhFrainc go Hanover
>
> (RIA 23 D 32:164).

> A chartadh Dheòrsa Hanòbhar dachaidh ... (HS: 14 § 12).

Bhí sé an-fhurasta ag na bolscairí Seacaibíteacha díriú ar Sheoirse, go
háirithe ar mhí-oiriúnacht a charachtair agus ar mhídhlisteanacht a
theidil. Óir Gearmánach ab ea é, nach raibh Béarla aige fiú. Ba *caol an
teud*, a dúirt Alasdair Mac Mhaighstir Alasdair, a bhí le seinm aige: acht
falsa parlaiminte a bhronn an choróin air agus bhí 'leth-cheud pearsa us
còrr' san Eoraip a raibh teideal níos fearr acu chun na corónach ná a
bhí aigeasan (HS: 9 §§ 91-8). Litrigh Séamas III féin amach é i ráiteas a
sheol sé chun a lucht leanúna:

> We have beheld a foreign Family, aliens to our country, distant in blood
> and strangers even to our language, ascend the Throne. We have seen the
> reins of Government put into the hands of a faction .... new debts are
> contracted, new armies are raised at home, Dutch forces are brought into
> these Kingdoms ... (RA SP:5/58).

> Beside that the Elector of Brunswick is one of the remotest relations we
> have & consequently one of the remotest Pretenders to our Crowns after

us .... He is a foreigner .... He is ignorant of our Laws, Manners, Customs & Language ... (*ibid.* 3/97).

Is mar eachtrannach aineolach, mar ainbhiosán gan bhéasa, mar chábóg dhrúisiúil, a léiríodh Seoirse I sa phrapaganda Seacaibíteach ó thús; ábhar magaidh is aithise ag uasal is íseal:

> Potatoes is a dainty dish,
>   and turnips is a-springing,
> And when that Jemmy does come o'er,
>   we'll set the bells a-ringing,
> We'll take the cuckold by the horns
>   and lead him into Dover,
> And put him in a leather boat
>   and send him to Hanover (SP 35:55/3).

> O! 'n cullach sin rìgh Deors'
>   mac na cràine Gearmailtich' ... (HS: 9§§ 101-2).

> Wha the deil hae we gotten for a King
> But a wee wee German lairdie?
> And when we gade to bring him hame,
> He was delving in his kail-yardee;
> Sheughing kail, and laying leeks ... (Hogg 1819 i:83).

Níor dheacair ag na bolscairí Seacaibíteacha an chontrárthacht chóir a dheiliníú:

> He does not make his country poor,
> Nor spend his substance on a whore,
> His loving wife he does adore,
> For he is brisk and lordly;
> He looks not like a country clown,
> Nor there grows no thorns upon his ground,
> Nor keeps no whore of forty stone
> For he is brisk and lordly (SP 35:29/60).

> A cuckold lately has come over
> Which caused our Prince to turn rover ... (RIA 23 A 16:25).

I lámhscríbhinn Ghaeilge, a scríobhadh i gcontae Chorcaí sa bhliain 1756, a fhaightear an t-aon chóip amháin atá ar marthain den bhailéad Seacaibíteach sin. Léiriú maith is ea é ar an saghas ábhair a bhí á chur ar fáil in Éirinn, ábhar a raibh teacht ag aos léinn na Gaeilge air. Ní hionadh, mar sin, go dtagtar ar na seintimintí céanna ina saotharsan.

De réir an bhéaloidis is ag grafadh i ngarraí cabáiste a bhí Seoirse I ach ar tháinig marbhthásc Anna chuige. Ba scéal coiteann freisin é go raibh Seoirse is a bhean scartha ó chéile, gur imigh sise le prionsa eile is gur chuir Seoirse i bpríosún í dá bharr. Chuir an dá eachtra sin dhá shamhail ar fáil a lean de Sheoirse ó thús deireadh a ré. Sa phrapaganda Seacaibíteach is mar chocól is mar ghrafánaí a léiríodh Seoirse agus is iad na híomhánna maslacha cuí – adharc agus tornapa – a samhlaíodh go coiteann leis:

Exalt his horns above his fellows
And make his body grace the gallows ... (SP 35:55/30).

No root so fit for barren Hanover can be found
For the turnip will grow best when 'tis sown in poorest ground ...
(Monod 1989:58).

King James the Eighth, for him we'll fight,
And down wi' cuckold Geordie! (Hogg 1819 i:81).

It's Geordie he came up the town
Wi' a bunch o' turnips on his crown ... (*ibid.* 91).

Ciod è do cheart-s' air crùn
ach adhaircean bhith sparradh ort? (HS: 9 §§ 41-2).

Sa dán 'Tionól na bhFear Muimhneach' is mar seo a chuireann Ó
Rathaille Seoirse I i láthair:

Ó Bhriostó tig ceann cait ag leigheas ar an gcampa,
trí hadharca agus feam air, mar chluinim ... (AÓR:20 §§ 25-6).

Faoi mar a chaith an rí ceart *trí coróna*, trí hadharca agus feam a bhí á
gcaitheamh ag Seoirse; agus bíodh nach bhfuil sé cinnte cad tá i gceist
ag Ó Rathaille le *feam*, tharlódh gur stumpa de bharr – tornapa – atá i
gceist.[3] Is é meafar an chocóil freisin a mhíníonn an tagairt dhiamhair
sa véarsa ceangail in 'Gile na Gile':

Mo threighid, mo thubaist, mo thurrainn, mo bhrón, mo dhíth,
an soilseach muirneach miochairgheal beoltais caoin
ag adharcach foireanndubh mioscaiseach coirneach buí;
's gan leigheas 'na goire go bhfillid na leoin tar toinn (AÓR:4 §§ 32-6).

Éire 'an soilseach', atá anois ag an 'adharcach', Seoirse I: tagairt
chruinn chomhaimseartha agus casadh fíoréifeachtach nua á thabhairt
do chonsaeit cianársa; idir cheangal is dán á dtabhairt chun críche le
hathdhearbhú ar an bhuntuiscint uilí nach raibh leigheas i ndán 'go
bhfillid na leoin tar toinn'.

Bíodh go raibh Seoirse I ina rí *de facto,* ba léir, do na húdaráis féin,
nach raibh glacadh ginearálta leis; ba thuiscint choiteann í nárbh é an
rí *de jure* é agus, mar sin, nach raibh i bhfeidhm ach socrú sealadach
agus gur ghearr anois go bhfillfeadh an rí ceart:

The Papists and Tories do openly boast
That the Pretender is now on the coast ... (BL 187 1 e 9:172).

Ó tá Prionsa an áidh ar muir
's a thriall anois ón bhFrainc le tréan,
is dúinne is dlitheach fáilte is fich'
'na dháil anois ón náisiún Gael ... .[4]

'S binn an sgeul so tha'd ag ràdhainn,
    Mo Mhaili bheag ò,
Ma sheasas e gun fhàillinn,
    Mo nighean rúin ò;
Rìgh Seumas a bhith air sàile

'S a' tighinn a steach gun dàil oirnn
Chur misneach ann a chàirdibh,
  Mo Mhaili bheag ò ... (BSC:4).

D'ordaigh caisleán Bhaile Átha Cliath do na giúistísí áitiúla: 'to put the laws against Papists strictly in execution and to secure not only their arms, and serviceable horses, but likewise the persons of all such whom you or they shall have just cause to suspect to be inclinable ...'; gabhadh is príosúnaíodh láithreach uaisle aitheantúla Caitliceacha, is gan de chúis ina gcoinne ach amhras an tSeacaibíteachais; cuireadh tuairisc iomlán ar fáil don Lord Lieutenant ar 'the several cases of the Pretender's men who have been convicted ...'; tuairiscíodh ó chontae Chiarraí go raibh ráfla forleathan i measc 'the Papists ... that the six thousand Irish abroad are to land this Spring in this Kingdom and that General Dillon will be with them'; ghearáin ministir Anglacánach i nDoire go rabhthas ag tabhairt faoi is gan de chúis leis ach 'my bravely opposing Jacobitism which abounds in this place'; cúisíodh mic léinn i gColáiste na Tríonóide ar chúiseanna ceannairceacha difriúla: ar aoir ar Sheoirse dar teideal 'Nero Secundus' a bheith ina seilbh, ar 'a tune that goes by the name that *The King Shall Enjoy His Own Again* a fheadaíl, ar shláinte 'The Best Born Briton' a ól, ar a mhaíomh 'that if the Pretender would come over he would have more friends than King George and that King George would soon be gone'; thuairiscigh príomhghiúistís na hÉireann, an tiarna Whitshed, go raibh 'too many members of the College here highly disaffected to His Majesty's Government. It is ever feared that some of them are downright Jacobites'; gabhadh is cúisíodh Edward Lloyd as *The memoirs of the Chevalier de St. George*, beatha Shéamais III, a bheith ina sheilbh, agus i measc na 'several papers and pamphlets containing in them the most treasonable matters', a bhí á scaipeadh in Éirinn, bhí an dán seo:

Och his lov'd Germans George was forc'd to leave
That he might Britain's diadem receive,
His faithful subjects wept, by same we hear
And envy'd us their Prince's presence here ....
Give us the hero of the martyr's line
To whom the crown belongs by right divine ... (SP 63:372/47).[5]

I Sasana féin, círéib is ceannairc i measc an ghnáthphobail is mó a lean corónú Sheoirse I, círéib ar chuid leanúnach de shaol poiblí na Breataine í go cionn blianta ina dhiaidh sin. Bíodh go raibh Londain féin ciúin go maith lá an chorónaithe, tharla clampar is corraíl i mbreis agus tríocha baile eile agus faoi shamhradh na bliana 1715 bhí an tír trí chéile ar tinneall le hagóidíocht is le léirsiú, le máirseáil is le bualadh drumaí. Leagadh breis agus daichead teach pobail, ghlac an t-arm seilbh ar chuid de na príomhbhailte, agus tuairiscíodh go minic go gcualathas an daoscar, in áiteanna difriúla den tír, ar a nglúine i dtábhairní 'where they drank to ye Pretender's health and return'

(Thomas 1962:284). Ar an 10 Meitheamh, lá breithe Shéamais, d'éirigh sluachorraíl, a bhí níos dásachtaí is níos oscailte ná riamh, in Manchester, Warrington agus Leeds; chomh dásachtach sin nárbh fhiú leis na giúistísí áitiúla aon chur isteach a dhéanamh ar an slua. An mhí ina dhiaidh sin leath an t-achrann ar fud na tíre ó Newcastle go Bristol is ó Londain go Shrewsbury.[6]

Gnáthphléaráca an tsamhraidh – rince, rancás, is radaireacht ar aontaí is ar fhéilte – ba chúlra do chuid mhaith den chlampar a chonacthas ar fud Shasana sna blianta sin is b'fhéidir nár cheart corraíl pholaitiúil a thabhairt air i gcónaí. Fós is mar cheannairc Sheacaibíteach a d'fhéach na húdaráis ar an uile chlampar, ó bhaisteadh meidhreach meisciúil go tine chnámh Guy Falkes, a raibh oiread na fríde de Sheacaibíteachas nó de sheintimintí an tSeacaibíteachais ceangailte leis. Is léir nach bhféadfaí Seacaibíteach a ghairm de gach meisceoir a d'ól sláinte Shéamais, nó de gach fidiléir a sheinn port Seacaibíteach; ina choinne sin, ba ghníomhaíocht choiriúil inchúisithe í sláinte Shéamais a ól go poiblí nó aon saghas 'seditious language' a úsáid ag tagairt dó. Bhí tabhartha faoi deara ag na húdaráis, go háirithe ón bhliain 1714 amach, nach go rúndiamhrach, faoi scáth compordach an tábhairne amháin, a bhí dílseacht á taispeáint don Chevalier, ach go raibh sin á déanamh anois go hoscailte ar na sráideanna féin is gur ag dul i méid a bhí. Ní raibh i gceist go minic ach 'a gang of fiddlers ... playing a tune called *the King shall enjoy his own again*', nó rósanna bána is bláthfhleasc de dhuilliúr na darach á gcaitheamh ag daoine ar an 10 Meitheamh, nó tornapaí is adharca á gcaitheamh le samhail de Sheoirse, nó 'Jemmy's health' á ól ag lucht leanúna Lord Bulkley ag baisteadh a mhic in Beaumaris. Ach dob fhéidir léamh níos tromchúisí a dhéanamh ar a thuilleadh den ghníomhaíocht sin agus ar sheintimintí an dreama a bhí páirteach inti: dlíodóir in Hereford á fhógairt nach mbeadh aon bhail ar an tír 'till King James the third comes home again', slua i Londain ag éileamh go ngéillfí slí do 'the cuckoldy King and send him to Hanover', slua ag toghchán Lichfield 'with papers in their hats resembling white roses'; muintir Philipps in Pembrokeshire ag iarraidh a chur ina luí ar an choitiantacht 'that the Pretender was the true owner of the Kingdom and that King George had no right to it', búclóir in Bilston ag gríosadh a chomhghleacaithe le gáir chatha nach mbeadh aon rí acu ach 'James the Third' agus 'we will drive the old rogue again into his own country to sow turnips', sagart Anglacánach i Londain agus 'seditious digressions' á gcur lena sheanmóir aige gur chríochnaigh leis an téacs bíobalta 'so that they sent this word unto the King: return thou and all thy servants'.[7]

De na scliúchais iomadúla a tuairiscíodh sa bhliain 1715, b'é an ceann in Bristol is mó a tharraing aird na poiblíochta is na n-údarás agus go cionn blianta ina dhiaidh sin bhí daoine fós á gcúiseamh is á ndaoradh

dá bharr. Thuairiscigh giúistís áitiúil don rialtas gur mheas sé go raibh
dhá dtrian den 'vulgar in general more inclined to the Pretender than
to the King' (Rogers 1988:129). Chreid cinnirí na Seacaibíteach an rud
céanna is bhí an iliomad cúis acu, dar leo féin, a bheith dóchasach
soirbhíoch:

> The inclination of the people of England to restore the King and their
> hatred of the present government was represented as greater than ever,
> increased by cruel and arbitrary proceedings, by the violation of all laws
> and oppression of the nation by soldiers ... (HMC Stuart 5:530).

> It evidently appears that the King's interest in England and the divisions
> and weakness of the present Government there increase daily .... the time
> for the descent must now be in winter or very early in the spring ... (*ibid.*
> 561).

Ní cúinsí áitiúla amháin, is léir, a spreag ná a chothaigh
neamhthairiseacht dhígeanta na mblianta sin; is í an pholaitíocht
náisiúnta a d'adaigh í, cuid mhaith; agus an fíoch coitianta a nochtadh,
is ar rialtas na bhFuigeanna is ar an teaghlach ríoga a díríodh é.

Ó aimsir na réabhlóide i leith, bhí an Bhreatain ceangailte, gan
bhriseadh, i gcogadh leanúnach Eorpach, cogadh ar chaith an pobal trí
chéile, ar shlite éagsúla, díol as. Rinne an tsíorchogaíocht sin díobháil
as cuimse do eacnamaíocht na Breataine agus chuir sraith
drochfhómhar leis an anó coiteann; an drochaimsir féin, ba chuid den
duairceas agus den ghearán í:

> Mourn for ten years of war and dismal weather,
> For taxes strung like necklaces together ... (Lord iv:362).

> Is fuar, fearthainneach, gach lò,
> gach oidhche dorcha, doinionnach;
> 's tursach, donn gach lò,
> murtaidh, trom le ceo ... (HS: 9 §§ 1-4).

Níor dheacair anró na mblianta sin a chasadh leis an rialtas is go
háirithe leis na Fuigeanna, óir samhlaíodh an páirtí sin go háirithe le
cogaíocht is coinbhliocht san Eoraip. Ba phort coiteann é, agus ní i
measc na Seacaibíteach amháin é, go raibh ollrachmas déanta ag baill
áirithe de na Fuigeanna as an chogaíocht chéanna agus gurbh é leas a
bpócaí féin a bpríomhchúram polaitiúil. Agus Seoirse ina rí, agus
eachtrannaigh is Fuigeanna mar chomhairleoirí aige, d'fhás is
neartaigh an tuiscint go raibh an Bhreatain á riaradh ag amhantraithe,
ag súmairí, is ag eachtrannaigh, tuiscint a léiríodh go soiléir i manaí an
tslua: 'Down with Foreigners', 'Down with the Rump and the German',
'No Foreign Government' (Rogers 1982:79). An náisiúnachas atá
laistiar den tuiscint sin, chothaigh na bolscairí Seacaibíteacha go
cumasach is go leanúnach é, agus aird á díriú acu ar na hathruithe
bunúsacha a bhí imithe ar an saol; bhí slán á fhágaint, ní hamháin leis
an seanrí ach le 'Old England' féin:

Farewell old year, for thou to us did bring
Strange changes in our state, a stranger King ...
Farewell old year, old monarch and old Tory,
Farewell old England, thou has lost thy glory (Lord vii:613).

Mar a mhínigh Charles Leslie go gonta éifeachtach é, ní hamháin go
raibh 'despotick Government' agus 'the increase of Atheism' tagtha
isteach 'since the revolution', ach bhí an tsaoirse féin – saoirse an
náisiúin – anois i mbaol:

As when the sea breaks o'er its bounds,
And overflows the level grounds;
Those banks and dams, that like a skreen,
Did keep it out, now keep it in:
So when a tyrannical usurpation
Invades the freedom of a nation,
The laws of the land that were intended
To keep it out, are made defend it (Leslie 1715:5,7,10).

An tuiscint sin a bhí á cothú chomh díocasach sin ag an bprapaganda
Seacaibíteach – go raibh claochlú bunúsach imithe ar an saol trí chéile
ón réabhlóid i leith – ba thuiscint choiteann i measc scríbhneoirí is
seanmóirithe freisin í; ní i measc na Seacaibíteach amháin a creideadh
nach athrú ríora amháin a tharla sa bhliain 1688. Swift féin, d'áitigh sé
gur 'about the time of the Revolution' a thosaigh an truailliú ginearálta
sa saol trí chéile, go fiú i saol na litearthachta (Lock 1983:106). Dála na
nAnglacánach trí chéile, bhí glactha ag Swift leis an réabhlóid toisc
gurbh í ab fhearr a chosnódh an Eaglais bhunaithe agus an
chomharbacht Phrotastúnach; ghlac sé le ríora Hanover ar an mbonn
gurbh é 'the nearest branch of our royal line reformed from popery' é
(Swift 1714:90). Ach d'admhaigh sé freisin gur lean 'some very bad
affects' an réabhlóid chéanna agus dhírigh sé ina chuid scríbhinní ar na
hathruithe iar-réabhlóide a bhí bunoscionn leis na luachanna
ceartchreidmheacha dár ghéill sé féin. Dhírigh chomh maith ar an 'new
man' a bhí tagtha chun cinn sa saol poiblí: 'all great changes have the
same effect upon Commonwealths that thunder hath upon liquors;
making the dregs fly up to the top' (Swift 1710:65). Feadh a shaoil ghlac
Swift le réabhlóid na bliana 1688 'because I look upon the coming of
the Pretender as a greater evil than we are like to suffer under the worst
Whig ministry that can be found' (Lock 1983:73); ach, mar is léir, níor
ghlacadh rófhonnmhar ná róchroíúil é, ach glacadh ar ghá dó é a
mhíniú go minic toisc amhras an tSeacaibíteachais a bheith air. Bíodh
nárbh fhéidir a áiteamh gur Sheacaibíteach é Swift, fós is cinnte gur
chabhraigh a chuid scríbhinní féin le hamhras, le ceistiú, le ciontacht
fiú, i dtaobh na réabhlóide a chothú. Thug sé féin le tuiscint gur mhó a
chabhraigh teacht Sheoirse I le cúis na Seacaibíteach ná aon tarlang
eile; dá bharr, a dúirt sé, 'several millions are said to have changed their
sentiments' (Lock 1983:124). B'fhéidilr nach fíor sin ar fad, ach tá an

chuma ar an scéal gurbh é corónú Sheoirse agus ceannasacht na bhFuigeanna sa saol polaitiúil faoi deara do chuid nár bheag den náisiún polaitiúil i Sasana cluas bháúil a thabhairt do na Seacaibítigh. Tar éis thoghchán na bliana 1715 ba láidre na Fuigeanna sa pharlaimint ná riamh agus den chéad uair ón réabhlóid i leith bhí cumhacht gan freasúra acu. Ruaigeadh na Tóraithe as gach oifig sa rialtas, san arm, san eaglais gur bhunaigh na Fuigeanna heigeamanaí iomlán sa saol poiblí. 'Junta' a thug na Tóraithe orthu, baicle neamhscrupallach féinleasach arbh í a n-aonaidhm an chomharbacht Phrotastúnach a dheimhniú trína gcairde féin a chur in oifigí feidhmeannais an Stáit. D'éirigh leo agus, dá bharr, is mó fós a chuaigh na Tóraithe i leith an tSeacaibíteachais.[8]

Níorbh ionann riamh Tóraí agus Seacaibíteach, ach d'oir sé do na Fuigeanna an t-ionannú sin a chothú is a chruthú. Laistiar de gach scliúchas poiblí bhí ceannairc Sheacaibíteach, dar leis na Fuigeanna; laistiar de na Seacaibítigh bhí na Tóraithe. Ní raibh an t-ionannú ná an t-amhras gan bhunús. Ghéill na Seacaibítigh is na Tóraithe araon do na luachanna sinseartha céanna, ba léir gur i measc na dTóraithe is mó a mhair dílseacht don ríora Stíobhartach, níorbh aon rún é gur Sheacaibítigh iad formhór na dTóraithe sa pharlaimint, agus níorbh fhéidir d'éinne a shéanadh ach gur Thóraithe iad na cinnirí, idir chléir is tuath, a bhí ar na Seacaibítigh i Sasana. Is é an ceangal follasach sin a d'úsáid na Fuigeanna chun na Tóraithe a scrios mar chumhacht pholaitiúil agus chun a ngreim féin ar inneall an Stáit a dhaingniú. Agus bógaí an tSeacaibíteachais á aicliú go héifeachtach acu, chuir na Fuigeanna achtanna nua éigeandála is ceannairce i bhfeidhm chun teorainn a chur le saoirse chainte, chun cur leis an arm seasta, agus chun na Tóraithe a choimeád ó chumhacht. Cuireadh comhcheilg Sheacaibíteach ina leith gur díbríodh as oifig cuid de na tiarnaí ba mhó gradam sa tír, ina measc an tiarna Bolingbroke a bhí ina rúnaí Stáit, James Butler, Diúc Ormond, a bhí ina fhear ionaid in Éirinn sa tréimhse 1710-13, agus an tIarla Mar a bhí ina rúnaí Stáit ar Albain. Níl aon duine de na huaisle sin, is fíor, agus mórán eile nach iad, nach raibh déileáil éigin le cúirt an Stíobhartaigh acu. Comhfhreagras a bhí i gceist den chuid is mó – polasaí árachais ag uaisle na Breataine ar eagla go dtiocfadh an guth faoi ghairm na Seacaibíteach. Ach i gcás na beirte sin Bolingbroke agus Ormond, bhí níos mó ná comhfhreagras débhríoch i gceist, mar a chruthaigh a ngníomhartha féin: nuair a tháinsigh parlaimint Londan iad beirt, go cúirt an Stíobhartaigh in St Germain a theitheadar a phlotáil.

Na teifigh a bhí anois i dteannta Shéamais thar lear, thugadar sall chuige tuarascáil rídhóchasach lándearfa ar thacaíocht na Seacaibíteach ag baile:

> I went about a month after the Queen's death as soon as the seals were
> taken from me, into the country; and whilst I continued there, I felt the

general disposition to Jacobitism increase daily among people of all ranks; among several who had been constantly distinguished by their aversion to that course. But at my return to London in the month of February or March 1715, a few weeks before I left England, I began for the first time in my whole life to perceive those general dispositions ripen into resolutions ... (Petrie 1959:216).

Níor ghá, a measadh, ach Séamas féin a theacht anall chun go spréachfadh an tír trí chéile; dá ráineodh dósan teacht i dtír, leanfadh olltiomsú dá lucht leanúna é. B'é an plean ginearálta a leag Ormond amach gur san iarthar, agus Bath mar lárionad, a d'éireofaí amach ar dtús, gur in Plymouth a thiocfadh Séamas i dtír, is go ngabhfaí an caladhphort ríthábhachtach sin agus Bristol in éineacht; go leathfadh an t-éirí amach go tuaisceart Shasana agus go hAlbain ansin. Ach bhí eolas cruinn ag na húdaráis ar na pleananna roimh ré is sular fhéad na Seacaibítigh tiomsú fiú, bhí na cinnirí áitiúla gafa, oifigigh airm is feisirí parlaiminte ina measc. Fógraíodh Séamas ina rí in Cornwall, in Oxford, is in áiteanna eile ach ba shiombail easumhlaíochta gan tathag é cheal airm is cinnireachta. Bhain Ormond cósta Cornwall amach san fhómhar ach chas ar ais go tapaidh is d'fhill ar an Fhrainc. Is ansin a socraíodh gur sa tuaisceart a dhéanfaí an reibiliún a thionscnamh agus i Lúnasa na bliana 1715 ghluais an tIarla Mar go hAlbain a bhrostú an éirí amach.

Ba shuimiúil an duine é Mar a dtugann a ghníomhréim chorrach léiriú soilseach ar an stair chomhaimseartha agus ar stair chasta a aicme is a mhuintire.[9] John Erskine ab ainm is ba shloinne dó is áirítí a shinsir roimhe i measc phríomhphiaraí is phríomhuaisle na hAlban, sinsir a raibh dlúthcheangal dílseachta riamh acu le teaghlach na Stíobhartach. Uasal de chuid na Galltachta é Mar agus, dála na huaisle sin trí chéile, bhí oideachas leathan liobrálach air is an-tóir aige ar chultúr is ar chúirt London. Bíodh gur bhall de pharlaimint is de ríchomhairle na hAlban é féin, bhí sé ar dhuine den ghrúpa a thacaigh le cealú na parlaiminte sin, beart a d'fhóin dó féin is dá chonách. Sa bhliain 1711 cheap an bhanríon Anna ina rúnaí Stáit ar Albain é, ach ruaigeadh as an bpost sin é ar a bás-san. Agus Mar ina rúnaí Stáit, bhíodh sé ag plé os íseal le cúirt is le comhairleoirí an Stíobhartaigh; agus an post gradamúil sin caillte aige, thaobhaigh sé go hoscailte leo.

Ar theacht i dtír in Albain do Mar, thionóil slógadh de na cinnirí Seacaibíteacha ag Braemor agus ghluais ó dheas ansin gur ghabh Perth.[10] Um an dtaca sin bhí na clanna faoina dtaoisigh éirithe amach freisin go raibh an t-arm ba mhó fós a d'éirigh le taoisigh na hAlban a chur ar pháirc an chatha: 12,000 fear idir thaoisigh is lucht leanúna, ó Ghaeltacht is ó Ghalltacht. Fógraíodh Séamas ina rí in Aberden, Dunkeld, Perth, Montrose, Dundee, Inverness is bailte eile san Oirthuaisceart agus chuir Mar is na taoisigh eile forógra amach a dhearbhaigh 'the undoubted right of their lawful sovereign James the Eighth ... our rightful and natural King, who has the only undoubted right to reign over us' (Hogg 1821 ii:228). Ach an Forth a thrasnú d'fhéadfadh na reibiliúnaithe scuabadh ó dheas isteach i Sasana agus b'in a n-aonaidhm. Ag toirmeasc na slí orthu bhí fórsaí an rí faoi chomandracht Albanaigh eile, James Campbell, Duke of Argyll. Ag Sliabh an tSiorraim (Sherrifmuir) a tháinig an dá arm le chéile ar an Domhnach, 13 Samhain 1715. Gach re sea a bhí ag an dá thaobh ar dtús gur éirigh le Mar cliathán clé Argyll a ruaigeadh siar chomh fada le Stirling ach ansin stríoc sé, chúlaigh gan choinne, gan ghá, agus lig dá chéile comhraic éalú. 'Seasamh suarach', a mheas Sìleas na Ceapaich (BSC:514), a rinne Mar is na Gaeil an lá sin ach b'í an tuairim choiteann ag an am, agus riamh ó shin, nár ghá do Mar ach sá éifeachtach eile a thabhairt is gur raon maidhme a d'imeodh ar an namhaid. Is nuair a bhí na clanna ag scaipeadh agus an reibiliún thart, nach mór, a bhain Séamas féin Alba amach um Nollaig na bliana 1715. Fonn troda a bhí air is theastaigh uaidh na clanna a thiomsú arís, ach b'í comhairle Mar dó filleadh. Gan choinne, gan rabhadh, d'fhág Séamas is a chomhairleoirí Alba i bhFeabhra na bliana 1716 agus d'fhill ar an Fhrainc. Faoi mar a tharla, d'éirigh le buíon de na Seacaibítigh an Forth a thrasnú, Leith a ghabháil, ceangal leis an Seacaibítigh sa deisceart a bhí éirithe amach faoin iarla Kenmure, agus an teorainn le Sasana a thrasnú.

Mar is léir ó shaothar Lenman (1980: 107-25) agus Gooch (1995), ní scliúchas de chuid na coitiantachta ná 'peasant revolt' a bhí i reibiliún na bliana 1715, ach iarracht shrianta dhisciplíneach a bhí fréamhaithe in ideolaíocht a leag béim ar cheart, ar dhílseacht is ar dhlisteanas. Dílseacht pholaitiúil do phearsa is do chúis an Stíobhartaigh, is léir, a spreag uaisle Chaitliceach Northumberland éirí amach, ar chlos dóibh go raibh meirgire an Stíobhartaigh ardaithe ag Mar in Albain. Níor éirigh leo Newcastle a ghabháil, faoi mar a bhí beartaithe, is tar éis dóibh ceangal leis na hAlbanaigh a bhí tagtha aduaidh ghluaiseadar uile siar i dtreo Lancashire. Ar a slí trí Cumberland is Westmoreland dóibh d'éirigh leo, gan dua, cáin a thobhach sna bailte difriúla ar ghabhadar tríothu agus an mílíste áitiúil a scuabadh rompu ag Penrith. An bhuíon de thrí fichid a d'éirigh amach an chéad lá, bhí slua 3,000 fear, idir Chaitlicigh is Anglacánaigh, déanta díobh faoin am ar bhaineadar Lancashire amach go caithréimeach. Ní fada a mhair a gcaithréim. Agus iad ag déanamh ar Manchester, tháinig arm seasta an rí suas leo ag Preston is thimpeallaigh iad gur chaith na Seacaibítigh géilleadh go neamhchoinníollach. Ní raibh le déanamh ina dhiaidh sin ag arm Sheoirse ach an glanadh suas. Cuireadh seacht gcéad Seacaibíteach den chosmhuintir an loch amach, is crochadh ceithre dhuine fhichead acu ar an mball; cuireadh breis agus dhá chéad uasal, idir Shasanaigh is Albanaigh, i bpríosún is daoradh seachtar acu chun a gcrochta, ina measc cuid de na huaisle ba sheanbhunaithe is ba tháscúla sa tír. Ach níor cuireadh pionós an bháis i bhfeidhm ach ar bheirt acu,

na hiarlaí Kenmure is Darwentwater: dhá shampla phoiblí de
ainchríoch an reibiliúin nach n-éiríonn leis. Faoi mar ba ghnách ag an
am, labhair an t-iarla Darwentwater leis an lucht féachana agus é ar
scafall a chrochta, míniú soiléir neamhchas á thabhairt aige ar a
ghníomh reibiliúnach:

> But I am sensible that in this I have made bold with my loyalty, having
> never owned any other but King James the Third for my rightful and
> lawful sovereign; him I had an inclination to serve from my infancy, and
> was moved thereto by a natural love I had to his person, knowing him to
> be capable of making his people happy; and though he had been of a
> different religion from mine, I should have done for him all that lay in my
> power, as my ancestors have done for his predecesors, being thereto
> bound by the laws of God and man .... I intended to wrong nobody but to
> serve my king and country ... (Howell xv:802).

II

> That same youth, who twice from Scotland run,
> And calls himself the late King James's son ...
> Your living owe their woes, your dead a tomb ...
> Had he like glorious William won the day,
> Succour'd his friends, nor basely run away,
> Had he some memorable action done,
> And left some proof that he deserv'd a throne,
> Then might you, with more reason hold him dear,
> Hope for his reigning, and his day revere ...
> Let his two Scottish expeditions tell,
> How much your hero does in arms excel ... (*A poem* ...).

Thug teip thubaisteach na Seacaibíteach sa bhliain 1715 ábhar aoire,
magaidh, is aithise gan teorainn do lucht leanúna Sheoirse. Dar le
hAlbanach ciniciúil amháin gur chruthaigh iompar ciotach Shéamais
gur Stíobhartach é cinnte (Mitchison 1983:139); dar le haoir dhí-ainm
air a foilsíodh i mBaile Átha Cliath nach raibh aige de bharr a thurais
go hAlbain ach 'a great fright, which together with some skill in
running, is all I got in Scotland' (*A dialogue*.3); Fuig eile i mBaile Átha
Cliath a scríobh an dán aorúil sin thuas ina riantar go cumasach cliste
'gaisce' an té 'who twice from Scotland run'; go cinntitheach
fáistineach, le leathrann fíoréifeachtach, thug an t-údar anaithnid a aoir
chun críche:

> Thro' the long view of future time, I see,
> Imaginary Prince! no hopes for thee (*A poem* ...).

Cleas éifeachtach prapaganda ab ea é ag an údar – cleas coiteann –

feidhm a bhaint as an fháistineacht chun deimhin a dhéanamh dá dhóigh is dá dhóchas féin. An úsáid chéanna a bhí á baint aisti ag lucht leanúna an Stíobhartaigh:

See by base rebels James the Just betray'd,
See his three realms by vile usurpers sway'd;
Then see with joy his lawful heir restored,
And erring nations own their injur'd lord ... (Lord vi:503).

Yet this I prophesy; thou shalt bee seen,
(Tho' with some short parenthesis between),
High on the throne of wit; and seated there ... (Dryden ii:853).

Tá an réilteann go gléineach le feartaibh Íosa
dá léirchur i gcéill chirt do chlannaibh Mhíle,
an t-aon so fé néallaibh as ceart a shinsir
go dtraochfaidh lucht Béarla i ngach sparainn choimheascair ... .[11]

Bíodh gur do na fíréin a scríobhadh an prapaganda meanmnach sin – agus ní chun dul i bhfeidhm ar an namhaid – fós, is cinnte gur i gcomhthéacs an bhriatharchatha a bhí ar siúl go leanúnach idir lucht leanúna an dá ríora a cumadh cuid mhaith de. Mar sin, b'í a phríomhfheidhm bunphrionsabail an tSeacaibíteachais a athdhearbhú agus idir dhílseacht is dóchas na bhfíréan a shíorchothú. Ba mhó ba ghá sin agus ríora eachtrannach á bhuanú.

Athdheimhniú údarásach ar cheart an Stíobhartaigh agus ar dhán glórmhar a lucht leanúna atá sa dán fíorspéisiúil a chum Raghnall Dall Mac Dónaill sa bhliain 1715, 'Agallamh idir an File agus an Creagán'. Is chuige an t-agallamh, go gcuirfí na ceisteanna cearta ar an gCreagán, foinse an eolais, agus, níos tábhachtaí fós, go gcuirfí na freagraí cearta ar fáil. Tar éis roinnt ceisteanna neamhdhíobhálacha a chur, ag míniú fios fátha an scéil, tagann an file go dtí buncheist pholaitiúil na linne: cén ceart a bhí ag na Stíobhartaigh is ag Séamas III go háirithe chun na corónach? Freagra údarásach an tseanchais dhúchais a thugann an Creagán air:

An File
Féach ár bpian le sé chéad blian ag Gaill in éigean,
gan rí dár riail de na Gaelaibh chéanna i ríoghacht Éireann.

An Creagán
Le ceithre chaogad tá treabh Gael na ríoraibh tréana
sna trí ríochta – nach mór an t-íonadh a ndéan tú de bhréaga!

An File
Ar ghrá do ghaoltaí, a theaghais aolta, dearbhaigh an scéal so:
an de threibh Mhíle an aicme chéanna tá tú d'fhéiliú?

An Creagán
A dhuine ba rí is sinsir fíor den ardthreibh chéanna
seisear díobh eadar fhear is mhnaoi dar ghaibh an géilleadh.

Agus ghaibh an seisear réamhráite ardfhlaitheas, forlámhas agus forsmacht ar na críochaibh comháille comhaoise .i. Sacsan fána múrthaibh, fána turscair is fána hardchathracha, Éire iathghlas oileánach

is Alba chorrach chathrach chaomhálainn, mar is follas sin dúinn san dara
toiseach.

Agus mac alla follasach á bhaint aige as dán tionscnamhach Fhearghail
Óig Mhic an Bhaird, leanann sé dá áiteamh:

> Trí coróna do ghaibh Séamas ...[12] agus is ón tSéamas sin a tháinig an dá
> Shéarlas, Séamas, Máire, Anna, mar aon agus an seabhac fíorghlic
> fíoreolach de bhláth luibhghoirt na finiúna, an réalt shuaichnidh
> sholasghlan, an dreagan tréan díobhálach, an nathair nimhneach
> neartchalma, an bheithir bhríomhar bhratallach agus an leomhan cróga
> cascarthach gníomhéachtach cathbhuach le bhfuascailtear an Gael ó
> dhaoirse agus ó dhaorpheanaid eachtrann mar a deir an fáidh fíornaofa
> Ultán gurab é an flaith fíre se a chríochnamhas ár ndaoirse agus ár
> ndaorpheanaid chum soláthair:

> Is é an flaith fíre den fhuil ríoga an treas réacsa
> chum fuascailt daoine ó dhaorbhroid daoirse nó ó mhóréigean ...

> Beidh de shíor, a deir Ultán naofa, le linn Shéamais
> creideamh Chríost ar fud an tsaoil ag lasadh i ndaonnacht,
> gibé mhairfeas díobh ó thrascairt laoch nó ó bheart an éaga,
> beidh gan chíos, gan dualgas ríoga, nó dócamhail déirce.

> An File
> Ar ghrá do ghaolta, a theampaill aolta, is breá do scéala;
> is sáimh le mo chroí do tharngaire fhíor ar ardthreibh Gaela ... .[13]

Is é is suimiúla i dtaobh an dáin neamhchoitianta sin, dán a cumadh
de réir an téacs féin sa bhliain 1715, go n-admhaíonn an file go raibh
Máire agus Anna (beirt iníon Shéamais II) i seilbh na dtrí ríochta freisin,
ach is chuige sin chun ceart Shéamais III chun na corónach a láidriú:
b'eisean an té ba chóngaraí sa líne dhíreach d'éis Anna; ní hamháin gur
éiligh ginealach is oidhreacht gur mar sin a bheadh, bhí údarás
doshéanta na tairngreachta laistiar de chomh maith. An t-údarás céanna
a tharraingíonn file eile chuige agus fáilte á cur aige roimhe go hÉirinn:

> Fáilte Rí Séamas
> Fada coróin Saxan i mbrón,
>   Alba fós ar dhíth foinn,
> Éire bhocht gan bhrí, gan treoir,
>   ó cuireadh an rí ar fógra anonn.

> Séamas ceart cara na gcliar,
>   fear ler mhian triall na salm;
> bheith dár ndíth is dúinn is ciach,
>   bile diaga nar iarr feall.

> Fada ár ndocamhail i ngalar buan
>   faoi smacht cruaidh i measc na nGall,
> ó tá Séamas Óg ar cuan
>   béaraidh uathu díol dá chionn.

> An bile órga den mhórfhuil thréan,
>   an leoghan Séamas is fearr clú,
> ciste stóir is lón na cléire,
>   daltán éigeas is leanán ciúil.

An chlann so Liútair is Chailbhín bhréin,
   dream gan chéill gan chreideamh cóir;
mhionnaigh 'na aghaidh san mbréig,
   béarfaid éiric ann go fóill.

Ó tá Prionsa an áidh ar muir
   's a thriall anoir ón bhFrainc le tréan,
is dúinne is dlitheach fáilte is fich'
   'na dháil anois ón náisiún Gael.

Fáilte dhuit a chraobh an áigh
   chum do choróine ós tráth dhuit é,
táid trí cheannbheart cumhdaigh slán
   do choinne i ndán is ní tarngair bhréig ... .

Athraíonn an file anaithnid a phort ansan, labhrann go díreach le
Séamas féin, is cuireann comhairle a leasa air:

Acht bí ar do chumhdach ar Londain mhóir,
   ná tabhair dhóibh go bráth síth,
acht faobhar claímh do chongbháil leo
   's a bheith dá leonadh gach lá gan scíth.

Cuimhnigh an scamall fuair do mháthair,
   cuimhnigh d'athair do bhí faoi léan,
cuimhnigh Séarlas do chaill a cheann,
   tabhair aire don dream rinne an tréas ...

Cuimhnigh Séarlas éachtach meanmnach mór,
   'raibh a cheann dá éagmais gan géilleadh le feall chum spóirt,
cuimhnigh Séamas do chuaidh ó Ghaeil don bhFrainc faoi bhrón,
   tabhair aire dhuit féin 's ná taobh an dream go deo.[14]

Má ba theip easonórach í, dar leis na Fuigeanna, iarracht
thubaisteach 1715, ní mar sin a d'fhéach lucht leanúna an Stíobhartaigh
air; is léir nach mar sin a d'fhéach aos léinn na Gaeilge air. Dá
ghaireacht an tréimhse a chaith Séamas in Albain (Nollaig 1715-
Feabhra 1716), ní gan fhios d'fhilí na Gaeilge é agus ní dall a bhíodar
ar a thábhacht: an chéad chuairt aige ar a ríochta ó ruaigeadh é seacht
mbliana fichead roimhe sin. Ó shealbhaigh Alba anois 'an rí cóir cirt',
a dúirt Diarmaid Ó Súilleabháin, 'an tráth chualamar gur tháinig an
Pretender go hAlbain' (RIA 23 G 20:225), thitfeadh Sasana freisin
chuige is ríocht Éireann chomh maith:

A Alba ó shealbhais an rí cóir cirt
id cheartchumas go nglacathar thu i dtrí coróna,
Sagsa thoir go ngabhairse le fíorchomhrac,
is geallaimse gan achrann duit ríocht Fódla ... .[15]

Smaoineamh mar é a bhí ag an Athair Conchúr Ó Briain. Ó bhí glactha
ag Albain anois le Séamas, chuir sin an feall a rinne na hAlbanaigh ar
Shéarlas I cheana ar ceal; ba cheart an feallbheart sin a mhaitheamh
anois dóibh:

Má bhrathadar na hAlbanaigh gan dúil 'na bhás

Carolus de Shaxanaibh ar chonradh an stáit,
maithimse is maithidhse an chúis sin dáibh
ó ghlacadar go ceanamhail ár bPrionsa 'na áit ....

An véarsa sin Uí Bhriain, ba chuid de fhreagra é ar dhán a scríobh
Donnchadh Caoch Ó Mathúna 'ag moladh an Iarla Mar an tan táinig an
Pretender go hAlbain *anno* 1715' (RIA 24 A 6:367), dán adhmholtach a
léirigh is a dhearbhaigh *ceart* Shéamais Óig:

Is mac do Mhars an Mar so in Albain tuaidh,
fear is fearr ar fhearann treascartha an tslua,
le macs is clans is glan ar Ghallaibh do bhuaigh -
rath gach cath don fhlaith go leana go buan!

Gas is pras i dtreasaibh calma crua
do ghlac 'na ghlaic an ceart do sheasamh gan dua;
a cheap na bhfeart 's a athair Pharrthais tuas
ós ceart a cheart, 'na cheart go dtaga go luath.[16]

Dán snoite ardmheanmnach é a ghin, ní nach iontach, dánta eile ar an
ábhar céanna i measc a chomhfhilí. Sa fhreagra a scríobh Ó Briain,
díríonn ar an bhfocal príomha trombhríoch *ceart* i ndán Uí Mhathúna
is déanann codarsnacht idir é agus *neart* na nGall:

Más mac do Mhars an Mar so in Albain aird,
ní mac do mheath a mhac ach feannaire groí,
ag Mars dom mheas, ní fheaca i bpearsain an rí
mac mar Mhar san gcath 'nar greadadh na Gaill.

Is maith an ceart do chlannaibh Alastraim Fhinn
a neart do bhrath le ceart mhic Carolais chaoin;
ós neart gan cheart le seal ag Gallaibh do bhí,
le neart a nglac a cheart do chasadh ar an rí.

Neart is ceart ag Mar ó bhraithid na Gaill
's gan neart ná ceart ná cead chum ratha ag Argyle,
is flaith na bhfear le seal gan flaitheas cé bhí,
go ceart 'na cheart gan chead do ghasra an fhill ....[17]

I bhfreagra a scríobh file anaithnid ar dhán Uí Bhriain, molann sé arís
gaisce an Iarla Mar is ordaíonn dó cuairt a thabhairt mar 'Fhéilim
reachtmhar' ar Éirinn:

Ó d'éirigh Mar mar Mars i néallaibh thuaidh
go héasca tapaidh lannach léidmheach luath,
Féinics faire sleachta Éibhir bhuain,
's le raonadh cath go maire sé go buan.

Ó thréanchuir Mars a gha le fraochnimh suas,
's tug é 'na ghlaic dá mhac le mbéarfadh bua,
's mar Fhéilim reachtmhar tar muir léimse cuaird
is saor ó athbroid aitheach Éire fhuar.[18]

Tá an chuma ar na dánta sin uile gur cumadh iad, mar a thugann cuid
de na ceannscríbhinní le tuiscint, le linn do Shéamas a bheith fós in
Albain. Léiriú eile iad ar mhéid an eolais a bhí ar fáil ag aos léinn na

Gaeilge i dtaobh imeachtaí Shéamais agus ar a thapúla a bhí na scéalta
ag teacht chucu. Scríobhadh iad, ní foláir, agus an reibiliún fós ar siúl.
Níl aon tuiscint iontu gur theip Mar, gur ghéill sé, nó gur theith sé.
Laoch buacach is ea é in Albain, cúis mhór dhóchais é do lucht leanúna
an Stíobhartaigh in Éirinn. An díomá díomuach a lean iarracht
thragóideach na bliana sin 1715, níl aon rian de sna dánta Gaeilge a
cumadh ar 1715, ach is cinnte gur don díomá sin atá Conchúr Ó Briain
ag tagairt agus é 'dá chomhairliugh do Ghaodhalaibh gan dul i n-éadógh
ar Dhia 7 cé gur chruaigh é a gcás go bhfóirfeadh orra uair éigin':

> Más dóchas ár ndóchas i mbliana mheath,
> ní dóchas ár ndóchas acht pian i bhfad;
> bíodh dóchas bhur ndóchais i nDia go beacht,
> is ná cuir teora le mórchumas thriath na bhFeart ...
>
> Is É d'fhógair uaidh slóite na ndiabhal amach,
> Sódom is Gómor mar iad do leag,
> ní mó leis an fheoirling, cé dian an bhreath,
> ná Bródraic do sheoladh 'na ndiaidh is Crofts.[19]

Bíodh gur thar lear is mó a bhí na Seacaibítigh ag gníomhú agus gur
fhráma tagartha náisiúnta is idirnáisiúnta a bhí go príomha ag an reitric
Sheacaibíteach, fós, mar a léiríonn an dán sin Uí Bhriain, is ag baile, go
háitiúil, a chífí toradh is tairbhe na n-athruithe a bhí i ndán: 'Bródraic
do sheoladh 'na ndiaidh is Crofts'. Beirt den uaisle nua i gcontae
Chorcaí ab ea Alan Brodrick agus George Crofts, beirt a raibh conách
orthu féin is ar a muintir faoin reacht nua.

Is dóichí gur ag deireadh an tséú haois déag a tháinig muintir Crofts
go hÉirinn. I gcontae Chorcaí a lonnaigh siad gur bhain ionad
ceannasach amach sa saol polaitiúil sa chathair féin agus sa chontae.
George Crofts, is dóichí, a bhí i gceist sa dán, tiarna rachmasach talún
agus feisire parlaiminte do Churchtown (An Ráth).[20] I lár an tseachtú
haois déag a tháinig muintir Brodrick go hÉirinn nuair a fuair Sir St.
John Brodrick seilbh ar 10,000 acra in oirthuaisceart Chorcaí as an
pháirt a thóg sé 'in the suppression of the disorders in Munster in 1641';
in aice le Mainistir na Corann, baile a thóg sé féin, a lonnaigh Sir St.
John is a bhunaigh a chúirt. Thóg a mhacsan, Alan, páirt ghníomhach
i gcogadh an dá rí ar thaobh Uilliam Oráiste agus toghadh ina fheisire
parlaiminte do chathair Chorcaí sa bhliain 1692 é. As san suas sheas sé
go bithdhílis le socrú na bliana 1688 agus is é a bhí mar chinnire ar
Fhuigeanna Chorcaí, seirbhís phoiblí ar díoladh a comhar go céadach
leis: sa bhliain 1714 ceapadh ina Lord High Chancellor ar Éirinn é, ina
bharún sa bhliain 1715 é, agus ina Viscount Middleton sa bhliain 1717
é.[21] Nuair a thagair Conchúr Ó Briain do Bhródraic is ar chomharsa leis
a bhí sé ag caint, comharsa a raibh aithne air – is gan aon mhórchion.
Ní raibh le rá i dtaobh na beirte sin, Brodrick is Crofts, dar le Piaras Mac
Gearailt, ach gur dhís iad a bhí 'éigneach chum Gaodhail 7 eagluis
Chríost do cheannmhúcha'; chomh fada le Brodrick,

Badh ghnáthach le Bródric réamhráighte bheith ag brise 's aig leaga
seanchealladh 7 teampaluibh 7 ag déunamh balluidhe iothlan, stábluidhe
is luibhghort dá gclocha coisrigthe, ar an adhbhar san do dubhrag leis gan
stad d'éis a bháis 7 do ceangladh do a thuamadh na focail seo mur leanas:
Treascair a líog is clóigh an dlítheadóir cam ... (MN M58a:39).

Sampla ionadach go leor é Alan Brodrick den aicme cheannasach a
bhí anois ag rialú in Éirinn, aicme a tháinig anall is a chuaigh chun cinn
gur bronnadh feidhmeannais is teidil orthu nach mbeadh go deo acu
dá mbeadh an saol in Éirinn mar ba cheart:

Mo chiach atuirseach an treascairt sin ar phór Mhíle,
i nglia ag Danaraibh gur scaipeadar fá chóigríochaibh,
an trian mhaireas insan mbaile acu gan fód dílis,
tug triath Chairbreach dá ghairm ortsa, a Sheoirse Aoibhinn ....[22]

George Evans a bhí i gceist ag Diarmaid Ó Súilleabháin, Fuig aitheantúil
eile ar bhronn Seoirse I an teideal Lord Carbery air sa bhliain 1715. Is
fada ó thiarnas – agus ó Chairbre – a saolaíodh sinsear Evans:

Colonel Evans the old ... was a serjeant under Oliver Cromwell and after
the restoration set up a cobbler's trade in the county of Cork, I think at
Kinsale, but being a cunning, industrious and saving man, by buying army
debentures and other opportunities that offered, laid the foundation of a
large estate, which his son and grandson, the present lord, by parsimony
have improved to near 6,000 l. a year ... (HMC Egmont 2:388).

Bhí tailte fairsinge i dtrí chontae – Corcaigh, Luimneach is Ciarraí –
anois i seilbh Evans agus is é an smaoineamh sin a stiúraíonn dán Uí
Shúilleabháin. Tugann sé chun cuimhne tailte sinseartha na
nGearaltach, na Súilleabhánach, na gCárthach a bhí i seilbh Evans;
cuimhníonn go seanbhlasta ar na triatha dúchais – uaisle cheart – a bhí
anois díbeartha; murach sin ní bheadh triath Chairbreach á thabhairt
inniu ar Sheoirse Aoibhinn:

Triath Bhreatan toir ag fanatics gach ló ar ndíbirt ...
triath Pharthais gan bailte poirt a mhóirshinsir,
's triath Chathrach in' aice sin go róchlaoite ...
triath Sheanaghlais in Amburg is mó chaoinim,
triath Sheanaide gan labhairt air san chóig choíche ...
tug triath Chairbreach dá ghairm ortsa, a Sheoirse Aoibhinn ....

Sa véarsa deiridh labhrann an file leis an triath is ceannasaí ar fad, agus
mórcheist na linne á cur aige chuige:

A Thriath cheannasaigh do cheannaigh sinn led mhórdhaoirse,
triath Bhanban gur feasach duit ded dheoin díogtha,
a Dhia, an gcasfairse an mhalairt sin go beo choíche,
le nach mbiaidh triath Chairbreach dá ghairm ortsa, a Sheoirse Aoibhinn.

An drochmheas a nocht Conchúr Ó Briain is Diarmaid Ó
Súilleabháin araon ar Brodrick, Crofts is Evans, b'in tuairim choiteann
an aosa léinn trí chéile ar an uaslathas nua a bhí tagtha in ionad na
huaisle dúchais; dream aineolach, gan suim sa léann ná san fhilíocht

acu, aicme uiríseal nach raibh iontu ach 'ceannaithe caola an chnuais', mar a thug Aodh Buí Mac Cruitín orthu:

> Féach na flatha ba fairsing in Éirinn uair,
> tug séada is airgead, fearanna, stéada is buaibh,
> caomhnadh is carthanacht, ceannas is géille mhór
> d'éigsibh Banba i gceannach a ndréacht 's a nduan.

> Gur éirigh Galla is ceannaithe caola an chnuais
> le tréimhse eatarthu ag teagasc a mbéas don tslua,
> do réir mar mheallaid a mbailte ba aolta snua,
> tá Béarla Sagsan go tairise is Gaeilge fuar ...

> Má éirgheann bathlach go beachtaithe in éadach nua,
> 's go bhféadfadh hata do cheannach, más daor a luach,
> is Béarla a labhairt is gairid go ndéarfa an fuad
> dar *faith*, má mhairim, beidh gairm Uí Néill ar m'ua ....[23]

Bhí Aodh Buí Mac Cruitín ar na scoláirí Gaeilge ba bhisiúla is b'ilghnéithí saothar ag an am. I gcontae an Chláir, i mbarúntacht Chorca Mrua, a saolaíodh is a tógadh é, ach timpeall na bliana 1713 d'aistrigh sé go Baile Átha Cliath mar a raibh sé rannpháirteach sa chiorcal liteartha a stiúraigh Seán Ó Neachtain ansin. Bhí sé ar ais sa Chlár sna fichidí, ach chuaigh thar lear ina dhiaidh sin gur thug tréimhse mar shaighdiúir i reisimint an Chláir. D'fhill abhaile arís is chaith an chuid deiridh dá shaol mar mhúinteoir ina cheantar dúchais. Bhí an ilghnéitheacht chéanna ag baint lena shaothar liteartha: scríobhaí proifisiúnta a bhfuil naoi gcinn dá chuid lámhscríbhinní fós ar marthain, grafnóireacht ghreanta a rinne sé do phátrúin difriúla idir chléir is tuath; file tréitheach cumasach a shaothraigh idir véarsaíocht shiollach is véarsaíocht aiceanta agus a bhfuil breis agus leathchéad dán leis tagtha anuas; scoláire iltaobhach a d'fhoilsigh leabhar ar stair na hÉireann i mBaile Átha Cliath sa bhliain 1717, gramadach Gaeilge i Lobháin sa bhliain 1728, agus foclóir Béarla-Gaeilge, a raibh sé mar chomheagarthóir air, i bPáras sa bhliain 1732.[24] Ach dá shaothar uile, is cinnte gurbh é ba thábhachtaí ag an am, agus is mó a tharraing aird air lena linn féin, an leabhar staireagrafaíochta a d'fhoilsigh sé i mBaile Átha Cliath sa bhliain 1717 – *A Brief discourse of the antiquity of Ireland*; nó mar a thug sé féin air:

> Is mithid a mhaíomh ar rífhuil Bhreoghain am
> gur mise do scríobh a bhfíorstair nua gan cham ....[25]

B'é an saothar sin an chéad leabhar a foilsíodh in Éirinn san ochtú haois déag a raibh sé d'aidhm aige stair na hÉireann, ó thaobh na ndúchasach de, a chur ar fáil. Bhí tráchtais mar é scríofa cheana ag Céitinn, John Lynch, is Ruairí Ó Flaithearta, mar shampla, ar an ábhar céanna, leis an dearcadh céanna; ach is é an saothar Laidine amháin – leabhair an Linsigh is Uí Fhlaithearta – a foilsíodh agus is thar lear a rinneadh sin. I mBaile Átha Cliath, faoi shróin an Stáit, agus i dteanga an Stáit, a d'fhoilsigh Mac Cruitín a shaothar réabhlóideach.

Ní hé go raibh aon teachtaireacht réabhlóideach aige, go dromchlach ar aon nós. Athinsint ar *Foras Feasa* an Chéitinnigh is mó a bhí i leabhar Mhic Cruitín, agus athdhearbhú ar a bhréagaí mhí-iontaofa a bhí na scríbhneoirí Gallda a scríobh ar Éirinn:

> They cannot read the old parchment-books of antiquity, nay, if they were read before them they can't understand them ... (MacCurtin 1717:xiv).

> But, alas, their glorious fame ... is eclips'd by some modern writers, branding the ancient Milesians with all the infamy that malice and prejudice cou'd invent ... heaping together a numberless train of lies and fictions to amuse the world therewith, in order to pass the same for a history of Irland ... (*ibid.* 144).

Tharraing Mac Cruitín go rábach ní hamháin as saothar an Chéitinnigh, ach as saothar staraithe eile an tseachtú haois déag – John Lynch, Ruairí Ó Flaithearta, Peter Walsh – ag athdheimhniú a n-insintsean ar stair ghlórmhar na nGael, roimh theacht na nGall:

> But because foreign authors have impos'd upon the world some scandalous aspersions of the poverty, incivility, illiterature, barbarity, etc. of the antient Irish before the coming of the English; I shall here prove out of both domestic and foreign authors, that the antient Irish before the coming of the English were no way inferior to any people or nation in the known world for religion, literature, civility, riches, hospitality, liberality, warlike spirit, etc. (*ibid.* 286-7).

Le teacht na nGall a chríochnaigh leabhar Mhic Cruitín, mar a chríochnaigh *Foras Feasa ar Éirinn*. Níor chuir Aodh Buí leis an ábhar fréamhaithe ach thug sé suas chun dáta é sa mhéid gur dhírigh seisean, agus na scríbhneoirí falsa Gallda á gcáineadh aige, gur dhírigh sé ar Sir Richard Cox agus ar an leabhar a d'fhoilsigh seisean sa bhliain 1697, *Hibernica Anglicana.* Ó Dhroichead na Bandan i gcontae Chorcaí do Cox, sampla eile den aicme cheannasach ar tháinig a muintir anall i lár an tseachtú haois déag. Oifigeach airm ab ea athair Cox ach is le dlí a chuaigh an mac agus bhí ina bhreitheamh ó 1690 amach, agus ina phríomhghiúistís in Éirinn idir 1711 agus 1714.[26] Ní raibh d'aidhm ag Cox lena leabhar ach a thaispeáint gur mhór an tairbhe d'Éirinn é an concas agus nach raibh sna Gaeil go dtí sin ach barbair:

> That it is a subordinate Kingdom to the Crown of England; for it is from that Royal fountain that the streams of Justice, Peace, Civility, Riches and all other improvements have been derived to it; so that the Irish are (as Campion says) beholding to God for being conquered ... . But what I aim at is to show that the Irish did continue in their barbarity, poverty and ignorance until the English conquest ... (Cox 1689:ii, xlii).

Is go tomhaiste srianta a d'fhreagair Mac Cruitín leabhar Cox, agus an fhírinne stairiúil á cur go háititheach aige in áit an éithigh mhailísigh:

> Sir Richard says, in his introductory discourse, that it were in vain to guess, who were the Aborogines or first inhabitants of Ireland .... If he wou'd be pleas'd to read the authentick antiquity books of the Kingdom he might find ... (McCurtin 1717:xi).

> Sir Richard says, that the riches of the Irish nation before the conquest, certainly were very inconsiderable. But I shall here prove briefly by some particulars, the great wealth and sanctity, yea the Godly ambition of some Irish princes ... (*ibid.* 295).

Dar le Gilbert, is scríbhneoirí eile, gurbh é Cox faoi deara príosúnacht bhliana a chur ar Mhac Cruitín as foilsiú an leabhair, ach is deacair teacht ar fhírinne an scéil sin.[27] Is léir ó shaothar Mhic Cruitín féin gur thug sé tamall i bpríosún, ach ní thugann sé aon eolas beacht ina thaobh. I nóta ina ghraiméar Gaeilge, luann sé 'síothbhuaidhreadh na cuideachta cullóidíghe atá timchioll orm annsa gcarcairse' (McCurtin 1728:64), agus in dhá rann dá chuid tugann sé le tuiscint go soiléir go raibh tamall caite i gcarcair aige:

> Is tú tríd chomhachta d'fhóir ón gcarcair mé, a Dhé ....

> Le croí meanman chanaimse fáilte
> don rímhac rathmhar shealbhaigh Máire,
> is muna mbeith aistear d'ár gcabhair an tráth so
> do bhiamaois ceangailte i nglasaibh ár námhad.[28]

Is deacair a chreidiúint gurbh ábhar cúisithe é leabhar Mhic Cruitín, a réasúnta is a shrianta atá a argóint; ach dá thomhaiste an leabhar, fós is ráiteas fíorthábhachtach polaitiúil é.

Ní sa téacs féin a luíonn an tábhacht pholaitiúil sin ach i liosta na síntiúsóirí a chabhraigh leis an údar an leabhar a fhoilsiú. Liosta ríshuimiúil é na síntiúsóirí sin – dhá chéad is a tríocha hocht acu – a bhí toilteanach airgead a chur ar fáil is a n-ainm a fhoilsiú a thacú le saothar Mhic Cruitín. Tá againn sa liosta sin, is cinnte, an chuid ba mhaitheasaí is ba mharthanaí d'iarsma na huaisle dúchais, liosta a chuimsigh Dónallaigh, Brianaigh, Cárthaigh is Súilleabhánaigh; Buitléaraigh, Nuinseanaigh, Búrcaigh is Gearaltaigh; Ceallaigh is Raghallaigh. Bhí roinnt sagart ina measc, bíodh nach mar shagairt a ainmnítear sa liosta iad; bhí roinnt bheag *Sir* ann – Sir Donat O Brien, Sir Theobald Butler, Sir James Mac Donaill, Sir Thomas Southwell; bhí daoine a raibh amhras an tSeacaibíteachais orthu is a raibh príosúnú déanta orthu dá bharr; daoine a chothaigh nó a shaothraigh litríocht chomhaimseartha na Gaeilge: Aodh Ó Dónaill, Seán Ó Tinn, Raghnall Mac Cárthaigh Mór; Dónall Ó Súilleabháin Mór, Toirealach Ó Lochlainn, Cormac Spáinneach Mac Cárthaigh, Dónall Ó Ceallacháin, Ruairí Ó Flaithearta, Séamas Mag Uidhir, Dáithí Ó Coimín, Mr Walter Huonin – athair Sheoin Uí Uaithnín; bhí teidil mhíleata ar líon nach beag de na síntiúsóirí, ach ní in arm seasta Sheoirse a gnóthaíodh ná a feidhmíodh na teidil sin, ach in arm Shéamais ag an Bhóinn, Eachroim is Luimneach;[29] in ord aibítre a leag Mac Cruitín amach an liosta is chuir ceann láithreach gach fine ar bharr na litreach cuí acu: Antrim, William Lord O Brien, Clanrickard, Ran. Mac Carthy-More, Colonel Manus O Donnell, Hugh O Donoghue-More, Dan. O Sullevan-More; d'aonghnó, ní foláir, a d'fhág sé an uaschamóg bharbartha ar lár sna sloinnte. Is 'To

the Right Honourable William O Brien Earl of Inchiquin; One of His
Majesty's most Honourable Privy-Council, and Governor of the Royal
Fort of Kinsale' a thiomnaigh Mac Cruitín a leabhar, gníomh ciallmhar
pragmatach. Ba Phrotastúnach is ba bhall den ríchomhairle é an t-iarla,
sinsear an bhrainse sin den teaghlach a thug dílseacht do rítheaghlach
Hanover ab ea é. Is deacair an liosta sin Mhic Cruitín a iniúchadh gan
a thuiscint go bhfuil ráiteas dúshlánach polaitiúil i gceist, dá íogaire é.
Níl aon chath á fhógairt ná aon díoltas á thuar, ach ráiteas ba chreimí is
ba réabhlóidí i bhfad a bhí á chur in iúl: táimidne, clanna Mhíle, fós
anseo – agus beam!

I ndán amháin dá chuid, dán molta ar Shéarlas Ó Briain,[30] tagraíonn
Mac Cruitín do 'eagla peannaide an dlí' a choisc air labhairt amach
agus is cinnte gurbh eagla fhírinneach í sin, go háirithe i mBaile Átha
Cliath: an té a bhí ag dul i mbun foilsithe ba den riachtannas é a bheith
caolchúiseach íogair. Níor ghá a bheith chomh rúndiamhrach sin i
gcónaí i nGaeilge. I lámhscríbhinn a scríobh sé i mBaile Átha Cliath sa
bhliain 1714, tugann Aodh Buí Mac Cruitín, faoin teideal
'Sciathlúireach an Choxaigh', aoir nimhneach ar Cox. Is móide éifeacht
na haoire gur i bhfoirm beannachta is molta a chuirtear i láthair í agus,
bíodh gur mar dhán dí-ainm a thugann Mac Cruitín é, níl sé as an cheist
gurbh é féin a chum:

A Risteard mhuirnigh na gcreach,
go maire tú fá oineach;
  nár thé tú go hifreann na gceall
  's go raibh tú beo againn tamall.

Nár fhaice tú choíche an ghrís íochtrach
's go raibh flaitheas do choinne ró-chíocrach ...

Nár leagthar thú i dtigh an óil
le bata cearnach as crúib tascóir;
  nár thuite crann gabhacáin ort,
  nár bhrise an námhaid do charbad.

Ná raibh tú do shuí ar an lár bháin
is neascóid chaoch ar do leathmhás; ...

Ná raibh tú do dheoraí bhocht
ar feadh Fódla id fhuíoll mallacht,
  gan bhia, gan éadach, gan mhaoin,
  ag iarraidh déarca go díomhaoin ... .[31]

Is cinnte gurb í binibe na haoire sin, agus ní sriantacht A brief discourse,
a nochtann dearcadh Mhic Cruitín, agus an aosa léinn trí chéile, ar Cox
agus ar an aicme dar di é; sa tslí chéanna is ina chuid filíochta, agus ní
ina leabhar cáiliúil, a chuir Aodh Buí ar fáil go neamhbhalbh, dá
mhuintir féin, 'a bhfiorstair nua gan cham':

Tíocht na nGall tar cheann in éigean
le Diarmaid don iath so mur aon fris,
tíocht Chailbhín ler haistríodh na léaxa

do bhuain sealbh na bhflaitheas de chéadta ....
tíocht Uilliam i ndiaidh gach péine
do fuair ár bhfearaibh 's ár bhfearannta daora,
do fuair ár mbailte 's ár leathantoir aolta,
do fuair ár n-eachra 's ár n-airm gan aonta ...
nár léadh i starthaibh 's nár canadh i ndréachta
go raibh talamh fa thaitneamh na gréine
insan gcás ina dtarla Éire ... .

Ní chuala mé 's ní léir dom chuimhne
go dtáinig d'easbha ná d'argain tíre,
d'ármhach slua ná d'uabhar buíne,
de dhroim fala ná peaca na sinsear,
iodha is ár gan tlás gan fuíollach ....

Cé agaibhse fear nach feas an ní seo ráim
Mac Murchadha mear tug bean tar chríoch i ndáil,
cé ionadh an bheart tig as, mo mhíle crá,
foireann tar lear gur ghaibh an tír 's a dáimh ....[32]

Fiú sna dánta is foirmeálta traidisiúnta dá chuid, véarsaíocht phoiblí d'uaisle an Chláir, nó ina shaothar grafnóireachta trí chéile, ní dhéanann Mac Cruitín aon cheilt ar a dhearcadh féin i dtaobh na staire ná i dtaobh na polaitíochta comhaimseartha. Réaladh léargaiseach é a shaothar ar an dearcadh sin – dearcadh glinn Seacaibítigh.

Sa chóip a rinne sé de 'Duanaire Mhig Uidhir' don chaptaen Séamas Mag Uidhir, meabhraíonn Mac Cruitín dó gur 'ag cosnamh cirt na corónach mar budh dú don chine chaithréimeach ó ar fhás' a bhí Cú Chonnacht Mag Uidhir nuair a fuair bás in Eachroim; is trí 'their loyalty to the King, and support of their religion and country' a chaill Buitléaraigh Dhún Búinne a dtailte, a mhínigh sé, i nginealach na mBuitléarach; i dtuireamh ar Dhónall Ó Briain, ceathrú tiarna an Chláir, molann sé 'a dhásacht chum ármhaigh do dhéanamh ... dá Phrionsa', agus i dtuireamh eile ar a mhacsan, an cúigiú tiarna, fógraíonn sé gur 'le Séamas ag caomhnadh na críche' a bhí Séarlas Ó Briain ag troid in Éirinn; i ndán molta ar an gCaptaen Tadhg Mac Con Mara, molann a ghníomhartha gaisce 'ag an mBóinn' – dá mbeadh gach éinne dílis, mar é *ní bheadh Cailbhín ná a chogal/aniogh in áit phobail Dé*; is olc leis i ndán eile go bhfuil Burton, Fuig aitheantúil is feisire parlaiminte, á chur 'i dtuamba thighearna an Chláir'; i ndán molta do Thoirealach Mac Lochlainn, ar chaill a mhuintir seilbh a dtailte d'éis bhriseadh na Bóinne, meabhraíonn sé dó nach fada a mhairfidh an daoirse:

A fhir cheansa chaoin chróíghlan den fhéin is mó,
do gheall na naoimh daoire na nGael do chló ....

Cáin Ealga 's a bailte poirt dob aoibhne snua,
i láimh eachtrannach is ár bhflaithibhne fo dhaoirse is trua,
a bhláth dhealbhghlain de chrannaibh suilt na saoithe adtuaidh,
is gearr mhaireas cioth sin atharrach na síne cruaidh ....

Sa chóip a rinne sé den dán ba mhó trácht de dhánta polaitiúla an tseachtú haois déag, *Innisim fís is ní fís bhréige í* ('An Síogaí Rómhánach'), is i gceannlitreacha móra a scríobhann amach an líne dhóchasach: *Na Gaill d'ionnarbadh 's Banba a shaoradh.*[33]

Tá an dóchas is an mheanma chéanna sna dánta polaitiúla is oscailte dár scríobh sé féin, dóchas atá ceangailte le filleadh na mBrianach is na Stíobhartach araon; chomh ceangailte sin nach furasta a dhéanamh amach i gcónaí cé acu Séarlas Ó Briain nó Séamas/Séarlas Stíobhart atá i gceist:

> Bláth bréagach an tsaoghail do bhí go beacht,
> barr scéimhe bhí inné aige, inniu críon a dhath;
> dáil tSéamais in éineacht is Laois nár leasc -
> dhá réaxa ná géillfidh dá mbíobha teacht ... .

> A Bhanba, ná meastar leat ár laochra Fáil,
> cidh easpa dhuit a gcailleamhain gur éag an táin;
> mairid cuid den aicme sin ar dtéacht tar sáil
> do chaithfeas fuil do shneachtachoirp in éiric d'fháil ... .

> Tá éinghin fhearga lasfas mar spré san ngual,
> Séarlas[34] a ainm ó theastaigh an Féinics uaibh,
> is baoghal go gcasfaidh go Caiseal 'na léadar slua,
> 's in éiric a athar ná glacfaidh gan géilleadh is bua ....

> A Shéarlais,[35] go dtigir féin agus t'fhoireann
> gléasta gan teipe chughainne tar sáil,
> is gach n-aon bocht ded chúraibh ar an dtaobh so den tSionainn
> éighfid le misneach is cúnfaidh leat tráth ....[36]

Ó na dánta is túisce a chum Aodh Buí i dtús na haoise go dtí na dánta deireanacha dá chuid, is téama marthanach ina shaothar é dóchas sin an fhillte is an tslánaithe. Is léir gurbh í sin tuairimíocht choiteann an chomhluadair a thaithigh sé, idir aos léinn is phátrúin. Tuairimíocht mar í a nocht Seán Ó Neachtain, comhghleacaí dá chuid i mBaile Átha Cliath; tuairimíocht mar í, ní foláir, a bhí ag na síntiúsóirí sin do *A brief discourse* a ndearnadh príosúnú i gCaisleán Átha Cliath orthu sna blianta 1708 is 1715 toisc amhras an tSeacaibíteachais a bheith orthu.[37] Níl aon tagairt ag Aodh Buí, ina chuid filíochta, don phríosúnú sin ná d'aon ghné eile de shaol poiblí Bhaile Átha Cliath le linn dó féin cónaí sa chathair. Blianta corraitheacha aimhréiteacha ab ea a thréimhse sa chathair; daoine á ndíotáil is á ndaoradh go rialta as gníomhaíocht cheannairceach iltaobhach; na húdaráis ag fógairt is ag achtú de shíor ina coinne:

> Dublin, July 6. On Friday last by a Commission of Oyer and Terminer, there were arraigned at Kilmainham, 28 persons for High-Treason, for Listing and being Inlisted in the Service of the Pretender; and on Saturday Francis Callaghan, John Mulally, Timothy Sculley, Walter Eustace, Thomas Dillon, Tyrence Byrn, John Butler, and Dennis Dovay were all tryed and found guilty (*Dublin Gazette*: 3-6 July 1714).

Whereas we have received informatin that on Sunday night being the Twenty Ninth Day of June last some infamous, wicked and disaffected persons did break into the Tholsel of the City of Dublin and did there maliciously deface and cut in pieces the picture of His Majesty ... (NAI: 1A/44/68).

Whereas John Gunning of Trinity College, near Dublin, Master of Arts, and William Sommers, ensign in Major General Wade's Regiment ... were ordered to be carried and committed to Goal, for publishing a seditious libel and uttering several treasonable and seditious words, in derogation of His Majesty's title and in favour of the Title of the Pretender ... And whereas Thomas Rogers, who pretends to be a Popish Priest, and lately dwelling at the house called, The Anne Coffee-House ... stands also charged with uttering divers treasonable and seditious words ... (NAI: 1A/44/50).

Resolved that this house do, on Wednesday next, resolve itself into a committee of the whole House to take into consideratin Heads of a Bill for the further security of His Majesty's person and Government and for extinguishing the hopes of the Pretended Prince of Wales and his open and secret abettors ... (JHC iii:38).

Ní fhéadfadh gur gan fhios do Mhac Cruitín a tharla an ghníomhaíocht cheannairceach sin, agus ní móide nár chuaigh sí i bhfeidhm air; agus mura bhfuil aon tagairt chinnte aige di ina shaothar, ní foláir nó is í an ghníomhaíocht sin féin – agus frithghníomh barbartha an Stáit – a chothaigh a naimhdeas binibeach don Stát sin agus a dheimhnigh é ina Sheacaibíteachas:

Músclaidh go tapaidh is sciúraidh bhur n-airm,
    lúbaidh bhur lanna in éadan bhur námhad;
go súgach mear tapa, lúfar gan mheatacht,
    siúd is nach mairfeadh aon díbh acht lá ....

Is namhaideach 's is tradach 's is deamhnaithe an aicme
    na ramharbhodach lag ar Ghaelaibh le fán,
is níl amhras go gcasfaidh an Prionsa do chartfas
    complact an mhagaidh as Éirinn le hár;
faoi Shamhain beidh againn campa san bhfearann,
    is planda faoi bhrataibh 'na ngéillfidh Inis Fáil,
is annsúd is ea leagfar ceannphort a maireann,
    is ina dhiaidh sin ní faghfar an Béarla acht go tláth ....

Do chonnarc aréir ré ghlan san aird aniar
's gan turadh 'na déidh d'fhéachas go dtáinig triar ...

Tá curadh na n-éacht n-éigneach i bParis triath
do chuirfeas a ndaor-éileamh le hárach rian,
's do shuidhfeas i gcéim saorchairte a dháid gan chiach,
's is urra leis é 'na aonar madh áil le Dia ... .

Cara mo chroíse an bhuíon nach raobann reacht,
is nár thairg bheith claon ag luí le bréig ar acht,
geallaimse dhíbh go bhfillfidh an Séasar ceart
is go mbeidh calg na síon ar dhaoithe an éithigh ar fad.[38]

III

Dublin, March 31. A proclamation was publish'd last Saturday, for recalling all licenses to Papists in this Kingdom to bear arms ... also for seizing the serviceable horse, etc. belonging to them. For putting the laws in execution against any Popish clergy that are not registered, and those that have not taken the oath of Abjuration ... (*Pue's Occurrences*: 31 March 1719).

Dublin, April 14. Last Saturday a Proclamation ... was published giving notice ... that – Sarsfield commonly called Lord Lucan, and several officers have lately landed and are gone into several parts of this Kingdom and have had their meetings with several Popish Gentlemen in order to excite a rebellion in favour of the Pretender ... (*Pue's Occurrences*: 14 April 1719).

Má d'fhoghlaim na Seacaibítigh san Eoraip, is go háirithe comhairleoirí Shéamais, aon ní de bharr theip na bliana 1715 is í tuiscint í nár leor reibiliún inmheánach sa Bhreatain feasta chun Seoirse ná rítheaghlach Hanover a threascairt; ba ghá cabhair mhíleata ó arm seasta éigin san Eoraip. Ba léir dóibh gur mhór mar a thacaigh an easpa cabhrach sin leis an teip thubaisteach dhéanach; b'í ceist í anois, cén chumhacht Eorpach a bheadh toilteanach an chabhair chuí a chur ar fáil? Le síniú chonradh Utrecht sa bhliain 1714, bhí sánas imithe ar shíorchogaíocht na hEorpa is síocháin ceangailte arís idir an Bhreatain is an Fhrainc.[39] De réir choinníollacha an chonartha sin bhí ar Shéamas St Germain a fhágáil gur chuir sé faoi in Bar-le-Duc, i ndiúiceacht na Loráine ar dtús, is ina dhiaidh sin in Avignon. In ainneoin na díbeartha sin, bhí cabhair mhíleata – idir loingeas, armlón is airgead – geallta ag Louis XIV dó, ach d'éag Louis i bhfómhar na bliana 1715 sula raibh an fórsa sluaíochta tiomsaithe ná eagraithe. Leasrí, an *duc d'Orléans*, a rialaigh an Fhrainc ar bhás Louis XIV, toisc nach raibh san oidhre, Louis XV, ach páiste cúig bliana d'aois. Bhí a aidhmeanna féin ag an leasrí, is níor oir sé dósan ná dá pholasaí idirnáisiúnta cabhrú leis an Stíobhartach. Is é eagla is mó a bhí air go ndéanfadh Pilib V na Spáinne, mac mic Louis XIV, go ndéanfadh seisean iarracht coróin na Fraince a ghabháil. Níor mhór dó, mar sin, aidhmeanna impiriúla rí na Spáinne a shárú agus mhúin idir thaithí na staire is an pholaitíocht chomhaimseartha gurbh í an tslí ab éifeachtaí chuige sin, cairdeas is cabhair na Breataine a chothú. Sa chomhthéacs áirithe sin ní bheadh sé ciallmhar ná polaiteach ag an leasrí tacú le cúis an Stíobhartaigh, agus ní dhearna.

Thuig lucht léinn na Gaeilge go maith cén feall a bhí déanta ag an leasrí ar an Stíobhartach. Mar a mhínigh Mícheál Óg Ó Longáin, níos déanaí, ní raibh ann ach 'cladhaire ghlac breab ón Sagsanach agus do rin feall ar ár bPrionsa .i. an Pretender' (RIA 23 C 8:155); 'béar folaithe fé lomradh na gcaorach ngeal' a thug Seán Clárach Mac Dónaill air; ba é a 'thostaigh ... ár réacs oirdhearc' thar lear; b'é an té é 'ler obadh ar ár gCaesar teacht'; nuair a d'éag sé sa bhliain 1722, bhí sé naoi mbliana ródhéanach, dar leis an bhfile:

> Is é an donas duit, a éig oirdheirc, nár thraoch i gclais
> é i ndoircheacht naoi Nollaig ó shoin faon i nglas;
> fé shonas dob é a shochraid, níor bhaoghal teacht
> na nGael gcoscrach le torannaibh um Chaesar ceart ... .[40]

Ní raibh sa trú céanna ach 'madra bocht' a loit 'cúis Shéamais', a dúirt Donnchadh Caoch Ó Mathúna; tine shíoraí ifrinn a bhí tuillte aige, idir anam is chorp:

> A mhadra bhoicht ler loiteadh cúis Shéamais,
> 's ler leagadh an chos gan sos ba rún naofa;
> ar leacaibh na losc i loc na dúphéiste,
> anam is corp go docht an Diúic Regent.[41]

Go léirthuisceanach nocht rannaire anaithnid éigin a shamhnas féin leis an gcasadh nua i bpolaitíocht na hEorpa:

> Dar leam féin níor léirchneasta do dhearbhrí Franc
> síol Éibhir do thréigin ar spreachadh ghníomh Gall (RIA 23 F 16:127).

Nocht comhghleacaí dá chuid an tuairim nach mairfeadh síocháin Utrecht 'buan' agus, mar sin, le cúnamh Laoisigh go bhfillfeadh an Prionsa a díbríodh:

> Is fonn liom aithris díbhse, cé deacair linn a lua,
> an Prionsa maith seo díbreadh a ceart a shinsir uainn,
> le cúnamh leabhar Laoisigh is d'fhearta an rí tá thuas,
> chughainn tar ais go bhfillfidh i gceannas críche 's cuain ... .[42]

Agus *entente cordiale* á chothú go cúramach is go féinleasach idir an Fhrainc is an Bhreatain ó 1714 amach, níor oir sé don Fhrainc na blianta ina dhiaidh sin – ná go ceann tamaill fhada dá éis – a ladhar a chur isteach i ngnóthaí na Breataine arís. Mar chomhartha cairdis is dea-intinne, choisc an leasrí ar an Stíobhartach cónaí laistigh de chríocha na Fraince feasta is chaith Séamas imeacht ó Avignon, na hAilp a chur idir é is an Fhrainc, gur lonnaigh sa Róimh mar aoi ag an bpápa. B'aistriú é nach raibh an t-aos léinn abhus dall air. I ndán a scríobh Aodh Buí Mac Cruitín roimh 1714, is cosúil, is 'i bParis' a chónaigh an 'triath' a raibh sé i ndán dó suí 'i gcéim saorchairte a dháid'; i ndán a scríobh Liam Rua Mac Coitir cúpla bliain ina dhiaidh sin, is 'sa Róimh mhín' a bhí sé 'ar deoraíocht'.[43]

Ó bhí tacaíocht Eorpach riachtanach, luigh sé le réasún gur i measc naimhde na Breataine is dóichí a d'aimseodh na Seacaibítigh comhghuaillithe; agus Seoirse ina rí, shealbhaigh an Bhreatain ní hamháin ríora nua ach naimhde nua chomh maith. Sular ghlac Seoirse I le coróin na Breataine in aon chor, bhí cogadh briste amach idir é, mar Thoghdóir ar Hanover, is Séarlas XII na Sualainne. Bhí ollchumhacht na Breataine laistiar de theaghlach Hanover anois ach bhí an tSualainn ina haonar agus ganntanas airgid á chosc uirthi an cogadh a chur chun

cinn. Sin é an t-easnamh a mheas na Seacaibítigh a leigheas. Trí
idirbheartaíocht chasta idirnáisiúnta a stiúraigh Mar, a bhí ina rúnaí
Stáit ag Séamas anois, agus Ormond gheall na Seacaibítigh £100,000 a
chur ar fáil do Shéarlas ar acht go gcuirfeadh an tSualainn armlón is
fórsa sluaíochta ar fáil do Shéamas. Is é an ginearál Arthur Dillon,
ionadaí Shéamais i bPáras, a chuir an margadh i gcrích le Baron Görtz,
ionadaí Shéarlais XII: bhí 8,000 coisí, 3,500 eachra, 30,000 arm is
airtléire le cur ar fáil don fhórsa sluaíochta Sualannach a bhí le teacht i
dtír i Sasana is in Albain. Ach sular fhág an fórsa an tSualainn fiú, bhí
pleananna na Seacaibíteach ar eolas ag rialtas na Breataine agus flít
chogaidh faoin aimiréal Byng curtha ó thuaidh chun na Bailte acu. Ach
lean comhairleoirí Shéamais orthu ag pleanáil is ag plotaireacht. Ba léir
dóibh – agus suaitheadh faoin pholaitíocht idirnáisiúnta arís – go
bhféadfadh gur chun a leasa féin a d'iompódh cúrsaí amach ach an
cárta ceart a imirt. Mar chuid den straitéis dhioplómaitiúil beartaíodh
céile oiriúnach ríogúil a fháil do Shéamas gur socraíodh cleamhnas idir
é agus Clementina Sobeiski, iníon rí na Polainne. Agus nuair a
bhunaigh an Fhrainc, an Bhreatain is an Ollainn an comhaontas
trípháirteach (Tripartite Alliance) sa bhliain 1717, cheangail Séamas
comhaontas mar é leis an tSualainn is Sár na Rúise. Bíodh gur fíor le rá
gur dóichí nach raibh athchur na Stíobhartach mar eilimint lárnach i
bpolasaí idirnáisiúnta aon cheann de chumhachtaí na hEorpa, is fíor
freisin go raibh gach cumhacht acu toilteanach an cárta Seacaibíteach a
imirt nuair a d'oir sin. Níorbh aon eisceacht í an Spáinn. Seachas aon
tír eile, is go holc a tháinig sí as conradh Utrecht, céim síos a ghoill go
mór ar Philib. Ní hamháin gur fágadh Gibraltar ag an Bhreatain ach
chaill an Spáinn an Ísiltír agus a críocha fairsinge san Iodáil: Milan,
Naples, Parma, an tSicil is an tSardáin. B'fhada le Pilib go bhféadfadh
sé stádas na Spáinne a athbhunú san Eoraip is cos a fháil arís sna críocha
Iodálacha a bhí anois i seilbh an Impire Séarlas VI. Ar chúirt na
Spáinne, mar sin, a dhírigh Séamas is a chomhairleoirí ag lorg
tacaíochta agus de réir mar a d'athraigh mósáic chasta na polaitíochta
idirnáisiúnta san Eoraip, chothaigh siad go friochnamhach leanúnach
bá is suim, ní hamháin an rí féin ach a phríomhaire ríchumhachtaigh,
an Cairdinéal Alberoni. Sna blianta 1717-8 d'ionsaigh an Spáinn an
tSicil is d'ionsaigh an Bhreatain an Spáinn; ar bhriseadh amach an
chogaidh eatarthu cuireadh fios go cúirt na Spáinne ar Shéamas agus ar
a phríomhchomhairleoirí, Ormond, Keith is Dillon.[44]

Ionsaí ar an Bhreatain féin, le cabhair na Seacaibíteach, an intlíocht
ab éifeachtaí, dar le Alberoni, chun í a bhascadh. In Cadiz a cuireadh
an loingeas ar feisteadh – cúig long fichead, cúig mhíle fear, armlón do
thríocha míle fear eile – agus is é a beartaíodh go gcuirfí mórfhórsa
sluaíochta faoi Ormond go Sasana agus fofhórsa faoin iarla Keith go
hAlbain. Bhí cuid dá chomairleoirí ag áiteamh ar Shéamas gur go
hÉirinn ba cheart dó triall óir 'the King has six to one there for him ....

they are all on tip-toe awaiting for an opportunity to serve their King'
(HMC Stuart 4:72). Mínigh Dillon do Shéamas 'that a diversion with
Ireland would be of great and good consequence', ach mhínigh chomh
soiléir céanna nárbh fhéidir sin a chur i gcrích gan 'most serious
considerations' is 'without solid grounds' (HMC Stuart 7:87). Is dóichí
gur chuige sin a cuireadh mac le Pádraig Sáirséal ón Fhrainc go hÉirinn
in earrach na bliana 1719, ach ní heol dúinn cén toradh a bhí ar an
chuairt. D'eisigh rialtas Bhaile Átha Cliath forógra ag tairiscint míle
punt i ndíol ar ghabháil an tSáirséalaigh ach d'éirigh leis éalú ar ais
chun na Fraince slán.[45] Ba léir um an dtaca seo, do na húdaráis féin, go
raibh plota eile ar bun agus Séamas ar a shlí arís. Ghearáin Seoirse leis
an Impire go raibh ar chumas an Stíobhartaigh taisteal ar fud na
hEorpa, de mhuir nó de thír, gan bhac; ba ríléir cén toradh a bhí ar a
chuid saorthaistil: 'The arrival of the Pretender in Spain has raised
hopes. The Scottish rebels lift their heads notwithstanding the care I
have always taken to put them down' (Petrie 1959:301). 'The Jacobites
now', a d'fhógair Daniel Defoe, 'thought their deliverance at hand'
(Fritz 1975:33). An tuiscint chéanna a bhí ag filí na Gaeilge:

> Budh fearúil tapaidh tréitheach an mac so ar each ag léimrigh,
> ar gcasadh isteach don réacsa, an treas Séamas le bua ... .

> Léig feasta ded ghéarghol, a phéarla an chúil doinn,
> sin chugat do chéile go faobhrach tar toinn,
> an cúl trupach dréimreach is faobhar air chun *siege*
> is sin é an treas Séamas againn in Éirinn 'na rí ... .[46]

Tagairtí ginearálta go leor iadsan do theacht 'an treas Séamas', bíodh
gur léir gur sa chomhthéacs comhaimseartha is ceart iad a shuíomh. Is
beaichte i bhfad, agus is cinntí, a thuilleadh den fhilíocht
chomhaimseartha, ar léir uirthi nach dóchas coiteann go bhfillfeadh an
Stíobhartach uair éigin atá laistiar di ach dóchas cinnte pairticleártha
gur ag teacht ó áit chinnte i dteannta aicme áirithe a bhí:

> Dob é a labhairt scéala aitis trénar ghlacas gairdeas:
> go raibh Séamas ag téacht tar muir mar aon le foireann Spáinneach ....[47]

An fórsa sluaíochta a bhí á chur le chéile sa Spáinn, bhí sé i gceist go
mbunófaí é, cuid mhaith, ar na reisimintí Éireannacha in arm na
Spáinne; ní 'foireann Spáinneach' amháin a bhí le teacht, más ea, ach
'treabh Gaol ársa' is 'nuimhir den Fhéinn':

> Tá Pilib is Séamas glé is a ngealbhuíon
>   ag téacht le gasraí Spáinneach,
> go stoirmeach faobhrach fraochta frasghníomh,
>   mar aon le treabh Gaol ársa;
> brisfid is réabfaid, déanfaid bealaí,
>   is eirleach ar chlainn Shátain,
> 's an mursaire bréan so taobh linn leagfaíor
>   is plaosc a leathchinn gearrfar ... .

Cuiridh go léir in éifeacht duain,
is seinnidhse dréacht do réir na suadh,
    sin chugaibh an t-aon,
    le nuimhir den Fhéinn,
is stoirmeach tréan do dhéanfas buairt,
's a Éire mo chroí, tá m'intinn ort.

Tá Pilib is Séamas glé is a slua,
's na rithe go léir ag téacht le bua;
    tiocfaid go léir
    i bhfuinneamh 's i bhfaobhar,
is in Inis ghil Éilge réidhfid cuan,
's a Éire mo chroí, tá m'intinn ort ... .[48]

Faoi mar a bhí suim is aird na Seacaibíteach ar an mhór-roinn aistrithe ón Fhrainc go dtí an Spáinn, agus ó Laoiseach go Pilib, bhí, chomh maith, fócas na bhfilí Gaeilge, is léir. Mura raibh 'na ríthe go léir' ag teacht, faoi mar a mhaígh an Tuamach, tuigeadh go coiteann gur aneas ón Spáinn, le toil Philib, a bhíothas chucu. Ní hamháin sin, ach thuig Seán Clárach Mac Dónaill go háirithe cad a mhoill a dteacht go dtí seo – 'mioscais na Suedes is Regent cliste na gcleas' – is thuig chomh maith cérbh iad na comhghuaillithe a bhí anois chun 'bhur Séasar' a chur ar ais:

Tiocfaidh bhur Séamas, cé gur moilleadh a theacht,
le mioscais na Suedes is Regent cliste na gcleas,
don fhoirinn seo téachtmhar tréanmhar tuilte de neart,
ní coimirc dóibh sléibhte réiteach moinge nó scairt.

Pilib is Clement naofa, cuisle na lag,
is Isacus réacs de thréanfhuil Bhurbon na gcath,
tiocfaid le chéile is déanfaid iorghail treas,
's cuirfid go léir bhur Séasar chugaibh tar n-ais ....[49]

Eolas beacht mar é a bhí ag Aindrias Mac Cruitín. In aisling fhíorshuimiúil a chum sé timpeall na bliana 1718/19, míníonn sé don spéirbhean fáth a éadóchais is a bhróin. A bhfuil geallta go minic cheana, táthar á chur ar cairde gach lá toisc an ceangal aontais idir an tImpire agus an Bhreatain; ní léir dó go bhfuil flaith san Eoraip anois a riarfadh a chás:

Ar mbeith sealad domhsa in aicis mhór cois taoide,
ag caitheamh ceas is cóirchnead 's ag déanamh ró-iomad smaointe,
d'fhéachaint cad ba dhóigh liom ar staid ró-leointe ár dtíre,
do bhrí gur mheath gach dóich orm 'nar chuireas dóchas roimhe sin. ...

'An ort', aiscim, 'a óigbhean is labhair fós go caoin liom,
is freagair feasta cóir dom na ceasta is mó tá dom bíogadh;
cuin do scaipfe an ceo so, nó an mair go deo na díleann,
nó an gcasfa ar ais 'na choróin chirt an flaith tá ar fó idir chríochaibh?' ... .

'Is é ábhar cnead is mó agam, do chealg beo mo chroí-se,
síonta an Athar chomhachtaigh dá gcur gach ló ar righne,
trí nimh an cheangail chorda tá idir an Leon 's an tImpre,
ná sílim flaith lem fhóirthint ar feadh na hEorpa timpeall'.

Freagra lándóchais a bhí ag an spéirbhean:

'Ná lean ded chaismirt dheonta, a dhalta dheoil mo chíche,
féach ar rath na Rómha, na Baibilón 's na Síria;
dá mbeadh 'na shaitheach seolta Ailbiorón 's an Scíteach,
go brách ná deachtaigh teora le gealladh rófhada an rí chirt. ...

Casfa ar ais is fóirfidh an flaith tá ar fó go fíochmhar,
is rachaidh seacha Seoirse agus gramaisc mhór dá mhuintir;
craithfidh flaitheas Fódla ré dteacht trí fómhar timpeall
is beidh malairt seans ag Brodrick is gan gairm *lord* ag Ivans.[50]

Is beag a thuig an Cairdinéal Alberoni, ní foláir, go raibh a ainm is a ghníomhaíocht ar eolas ag file ó chontae an Chláir: léiriú glinn cinnte ar an saghas eolais a raibh teacht ag na filí air, agus ar an gcúlra réalaíoch a bhí laistiar dá gcuid saothair. Bhí teacht ag dreamanna eile, freisin, is cosúil, ar an eolas céanna mar dá mhéad an phlotaireacht rúnda a bhí idir lámha ag comhairleoirí Shéamais, ní mór di a bhí ina rún. Trí ghréasán fíoréifeachtach spiadóireachta a bhunú i bpríomhchathracha na hEorpa, is beag de phleananna ná de phlotaireacht na Seacaibíteach nach raibh ar eolas ag airí Sheoirse. Bhí an sistéam chomh héifeachtach sin gur chuir duine dá airí in iúl do Sheoirse, chomh luath le fómhar na bliana 1716, go raibh rí na Sualainne 'treating with the Jacobites in order to join with the Pretender' (Fritz 1975:21), agus go gearr ina dhiaidh sin chuir Seoirse féin in iúl don pharlaimint go raibh eolas cinnte aige 'that an invasion will suddenly be attempted from Spain against my dominions in favour of the Pretender to my crown' *(ibid.* 66). Gabhadh cinnirí na Seacaibíteach sa Bhreatain láithreach, i dteannta ionadaithe na Sualainne, is cuireadh polasaí éigeandála i bhfeidhm ó cheann ceann na tíre. An té a raibh frídín an amhrais air fiú, gabhadh is príosúnaíodh é; feistíodh oll-loingeas cogaidh, tiomsaíodh an t-arm seasta ina iomláine, is cuireadh ardoifigigh le lánchumhacht go hAlbain agus go tuaisceart is iarthar Shasana; liostáladh tríocha complacht breise san arm seasta sa Bhreatain, is ordaíodh don arm in Éirinn is in Albain campáil; cuireadh *habeus corpus* ar ceal, is cuireadh buíonta den arm isteach go ceartlár Londan – ar eagla na heagla. Thuairiscigh ambasadóir na Fraince i Londain nárbh fhios cad a tharlódh 'if the Duke of Ormonde, whose name is ever dear, came at the head of 6,000 men with arms'; d'eisigh rialtas Bhaile Átha Cliath, an bhliain chéanna, forógra ag tairiscint £10,000 i ndíol ar ghabháil Ormond, a measadh a bheith ag déanamh ar Éirinn; chuir Dubois, príomhaire na Fraince, scéala chuig Seoirse go raibh sé ar intinn ag Séamas is ag Ormond in éineacht dul i gceannas ar an bhfórsa sluaíochta a bhí le teacht ón Spáinn go hÉirinn. An scéala céanna a bhí ag filí na Gaeilge:

Ó measaimíd nach calm rinn den bhuairt seo i Spáinn,
acht mealladh slí chum catha claímh do thabhairt i dtráth;
beidh Galla arís dá leagadh síos le lúth ár lámh,
is mac an rí ag Caitlín Ní Uallacháin ... .

Tá gné ghlan ar Phoebus is lonradh tríd,
táid an ré is na réaltainn i gcúrsa chruinn,
táid na spéartha fé scéimh ghlan gan smúit, gan teimheal,
roimh réacs ceart na Féinne is a thrúp tar toinn.

Tá ár gcléire i gcaomhghuth ag súil le Críost,
is ár n-éigse go réimeach 's a gcumha ag dul díobh,
Gaeil bhocht Inis Éilge go súgach síoch,
roimh Shéamas mac Shéamais is an Diúc tar toinn.[51]

Lasmuigh den Pretender féin, b'é 'an Diúc', Séamas Buitléar Iarla
Ormond, príomhbhógaí na n-údarás – agus príomhdhóchas na
Seacaibíteach. Is air d'áirithe a bhí aird anois is an uile chorraí dá chuid
á thabhairt faoi deara, ag namhaid is ag cara araon, is á thuairisciú in
Éirinn:

> Belfast, Jan. 30 1716. I spoke with a master of a small ship who came lately
> from Bordeaux. He tells me that just before he came away, people of credit
> told him that the late Duke of Ormond was returned to Paris after having
> been at sea sometime, endeavouring to land either in the West of England
> or Ireland, and that he was still to make the same attempt so soon as the
> wind would allow, after hearing from the Pretender ... (SP 63:374/459).

> Madrid, Oct. 30. It is confirmed, that the Duke of Ormond is put to sea
> and that there is a design to make a descent at Bristol in England ...
> (*The Dublin Intelligence*: 28 November 1719).

> Hague, Dec. 12. Letters from Madrid are positive that the late Duke of
> Ormond is put to sea again ... (*Pue's Occurrences*: 8-12 December 1719).

> Tis still rumour'd that the Pretender and the late Duke of Ormond
> continue near Vigo ... (*Pue's Occurrences*: 12 May 1719).

Léiríonn na sleachta sin arís an tslí a raibh eolas i dtaobh an
Stíobhartaigh is a lucht leanúna á chur ar fáil agus á scaipeadh in
Éirinn; léiríd freisin cáilíocht agus foinsí an eolais sin. Ach ní i gcáipéisí
oifigiúla ná i nuachtáin na ceannchathrach amháin a bhí an t-ábhar
polaitiúil comhaimseartha á chur ar fáil ná á phlé. Sna blianta sin go
díreach bhí aintín Vailintín Brún – Madame Catherine da Cunha, bean
ambasadóir na Portaingéile – ag scríobh abhaile chuige go rialta agus
scéala na hEorpa á chraoladh aici:

> I cant but think there is something in this report of the Pretender and the
> Duke of Ormonde attempting to come. Some of the sanguine people
> expect them every moment because what wind there is is for them .... The
> politicians now talk of nothing but war with Spain .... The Pretender's
> friends are a little down at the mouth, but they are not out of heart and
> hope by the Duke of Ormond's being in Spain that some turn or other will
> happen to their advantage ... (McLysaght 1942:108-112).

Níorbh aon ionadh é, más ea, eolas mar é a bheith ag Aogán Ó
Rathaille agus is cinnte gurb é dóchas coiteann na mblianta sin a spreag
an aisling neamhchoitianta 'Tionól na bhFear Muimhneach'. Ach ní
'sluaite fear Muimhneach' amháin a bhí sa tionól mórthaibhseach seo

ach uaisle Éireann uile is 'an Diúc' ina dteannta ag filleadh abhaile le bheith páirteach sa ghleo:

> Ag siúl dom ar bhruíonta na Mumhan mórdtimpeall
> do chuamair san ngeimhreadh chuaigh thorainn ... .

> Do bhí Ó Néill ann, Ó Dónaill, Ó Conchúir is a shlóite,
> Mac Cárthaigh, Ó Mórdha, is Mac Criothain;
> do bhí tiarna Tíre Eoghain ann, Ó Brian Ceart na Bóirmhe
> Mac Catháin, Mac Códa agus tuilleadh ... .

> do bhí Brúnach Loch Léin ann is Brúnach na hÉile,
> an Diúc is a ghaolta ó Chill Chainnigh;
> bhí an Búrcach 's an Léiseach, Ó Dubhda is an Céiteach,
> 's an Cúrsach fuair géilleadh i gCúige Uladh ...
>
> (AÓR:20 §§ 1-2, 9-12, 16-20).

Ní insint róshoiléir a thugtar ar an ngleo, ach is soiléir gur ag tagairt do choimhlint chomhaimseartha na hEorpa atá an file, coimhlint nár thug na Francaigh aon chabhair is go raibh 'clamhaire ... le rí Philib' i láthair mar aon le 'smeirle caschrúbach' ó Londain is 'ceann cait' ó Bhristó (Seoirse). Ní rómhaith a chuaigh sé do na hÉireannaigh ar dtús – spiúnadh iad 'le púdar is le piléaraibh' – ach bhí cabhair chucu agus is le tairngreacht dhóchais a thugtar an aisling chun críche:

> Tig an Pápa is an chléir cheart i láthair an eirligh,
> ina láimh dheis bíonn céir agus coinneal;
> tig bláth ar na géagaibh is d'fháiltigh an spéir ghlan
> roimh ghrása Mhic Dé do theacht chugainn;
> tig an Fánaí gan aon locht, cé ráitear leis bréaga
> 'na lánchumas caomhghlan dá ionad;
> báithfidh sé an tréada thug táir agus béim do,
> is ní ráimse aon rud 'na choinnibh (*ibid.* §§ 33-40).

Faoi mar a tharla, ní ráinig do Ormond an Spáinn a fhágáil, fiú. Agus an fhlít Spáinneach ag clósáil ar Cape Finisterre, is í ag déanamh ar Corunna, mar a raibh Ormond le dul ar bord, d'éirigh fiastoirm obann a rinne smionagar den fhlít is a scaip a raibh inti, idir fhir, airm is loingeas. Ach bhain an fofhórsa, nach raibh ann ach trí chéad Spáinneach is dhá long faoin iarla Keith, bhain sin, d'ainneoin na doininne, cósta thiar na hAlban amach. A neartú leo d'fhill grúpa beag d'uaisle Alban ón Fhrainc is d'éirigh leosan mionchlanna an iarthair is líon slua de mhíle fear a thiomsú. I nGleann Siadhail ar an 10 Meitheamh 1719 tháinig arm Sheoirse suas leo gur maidhmeadh na Seacaibítigh is gur cuireadh scaipeadh na mionéan orthu. Bhí an t-eirleach chomh hiomlán sin nárbh fhiú leis na húdaráis dul sa tóir ar na Seacaibítigh ná a dtréas a agairt orthu. Murab ionann is 1715, níor príosúnaíodh, níor díotáladh, ná níor crochadh aon Seacaibíteach i ndiaidh iarracht ainnis na bliana 1719. Níor ghá, dar leis na húdaráis; bhíodar scriosta.[52]

Is cinnte gur fhéach an scéal go dona. Teip thubaisteach a bhí ar gach

iarracht mhíleata de chuid na Seacaibíteach go dtí seo, is ní raibh aon
toradh buan fós ar an bhfeachtas dioplómaitiúil. 'I see no appearance
of our being able to do anything for ourselves', a mheabhraigh Séamas
do Ormond, 'without a foreign force' (RA SP:190/25) ach ní raibh aon
tír san Eoraip toilteanach í féin a ailíniú go hiomlán le cúis na
Stíobhartach. An Spáinn féin, a chuidigh go mór le Séamas, fad a bhí
tionchar ag Alberoni ar a polasaí seachtrach, cheangail sí conradh
cairdis leis an Bhreatain is an Fhrainc sa bhliain 1721. An Phápacht
amháin, de mhórchumhachtaí na hEorpa, a sheas go hoscailte is go
diongbhálta leis an Stíobhartach anois – agus a lucht leanúna dílis ar
imeallbhoird na hEorpa. Duine éigin anaithnid acusan, agus a mharana
aige á dhéanamh ar an gcor tragóideach is déanaí, a d'aimsigh idir
fhoirm is fhriotal cuí a chuirfeadh síos don lucht leanúna ar anchás an
té sin a bhí anois 'amuigh':

> Cé sin amuigh?
> tá, Séamas fé shioc,
> gan éadach ná cuid na hoíche;
> mo léanghoirtse sin,
> a chéadsearc gan sibh
> i réimchirt ag scrios do naimhde;
> acht daoradh na Scoit,
> is mar traochadh a dtruip,
> 's gur céasadh an fhoireann dílis,
> d'fhág mé anois gan sult,
> gan chléirigh, gan chloig,
> ná caomhchruit ag seinm laoithe.
>
> A chéile gan bhinib,
> dob éigean dom rith,
> go héasca ó iomad bíobha,
> mar chlaonadar cuid,
> 's do shéanadar me,
> 's im aonar gan foireann bhíos-sa;
> cé Féinics tu i bhfoirm
> ghléghil mar lil,
> 's do bhéasa mar mhil na bhfírbheach,
> níl éifeacht ansin,
> 's an tréad so tá istigh
> níos tréine ná sinne i gcoimheascar.

Ach bíodh gur go héagaointeach atruach a nochtar cás Shéamais, is go
comhbhách léirthuisceanach freisin é, agus is le léaspairt mhisniúil
dhóchais a thugtar an t-amhrán chun críche:

> A thréandair 's a chumainn,
> ná tréigse do mhisneach,
> cé shéanadar cuid ded bhuíon tu;
> beidh an té rinn an chruinne
> taobh leat ad choimirc
> ó bhaol is ó bhroid do naimhde;

beidh faobhar is fuil;
beidh eirleach is tin',
ar craosmhuir ag teacht ad choimhdeacht
ag Clement is ag Pilib,
is Naples gan time,
ad chaomhnadh 's ad choimirc choíche ....

Níl baol ort anois,.
tá aonmhac na cruinne
's ár naomhbhruinneall mhilis taobh leat,
réidhfid gach broid,
is géibheann 'na bhfuil,
is gléasfaid ar muir na mílte;
beid saorchlanna Scoit,
beid Gaeil bhocht ar inneall
go faobhrach, go fuilteach fíochmhar,
go séidfid tar sruith
na bréantoirc le broid
gan éadach, ná cuid na hoíche ....[53]

Is mó ceist a mhúsclaíonn an t-amhrán sin, ceisteanna maidir le fairsinge is méid na bá le cúis an Stíobhartaigh in Éirinn, maidir leis na haicmí sóisialta ar cothaíodh an Seacaibíteachas ina measc, maidir le héifeacht na seintimintí Seacaibíteacha ar aigne is ar iompar an lucht éisteachta. Ós léir gur aithris ar amhrán coiteann de chuid na ndaoine é, is gur i ról an raparaí cháiliúil Éamonn an Chnoic (ND i:49) a léirítear Séamas ann, tá le tuiscint as gur i measc na coitiantachta, go príomha, a scaipeadh is a dúradh an t-amhrán. Ach bíodh go bhfuil cuma an amhráin choitinn air, idir fhoirm is fhriotal, fós tá sofaisticiúlacht áirithe is eilimint liteartha freisin ag baint lena bhéarlagair: *na Scoit, na bréantoirc, Clement is Pilib*, is go háirithe an buafhocal a thagraítear do Shéamas, a *thréandair*.

Bhí an dair ar cheann de na príomhshiombailí a d'úsáid na Seacaibítigh.[54] Faightear í ar na boinn a buaileadh le linn na haoise a thacú le cúis an Stíobhartaigh; faightear í sa chrann ginealach a d'fhoilsigh na Seacaibítigh a léiriú ceart oidhreachtúil Shéamais; craobha darach a chaitheadh an daoscar sa Bhreatain mar chomhartha dílseachta don Stíobhartach ar ócáidí poiblí; meafar coiteann ab ea an dair sa reitric liteartha Sheacaibíteach:

In summer, in winter, in peace, and in war,
'Tis known to ourselves, and to nations afar,
That the oak of our forest can screen us from harm,
Can shield our protectors, and ride out the storm,
    All shall yield to the royal oak tree,
    All shall yield to the royal oak tree ... (Hogg 1819 i:11).

Seasann an dair do ríogúlacht is do dhaingne agus tá de cháilíocht aici go gcuireann sí di fásra úrnua, fiú má theasctar í. Is ar an tréith sin na hathnuachana a dhírigh an file Séamas Mac Coitir agus véarsa dóchasach ardmheanmnach á sholáthar aige:

Séamas feasta dá dtagadh 'na ríréimibh,
céad de ghasaibh a cneasaibh gach saoirphréimhe,
de Ghaelaibh glana (scoir feasta ded mhaoithmhéalaibh),
do réir na daire noch teascthar arís séidfidh.[55]

I ngluais ar an véarsa, míníonn an scríobhaí brí chomhaimseartha an mheafair:

an crann daire iarna theasgadh, dá bhfuighbhe a chionn gan bruthadh fásuid mórán nuadhchrann as. Mar sin do phréamhuibh prionsamhla póruaisle Gaoidheal fásfuid go forleathan dá bhfuighid Séamus, .i. maor cóir na caomhchoille, dá gcomhdhíon (RIA A iv 2:71).

Bhí éifeacht an bhuafhocail mheafaraigh sin, 'maor cóir na caomhchoille' ag brath ar thuiscint do bhunús an tsloinne *Stuart* agus ar an imeartas focal idir é agus an ghairm *Steward*.[56] Ba bhuafhocal coiteann é thall is abhus:

But if we get our Steward again
    We hope we shall do well,
O! such a blessing we will prize,
    and never more rebel;
Then pray God send our Steward again,
    That we may once more see
Ourselves in peace and plenty flow,
    And ever happy be (*The complaint* ...).

Beidh an Maor dá ghairm i gceannas trí ríochta
ag an gCraoibhín aoibhinn álainn óg ....

Sláinte an Mhaoir tá re cian do ghrá Chríost 'na dheorach ....[57]

Maor na coille ag caomhnadh na bhfréamhacha a fhásfaidh go forleathan; an dair ríoga á hathnuachan féin: ba dheacair teacht ar aon mheafar eile a léirigh chomh héifeachtach sin nó a chuimsigh chomh grinn sin dóchas aigeanta síoraí an tSeacaibíteachais, dóchas a bhí á shíorchothú ag eilimintí difriúla, go hinmheánach is go seachtrach, agus a chealaigh an díomua gnách a lean do iarrachtaí míleata na Seacaibíteach. Mar sin, mar chúis dhóchais is athnuachana a féachadh ar an bhliain 1720, an bhliain ar saolaíodh mac do Shéamas III is dá bhean Clementina Sobieski. Charles Francis Edward a baisteadh ar an oidhre óg is an Prince of Wales a gairmeadh de, mar ba ghnách. Chomh fada is a bhain leis na Seacaibítigh trí chéile, b'é an t-oidhre dlisteanach ar na trí ríochta é; bhí buanú déanta ar an ríora Stíobhartach agus bhí an líne dhíreach oidhreachtúil fós ag síneadh, gan bhriseadh, go dtí an chéad ghlúin eile; bhí craobh eile curtha di ag an dair. Níorbh ábhar dóchais go dtí é. B'é an scéal sin, a dúirt Ormond, 'what I have impatiently longed for ... the most agreeable news I could receive'; scríobh Séarlas Ó Briain, Tiarna an Chláir, chuig Séamas á thraoslú leis, a dhílseacht dó á dearbhú, é ag súil go bhféadfadh sé fós seirbhís mhíleata a thabhairt don Stíobhartach 'so as to distinguish the same zeal my ancestors always shew'd for the Royal Family'.[58]

Níorbh í an bhreith ríoga an t-aon ábhar dóchais a bhí ag Seacaibítigh na Breataine an bhliain áirithe sin. Scannal poiblí, do rialtas na bhFuigeanna agus do Sheoirse, ab ea an teip thrádála a d'éirigh don South Sea Company, comhlacht a raibh socrú déanta acu leis an rialtas na fiacha náisiúnta a ghlacadh chucu féin – ar tháille chuí. Leis an teip sin, teip ar tugadh go pras 'The South Sea Bubble' air, ní hamháin gur chaill na mílte a raibh d'airgead acu, ach bhí bunús maith lena cheapadh go raibh ollsuimeanna airgid déanta go mímhorálta ag baill an rialtais agus ag Seoirse I féin. Scannal an-oiriúnach is an-tráthúil ab ea é do chúis na Stíobhartach:

> Our present governors and all their agents grow ev'ry day more and more both into aversion and contempt, and the body of the people seem much better dispos'd than ever to wellcome any assistance that will come to their deliverance ... (RA SP 51:53).

> The rage against the Government was such for having, as they thought, drawn them into this ruin, that I am almost persuaded ... that could the Pretender then have landed at the Tower he might have rode to St. James's with very few hands held up against him ... (HMC 14: App 9, 504).

> The time is now come, when with very little assistance from your friends abroad, your way to your friends at home is become safe and easy. The present juncture is so favourable, and will probably continue for so many months to be so, that I cannot think it will pass without a proper use being made of it ... (RA SP 53:48).

Bhí plota eile faoi lánseol gan mhoill is comhfhreagras ceannairceach ar siúl arís idir Ormond is Dillon sa Fhrainc agus grúpa d'uaisle i Sasana, ina measc na hiarlaí Layer is North agus easpag Anglacánach Rochester, an Dr Atterbury.[59]

Chuaigh Seacaibítigh na mór-roinne i gcomhairle le Sár na Rúise is leis an tSualainn ag lorg cabhrach; bhí Ormond is Dillon is oifigigh ó na reisimintí Éireannacha le cur go hAlbain is go Sasana agus 'a fit person' le cur go hÉirinn. I Sasana bhí plean cuimsitheach leagtha amach an reibiliún a thionscnamh trí Londain a ghabháil le linn an toghcháin sa bhliain 1722. Bhí ceannaire ceaptha i ngach contae agus an tacaíocht áitiúil comhairithe is tomhaiste:

> The King's friends in a great measure now know what land officers they may depend on, what nobility and gentry may be inclinable to join them, what countries are disposed to the King's interest and where the most useful efforts may be made ... (Cruickshanks 1988:96).

Sa liosta sin bhí breis agus céad ball parlaiminte, idir thiarnaí is fheisirí: Tóraithe a bhí toilteanach gníomhú go hoscailte anois, más fíor an tuairisc. Ach le linn do Sheacaibítigh Shasana a bheith ag pleanáil is ag beartú bhí an t-iarla Mar ag plé os íseal le rialtas Londan agus pardún is aiseag a eastáit á lorg aige. Chuathas amach ar phleananna na Seacaibíteach is sular ardaíodh aon lámh bhí an reibiliún nár tharla múchta ag na húdaráis. Díbríodh Atterbury thar lear, gabhadh is

príosúnaíodh na cinnirí eile, ina measc an tUrramach George Kelly,
ministir Anglacánach ó chontae Ros Comáin, agus an Captaen Dennis
Kelly ó chontae na Gaillimhe; díotáladh is daoradh chun a gcrochta na
hiarlaí North is Layer.[60] Agus é ar an scafall chloígh Charles Layer leis an
ngnás poiblí is thug a thiomna deiridh uaidh dá lucht éisteachta:

> I came here to suffer an ignominious death, not for an ignominious crime,
> but for following the dictates of my conscience, and endeavouring to do
> my duty. As I die for so doing, I doubt not but I shall soon be happy. But
> am certain this nation can never be so, nor even easy until their lawful
> King is placed upon the throne (Cruickshanks 1988:103).

Formhór mór na Seacaibíteach a cuireadh chun báis sa Bhreatain idir
1690 agus 1753, ba de bhunadh na n-uaisle nó na cléire iad, daoine a
raibh tabhairt suas is oideachas orthu, is stádas dá réir i measc an
phobail acu. Ní furasta inniu éifeacht a mairtíreachta a thomhas, ach is
cinnte gur mheasadar féin go gcuirfeadh an riotuál poiblí – crochadh,
dícheannadh is ceathrúnú – a rabhadar páirteach, go gcuirfeadh sin le
buanú is le mistíc a gcúise agus shniogadar a raibh de dhrámatacht san
ócáid bharbartha chun a gcúis a chur chun cinn agus iad ar bhruach an
bháis. Shéanadar go déisteanach na pardúin mheallacha is na poist
ghradamúla a gealladh a bheadh ar fáil dóibh ach iompú; na geallúintí
go gcaithfí, ar éag dóibh, go fial lena muintir is lena n-oidhrí. B'é an
ráiteas sollúnta ón scafall an dúshlán deiridh acu do shistéam lofa
peacúil: 'I wish I had quarters enough to send to every parish of the
Kingdom, to testify that a clergyman of the Church of England was
martyr'd for being loyal to his King', a dúirt William Paul agus é ar tí a
chrochta sa bhliain 1716; sagart Anglacánach eile, dúirt go raibh sé
chun bás a fháil 'for taking up arms to restore my lawful and undoubted
sovereign'; '*dulce et decorum est pro patria mori*' a d'fhógair sagart eile go
comair; lúcháir a bhí ar Sheacaibíteach neamh-leithscéalach eile, tuata,
bás a fháil ar an chuma sin is ba onóir leis 'for having done my duty to
God, my King and Country'.[61]

An tábhacht is mó, is dócha, a bhaineann leis na ráitis sin, go dtugaid
léiriú glinn ar chroílár an tSeacaibíteachais dúinn agus go nochtaid
dúinn go híogair an aicme ba neamhghéilliúla is ba phrionsabálta de na
Seacaibítigh – an dream a bhí dílis, fiú go bás. Níor thug gach
Seacaibíteach dár crochadh ráiteas uaidh; le hurnaí príobháideach a
chaith cuid acu a raibh fágtha d'am ar an saol seo acu, le gníomh poiblí
aithrí ag breith buíochais as díoltas cóir a bheith á agairt orthu ag fearg
Dé a chuaigh cuid eile acu chun a gcrochta; ach an formhór mór acu is
go dúshlánach neamh-leithscéalach a d'fhágadar slán ag an mbith cé
agus gan á fhágáil le huacht acu ach tiomna diongbhálta dílseachta is
creidimh:

> The truth and justice of the cause for which I suffer makes my death a
> duty, a virtue, and an honour. Remember that I lay down my life for
> asserting the right of my only lawful sovereign King James the Third I

fall a sacrifice to tyranny, oppression and usurpation; in short consider
that I suffer in defence of the command of God, and the laws and the
hereditary constitution of the land; and then now, and be assured, that I
am not a traytor but a martyr ... (*A faithful register*:329).

Bíodh go dtagtar sna ráitis shollúnta sin ar na seintimintí céanna is ar
na prionsabail chéanna, níor ráitis réamhdhéanta iad ach, mar a deir
Szechi, 'authentic statements of personal belief' (1988:63) a thugann
léaspairt uathúil ar chreideamh bunaidh na Seacaibíteach. B'é fráma
tagartha coiteann na ráiteas iomadúil sin athdheimhniú dúshlánach ar
a Seacaibíteachas féin agus ar a ndílseacht do chúis na Stíobhartach,
dílseacht, a míníodh go soiléir, a raibh foinse reiligiúnda shacrálta aici:

> I looked upon it as my duty, both as a subject, and an Englishman, to assist
> him in the recovery of his throne ... (Howel xiii:139).

> My religion taught me my loyalty, which I bless God is untainted, and I
> have ever endeavoured ... to support the crown of England in the true and
> lineal course of descent, without interruption ... (*ibid.* 757).

> For I never could find, that either by the laws of God, or the ancient
> constitution of this nation, difference of religion in the Prince made any
> change in the allegiance of the subject ... (*A faithful register*:289).

Agus Seoirse i réim ba théama coiteann ag na mairtírigh é pearsa
shuáilceach an rí chóir a chur i gcomhard leis an tíoránach
eachtrannach, an cocól tútach, údar an oilc. Agus de réir mar a
dhaingnigh Seoirse a ghreim anlathach ansmachtúil dob fhusa cur leis
an liodán de 'tryanny, oppression and usurpation' a d'eascair as feall
peacúil na bliana 1688; b'fhusa fós méar a chur gan iomrall ar an luibh
lcighis:

> Till he is restor'd, the nation can never be happy. You see what miseries
> and calamaties have befallen these Kingdoms by the Revolution; and I
> believe you are now convinc'd by woful experience, that swerving from
> God's laws, and thereby putting your selves out of his protection, is not the
> way to secure you from those evils and misfortunes ... (*ibid.* 323).

Bíodh gur deacair éifeacht na ráiteas sin a mheas inniu, is cinnte gur
chuidigh siad le buanmharthanacht an tSeacaibíteachais, i measc an
aosa liteartha go háirithe, sa Bhreatain. Mar cé gur ó bhéal a léadh na
ráitis bháis den chéad uair – chun dul i bhfeidhm ar an lucht éisteachta
– is mar ábhar scríofa a scaipeadh is a buanaíodh iad ina dhiaidh sin. Ba
eilimint thábhachtach iad, más ea, sa phrapaganda Seacaibíteach sa
tréimhse is mó a raibh gá le gríosadh is ardú meanman, idir c. 1723-
1740. B'in an tréimhse ba lú gníomhaíocht mhíleata, óir níor oir sé
d'aon cheann de mhórchumhachtaí na hEorpa, go háirithe don
Fhrainc, don Spáinn, ná don Rúis, níor oir sé dóibh an cárta
Seacaibíteach a úsáid. B'in an tréimhse freisin ar rialaigh Sir Robert
Walpole, an chéad phríomhaire a bhí ar an Bhreatain, polaiteoir
fíorchumasach a chreid gur le lámh láidir, aindlí, is breabaireacht ab
fhearr a d'fhéadfaí cumhacht a fheidhmiú.[62] Air siúd a leagadh den

chéad uair an maicseam 'All these men have their price', is feadh a ré d'fheidhmigh sé is chruthaigh an maicseam go lánéifeachtach. Na huaisle nár éirigh leis a bhreabadh, fágadh gan fabhar, gan feidhmeannas iad; fágadh na Tóraithe trí chéile gan chumhacht pharlaiminte, gan oifig phoiblí. An Seacaibíteachas amháin a sholáthair sólás, dúshlán, agus súil le malairt bhisigh:

> O Prince from English princes sprung,
> Why does thou stay from us so long ....

> Thy absence, James, thy subjects mourn
> And longing sigh for thy return ....

> Pensive she dwells upon the shore
> With tears his safety to implore;
> So with eager fond desire,
> Britons their lawful King require ... (Grosart 1877:3).

> Dh'fhalbh a' chòir agus thàinig an eucoir;
> Amhairc fhéin air feum an t-sluaigh!
> Gu bheil Tómas[63] ag ràdh ann a fhàistneachd
> Gur h-iad na Gàidheil a bhuidhneas buaidh;
> Bidh fallus fala air gach mala
> A' cur a' chatha aig uisge Chluaidh;
> Nì Sasunn stríochdadh, ge mór an inntleachd,
> Aig iarraidh sìth air an rìgh tha uainn (BSC:518-25).

> Oh free born Britons, since a tyrant reigns,
> Assert your liberty, shake off your chains;
> Let us in justice rival antient Rome,
> Let Nero's vices meet with Nero's doom,
> And then call James our King from exile home (Grosart 1877:8).

Is léir go raibh feidhm fhairsing iltaobhach ag an reitric sin i measc aicmí difriúla ar fud na Breataine, ó uaisle na Breataine Bige, ar sheintimint eolchaireach is ócáid ólacháin acu í, go dtí na haicmí neamhthairiseacha – ropairí, smuglaeirí, is póitséirí – a bhain feidhm as an reitric ar mhaithe lena n-éilimh féin.[64] Na póitséirí a lonnaigh i bhforaoiseacha Berkshire is Hampshire go háirithe, ar thug Walpole bille fíochmhar isteach ina gcoinne sa bhliain 1724, b'í reitric an tSeacaibíteachais ba ghnách leo a chleachtadh riamh:

> I'll tell you of a story,
> If you'll to me draw near,
> Of a beast that's come from Dover
> And some call it a Deer, Fal la ...
> And to some honest Tory,
> His horns I'll give away,
> To blow the tidings to the Man
> That's o'er the raging sea ...
> And you that will come to this feast
> Come let's goe chase the Dear,
> For hunting is a pleasant sport,
> Fit for a Lord or Peer (Broad 1988:69-70).

Seoirse I a bhí i gceist: eisean an fia a bhí le fiach, le feannadh, le ceathrúnú; eisean an té a raibh a bhaill le scaipeadh is le roinnt ar dhreamanna difriúla. Mar fhia a léirítear Seoirse freisin sa dán 'An Bonnaire Fia Bhig Fáin', fia a raob tailte an inseora agus atá anois le ruagairt is le treascairt ag uaisle Éireann:

> Sé do leonaigh mo mhisneach
>   an bonnaire fia bhig fáin,
> do léim thar teorainn de thurradh,
>   ler milleadh go dian an pháirc;
> gléasaim gleochoin cuthaigh
>   is foireann chun fiaigh 'na dheáidh,
> is éimhfeadsa leosan gan tuirse
>   go gcuiream tar riasc é stáir ....

> Ar thrascairt an charrfhia chabliath chreatchlúmhach
> i dtreasaibh na gcathnia le mearthriath fear Mumhan,
> measaim gur glanmhias an ghealchliar gan smúdar,
> le beartaibh na reacht bhfiar ag Gallriar allúrach.[65]

Sampla léiritheach amháin é an dán sin den pharailéalachas is féidir a rianadh idir an reitric Sheacaibíteach sa Bhreatain agus in Éirinn. Ní hionadh sin, is dócha, ós í an ideolaíocht chéanna a chothaigh an reitric sa dá thír, ach is cinnte, freisin, go dtugann sé le tuiscint go raibh teacht ag aos léinn na Gaeilge ar réimse fairsing den reitric sin. Ní hionadh sin freisin, mar bíodh gur saothraíodh an reitric Sheacaibíteach i bhfoirmeacha difriúla (paimfléid, seanmóirí, óráideanna, leabhair, bailéid, etc.) sa Bhreatain, in Éirinn bhí an reitric sin taobh, ar an mhórgóir, le haon mheán amháin – véarsaíocht – agus mar sin cuimsíonn an véarsaíocht sin réimse fairsing iltaobhach ábhair, réimse a d'fhreastail, ní foláir, ar phobal fairsing iltaobhach freisin.

Caibidil 7

'Inlisting for the Pretender'

I

Dublin, June 7th. This morning, the undernam'd persons were apprehended, at the End of the North Wall on the strand .... it seems they have already confess'd they were going to the Pretender, and had arms and other necessaries for that purpose. They say their gang consisted of about forty-two and that the rest are actually gone. The names of the persons in custody are as follows, viz. Patrick Dungan, Dennis Kean, James Doyle, John Hurly, Mathew Doogan, Bryan Cavenagh, James Hand, James Trench, Mathew Browne, Patrick Keenan (*The Dublin Courant:* 8 June 1726).

Dublin, July 5. We hear from the County of Kerry, that a certain Noble Lord (as he is called) celebrated the Tenth of June last with much pomp and ceremony; himself and all his servants being arrayed in white, and wearing white roses and ribbons, made a splendid cavalcade. We are also informed, that his Lordship has passed an order for disarming all persons under his jurisdiction, that do not carry crosses and beads, by way of reprizals, 'tis to be supposed, for several acts of Parliament now in force against those of his religion in this Kingdom (*ibid.* 5 July 1726).

Toisc nár réalaíodh an Seacaibíteachas riamh in Éirinn mar reibiliún armtha, níl aon phlé déanta air go dtí seo i staireagrafaíocht an ochtú haois déag sa tír seo; ní hann dó, dar le staraithe na hÉireann. Fós is filíocht Sheacaibíteach í filíocht pholaitiúil an ochtú haois déag trí chéile, filíocht ar buneilimint ina reitric idir reibiliún is choimheascar, idir eirleach is ainscrios, a bheith á dtuar in Éirinn in ainm an Stíobhartaigh:

Coimheascar gan mhoill beidh in Inis Fáilbhe
ag saoithe ná stríocfaidh go gcuirfid báire,
beidh Laoiseach go buíonmhar is foireann Spáinneach
agus sceimhle acu ar naimhdibh dá scrios le fána ... .

Chum Gaeil atá an réilteann ag teacht le tuairim
go gléineach sna spéarthaibh go lasmhar buacach,
claontruip an éithigh go gcaithfid gluaiseacht,
is le haontoil an Aoinmhic nár chasa a dtuairisc ... .

Cé ceannasach iad 'nár mbailte le cian
is flaithibh fé scamall gan aiteas, gan mian;
do chífirse, geallaim dhuit, sceimhle ar Ghallaibh
dá ndíbirt tar chaladh in ainm an diabhail ... .[1]

Is cinnte nach i bhfolús sóisialta a d'fhás ná a mhair an reitric sin. Cothaítear reitric chun freastal ar lucht éisteachta áirithe is maireann sí

fad atá lucht leanúna aici: ní reitric phoiblí go pobal a ghéilleann di. Fós
is ina reitric a d'fhan sí; is in Éirinn amháin, de na trí ríochta, nár éirigh
na Seacaibítigh amach, nach raibh reibiliún mar thoradh ar an reitric.
Ach bhí cúinsí faoi leith i bhfeidhm in Éirinn nár fhóin do
ghníomhaíocht oscailte mhíleata. In aimsir shíochána is in Éirinn a
bhíodh arm seasta na Breataine ar coinmheadh sa tslí gur líonmhaire,
de ghnáth, an t-arm seasta in Éirinn ná sa Bhreatain féin.[2] Breis agus
céad beairic mhíleata a bhí in Éirinn sa chéad leath den ochtú haois
déag agus na saighdiúirí iontu ag cabhrú leis na sirriaim is na giúistísí
áitiúla an dlí a fheidhmiú. Agus an gréasán sin de bheairicí ar fud
Éireann, agus dálaí na gCaitliceach mar a bhí – gan airm, gan chinnirí
– ní móide go mbeadh sé réadúil a bheith ag súil le reibiliún
inmheánach. Gan chabhair choigríche go háirithe ba dheacair do na
Seacaibítigh aon chath oscailte a thriail in Éirinn; ba thuiscint
choiteann í, i measc na n-údarás agus i measc an ghnáthphobail, is
cosúil, gur ar an chabhair sheachtrach sin a bhí brath iomlán lucht
leanúna an Stíobhartaigh in Éirinn:

> The Papists lived continually in hope of aid from the Catholic powers to
> root out the Protestants, and shake off the yoke of Britain ...
> (Froude 1872 i:350).

> They are apt to imagine that all the states of Europe who are of the
> Communion of the Church of Rome, must be in their interest; and
> therefore that a time may happen when, by their assistance, they may root
> out the Protestants and shake off their subjection to the Crown of Great
> Britain ... (*A representation:* 20).

> Is dá dtagadh i dtráth ón Spáinn *invasion*
> go caladh Fionn Trá nó don bhá sin Bhéarra,
> ba chalma an trúp do rachadh don Mhumhain
> go hachomair umhal dá bhféachaint;
> fir mhearga dhúiche Uí Néill shoir,
> is Chonnacht ansúd ar séideadh,
> ó Innis na mBó go Doire na seol,
> an tan chluinfidís geoin is scéalta ... .[3]

Sa mhéid go raibh straitéis chuimsitheach mhíleata ag na
Seacaibítigh thar lear, b'í páirt na hÉireann sa straitéis sin dibhéirsean a
eagrú a choinneodh an t-arm seasta teanntaithe abhus agus a lagódh
neart armtha an rialtais thall. Chomh fada is a thuig an chuid ba
dhíograisí de ghníomhairí Éireannacha Shéamais an scéal, toradh
céadach a bhí i ndán d'aon iarracht in Éirinn – ach an chabhair
sheachtrach a bheith ar fáil. Dar le 'an old gentleman lately come from
thence ... who knows exactly the present state of the Kingdom', bhí na
hÉireannaigh trí chéile 'all on tip-toe awaiting for an opportunity to
serve their King'; dar le 'Captain Richard Burke' éigin, gurbh fhéidir
Éire a ghabháil ach fórsa sluaíochta a chur go Gaillimh; dar le plean
eile, d'fhéadfaí 40,000 fear a thógáil don Stíobhartach in Éirinn is a
leath acu a chur go hAlbain; is in Ultaibh a d'éireofaí amach, dar le

foinse eile: bheadh 'the gentlemen of interest in the North' páirteach
ann is ghabhfaí Doire, Inis Ceithleann, Carraig Fhearghusa is bailte eile
in ainm an Stíobhartaigh.[4] Is siúrálta gur mhó de dhóchas ná d'eolas
beacht a bhí laistiar de na pleananna iomadúla sin agus is leor le rá ina
dtaobh nár ghlac comhairleoirí míleata Shéamais le haon cheann acu.
Ach léiríd arís an saghas dóchais a bhí á scaipeadh is á chothú in Éirinn.
Agus na ráflaí ag imeacht arís go raibh Séamas 'tar fairrge chughainn',
ghéaraigh ar airdeall na n-údarás agus ar thóraíocht is ar dhíotáil na
Seacaibíteach:

> Enclosed you have an extract of a letter lately received from the County of
> Kerry, by which you will see the disposition of the Papists in those parts,
> and from the best advices we have reason to believe their inclinations the
> same all over the Kingdom, which makes the precautions we are taking
> highly necessary ... (SP 63:374/43).

> About nine last night I received orders by express to march into the lower
> part of the county of Antrim to suppress an insurrection supposed to be
> there .... the only ground of that report was that a constable going with a
> guard to seize one Mack Cooke who was said to have inlisted eight men for
> the Pretender, he shot one of the guard, upon which the rest retired and
> he escaped ... (*ibid*. 451).

> Mr. Brooke, a Justice of Peace in the county of London Derry has lately
> committed a minister to goal for praying for the Pretender, his name is
> Roger Rigby a Lancashire man, and supposed to be one of those that
> made his escape from thence after the affair at Preston ... (*ibid*. 148).

> Order of Council for seizing Edward Lloyd on searching his coffee-house
> at Cork Hill for a book entitled, an abridgement of the life of King James
> II ... (PRONI D10 4/5/3:45).

> Whereas William Lehy and Michael Lehy have given in examination upon
> oath before the Mayor of Waterford ... that Toby Butler, a Lieutenant in
> the Regiment of Mr. Butler, commonly called Lord Gallmoy, did actually
> inlist them the said William and Michael Lehy, to serve the Pretender in
> the said Lord Gallmoy's regiment, and told them that he had inlisted
> fourteen men more for the same purpose ... (CUL Hib. O.713:7).

An ní is suimiúla i dtaobh na tuairisceoireachta sin – agus i dtaobh na
dtuairiscí iomadúla eile atá ar fáil – go léiríonn sí a fhairsinge a bhí a
foinsí, ó thaobh na geografie de: ó Chiarraí go contae Aontroma agus ó
Phort Láirge go Doire. Ní raibh aon bhunús, is léir, le cuid de na
tuairiscí sin; ní raibh iontu ach ráflaí, ach is iad na ráflaí síoraí sin a bhí
ag cothú an dóchais i measc an phobail is an amhrais i measc na n-
údarás. Na ráflaí ard-dóchasacha sin, ní folaír, a chothaigh an reitric
phoiblí freisin. Ach más láidre an reitric ná an gníomh i Seacaibíteachas
na hÉireann, sa chéad leath den ochtú haois déag, níor reitric fholamh
amháin í, mar go raibh laistiar di gníomhaíocht áirithe chinnte
thréasach – liostáil. Idir 1700 agus 1750 leanadh gan stad den earcaíocht
mhídhleathach i measc na gCaitliceach in Éirinn do airm na Spáinne is
na Fraince.[5] Go háirithe sna blianta 1720-2, 1724-30, agus 1739-43

ghearáin an uaisle Phrotastúnach go tréan le rialtas na Breataine i dtaobh na hearcaíochta. Breis agus 50,000 duine, ar an áireamh is lú, a earcaíodh in Éirinn don dá arm sin sa chéad leath den aois, ach ní san earcaíocht féin a bhí an dainséar ach sa saghas earcaíochta a bhí i gceist. De réir na gcuntas oifigiúil, go háirithe de réir na gcuntas iomadúil, a bhí á gcur go rialta go Caisleán Bhaile Átha Cliath is á gcur ar aghaidh ón gCaisleán go Whitehall, earcaíocht Sheacaibíteach a bhí i gceist. Bhí Caitlicigh na hÉireann á n-earcú le troid ar son an Stíobhartaigh i reisimintí Éireannacha na Spáinne is na Fraince, agus iad ag dul thar lear chun filleadh arís lá éigin eile:

> All recruits, raised here for France or Spain, are generally considered as persons, that may, some time or other, pay a visit to this country as enemies. That all, who are listed here, in those services, hope and wish to do so, there is no doubt (O'Callaghan 1870:164).

> Great numbers of lusty, young fellows, all Papists, having gone, since last Michaelmas, into France, on assurances given them, that they should soon return home, with their lawful *King*, James III (*ibid.* 295).

> And the said Grogan told this examinant that he expected that the men that went in the same ship with him to Spain would be soon in this country in a condition to help their friends and that he was assured that the design of besieging Gibralter was to make the King draw his forces there and that then K. James the Third would make a descent into this country ...
> (SP 63:388/174).

Is mó cúis, ní foláir, a bhí riamh ag ógfhir dul in arm eachtrannach – fonn taistil, fonn troda, bochtanas, díomhaointeas, déistean, easpa cumainn, leisce, meisce – ach ní foláir nó go bhféadfadh ardaigeantacht, ideolaíocht, nó dílseacht chúise a bheith i gceist chomh maith. Cuimhnímis nárbh aon chaitheamh aimsire neamhdhíobhálach a bhí sa liostáil seo, ná saorthaisteal chun na hEorpa, ach gníomh tréasach feileonach arbh é beatha an liostálaí a éiric dhlíthiúil agus, go minic, riotuál barbartha poiblí an chrochta a chríoch:[6]

> William Taylor and William Doran two very poor fellows and of mean understanding were condemned for high treason for inlisting themselves with one Fitzimons for the service of the Pretender ... (SP 63:373/6).

> William Carrol, a brewer in Dublin. It was proved by several witnesses that he provided men, inlisted for the Pretender's service, with meat and drink, knowing them to be so, two whereof were sworn by him to be true to the Pretender, by the name of King James III ... (*ibid.* 7).

> Dublin, March 19. On Thursday last, Mr. Carrol formerly a brewer of this city was tryed at the Tholsel for inlisting men for the Pretender, and found guilty of High Treason, and accordingly received sentence to be drawn, hang'd and quartered (*The Dublin Gazette:* 15-19 March 1714).

> Wee take leave to inform your Excellencies that one Morgan Field of the city of Dublin, innkeeper, was on the said comission tryed for high treason for assisting one Francis Callaghan in the inlisting of persons for the service of the Pretender ... (SP 63:373/32).

Dublin June 29. On Saturday last John Riley, Alexander Bourk and Martin Carrol, were executed at Stephen's Green for listing into the Pretender's service ... (*The Dublin Gazette:* 26-29 June 1714).

I humbly take leave to inform your Excellencies that William Headen alias Harding and Patrick Irreen and ten other persons were tryed ... for high treason at the last Wexford Assizes for being inlisted in the service of the Pretender in May 1714 ... (SP 63:373/34).

Bíodh gur deacair aon bheachtú cruinn a dhéanamh air, is cinnte gur crochadh na céadta in Éirinn sa chéad leath den aois as 'inlisting for the Pretender'. Sa bhliain 1722 amháin díotáladh breis agus dhá chéad duine i gcúige Mumhan as bheith ag liostáil in arm an Stíobhartaigh; i mBaile Átha Cliath, in aon lá amháin, i mí Iúil na bliana 1714, crochadh duine is fiche as an choir chéanna.[7] Bíodh nach bhféadfaí a áiteamh gur Sheacaibíteach tiomnaithe é an uile dhuine de na mílte a liostáil in Éirinn, níl aon chúis nach nglacfaí leis gur thuig cuid mhaith acu a raibh á dhéanamh acu, faoi mar a d'áitíodar féin. De réir na fianaise oifigiúla, pé scéal é, áitítear arís is arís nach in arm na Spáinne ná na Fraince a bhíothas ag liostáil ach in arm an Phrionsa, gur ag dul thar lear le filleadh arís in arm Shéamais a bhíothas, agus gur dílseacht don rí ceart a spreag an liostáil:

That at the time the persons were inlisted, they were told they were to goe soldiers to Lorrain to King James the Third ... (SP 63:373/32).

That in the months of May and June 1714, one Francis Colclough, gentleman, brother to Caesar Colclough, esquire, and one Luke Ford, son to Andrew Ford, a captain in the late King James's army, inlisted a great number of persons in that country for the service of the Pretender ... and then told them they were likely to preferr themselves by serving King James the Third who he said would meet them in France .... William Headen then declareing he would not stay to be a slave here since he was to return again in the harvest .... Luke Ford then assured them that they should serve none but King James the Third, and that he was afraid the King would be in his march for England before they could reach him ... (*ibid.* 34).

One Thomas Breen a papist whose son Charles Breen went from hence ... with about fifty men to the Pretender (*ibid.* 156).

This examinant saith that when they were assembled there he heard some of them say they were for K. James and some others of them say they were for the Pretender ... (*ibid.* 376/35).

Bhí dlúthbhaint ag an chléir Chaitliceach leis an ghníomhaíocht thréasach sin, is cosúil, agus is iadsan is mó a bhíodh ag gríosadh na liostála is ag cabhrú léi, dar leis na húdaráis:

Some time since when very great numbers were inlisted in this Kingdom for the service of the Pretender and sent into Spain most of those who engaged were not only influenced to list themselves but were actually listed by Popish priests (SP 63:385/199).

It appears that the officers belonging to the King of Spain are very busy

inlisting men and are encouraged by persons of figure of the Popish
religion in order to invade this Kingdom ... (*ibid.* 388/172).

Tá an chuma air gur mar sin a bhí agus ní hionadh, mar sin, go raibh
sagairt i measc na ndaoine a crochadh. Is cinnte gurbh iad an uaisle is
an chléir in éineacht is mó a bhí ag eagrú is ag cothú na liostála, mar a
léiríonn cuntas fíorshuimiúil ó Chorcaigh:

> This examinant ... was at the house of one John Byrne (who keeps a
> publick house) on the lands of Carrignevagh in the County of Corke on
> the twenty fourth day of June last and then and there saw Charles
> McCarthy of Carrignevagh aforesaid enlist James Fowloo and Dennis
> Darragane and fourteen other men to go to Spain to Major General O
> Callaghane but at the same time heard the said Charles McCarthy say to
> them that altho they were enlisted to go to Spain yet they were designed
> for the service of King James the Third (meaning the Pretender) ... and
> this examinant further saith that Timothy Curtain a Popish Priest who lives
> constantly in the house of the said Charles McCarthy was present during
> the whole transaction above-mentioned and encouraged the said persons
> to enlist saying they should meet with very good treatment in Spain and
> made them swear upon a book which he drew out of his pocket and which
> this examinant believes to be a mass book that they should be true and
> faithfull to the service of King James the Third (meaning as this
> examinant believes the Pretender) and declared at the same time that they
> were not intended for the service of Spain but of the King (as he called
> the said James) and that the said John Byrne was present during the whole
> transaction. This examinant saith that there was a great assembly on the
> said 24th of June to play at Hurly which this examinant believes was
> contrived on purpose to bring persons together in order to be enlisted
> and the rather for that there had not been any Hurlyings suffered by the
> said Charles McCarthy on his lands on any 24th of June since the time of
> his turning or pretending to turn Protestant[8] which was in the year 1720,
> except the said day ... (SP 63:388/41-2).

Más fíor an fhianaise sin, léiríonn sí a dhlúithe a bhí gníomhaíocht na
liostála ceangailte le gnáthshaol cultúrtha an phobail (tábhairne, báire,
lá saoire) agus, chomh maith céanna, an raon leathan sóisialta a bhí i
gceist – idir chléir is tuath, idir íseal is uasal. Raon leathan mar é a
léirítear dúinn i dtuairisc fhíorshuimiúil ó chontae Thiobraid Árann.
Tuairisc í a chuireann síos ar 'Derby Ryan' ó Bhéal Átha Slaitín a raibh
tionól déanta aige, sa bhliain 1722, ar shlua mór de 'gentlemen and
labourers', liostáil á dhéanamh aige orthu, agus coimisiúin á dtabhairt
amach aige dóibh. É féin a mhínigh dá lucht éisteachta tátal is brí a
ghníomhaíochta:

> The said informant being duly sworn on the holy Evangelist and examined
> upon oath, deposeth and saith that Derby Ryan alias Dermott Ryan of
> Ballyslatteene in the County Tipperary gentleman has a commission of a
> colonel of foot under the Pretender, and the said Derby Ryan alias
> Dermott Ryane on Monday and Tuesday being the 14th and 15th day of
> May last past did meet a great number of gentlemen and labourers at the
> house of Edmond Glissane innkeeper on the lands of Glanaha in the

County of Tipperary aforesaid .... the said Derby Ryan alias Dermott Ryane pulled a parcel of parchments out of his pocket and did read one of them to the said congregation, as the said Derby Ryane called it, and told them it was a commission under the hand and seal of their lawfull King which he the said Derby Ryan termed in those words following, viz: 'Gentlemen, this is a commission to me under the hand and seal of James Stuart the Third, King of England, Ireland and Scotland, who is your lawfull Prince and King and the man that is called King George is a raparee Dane that keeps away our King's crown by extortion and violence, and King James has sent me this commission to raise a regiment of foot for his service, which I will read unto you'.

On which the said Derby Ryan ... swore all the persons that were present to be true and faithfull to the said King James the Third and then he produced to them a gun and shewed them the said King James's stamp or seal on it, and told them that gun did belong to King James the Third, and made each of the said gentlemen touch the said seal with their hands and then the said Derby Ryan expressed himself in these words following as soon as he administered their said oath to them viz: 'Gentlemen, this is King James the Third's arms and you all swear that you'll be ready to raise and oppose the Usurper George that enjoys the true Crown of our lawfull King James the Third and that you will be ready in an hour's warning with all your companys compleat and full'. He farther said: 'Gentlemen, here is a letter I received out of Spain four days ago giving me an account that there is eighty thousand men ready to come to relieve us under our King James and the Duke of Ormond's command and that there will be arms and ammunition sent us out of Spain to land in Connaught and the county of Waterford in a very short time' ....[9]

Léiriú glinn é aitheasc Uí Riain ar reitric is ar chreideamh na Seacaibíteach (lawful King/usurper) agus sampla coincréiteach cinnte den saghas dóchais a bhí á chraoladh acu, dóchas a bhí dlúthcheangailte le Ormond is le Séamas. Is é an dóchas soirbhíoch céanna agus an dílseacht cheannairceach chéanna a nochtann smuglálaí darbh ainm Michael Bath, de réir tuairisce a scríobh garda cósta ar bhád smuglála a tháinig i dtír i mBaile an Sceilg i gcontae Chiarraí i Márta na bliana 1727. Ach ar chuaigh an garda ar bord fuair sé lasta de 'rice and bucskin for London', chomh maith le 'arms enough concealed on board'; ar bord freisin bhí Michael Bath, an té ar leis an soitheach, agus 'three or four other gentlemen of the country all papists'. Lean an garda air:

He drank a health to Jemmy severall times and being ask'd what Jemmy he reply'd laughing that twas a son of his in England and again having rebuk'd him for his villanious intention and declar'd if he talk'd any more after that manner that I would take notice of it, he reply'd Damn his Blood if he valu'd a halfpenny who heard him and that he meant King James the Third and accordingly drank his health in the aforesaid terms and then struck at a Gentleman in company when he and I drank King Georges health, which at the present we dare not resent properly for fear of being murther'd by his crew.

> When I drank King George's health, Bath ask'd who he was, he said he was
> no King and drank damnation to him and to the Royal Family .... He
> afterward said he had the Pretender once on board his ship, had landed
> him once and hop'd to land his dear Jemmy (as he term'd him) once
> again among his friends; that his Jemmy had now 20,000 men as clever
> fellows as any in England ready to engage for him at his command and
> said he did not doubt but he should one time or other have a Flagg or be
> an Admirall under his dear Jemmy for what services he had done him ...
> (SP 63:388/210).

Níl aon dul anois againn ar éifeacht an dearg-Sheacaibíteachais sin a nocht Bath a bharraíocht, ná áireamh a dhéanamh ar a mhinicí a tharla eachtraí mar sin is a chualathas an saghas sin reitrice i dtaobh 'my Jemmy'. Ach léiríonn an tuairisc sin dúinn, agus na tuairiscí eile atá scrúdaithe againn, a ilghnéithí iltaobhaí – fiú in Éirinn – a bhí an Seacaibíteachas. Ní móide go n-éireoidh le haon scoláire abhus leabhar a scríobh ar an Seacaibíteachas i measc an ghnáthphobail, mar atá déanta ag Monod (1989) i dtaobh na Breataine, a easnamhaí atá na foinsí príomha, ach dá scáinteacht iad, fós tugaid le tuiscint dúinn nach taobh le reitric na filíochta amháin a bhí an Seacaibíteachas in Éirinn. Tugaid le tuiscint dúinn freisin nach san fhilíocht amháin a bhí teacht ag an bpobal ar shiombalachas an tSeacaibíteachais. Na tagairtí iomadúla don liostáil in ainm an Phrionsa, do ghníomhaíocht thréasach na huaisle agus na cléire, do shláinte an rí chirt a bheith á hól, do na ráflaí leanúnacha i dtaobh na cabhrach a bhí le teacht gan mhoill, cuirid comhthéacs cinnte áitiúil ar fáil inar féidir an fhilíocht pholaitiúil chomhaimseartha a shuíomh. Gan amhras, ní mór a mheabhrú arís nach bhfuil sna tuairiscí oifigiúla seo ach fianaise a bhí á cur ar fáil do na húdaráis ag daoine difriúla ar chúiseanna iomadúla. Agus bíodh gur fianaise í a tugadh faoi mhionn, tharlódh gur fianaise éithigh í freisin a bhí á tabhairt i gcoinne comharsan le teann mioscaise nó mailíse; nó fianaise a raibh breab mhaith le saothrú dá barr.[10] Fós dá mb'fhíor sin féin san uile chás, is deacair gan a cheapadh go raibh bunús réalaíoch éigin lena raibh á thuairisciú. Is dóichí gur fíor sin, cinnte, i dtaobh na dtuairiscí a thug beirt dhearthár de mhuintir Dhálaigh ó chontae Chiarraí uathu. De réir na n-údarás, bhain na Dálaigh seo le 'persons of evil fame and notorious malefactors and out upon their keeping these many years past' (SP 63: 380/146), agus is léir gur ag iarraidh pardún a fháil dóibh féin a bhíodar nuair a chinneadar ar eolas a chur ar fáil do na húdaráis:

> Let him give a particular account of the two hundred men we raised for
> my Lord Kenmare ... how he said now is the time for to give a helping
> hand to this work for the Pretender and Ormonde has more invitations
> now than ever before .... As for Thomas Crosbie ... he told us that we would
> be topping men, and that there was all the likelihood in the world for the
> business to go on now or never, for the Pretender as he called by the name
> of King James the Third has more invitations now than ever before .... Mr.

Thomas FitzGerald, Knight of the G. ...[11] told us that there would be a
massacre of blood in England for that there was a plot designed against
King George and all the Royal Family[12] ... I told about the ten pounds Ned
Connor, you and we received from Ran. McCarthy More in January, and
the number of men Ned Connor, you and I delivered in McCarthy's name
... (SP 63: 380/127).

All the time they were in company they called the Pretender by the name
of King James the Third .... He further saith that John Falvy and Richard
Fitzgibbon had now commissions from the Pretender and are daily listing
men for his service in Kerry wherein they are assisted by Lord Killmare,[13]
O'Sullivane More and McCarthy More ... (*ibid.* 388/176).

Tugann na tuairiscí sin le tuiscint dúinn arís go raibh eolas is ráflaí ar
imeachtaí an Stíobhartaigh, is ar phlotáil a lucht tacaíochta, ag teacht
abhaile de shíor. Más fíor na páipéir stáit sin trí chéile. agus más fíor an
tuairisciú a dhéanaid ar ghníomhaíocht na Seacaibíteach, ba eilimintí
coiteanna sa chomhrá is sa dioscúrsa poiblí iad Séamas, an Spáinn,
Seoirse, an dóchas, agus an díoltas: téamaí gnácha na filíochta
polaitiúla. Agus mar thuiscint choiteann, sna tuairiscí oifigiúla agus san
fhilíocht araon bhí an filleadh, filleadh an Stíobhartaigh is filleadh na
ngéanna fiáine:

> Leig feasta ded ghéarghol, a phéarla an chúil doinn,
> sin chugat do chéile go faobhrach tar toinn,
> an cúl trupach dréimreach is faobhar air chun siege,
> is sin é an treas Séamas againn in Éirinn 'na rí.

> Atáid na Géanna Fiáine go buartha is iad ag gluaiseacht go tláth,
> ag siúl ar na cuanta ag cur tuairisc na mbád;
> má chortar go luath iad is dual dóibh sin snámh,
> is an ghaoth seo anoir dtuaidh libh d'bhur bhfuadach don Spáinn.

> Casfaidh na héanlaith dá ngairmtear géanna,
> in arm go gléasta gan spás puinn,
> i gcabhair le Séarlas an cathbhile is tréine
> dár sheasaimh ó d'éagadar cnámha Fhinn ....[14]

Is é an filleadh buacach céanna is téama don dán is gliondraí dár chum
Aodh Buí Mac Cruitín, dán a chum sé agus é thar lear 'i bhFlóndras i
gcath Thiarna an Chláir agus súil aco re teacht go hÉirinn do bhuain a
bhfearann dúthchais do Ghallaibh':

> Is grinn an tsollamhain chím fén Nollaig seo
>   ag ríshliocht Golaimh an áthais,
> an laochra goradh le gríos an chogaidh,
>   le gcloítear coscar a námhad;
> tan líontar tonna den fhíon ba tofa
>   do fríth ó phortaibh na Spáinne,
> ní smaoinid codladh le gnaoi nach doirbh
>   gach braon gan obadh go dtráfaid.

> An Brianach calma, ár dtiarna ceannasach,
>   dian in eagar an ármhaigh;

's an fialmhac fleagach, ár dtriath Ó Seachnasaigh,
    aniar ó shleasaibh an bhán-Ghoirt,
is gach gliaire catha 'na ndiaidh don aicme seo,
    ó iathaibh Banba tháinig,
's is cian na fearaibh le grian na gaisce
    á fiad gan seasamh le táintibh.

Is dóigh, má ghabhaimse an cóta dearg so,
    leo go rachad tar sáile,
a scóda leathan, a seolta scartha,
    's a sról 'na mbratachaibh arda;
comhair ná ceannach ní gheobhaid ó Ghallaibh,
    go dtógaid sealbh a n-áitreabh,
is Seoirse a thachtadh le corda casta,
    's is ceolmhar screadfas an chláirseach.[15]

Dá liriciúlacht an fhilíocht sin trí chéile, dá fhad ó bhaile na Géanna Fiáine is an rí thar toinn, bhí bunús réalaíoch is fócas cinnte áitiúil léi; is cosúil go bhfuil comhchoibhneas cinnte idir reitric na filíochta agus gníomhaíocht na liostála. Ach is féidir an ceangal idir an fhilíocht agus an ghníomhaíocht thréasach a rianadh níos cinnte agus níos beaichte fós. Formhór na n-uaisle a luaitear sna tuairiscí oifigiúla atá scrúdaithe againn, agus a gcuirtear liostáil nó gníomhaíocht thréasach eile ina leith, is daoine iad a dtagtar orthu chomh maith i bhfilíocht chomhaimseartha na Gaeilge. An 'Charles McCarthy' úd a bhí ag eagrú liostála lasmuigh de chathair Chorcaí, is dóichí gurbh é Cormac Spáinneach ó Charraig na bhFear é, an té a bhí mar phátrún is mar thiarna ar Sheán Ó Murchú na Ráithíneach agus ar cuireadh 'coir bhréige' ina leith faoi dhó; pátrún de chuid Dhiarmada Uí Shúilleabháin ab ea Ó Súilleabháin Mór, agus pearsana lárnacha i bhfilíocht Uí Rathaille is ea Mac Cárthaigh Mór agus Vailintín Brún.[16]

Ní gá, gan amhras, gur fíor an uile bhlúire den fhianaise a tugadh i gcoinne na n-uaisle sin. Ní móide go rabhadar páirteach sa phlota a bhí á bheartú chun Seoirse a mharú, ach is dóichí ar fad gur fíor go raibh baint acu leis an Seacaibíteachas agus go háirithe le gníomhaíocht na liostála. Is cinnte go raibh amhras an tSeacaibíteachais ar Chormac Spáinneach, cuireadh Raghnall Mac Cárthaigh Mór i bpríosún sa bhliain 1708 de bharr an amhrais chéanna (Hickson ii:133-5), agus chomh fada le hIarla Chinn Mara, Vailintín Brún, tá fianaise eile ar fáil a thagann le fianaise na nDálach. Roimh theacht i seilbh a oidhreachta in Éirinn don Bhrúnach, agus ina dhiaidh, bhí comhfhreagras leanúnach ar siúl ag a aintín, Madame da Cunha, bean ambasadóir na Portaingéile i Londain, leis. Cúrsaí cleamhnais is cúrsaí a eastáit á bplé aici leis, cúrsaí polaitíochta na hEorpa, ceannairc na Seacaibíteach i Sasana, comhairle a leasa á cur aici air i gcaint mheafarach rúnda: go raibh 'stoirm' chucu is go mb'fhearr dósan lonnú i Sasana; go raibh sé i mbaol mór in Éirinn, óir bhí fianaise tugtha ina choinne go raibh sé ag liostáil ar son an Pretender; b'eol gur sheas sé do na 'white roses':

In my last to you I gave you my opinion in relation to the storm that seems
to threaten us here, and though perhaps there may chance to be nothing
more in't than a report yet I cant help telling you that from the bottom of
my soul I wish you would come over, because, if in truth the Spaniards and
Pretender should attempt coming, I foresee you'll pass your time but
indifferently there, and the best thing you can hope for is being
imprisoned during the time any bustles lasts ... but if there's to be a storm
it's but a beginning ... (McLysaght 1942:109).

This plot has made a great hurry in this town. The Duke of Norfolk, who
was brought up from Bath prisoner, was examined this morning .... If
'twere prudent to speak on such an affair I would, but I'm apt to believe
he's in no danger though I fear we shall have a stormy sort of a winter ....
You'll see by the papers that Mr. Lear was tried yesterday and was found
guilty and I suppose he'll soon be executed ... (*ibid.* 125).

Pray consider that you are of your persuasion the richest man and just
coming into the world, and therefore the most liable to be the mark that
will first be aimed at. You live in a remote part of the country where it's
most likely to be insulted and where you have more reasons than one to
think that most of your neighbourhood, though they seem to carry fair to
you, would not be sorry to pick a hole in your coat; and had you not so
good a stake perhaps you might fare better. It's very easy for anybody that
has a mind to plague you and to get people to swear what they please.
Remember your being ... for white roses and a certain man that said you
gave him a commission for the Pretender's service ... (*ibid.* 132).

Nochtann an comhfhreagras sin arís an saghas eolais a bhí á chur ar fáil
in Éirinn ag an am agus soilsíonn sé gné áirithe den chomhthéacs
sóisialta inar mhair leithéidí Vailintín Brún. Dósan is don uaisle áitiúil
trí chéile, do Raghnall Mac Cárthaigh Mór, do Ridire an Ghleanna, is do
Dhónall Ó Súilleabháin Mór, ní ideolaíocht ná reitric amháin a bhí sa
Seacaibíteachas ach gné lárnach – gné phriaclach – den saol laethúil. Ní
hionadh, is dócha, gur gné lárnach é freisin de shaothar na bhfilí a
d'fhóin do na huaisle sin.

II

What is more evident than ... that there is no means to ward that blow but
by doing justice to Richard .... That Richard is a person of too much spirit
to submit, but would immediately appear armed with equity & supported
by many good friends and relations to assert his Right ...

(BLO Carte 212:35).

Mo ghreadadh go cruaidh mé duairc ag druidim le haois,
gan lastar, gan cruach, gan chuallacht do thigeas le cíos,
gan seasamh san uaisle in uachtar Inis Loirc Fhloinn,
's go dtaga dár bhfuascailt buachaill Ristird arís ... (RIA 23 G 3:237).

It is most certainly true, that the merchant who owns the goods, 368[17] stands in great need of money ... and would therefore be glad if any of his friends or old customers would advance him what they can spare ...

(MacPherson 1775i:486).

Aisling ghéar do dhearcas féin
  im leabaidh 's mé go lagbhríoch,
ainnir shéimh darbh ainm Éire
  ag teacht im ghaobhar ar marcaíocht;
a súile glas, a cúl tiubh casta,
  a com ba gheal 's a malaí,
dá mhaíomh go rabh ag tíocht 'na gar,
  a díogras, Mac an Cheannaí (AÓR:3 §§ 1-4).

Is é tábhacht Aogáin Uí Rathaille mar fhile, dar liom, gur éirigh leis, seachas filí eile a linne, cruinne fhileata dá chuid féin a chruthú. Is é an Seacaibíteachas ideolaíocht na cruinne sin agus is í an ideolaíocht sin a thugann fráma tagartha dá shaothar uile, a bheireann aontacht neamhghnách dó, agus a tháthaíonn le chéile na réimsí fileata difriúla a shaothraigh sé (reiligiún, ríogachas, uaslathas), agus na módanna difriúla ceapadóireachta (tuireamh, aoir, aisling, tiomna, marbhna, tairngreacht, óid) a chleacht sé. Is í an eitic uaslathach a stiúraíonn a shaothar uile agus is iad luachanna na heitice sin (cliarlathas, reiligiún, uaisle, folaíocht, urraim, etc.) a mhórtar ann ó thús deireadh. B'í an eitic is na luachanna sin freisin a chothaigh an Seacaibíteachas. Is í an tuiscint chéanna, más ea, atá laistiar den mhóradh a dhéantar ar ghinealaigh is ar fholaíocht ina thuirimh oifigiúla, atá laistiar den bhéim a leagtar ar cheart Shéamais sna haislingí, agus atá laistiar den chleithiúnas a shamhlaítear idir é féin is na Cárthaigh; tuiscint atá bunaithe ar an gceart oidhreachtúil. Is de réir an chirt sin – agus de réir an chirt sin amháin – dob fhéidir a áiteamh gurbh é Dónall Ó Ceallacháin 'Ua Ceallacháin ceart' (AÓR:16 § 52), gurbh é Séamas III 'an rí ceart' ar na trí ríochta (*ibid.* 35 § 205), agus gurbh é Ó Rathaille féin file oidhreachtúil na gCárthach – 'na flatha fá raibh mo shean roimh éag do Chríost' (*ibid.* 21 § 28).

Tá ionad príomha ag na Cárthaigh is na Stíobhartaigh i bhfilíocht Uí Rathaille, agus ionad príomha chomh maith ag an treascairt a d'imigh orthu araon:

Monuarsa an Chárthfhuil tráite tréithlag ... (AÓR:2 § 1).

Monuarsa go tréithlag mac Shéarlais ba rí againn,
in uaigh ina aonar 's a shaordhalta ar díbirt ... (*ibid.* 28 §§ 3,4).

Tuitim na bhflatha meara bhfíorlaochta ...
dlithe na bhfear ler leagadh rí Séamas (*ibid.* 35 §§ 237-9).

Ní dhá tharlang thubaisteacha amháin a bhí i gceist, ach tarlaingí apacailipteacha: ag an leibhéal áitiúil, tailte na gCárthach tugtha 'i ngeall le pinginn ag foirinn ó chrích Dhóbher' (AÓR:21 § 80), agus scamall, dá réir, a bheith ar an té 'dár cheartas ríocht Mumhan' (*ibid.* 8

§ 3); ag an leibhéal náisiúnta, Éire a bheith 'fá chosaibh na meirleach' (*ibid.* 2 § 7) ó 'lom an cuireata cluiche ar an rí corónach' (*ibid.* 21 § 12). Sin é foinse na bá is na dílseachta a nochtar do Shéamas ina shaothar, dílseacht a bhí ag dul dó, ní toisc gur Stíobhartach é ach toisc gurbh é an rí *corónach* é – an rí ceart dlisteanach. Peaca ab ea é *gur díbreadh an rí ceart go claonmhar* (*ibid.* 35: § 205) agus is ón bpeaca sin a shíolraigh an uile thubaiste is anachain, ainscrios na tíre is a muintire, díothú is bochtú na cléire, na huaisle, is na héigse. Polladh an t-ordú nádúrtha sóisialta agus is é filleadh an rí chirt, le toil an Ardrí, a thabharfadh an t-athaoibhneas ar ais arís ar thír is ar dhaoine, ar uaisle is ar fhilí:

> Aiseag do Ghaelaibh, déin, a Chríost in am
> 'na mbeatha go léir ó dhaorbhroid daoithe Gall,
> smachtaigh na meirligh, féach ár gcríoch go fann,
> is dalta na hÉireann, faon lag claoite thall ... .

> Beidh Éire go súgach 's a dúnta go haerach,
> is Gaeilge á scrúdadh 'na múraibh ag éigsibh,
> Béarla na mbúr ndubh go cúthail fá néaltaibh,
> is Séamas 'na chúirt ghil ag tabhairt chúnta do Ghaelaibh ....[18]

Is í ideolaíocht an tSeacaibíteachais a thugann an faobhar intleachtúil, an mheanma ardaigeantach, is an sásamh aeistéitiúil don chuid is tréithí de fhilíocht Uí Rathaille; is é bunéileamh na hideolaíochta sin – teideal na Stíobhartach chun na dtrí coróna – a sholáthair cuid de na meafair is cruthaithí agus is éifeachtaí ina shaothar:

> D'inniseas dise san bhfriotal dob fhíor uaimse,
> nár chuibhe di snaidhmeadh le slibire slimbhuartha,
> 's an duine ba ghile ar shliocht chine Scoit trí huaire,
> ag feitheamh ar ise bheith aige mar chaoin-nuachair ... .

> Lasaid sin trí coinnle go solas nach luaim ...
> is fachtaimse dhíobh díograis a n-oifige ar cuaird.

> D'fhreagair an bhríd Aoibhill, nár dhorcha snua,
> fachain na dtrí gcoinnle do lasadh ar gach cuan:
> 'in ainm an rí dhíograis bheas againn go luath
> i gceannas na dtrí ríochta, 's dá gcosnamh go buan ... .

> Ó Bhriostó tig ceann cait ag leigheas ar an gcampa,
> trí hadharca agus feam air, mar chluinim ... .[19]

Ní léiriú réalaíoch ar an saol comhaimseartha atá á dhéanamh ag Ó Rathaille, sa chuid is mó dá shaothar, ach léiriú fileata samhlaíoch ar réimsí áirithe de. An chruinne a chruthaigh sé, cruinne í a áitíonn ríthe, uaisle, símhná, is pearsana aircitípeacha; sléibhte, aibhneacha, is farraigí na hÉireann uile atá mar chúlbhrat topagrafúil aige; ardréim teanga an friotal cuí a léiríonn í. Filíocht í, ar a shon sin, a eascrann as dálaí comhaimseartha a linne féin, agus a léiríonn aigne áirithe – aigne na n-uaisle Caitliceacha Seacaibíteacha – de chuid na linne. Ós iad an meafar, an miotas, agus seánra na haislinge na straitéisí bunúsacha a chleachtann Ó Rathaille, fágann sé gur go meafarach diamhair, ar an mhorgóir, a thagraíonn sé do pholaitíocht a linne. Sna dánta a bpléitear cúrsaí a linne go coincréiteach réalaíoch, is ísle an réim teanga a úsáidtear, is comhráitiúla í, agus nochtar go soiléir neamhchas impleachtaí an tSeacaibíteachais do dhaoine aonair ag an leibhéal áitiúil. San óid chomhairleach do Dhonnchadh Ó hIcí, moltar dó, i bhfriotal simplí neamh-mhaisithe, teitheadh go Londain is gan móid an aibiúráisin a thabhairt:

Tréig do thalamh dúchais,
déin ar choiste Londain,
ag seachaint móide an amhgair,
do chuir do thír fá bhrón.

Cuir do dhóchas coimseach
i gCríost, do thiarna dílis,
ná tabhair ar bheatha an tsaoil seo
an tsíoraíocht tá id chomhair.

Fillfidh Dia do dhíbirt
tar éis gach iompó tíre,
is leagfaidh sé do naimhde
do chuir tu as do chóir (AÓR: 24 §§ 25-36).

Léiriú glinn é an dáinín sin ar an mbunús morálta a bhí le háiteamh na Seacaibíteach, agus ar a thábhachtaí ag an am a bhí an mhóid. Duine a ghlac an mhóid sin ab ea Muiris Ó Gríofa 'rógaire Gaelach Gallda', ach san aoir mhíthrócaireach a chum Ó Rathaille air, ní dhéantar aon cheilt ar an chúis a bhí air, ná ar thuairim an inseora den 'phéist':

Ó dhaorais sliocht Éibhir, ba foirfe clú,
is le caomhchumann cléire go dtugais do chúl;
ó shéanais mac Shéamais le foirm na mionn,
a phéist oilc, ní léan liom in ifreann tú ... .[20]

Coir dhomhaite ab ea é, dar le Seacaibítigh – 'is tréasan don droing oilc' (AÓR: 28 § 5) – mac Shéamais a shéanadh is mura mbeadh againn ach an dán sin dá chuid, ba leor é mar léiriú ar aigne Uí Rathaille féin i leith pholaitíocht na linne. Is annamh a bhíonn sé chomh hoscailte sin, ach nuair is diamhraí féin é is fearr fós a thuigfear a lárnaí ina shaothar atá an Seacaibíteachas agus a cheangailte atá seisean, mar fhile, leis.

Agus heigeamanaí na bhFuigeanna lánchumhachtach, ba nós coiteann – agus riachtanas polaitiúil – ag lucht leanúna an tSíobhartaigh é ainmneacha rúnda a úsáid agus iad ag tagairt dó. An t-ainm is túisce a úsáideadh ina leith – an Chevalier de St. George – lean sé dó, mar ainm ceana ba dhóigh leat, is é á úsáid go forleathan, sa tslí nárbh aon rún é cé bhí i gceist:

Níor cheist ar Dhia go mbeidh ina dhiaidh seo againn Prionsa
do scaipfidh ciach den chreideamh dhiaga fearacht Iúdas,
deirid siad is do bheirim sliabh gurb aiteas liomsa
go mbiaidh an Chevalier le treise triath ag teacht don dúiche
(SÓH: 4 §§ 5-8).

Rome, Nov.4. Last Sunday in the evening the Chevalier de St. George, and
the Princess his spouse, arrived here .... The next day the Pope sent Mr.
Maffey to compliment them ... (*The Dublin Intelligence*: 28 November 1719).

Is i litreacha rúnda na Seacaibíteach is mó a úsáideadh na hainmneacha
bréige seo, go háirithe sna litreacha a bhíodh á gcur de shíor go cúirt
an Stíobhartaigh óna lucht tacaíochta ar fud na hEorpa. Tá na scórtha
ainm dá leithéid ar fáil, ainmneacha muintearais is ceana ar nós 'our
father', 'the rover', 'your brother', 'the cousin'; ainmneacha oifige is
feidhmeannais ar nós 'our present master', 'the director', 'the
landlord', 'the steward'; ainmneacha baistí is sloinnte idir ainmneacha
fear is ban: 'Anastia, Andrew, Arthur, Patrick, Randall; Mr. Anderson,
FitzGerald, Mansfield's son, Mr Morice, Mrs. Patricia, Robertson, Mr.
Trueman'.[21] Sin é an modh tagartha a chleacht gaolta Eoghain Uí
Ruairc, a bhí ina ambasadóir ag Séamas III i gcúirt an Impire Séarlas VI,
agus iad ag scríobh chuige ó Éirinn á iarraidh air gníomhú ar a son 'at
the proper court'.[22] Cúirt Shéamais sa Róimh a bhí i gceist, cúirt a raibh
seasamh gradamúil céimiúil ag Eoghan Ó Ruairc inti agus cluas an rí
aige:

You'll I hope forgive my present application to you in favr of my very
valuable friends .... Requesting earnestly that you will make use of your
good interest at the proper Court ... I begg you'll use your most
Efficocious Meanes with our Master to have this worthy man preferr'd to
the Said Sea of Achonry ... (de Breffny 1978:89-91).

I had the Honr of writeing to yow in September Last after I got peaceable
possession of ye farm of Killala,[23] giveing yw thanks for the great trouble
yow have taken and the Industry yow have used wth the head Landlord in
procureing said farm ... . Mr Blake wd obtaine it, were not for yr good
Interest wth the Landlord ... (*ibid.* 94).

I had the honr of writeing to yw about ye middle of Febry last giveing yw
thanks for ye great service yw have Don my nephew in recommending him
to our Landlord in ye Capital, who got him immediately received in the
manufactory he intended for ... (*ibid.* 98).

I mBéarla ar fad atá an comhfhreagras sin idir Eoghan Ó Ruairc agus
a dhaoine muinteartha agus is léir go raibh scríobh an Bhéarla ar a dtoil
acu uile, idir chléir is tuath, ag baile is amuigh. Laidin agus Fraincis na
teangacha eile a luaitear sna litreacha; trácht dá laghad níl ar Ghaeilge
iontu ná ar litríocht na Gaeilge. Ach ba mhór an dearmad é, agus ba
ríshimpliú ar phatrún coimpléascach soch-chultúrtha é, a cheapadh nár
ghá iadsan a chur san áireamh freisin. Óir i measc na ngaolta a scríobh
chuig Eoghan Ó Ruairc na blianta sin, bhí Aodh Ó Dónaill agus is gá
dul i muinín na Gaeilge chun a shaolsan is a phearsantacht a ríomh ina
n-iomláine. Ba de Dhónallaigh Dhún na nGall é ó dhúchas a mhaígh
gaol díreach leis an gceann fine sa séú haois déag, Mánus Ó Dónaill. Bhí
a athair Conall ina ionadaí ag Séamas II ach coigistíodh a thailte ag
deireadh an tseachtú haois déag is d'aistrigh sé féin is a shliocht go Fear

Manach ar dtús is ansin go contae Liatroma, mar ar éirigh le hAodh eastát a fháil ar léas ó na plandóirí. Fós, bíodh gur talamh ar léas amháin a bhí anois aige, shealbhaigh Aodh, i súile a mhuintire is a thineontaithe, an dílseacht is an urraim shinseartha a bhí dlite riamh do Ó Dónaill; 'an t-iarla' nó 'Ó Dónaill' a thugtaí coitianta air is bhí ionad gradamúil ceannasach i measc na gCaitliceach i dtuaisceart Chonnacht aige sa chéad leath den ochtú haois déag. De réir na tuarascála a scríobh Pococke sa bhliain 1752, ba dhuine measúil léannta uasal é:

> And they say is the head of that family descended from the Earl of Tyrconel and tho' he has only leases yet he is the head of the Roman Catholicks in this country, and has a great interest, is a sensible man, and well vested in the Irish History, both written and traditional (Stokes 1891: 71).

Bhí an ceart ag Pococke, is cosúil: is do Aodh a thiomsaigh Séamas Mag Uidhir 'Duanaire Uí Dhomhnaill', cnuasach údarásach d'fhilíocht na muintire sin; ar an ábhar is déanaí sa duanaire tá dánta molta ar Aodh féin a scríobh na filí comhaimseartha Fearghal Óg Mac an Bhaird agus an tAthair Pádraig Dubh Ó Coirnín.[24]

Is léir go soilsíonn an t-eolas atá againn ar Aodh Ó Dónaill, agus ar dhálaí a bheatha, go soilsíonn sé gnéithe áirithe de shaol soch-chultúrtha an ochtú haois déag nach nochtar ach go hannamh dúinn sna foinsí comhaimseartha. An gréasán sóisialta a raibh Aodh Ó Dónaill páirteach, chuimsigh sé idir chléir is tuath, idir uaisle is fhir léinn, idir Ghael is Ghall, agus shín sé ón gCluainín i gcontae Liatroma go cúirt Impire na hOstaire in Vienna. Bhí gaol aige le príomhshleachta dúchais thuaisceart Chonnacht – muintir Ruairc, muintir Chonchúir, muintir Mhic Dhiarmada Rua – agus gaol pósta aige le sliocht plandóirí ó Fhear Manach; chothaigh sé an léann dúchais, bhí easpag, an Dr Brian Ó Ruairc, mar oide ina theach ag a chlann mhac, agus nuair a chuadarsan thar lear bhí fear gaoil leo, Eoghan Ó Ruairc, ambasadóir Shéamais i gcúirt Vienna, ar fáil chun an bealach a réiteach dóibh. Ní féidir an eilimint sheachtrach sin sa ghréasán sóisialta a dhearmad; b'eilimint riachtanach fhíorthábhachtach í. B'é an gréasán Seacaibíteach, is léir, gréasán a shín ón Spáinn go dtí an Ostair, trí chúirteanna Caitliceacha na hEorpa, bealach an dul chun cinn, an fhabhair, is an fhortúin don uaisle Chaitliceach fós; mar a dúirt duine de na comhfhreagróirí le hEoghan Ó Ruairc, 'noe interest like Court interest'. Ní fhéadfadh go raibh gaolta iomadúla Uí Ruairc dall ar a ghníomhaíochtsan thar lear ná dall ar ghníomhaíocht an té sin a raibh Ó Ruairc ag fónamh dó. Léiríonn an comhfhreagras eatarthu go soiléir nach pearsa liteartha amháin é Séamas III, ach pearsa a raibh feidhm is éifeacht aige ag an leibhéal pearsanta áitiúil, más go meafarach rúnda a cuireadh síos air: *our master, the Landlord,*[25] *our Landlord in ye Capitol, the head Landlord;* léiriú soiléir coincréiteach ar mhodh tagartha coiteann i measc lucht leanúna an Stíobhartaigh. Is léir go mbaineann na hainmneacha rúnda a úsáideann Ó Rathaille i leith Shéamais III – *an Fánaí, Ristín*, is *Mac an Cheannaí* – is léir go mbainid sin leis an bhfeiniméan céanna.

Ar na leasainmneacha ceana a thugadh a lucht leanúna i Sasana ar Shéamas III, bhí 'The Rover', ainm a bhféadfaí idir chion is tréas a shamhlú leis:

> Of all the days that's in the year
> The tenth of June I love most dear
> When our white rose will appear
> > For sake of Jamie the Rover ....

> It's J. and S. I must confess
> Stands for his name and I do bless,
> O may he soon his own possess,
> > Young Jamie they call the Rover (Macquoid 1888:53).

Bhí ainm oiriúnach ag freagairt dó ag filí na Gaeilge, 'an Fánach' ag Mac Craith is filí eile; 'an Fánaí' ag Ó Rathaille:

> Dá dtagaidís na sáirfhir tar sáile dár saoradh,
> sliocht Airt is Choinn is Fháilbhe is an Fánach ná déarfainn
> > (ÉM:86 §§ 9-10).

> Is fíochmhar fearga dána an dís seo i ngleo,
> go suíd gan spás an Fánach fíor i gcoróin ....[26]

> Tig an Fánaí gan aon locht, cé ráitear leis bréaga,
> 'na lánchumas caomhghlan dá ionad;
> báifidh sé an tréada thug táir agus béim do,
> > is ní ráimse aon rud 'na choinnibh (AÓR:20 §§ 37-40).

Ar na hainmneacha pearsanta coiteanna a thugadh a lucht tacaíochta ar Shéamas, bhí Richard:

> That those who never had a good thought of Richard would crowd to embrace him, and tell him as they did his uncle that it is the happy day they had always wished for ... . For that end and purpose Richard should be as advantagously supported as can be ... (BLO Carte 212:35).

> I wonder Richard has had no answer yet from Mr. Lamb. I hope he is better and that he'll be preparing soon for the journey[27] ... (*ibid.* 55).

Ristín is *buachaill Ristird* a thugann Ó Rathaille air. I véarsa aonair, a leagtar ar Ó Rathaille sna lámhscríbhinní, tá scéala le scaipeadh go bhfuil 'Ristín 's a thruipí thar fairrge chughainn':

> A choisí, beir m'uiríoll go Daingean Uí Chúis
> go bhfuil Ristín 's a thruipí thar fairrge chughainn,
> go mbeidh Muilín, is Deiní, agus Carraic go dubhach,
> ag cur buiní as a n-inníbh is fairsinge mhúin.[28]

Nós coiteann sa Nua-Ghaeilge é, is cosúil, foirm hipeacoraisteach d'ainm pearsanta a ghiniúint tríd an díspeagán *-ín* a cheangal, ní leis an fhoirm iomlán, ach leis an chéad siolla: *Colm* ~ *Cóilín*, *Diarmaid* ~ *Diairmín*, *Donnchadh* ~ *Doinnín*[29], *Maolra* ~ *Maoilín*, *Pádraig* ~ *Páidín*, *Riocard* ~ *Ricín*[30], *Séamas* ~ *Séimín*, *Tomás* ~ *Taimín*. Sampla eile den phróiseas céanna is ea *Risteard* ~ *Ristín*, mar is léir ón dán dar teideal, san aon lámhscríbhinn amháin a bhfaightear é, 'Buachaill Ristín Rís Anso'. Sa dán féin, malartaíonn *Ristín* an teidil le *Risteard* an téacs agus baineann Ó Rathaille earraíocht dhébhríoch as an sloinne Risteard de Rís chun a ghuí féin maidir le filleadh an Stíobhartaigh a chur in iúl:

Mo ghreadadh go cruaidh, mé duairc ag druidim le haois,
gan lastar, gan cruach, gan chuallacht do thigeas le cíos,
gan seasamh san uaisle in uachtar Inis Loirc Fhloinn,
is go dtaga dár bhfuascailt buachaill Ristird arís.

Tá an eaglais ruaigthe ó chuantaibh imill na gcríoch,
is gach mainistear uaigneach le mórsmacht fhuinnimh an dlí;
gan caitheamh ar shuairceas duan ag foireann an ghrinn,
is go dtaga dár bhfuascailt buachaill Ristird arís.

Cé fada mé i nguais gan cuan chum comairce dín,
is mé am stracadh gan trua ag scuaine buile seo an fhill,
breaba á lua gach Luan ag briseadh mo chroí,
's go dtaga dár bhfuascailt buachaill Ristird arís.

Aitchimse an t-uan fuair bualadh is briseadh dár dtaoibh,
go bhfeiceadsa an uair le ngluaisid tuilte thar toinn,
gasra shluaitibh, bua agus bise acu i mbruín,
ag tabhairt dár bhfuascailt buachaill Ristird arís ....[31]

Sa bhéarlagair rúnda a chleacht na Seacaibítigh eatarthu féin ba ghnó trádála ('trade') go meafarach a raibh idir lámha acu, b'é an Stíobhartach féin stiúrthóir ('director') an ghnó sin agus é ag taisteal ó thír tír ag féachaint i ndiaidh lasta ('cargoe') is stoic ('stock'); siopa ('shop') á oscailt i dtíortha éagsúla aige, agus earraí ('goods') á dtabhairt chun an mhargaidh aige:

In a thing of this importance it is the good of the trade and not any private view must determine resolutions ... (HMC Stuart 3:525).

As to the next point of our cousin's returning from his travels, it is certainly high time for him to do it, and to set up in some convenient place for following his trade to advantage, without which his stock can never increase ... (*ibid.* 5: 113).

You know that the woollen manufacture is the ancient staple trade of the Kingdom and I can with much pleasure tell you that it grows every day more and more in fashion; and those new goods are run down every day, people are ashamed to wear them and I hope the old trade will quickly be restored and flourish ... (*ibid.* 6: 207).

The nearer you are to open shop, the greater care must be taken to prevent the Interloper's[32] knowing what goods you will bring to market ... (*ibid.* 224).

Chomh luath leis an bhliain 1694 tá 'The Merchant' á thabhairt ar Shéamas II[33]; Mac an Cheannaí a thugann Ó Rathaille ar a mhac, an té a bhí ag taisteal i gcéin ach a raibh sé i ndán dó filleadh is luí lena chéile ceart:

A ráite féin, is cráite an scéal,
    mo lánchreach ghéar a haicíd,
go bhfuil sí gan cheol, ag caoi na ndeor,
    's a buíon gan treoir, gan maithghníomh;
gan chliar, gan ord, i bpian go mór,
    'na hiarsma fó gach madaí,
's go mbeidh sí 'na spreas gan luí le fear
    go bhfillfidh Mac an Cheannaí (AÓR:3 §§ 13-6).[34]

Níl aon cheist ach go léiríonn an fhianaise sin nach gné dhromchlach
ná gné imeallach de shaothar Uí Rathaille é an Seacaibíteachas; ní
móitífeanna seanchaite atá i gceist ach códú comhaimseartha ar
bhéarlagair rúnda polaitiúil. Dá mheafaraí fhileata an reitric
Sheacaibíteach ina shaothar, is léir freisin go raibh bunús réalaíoch
comhaimseartha leis. Caithfidh gur thuig an comhluadar liteartha a
thaithigh sé, idir phátrúin, aos léinn, is lucht léite, an reitric sin freisin
is a cód meafarach; comhluadar Seacaibíteach ab ea é, ní foláir. Ní
fhágann sin go raibh an uile bhall den chomhluadar sin ar bís chun
troda ar son an Stíobhartaigh; níl á áiteamh ach go raibh sa
chomhluadar sin tuiscint do reitric Uí Rathaille agus glacadh léi. Ní
miste a mheabhrú nach caitheamh aimsire cultúrtha a bhí i réaladh
agus síolú na reitrice sin ach gníomh polaitiúil, mar a léiríonn an rann
a dtugtar 'rann Aogáin do rí Séamas' air i bhfoinse amháin:

Aibigil Brún a dúirt ná féadfainnse
ainm an Phrionsa a thabhairt gan tréasan di;
cuir ceathair ar dtúis is dúbail aon air sin,
is i dteangain na n-údar múinte glaoigh ar luich.[35]

Tá sraith fhairsing véarsaí mar sin ar fáil sna lámhscríbhinní agus, bíodh
go leagtar cuid acu ar fhilí aitheantúla (Aogán Ó Rathaille, Seán Ó
Tuama, Diarmaid Ó Súilleabháin), is focheann acu ar fhilí eile
(Donnchadh Ó Gráda, An tAth. Seán Ó hAodha), véarsaíocht dhí-ainm
is ea an chuid is mó di a chum 'duine éigin' nó 'file éigin', dar leis na
foinsí. Ní haon rannaireacht liobarnach í, ar a shon sin, ach saothar atá
bunaithe ar ghontacht, ar dheisbhéalaí, agus ar shárchumas
meadarachta:

Dhá thrí de bhíobhaibh phollas an chruach,
Laidean ar aon díobh, is fíor a gcanaim gan chruas,
ainm dílis don tsaormhac dar dhealbhas duan,
do scríobhas go caoilcheart ar chumas gach suadh (BL Eg. 161: 27).

Do dhearcas im aisling samhail oíche éigin
gur chalathaigh fear tar lear san tír chéanna -
sin ainm a ceathair beacht is dís aonda,
is Laidin ar thaitneamh cait gan díochlaonadh.[36]

A athair na glóire, fóir agus freagair mo ghuth,
agus aistrigh clóchrioth Fódla ar atharrach cruth,
aiseag an choróin don leon fuair scanall is guth,
a ceathair ar dó, dar chóir, agus Laidin ar luch (NLI G 15: 361).

Bhraith éifeacht na véarsaíochta sin, is léir, ar fhuascailt an tomhais a bhí neadaithe i ngach véarsa acu, tomhas a bhí bunaithe ar an dá shiolla in ainm Shéamais (*sé* + *mus*). Tá le tuiscint as an saothar trí chéile[37] nach duine aonair amháin a bhí páirteach ann, gur tuigeadh coitianta cén Laidin a bhí ar luch, agus gur baineadh an-taitneamh as na codáin difriúla de *sé* a chur in ócáid:

Aon ar aon is aon 'na gceann sin cuir,
dá aon dá n-éis is féach 'na dteannta *mus*;
aon 'na aonar, cé gur gann an chuid,
is é sin réacs le tréanchur Gall tar muir.[38]

Aon fá dhís is trí beag caol air cuir,
's i mBéarla Chríost dá dtíodh leat glaoch ar luich,
sé táim á insin díbh, cé baoth dhom soin,
gur baol don droing go scinnfidh sé 'gus *mus*.[39]

Dá aon, dá dhó go glórmhar gaoismhear glic,
's 'na réimrith leo san ród do scaoilfeadh *mus* -
sin séimhrí órga de phórshliocht Choinn is Choirc
ag teacht san gcoróin is fóirfidh Gaoil go briosc.[40]

Dá ghonta is dá ealaíonta iad na rainn sin, idir fhriotal is mheadaracht, is léir nach imeartas cliste focal ná súgradh fileata idir fhilí a bhí laistiar díobh, ach teachtaireacht fhollasach pholaitiúil:

Cantar i bhfód Fódla, 's níor mealladh na fir,
nach stadfaidh a shlóite móra ar talamh ná ar muir,
go dtaga i gcoróin róchirt na Sagsan istigh,
a ceathair 's a dó leo 'gus Laidean ar luich.[41]

Dá thrí go tramrach ceann 's gan dearmad *mus*,
dá dtíodh in am fá Shamhain ag meascadh na mbroc,
fá dhlí gach Gall dom shamhail níorbh eaglach rith,
lá sceimhl' don drong nár shantaigh aifreann sin.[42]

Aon is dó fá dhó an mórainm so cuir,
's gach treon 'na ndeoidh faoi ród dá scinnfeadh *mus*,
mo leon lem ló, mo bhrón, mo phéin, mo ghoin;
an réacs mear cróga scólfas díobh na toirc.[43]

A dó roimh aon is aon beag greadhnach glic,
is seolfad aon 'na ndéidh fá mheadhair ag rith,
fós tig aon 'na béal mar ghreim ag *mus*,
sin Seoirse daor, an réacs má theigheann tar muir (ÉM: 41).

San uair go leagtar na véarsaí sin ar fhilí difriúla ó cheantracha difriúla, gur ar fhilí anaithnid a leagtar a thuilleadh acu, agus go bhfaightear sa bhéaloideas agus sna lámhscríbhinní iad, ní foláir nó bhí scaipeadh forleathan orthu agus feidhm choiteann á baint astu. An véarsa úd *Aibigil Brún* ... (thuas lch 352), leagtar, ní hamháin ar Ó Rathaille é, ach ar Sheon Ó hUaithnín, ar Thomás Mac Gearailt, is ar Phiaras Mac Gearailt freisin é, agus tugann an seanchas a ghabhann leis, i gcás Uí Uaithnín, tugann sé an-léiriú dúinn ar fheidhm is ar éifeacht

na véarsaíochta sin. De réir an tseanchais, cúisíodh Ó hUaithnín uair as
amhrán tréasach a chumadh:

> In this emergency his fate depended on the conscience of a brother bard.
> The 'treason' song was laid before the grand jury, but none of them being
> able to read the Irish language (in which it was written) it became
> expedient to send for a translator and Michael Comyn was specially
> chosen on the occasion. ... During the interpretation of the song in
> question Huanin was heard to cry out in Irish 'O Michael, though I be
> hanged for it, do not spoil the song!'. The translator however tempered
> the spirit of the original so well that the author was acquitted, who on
> leaving the court composed an Irish enigma which brought out the name
> of King James to the chagrin of his innocent accuser:
>
>> Ceathair ar dtús is dúbail aon air sin,
>> is i dteanga na n-údar múinte glaoigh ar luch (SÓH:13-4).

Fiú más mar sheanchas apacrafúil amháin a mheasfaí an eachtra úd, ní
cheileann is ní chealaíonn sin a heithne fhírinneach: ní cúrsaí spóirt ná
comhrá dí a bhí sa cheapadóireacht sin ach seintimintí dainséaracha;
dúshlán tréasach a bhí sa véarsa sin agus sa véarsaíocht thomhaiseach trí
chéile, dúshlán arbh fhéidir é a nochtadh go rúnda, gan fhios do na
húdaráis.

Is é an 'treason song' ar cúisíodh Ó hUaithnín ina thaobh, deirtear,
dán 'Ar Imirt na gCártaí' (*Éistigh uaim, a chairde chroí*), mar a n-
úsáideann an file meafar na gcártaí go cliste cumasach chun ainriocht
na tíre faoi 'an donách' is 'gangaid ghnáth na gcearrbhach' a léiriú:

> Eolach ámh mo dhainid dhubhach,
> gangaid ghnáth na gcearrbhach,
>> ag dearbhú éithigh is ag ceilt cirt,
>> is ag bradú aonta in imirt.
>
> In imirt is léan éagmais na gcártaí gcóir,
> is go gcuirtear as réim réxa le dráití dearóil,
> miste mé Caesar á bhá síos leo,
> is bun ag an deich daol spéireat ón sámhrí mór.
>
> Is mór an t-angar cúrsa cách
> an dream do thug chugainne an donách:
>> áitíd rian gan duth gan dath,
>> lena n-áiríd fiacha fada ....

Ach ar deireadh thiar, le casadh na himeartha, is é an cíoná a bhéarfaidh
bua is a dhéanfaidh an cuireata a ruaigeadh thar farraige soir:

> Cí fada an imirt ag díomailt ár ríchártaí,
> is tabhairt an chuireata chuireas faoi chíoscháin sinn;
> casfaidh an imirt is biaidh an bun ag an gcíoná maoin,
> is bainfeam le triufanna as cuid acu fuíoll máití.
>
> A dhraoithe na cruinne, fionnaim bhur mbreithiúnas:
> rí dá dtigeadh is foireann dá neartú sin,
> nárbh é an bheart chumais an cuireata a cheiliúradh,
> is i gcrích na himeartha a chuirtean tar Neptune soir? (SÓH: 1 §§ 9-28).

Ba straitéis choiteann sa reitric Sheacaibíteach í úsáid a bhaint as meafar na gcártaí chun tráchtaireacht dhiamhair a dhéanamh ar an pholaitíocht chomhaimseartha. Nós coiteann i litríocht an Bhéarla ab ea é ó thús an tseachtú haois déag amach, ach is sa reitric Sheacaibíteach ba bhisiúla is ba éifeachtaí a feidhmíodh é.[44] Is léir freisin gur shaothrú fairsing ilchineálach a rinneadh ar an straitéis, ó bhailéid dí-ainm an tslua go filíocht shnoite Pope:

A health to the lost shepherd
Whose sheep for him is bleeting ...
Who knows but next card
We may turn up a trump ...
All the knaves in the pack
We will quickly turn out ...
Our new game at cards
It is called the Right Way ...
So he that will play
At this new game we've begun
Let him drink a health
To the rise of the Son (SP 35:28/165).

The Baron now his Diamonds pours apace;
Th' embroider'd King who shows but half his face,
And his refulgent Queen, with pow'rs combin'd,
Of broken troops an easie conquest find.
Clubs, Diamonds, Hearts, in wild disorder seen,
With throngs promiscuous strow the level green ...
The Knave of Diamonds tries his wily arts,
And wins (oh shameful chance!) the Queen of Hearts ... (Pope:229).

Eilimint ghnách is ea béarlagair na gcártaí sa véarsaíocht Ghaeilge freisin; focail thrombhríocha i saothar na bhfilí aitheantúla go háirithe is ea 'an má', 'an cíoná', is 'an cuireata':

Ar ionnarba atá ó tugadh an má
's an cuireata i ndeáidh an aoin leis,
do rian an cluiche go dian gan filleadh,
mo chiach, ler milleadh na céadtha ....

Ó lom an cuireata cluiche ar an rí corónach ....

A aoire chliste ghloin d'fhoireann an rífháidh mhóir,
nach daor an imirt se ar dhuine mar taoim fá thóir,
's gur tréan mo chluiche dá dtige an cíoná cóir
is féach an cuireat dom mhilleadh 's gan aon mhá im dhóid ... .

Tá cluiche le himirt ag Móirín,
tuitfidh an cuireat 's ní brón linn,
    beidh aon a hart séite,
    's an rí ag dul ar éigean,
    's an bhanríon 'na ndéidh sin
        á dtóraíocht.

Is ansin a phreabfaidh ar bord síos
an cíoná le fada tá ar deoraíocht,

scuabfaidh in éineacht
na bearta le chéile
bainfidh scilling gan bhuíochas
    is coróin díobh.[45]

Bíodh gur ar fhilí aitheantúla a leagtar na dánta sin, is léir go bhfuil
an-réimse cumadóireachta, idir fhriotal is mheadaracht i gceist. Is mór
idir ardaigeantacht uaibhreach 'Cabhair Ní Ghoirfead' agus meidhréis
'Tógfaidh sí atuirse is brón díbh' ar léir ar a mheadaracht, ar a fhriotal,
is ar a sheintimintí, gur amhrán don slua é, a bhí le gabháil go poiblí.
Nasctar le chéile ann an cearrbhachas, an t-ólachán is spleodar
gealadhramach. Tá an spleodar céanna i saothar Uí Uaithnín; nascann
seisean le chéile, chomh gealadhramach céanna, reitric thrombhríoch
an tSeacaibíteachais le spraoi an tsaoil is le saoirse chollaí. Mar a deir
Eoghan Ó hAnluain, tá 'imeacht éadromchroíoch' faoin chuid is
tréithiúla de shaothar Uí Uaithnín (Ó hAnluain 1973:31); tréith í a
fhaightear freisin sna dánta is tromchúisí polaitiúla dá chuid:

Tá glas ar mo bheol is is cóir dom a réabadh,
is fada mé am dhó le mórthaisce rúin,
is gan agamsa de spórt ach sórt suilt a dhéanamh,
is ní mhairfinn gan sceol beag nó ligean chughaibh;
an cearrbhach cróga dár chóir an bun déanach,
do baineadh a choróin de le fórsa is le héitheach,
do spalpadh na móide le forneart na féinne,
is is dearbh chum óil go bhfónfadh sí dhúinn ....

Spreagtar dúinn ceolta is gach sórt suilt in éineacht,
faoi ghradam an sceoil seo ólam go húr,
branda agus beoir a dhófadh an cúige,
puins ar an mbord, fíon crón agus fionn;
lastar dúinn tóirsí a dhófadh na spéartha,
is bainfimid toirneach as tóin Whigs le caoldair,
gach aicme ban óg, a bhfir pósta á dtréigean,
is racham faró ar na bóithribh go húr (SÓH:2 §§ 1-8, 25-32).

Is léir go raibh dlúthbhaint ag an ólachán le reitric is le gníomhaíocht
na Seacaibíteach ó thús, agus tá fianaise fhairsing raidhsiúil ar fáil a
thugann le tuiscint gur riotuál coiteann i measc gach aicme den phobal
sa Bhreatain é sláinte an rí thar toinn a ól go poiblí.[46] Téama coiteann
litríochta é an tsláinte chéanna freisin:

Here's a health to the King whom the Crown does belong to,
Confusion to those that true Kings wou'd do wrong to:
We'll here use no name of an Old King or New King,
But we'll drink a health, boys, a health to the true King ...
                                                (Rollins 1930 iv: 180).

Let him come, let him come,
Quickly, quickly let him come;
Here's his health, here's his health,
Here's his health and safe return ... (Hogg 1819 i: 95).

May th' Almighty defend our Sovraign and send
him quicklie his crowne to recover,
and to his peoples joy, may he wholly destroy
the Union, the Whigs and Hanover.

Lets be loyall to him, fill the glass to the brim,
heavn save him from secret malice,
and as the trumpets sound, may the bumper go round
and wish him soon home to his palace (Petrie 1959: 159).

Ba ghá an diamhracht is an rúndacht: tréas a bhí i gceist, ach tréas a bhí snaidhmthe le caitheamh aimsire taitneamhach cuideachtúil.

Bíodh nach bhfuil an oiread céanna fianaise dá leithéid ar fáil in Éirinn againn, fós tugann an beagán di atá ar marthain, tugann sí le tuiscint dúinn gur nós coiteann é abhus freisin an t-ólachán a úsáid mar ghníomh poiblí polaitiúil:

Saith he does not remember any health drunk in the company that night that had any tending towards the Pretender excepting a health to the three B's[47] (SP 63:372/111).

That the said Field was present when a health was drank to the good journey of the men inlisted ... (*ibid.* 373/32).

He drank a health to Jemmy several times ... and that he meant King James the third and accordingly drank his health in the aforesaid terms ... (*ibid.* 388/210).

Whereas Mathew McNamara of the City of Lymerick ... was on the 20th day of August last at the then Assizes held at the Guild Hall of the said City of Lymerick indicted for drinking confusion to King George and cursing all those that serve him ... (*Pue's Occurrences*: 2-6 September 1718).

Is cinnte go dtugann filíocht chomhaimseartha na Gaeilge an méid céanna le tuiscint; téama coiteann san fhilíocht sin trí chéile is ea sláinte Shéamais a bheith á fógairt ag an inseoir aonair nó go hiolrach ag comhluadar:

Dá mhéid gach scála bán do thagas im shlí,
de bheoir an Mhárta im láimhse d'uisce nó d'fhíon,
d'ólfainn lán i gcás go dtuitfinnse thríd,
faoi thuairim sláinte pháiste Ristird arís.[48]

'Is doilbh mé ded ghuth', ar sí,
'gan cine Scoit im bun mar bhí,
ach tuig anois le fuinneamh fíor
      go suífead ina choróin
an rí ceart le míltibh
ina choimhdeacht de chlanna Gaol,
agus líon gloine timpeall,
      sin críoch ar mo sceol.'[49]

Bímís go spórtmhar ceolmhar glórmhar,
bímís ag ól ar bord go binn,
doigh insa phíp ná díogfadh baraille
fé thuairim sláinte an tí ná habraim,

is cuma cé hé acht gur grá lem anam é,
grá na naomh is grá na n-aspal é,
is blás na bhflaitheas dá ghardadh.[50]

Bíodh nach dánta ólacháin go teicniúil iad na dánta ar tógadh na sleachta sin astu, tugaid le tuiscint go soiléir gur ghníomhaíocht phobail í sláinte 'an tí ná habraim' a ól agus gur féachadh uirthi mar ghníomhaíocht dhúshlánach pholaitiúil. Is soiléire sin fós sna dánta ólacháin féin ar léir orthu go raibh teachtaireacht pholaitiúil á nochtadh acu, pé acu go rúndiamhrach nó go hoscailte é:

Suímís síos is bímís ag ól,
líontar chughainn fíon is beoir;
's an dtuigir, a chroí, nárbh aoibhinn sceol
sliocht an fhill dá gcloí san ngleo ....[51]

A dhuine úd thíos ataoi go tréithlag fann,
tóig do chroí agus bí go súgach teann,
ól sláinte an rí ler mhian a bheith ag rúscadh Gall,
beidh muir agus tír aige Laoiseach, súd ort thall ... (BL Eg. 146:19).

I gcás an dá véarsa sin, tá freagra, le malairt teachtaireachta, ar an dá cheann acu: saothar comhpháirteach poiblí a bhí i gceist, is cosúil. Ní mar sin, is dóichí, don dán ólacháin is neamhchoitianta atá ar marthain. Dán léannta dí-ainm é i meadaracht shiollach ina n-óltar sláinte Shéamais ó cheann ceann na bliana agus a guí thréasach féin ag gach mí den fhéilire:

'Líon an deoch', adeir Janus,
    'chum sláinte an rí Séamas;
gach dúil dá ndiúltfa a hibhe,
    bídís uile gan léargas' ....

'Cuirfidh mé rósa cumhartha
    re teann dúthracht san gcupa,
's diúrnfad an deoch go hiomlán',
    ol an tAibreán go sultmhar ....

Ol December go fialmhar,
    'beoir chiamhair is féasta
bhéara mé dhíbh, a chairde,
    faoi thuairim sláinte Shéamais' (RIA 23 M 46:8).

Ní móide go raibh dáileadh fairsing riamh, ná lucht léite iomadúil, ag dán den saghas sin; is dóichí gur do chomhluadar dlúth léannta éigin a cumadh é, agus gur ina meascsan a d'fhan sé. Ní hionann agus an t-amhrán bríomhar meanmnach 'Tabhair Cárt In Gach Láimh Liom' a scaipeadh ar fud na Mumhan, is cosúil, agus a bhí á rá go coiteann fós i dtús an naoú haois déag:

Tabhair cárt in gach láimh liom is gloine,
    's ná dearmad, bídís lán,
go n-ólamaoid sláinte rí Philib,
    's an leinbh seo riamh ar fán ....

Guím feasta rí geal na n-aingeal
    an aicme seo a chloí i dtráth,
's a ndíbirt ón mnaoi tá faoi scamall,
    darbh ainm di Inse Fáil;
an Stíobhartach dá dtíodh chughainn tar caladh,
    's gan dearmad Tiarna an Chláir,
beidh Gaoil bhocht le haoibhneas i ngradam,
    's Gallaibh arís le fán ....

Níl éigsibh dá léannta ar bith gairm
    i bhfearanntas Éibhir úir,
ná scéithfeas a ndréachta le haiteas
    na fanatics mhéithe a bhrú;
ré bheag sa tsaol so dá mairfinn,
    go dtagadh mo laoch tar abhainn,
níorbh aon rud liom glaoch i dtigh an leanna
    go n-ólfainn mo léine ann.[52]

Is é an léiriú is fearr ar a choitinne a bhí saothar den saghas sin agus ar a fhairsinge a bhí a dháileadh, gur sa bhéaloideas amháin, san aois seo, a bailíodh véarsaí mar:

Sláinte an mhic a bhí i mbroinn Mháire,
sláinte an Phretender, an Phrionsa, 's an phápa,
sláinte King Philip agus rí na Gearmáine;
's gach Albanaí tá i Sasanaí
    nach n-ólfaidh suas a sláinte,
go raibh siad ar chúl a gcinn
    in ifreann agus a gcosa in airde (RBÉ 662:217).

Sláinte an leinbh a bhí faoi bhroinn Mháire,
sláinte an Phrionsa, an Impire, is an phápa,
sláinte Laoghaire is rí na Gearmáine;
agus Albanach nó Sasanach
    nach n-ólfadh mar sin a shláinte,
ar mhullaigh a chinn in ifreann,
    is barr a thóna in airde (*ibid.* 714:103).

Cé nach féidir linn aon dátú cruinn a dhéanamh ar ábhar dá leithéid, agus nach eol dúinn cé na hathruithe teanga, friotail, stílíochta, nó ábhair a chuaigh air in imeacht na mblianta, fós tá le tuiscint as an fhianaise inmheánach (an Pretender, an Prionsa, Philip), bíodh nach féidir gach tagairt a aithint ná a mhíniú, tá le tuiscint aisti gur do chomhluadar Seacaibíteach a cumadh an véarsaíocht sin den chéad seal, comhluadar a raibh gean acu do Philib is don phápa, comh-ghuaillithe an Stíobhartaigh. Tá spleodar is ardmheanma, teaspach is ardú croí, le brath sna véarsaí sin freisin, mar atá sa véarsaíocht ólacháin trí chéile. Dob fhurasta, mar sin, gan ach an spleodar is ardmheanma a chur i bhfáth, agus dearmad a dhéanamh ar an ráiteas dúshlánach polaitiúil a bhí inghreamaithe iontu. Ach meabhraíonn an eachtra a bhain do Sheon Ó hUaithnín an taobh eile den spleodar sin: níor ráitis fholmha gan bhrí chomhaimseartha iad 'eagla peannaide an dlí' ag Mac

Cruitín ná 'eagla Sheoirse is forneart na mbúr' ag Ó hUaithnín.[53] Is dóichí gurbh é an forneart sin faoi deara d'Ó hUaithnín an tír a fhágáil is liostáil ina dhalta i reisimint Luimnigh in arm na Spáinne. Bhí deartháir leis thall cheana, Dónall, duine tionscantach ardchumasach ar éirigh go maith leis gur bhain gradam aimiréil amach i gcabhlach na Spáinne. I gcnuasach litreacha a scríobh sé chun gaolta leis, tugann sé tuairisc ghlé ar a shaol corrach féin agus ar dhálaí anróiteacha a linne; i litir amháin míníonn sé go gonta na cúiseanna nár fhill sé riamh abhaile:

> To retire to ye cold climat (in my advancd age) from a hott one I am so long usd to, where I injoy ye sweet liberty of ye free exercise of my relign, for yt region where itt is not only ridiculd, but alsoe ye professors of itt despised, etc. And I probably may be treated as a desafected person to ye Govermt, & brought to an acct for having servd abroad ...
>
> (MacNamara 1908:242).

Tugann litir sin Dhónaill Uí Uaithnín agus filíocht pholaitiúil a dhearthár, tugaid léiriú uathúil dúinn ar impleachtaí gnácha aon iompair thréasaigh in Éirinn sa chéad leath den ochtú haois déag. Ní hé gur feidhmíodh an reachtaíocht pheannaideach go huilí ná go hiomlán riamh; bhraith a feidhmiú tríd is tríd ar an pholaitíocht idirnáisiúnta cuid mhaith agus ar phearsana agus ar dhálaí áitiúla go minic. Ach d'fhéadfadh na giúistísí áitiúla, agus rinne, an reachtaíocht a fheidhmiú nuair ba ghá, dar leo, is nuair a d'oir sin dóibh. Ba ghá a bheith cáiréiseach, más ea, go háirithe sa saol poiblí; ba mhó ba ghá sin i gcás na haicme den uaisle Chaitliceach a bhí fós i seilbh a ndúchais, a raibh gradam éigin fós sa saol acu. Agus dá mhéad an tseilbh nó an gradam, is ea ba mhó ba ghá cáiréis. Míníonn sin an mhíshástacht a nocht Bháitéar Ó hUaithnín – duine céimiúil measúil sa dúiche – le filíocht thréasach a mhic; míníonn sin freisin an t-amhras síoraí a bhíothas a chaitheamh ar Vailintín Brún, Mhac Cárthaigh Mór, Ó Súilleabháin Mór is a leithéidí, agus an faire síoraí a bhíothas a dhéanamh orthu. B'é Vailintín Brún, dar lena aintín, toisc gurbh é 'of your persuasion the richest man and just coming into the world', b'eisean, dar léi 'the most liable to be the mark that will first be aimed at.'[54] Níorbh é; ní airsean is túisce a díríodh ach ar Shéamas Óg Mac Coitir.

III

Here lie interr'd the father and the son,
The former by his blade immortal honour won;
The latter in his life inferior was to none,
Till murdered by a plot as witnesseth this stone.

Séamas mac Shéamais Mhic Coitir uasail,
réaltann an aolbhroig ó Charraig Tuathail,
féinics nárbh fhéile ina bheartaibh Guaire,
fá bhéillic d'fhág Éire go cathach buartha.

Is ádh séin duit, a chaomhleac, fád chlí i bhfolach,
dhá Shéamas, dhá Shéasar, dhá ghríobh foirtil;
táid meirligh na hÉireann 'na suí socair
ón lá traochadh na tréinfhir de chlainn Choitir.[55]

Tá áitithe ag staraí amháin gurbh é crochadh Sir Séamas Óg Mac Coitir sa bhliain 1720 'the most traumatic political event of the first half of the century in Ireland' (Cullen 1981:199), agus is cinnte go bhfuil an fhianaise chomhaimseartha ag teacht leis an áiteamh sin.[56] Mar bíodh gur crochadh na céadta nach é, ar chúiseanna difriúla, ar fud Éireann sa tréimhse sin níl aon chrochadh eile acu ar tugadh an aird chéanna air nó a raibh an éifeacht chéanna aige ag an am ná ó shin. Filí na Gaeilge féin, níl aon trácht acu ar aon chrochadh eile lena linn; níor spreag aon bhás eile de chuid na haoise an oiread céanna filíochta. Níor ghnáthdhuine é an Coitireach, ach ógfhear uasal de theaghlach measúil, mac an ridire cháiliúil Sir Séamas Mac Coitir, ball aitheantúil den uaisle Chaitliceach, cinnire pobail i measc a mhuintire féin, is cosúil: 'the idol and darling of the Southern Catholics' (Froude 1872 i: 431). Bhí an seasamh sin aige lena bheo, fiú, mar gur shampla táscúil é de neamhghéilliúlacht is dhochloíteacht na muintire sin, ní hamháin ina shúile féin ach i súile na n-údarás freisin: bhain an Coitireach óg leis an aicme sin den uaisle dhúchais Chaitliceach nár scriosadh fós – tairne colgach sa bheo ag an heigeamanaí Protastúnach. Ba mhóide a thábhacht is a thionchar gur in ainneoin na bpéindlíthe, gan iompú ina Phrotastúnach, trí theacht timpeall an dlí, a shealbhaigh sé a oidhreacht agus gur mhair ina cheantar dúchais – oirthear Chorcaí – fós, gur mhair crioslach dlúth den tseanuaisle: Nóglaigh, Barraigh, Búrcaigh, is muintir Aonghusa. Sa cheantar céanna a bhí bunáit Fhuigeanna Chorcaí agus is ann freisin, i Mainistir na Corann, a lonnaigh teaghlach ceannasach an fhaicsin sin, muintir Brodrick, comharsana na gCoitireach.[57] Miocracasm de stair léanmhar an cheantair, agus de stair na tíre is na tréimhse trí chéile, is ea fortúin difriúla an dá theaghlach sin: sa bhliain 1687 bhronn Séamas II an teideal 'Sovereign of Middleton' ar Sir Séamas Mac Coitir, sa bhliain 1717 bhronn Seoirse I an teideal 'Viscount Middleton' ar Sir Alan Brodrick; sa bhliain 1720

crochadh mac an Choitirigh i gcathair Chorcaí, mac le Brodrick a bhí
mar bhreitheamh ar an ngiúiré a dhaor chun a chrochta é. Is maith mar
a d'aimsigh is a léirigh an béaloideas an diminsean teannasach áitiúil
sin, bíodh gur mar scéal daonna uilí a dhéantar sin:

> That Mr. Broderick of Ballyanan was very much against Mr. Cotter, being
> jealous of him and from his wife having told him when going to the assises
> to take care to bring Mr. Cotter free .... He often heard it said that Mr.
> Cotter was in the habit of whipping Broderick at night, on the road
> between Middleton and Ballyanan ... and that Broderick had been told by
> his wife, when he was going to the Cork assises, not to come home without
> Mr. Cotter, he at once became jealous and did his utmost to have him
> convicted ... (NLI 711: 5-6).

> The second Broderick ... was a man of influence and a friend of Cotter's,
> but on his leaving home for the trial at Cork his wife in the same friendly
> feeling desired him not to return without saving Cotter. Her words
> however had a different effect on him. They filled him with jealousy and
> instead of befriending he did his utmost in producing his condemnation
> on the trial ... (RIA 12 I 3: 125).

> But Broderick who tried the case had been goaded into jealousy by his wife
> on the day of the trial as he was stepping into his carriage at Ballyanan,
> following him and admonishing him to bring back Sir James Cotter to
> dinner with him that evening ... (*ibid.* 118).

Fuadach agus éigniú Elizabeth Squibb, ball de Chumann na gCarad i
gcathair Chorcaí, an choir a bhfuarthas an Coitireach ciontach inti agus,
bíodh gur dóichí go raibh cumann éigin eatarthu, níl sé indéanta anois
fírinne na heachtra faoi deara an díotáil a dheimhniú. Pé scéal é, ceist
aimrid is ea í óir más é is stair ann a cheapann daoine a tharla, agus ní
cuntas fíriciúil ar ar tharla, bhí Séamas Óg Mac Coitir neamhchiontach.
Ní crochadh dlíthiúil a bhí i gceist, dar le Caitlicigh a linne, ach
dúnmharú aindlitheach scéiniúil a bheartaigh 'the Protestants of Cork'.
Crochadh Sir Séamas Óg Mac Coitir, creideadh, ní de bharr aon choir a
bheith déanta aige, ach toisc gur Chaitliceach is gur Sheacaibíteach é a
nocht go poiblí is go neamhscáfar a sheasamh polaitiúil:

> That one of the Barrys of Leamlara went to Dublin to obtain Mr. Cotter's
> pardon from the Lord Lieutenant, but that the Protestants of Cork were
> so much against him and hated him so much for his independent spirit
> and conduct towards themselves that he was executed before the usual
> time ... (NLI 711:5).

> It is said that Government wrote to Mr. Dixon, collector of Cork about him
> and got such an account of his great disloyalty etc. that they determined
> to get rid of him .... It is very commonly said in the County that his political
> principles were in reality the cause of this unhappy business having been
> so warmly taken up by the Government, who were glad to have such a
> means for humbling and getting rid of him ... (*ibid.* 138, 154).

Chuir an uile ghné den díotáil is den triail leis an amhras is an
teannas: creideadh gur d'aonghnó a cuireadh moill ar an triail, gur

breabadh fínnéithe, gur crochadh é sular shroich a phardún Corcaigh. Rinne a lucht leanúna iarrachtaí difriúla é a scaoileadh saor, is cosúil – leagadar an scafall roimh ré fiú; saothar in aisce é uile.[58] Ar a chrochadh ar an 7 Aibreán 1720, bhrúcht pobal na cathrach agus na dúiche maguaird:

> All Cork and all the South of Ireland burst into a wail of rage, and the Friends were marked for retribution. Placards covered the walls. Quaker girls were mobbed in the streets of Cork, and threatened with being 'Cottered'. No Quaker could show in the streets. The mayor appealed to the Catholic clergy to restrain the people. The Catholic clergy either would not or could not. The passion spread to Limerick, to Tipperary, and at last over all Catholic Ireland. Quakers' meeting-houses were sacked and burnt. Quakers travelling about the country were waylaid and beaten
> (Froude 1872 i: 432-3).

Feillbheart uafar a bhí sa chrochadh, dar lena lucht leanúna, feillbheart a gcaithfí fós é a agairt ar lucht an fhill; díoltas fuilteach a d'éiligh na 'placards' a dúirt Froude a bhí ar fud Chorcaí:

> 'Vengeance belongeth to me; I will repay, saith the Lord'. Now look to it, ye hell-born crew. Cotter's life shall be a sting to your cursed carcases that shall be meat for dogs, and your cursed souls to burning Acheron, where they will burn in flames during eternity. Fenn, look sharp, and other bursengutted dogs besides, the which were instruments of taking Cotter's breath. Other blackguard dogs look sharp.
> God save King James the Third, of England king, the whom will soon pay anguish and punish in this matter.
>
> Poor grey-headed Ireland, with bloody tears,
> Sharp revenge will seek in her antient years,
> For being robbed of her famous peers.
>
> Her drooping fabrics with grief opprest,
> Her entombed heroes will take no rest,
> Since Irish honour is a common jest ....
>
> Or else old Ireland will resign her breath,
> And lose her life by his too sudden death,
> For seas of blood will overrun the earth.
>
> Weep, mourn, and fight all you that can,
> And die with grief for that unspotted man,
> A loss to nations more than I will scan. ... (*ibid.* 433).

Níl aon cheist ach gur thóg an Coitireach óg páirt ghníomhach phoiblí i bpolaitíocht a linne, páirt a thabhaigh aird is míghnaoi na n-údarás ach, chomh maith, meas is urraim a phobail féin. De réir an bhéaloidis a bhailigh duine dá shliocht féin, ina cheantar dúchais féin, céad bliain níos déanaí, ba dhuine dásachtach cróga easumhal é a thugadh dúshlán an dlí is na n-údarás go poiblí is go taibhseach:

> That he often heard Mr. Cotter used to go into Court with his hat on and with a sword at his side, that he was very active, taking great leaps, etc. and used to drive six horses and two bullocks to his carriage .... That the Protestants hated him, he annoyed them in so many ways ... (NLI 711:6).

That she has heard her father say Mr Cotter used to hunt a fox with an orange lily[59] fastoned to it, with hounds ornamented with white roses ... . Mr. Cotter had the character of being a very disloyal person – it appears that he was a bigotted Roman Catholic and made himself very obnoxious to the Government of George 1st. There is a very common tradition that his horses had frequently white roses attached to their heads and Orange Lillies to their tales, when drawing his carriage, etc. (*ibid*. 14, 137).

Cotter was hated by the faction of the day in Cork. He was a Catholic. Could not drive horses under his carraige. Used to ride into Cork, his carriage drawn by 4 bullocks. Around their fetlocks orange ribbons to trample ... (RIA 12 I 13:116).

Mar laoch aircitípeach, gan amhras, atá an Coitireach á léiriú sa bhéaloideas sin, ach ní fhágann sin nach bhfuil bunús éigin leis na tréithe a shamhlaítear leis, ná leis na gníomhartha a chuirtear síos dó. Is é an laoch aircitípeach céanna a nochtann chugainn sa chaoineadh traidisiúnta a leagtar ar a bhanaltra:

Mo chéad chara tu,
is breá thíodh hata dhuit,
claíomh cinn airgid,
bhíodh sráid dá ghlanadh dhuit,
bóithre dá ngealadh dhuit,
cóiste ocht gcapall duit,
is Sasanaigh ag umhlú go talamh duit,
is ní le taitneamh duit,
acht le haonchorp eagla ... (MN M 9:345).[60]

Ach is í a ghníomhaíocht pholaitiúil, agus ní béaloideas ná filíocht, ba bhun le haird na n-údarás a tharraingt air, aird shíoraí. Ní furasta anois, cheal eolais is fianaise, teacht ar mhionsonraí na n-eachtraí difriúla a ndearnadh díotáil ar an gCoitireach ina dtaobh; ach de réir na dtuairiscí oifigiúla shín na heachtraí sin ón bhliain 1707 go dtí 1717, ó bheith ag cur isteach ar thalamh Arthur Hyde, feisire parlaiminte, go 'keeping arms contrary to law, and also for an assault on Captain Christopher Williams'.[61] Ach is léir gurbh í an phríomhchúis a bhí ag na húdaráis air, agus an chúis is mó a rabhthas sa tóir air ina taobh, an pháirt lárnach a thóg sé sa scliúchas cáiliúil i mBaile Átha Cliath le linn an toghcháin sa bhliain 1713:

16 December, 1713 ... Resolved, that James Cotter, Esq., an Irish Papist, is guilty of the breach of the privileges of this House, in encouraging the disturbance of the election of citizens for the City of Dublin. Ordered, that the said James Cotter, Esq. be taken into custody of the Serjeant at Arms attending this House ... (JHC 3:983).

16 November 1715 ... And it further appearing to the House ... that Charles Pitts, John Simpson, James Tooley ... James Cotter ... were ordered to be taken into custody the last parliament, for the riots by them committed at the election of members for the City of Dublin, and that they absconded themselves, so as they could not be taken ... (*ibid*. 4: 23).

3 September, 1717 ... It further appearing to the House upon reading the said list, that ... were ordered to be taken into custody the last session for the riot by them committed at the election of members for the City of Dublin, and that they had absconded themselves, so as they could not be taken ... (*ibid.* 390).

Dar leis an gCoitireach, is lucht a pháirte, nach raibh ar siúl acu ach gníomhaíocht bhailí pholaitiúil: ag iarraidh dul i gcion ar na vótóirí a bhí siad, nós coiteann san am; círéib choiriúil a d'eagraigh 'a crowd of Papists, Jacobites, and Black-Guards' a bhí ann, dar leis na húdaráis.[62] Is léir gur ón eachtra sin d'áirithe a d'eascair col fuafar na n-údarás leis an gCoitireach – bhí marc feasta air – ach bhí eilimint thábhachtach eile go mór i gceist ina ndearcadhsan ina leith, b'é mac a athar é:

I shall only observe, that among these great number of Papists, and others unqualify'd to vote, it cou'd never yet be made appear, that there was any more than one of the latter, and two of the former, concerning one of them (whose name was Cotter), Coll. S[ou]th[we]ll thought fit to express himself thus, This is the son of Sir James Cotter, famous for nothing but killing the Great Lord Lysle. The reader will please to observe, that this Great Lord Lysle, was famous for nothing, but being a rebel, and a regicide, and yet tis made an aggravation of Cotter's supposed crime that he was the son of *him that slew the Traytor* (*A long history*:41).

Ní raibh Séamas Óg Mac Coitir ach sé bliana déag d'aois ar bhás a athar is ar shealbhú a oidhreachta dó, sa tslí gur furasta baois, teaspach, nó ainriantacht na hóige a shamhlú leis is lena ghníomhaíocht; dar le staraí amháin gur 'reckless Jacobite' a bhí ann a léirigh 'truculent and provocative Catholic attitudes towards Protestants' (Cullen 1981:199). Ceist bhunúsach í, ceist ar dheacair í a fhreagairt go hoibiachtúil, cén aicme in Éirinn san ochtú haois déag a bhí 'truculent and provocative', is ba cheart, dá réir, go mbeadh an-leisce orainn glacadh go neamhcheisteach le breithiúnas nó le luachanna a naimhde agus an Coitireach á mheas againn. Mar, pé léamh a dhéanfaimid ar a ghníomhaíocht phoiblí, tá go leor fianaise comhaimseartha ar fáil a thabharfadh le fios gur dhuine machnamhach liteartha sofaisticiúil é. Bhí léirthuiscint don dlí aige, bhí suim sa léann dúchais aige, bhí leabharlann ilteangach ina sheilbh aige, leabharlann a chuimsigh an dlí, an litríocht, an reiligiún, agus an stair, idir stair na hEorpa, stair a thíre féin, agus stair na Stíobhartach.[63] Is mó saghas duine a chnuasaíonn leabhair agus is mó cúis a bhíonn acu lena gcnuasach, ach ní móide gur mar ornáid ar sheilf, mar chuimhneachán stairiúil, nó mar infheistiú fadtéarmach a cheannaigh is a choinnigh Séamas Óg Mac Coitir leabhair mar 'The Hereditary Right of the Crown of England ... Life of James 2nd, The Present State of Great Britain 1718 ... Trial of Dr. Sacheverelle'.[64] Díol suntais ann féin é go raibh teacht aige ar thráchtais chomhaimseartha pholaitiúla mar iad agus, bíodh nach eol dúinn cén leas a bhain sé astu, nó cén tslí ar chuadar i bhfeidhm air, níl sé as an cheist in aon chor gur dhaingnigh siad a thuiscint pholaitiúil féin. Is

cinnte go bhfuair sé sna tráchtais sin athdheimhniú ar na luachanna
traidisiúnta a chothaigh an Seacaibíteachas ó thús deireadh, luachanna
a chuir a oide, an tAthair Dónall Ó Colmáin, faoina bhráid féin agus é
ina ógánach:

> Is é an ceart chruinníos na daoine fara a chéile, cheanglas iad i ngrá agus
> i gcumann ré chéile agus chongbhas i síocháin iad. Is é fós an ceart
> síocháin an phobail, cosnamh na dúiche, daingean na gciníoch, lúcháir
> na ndaoine, suaimhneas na spéire, ceannsacht na fairrge agus torthúlacht
> an tailimh .... Mar sin an ríocht do stiúraíthear lé ceart, sealbhann sí gach
> aon tsord maitheas poiblí (PB: 2059-70).

In aon phlé a dhéanfar ar charachtar nó ar ghníomhaíocht an
Choitirigh ní mór cuimhneamh i gcónaí ar an bhunfhíric a ligtear i
ndíchuimhne go minic agus dálaí an ochtú haois déag á bplé: i Stát
seicteach a chónaigh sé, ar sheicteachas a bhí dlí an Stáit sin bunaithe, dlí
a cheil a cheart airsean toisc gur Chaitliceach é. Mar a chuir Seán Clárach
Mac Dónaill go gonta é, neart gan cheart ba bhun lena threascairt:

> Teascadh na bhflaith dár bhfearann críoch Éibhir,
> is dalta na bhfear go lag i dtír éigin,
> gan acfainn a theacht tar ais arís tréimhse,
> do threascair le neart gan cheart an saoi Séamas ... (féach n.66).

Is í an tuiscint chéanna atá ag na filí eile; eachtra léanmhar ab ea an
crochadh sa tsíorchoimhlint leis 'an namhaid', leis 'an daorsmacht', le
'meirligh na hÉireann'; le 'bodachaibh na fola duibhe', leis 'na
fanaitics'. Is beag file Muimhneach, d'fhilí aitheantúla na linne, nár
scríobh tuireamh ar an bhfeillghníomh. Dánta maorga dea-dhéanta is
ea cuid acu, véarsaíocht neamhghnách is ea a thuilleadh, ach nochtaid
go léir, ina gcéadlínte féin, an brón is an fhearg uileghabhálach a scaip
mar cheo ar fud na dúthaí:

> *Aisling do chuala ar maidin do bhuair mé ...*
>
> *A Shéamais mhic Shéamais, mo dhíth thú ar lár ...*
>
> *Cothaigh a leac red chneas go príbhléideach ...*
>
> *Creach is cás do bhás in Éirinn ...*
>
> *Do tolladh mé trém aeibhse 's do goineadh mé im scairt* (Seán Clárach Mac
> Dónaill) ...
>
> *Fochtaim ort, an doiligh leat a Rí na ngrás* (Éamonn de Bhál) ...
>
> *Mo chás go héag, mo léan, mo chumha, mo chreach ...*
>
> *Mo dhainid go fuin, mo shileadh deor, mo scíos* (Uilliam Mac Cairteáin) ...
>
> *Mo dheacairbhroidse, a mharcaigh mhir de phríomhfhuil triath ...*
>
> *Mo léirghoin go bráth an daorsmacht atá* (Éamonn de Bhál) ...
>
> *Mór an chreill seo gheibhim do chéas mé* (Liam Rua Mac Coitir) ...
>
> *Níl taitneamh sa ngréin, atá éiclips fola ina diaidh* (Piaras Mac Gearailt) ...
>
> *Tá Éire 's is léan liom dá sracadh ag namhaid ....*[65]

Bíodh, mar is léir, gur tuirimh nósúla iad na dánta sin uile, dánta a úsáideann téamaí, friotal, buafhocail, is meafair an tuirimh thraidisiúnta, ní bhacann an nósúlacht sin ar an chuid is cumasaí acu na téamaí traidisiúnta a shnaidhmeadh go healaíonta le ráiteas bríomhar comhaimseartha:

Do tolladh mé trém aeibhse 's do goineadh mé im scairt,
le fothrom géar gaoithe 'gus orchra ceas,
óm roscaibh is tréan déara 'na srothaibh go fras,
ó crochadh an laoch Séamas Mac Coitir le cleas.

Do dhorchaigh an ré, shléachtaigh go doilbh a brat,
is d'fhoscail an spéir aerga ba lonnartha las,
do coigleadh gné Phoebus le sonnadh na n-each,
ó crochadh an laoch Séamas Mac Coitir le cleas ....[66]

Níl taitneamh sa ngréin, tá éiclips fola 'na diaidh,
ar easaibh níl éisc, san ré níl solas le cian,
níl lacht aige tréad 's is éadrom toradh na bhfiabh,
ó tachtadh le héitheach Séamas posta na gcliar ....[67]

A Shéamais Mhic Coitir, a ghéag bhreá oirirc,
    is mór an dochma tu d'Éirinn ...
is mór an osna so bhuail im chodladh me,
    an uair chuala crochta tu in éitheach ....[68]

Mar a léiríonn na véarsaí sin go cruthanta dúinn, féadfaidh foirmlí traidisiúnta liteartha teachtaireacht – teachtaireacht chomhaimseartha – a iompar chomh maith le haon déantús de chuid na huaire; is dóichí gur mhóide éifeacht na teachtaireachta sin í a bheith á cur i láthair i bhfoirmle nósúil sheandéanta, faoi mar nach raibh éinní nua á rá, aon nuaíocht sa ráiteas. Ní móide go raibh na filí féin dall ar éifeacht na straitéise sin; dá nósúla, dá sheanchaite, dá fhréamhaithe, na tuirimh iomadúla sin a cumadh ar Shéamas Óg Mac Coitir, níl aon cheann acu nach nochtann go soiléir is go diongbhálta seintimintí polaitiúla a lucht leanúna is a mhuintire. Claonghníomh díoltach éagórach ab ea a mharú a cuireadh i gcrích le feall, le breab, is le héitheach:

I dteannta ag bathlachaibh mallaithe i bhfeighil corda,
's a cheann dá ghearradh aige madra feighleora ...;

a ndóth níor cailleadh gur fealladh ar Shéamas ...,

an t-óg nár mheata gur teascadh le héitheach ... .

cé gur fealladh le geallamhain bhréige é ...

gur mheall feall na bhfealltach Séamas ... ,

coiste na nGall nár mheabhraigh féile
ach breabaireacht fhallsa, feall is éitheach ...;

dá chrochadh anois le monabar lucht fill is tnáith ...,

dar crochadh flaith na gCoitireach le díoltas námhad ...,

gur mhealladar le hairgead an croí as do chliabh ...,

arna dhaoradh chun báis
ag claonchoiste an Bhéarla
do léirscrios Gort Fáil ....[69]

Siar isteach sa naoú haois déag bhí na tuirimh sin á n-athscríobh is á
gcóipeáil agus cnuasaigh díobh á dteaglamadh ag scríobhaithe difriúla:
ag Seán de Nia, Seán Ó Colmáin, is muintir Longáin i gcontae Chorcaí;
ag Seán Ó Dálaigh i mBaile Átha Cliath, ag Nioclás Ó Cearnaigh i nDún
Dealgan, ag Mícheál Ó hAnnracháin agus Tadhg Mac Con Mara i
gcontae an Chláir.[70] Bhí, chomh maith, ceannscríbhinní léirmhínithe á
gcur leo, fios fátha an scéil, an leagan stairiúil canónda á sheachadadh
ó ghlúin go glúin:

> Séamas Mac Coitir do crochadh go héagcórach le coinntinncheilg
> eascarad na nÉireannach (RIA A iv 2:71).

> Marbhna Sir Séamas Mac Coitir noch do crochadh le Gallaibh ... (NLI
> G 101:54).

> An elegy on the death of James Cotter ... written in 1720 being the year in
> which he was executed, through a conspiracy against him by the
> Government party, he being a very influential Jacobite, and a Roman
> Catholic and a most powerful supporter of the Stuart family, against the
> house of Brunswick (NLI 711:159).

Caitheadh an cúram friochnamhach céanna le tuireamh Béarla a
cumadh ar an gCoitireach is a foilsíodh mar mhórbhileog ar a bhás:

> Elegy
> On the Unfortunate, tho' much Lamented Death of James Cotter Esq.,
> who was Executed at Cork on the 7th of May 1720 for Ravishing Elizabeth
> Squib a Quaker
> > And must he silent Dye, and Pitiless fall,
> > No muse to Sum up now his Virtues all,
> > He who the Poor's Chiefest supporter was,
> > Supply'd their Wants, and Maintained their cause,
> > Lo! tho' ingratitude's the basest Crime,
> > That infects the most, in our Modern Times;
> > His Manhood, I hope, no Man will deny,
> > Nor dispute his Heroick Magnanimity?
> > He ne'er was forward, but in a just cause,
> > In which he acquir'd the great Applause;
> > Of the Noble, Courageous and the Bold,
> > Who does Assert his Virtues manifold?
> > Unto all he behav'd himself Civil;
> > Untill he met Squib the Quaker —— l;
> > Who's Yeas and Neas, and cunning smiles withall
> > Wrought his, and his Families sad Downfall ...
> > O! had I power, to withhold that Hand
> > That Obey'd that Fatal and Dire Command,
> > Who took away Hibernia's Heroe's Life,
> > That was the Darling of 's friends and his Wife;
> > His unparalleled patience in his Woe,

And his Resignation did plainly shew;
But who is he, that Fortune can command,
Or who can the Laws of this Land withstand,
This is verified in great Cotter's Case,
Whose Pardon, all his Friends could not Purchase ....

Saothar nósúil é sin freisin, dála na dtuireamh Gaeilge, ach, a ndálasan, saothar é a iompraíonn chomh maith, dá nósúla an mód ceapadóireachta, dá bhláfaire an friotal, dá indírí dhiamhaire a chuirtear in iúl é, a iompraíonn teachtaireacht shoiléir pholaitiúil: *Heroic magnanimity ... a just cause ... Hibernia's Hero*; teachtaireacht dhúshlánach agus ceist thrombhríoch cheannairceach: *Who can the Laws of this Land withstand?* Aon chóip amháin den mhórbhileog sin atá ar marthain inniu. Laistigh de chlúdach lámhscríbhinne Gaeilge (MN B 9) a fhaightear í, lámhscríbhinn Ghaeilge a scríobh Tadhg Ó Neachtain.

IV

Róimh Nov. 14. Ní thochtann an Pápa Benedict oidhche nó lá ó throsga crádhbhadh nó urnuighthe .... tug éisdeacht bháidheamhuil don treas Séamus ... (RIA 24 P 41 c:221).

Áth Cliath. Dec. 31. Jan 12. D'árduigh sduirm ⁊ séidean an ghaoth noirdheas rc ar mhaidhm an lán mara is gach abhuinn bruachlíonta ag sárughadh a nimlibh, ⁊ go háirighthe an cuan so ionnar blodha iomad árasaibh for lár ⁊ ar mbátha (i stábladh láimh ris na bearocs) 37 eich cartachaibh na naldermen bhí réis na sráidibh do sguaba; ⁊ bean ag nach raibhe do mhaoin acht sé badh re í féin ⁊ a cúram do chothughadh do bátha cúig cinn díobh ... (*ibid.* 222).

Dála a athar roimhe, ba scríobhaí go príomha é Tadhg Ó Neachtain, bíodh gur chuir sé saothar cruthaitheach, idir phrós is fhilíocht, de chomh maith. Bhí suim faoi leith aige in ábhar cráifeach, i stair na hEorpa is sa stair gheografúil agus d'aistrigh sé cuid mhaith den bhunábhar sin go Gaeilge, go minic i bhfoirm agallaimh idir a athair is é féin.[71] Ní hionadh, is dócha, modh peideagógaíoch á chleachtadh aige, mar b'í an mhúinteoireacht a ghairm phroifisiúnta agus 'Popish School' á coimeád aige i Sráid an Iarla i gceartlár na cathrach.[72] Laidin, matamaitic, geografe, is litríocht an Bhéarla na hábhair a bhí á múineadh aige, is dóichí. Is deacair a rá cén earraíocht a bhain sé as a chuid lámhscríbhinní Gaeilge sa teagasc sin ach is fiú a lua nach ábhar Gaeilge amháin atá sna lámhscríbhinní sin aige, ach Béarla is Laidin, stair is geografe, matamaitic is céimseata, chomh maith. Tá, ar an chuid is lú, cúig cinn fhichead de na lámhscríbhinní a scríobh sé féin fós ar marthain; saothar cuimsitheach ilghnéitheach a chuir sé de idir na blianta 1704 agus 1752, saothar a thugann an-léargas dúinn, ní hamháin air féin is ar a chuid oibre ach ar ghnéithe áirithe de shaol na ceannchathrach lena linn agus ar a dhearcadh féin ar an saol sin[73] . Óir, murab ionann is gnáthshaothar grafnóireachta an ghnáthscríobhaí Ghaeilge, is dó féin is mó – agus ní do phátrúin – a sholáthair sé a chuid lámhscríbhinní agus is ina sheilbh féin a d'fhan an formhór acu. Ar an chuma chéanna, ní hé an gnáthábhar fréamhaithe is mó a fhaightear ina shaothar ach, murab ionann is gnáthshaothar an ghnáthscríobhaí, a shaothar féin: a chuid véarsaíochta, aistriúcháin leis féin ar théacsanna staire, deabhóide, is geografe agus, níos tábhachtaí fós, ábhar comhaimseartha nuachta ag cur síos ar chúrsaí reatha. Is móide tábhacht an ábhair sin gur i nGaeilge, i gcomhthéacs urbánach intleachtúil a rinneadh é. Cuid de na lámhscríbhinní sin a scríobh Ó Neachtain, is cosúla le leabhair oiris iad ná leis an ghnáthlámhscríbhinn Ghaeilge a bhfuil taithí againne uirthi; is é is mó atá iontu díolaim de bhlúirí éagsúla suimiúla ar tharlaingí comhaimseartha[74]. Na nuachtáin áitiúla – nuachtáin Bhaile Átha Cliath – an phríomhfhoinse a bhí aige don ábhar sin; a shúile féin an dara foinse.

Tá feicthe againn cheana gur léir go raibh teacht ag aos léinn na Gaeilge ar eolas cuimsitheach ar an pholaitíocht chomhaimseartha i gcéin is i gcóngar. Foinsí difriúla, ní foláir, a chuir an t-eolas sin ar fáil dóibh: teacht is imeacht na cléire, comhfhreagras na huaisle, scéalaíocht na smuglálaithe feadh an chósta, agus, de réir mar a chuaigh an aois ar aghaidh, na nuachtáin áitiúla. Go dtí an bhliain 1715 is i mBaile Átha Cliath amháin a bhí nuachtáin á bhfoilsiú in Éirinn ach faoi lár na haoise bhí a nuachtáin féin chomh maith ag príomhbhailte na tíre – Béal Feirste, Corcaigh, Luimneach, is Port Láirge.[75] Bíodh gurbh fhoilseacháin áitiúla iad uile, ní taobh le nuacht a gceantar ná a dtíre féin a bhíodar; bhí tuairisciú iomlán á chur ar fáil acu ar imeachtaí comhaimseartha na hEorpa idir thrádáil, pholaitíocht, is chogaíocht. Mar a mhaígh *The Dublin Intelligence* san fhotheideal, 'A Full and Impartial Account of the Foreign and Domestic News' a bhí á sholáthar. Bhíodh an-bhéim sna nuachtáin trí chéile ar an pholaitíocht chomhaimseartha, go háirithe an pholaitíocht idirnáisiúnta.[76] Nós coiteann ab ea é achoimriú a dhéanamh sa leathanach clúdaigh ar a raibh d'ábhar nuachta istigh:

> From Dantzick, Hamburg, The Hague and Paris of the King of Sweden's Progress, his Continuance, and being Reinforced in Norway. The dismal State of Affairs in Poland. The Death of the Elector Palatine. The Miseries and Poverty of France. The Late Lord Bolingbroke's being still in Paris, in Disgrace with the Pretender. The Reducing of the Rebels in Scotland, and the Indightment Tryals and Conviction of several more of 'em at London, and his Friends. Recalling the British Seamen from Foreign Services. The Confinement of the Imperial Envoy by the Turks, and a Battle in Hungry with the Turks. The Names of the Commissioners for the Forfeited Estates.

The Disposition of the Pretender, etc. (*Whalley's News-Letter:* 13 June 1716).

Ó bhlianta tosaigh na haoise amach, ba charachtar lárnach i nuachtáin na ceannchathrach é an Pretender. Cuireadh suim faoi leith, is cosúil, ina chuid taistil ar fud na hEorpa agus i ngníomhaíocht a lucht leanúna thar lear agus ag baile. Gach iarracht dá ndearnadh ar é a athbhunú, dhírigh na nuachtáin ar na himpleachtaí áitiúla agus ar an dainséar, dainséar a ceanglaíodh go hiomlán le pearsa an Stíobhartaigh féin:

> Dublin, March 20. On the 16th.
> their Excellencies the Lords Justices and Council, issued out a Proclamation, for seizing and apprehending the pretended Prince of Wales and all his traiterous confederates and adherents, and taking the arms, ammunition, horses, etc. belonging to any Papist or Disaffected Person, and for seizing and committing all Popish Priests to Goal till further Orders (*The Dublin Gazette:* 16-20 March 1708).

> Monday, March 29th, 1708
> Basil, March 21. The emissaries of France and Rome tell us, the Pope has supply'd the Pretended Prince of Wales with 1500000 crowns for his intended expedition against Scotland ... (*The Flying-Post:* 29 March 1708).

> Glasgow October 24.
> Upon Saturday there was 32 of the rebels taken 12 miles east from this .... There is eighty more of them taken in the East-Country in different parties and carry'd to Edinburgh .... We have an account that the Regent of France has put the Pretender under an arrest at Barleduc, for 92 millions of livers, which the Crown of France has furnisht him and his supposed Father and Mother with since they left England (*The Dublin Intelligence:* 5 November 1715).

> And whereas we have received information, that the eldest son of the said Pretender did lately embark in France in order to land in some part of His Majesty's Kingdoms ... (*The Dublin Journal:* 10-13 August 1745).

De na nuachtáin difriúla a tosaíodh i mBaile Átha Cliath roimh 1715 – breis agus deich gcinn fhichead acu – ní raibh rath leanúnach ach ar dhornán beag díobh (Munter 1967: 132), ach cuireadh lena líonsan de réir a chéile, rinne foilseacháin rialta díobh, agus, níos tábhachtaí fós, cuireadh go mór le méid is le comhdhéanamh a lucht léite. I mblianta tosaigh na haoise is ar uasaicme Phrotastúnach na cathrach amháin a bhí na nuachtáin dírithe, ach ó 1717 ar aghaidh 'it appears that readers of the lower social strata were starting to subscribe in large numbers to the periodical press and ... were beginning to make their needs known, both as subscribers and as advertisers' (Munter 1967: 132). Bíodh gur deacair a thomhas ná a mheas anois cén déileáil go díreach a bhí ag aos léinn na Gaeilge trí chéile leis na nuachtáin sin, níl aon chúis nach mbeadh tóir is teacht acu orthu. Ní hamháin go bhfuil an t-aos léinn sin le háireamh ar an mionlach a bhí inléimh sa tír, ach go bhfuilid le háireamh freisin ar an aicme fhorleathan sa tír a bhí dátheangach. Go háirithe an chuid acu a lonnaigh sna bailte, nó cóngarach do na bailte, a raibh nuachtáin á bhfoilsiú iontu, ní foláir nó is cinnte gur chuid éigin dá n-ábhar léitheoireachta is dá bhfoinsí eolais iad na nuachtáin sin: i gceann de na litreacha a chuir Aodh Ó Dónaill chuig Eoghan Ó Ruairc, tagraíonn sé do na ''Lres & News papers' a bhí faighte le déanaí aige; i 'nóchtain na hAoine' a fuair file a dtugtaí 'Tadhg an Tarta' air a chuid scéalasan;[77] is dóichí gur i nuachtán áitiúil – an *Limerick Journal* b'fhéidir – a fuair Seán Clárach Mac Dónaill an mioneolas a léirigh seisean ar chogaíocht chomhaimseartha na hEorpa;[78] ní móide go raibh éigse Charraig na bhFear aineolach ar nuachtáin Chorcaí is a rá gur ó fhear díolta leabhar sa chathair sin – Eoghan Mac Suibhne – a gheibheadh Seán na Ráithíneach a fhearaistí scríbhneoireachta.[79] Is cinnte go raibh nuachtáin a chathrach is a linne féin mar fhoinse eolais ag Tadhg Ó Neachtain.

Luann Ó Neachtain cuid de na nuachtáin sin as a n-ainm – *Harding's Dublin Impartial News Letter, Walsh's Weekly News-Letter, Faulkner's News Letter* agus *Faulkner's Dublin Journal*[80] – an ceann deireanach acu níos mó ná aon uair amháin agus is dóichí gurbh é sin a rogha féin nuachtáin den iliomad a bhí á bhfoilsiú sa chathair lena linn. B'fhéidir nach aon ábhar iontais sin. Bhí George Faulkner[81] ar na clódóirí ba mhó le rá i mBaile Átha Cliath san am is bhí sé chun tosaigh sna hiarrachtaí a rinneadh ar an ábhar léitheoireachta a dhibhéirsiú is an lucht léite a leathnú. Eisean is mó a d'fhreastail ina iris ar aicmí difriúla soch-chultúrtha na cathrach agus chuir sé roimhe iris liteartha, chomh maith le hiris nuachta, a dhéanamh dá *Journal:* an saghas irise a thaitheodh an t-aos liteartha. Níos tábhachtaí fós, dúradh ina thaobh gurbh é an chéad chlódóir i mBaile Átha Cliath é 'who stretched his hand to the prostrate catholic, recognised him as a fellow christian and a brother, and endeavoured to raise him to the rank of a subject and a freeman' (Gilbert 1861 ii: 39). Pé cúis a bhí leis, thaithigh Ó Neachtain *Dublin Journal* George Faulkner d'áirithe, fuair a dhíol d'ábhar oiriúnach ann is i nuachtáin mar é, d'aistrigh na míreanna ba mhó ba shuim leis go Gaeilge, is chuir isteach ina leabhair oiris iad:

1722 Ab. 18. Do roine ceathramhna do Eoin Mac Gearailt ⁊ do Éinrígh Mhac in Bhaird i gCorcuidh ⁊ do cuire a gcinn for spícidh mar do iomlatadar Gaoidhil ógáin chum in Pretender ionna a long chum na Fraingce (NLI G198: 299).

1723 Sep. an 5 lá. Chuir Sophia Mór na Persia, Ismael Bec a theachta iolchumhachtach go Impir sáruasal na Ruisia dar bhainim Peadar ... (RIA 24 P 41:219).

Seon Harding 'na Nuadhuigheacht. Dia Máirt. Iún 23, 1724. Iún 13. Hurt Green i Sussecs i Sasana, timchioll an haondéag ar maidin do conacas na néultaibh ag cruinniughadh i gcion a chéile ... (*ibid.* 74).

Áth Cliath Dia Luain Febh. 28. 1725. Tomas Vailis i Scinner Row ó Lonnduin ... Is iomdha iad léirbhreathnughadh chúirte na Gearmáingne i dtaobh chombaídheacht na dtrí gcumhachtuibh an Fraingc, Sasana ⁊ Prussia le ar oile i dteangmháil Hanover ... (*ibid.* 229).

1725. Beal. 11: Seorse Falcner ionna Nuadhuigheacht. Leopal Ab. 25. Do conarcas ar feadh dtrí nuaire doidhche iomad taisbeántaibh san aer do gach gné airm. Tug so ar Chatoilicibh meannughadh go dtroididís gach eiriceach gus an mbás ... (*ibid.* 207).

Áth Cliath. Ab. 20. 1727. Ag seisiún Luimnídh, do díotáladh an tAthair Raghalluigh ar son Catoiliceach ⁊ Protastant do phósa. Do curruidheagh an sagart ⁊ do crochadh é (TCD 1361: 526).

Bhí suim faoi leith, is léir, ag Ó Neachtain sa pholaitíocht chomhaimseartha, ach ní inti amháin a léirigh sé suim; thóg sé ceann, chomh maith, de na tarlaingí iontacha aisteacha a tharla thar lear agus ag baile lena linn féin: 'cith fola' i Ráth Fearnáin is 'mirabilia' eile a chonaic sé féin is a mhac, 'tóirneach ainmheasta ... ar feadh na críche', crann míorúilteach in Southampton a ligeadh béic as, Cnoc an Dúin i Luimneach ag sceitheadh, 'cith cloiche shneachta' á fearadh in Harwich i Sasana agus 'méad uighe gé' sna clocha; 'stoirm rodhainspiantadh i nDoire Coluim Cille, i gCúl Rathain agus iliomad áitibh eile'; stoirmeacha farraige, maidhm abhann, agus 'iomad longbhriseadh' i Londain, Corcaigh is Baile Átha Cliath; 'péisteoguibh' i gcuanta Amsterdam 'aga bhfuil cinn codh cruadha ⁊ sin nach bloghach smísteadh casúir é'; 'fonnchreatha' in Lima 'ceannchathair Peru'; dóiteáin mhóra i Londain is bailte eile ar fud Shasana; nuacht ón Róimh, ó Pháras, ón Pholainn.[82]

Leath Ó Neachtain a bhrat go fada, go huilíoch, is go fairsing, agus suim dhoshásta á nochtadh aige i gcúrsaí an tsaoil chomhaimseartha, ach b'í a thír féin is a muintir croílár an tsaoil sin is croílár a shuime. Is trua leis gurbh éigean do 'Ghaoidhil bhochta Éire d'fhágbháil' sa bhliain 1725, 'nó triall go bailte móra na críche mar do beanadh a bhfeilm díobh ⁊ do tugadh a bhfeilmibh do Paletínidh ⁊ daoinibh eile dá samhuil' ... (NLI G 198: 300). Caoineann sé an cruatan forleathan ar fud na tíre sna blianta 1739-41:

1741 Tug cruatan ar an iomad ar feadh iomlán na hÉireann bás dfhagháil et go mórmhór san Mumhain ⁊ i gConnachtaibh, i gCorcadh amháin do feartadh i naonchlais 160 pearsaibh .... bhá an tinneas fiabhrasach codh ainspiadhantadh sin ⁊ codh coitcheann go ndruidfuídh na toigheibh ionna mbí amhuil aimsir plághadh (NLI G 135: 28).

Díríonn go háirithe ar chás na mbochtán sna blianta céanna, 'bochtáin Éireann' a bhí 'i gcruatan rodhmhór gan obair, gan cheart' (NLI G 135:30); an cruatan chomh garg sin 'go bhfuair na mílte bás do ghearruchadh ⁊ buinnidh' (NLI G 198:301), an aimsir chomh hanróch sin agus an

sioc codh ainspiantadh loisgneach ⁊ sin gur feodhadh gach glasradh .... do seocadh gach ní go nach raibhe féur for talamh ar feadh na bliadhna et do mheadh potátaidh[83] ⁊ toradh gárruidh re ar tugadh gortadh ⁊ cruatan ar feadh na críche go huile. Bá ceardain ⁊ saothruidhibh oile gan obair gan chiste gan lón ... (NLI G 198: 301).

Is beag de bhoicht Bhaile Átha Cliath a bheadh beo an bhliain sin 1741, a deir sé, murach an trua a ghlac an tiarna Mountjoy[84] is uaisle eile dóibh agus murach an déirc laethúil a chuireadarsan ar fáil 'óir bhá 7,000 fear, bean 7 leanabh dá mbíathadh re deighshirc gacha lá' (NLI G198: 301). Chonaic sé féin an déirc sin á dáileadh gan idirdhealú á dhéanamh ag lucht a dáilte idir 'Protastún ná Páipis':

> Mar is feasach mé féin, do chonairc deighirc laothamhuil Gaill 7 Gaedhil do bhochtáin Átha Cliath 7 na gcríoch coimhneas óir tugadar go deontach ór 7 airgead, min 7 gual re cothughadh truagháin gan fhéachaint do Protastún ná Páipis acht do réir a chéile 7 tug feilmeoiribh cead sceachadh a gcloidheachadh do ghearra 7 do losgadh. Ó carrannacht os gach carranacht (NLI G 135: 28).

Is go fuarchúiseach, de ghnáth, a chuireann Ó Neachtain síos ar na tarlaingí is imeachtaí a bhfuil trácht á dhéanamh aige orthu; tuairisciú oibiachtúil, mar a dhéanfadh iriseoir gairmiúil, ach réabtar screamh na hoibiachtúlachta uair umá seach – dá ainneoin féin b'fhéidir – agus nochtar go mothaitheach neamhnáireach a thuairim féin mar aguisín lena thuairisc:

> 1727 San bhliadhuin so do cuire iomad Gaedhil san ngeata nuadh i nÁth Cliath tré a mbeith fágáil na críche re fághail beathadh san bhfairge ar beith do Éirinn gan cheard, gan obair, gan daonnacht 7 do coinge i ndaoirsi iad gan choiste do chur orra go bhfuair a nurmhór bás don ghorta san daorbhoth gcéadna 7 so uile ar son an Phretender, bhí an tan so i gcathair Avignon san gcríoch gcéadna déis a dheoruigheacht san Róimh. Och a Dhia, is bocht an riocht so gan cead a choisi ag duine re é féin do chothughadh 7 má ghoidean bu sealán a chríoch
>
> (TCD 1361: 528).

Ní ag cur síos ar thír ná ar phobal iasachta a bhí Ó Neachtain anois ach ar a thír is ar a mhuintir féin. 'Gaoidhil' de ghnáth, 'Catoilicidh' uaireanta a thugann sé ar an mhuintir sin; téarmaí comhchiallacha iad aige agus is leo go huile is go hiomlán atá a bhá, óir is duine acu féin é ar suim leis agus ar cás leis a n-ainnise láithreach is a stair léanmhar. Tá a bhá is a sheasamh ina leithsean le léamh ar an uile dhuilleog dár bhreac sé den stair sin. Go hachomair gonta míníonn cad a bhí i gceist le 'transplantasion':

> 1653 Sep. 26. Nois ar mbeith do gach ní do réir mianadh ag clann Chrumuil do suigheadh feis riú in Áth Cliath 7 do hachtaidh an transplantasion .i. Gaoidhil uile do shocrughadh i gConnachtaibh 7 bás do imirt for gach díobh d'fhilliugh as go bráth. Bhádar fón daoirse so go ríghe in dara Séarlus ... (NLI G 198: 276).

Bhí suim nach beag ag Ó Neachtain i 'gclann Chrumuil', ina ngníomhartha agus ina sliocht:

> I naimsir Chromuill air mbeith do Ghaodhuluibh dá gcaomhnadh i moigh beag idir dhá mhonuigh i bParráiste – i gcontae na Midhe dá ngorthaoi Pláis Móire tug Riobiort Lil arm Galda Átha Truim chum an Phláis 7 níor fága fear bean ná leannabh gan chur cum báis do

Ghaodhuluibh 7 ba hé a rádh san lá céadna 'Is maith an plás feola Plás Mhóire aniu' is a lámha 7 a ghnúis nó a dheilbh smearrthuidh da fhuil Ghaoidhil (NLI G 132:53).

1726 Bealltuin 28 i gcontae na Midhe i nDruim Beirn do bhí aon do chlann Cromuil mac dílis Chailvin ar oilén beag ag ithe 7 ag ól i bhfochair droinge don tsliocht thuas 7 i lár a súgaidh re gach sláinte dá rígh Seorse 7 dá bhunamh do scaoiltídh scuaid do ghunnuídh beagadh práis bhí san áit re caitheamh aimsire; 7 ba toil re Dia tóirneach bhorb 7 teintreach do bheith san áit tré a ndubhairt an fear shuas dar bh'ainim Woodwort ag toirbhiort a anama don diabhal go ndéanadh féin comór re toirneach Dé ... 7 amhluidh sin fuair bás i lár a conntracht ... (*ibid.* 91).

In aimsir Chromuill do brathadh an tAthair Aodh Ua Muiridh 7 fuireann cliar bhá 'na fhochair ... (TCD 1361: 525).

Agus gluais á cur aige le rann dar tosach *Is bagarthach madraí Ghlinne Dá Fhiach* míníonn sé gurb iad 'clann Cromuill na madraidh' (NLI G 132: 3), agus i ndán a chum sé féin orthu nochtann go hoscailte a aigne ina leith:

Clann Chromuill sompla air so,
chuir caor loiscne ar lasadh,
lear loiteadh ríoghacht na rígh
is chuir uaisleacht i ndimbhrígh ... .[85]

Críochnaíonn dán eile ar an dream céanna le himpí achainíoch chun Dé:

A Dé dhil léara go luath,
saor Éire ón daoscarshluagh.[86]

Aistríonn sé go Gaeilge ceann de na dlíthe peannaideacha, dlí a tugadh isteach sa bhliain 1724 'i naghaidh fás páparaibh' (RIA 24 P 41:286), agus nochtann go neamhbhalbh in aon rann gonta amháin a aisce don dream a d'fhuathaigh sé:

So m'aisce don aicme rófhuathaím féin:
bheith 'na seasamh in aimirne buanchlaoite,
práinneach easbhach i gcaidreamh brúitídh bréan,
gnáthbhocht ailpirneach gan faice acht uaill saobh saoil (NLI G 135: 5).

Tugann cuntas ar an imeagla a bhí ar Ghaeil sa bhliain 1714, ní hamháin i mBaile Átha Cliath ach ar fud na tíre:

1714 Jun. 30. Do cuire iomad crosa i gcuim oidhche for dhorsuibh toighibh in Áth Cliath, crosa deargadh for dhorsaibh lucht in teampuill 7 crosa bána for dhorsaibh Catoilicibh .... ní raibh oidhche gan Gaill armáltadh 'na mbuidhuibh ag marcuidheacht ó bhaile go baile go nár léig eagladh do Ghaedhul a cheann do chur amach as a chrodh i gcuim oidhche ar aonchur (NLI G 198: 296-7).

Tagraíonn níos mó ná aon uair amháin do na seanmóirí frithchaitliceacha a bhíodh á dtabhairt coitianta san ardchathair is i mbailte eile. Freagraíonn go héifeachtach éirim na seanmóirí sin:

1726. Iún 2. Cuireadh i leith Gaoidhil in Áth Cliath gur sheanmóir aon dá neagluisibh, an puball do éirghe re scornachuibh Gaill do ghearra et gach aon díobh do dhúnmharbhadh, 7 dá dhearbhadh so, do ba he téx an Eagluisigh do rinn an tseanmóir, Esechiel an 9. caib. 6 vérsa mara nabair. 'Marbhuidh thríd amach sean 7 óg idir chailín agas leanbadh ógadh 7 mnáibh'. Ní raibhe Corcadh, Cionnsáile 7 áitibh oile san gcríoch gan an chumadóireacht céadna eadtorra i modh go raibhe gach Gall ag glanadh a ghunnadh 7 dá inníoll féin ré íad féin do chaomhnadh ar na fuilteach fiata barrborra Gaodhuldha mar a dubhradar na Gaill féin. Is breaghadh an riocht i raibhe Gaoidhil an tan so ris an dúnmharbhadh Gaillsi do dhéanamh óir ní raibhe aon do Ghaodhuluibh gan bhatadh re claoidhe fear cloidhiomh, gunnadh, pistiol 7 pilléir (NLI G 132: 92).

1726. Belt 21. Átha Cliath. Do cumadh ar na Gaodhuluibh gur seanmóra díobh luighe síos ar chlanna Gall 7 a ndúnmharbhadh go huile .... Mar do mheas Gaoidhil, ní raibhe san gcumadóireacht so acht re fáth do bheith acu, na d'fhaghail re luighe síos ar Ghaodhaluibh dá ndúnmharbhadh
(TCD 1361: 521).

Is léir nach n-aontaíonn sé leis na 'fuidhcheardáin' a chruinníodh 'na gcorpaibh'[87] ar na féiltí éagsúla agus a théadh ansin ag éisteacht le seanmóir 'Gallda', bíodh gur Chaitlicigh iad a bhformhór:

1727. Duibhlinn. Fuidcheardáin an bhaile si (gidh Catoilicibh a nurmhór) cruinnighid 'na gcorpaibh: na táiliúiribh lá fhéil Séam, spínéiribh nó sníodhchánaibh lá fhéil Geibhíll Pheadair, bácaeiribh lá céad fhéil Muire san bhFoghmhar, na gréasáin leathanadh lá fhéil Parthalóin 7 níl drong díobh sin dá naontadh féin nach néiste seanmoir Gallda i dteampoll éigin 7 duais a sheanmóradh don mhinistir ba hé uile a dtoil so líon le Protestaint do deanamh díobh fo ainm na cathrannacht
(TCD 1361: 527).

Agus fáilte á cur aige 'roimhe an Athair Peadar Ua Muireagáin Provinsial naomhórd Mhanuigh S. Aug. 7 easbog dá éis', cuireann 'aisge 7 impídhe' lena dhán:[88] 'gibé ag nach bhfuil fáilte romhad nár raibhe fáilte ag Dia ná ag Muire roimhe san muna narrthuighthe a bhéas'. Tugann téacs Béarla an tseanmóra a thug an bráthair bocht 'Bonaventura Ua Baoidhilean' Domhnach na Páise sa bhliain 1736, cuireann guí le hanam an tseanmóirí agus leanann air:

tig an tseanmóir shuas go fíre i naghaidh gailleaspuig rear dtearna seanmóir san ló céadna i dteampoll San Caitrín in Áth Cliath, mar a bhfuair cognamh mór airgid ó a phupall re sgolluigheacht do phronnadh ar dhíleachtaibh 7 ar dhearóilibh Catoiliceadh re go séanadaois go bráth sean creideamh mhic Calphuirn ionar seoladh a sinnsear i dtós Críostamhlacht in innis Éireann (KIL 20: 219).

Ní cheileann, ach oiread, a mheas ar an 'sagart-ghabhálach' Tyrell, ná ar dhuine de mhuintir Swan a mhionnaigh in aghaidh 'lucht an Phretender':

Ar bhás 7 crochadh in Trialluigh sagart-ghabhálach.
Tadhg Ó Neachtain cct ag labhairt ris a gcroich:

Rath do thoradh ort a chrainn,
rath do thoradh for gach crann,
trua nach bhfuil crainn Inse Fáil
trom dod thoradh gach n-aon lá (NLI G 135: 185).[89]

Ar mbeith do mhaighistir Swan Sasanach mór ó Fhine Ghall láimh re hÁth Cliath 'na fhiadhnuisi i naghaidh lucht an Phretender .i. an Tagarach[90] (bhí ai deoruigheacht san Iodáille an tan so) i gCill Mhaighneann lá an tseisiúin, dubhairt an comhairleach fileatadh Gearóid a Búrc gan stuidéir:

Among those owls of the night
Now a Swan tho' not white,
An evidence that swore fast and loose.
But if birds of a feather
Do still flock together
You'll find that Mr. Swan is a goose (TCD 1361: 22).

Dá fheabhas mar chróineolaí ar imeachtaí a linne féin é Ó Neachtain, ní raibh sé neodrach: ba Sheacaibíteach é a bhfuil ideolaíocht is reitric an tSeacaibíteachais ina orlaí trína shaothar aige. Mar scríobhaí gairmiúil bhí teacht aige ar ghinealaigh is chraobha coibhneasa mhórshleachta Éireann. Bhí cnuasach cuimsitheach de na ginealaigh sin ina sheilbh agus iad athscríofa go cúramach críochnúil as foinsí eile aige. Bhí ionad faoi leith ag ginealach na Stíobhartach sa chnuasach sin[91] agus a nginealach tógtha anuas go dtí a lá féin aige:

Sinsireacht na Stuart
Séarlus Eduird do rugadh i ndeoruigheacht san Róimh October 31 san bhliadhain 1720 $\frac{}{7}$ a dhearbhráthair Éinrígh Benedict Eduird Alfread Leuis Tomas do rugadh Feabhradh 24, 1725. Clann Shéamuis an tagarach re Maria Clementina ingean Shéamuis Sobiesci Prionnsa i bPoland,
mac Séamuis rígh na Briotaine Móire,
mac Séarluis rígh do dícheannadh,
mac Séamuis céad rígh Scuit i Sasana ... (RIA 24 P 41 b: 127).

Mar a chreid na Seacaibítigh trí chéile, ba pheaca uafar é dícheannadh Shéarlais I sa bhliain 1649, peaca a raibh na hAlbanaigh go háirithe ciontach ann ó d'fhealladar ar a rí féin. Agus dán Béarla ar bhás Shéarlais I á athscríobh ag Ó Neachtain, cuireann mar cheannteideal leis 'after the bloody murther of his Sacred Majesty of blessed memory, K. Charles the first' (NLI G 132:27). In ionad eile tugann sé dán eile ar an ábhar céanna:

Mar do reic Iúdas Críost
  Albanaigh a rí do reic;
Iúdas a thighearna Dia,
  Albanaigh a dtriath gan cheilt ... (TCD 1361: 65).[92]

Agus stair na hAlban á ríomh aige, díríonn Ó Neachtain go háirithe ar stair na Stíobhartach ag tosú le Mary Queen of Scots (NLI G 198: 303). Tugann sé cuntas iomlán ar an chéad reibiliún Seacaibíteach is ar an té a d'eagraigh é (an Gràmach) agus cuntas mioninste ar shléacht Glinne Comhann sa bhliain 1692. Conclúid shimplí thrombhríoch a chuireann

sé leis an stair sin na hAlban a d'aistrigh sé féin go Gaeilge: *Is iomdha
iad na duadha do fhuiling an cine so, tré a mbeith dílis dá rígh*
(NLI G 198: 394).

Sa chuntas próis atá aige ar stair na hÉireann tugann sé le tuiscint go
bhfaca sé féin cuid d'imeachtaí corraitheacha na mblianta 1689-91 agus
an coimheascar idir an 'arm Gaoidhealach' agus an 'arm Gallda';[93] sna
blianta sin bhí sí i gcontae na Mí, Lú, agus i gcontae Chill Mhantáin faoi
seach, agus chonaic lena shúile féin an íospairt a rinneadh ar Ghaeil
bhochta d'éis na Bóinne. Ach ní hiad na Gaeil amháin is trua leis;
goileann an ainíde a imríodh ar bhuíon d'othair in arm na nGall
chomh maith air:

> 1689. Nov. 24. Do marbhadh iliomad Gaill idir Úir Chinn Trághadh ⁊ Dún
> Dealgan ⁊ do dhearcas féin tigh othair san mbealach idir an dá áit 'na
> chaor thinntridhe líontadh do lucht othair Gaill féin mar dearbhadh
> dhamh ⁊ sin ar eagladh a mbeith muiríneach don arm. Ó barbarach tar
> gach barbaracht luaithre do dhéanamh do créatúiridh bochtadh
> éagcruadh (NLI G 198: 283-4).

> 1691. Aug. 11 ... Is beag baile nach raibh cinn for spícidh ionntadh ... óir
> chonarcas féin cinn beirt buachaillídh beagadh aon díobh i naois 12
> bliadhuin ⁊ a fear eile 16 bliadhna do dícheanna re Roger Williams
> muileoir Baile na mBeannacht i gcontae Chille Mantáin et fós sé cinn
> déag sgológ ⁊ saothruidhe ro bhá láimh re ais tobar Eoin Baiste i gcontae
> na Mídhe ... (*ibid*. 287).

A chluasa féin a chuala an tarcaisne a lean an íospairt sin. Éann ar a
Thiarna Dia:

> A Thighearna do chonairc tú an íosbuirt so for Ghaoidhil bochta gan
> cuim ag sagart ná bráthair uasal nó ísiol acht iad uile fó aondhaoirse dá
> gcreachadh dá slad et dá marbhadh mar do sheasadar ar son an cheirt et
> in rígh do hoirnidhe forradh. Do chualaidh mo chluasa féin aon do Ghaill
> Éireann ag rádh, gur budh hé féin dia beag na háite sin ⁊ go gcaithfídh a
> thoil do dheanamh ⁊ so ag éigniughadh Gaoidhil cum oibre dó. I nglór
> coitcheann, a fonodhad for Gaoidhil ag rádh 'cia bhfuil Muire na súl mór
> anois nach gcabhruighean sí sibh' ... (*ibid*. 290).

Ba dheacair teacht ar phíosa chomh híogair sin i litríocht na Nua-
Ghaeilge a shoilsíonn chomh fírinneach, chomh mothaitheach sin,
tarcaisne colgach an Ghaill agus an múisiam faltanach a mhúscail sé i
measc na nGael. Ba dheacra fós teacht ar léiriú níos gonta, níos
géarchúisí in aon fhoinse Ghaeilge ar chroílár an tSeacaibíteachais: ag
seasamh a bhí na Gaeil bhochta 'ar son an cheirt et in rígh do hoirnidhe
forradh'. B'é an rí a oirníodh orthu, an rí ceart, an t-aon rí amháin a
raibh géillsine dlite dó. Bhí an tuiscint sin leagtha síos go cruinn ag
Seán Ó Neachtain i ndán leis ar dhíbirt na cléire, dán a ndearna Tadhg
cóip de i lámhscríbhinn dá chuid:

> Mo dhíthse go n-éagad mo léan is mo chrá
> sé díbirt na cléire gan réiteach tar sáil ...

Díbirt is fuadradh, luathscrios is léan,
ar mhaoin, ar chuallacht, ar bhuallach, ar thréad
na ndaoine tá ag fuagradh 's ag ruagan an té
is rí ceart ó dhualgas 's ón uaisle darb é;
is é sin Séamas mac Shéamais an saoi,
gealáilléan na scéimhe, lámh éachtach i ngníomh,
lánghrá fhear nÉireann, dá ngéillid mar rí,
is tá díreach ceart dílis gan staonadh ar a thaobh ... (NLI G 135: 84).

Fiú amháin san ábhar ba neodraí a bhí idir lámha aige, nochtann sé
dúinn go soiléiseach neamhchas a dhearcadh is a aigne. An gheograife
stairiúil a d'aistrigh sé go Gaeilge, saothar cuimsitheach ar thíortha
difriúla na hEorpa, na hÁise, na hAfraice, is Mheiriceá, tugann sé
léaspairtí cruinne dúinn ar a dhearcadhsan ar chor comhaimseartha na
hÉireann is na Breataine. Tar éis dó cur síos a dhéanamh ar 'oileán na
naomh' agus ar léann is chráifeacht an aosa léinn 'd'fhuilinn
inghreama, boichteacht, anrótha 7 bás fa dheoigh ar son Dé', tugann a
chuntas go hobann chun críche le tagairt chomhaimseartha: 'aniu féin
cá boichteacht mar a mboichteacht?' (Ní Chléirigh 1944:4). Ní freagra
simplí a thugann sé ar an cheist 'Créad as creideamh i nÉirinn?' ach
míniú stairiúil (teacht Phádraig, teacht na heiriceachta), ag críochnú
arís le tagairt ghonta chomhaimseartha: 'Gidh eadh, na Gaoidhil
bhocht, atá a n-urmhór (faoi ainghreama ábhal-mhór, 'na sclábhuibh
d'éis a gcuid don tsaoghal do chailleamh) 'na gCatoilicibh' (ibid. 9). Tar
éis dó cur síos a dhéanamh ar stair ársa na Gaeilge féin, caoineann sé
nach bhfuil 'aon do uaislibh Gaoidhilfhine nach bhfuil ag séana a
dteanguibh, ag reic a n-ainimionna' (ibid. 12); ós inmheasta go raibh an
teanga uair 'fo mheas mhór ag an rígh mar aon ris an sclábhuidh', dála
an chrainn is airde a leagtar go talamh 'is uaithmhíalta troime a leagan
go mór nó an rosán bheag bhíos láimh ris a' dtalamh' (ibid. 13). An
riocht céanna a d'éirigh do uaisle Gael; fuaireadar leagadh nach bhfuair
aon chine eile, fiú an cine Giúdach:

Agus mar ba híad an cine Iúdaighe clann Dé ... gur tuga leaga an-mhór
dhóibh nár tuga do dhrong ar bhioth oile acht dona Gaodhuil amháin ...
óir d'imigh a gcreideamh 7 a ndúthchas uatha 7 gí gur imigh a ndúthchas
ó chlanna Gaodhuil, tá a gcreideamh ar marthuinn acu .... Uime so is
féidir a rádh riú gurab íad puball todhbha Dé íad' (ibid. 13).

Le meafar atharúil agus guí impíoch a chríochnaíonn an sliocht: faoi
mar a theilgeann an t-athair an tslat a ngreadann sé tóin an linbh léi sa
tine, iarann sé ar Dhia mór na Glóire sin a dhéanamh 'risan tslat bhorb
so atá ris na cíantaibh bliadhuin ag greada Gaoidhil' (ibid. 13). Leanann
air agus an stair ar a thír dhúchais féin á tabhairt chun críche aige le guí
impíoch:

Agus go bhfaiceam Teamhair na Ríogh gan
   Alt riabhach bhodach bhoicht
   ag gearra goirt ar a druim,[94]

7 clanna ríogh 7 ro-fhlathuibh Gaodhuil san mbith gcéadna do bhí a sinsear .... Agus arís, a Dhia mhóir na Glóire, goir abhaile chum dúthchais a sinnsir do chlann dhílis Ghaodhuldha atá 'na ndiasacha fia 7 'na gcoirce fhíathain fo cheithre rannuibh na cruinne; 7 eachtranuibh atá ag ithe go súgach allus 7 dleacht a ndíarsma deireoil atá go fóill i ndaor-bhruid, tabhair luach a gcroidhe, a ngníomha 7 a mbriathar dhóibh – ag sin go prap. Amen. (*ibid.* 14-5).

Níl le rá ag Ó Neachtain i dtaobh na hAlban, seachas cur síos ar a geograife, ach gur

ó Éirinn chuaidh Cruinneachuibh .i. Pictibh, don chríoch, 7 'na dhiaigh sin Fearghus Mór mhac Earca, taoiseach Dál Riada, réar gabha agus ar sealbha áird-iathibh na críche; 7 is dá shliocht ríoghuidh na Bpriotainne aniu ... 7 is follus don chruinne gur fuireann chródha lucht na críche si (*ibid.* 33).

B'fhéidir nach bhfuil aon léamh polaitiúil faoi leith le déanamh ar an tagairt úd do chrógacht na nAlbanach, ach is cinnte gur ráiteas polaitiúil é an tagairt do 'ríoghuidh na Bpriotainne aniu'. Bhraithfeadh sé ar na ríthe a bhí i gceist, ar ndóigh, ach is cinnte nach ngéillfeadh Ó Neachtain ná aon Seacaibíteach eile gur shíolraigh Uilliam III ná teaghlach Hanover ó Fhearghus Mór mac Earca, sinsear na Stíobhartach. Bhí ríthe agus ríthe ann, is dob fhéidir idirdhealú simplí dlisteanais a dhéanamh eatarthu, mar a léirigh sé sa fhreagra léir a thug sé ar cheist neafaiseach i dtaobh 'Éaduirt an Confesor':

An bhfuair an rígh so dó féin 7 dá shliocht dleacht leigheas an tinnis dá ngoirthear King's Evil?
Do fuair; 7 atá na buadha céadhna ó shoin i leith ag Rígh Sasana, más oighre dílis é (*ibid.* 25).

Ba thuiscint choiteann thraidisiúnta i dtaobh na ríogachta i Sasana é gur phearsa shacrálta é an rí a raibh, dá réir sin, feidhm íocshláinte aige agus nár ghá dhó ach a lámh a leagan ar dhuine chun galar – go háirithe an scrufaile – a leigheas. Chleacht an ríora Stíobhartach an gnás sin go leanúnach is go fairsing le linn an tseachtú haois déag, agus leanadar den nós i rith an ochtú haois déag chomh maith, mar chomhartha poiblí dlisteanais is bailíochta.[95] Mar a mhínigh Ó Neachtain, is é an t-oidhre dílis amháin a shealbhaigh an bua sin – idirdhealú bunúsach in ideolaíocht na Seacaibíteach.

Focal ar fhocal aistríonn ó *Faulkner's Dublin Journal* an tuairisc a bhí aige siúd ar an 'éisteacht bháidheamhail' a thug an pápa 'don treas Séamus' agus dá oidhre:

Áth Cliath Dia Sathurn Dec. 18. 1725
Nuadhuigheacht
Róimh Nov. 14. Ní thochtann an Pápa Benedict oidhche nó lá ó throsga crádhbhadh nó urnuighthe acht ag gnáithbhreathnughadh dísbeagadh neamharthannuidh an tsaoghuil si; 7 gi beith dó corra 7 76 bliadhuin daois tug éisteacht bháidheamhuil don treas Séamus rígh Sacson bhí ar deoruigheacht san Róimh fon amso agus do theagasg é re briathraibh

caoin agá aisge bheith foighideach i nannródhaibh, agus na dhiaighsin glacan oighre an tSéamuis suas idir a ghéaga re áilgeas cumainn agá bheannughadh agus agá rádh ris: 'Go ndéana an tigearna coidheagna codhchródha re hathair tú agus go dtugadh riaghalughadh cumann dísleacht 7 cneastacht do shinnsear dhuit' ... Seorsa Falcnar an clodhuighthe (RIA 24 P 41: 221).

Ach fágann Ó Neachtain ar lár, d'eagla scannal a thabhairt, is dócha, an mhír bhreise seo a chuir Faulkner leis an scéal sin:

The Court of the Chevalier de St.George is in the utmost consternation, on his Lady's retiring into a nunnery ... (*Faulkner's Dublin Journal:* 18 December 1725).[96]

Ní aistriú cruinn, is léir, ar nuacht an lae a bhí á sholáthar ag Ó Neachtain ach leagan áirithe den nuacht sin a réiteodh lena lucht léite. Is áirithe go raibh lucht léite i gceist.

Agus é ag trácht ar an rí *de facto,* tá Ó Neachtain beagán caolchúiseach; é lom fírinneach cruinn:

1714 Aug. 6. Ráinig Áth Cliath tásg báis bainríoghain Annadh 7 do fuagradh Seorsa 'na rígh (NLI G198:297).

Ach an d'aonghnó a chuir sé i dteannta na hiontrála sin ar aon leathanach, gan ghluais, gan agús, an mhír seo:

1714 Jun. 26. Do roinneadh ceathramhnadh do Eoin Ó Raghalluidh, Alastran a Búrc 7 Máirtín Ó Cearbhuill ar son an Pretender (*ibid.*).

Agus é ag cuimhneamh siar ar Iúil agus Lúnasa na bliana 1727 ('bu hádhluinn an aimsir foghmhair í'), meabhraíonn go raibh ar chathraitheoirí Bhaile Átha Cliath, agus iad ag cruinniú feadh an tsamhraidh 'ag báisín uisge na cathrach' nó 'ag Faithcheadh S. Stepháin', go raibh orthu a bheith 'éaduighthe i ndubh do chúmhadh an rígh Seorsa'; leanann air go fuarchúiseach: '7 do bhreathnuigh gur luchtmhar inbhir 7 cuanta mara do gach gné éisg, ar fad an oidhche do ránaic tásg bháis Sheorsa' (TCD 1361: 527).[97] Íoróin? Meafar? Leathfhocal? Is mó is suimiúla fós – agus is domheasta – an insint neafaiseach atá aige ar conas a chaith sé féin is a chairde an lá ar fógraíodh Seoirse II ina rí i mBaile Átha Cliath:

1727. Jun. 19. Áth Cliath. Nuadhuidheacht ó Londuin i gcathair Osnaburg. Jun 14. Fuair an chéad Seorsa rígh Sacson bás (ionna príomhport Hannover) go tobann is é anois 68 do bhliadhna 7 do fuagradh a mhac an dara Seorsa 'na rígh. An 20 lá annso bhí Tadhg Ua Neachtuin, Uiliam Aeirs 7 fidhche eile mar aon riu idir Binn Éadair 7 Bulog nó Dalcaidh san muir ag iascaireacht 7 ag marbhadh éanlaidh i noiléan Dalcaidh (TCD 1361: 524).

An ag foghlaeireacht dáiríre a bhí Tadhg Ó Neachtain is a chomrádaithe an lá sin? An bhféadfadh gur ghníomhaíocht éigin eile a bhí idir lámha acu? Níl sin as an cheist in aon chor. Is go cuan Bhlóic i nDeilginis, an pointe ba shia amach i gcuan Bhaile Átha Cliath, a

thagadh cuid de na longa iompair ag triall ar na hógfhir a bhí ag liostáil
in arm an Pretender.[98] An ag iompar grúpa acusan go long sa chuan a bhí
Ó Neachtain an lá sin? An sampla eile í an tagairt úd aige do bheith 'ag
iascaireacht 7 ag marbhadh éanlaidh' den chód rúnda a chleachtaíodh
lucht leanúna an Stíobhartaigh eatarthu féin? Is deacair a rá, ach tá sé
cinnte is soiléir gur chuir Ó Neachtain suim faoi leith sa liostáil chéanna
agus go háirithe sna truáin bhochta a gabhadh is a daoradh:

1714 Jun 26. Do roinneadh ceathramhnadh do Eoin Ó Raghalluidh,
Alastran a Búrc 7 Máirtín Ó Cearbhuill ar son an Pretender (NLI
G 198:297).

1722 Ab. 18. Do roine ceathramhna do Eoin Mac Gearailt 7 do Éinrígh
Mhac in Bhaird i gCorcuidh 7 do cuire a gcinn for spícidh mar do
iomlatadar Gaoidhil ógáin chum in Pretender ionna a long chun na
Fraingce (*ibid.* 299).

1726 Iún 7. Do gabhadh ar chaladh Átha Cliath Brian Caomhánach,
Donnchadh Ó Cothbhuidh, Séamus Ó Láimhe, Matha Brún, Eoin
Hurleidh, Pádruic Ó Dubhagán píobuire, Pádruic Ó Cíonán, Séamus Ó
Dubhghail, Eoin Frenc, Matha Ó Dubhagán tré a mbeidh ag dul tar sáile
re cathaibh Gaodhuil san bhFhraingc do líona nó do mhéadughadh (NLI
G 132: 115).[99]

1726 Iúil 6. Do roinneadh ceathramhnadh maille rena innmhe do losgadh
do Magnus Ó Nuathláin in Áth Cliath tré beith dó ... ag seoladh
soighidiúiribh nuadha tar sáile chum an Pretender .i. an Tagarach bhí fón
ama so ar deoruigheacht san Róimh ... (*ibid.* 104).

Tá tábhacht faoi leith ag an iontráil dheireanach sin agus ag an té a
luaitear inti, Mánus Ó Nualláin. De na céadta a crochadh ar fud Éireann
as bheith ag liostáil sna blianta sin, níl ach aon sampla amháin ar
marthain anois, go bhfios dom, den óráid a thug éinne acu uathu ar
scafall an chrochta – an óráid a thug Mánus Ó Nualláin, nó mar a thug
na foinsí oifigiúla air Moses Nowland: *The last speech confession and dying
words of Moses Nowland* ... a crochadh i mBaile Átha Cliath ar an 6 Iúil
1726 'for inlisting men for the service of the Pretender'. Is léir ar
fhriotal, ar stílíocht is ar chomhdhéanamh na hóráide seo, dar liom, gur
déantús réamhdhéanta é is nach é an trú bocht féin a chum; is léir gur
cuireadh iachall air aithreachas poiblí a dhéanamh, maithiúnas a lorg,
a admháil gur 'damned avarice and cursed ambition' a stiúraigh é, gur
ghníomhaigh sé 'contrary to the duty incumbent on a loyal subject by
inlisting men for the Pretender's service', agus a shéanadh 'that what I
did was but my duty, being designed for the service of my lawful
Sovereign, and the entire good of my country'. Ach gheofá an tuairim
freisin go raibh an séanadh sin róláidir, róchasta ina argóint, rófhada: a
mhalairt ghlan a theastaigh uaidh a chur in iúl:

Dear Countrymen,
It is my hard fate, and indeed I can scarce complain of it, to be here
exposed in the eyes of the whole world to a shameful and ignominious
death, about which I doubt not, there are, and will be, various conjectures,

some inclining to pity and compassionate my suffering in this matter, others again asserting it to be my desert. To ease therefore your minds of all doubts, and satisfy you of my true crime, I shall lay before you the real nature of it. The crime for which I was apprehended, tried, condemned, by the laws of this land and am now to suffer in a publick manner is the acting contrary to the duty incumbent on a loyal subject by inlisting men for the Pretender's service; and had this been truly the nature of my crime, I should not have regretted my folly to that great degree, I at present do, tho' I had been equally found guilty, but have had a more plausible pretence, than I have, for my crimes, and perhaps have drawn the compassion of some of my spectators on me, for the deluding insinuations of cunning, designing and self-interest men might have persuaded me, or the dictates of mine own erroneous conscience told me, that, what I did, was but my duty, being designed for the service of my lawful Sovereign, and the entire good of my own country. But alas; this is not what I am guilty of, tho' laid to my charge, for my real crime is so heinous and wicked in its own nature, that I cannot in the least excuse it to God, my conscience or country; no false and mistaken zeal for my country guided and over rul'd mine actions, but I was wholly swayed by damned avarice and cursed ambition .... And now vengeance has overtaken my crimes, and I heartily repent and grieve for them, yet nothing troubles me more than the thoughts of the grief it will give my poor parents at Carlow; whose grey hairs will come with sorrow to the ground ....[100]

Mura mbeadh déanta de mhaith ag Ó Neachtain ach ainm dílis 'Moses Nowland' a thabhairt dúinn, ba lánleor é mar chomaoin ar an stair, ach luann sé chomh maith na daoine a thug fianaise i gcoinne Uí Nualláin agus ainm an bhreithimh a dhaor chun a chrochta é; leanann air agus tugann cuntas léir ar an iontas aisteach a tharla an lá sin freisin:

1726 Iúil 6. Do rinneadh ceathramhnadh maille rena innmhe do losgadh do Magnus Ó Nuathláin in Áth Cliath tré beith dó (mar mheannaigh Homs Coibleir do frighe 'na ghaduidh ⁊ 'na robaire i láthair Caufield an breitheamh ⁊ féidnuisi oile Woodwart fidheadóir) ag seoladh soighidiúiribh nuadha tar sáile chum an Pretender .i. an Tagarach bhí fón ama so ar deoruigheacht san Róimh ⁊ fo an am ionnar fhuiling an bráighe bocht so bás (gi go raibhe an lá gríangharrtha roimhe) do thuit druillionnadh tintridhe maille re tóirneach uathbhásach le ar leagadh toiteachán nó siméad i dtoigh láimh re Bludi Bridg i nÁth Cliath, ⁊ dá éisi sin táinig nó do feara an cith fearranna is uathbhásuidh dá bhfacadh misi riamh, óir do fearadh an cith amhuil dá dtuiteadh abhuinn i gcríathar nó i gcoinnéan (NLI G 132: 104).

Ní deacair a thuiscint cad tá á chur in iúl ag Ó Neachtain, más go diamhair indíreach féin é, tríd an dá tharlang dhifriúla sin – an crochadh is an tintreach – a cheangal le chéile in aon insint amháin. Faoi mar a bhodhair 'an tSionainn, an Life 's an Laoi cheolmhar', dar le Ó Rathaille, nuair a 'lom an cuireata cluiche ar an rí corónach' (AÓR:21 § 8-12), is faoi mar 'do dhorchaigh an ré ... is d'fhoscail an spéir aerga', dar le Seán Clárach Mac Dónaill, ar bhás Shéamais Óig Mhic Coitir (thuas lch 367), sa tslí chéanna, chonacthas toirneach, tintreach, is 'an cith fearranna is uathbhásuidh dá bhfacadh mise riamh', dar le Ó Neachtain, an lá úd ar crochadh Mánus Ó Nualláin i mBaile Átha Cliath: modh traidisiúnta an aosa léinn chun a mbrón, a mbá, a meas ar an laoch marbh a léiriú.

An bhá a nochtann Ó Neachtain leis an 'bráighe bocht so' is na liostálaithe eile a d'fhulaing 'ar son an Phretender', bá í a nochtann sé chomh maith leis na 'buachaillídh díomhaoin láimh re Loch Garmann', agus go háirithe leis an díorma a loisc teach tionóil Chumann na gCarad i dTigh Mochua i gcontae Chill Dara:

> Chuir na buachaillídh díomhaoin láimh re Loch Garmann fios go gráiséir dos na Smiocach fa deighin ceithre domhain ria a mbiadha 7 dá puint déag d'airgead dóibh dar dhiúlt. Ann sin tugaid cuairt air ag tabhairt dá dhamh déag dá bhuar riugh. 7 iar a marbhadh dóibh cuirid a ngeir 7 a seathachadh chuige ag rádh ris dá naontadh triall 'na nochum go ndálfadaois fleith Nodlacha ró maith dó.

> 1739 Novbr. Do loisgeadh meeting-hoús na Quakers i dToigh Ma Chuach i gcontae Chille Dara, tréar dearna bráighibh do naoi bhfhearaibh déag do na Papists, noch do fridhe neimhchiontach tré ar saora iad i gcúirt in Náis. 7 in lá roimhe a dtriathail do tugadh crochadóir Átha Cliath gus in Nás, 7 naoi dtéadaibh déag chum crochtadh na mbráighibh bochta sin ar a raibhe morghárda saigheaduiribh gus a saora ... (NLI G135:22).

Faoi mar a tharlaíonn, tá cuntais chomhaimseartha eile ar fáil ar an eachtra sin, cuntais sna nuachtáin[101] agus tuarascáil oifigiúil a chuir an fear ionaid, an Duke of Devonshire, go Londain:

> I will at the same time send your Grace as exact an account as I can get of a very extraordinary instance of the insolence of the Papists at a place called Timahoe in the county of Kildare, where there are a great many Quakers. The Papists being disgusted at some rejoicings on the 5th of November threatened revenge; the Quakers sent an account of it and I was advised to tell them to give in informations in form. Before that could be done the Papists put their threats in execution by burning the Quakers' meeting house and a dwelling house adjoining to it, which makes it High Treason. Upon this we sent soldiers to protect the Quakers at their desire and the Council published considerable rewards for a discovery. Two or three days ago about 14 or 15 were taken up and carried to Naas goal under the guard of the soldiers quarter'd at Timahoe. This raised a very numerous mob who were extremely insolent in their threats against those who had informed, encouraging the prisoners, declaring they should not stay long in goal. I had this account yesterday: about the hours of eleven or twelve at night, this examinant was allarm'd by the barking of two dogs of his and thereupon this examinant, being up waiting for his wife, look'd thro the door of his house, which is made of boards which are not close jointed, and observed six men to pass by the door and observed an image made of straw in the shape of a man in one of their hands, and observed some sparks of fire fly from a turf which he believes one of them had in his hand. ... That in a very short time severall men on horse back, at least fifteen men in number, and each a man behind him, most of them armed with guns, pistolls or pitchforks, assembled in the said road opposite to the

said meeting house. That as soon as they had all assembled in manner aforesaid, one Redmond Hanlon, of Goatstown, farmer, who was one of the company, took a book out of his pockett and swore all the persons who were so assembled that they should suffer death before they would discover what they were then about to doe, which oath this examinant heard him administer to them. ... That in a very little time the said twelve men return'd and said to the other men who remain'd at the said meeting house that they had sett up the Pretender, meaning as this examinant believes, the said image of straw .... Examinant saith all the aforementioned persons this examinant knew and were assembled as aforesaid are Papists or reputed Papists. Examinant saith that on the 8th day of January instant, as this examinant assisted the Constable and a guard of soldiers to convey severall of the aforesaid persons to the goal of Naas in the county of Kildare for the said crime, a great mobb gather'd about the said prisoners as this examinant, the said soldiers and the constable guarded them through the said town, and severall of the said mobb, which this examinant believes to be of the Popish religion, cryed out to the prisoners 'never fear, have good hearts, you shall not be hanged in the county of Kildare and that if there were as many more soldiers to guard them they should not be there a week'. ... Examinant saith that he verily believes the only reason the said persons had for burning the said houses at Timahoe aforesaid was that some Protestants had made a bonefire at Timahoe aforesaid on the fifth day of November last and then and there burn'd the Pretender in an effigie of straw (SP 63:403/7-9).

Tuarascáil mhórluaigh í an tuarascáil sin ar mhórán bealaí, ainneoin gur tuarascáil oifigiúil í. Is iomláine i bhfad í ná tuarascáil Uí Neachtain, is cuimsithí í ná an tuarascáil a rinneadh ar an eachtra sna nuachtáin, léiríonn sí gnéithe den scéal nach nochtar sna foinsí comhaimseartha eile: gur mar fhreagra ar chomóradh na bProtastúnach ar lá breithe Uilliam Oráiste ar an 5 Samhain a beartaíodh an gníomh ceannairceach, go raibh díorma armtha ar eachaibh i gceist, ceannaire ina bhfeidhil a d'iarr orthu mionn dílseachta a thabhairt, go raibh mar shiombail acu artafacht cultúrtha – 'an image made of straw'[102] agus gurbh é a bhí ar bun acu 'setting up the Pretender'. Tuarascáil léiritheach í sa mhéid gur fianaise bhreise í – fianaise oifigiúil – nach mar phearsa litríochta amháin a samhlaíodh ná a léiríodh an Stíobhartach in Éirinn sa chéad leath den ochtú haois déag; bhí feidhmeanna is rólanna eile aige seachas sin; feidhm amháin acu sin, is léir, agus an fheidhm is iarmhartaí, b'fhéidir, gur bhrostaigh sé is gur chothaigh sé polaitiú na gCaitliceach. Mar bíodh gurbh fhéidir, mar a rinneadh ag an am, léamh seicteach amháin a dhéanamh ar an eachtra choscrach sin i dTigh Mochua – Pápairí ainrialta biogóideacha ag tabhairt faoi Phrotastúnaigh thionsclacha bhochta – is dóichí gur léamh dromchlach uireasach é sin; beartaíocht pholaitiúil a bhí i gceist, freagra ar ghníomhaíocht pholaitiúil ag an aicme cheannasach, dar le lucht a pleanála is a déanta; agus istigh i lár na gníomhaíochta polaitiúla sin bhí íomhá den Pretender. Suimiúil go leor, bhí leagan den scéal ag

Ó Neachtain nach bhfaightear in aon fhoinse eile: 'gurab é an Quaker féin chuir tine i dtóin, re go ndéanfadh an chuid díobh é féin suas arís' (NLI G 135:22). Ní gá gur fírinní ná gur oibiachtúla an míniú sin ná aon mhíniú eile, ach léiríonn sé go glinn an drochmheas coiteann a bhí ar 'an Quaker' anois ar fud Éireann: ainiarsma follasach ar chrochadh an Choitirigh sa bhliain 1720. Níl aon cheist freisin ach go léiríonn insint Uí Neachtain a bhá dhílís aigeanta féin, bá leis 'na Papists', leis na 'bráighibh bochta' a daoradh. Agus má cheaptar go bhfuil an insint sin aige seicteach is claonta, meabhraítear gur mhair sé i dtúr a raibh an móramh gan aitheantas, gan cheart an dlí; gur chónaigh sé i gcathair a mbíodh daoine á bhfuipeáil, á stocadh is á gcrochadh go tráthrialta as bheith easumhal don rí ar aige anois a bhí coróin na dtrí ríochta; go raibh feadh a ré scríbhneoirí is clódóirí á ndíotáil is á bpríosúnú as 'seditious words' a fhoilsiú; go raibh ar Ó Neachtain is a chomhghleacaithe, ó cheann ceann na bliana, cur suas le caithréimeachas uiríslitheach na haicme a bhí i gcumhacht, tarlaingí glórmhara a stairesean á gcomóradh go poiblí acu is ceacht follasach á dhingeadh siar acu ar lá comórtha 1641, 1688, 1690, 1701, agus ar aon ócáid eile ba rogha leo le taispeáint arís is arís eile do chách cé aige a raibh ollchumhacht is ardcheannas.[103]

Tugann Ó Neachtain féin tuairisc ar cheann de na hócáidí sin, tuairisc chruinn lom:

> 1728 Febh. in 3 lá do leagadh in chéad chloich san taobh dheas nó i ndeisciort feasloinn, Átha Cliath 7 sin leis a bhfosaoghlann Eoin Carteret re ar cuireadh dá bhonn airgid nó fighirdealbhadh in 2 Seoirse rígh is a riaghain Carolín i gcuaismheadhoin na cloiche 7 leac dhumha mar folach air ris an iairscríbhinn so Serenissimus 7 Potentissimus rex Georgius .Secundus ... (KIL 20: 184).[104]

Ba dhóigh le héinne gur dhílseoir tiomnaithe a bhreac an mhír sin go hurramach umhal, ach dá mhéad a dhéanann sé iarracht a thuairimí a cheilt nó a neodrú, trí aird a dhíriú ar Sheoirse is a lucht leanúnasan, ní éiríonn leis. Ní deacair léamh idir na línte aige; ní deacra fós idir íoróin is mhagadh a bhrath ar a chuid tuarascála. I lámhscríbhinn amháin dá chuid tugann go modhúil múinte, ina hiomláine, an óráid a thug Cartaret i bhfianaise Sheoirse II agus tairiseacht is dílseacht an 'Irish Nation' á chur in iúl aige dó:

> London Apr. 23d. On the 19th inst. my Lord Carteret Lord Lieutenant of Ireland, being admitted to an audience of his Majesty, made the following speech to his Majesty in behalf of the Irish Nation: Mighty Sovereign I can't without great pleasure inform your most gracious Majesty of the loyalty and fidelity of your loyal and faithful subjects of Ireland ... (NLI G 132: 107).

Ach i lámhscríbhinn eile dá chuid, tugann sé an 'fháilte' fhileata a d'fhear sé féin roimh an 'ardthaoiseach' céanna nuair a d'fhill sé ar an cheannchathair. 'Bladar' a thugann sé féin air:

Bladar Thaidhg Uí Neachtain ar n-aithfhilleadh an taoisigh suas go hÉirinn a Sacsaibh 'na ardthaoiseach uile na críche:

A thobar na síthe, so sinn,
do chroidhe, do bheol, is d'intinn,
    do Dhia gacha tráth ag breith buidhe,
    thú bheith i sláinte dár n-ionnsuighe.

So an bhaintreabhach 's an naoidhin fann,
so an tuirseach 's an t-anbhfhann,
    so an bráighe, an daorsach docht,
    ag cur fáilte ria fear a bhfurtacht.

So na huaisle, so an chliar
is so na huile d'aoinmhian,
    dod fháiltiughadh a bhile Banbha,
    go clár Fódhla an fhóid algadh ...

Dia leat a thriathfhlaith aicme Gaeil mhóir,
Dia leat i mbliana 's feadh do shaoil fós,
Dia leat a fhialshearc Cartaret caomh Eoin,
Dia leat is tiarnas seal a bhír beo (TCD 1636:12).

Is léir gur aithris mhagúil atá sa dán sin aige ar na dánta moltacha ar Cartaret a bhí á gcumadh is á bhfoilsiú i mBaile Átha Cliath ag an am, dánta ar nós *Hibernia out of mourning, A poem upon the news of his excellency the Lord Cartaret's return for Ireland, Hibernia hard beset with gloomy cares, Thou wise and learned ruler of our isle.*[105] Aithris mhagúil agus freagra íorónach údarásach i dteanga a mhuintire féin. Ina theanga dhúchais féin, is léir, ina chreideamh reiligiúnda, ina shaothar peannaireachta a fuair Ó Neachtain idir thearmann is sciath chosanta ar chinseal sotalach míthrócaireach lucht an cheannais; iontusan agus sa dóchas dobhogtha dochreimthe a d'eascair as tuiscint shimplí shólásach nach raibh sé i ndán don aicme sin – do 'chlann Chromaill' – a bheith in uachtar go deo:

Tairngire Thaidhg Uí Neachtain:

Roimh an Nollaig in Éirinn áin ...

San Nollaig caogad seacht gcéad,
is míle ní hiomarbhréag,
    coimhlíontar go cóir mo rá
    mar dhearbhas laoi is leabhra ... (NLI G 135: 4, 64).

Dá mbeadh aon ruainne amhrais fós ann ar chreideamh, ar bhá, nó ar thairiseacht Uí Neachtain, cealaíonn an saghas véarsaíochta a d'athscríobh sé, idir véarsaíocht fhréamhaithe is véarsaíocht chomhaimseartha, an t-amhras sin. I dteannta a chéile a chnuasaigh is a d'athscríobh sé an dá shaghas, dánta le Tadhg Dall Ó hUiginn agus Giolla Riabhach Ó Cléirigh á gcur isteach aige i measc dánta comhaimseartha polaitiúla. Leagtar ceann acusan ar an 'Chailleach Mheanntánach' a scríobhadh

Ar mbeith do Dhiarmuid Caomhánach agus do Gearalt Ua Bruin ar
déoruigheacht i ndiamhar coillteibh, sléibhte agus cúrruidh an tan do
feannadh as a ndúthadh iad, dubhairt an Chailleach Mheanntánach

> Codla gan tsuan gan tsástacht
>> do ní mo ghrádhsa Diarmuid
> i ngleannta dorcha fásaigh,
>> is clanna Gall dá iarraidh. ...
>
> Óigh is aingil is apstail libh,
>> fada tá sinn dá iarradh;
> díbirt ar na Sasanaigh,
>> leor a bhfad i dtighearnas (TCD 1361: 22).

Ceann eile acu, is é Pól Céitinn i bPort Láirge a scríobh chuig Seán Ua
Baocháin i mBaile Átha Cliath é, sa bhliain 1726, 'ag aisge ar an Seán
thuas a ghuidhe chur cum Dia re Tadhg 7 Diarmuid treisiughadh i
naghaidh Gaill go scaoilfidh a ngeimhleach':

> Buidheach Diarmaid 's is buidheach Tadhg
>> dhíbh agus slán a Phóil chléibh,
> ar th'aisce go dtig tar toinn
>> oighre an fhoinn, ua na Séam. ...
>
> Meadhair is macnas i dtalamh iath Éireann,
> is Gaill dá leadradh ag lanna 's gaoi Ghaelaibh,
> Tadhg 'na sheasamh 's a chlaidheamh go ríréimeach,
> is Diarmaid ag cascairt aicme an bhaothBhéarla ... (TCD 1361: 70).

Ní raibh 'oighre an fhoinn, ua na Séam' rófhada riamh ó aird is aire
Uí Neachtain, pé acu prós nó véarsaíocht a bhí idir lámha aige, pé acu
saothar a chomhghleacaithe nó a shaothar féin é. 'Conas tá Éire/och i
mbroid' tús dáin amháin dá chuid, idir cheist is fhreagra á soláthar aige
féin (TCD 1361: 245); broid í a gcuireann sé síos go mion uirthi i
ndánta eile ach broid nach mairfidh go deo:

> Mise Banbha an bhean bhocht ...
>
> Dia mo dhíon is mo láthar lonn
> neart namhad re sméid slaodann,
>> saorfaidh sé an tan bhus tráth,
>> ó bhroid an bhean bhocht Banbha ... (NLI G 135:57).

B'í an bhroid sin agus a fuascailt príomhthéama a chuid véarsaíochta,
idir éagaoineadh is dóchas ag malartú le chéile ó dhán go dán is ó
lámhscríbhinn go lámhscríbhinn:

> An codladh dhuit a Bhanbha bháin ... (RIA 24 P 41b:131).
>
> Éirghe, éirghe a bhuime Dé dhil ...
> Éirghe, éirghe, go tapaidh éirghe
> is fóirse Éire a ógh na n-ógh ... (TCD 1361: 221).
>
> Eolchaire an Ghaoidhil do réir Jer. fáidh: Coimhne a thiarna créad a gcaoi
> ... (TCD 1361: 121).
>
> A Dhia mhóir dá n-umhlaím,
> is trua géar ár gcúrsaí ... (NLI G 198: 248).

Sic fiat amen a chuireann sé mar ghluais le dán éagnaíoch faoi a mhoille
a bhí an té a bhí le teacht 'dár bhfurtacht':

> Fada liom uaim go deimhin do chuaird,
> a leinbh dhil stuama chráifeach,
> nach dtagair fá bhruach, dár bhfurtacht go luath,
> ón bhfine nár dhual bheith láimh linn ....

> Táid uile neimhthréan, gan focal 'na mbéal,
> á mbocadh ó thaobh gach báire,
> 's gan chuir ar a dtaobh ach a n-urraim do Shéam
> ag gnáthghuí bheith séanmhar láidir.

> Ó thuigir an fáth fá bhfuilid dá gcrá,
> Muire taoi lán de dhaonnacht,
> furtaigh a gcás, le cumas do lámh
> is torcair gan spás gach éirceach (NLI G 135: 155).

Na dánta Seacaibíteacha a scríobh a athair féin – Magaí Lauder, na
dánta ar Berwick, na dánta ar chléir Bhaile Átha Cliath, na dánta ar an
aibiúráisean, 'fáilte' Sheoirse – táid uile aige, in aon lámhscríbhinn
amháin.[106] Dánta tábhachtacha polaitiúla iadsan uile a chuireann síos ar
an pholaitíocht chomhaimseartha dúinn ach a léiríonn, níos tábhachtaí
fós, gnéithe áirithe de shaol an phobail Ghaeilge i mBaile Átha Cliath
lena linn. Mar is léir ar an uile lámhscríbhinn dár bhreac Ó Neachtain,
is mar dhuine de ghrúpa a bhí sé ag feidhmiú: scoláirí Gaeilge ar a nós
féin, cléir Chaitliceach na cathrach, cairde is lucht gaoil, mic léinn i
gColáiste na Tríonóide.[107] Don ghrúpa sin, ní foláir, a chum a athair na
dánta dúshlánacha ólacháin 'Magaí Lauder' is 'Fáilte Sheoirse', dánta
tréasacha Seacaibíteacha, an té a thuigfeadh iad:

> Seo dhaoibh sláinte Mhagaí Lauder
> ler mian grá a críche
> is ní bhfuil áit ón Rút go Máigh
> nach bhfuil san tsláinte chéanna ...

> Líon an scála, seo dhaoibh sláinte
> Ultaigh dhána is Muimhnigh,
> sláinte Laighneach, an lucht meidhreach
> is Connacht na maighdean sciamhach;
> líon an cháta leis an scála
> a mbreall go hard ar dhaoithibh,
> ler mian Éire claoite go héigceart
> a Dhia, bí tréan le Gaelaibh ....[108]

> Ar feadh na hEorpa fáilte
> go raibh roimh Sheoirse cátach
> is andúil liom
> anfhlaith nar chrom
> fo smacht neamhchumtha an Phápa ...

> Léimimid suas a chairde
> 's ólamaois cuach fo shláinte
> an rí dar chóir dúinn

> stríocadh dhó
> 's nár spíogadh fós go dtrásta.
>
> Don oighre is ceart ó shinsir
> a Dhé na bhfeart, déan Impir
>   ar Bhreatain bháin
>   gan reacht, gan rán
> scath go tráth an Pretender ....[109]

Spreagadh gríosaitheach ceannairceach atá san amhrán is Seacaibítí dá gcuireann Ó Neachtain ar fáil. Dán dí-ainm sa lámhscríbhinn é ach go bhfuil seans maith ann gurbh é féin a chum. Sláinte mheidhreach chaithréimeach í, ach gurb í sláinte 'an Mhaoir', 'an choiligh', is 'an róis lileach' atá á hól:

> Sláinte na rua rua rua,
>   sláinte na rua ríoga,
> sláinte na rua luaimneach luath
>   bhá i dtuar do Ghaelaibh.
>
> A Thaidhg, a Sheáin, Diarmaid thráth,
>   bígí grámhar dílis;
> so an lá bhá dhíbh i dtár
>   a aicme bhreá Mhíle;
> so an t-am do Ghaeil fann
>   bheith go teann bríomhar,
> airgead, ór, síoda, sról
>   leann is beoir a gcíosa.
>
> Corn is cuach gus an mbruach
>   ibhidh suas go cíocrach,
> bígí súgach meidhreach lúfar
>   óir so chugainn ár saoirse ...
>
> Sláinte an Mhaoir tá re cian
>   do ghrá Chríost 'na dheorach,
> sláinte an choiligh an chóirchreidimh
>   's an róis lileach lóghmhar ...
>
> Sláinte na rua rua rua,
>   sláinte na rua ríoga,
> sláinte na rua luaimneach luath
>   bhá i dtuar do Ghaelaibh (NLI G 135: 16).

Tugann an téarmaíocht rúnda sin – an Maor (Séamas III nó Séarlas Óg), an coileach (an Róimh) agus an rós 'lileach' (= bán), siombail na Seacaibíteach – tugann sin le tuiscint go raibh Ó Neachtain páirteach le grúpa a thuig an cód sin agus gur leosan a bhí sé ag caint; grúpa ar ghnách leo, is léir, sláinte 'an Mhaoir' a ól: gníomh tréasach ceannairceach. Ní féidir a áiteamh, ar ndóigh, gur Sheacaibíteach tiomnaithe é gach éinne a d'ól sláinte Shéamais – béas taitneamhach sásaitheach – ná gach éinne a dúirt amhrán ceannairceach i dteach tábhairne. Ach cuireann an ghníomhaíocht sin comhthéacs ar fáil inar féidir saothar polaitiúil Uí Neachtain a shuíomh, comhthéacs ar dó is ceart an saothar liteartha sin a thagairt, dar liom. Ní mór a mheabhrú, nach raibh san ólachán polaitiúil ach gné amháin de ghníomhaíocht phoiblí pholaitiúil na coitiantachta i mBaile Átha Cliath, gníomhaíocht a bhfuil go leor fianaise againn uirthi ó thús na haoise amach.

Cuid mhaith den agóidíocht phoiblí sin, bhain sí le ragairne Lae 'le Pádraig nó leis an síorbhruíon idir ceardaithe na cathrach, agus níor ghá gur ghníomhaíocht pholaitiúil i gcónaí í.[110] Ní mar sin don scliúchas bliantúil ar an 10 Meitheamh, lá breithe an Tagaraigh, ar léir gur ghníomhaíocht fhollasach pholaitiúil a bhí i gceist agus go raibh siombalachas an tSeacaibíteachais ceangailte go dlúth léi:

> Dublin, June 13. On Wednesday night last, being that on which 'tis thought the Pretender was born, a croud of his friends met at St. Stephen's Green, their usual place of rendezvous on that night, and eminently distinguish'd themselves by wearing white roses and almost murdering one poor single loyal Quaker, for carrying the ensign of the adverse party, being three red roses. 'Tis further reported that there was a sort of a procession round the Green, a thing like a woman drest in white, on horse-back, appearing to be the chief person in the same. There was another skirmish beside that of the Friend's in which several broken heads were manfully receiv'd and given on both sides, 'till at length the White-Roseonians, being more superiour in number and having more Vagrants in their forces appear'd masters of the field ...
>
> (*The Dublin Intelligence*:13 June 1724).[111]

> Dublin. June 11. Yesterday 'twas published in this city, but true or false we can't say, that a gentleman came to the barracks dressed in white with roses of the same hue, and that being ask'd by some officer, why he appear'd in that Jacobite dress, 'tother answer'd him somewhat unmannerly, on which both drawing, the gentleman, 'tis said was kill'd .... On Wednesday last the men apprehended on suspition of being inlisting for the Pretender were examin'd ... were committed to New-gate, and laid in irons ... (*ibid.* 11 June 1726).

> Dublin. June 11, 1726. Last night there happened a great riot in St. Stephen's Green where a mob was gathered .... About thirty persons were taken and committed .... As the riot happened on the Pretender's birthday, it will probably be magnified in the common accounts sent from here ... (SP 63: 387/210).

> Dublin June 11, On Saturday last two proclamations were issued by the Lorg Mayor of this city, viz.

> Great numbers of idle, vagabond persons have of late years assembled themselves on the 10th Day of June, in a riotous manner in the streets and other places of this City, particularly in St.Stephen's Green, wearing white roses and other marks of distinction, which has ocassioned great disorders and disturbances in the City for the future the Lord Mayor has strictly commanded the constables of this City to apprehend all such persons, as they find so assembled in a riotous manner in the streets or other places of this City, but particularly in Stephen's Green, on the 10th of June aforesaid (*The Dublin Gazette*:8-11 June 1728).

Relations Véritables, 19 July 1729: News from London, 12 July: Reports
from Dublin dated 28 June state that the lord mayor took strong measures
against meetings of a seditious character and doubled the guard to
prevent any celebration marking the birthday of the Pretender; evil-
intentioned people, nevertheless, assembled at various places, wearing
white roses and insulting those passers-by whom they thought belonged to
the opposite party; they did not even spare the officers of justice; many of
the rebels were killed, injured, or arrested by the soldiers, but,
nonetheless, the disturbances continued for three nights

(*Collectanae Hibernica* 9, 1966, 14-15).

Ní foláir nó chonaic Tadhg Ó Neachtain an agóidíocht sin go minic ach
má thóg sé féin aon pháirt inti, ní deir sé linn. Ní móide é, óir feidhm
eile ar fad seachas agóidíocht phoiblí a bhí le comhlíonadh aige siúd is
ag an aos léinn trí chéile. Sa Bhreatain is í an chléir fhrithmhóideach,
ina seanmóirí is ina bpaimfléid, is mó a chothaigh is a choinnigh beo
ideolaíocht an tSeacaibíteachais is a sholáthair mianach intleachtúil na
hideolaíochta sin (Lenman 1982). Ní le gníomh a rinneadar sin ach le
craoladh an bhriathair: an ceart diaga, an ceart oidhreachtúil, ceart na
céadghine, an ceart de rogha ar neart, an chontrárthacht idir cumhacht
de jure is cumhacht *de facto,* peacúlacht an reibiliúin i gcoinne an rí
chóir. In Éirinn chomhlíon an t-aos léinn an fheidhm chéanna trí reitric
dhúshlánach pholaitiúil a sholáthar, reitric a bhí bunaithe ar
ideolaíocht dílseachta is dlisteanais – ceart, rí oirnithe, oidhre dílis –
reitric a bhí ag freagairt don ghníomhaíocht pholaitiúil. An rós bán a
chaitheadh daoscar Bhaile Átha Cliath mar bhrat dúshlánach polaitiúil,
is mar mheafar liteartha – an rós lileach – a fhaightear ag Ó Neachtain
é; an íomhá úd den bhean 'dress'd in white' ar muin capaill, is mar
phearsa liteartha – Banbha an bhean bhocht, Magaí Lauder – a chastar
orainn i saothar Uí Neachtain í. Dhá dhiminsean iad araon, idir reitric
is agóidíocht, den fheiniméan gabhlánach is Seacaibíteachas ann. Ní
heol dúinn cén ceann acu – reitric nó gníomh – ba mhó tionchar,
éifeacht, nó iarmhairt. An í an reitric a chothaigh an agóidíocht nó a
mhalairt timpeall? Nó an amhlaidh a chothaíodar araon a chéile: dhá
réaladh chomhlántacha ar ideolaíocht choiteann. Chímid na heilimintí
difriúla den Seacaibíteachas – idir reitric, ghníomh, is ideolaíocht – ag
teacht le chéile in aon fhoinse amháin i saothar grafnóireachta Uí
Neachtain agus léiríonn an saothar sin a ilghnéithí a bhí an
ghníomhaíocht sin, idir ólachán, liostáil, is agóidíocht shráide, in Éirinn
féin. Is cinnte go bhfuil saothar Uí Neachtain ar na foinsí príomha is
cuimsithí atá againn chun bríomhaireacht, ilghnéitheacht, is
leanúnachas an tSeacaibíteachais, go háirithe i mBaile Átha Cliath, a
thuiscint. Ach chomh tábhachtach céanna, tugann a shaothar léiriú
cuimsitheach dúinn ar a aigne féin is a sheasamh diongbhálta i leith an
tsaoil chomhaimseartha.

     Ní mór a mheabhrú arís go raibh Ó Neachtain, feadh a shaoil, ag
bailiú ábhair chuige ó chian is ó chóngar. Tá trácht ina chuid

lámhscríbhinní aige, ní hamháin ar stair na hÉireann is na hAlban, ach ar stair na hUngáire, na Polainne, is na Tuirce; trácht aige ar gheograife an domhain uile (NLI G 198). In aon lámhscríbhinn amháin dá chuid, laistigh de chúpla leathanach, tráchtann sé ar tharlaingí comhaimseartha i bPáras, Freiburg, Vienna, Palermo, Constantinobel agus Peking (TCD 1361:522-3). Sa lámhscríbhinn chéanna sin, tá trácht aige ar a chomhscoláirí Gaeilge agus ar Swift is Molyneaux, chomh maith; ar shagairt léannta na ceannchathrach, is ar scoláirí Choláiste na Tríonóide, ar litríocht na Gaeilge, na Laidine is an Bhéarla. Níorbh aon oileánach iargúlta é Ó Neachtain ach polamat de chuid na haoise agus na cathrach ar mhair sé, a raibh suim an duine liteartha aige i gcúrsaí comhaimseartha a linne féin. Faoi mar a choinnigh eagarthóir an *Skibereen Eagle* súil ghéar thar ceann an phobail ar lúbaireacht na Rúise i dtús na haoise seo, choinnigh Ó Neachtain súil ghéar ar imeachtaí comhaimseartha na hEorpa. Is ríléir go raibh suim faoi leith aige i gcúrsaí na Spáinne, go háirithe ó na tríochaidí déanacha i leith nuair a bhris cogadh amach athuair idir an Spáinn is an Bhreatain. Bhí mac le Tadhg – Peadar – ina bhall de na hÍosánaigh sa Spáinn is fíor, ach ní móide, mar atá áitithe cheana (Buttimer 1990), gurbh é an ceangal áirithe sin faoi deara a ollsuim sa chogadh láithreach. Cogadh Eorpach amháin, a tuigeadh do Shéamas III agus don chuid ba ghéarchúisí dá lucht leanúna, an comhthéacs b'oiriúnaí ina bhféadfadh na Seacaibítigh iarracht eile a dhéanamh ar son an ríora chirt. Agus sa mhéid go raibh aon bhuaine i gcailéideascóp casta na polaitíochta idirnáisiúnta, ba dhóichí gur ar ríora na mBúrban, sa Fhrainc is sa Spáinn, is mó a chaithfí brath. Lasmuigh den cheangal gaoil a bhí idir a ríthe, b'iad an Fhrainc is an Spáinn an dá thír is measa a tháinig as conradh Utrecht is d'oir sé dóibh araon an conradh sin a chur i leataobh.[112] Bhí conradh cairdis i bhfeidhm idir an Fhrainc is an Bhreatain ón bhliain 1716 amach, ach nuair a cheangail an Bhreatain, uaithi féin, conradh leis an Ostair sa bhliain 1731, cheangail an Fhrainc conradh mar é leis an Spáinn. Ag barraíl chogaidh a bhí an Spáinn is an Bhreatain arís as sin suas, cogadh a d'fhógair Seoirse II go foirmeálta sa bhliain 1739. Rómhaith a tuigeadh do na Seacaibítigh gurbh é an cogadh sin an seans a bhí á lorg acu le tamall. Is léir gur thuig Ó Neachtain a thábhacht leis:

> 1739 Jul. 15. Táinig ordughadh rígh Sasan go hÉirinn in aghaidh Spáinnibh (TCD 1361:11).
>
> Áth Cliath
>
> 1739 Ocbr. 30 Re hórdughadh an darra Seorsa rígh Sacson do fuagradh cogadh for in Spáinn in Áth Cliath.
>
> An naoichidh 12 Dia Luain Áth Cliath. Do ghabh cúig longa Maltaois ceithre longa Sasanach ag triall ón Morea. Ghabh na Spáinibh an long Stubington ionna slighe go Sasana. Do gabha an long Sasanach .i. Britania mar an gcéadhna. Do ghabhadar fós an long .i. Uiliam ⁊ Máire ó

Nuafondland. Do ghabhadar mar an gcéadna an long Aurora. Gabhadar fós mar aon riu sin thuas sé longa oile. Do ghabh Sasana dá long Spaineach ró shaidhbhir, 7 long oile ... (NLI G135: 20).

1739/40. Feb. 27. Ghabh na Spáinibh na longa Sussana, City, Pas Gharden 7 an Dispatch (*ibid.* 28).

Cé gurbh í an trádáil idirnáisiúnta ba chúis phríomha leis an gcogadh a bhriseadh amach idir an Spáinn is an Bhreatain sa bhliain 1739, ceanglaíodh gan mhoill é le coimhlint shíorghnách na hEorpa is go háirithe le cogadh chomharbacht na hOstaire. Agus nuair a thóg an Bhreatain is an Fhrainc taobhanna difriúla sa chogadh sin ba ríléir nach fada eile a mhairfeadh an tsíocháin eatarthu. I nuachtán comhaimseartha[113] a fuair Seán Clárach Mac Dónaill eolas cruinn beacht ar an gcogadh is mhínigh a impleachtaí go háthasach dóchasach do lucht a pháirte:

Éistidh lem ghlórtha, a mhórshliocht Mhiléisius,
is daoibhse is deonach mo sceolta a scaipeadh,
bhur saoithe cé leointe, bhur leoin is bhur laochra
i gcrích Inis Fódla, gan fód, gan fearann;
tá an báire le Pilib ar muir is ar tír,
ní táire do thuilleadh den fhoirinn, más fíor ...

Tá Laoiseach 'na lóchrann go leonbhuilleach léidmheach,
go díoltasach dóbhriste i ndóchas daingean,
a mhuintir le doirsibh Hanover is Bremen,
tá cuing ar an Hollont is ní leomhfaid preabadh;
tá sé anois ullamh le nochtadh na lann,
beidh carnadh aige, is coscairt is cogadh na gceann
dá shíneadh le Seoirse gan róthuirse in éanchor,
sin críoch ar mo sceol, is tá an brón ar Bhreatain
(SMD:6 §§ 1-6, 33-40).

Walpole féin, bhí eagla air is chuir sin in iúl don pharlaimint:

No man of common prudence will profess himself openly a Jacobite .... These are the men we have most reason to be afraid of: they are, I am afraid, more numerous than most gentlemen imagine .... the real but concealed Jacobites have succeeded even beyond their own expectation; and therefore I am not at all ashamed to say I am in fear of the Pretender (Sedgwick 1970: 69).

'Óró, Sé Do Bheatha Abhaile'

I

This is to inform the publick, and more particularly any person or persons who may think themselves concerned, that Robert Macarty, Esq, commonly call'd Earl of Clancarty, first and eldest son of Donough late Earl of Clancarty, in the Kingdom of Ireland, deceased, is advised, and doth intend to apply to the parliament of Great Britain at the next ensuing sessions at Westminster, for leave to bring in a bill for the better enabling him the said Robert Macarty Esq, commonly call'd Early of Clancarty, to sue for, and recover, the mannors, honours, castles, messuages, lands, tenements and hereditaments, of which Donough Earl of Clancarty his great-grand-father, and Callaghan Earl of Clancarty his grand-father, or either of them were in their life time seized and possest of, in the County of Cork, or elsewhere; and also, with such rents, issues and profits of the said premisses as have incurr'd or been received ever since the third day of September, 1734, when the said Robert's father died (SP 63: 398/94).

> Tá Iarla Chlainne Cárthaigh le hábhar ag teacht ón gcoróin,
> rianfaidh cluiche ar Bharnett le háthas i mBreatain Mhóir,
> a chairde chroí, nó an suairc libh
> an Bhlárna arís dá fuascailt,
> 's gach áitreabh aoibhinn snuaghlas
> cois Laoi ghil na sló? ... (SMD: 35 §§ 1-6).

Bíodh gurbh fhurasta a áiteamh nach raibh san amhrán sin ach fantaisíocht, sampla eile den dóchas síoraí go raibh i ndán don uaisle dhúchais filleadh, is léir go raibh bunús réalaíoch leis agus nach ag cumadóireacht a bhí Séan Clárach Mac Dónaill. Sa bhliain 1734 d'éag Donnchadh Mac Cárthaigh, Iarla Chlainne Cárthaigh, 'i Hamburg mo chiach', agus ar a bhás-san, is é a mhac, Roibeard, a shealbhaigh teideal a athar. Níor leor leis an mac an teideal gan na tailte fairsinge i gcúige Mumhan a chuaigh uair leis a shealbhú freisin agus rinne iarracht, trí bille a chur faoi bhráid na parlaiminte i Londain, aiseag na dtailte a bhaint amach go dleathach. Níor éirigh leis ach chuir an iarracht sceoin faoi shealbhóirí na dtailte sin agus na dtailte coigiste eile ar fud Éireann. Dá n-éiríodh le cás amháin den saghas sin, bhí socrú na talún trí chéile i mbaol; b'fhearr teacht chun réitigh éigin leis an gCárthach, dar leis an rialtas. Tugadh coimisiún i gcabhlach na Breataine dó, pinsean £1,000 sa bhliain feadh a shaoil, is ceapadh ina ghobharnóir ar Thalamh an Éisc é sa bhliain 1735. Ach ní raibh Iarla Chlainne Cárthaigh sásta; tailte sinseartha na gCárthach a bhí uaidh. D'fhill ar an Bhreatain, thug ar ais a choimisiún, d'aistrigh go cabhlach na Fraince agus ón bhliain 1740 amach bhí rannpháirteach sa phlotáil a bhí ar bun arís an Stíobhartach a athbhunú.[1]

Is léir go raibh eolas éigin i dtaobh an Chárthaigh sroichte go dtí
Séan Clárach agus gurbh é an t-eolas sin a spreag an t-amhrán sin aige
agus an dóchas, dóchas an athraithe, a bhí inghreamaithe ann:

Beidh Sam is Crook is Baldwin 's na táinte acu ar díbirt fós,
Warren, Brún, is Barnett 's gach ardbhodach coimhtheach crón,
    beid arís fén mbráca,
    á ndíogadh a hInis Fáilbhe,
    gan chíos, gan chuid, gan chairde,
        gan aoibhneas, gan spórt (*ibid.* §§ 11-6).

Cé gur chum Séan Clárach roinnt bheag amhrán nósúil grá, tuirimh,
agus dánta ócáidiúla eile, is dánta Seacaibíteacha iad formhór mór a
shaothair; murach téama an tSeacaibíteachais ní móide go mbeadh aon
lua air mar fhile. Agus bíodh nach féidir dátaíocht chruinn a chur lena
shaothar trí chéile, is léir ar an fhianaise inmheánach féin go
gcuimsíonn a shaothar tréimhse fhada aimsire (c.1720-60) agus go
soláthraíonn sé tráchtaireacht leanúnach Sheacaibíteach ar an
pholaitíocht chomhaimseartha. Mar atá feicthe cheana againn, tá trácht
aige ar bhás leasrí na Fraince sa bhliain 1723 (SMD:14), ar fhilleadh
Iarla Chlainne Cárthaigh sa bhliain 1734 (*ibid.* 35), ar an chogaíocht
Eorpach (*ibid.* 6), agus ar ghníomhaíocht na Stíobhartach trí chéile.
Leicseacan an tSeacaibíteachais a fhoclóir polaitiúil, leicseacan a
shealbhaigh sé ina iomláine agus a d'úsáid sé go héifeachtach chun
éileamh na Seacaibíteach is ceart na Stíobhartach a léiriú is a chothú:

De bhrí gurb é seo an Féinics ceart,
trí ríocht gan bhéim a réim 's a reacht,
's gur díbreadh é i gcéin tar lear
fé dhaoirse i bpéin re claonadh beart. ...

Mura dtí i gcéim, i réim 's i reacht,
arís dár saoradh an laoch nó a mhac,
sin cuing na cléithe ar thréad na sean,
go críoch an tsaoghail féna smacht.[2]

Séamas III 'an laoch' atá i gceist sna hamhráin is luaithe dá chuid,
Séarlas Óg sna hamhráin eile; an dóchas aigeanta is an dílseacht
shinseartha á seachadadh ó dhuine go duine acu gan bhriseadh, gan
mhaolú:

Tiocfaidh bhur Séamas, cé gur moilleadh a theacht
le mioscais na Suedes is Regent cliste na gcleas ....

Dob é a labhairt scéala aitis trénar ghlacas gairdeas,
go raibh Séamas ag téacht tar muir mar aon le foireann Spáinneach ....

ní hé mo bhuairt
ach Séarlas uaim,
a ghasra go léir is a chléir go fuar
ag Gallaibh go buan 'na n-áitreabh. ...

Beidh reacaireacht feasta, beidh aiteas, beidh dáin, beidh scléip,
ag flaithibh na Banba ar dtaisteal dá n-ardfhlaith féin,
beidh Galla 'na gceathaibh dá leagadh le cáthadh piléar,
's beidh sealbh ag Carolus, geallaimse, ar Ghráinne Mhaol.[3]

Léiriú luath é saothar Sheáin Chláraigh ar an leathnú suaithinseach, idir leathnú teicníce is stílíochta, a chuaigh ar fhilíocht na Gaeilge sa chéad leath den ochtú haois déag. Gné amháin den leathnú sin is ea an réimse leathan meadarachta a chleachtann Mac Dónaill, ón líne ghreanta pheintiméadair (*Ar leaba 's mé sínte araoir gan tapa im aonar*, SMD: 11) go luimneach neamhchas (*An aisling do rinneas ar Mhóirín*, *ibid.* 40), go meadarachtaí casta strófacha ar nós *Is fada dhom in uaigneas 's is buartha bhíos m'intinn* (*ibid.* 34). Tá réimse chomh leathan céanna sa fhriotal a mbaineann sé feidhm as, ó shnoiteacht dhlúth *An t-éag togarthach taom-ghonaideach nár fhéach do neach* (*ibid.*14) go simplíocht bhailiúil *Bímse buan ar buairt gach ló (ibid.*1); ó fhoirmeacha ársa liteartha (*Turastar taobh liom bé ba soineanda snas, ibid.* 4 § 5) go gnáthfhoirmeacha comhráitiúla (*Nuair dhearcas í do bhíogas suas, ibid.* 3 § 17).

Is é Séan Clárach an chéad duine de na filí aitheantúla a luaitear foinn choiteanna lena shaothar sna foinsí: léiriú coincréiteach ar ghné eile den leathnú teicníce atá i gceist, gné a thugann le tuiscint go raibh leathnú mar é imithe ar phobal na filíochta freisin. Agus bíodh nach féidir an t-áiteamh sin a chruthú ná a bheachtú, ní foláir nó is léir, ar an chuid is lú, gur leithne is gurbh ilghnéithí pobal Mhic Dhónaill ná an pobal a bhí ag Ó Rathaille roimhe ná ag Seán na Ráithíneach, a chomhaosaí. Pobal dlúth áitiúil amháin - cléir, filí, is uaisle a cheantair féin, ba dhóigh leat - a bhí ag Ó Murchú agus, dá réir sin, is véarsaíocht fhoirmeálta ócáidiúil í - agus í leadránach go maith freisin - an chuid is mó dá shaothar. Is beag den chumadóireacht fhoirmeálta sin atá ag Mac Dónaill agus is cinnte go dtugann a shaothar féin le tuiscint nach ar chléir, uaisle, is éigse amháin a bhí sé ag freastal. B'fhéidir gur mhó de lucht éisteachta, seachas lucht léite, a bhí aigesean a cheolmhaire spreagúla atá an chuid is taitneamhaí dá shaothar; amhráin ar léir ar a gceol is a bhfriotal gur chun a ráite go príomha a cumadh an chéad lá iad. Agus cé gur liricí pearsanta, is an insint á réaladh sa chéad phearsa uatha (gnáthchoinbhinsean liteartha an ama) is mó atá i saothar Mhic Dhónaill, is léir ó thús deireadh an tsaothair sin nach é cás an inseora is príomhchúram ná buntéama don fhilíocht sin, ach cás pobail, pobal cuimsitheach a labhrann an file leo agus ar a son in éineacht:

Peannaid is fiabhras dian i dteas na dtinte,
gan charaid, gan lia, gan bhia, gan stad ar íota;
gan leaba, gan rian, gan Dia, gan ghean ag daoinibh
ar Ghallaibh i mbliana, ós iad a chreach ár muintir....

Mar sin féin glacaidhse meanma is mórtas,
is tagaidh in arm ar mhachaire an chomhraic,
greadaidh go tapa na fanatics chróna,
is bainigí allas as Gallaibh le forneart....

Tá Laoiseach go buíonmhar tar sáile ag téacht,
le díograis chum díoltais le garda is faobhar,
beidh saoithe ár gcríche go brách 'na réim,
ag díbirt a naimhde ó Ghráinne Mhaol ... .[4]

Cuimsíonn na véarsaí aonair sin féin dhá mhórthéama chomhlántacha dá shaothar: an gríosadh dásachtach chun gnímh agus an síordhearbhú go raibh 'cabhair tar sáile ag téacht'. Agus bíodh go luaitear go minic Laoiseach, Pilib, nó an pápa le teacht na cabhrach sin, b'é an Stíobhartach féin an phearsa lárnach mharthanach ar samhlaíodh idir chabhair is fhilleadh buacach leis:

Dob fhéidir fós le rí neimhe
    go dtiocfadh an laoch tar sáil,
do réifeadh Fódla go huile
    ó thurcacaibh daora an áir.

Tá Laoiseach lasmhar go calma comhachtach,
fíochmhar feargach fearamhail fórsach,
ag tíocht go neartmhar chum Danair a leonadh,
is beidh Stíobhart measaimse i gceannas na corónach ....

Beidh an tImpir is Laoiseach is pápa Dé,
ag tíocht chughainn go buíonmhar 's an Spáinneach séimh,
beid síoch feasta muinteartha páirteach réidh,
leis an Stíobhart ar slí chughainn 's le Gráinne Mhaol ....[5]

Bíodh go bhfuil cuma nósúil ar chuid de na sleachta sin, athrá ar phort coiteann na bhfilí, is léir freisin go bhfuil dlús áirithe agus déine mothúcháin ag roinnt lena thuilleadh acu; réaladh soiléir ar an gcreideamh coiteann a bhí ag borradh arís go raibh an Stíobhartach 'ar slí chughainn' ar deireadh thiar.

Cúinsí difriúla a tháinig le chéile go cinniúnach ba cheannfháth le hiarracht mhíleata na Seacaibíteach sna blianta 1745-6. Cé gur mhó plean is plota a chuir Seacaibítigh na Breataine chun cinn idir 1725 agus 1740 ní raibh aon toradh ar aon cheann acu; níor oir sé d'aon chumhacht Eorpach sa tréimhse sin cúis na Seacaibíteach a úsáid. Cogadh chomharbacht na hOstaire a bhris amach sa bhliain 1740 a d'athraigh sin agus a chuir comhthéacs cuí polaitiúil ar fáil arís do na Seacaibítigh is dá bplotaireacht.[6] Ó thús an chogaidh bhí dóchas á nochtadh go súifí an Fhrainc isteach sa choimhlint ar thaobh na Spáinne agus b'é an dóchas sin a chuir grúpa tábhachtach de na Tóraithe i Sasana ag plotáil arís. Bhí na cúinsí rífhabhrach anois, dar leo, ó bhí ag teip ar an Bhreatain an cogadh san Eoraip a chur chun cinn agus ó d'éirigh leo Walpole a chur as oifig sa bhliain 1742. Uaisle ab ea formhór na dTóraithe sin a raibh beirt iarlaí ó Éirinn ina measc - na hiarlaí Barrymore (James Barry) is Orrery (John Boyle) - ach ní raibh aon rath ar a gcuid plotála fad ba bheo don chairdinéal Fleury, príomhaire na Fraince.[7] Ach ar a bhás-san sa bhliain 1743, d'fhógair Louis XV cogadh ar an Bhreatain agus chuir in iúl gurbh é polasaí na Fraince anois an ríora Stíobhartach a athbhunú. Cuireadh pleananna difriúla chun cinn i measc chinnirí na Seacaibíteach maidir le hionsaí armtha a dhéanamh ar an Bhreatain ón Fhrainc agus cuireadh Iarla Chlainne Cárthaigh go cúirt Louis chun comhordú a dhéanamh ar an phleanáil. San am céanna bhí grúpa d'uaisle na hAlban tagtha le chéile i nDún Éideann agus é d'aidhm acu éirí amach a eagrú in Albain le cabhair mhíleata na Fraince. Bhí 'deagh-shoisgeul' le scaipeadh ag na filí arís:

Tha deagh-shoisgeul feadh nan Garbhchrìoch,
sùrd air armaibh comhraig,
uird ri dairirich deanamh thargaid
nan dual ball-chruinn, bòidheach;
chaoidh na seargaibh le cam-earra-ghlòir
sluaigh fìor-chealgaich Sheòrais -
o's sgeul dearbhtha, thig thar fairge
neart ro-gharbh dar fòirinn ... (HS: 6 §§ 1-8).

Ní in Albain amháin ná sa Bhreatain a bhí an dea-scéala á scaipeadh. Mar a d'admhaigh Cathal Ó Conchúir, bhí 'Buadhairt romhóra anos i Saxain agus i nÉirinn faoi chobhlach na Fraince taoi ar muir nIocht' (Ní Chinnéide 1954:37), ach ní thar lear ná ar muir amháin a bhí an cogadh ag tórmach; bhí a chomharthaí le feiceáil ag baile freisin, mar a thug Ó Neachtain faoi deara:

1743/4 Jan. about the 7 or eight of the new moon or the 9th or 10th of the month was seen in the county of Dublin a blazeing star or commet with a tail like the rainbow .... it continued a month or six weeks in the evening in the west and in morning in the east (NLI G 135:8)[8]

1743/4 Feb. the 10th. The Romane clergy was taken up and imprisoned and two days before the Ffrench ships in the River Dub: was arrested ... (*ibid.* 8).

1744. June the 26 the Melitia of Dublin appeared under new arms given them by the government with colours flying drums beating and trumpets sounding, all cloathed in new apparel blew lined with scarlet, for to be prepared against the Ffrench who pretended an invation on the English (*ibid.* 138).

Scéal coiteann ag na filí trí chéile ab ea an 'invation' céanna. Dabht dá laghad ní raibh an uair seo ach go raibh an Stíobhartach ar a shlí; mar a dhearbhaigh Seán Ó Tuama, bua cinnte a bhí i ndán dó 'sa tríú huair':

Le suíomh na sua, och, gluaisfe an leon,
sa tríú huair sea bhuaife an gleo,
beidh scaoileadh is ruagairt uainn go deo
ar bhuín an uabhair as Tuath Loirc fós;
    níl óigfhear séimh den fhoirinn cheart
    d'fhuil Eoghain is Éibhir oilte is Airt
        ná gluaisfeadh féin,
        gan fuaradh i gcéin,
    fá thuairim é do chur i gceart ... .[9]

Creideamh é a nochtar chomh dianmhothaïtheach céanna i saothar na bhfilí eile; téama coiteann ag Aindrias Mac Craith, Liam Inglis, Eoghan Mac Cárthaigh is ag filí eile é:

A phríomhshliocht Ghaeil is Éibhir oinigh,
taoscaidh uile sláinte
an ríghais ghléigil ghlé seo anois
ag téacht go hInis Fáilbhe ....

Ag taisteal na mara le fonn
tá Carolus lonn 's a chuideachta,
tá Neptune ag scaipeadh na dtonn,
's ní stadfaidh den fhogha go hInis Loirc ....

Tá Caesar Óg sa Róimh 'na bheatha,
aon den phór úd phósais cheana,
ag gléasadh a shlóite,
ag téacht tar bóchna,
is é sin nóchar Phóiní an Leasa....

Go bhfuil Séarlas ag teacht is a laochra len' ais
i scéimh loinge ar barra taoide le cóir,
do shéidfidh na bathlaigh tar tréanmhuir amach
is do ghlaofaidh i mbeatha a shinsir mo leon.[10]

Seán Ó Murchú féin, an té ba dhípholaitiúla de fhilí na linne, ba léir dósan freisin go raibh an tuar cinnte ag teacht faoin tairngreacht anois:

Tá an bhliain seo ag teacht go díreach
    már inseadar fáidhe fionna,
ag triall go deas le síomannaibh
    oíche agus lá;
is iarracht treas nó trí anois
    lem chuimhnese ag lá 'le Muire,
ag teacht le barra díograis
    go cinnte ar an gCáisc ....

Táid draoithe feasa is fáidhe,
    lucht crábhaidh is eolais chliste
dá ríomh le fada i bhfáistin
    go searrfaid sliocht Eoghain;
tá scríbhinn sean dá rá linn
    gur tráth maith don chóip sin tilleadh
go críochaibh fearainn Fáilbhe
    's a háiteamh le cóir ... (Ó Donnchadha 1954:136 §§ 1-8, 16-24).

Port é a fhaightear sa véarsaíocht dhí-ainm freisin:

Fáilte dhuit ón tír anuas
le hais mo chuain, a Shéarlais Óig,
is fada ó fuair neach dar dhual
seilbh mo bhruaich nó ceart dá chóir;
nó go dtáinig chugainn ón tír anuas
planda suairc a clannaibh Néill,
do níodh dídin dhamh gach uair,
ansacht bhuan Gall is Gael (IG 14, 1904, 667).

Tá Séarlas Óg ag triall thar sáile,
beidh siad leis-sean cúpla garda,
beid siad leis-sean Francaigh is Spáinnigh,
agus bainfidh siad rince as éircibh.

> Óró, sé do bheatha abhaile,
> óro, sé do bheatha abhaile.
> óró, sé do bheatha abhaile,
> anois ag teacht an tSamhraidh (CCU: 87).

Is cinnte go n-éiríonn leis an véarsaíocht sin, trí úsáid fhíoréifeachtach a bhaint as meadarachtaí luaimneacha gasta, ardmheidhréis lucht leanúna an Stíobhartaigh sna blianta roimh 1745 a chuimsiú is a léiriú, meidhréis a raibh na dúile féin á cothú is á dlisteanú:

> Tá an spéir 's a cuallacht
> go léir ar buaireamh,
> tá gaoth is duartan
> ag teacht de shíor ...
>
> 's do réir gach tuairim
> dá ngéillid sluaite,
> beidh Éire buaite
> ag malairt rí ... (SMD: 12 §§ 1-16).
>
> Tá an réilteann go gléineach le feartaibh Íosa
> dá léirchur i gcéill chirt do chlannaibh Mhíle,
> an t-aon so fé néallaibh as ceart a shinsir
> go dtraochfaidh lucht Béarla i ngach sparainn choimheascair. ...
>
> Tuairisc chanaim gur atharrach rí gan cheist
> do bhuaifeas gradam is ceannas na gcríoch so leis;
> beidh ruagadh is scaipeadh ar a maireann den bhuínse ar bhreis,
> sin suaimhneas againn, is is gairid arís go mbeidh.
>
> Chítear ceatha caorthaibh catha
> iar scaoileadh scamall spéartha,
> go faobhrach frasa fraoich is fearthainn
> fíre is fearg éigneach;
> tinte treasa ag tíocht go tapaidh
> timpeall taistil Phoebus,
> ní le measbar linn gur dearbh
> díoltas ar na déithibh ....[11]

Is í an straitéis a bhí á beartú ag comhairleoirí Louis gur ar Shasana féin a dhíreofaí an t-ionsaí míleata agus nach gcuirfí go hAlbain ach fofhórsa. Is é bhí i gceist go n-éireodh na Seacaibítigh amach i dtrí cheantar dhifriúla - sa Bhreatain Bheag, in Cornwall is Devon, in Northumberland - agus, le tacaíocht an fhórsa Fhrancaigh faoin Marascal de Saxe, Londain a ghabháil. Ach nuair a scrios stoirm an t-ollfhórsa sluaíochta - 10,000 fear is 19 long - a bhí á thiomsú i mbá Dunkerque i bhfómhar na bliana 1744, bheartaigh Séarlas Óg ceannas an tionscnaimh a tharraingt chuige féin. Ar Albain, talamh dúchais na Stíobhartach, ba cheart díriú, dar leis.[12] Bíodh nach raibh sé fós cúig bliana fichead d'aois, bhí fear cumasach deáthach dea-chumtha déanta de Shéarlas Óg. Bhí sé ard gealgháireach so-ranna; bhí pearsantacht shoilbhir tharraingteach aige; bíodh go raibh sé diongbhálta ina reiligiún féin, bhí sé tuisceanach freisin do thuairimí is do mhothúcháin

daoine eile; bhí oideachas maith air is bhí sé ilbhéarlach; bhí sé lúfar
aiclí cróga; ba thuiscint choiteann í gur mhór idir é agus a athair. Ba
dhuine uasal é Séamas III, ar fhear dá fhocal riamh é; bhí sé dínitiúil is
ghlac lena mhífhortún saolta go foighneach, mar a dhéanfadh Críostaí
dea-bheathach; dar le duine de chúirteoirí St Germain go raibh sé
'ferme, décisif, précis' ; dar le daoine eile go raibh sé ciallmhar
praiticiúil támáilte.[13] Is dóichí go raibh agus is dóichí freisin go
ndéanfadh sé rí an-mhaith dá n-éireodh leis an choróin a shealbhú. Ach
níor éirigh is níor léirigh sé riamh go raibh na buanna ba ghá aige chun
an aidhm sin a bhaint amach. Is iad na buanna sin féin a samhlaíodh le
Séarlas Óg: pearsantacht mhealltach a chuaigh i bhfeidhm go mór ar an
uile dhuine dár bhuail uime, cumas cinnireachta a spreag daoine eile
chun gnímh, loinne na hóige, crógacht mhisniúil dhíocasach. Ach
seachas aon tréith eile b'fhear tionscantach gníomhach é a chreid go
tiomanta go raibh sé indéanta - agus gur dósan a bhí sé i ndán - coróin
na dtrí ríochta a athshealbhú.

Gan fhios dá athair a chuaigh Séarlas Óg i mbun beartaíochta agus
gan fhios do spiairí na Breataine, ach le toil is cead Louis, d'fhág sé
Avignon agus d'aistrigh go Páras. Bhailigh sé timpeall air ansin, mar
chomhairleoirí, buíon d'imirceoirí na hÉireann is na hAlban, idir
bhancaeirí, cheannaithe, is shaighdiúirí (ina measc bhí Daniel
O'Heguerty, Richard Butler, Antoine Walsh, Henry Dillon, Charles
O'Brien) agus lena gcabhairsean is tacaíocht chosantach chabhlach na
Fraince d'fheistigh frigéad, sheol timpeall na hÉireann gur bhain féin
agus grúpa beag compánach oileán Aoraisgeidh in Inse Gall amach ar
an 15 Iúil 1745. Chuaigh i dtír i Múideart, chuir gairm scoile amach a
thiomsú a lucht leanúna, d'ardaigh meirgire na Seacaibíteach i
nGleann Finnean, agus ghluais líon a shlua go Dún Éideann, mar ar
fógraíodh ina rí é. Bíodh nach raibh ach seachtar de bhuíon aige ag
teacht i dtír dó, faoin am ar bhain Séarlas Dún Éideann amach bhí, ar
an gcuntas is lú, dhá mhíle go leith fear d'arm aige, ar Ghaeil iad a
bhformhór; bhí éirithe leis líomatáiste fhairsing a ghabháil gan aon
mhórchath a thabhairt fós: 'The incredible fact is that the army of
Prince Charles conquered most of Scotland by the process of walking
from Glenfinnan to Edinburgh' (Lenman 1980: 250). Ní móide go
raibh an scéal chomh simplí is a thugann an ráiteas sin le tuiscint, ach
murar thuig na húdaráis fós impleachtaí an tslógtha a bhí déanta ag
Séarlas Óg, thuigeadar go dianmhaith é nuair a d'éirigh leis go gearr
ina dhiaidh sin raon maidhme a chur ar an arm seasta faoin
ardcheannasaí, an leifteanantghinearál Sir John Cope, ag Prestonpans:

Nach goirid o'n a ghabh sinn air
Éoin Cop am Prestonpans,
le 'cheithir mìle caisiche,
's na bha de mharc-shluagh ann?
le hochd ceud deug milìsia-

de smior nan Gàidheal mór,
gum mharbh sinn us gun ghlac sinn iad
le basgar chlaidhimh mhóir. ...
A Ghàidhealtachd, ma's cadal duit
na fuirich fad' ad shuain,
guidheam ort, na lagadh ort,
's do chliù 'ga shladadh uait;
och, mosgail suas go haigeantach
le feirg ad lasair ruaidh,
us comhdaich an aon bhaiteal dhaibh
nach do bhogaich dad de d'chruaidh (HS: 11 §§ 1-8,65-72).

Ar rochtain scéala an chatha sin Versailles, cheangail Louis conradh, conradh Fontainebleau, leis na Seacaibítigh inar gheall sé cabhair mhíleata dóibh, tríd an bhriogáid Éireannach a chur ar fáil, agus aitheantas na Fraince don Phrionsa. Voltaire féin a dhréachtaigh 'manifeste Du Roi de France en faveur du Prince Charles Édouard'; sa tuarascáil oifigiúil a cuireadh ar fáil do Louis cuireadh in iúl go háthasach go raibh: 'l'entreprise du Prince Édouard va au mieux. Son armée se fortifie de jour en jour; il a munitions, artillerie et argent ... sera aux fêtes de Noël dans Londres' (Bongie 1977: 10). Aon aidhm shoiléir mhíleata a bhí ag Séarlas - Londain a bhaint amach - agus bhí an straitéis sin bunaithe ar dhá thuiscint chomhlántacha: go n-éireodh Seacaibítigh Shasana amach ach a bhfeicidís arm an Phrionsa chucu aduaidh, agus go mbeadh cabhair mhíleata ar fáil ón Fhrainc. Agus an chabhair sin geallta scuab Séarlas leis ó dheas trí Carlisle, Preston, Manchester, Chester in ainneoin iarrachtaí na nginearál ba shinsearaí is ba chumasaí dá raibh in arm Sheoirse (Cope, Cumberland, Wade) gur bhain Derby amach ar an 4 Nollaig 1745. Bhí breis agus cúig mhíle fear faoi anois agus ní raibh ach céad éigin míle idir é agus Londain.[14] Ach ní raibh corraí as Seacaibítigh Shasana fós, ina staic a bhíodar ag feitheamh leis an chabhair mhíleata nár tháinig. Mar bíodh go raibh fórsa sluaíochta ollmhór tiomsaithe ag Louis ar chósta thiarthuaidh na Fraince agus an bhriogáid Éireannach, faoina cinnirí Thomas Lally, Séarlas Ó Briain, is Roibeard Mac Cárthaigh, réidh le dul ar bord, de bharr míthuisceana is easpa comhordaithe moillíodh a n-imeacht an oiread sin gur beartaíodh an fórsa a chur go hAlbain. Cé gurbh í tuairim Shéarlais fós gur cheart brú ar aghaidh go Londain, níor aontaigh a chomhairleoirí leis; theastaigh uathusan filleadh ar Albain agus seasamh a dhéanamh ansin. I gcoinne a thola ghéill Séarlas dóibh is chúlaigh a arm gur bhain Alba amach arís ar an 20 Nollaig. Ina dhiaidh aniar feadh na slí ó thuaidh bhí arm seasta Sheoirse, faoina mhac féin an Duke of Cumberland, móide 6,000 saighdiúir Heiseánach a tugadh anall. Thug an dá arm formhór an earraigh le scirmiseáil is le hinlíocht gur bheartaigh Séarlas féin, beag beann ar a chomhairleoirí, ar sheasamh a dhéanamh is cath a thabhairt. Rinne sin ar an 16 Aibreán 1746 i gCúil Odair. Scriosadh na Seacaibítigh:

Mo chreach mhór! na cuirp ghlé-gheal
tha 'nan laigh' air na sléibhtean ud thall,
gun chiste, gun léintean,
gun adhlacadh fhéin anns na tuill;
chuid tha beò dhiubh an déidh sgaoilidh
's iad 'gam fògair le gaothan thar tuinn,
fhuair na Chuigs an toil féin dinn,
's cha chan iad ach 'reubaltaich' ruinn (HS: 19 §§ 33-40).

An file a rinne an caoineadh mothálach sin ar 'Latha Chuil-Lodair',
Iain Ruadh Stiubhart, b'oifigeach in arm Shéarlais é a thóg páirt
ghníomhach sa choscairt léanmhar. Fínné neamhchoitianta é a
dtugann a shaothar léargas uathúil dúinn, ní hamháin ar an chogaíocht
a raibh sé páirteach ach ar aigne is ideolaíocht lucht a pháirte freisin.[15]
Bhí Iain Ruadh i measc na buíne sin d'arm Shéarlais a tháinig le chéile
láithreach tar éis an chatha d'aonuaim tabhairt faoin namhaid arís. Ina
shaothar freisin nochtar an athnuachan chéanna is an athmhúscailt
mhisnigh; bíodh gur ghá slán a fhágáil le Tearlach, níor shlán go deo é
mar bhí sé le filleadh arís:

Mo chreach, Teàrlach Ruadh bòidheach
bhith fo bhinn aig rìgh Deòrsa nam biasd,
b'è sud dìteadh na còrach,
an fhìrinn 's a beòil foipe sìos;
ach, a rìgh, ma's è 's deòin leat,
cuir an rìoghachd air seol a chaidh dhinn,
cuir rìgh dligheach na còrach
ri linn na tha beò os ar cinn (*ibid.* 19 §§ 9-16).

Mu Phrionns Teàrlach mo rùn,
oighre dligheach a' chrùin,
's è gun fhios ciod an tùbh a théid e. ...

Ach thig a' chuibhle mu'n cuairt,[16]
car o dheas no o thuath,
's gheibh ar n-eascàirdean duais an eucoir. ...

Us bidh sinn uile fa dheòidh,
araon sean agus òg,
fo'n rìgh dligheach dh'an còir duinn géilleadh (*ibid.* 20 §§ 7-9, 76-8, 91-3).

I saothar Iain Ruaidh, agus saothar a chomhfhilí Seacaibíteacha, tá
ionad príomha lárnach ag nóisean an dlisteanais agus ag an
téarmaíocht a chuimsigh é: *rìgh dligheach na còrach, oighre dligheach a'
chrùin*, an *rìgh dligheach dh'an còir duinn géilleadh*; mar a dhearbhaigh
Alasdair mac Mhaighstir Alasdair, b'é Séarlas *ceart-oighr' an fhìor-rìgh
dhleasdannaich*, b'eisean *'s rìgh 's is athair talmhaidh dhuinn* (HS: 9 §§
122,132). B'é Alasdair an té ba bhisiúla de na filí Albanacha a
shaothraigh an reitric Sheacaibíteach; tá ráite ina thaobh freisin gurbh
é a scríobh 'the most passionately patriotic Gaelic poetry ever written'.[17]
Cinnte, tá idir phaisiún agus tírghrá ag taomadh in éineacht ina
shaothar polaitiúil; tá sin, agus tiomantacht neamhcheisteach

dhiongbhálta do phearsa is do chúis an 'rìgh tha uainn ... mac an rìgh dhlighich tha uainn'(*ibid.* 4 §§ 2,6). Tráchtaireacht leanúnach ón taobh istigh í filíocht Alasdair ar ghníomhréim Thearlaich agus ar dhearcadh a lucht leanúna; ar an tsúil ardmheanmnach a bhí leis, ar an fháilte chomhlán a cuireadh roimhe, ar a shlógadh caithréimeach, ar a thrascairt thragóideach, ar an slán bristechroíoch a fágadh leis, agus ar an dóchas dochealaithe go raibh i ndán dó filleadh arís:

A Mhoire, 's sinne t'air ar ceusadh,
air dhìth céille, 's sinn gun chàil;
Teàrlach Stiùbhart, mac rìgh Seumas,
a bhith 'na éiginn anns gach càs;
gur h-è sin a rinn ar léireadh,
gura feudar dhà gum fàg,
sinn 'na dhéidh gun airm, gun éideadh—
falbh 'n ainm Dhé, ach thig, a ghràidh.

Ar mìle beannachd 'nad dhéidh,
's Dia do d'ghleidheadh anns gach àit;
muir us tìr bhith cho réidh dhuit,
m'urnaigh gheur leat fhéin os aird;
's ge do sgar mì-fhortan deurach
sinn o chéile 's ceum roimh 'n bhàs,
ach soraidh leat, a mhic rìgh Seumas,
shùgh mo chéille, thig gan chàird (*ibid.* 8 §§ 32-48).

Briseadh coscrach ab ea 'blar Chuil-Lodair' de réir gach tuairisce comhaimseartha; cuimhne bhithbheo é i measc na nGael Albanach. Le himeacht ama bronnadh, ní nach iontach is dócha, tábhacht shiombalach air mar chath gur féachadh air, le hiarfhios, mar choimhlint apacailipteach idir Gaeil choimeádacha rústacha ar thaobh amháin agus Gaill fhorásacha urbánacha ar an taobh eile. Níl aon bhunús leis an insint shimplíoch rómánsúil sin. Níorbh aon ainbhiosáin iargúlta neamhliteartha iad na cinnirí a d'eagraigh is a threoraigh feachtas míleata na mblianta 1745-6, ach tiarnaí uaisle d'uaslathas na hAlban a bhí chomh pragmatach tionscantach forásach le haon aicme uaisle eile.[18] Ní ag cosaint seanchultúir ná sibhialtachta ársa a bhíodarsan ach ag troid ar son a dtíre agus a rí; bhí cúis i gceist, bhí polaitíocht, bhí náisiúnachas:

I was brought up in true, loyal, anti-revolutionary principles, and I hope the world is convinced that they stick to me .... When his Royal Highness came to Edinburgh, as it was my bounden and indispensible duty, I joined him ... (*True copies:* 3-4).

My motives for serving in the Prince's army was the duty I owe to God, the King and the Country ... (*ibid.* 13).

The cause I embarked on, was that of my Liege Sovereign King James the Third, from an opinion, I long since had of his just Right ... (*ibid.* 14).

As I am now to suffer a publick, cruel, barbarous (and in the eyes of the world), an ignominous and shameful death, I think myself obliged to acknowledge to the world, that it was Principle, and a thorough conviction of it's being my duty to God, my injured King and oppressed country which ingaged me to take up arms ... (*ibid.* 41).

I am now on the brink and confines of eternity, being to suffer a scandalous and ignominious death for my duty to God, my King, and country, for taking up arms to restore the illustrious House of Stuart and to banish from a free but enslaved people a foreigner, a tyrant, and an usurper ... (*ibid.* 44).

Tugann na sleachta sin - sleachta as oráideanna báis na gcinnirí Seacaibíteacha a crochadh d'aithle an reibiliúin - tugaid arís léiriú glinn dúinn ar an ideolaíocht a mhúnlaigh aigne na gcinnirí sin is a threoraigh a ngníomhartha. Níl aon aithreachas á nochtadh, níl aon leithscéal á dhéanamh ach dearbhú ar na luachanna bunaidh a chothaigh an Seacaibíteachas ó thús deireadh - ceart, dlisteanas, moráltacht. Ach nochtann na horáideanna sin freisin an dílseacht phearsanta a bhí ag na cinnirí sin don Stíobhartach féin, an cion a bhí acu ar Shéarlas Óg agus an meas as cuimse a bhí acu air:

The incomparable sweetness of his nature, his affability, his compassion, his justice, his temperance, his patience, and his courage, are virtues seldom all to be found in one person. In short he wants no qualification requisite to make him a Great Man ... (*True copies:* 4).

I glory in the honour I have had of seeing his Royal Highness Charles Prince Regent, and of being admitted into his confidence .... His character exceeds any thing I could have imagined or conceived. A Prince, betrayed by the mercy he shewed his enemies .... who is the true Hero? (*ibid.* 18).

Ní raibh, gan amhras, aon amhras ar David Morgan, fear curtha na ceiste reitriciúla sin, i dtaobh fhreagra a cheiste. Bhí laoch, laoch idéalach, déanta de Shéarlas Óg:

I'd never finish if I cou'd recall to yu all the marques of compassion, generossity, & good neature, yt the Prince has given from the moment he landed until he went off, & I set a greater vallu on those marques, then I do on all the proofs of vallor, presence & courage of mind yt he has given upon all occassions, & yt no man can refuse him ... (Tayler 1938: 216).

Dá áiféisí an t-adhmholadh fileata sin, b'fhéidir go bhfuil eithne éigin fhírinneach ann, mar is cinnte gur chuaigh pearsa an Phrionsa óig i bhfeidhm go mór ar a lucht leanúna is gur spreag ina gcroísean, pé scéal é, dílseacht thiomanta neamhcheisteach. Duine den lucht leanúna sin ab ea fear chumtha an ráitis áirithe sin thuas, John William O'Sullivan. Éireannach ó Chill Chiaráin i gcontae Chiarraí ab ea é, duine de shliocht Uí Shúilleabháin Mhóir a d'fhág a thír dhúchais i dtús na haoise is a chuaigh thar lear le bheith ina shagart. Ach is ina shaighdiúir in arm na Fraince a bhain sé beatha amach ina dhiaidh sin is bhí sé i measc na buíne d'imirceoirí ó Éirinn a chruinnigh timpeall ar Shéarlas Óg ar theacht go Páras dó. Níos tábhachtaí fós, bhí sé ar dhuine den seachtar fear a bhí i dteannta Shéarlais ar theacht i dtír in

Albain dó sa bhliain 1745. Sa seachtar sin bhí triúr Éireannach eile -
léiriú coincréiteach soiléir ar thoradh amháin a bhí ar eicseadas na
Seacaibíteach ó Éirinn le leathchéad bliain roimhe sin. Léiríonn an
ceathrar sin freisin arís dúinn a fhréamhaithe, a sheanbhunaithe a bhí
an Seacaibíteachas in Éirinn; meabhraíonn siad dúinn a ghabhlánaí
iltaobhaí mar ghluaiseacht a bhí an Seacaibíteachas agus soilsíonn a n-
ainmneacha is a gcúlra a iltaobhaí chuimsithí a bhí comhdhéanamh na
gluaiseachta sin: Sir Thomas Sheridan ó chontae an Chabháin, an
tUrramach George Kelly ó chontae Ros Comáin, Sir John MacDonald ó
chontae Aontroma, John O'Sullivan ó chontae Chiarraí.[19] Caitlicigh ab
ea O'Sullivan is MacDonald, de shliocht Protastúnach ab ea an bheirt
eile; bhain Kelly is Sheridan leis an mionlach Caitliceach a d'iompaigh
ina bProtastúnaigh i dtús an tseachtú haois déag, bhain an bheirt eile le
hiarmhar na huaisle dúchais. Ach pé difríochtaí cine, aicme nó
reiligiúin a bhí eatarthu, is í an dílseacht choiteann chéanna a cheangail
le chéile is a thug le chéile in Albain iad; dílseacht a léiríodh, ní mar
thráchtas teoiriciúil ach mar sheirbhís dhíocasach leanúnach.

Bíodh gurbh oifigeach in arm na Fraince é Sir John MacDonald, bhí
sé sean is, mar sin, is mar *aide-de-camp* amháin a d'fheidhmigh sé in arm
Shéarlais. Ní mar sin do George Kelly a raibh a shaol tugtha aige ag
fónamh do chúis an Stíobhartaigh. Sa bhliain 1718 díbríodh ó Choláiste
na Tríonóide é as seanmóir cheannairceach a thabhairt is de bharr a
pháirte i bplota Atterbury sa bhliain 1722 thug sé ceithre bliana déag i
dtúr London. Ina dhiaidh sin d'fheidhmigh sé mar rúnaí ag Séarlas Óg
agus bhí sé sáite sa phlotaireacht a bhí ar bun ag na Seacaibítigh sa
Bhreatain agus sa Fhrainc sna blianta roimh 1745. Is fada siar a chuaigh
ceangal mhuintir Shioradáin le cúis na Stíobhartach. Ina Phrotastúnach
a tógadh Donnchadh Ó Sioradáin i dtús an tseachtú haois déag is bhí sé
i measc na ndaoine a chabhraigh le Bedell an bíobla a aistriú go
Gaeilge. Bedell féin a d'oirnigh ina shagart in Eaglais na hÉireann é.
Mac leis ab ea William Sheridan, easpag na Cille Móire, an t-aon easpag
Anglacánach in Éirinn a dhiúltaigh móid dílseachta a thabhairt do
Uilliam Oráiste is a chaill a easpagacht dá bharr. Mac eile leis ab ea Sir
Thomas Sheridan a bhí mar rúnaí Stáit ag Séamas II in Éirinn. Nuair a
d'fhill Séamas ar St Germain sa bhliain 1690 d'fhill a rúnaí agus a
mhacsan - Thomas eile - ina theannta. Mar pháiste i gcúirt Shéamais a
tógadh an mac óg agus níos déanaí is é a bhí mar oide ag Séarlas Óg.
Idir an bheirt acu d'fhás dlúthchairdeas nár scaoileadh riamh.

Den cheathrar sin b'é an Súilleabhánach an t-aon duine acu ar
shaighdiúir proifisiúnta é a raibh taithí fhada aige ar chogaíocht
idirnáisiúnta agus cheap Séarlas mar ardaidiúnach ar an arm
Seacaibíteach in Albain é. Bhí sé ar na príomhchomhairleoirí a bhí ag
Séarlas agus fágann sin gur air d'áirithe a dhírítear cuid mhaith de
mhilleán an bhriste. Cúisítear é go háirithe as comhairle a chur ar
Shéarlas filleadh ar an Fhrainc i ndiaidh an chatha nuair is é a

theastaigh ó na hAlbanaigh go bhfanfadh sé in Albain. Is róchuma anois, agus ní mór go mbaineann le hábhar a thuilleadh, cé chuir comhairle nó cén chomhairle a cuireadh ar Shéarlas Óg. Ach i bpáirt Uí Shúilleabháin de, is minic a ligeann lucht a cháinte i ndíchuimhne gurbh eisean a tháinig i gcabhair ar Shéarlas lá an chatha féin is a thug gan éalaing ó pháirc an áir é. D'éalaigh sé féin freisin ar ais chun na Fraince is chrom láithreach ar an phlotaireacht athuair. Ar fhilleadh dó, scríobh sé tuarascáil do Shéamas III ar an bhfeachtas ó thús deireadh, tuarascáil a chuimsíonn cuntas fileata adhmholtach ar phearsantacht laochta an Phrionsa. Cuntas ríshuimiúil é, idir theanga is ábhar, a insítear sa tríú pearsa agus an t-inseoir mar a bheadh sé lasmuigh ag féachaint isteach ar tharlaingí is ar dhaoine. Insint choscrach fhíorphearsanta í a nochtann go fírinneach mothaitheach neamhnáireach an dlúthchumann a bhí idir an Súilleabhánach is an Prionsa:

> Sullivan cant containe, he burst out a crying to quit the Prince & to see the danger & misery he was exposed to; the Prince embrasses him, & holds him in his arms for a quarter of an hour, Sullivan talking to him as much as his tears & his sobs cou'd permit him, praying him for God sake, if he had the misfortune to fall in the enemis hands never to own what he was .... It was a most dismal sight to see Sullivan in the Princes armes; the saillors hears Sullivan crying & see the Prince go off, they all cry & roar, & looks upon the Prince as lost. The Prince come back to them, assures them that there is nothing to fear, yt he leaves Sullivan with 'em, yt they'l hear from him yt night or next day, yt 'we will all joyn again': yt does not satisfy the men, they double their crys & moans. It wou'd touch a heart of flent to see yt seperation ... (Tayler 1938: 196).

Tuairisc adhmholtach fhileata sa mhód laochta í. Easpa ná ainimh níl ar an bPrionsa, locht níl le fáil air, níor cheannaire míleata go dtí é:

> 'Tis not credible the movemt the Prince gave himself, to get tember carryed to repair those bridges, as well as to reconnoitre the foards, tho' he had people, yt he cou'd depend upon for those things. As well on this occasion as on all others, I cant imagine, how he resisted, in those great marches we made. He went alwaise a foot, only when he was to come into a town, & notwithstanding the rigor of the season we were in, he never come to his lodgings until he saw the guards posted, & the men quarter'd, & to cause no jealloussy, marched allternatively at the head of each regimt; every man had acces to him, especially those yt had the least detail, so yt he enter'd into the state of every thing, & continued this all the time. He was never heard to say a rash word to any man, prais'd most graciously those yt served well, & treated very mildly those yt did not; no Prince can have a greater tallent to gain the hearts of mankind ... (*ibid.* 99).

Ní hé an Prionsa faoi deara an cúlú ó Derby, is dá leanfadh sé air go Londain bhí leo; bhí gach éinne eile ar mhalairt tuairime is ghéill sé dóibhsean:

> But a Young Prince, yt sees himself within three days, or at utmost four days, march of the Capital, where if he was once arrived, wou'd in all

appearance restor the King, cou'd not relish the word of retrait, & really
he wou'd not hear yt word from the beginning, he had an avertion to the
word it self, but finding every body allmost of yt oppinion was oblidged to
consent ... (*ibid.* 103).

Is áirithe go bhfuil cath Chúil Odair le háireamh i measc *dá*-anna
móra na staire: dá leanfadh Séarlas air go Londain ..., dá dtiocfadh na
Francaigh in am ..., dá n-éireodh Seacaibítigh Shasana amach ..., dá n-
éireodh mórchlanna na hAlban amach ..., dá mb'áil le Séarlas éisteacht
lena chomhairleoirí míleata is gan cath a thabhairt ar láthair nach raibh
oiriúnach ..., dá bhfanfadh sé in Albain agus atiomsú a dhéanamh ar na
clanna ...; plé aimrid acadúil. Ach pé impleachtaí stairiúla a bhain lena
fheachtas míleata, nó pé fritoradh fadtéarmach a bhí air, ag an am chuir
a sheasamh dásachtach eipiciúil líonrith tinneallach ar Fhuigeanna na
dtrí ríochta - agus meidhréis chaithréimeach, dá réir, ar a lucht leanúna.

II

Edinburgh August 13. The common report goes, that about 2,000 men are
landed in Lochabar, or in some of the Western Islands, and that a fleet of
50 or 60 sail has been seen of the Isle of Sky ...
(*The Dublin Journal:* 24-27 August 1745).

Belfast, Sept. 24. By several authentick letters from Scotland it is
confirmed, that on the 17th inst. the Pretender's army took possession of
Edinburgh, by consent of Mr. Stewart the Provost ...
(*ibid.* 24-28 September 1745).

Edinburgh, July 24. Capt. Millar writes from Uist, that he was in close
pursuit of the Chevalier, and that he had made his escape from South-Uist
to the Isle of Sky, and from thence to the mainland, disguised in Lady
Clanronald's cloaths .... there are 2,000 men scouring the hills in search of
him (*ibid.* 5-9 August 1746).

Is beag d'imeachtaí Shéarlais Óig, óna theacht i dtír i mí Iúil na
bliana 1745 go dtí a fhilleadh chun na Fraince i mí Meán Fómhair na
bliana dár gcionn, nár tuairiscíodh in Éirinn; tuairisciú cruinn beacht ar
uairibh, tuairisciú áibhéalach ráflach uaireanta eile, ach tuairisciú ar
tugadh aird air. Ar eagla na heagla, ghníomhaigh na húdaráis go
héifeachtach is go tapaidh. Tugadh ordú do na giúistísí áitiúla ar fud na
tíre 'strictly to put in execution' na dlíthe peannaideacha maidir leis an
chléir is le hairm; gabhadh is príosúnaíodh cuid den chléir, easpaig is
bráithre go háirithe; chuathas sa tóir ar Chaitlicigh a raibh amhras an
tSeacaibíteachais orthu; dúnadh tithe pobail, go háirithe sna bailte, is
d'éirigh scliúchais dá bharr i mBaile Átha Cliath is i mbailte an deiscirt;
más fíor an tuairisc, ar rochtain scéala an chatha in Prestonpans go

cúige Chonnacht chrom na daoine ar phíosa breacáin a chaitheamh ar
a gcuid éadaigh ; rinneadh gearán i dtaobh 'the insolent behaviour of
the Papists and their clergy' i gcathair na Gaillimhe féin agus scaipeadh
scéal go raibh oifigigh in arm Shéarlais fillte abhaile.[20] Tuairiscíodh ó
chontae Chorcaí go raibh na Gaeil fachta sotalach easumhal arís;
díotáladh mórán, ar fud na tíre, as 'seditious words' a urlabhairt nó
sláinte Shéarlais a ól; ghearáin George Berkeley, easpag Chluana, gur
túisce a bhí eolas ar imeachtaí an chogaidh ag na Pápairí ná acu féin;
dúradh gur léir ar lúcháir na 'lower orders' cén dearcadh a bhí acu ar
Shéarlas Óg:

> 1746: William Foster for seditious words, he being a post-boy coming into
> towne with a foreign mail, was asked by William Markham, Esq., 'What
> news?' to which he replied, 'Good news; the Pretender is crowned in
> Scotland'. And Daniel Coughlan for seditious words, by drinking a health
> to Lord Clare (who was then an officer in the French King's service at the
> rebellion in Scotland), were pilloried at the corner of Broad Lane,
> Saturday, 29th March (JCHAS 1, 1892, 120).

> The Irish are beginning insolencies already, they begin to steal sheep and
> neglect to sow and plant .... One whom I discharged told my wife he hoped
> soon to see the day he would not be obliged to slave for 5d a day ...
> (Dickson 1987: 86).

> It is indeed terrible to reflect that we have neither arms nor militia in a
> province where the papists are eight to one, and have an earlier
> intelligence than we have of what passes, by what means I know not, but
> the fact is certainly true .... The general feeling of the lower orders of the
> Irish might be gathered from the joy they expressed on hearing that the
> pretender had landed in Scotland, and we hear of numerous arrests all
> over Ireland for seditious cries and speeches ... (Wright 1854 ii: 338).

Is í filíocht chomhaimseartha na Gaeilge an léiriú is fearr atá againn
ar 'joy' úd na bPápairí, filíocht í atá ar tinneall le lúcháir mheidhréiseach
mheanmnach is í lomlán de scéalta áthais. Mar a chuir Eadbhard de
Nógla é, bhí 'rince nua' múinte ag Séarlas Óg dá naimhde:

> An gcualabhair sceolta leoin an dea-chroí,
> tug cuaird tar bóchna ar bord le fastaoim,
> is gan 'na chomhair chum gleoigh acht lagbhuíon,
> cé chuir sé slóite Sheoirse i gcreathaíbh.

> Rince nua mhúin dóibh tré shneachtaíbh,
> ó Alba mhór go teora Carlisle;
> Wade is Cope cé mór do meastaí,
> le síol na leoghan gcróga smachtaíodh ....[21]

Ní raibh, is léir, aon easpa eolais ar na Pápairí i dtaobh ghníomhréim
Shéarlais ná aon easpa ráflaí i measc na scéalta a bhí ag teacht chucu
anall de shíor; ráflaí a cheangail imeachtaí an Stíobhartaigh in Albain le
hÉirinn is le hÉireannaigh:

> Corke, Dec. 19. Yesterday afternoon, the Ambuscade Privateer of London,
> Capt. Cook, commander, brought into this harbour a Spanish ship of 100

tons laden with 2,500 muskets and bayonets .... It is rather thought they intended these arms for the use of the rebels in England. There was a-board, a young gentleman who speaks the English language perfectly well, and who says his name is Loftus .... As soon as Loftus was brought to Town, immediately a rumour went through the whole city, that he was undoubtedly the 2d son of the Pretender,[22] but we are sorry we cannot as yet confirm so agreeable a piece of news to our readers ...

(*The Dublin Journal:* 14-17 December 1745).

It was yesterday reported that the young Pretender with a few of his followers, had made their escape from the Isle of Uist in an Irish vessel, and that a ship of the same nation had landed several of the rebels at Morlaix in France ... (*ibid.* 22-26 July 1746).

About this time it was represented, that two Irish officers of the name of Burke, belonging to Dillon's regiment, who were made prisoners at Culloden, appeared publicly in town; and that one Sarsfield (of Lally's regiment), an avowed Jacobite, who escaped from that battle, was also seen in the neighbourhood, and at the house of his kinsman, Robert Martin, of Dangan, who, it was stated 'could, in twenty-four hours, bring at least eight hundred men to the gates of the town, as absolutely devoted to him as the Camerons to Lochiel' (Hardiman 1820: 182).

Ní raibh aon bhaol reibiliúin in Éirinn, ná ní raibh aon ionsaí i gceist ach is léir gur chuaigh Séarlas Óg i bhfeidhm go mór ar dhaoine agus go raibh an-tionchar ag a ruathar dásachtach ar an tuairimíocht phoiblí. Tugann na sleachta thuas tuairim mhaith dúinn den chomhthéacs ginearálta ina raibh filí na Gaeilge ag scríobh ar Shéarlas Óg. Is léir go raibh teacht acusan freisin ar an eolas is ar na ráflaí céanna agus, mar sin, ard-dóchas is buntéama uilí dá saothar uile. Bhí Séarlas ar a shlí, bhí na Sasanaigh cloíte aige in Albain, an dán céanna a bhí i ndán dóibh in Éirinn:

A éigse shuairc na n-aradbheart,
gléasaidh suas go hachomair,
féachaidh uair na hachaine,
        mar d'éist Mac na hÓighe;
le huaisle Gael dá dtarraingt chughainn,
go fuadrach féil le fairsinge,
go cuantaibh ciumhaise Chairbre,
        ag réiteach ár mbróin. ...

Atá Séarlas buacach barramhail,
is na céadta slua i bhfarra leis,
anois ag teacht go Banba,
        is na Gaeil ina ndeoidh ....

Atá báire Shasana i ngar a bheith traochta,
rá na salm dob annamh á dhéanamh;
atáid na fir chalma ag tarraingt go hÉirinn,
Seárlas in Alba ag gearradh na meirleach ....

Atá flít na dtrí ríthe go tréan
        is an Stíobhart sin Séarlas 'na gceann,
Laoiseach á líonadh faoi réim
        míle is seacht gcéad ins gach long ...

Tá Carolus calma croímhear
    ag bascadh na buíne seo od bhreo,
bainfidh sé allas as mílte,
    's ní ghlacfaidh gan díoltas id bhrón. ...

Ag Falkirk do cailleadh na mílte,
    tá Campbells go cloíte agus Cope,
beidh sealbh na Banba ag Gaolaibh,
    is na Danair seo choíche gan treoir,
beidh Carolus feasta 'na rí againn
    is an ainnise, cuimhnigh, ar Sheon ... .[23]

San amhrán ardmheanmnach sin a chum Aindrias Mac Craith, léirítear arís an mioneolas - idir dhaoine is áiteanna - a bhí ag na filí ar chaithréim Shéarlais Óig; is léir gurbh í an chaithréim sin a bhí mar bhonn réalaíoch leis an ardmheanma is an dóchas. I ndán eile (*A bhile den fhoirinn nach gann* ...), fógraíonn sé go háthasach meidhreach dá chompánach nach fada uaidh 'cabhair is cuideachta'; go raibh 'ár bPrionsa' ar a shlí, go raibh cath á fhógairt ar Fhuigeanna:

Beidh luisne ó Dhoire go Leamhain
    's an fhoireann so teann is tine leo,
rithfidh gach bithiúnach reamhar
    's ní coimirc dóibh long ná lomairne. ...

Tá stoirm ná cuirfear ar gcúl
    ag druidim le ciumhais na Sionainne;
nuair thiocfas an fhoireann thar abhainn,
    is deimhin go bpleancfam Fuigeanna.

Beidh an ghrathain á tachtadh le tnúth,
    beidh bascadh agus brú agus briseadh orthu;
's is gairid go bpreabfaidh chun siúil,
    nuair bhainfeas ár bPrionsa cluiche dhíobh ....

Beidh gearradh agus leagadh agus brú,
    beidh scaipeadh agus scanradh is uireasbha
ar Ghallaibh á chaitheamh gan chabhair,
    nuair ghreadfaidh an Francach tine leo ... (ÉM: 75 §§ 17-20, 29-36, 45-8).

Mar churfá le gach véarsa bhí:

Is oscardha i gcoscairt a namhad
    le fuinneamh gach crobhaire 'e chine Scoit;
scriosfaid as inis gach Gall,
    's is sinne bheidh teann 'na bhfionnabhroig.

Tá an chuma ar na dánta polaitiúla a chum Aindrias Mac Craith gur sna blianta 1745-6 a chum sé an formhór acu. Port coiteann iontu is ea na seintimintí a nochtann sé sa churfá sin thuas - an mhalairt saoil a bhí i ndán le filleadh an Phrionsa; an dream a bhí thuas go dtí sin á gcloí is á ndíbirt, an dream a bhí thíos ag athshealbhú a ndúchais:

Dá dtagaidís na sáirfhir tar sáile ár saoradh,
sliocht Airt is Choinn is Fháilbhe is an Fánach ná déarfainn,

bheadh Cailbhín is a chairde 'na dtáinrith tar gaortha,
's ní ghlacfaidís gan sásamh 'na ndearnadar den éigean. ...

Tar sáile dá dtíodh an Spáinneach is a bhuíon
    re háthas is Laoiseach taobh ris,
gach ardfhlaith d'fhuil Choinn 's an Fánach so ar deighilt,
    a bhfáltas, a ngníomh 's a réimheas;
dob ábalta binn ceáfra le meadhair
    's an dáimh uile is deimhin go saothrach;
's gach cnápach do shíolraigh ón gcráin duibh gan chrích,
    'na dtáinrith gan mhoill in éagmais. ...[24]

Tá Pruise agus Poland fós ar mearthall,
sin scartha go deo le Seoirse Hanover;
's an calmfhear cróga ar phórtaibh Alban,
    's go leor dá charaid 'na gharda ...
    beidh atharrach spóirt fán bhfómhar i mBanba,
    is sealbh trí choróin ag an leon ná habraim -
        sin Fódla feasta ag mo ráib geal. ...

Gach sáirfhear glé de shaorshliocht Airt is Fhéilim
ler shámh an réacs do théacht i gceart a shinsir,
le gairdeas glaodh go héasca canna saghdair,
is sláinte Shéamais taoscam feasta timpeall (ÉM: 94 §§ 1-11, 23-6).

Tá an chuma ar na dánta polaitiúla sin freisin - mar atá ar a shaothar trí chéile - gur chun a ráite go poiblí a cumadh iad. Amhráin iad a bhfuil foinn ag dul leo, a bhfuil curfá nó ceangal le cuid mhaith acu agus a bhfuil le tuiscint go soiléir ó na téacsanna féin cén láthair is cén comhthéacs a bhí i gceist - an tábhairne agus ólachán i gcomhluadar cuideachtúil:

Scaoilim sa timpeall le hiomad dúthracht,
sceimhle gan faoiseamh ar fhoirinn Liútair ....

Gach saoi suilt ler bh'aoibhinn na Galla d'ionradh
is fírinn mo scríbhinne i meitheamh Samhraidh,
díogadh sruth fíonta le hiomad branda,
le hintinn an laoi bhig seo cantar leamsa (ÉM: 92 §§ 1-2, 13-6).

Go tábhairne an ghliogair nuair thigim 's mo bhuíon im dheoidh,
lem chána bainimse tine go binn as bord ....

Is gearr go dtigeann an Mhuirinn is aoibhne snó,
cárt is gloine go cliste aici líonta ar bord;
'fáilte is fiche', deir sise, 'don tír seo romhaibh -
ná fágaidh sinne, tá tuilleadh den oíche romhainn!'

    Is sámh sinn uile 's is sultmhar ár ngnaoi 's ár nglór,
    a lán go gcuirim is gach imeall den tír le ceol,
    níl trácht ar bhinneas nach acu do fríoth ar chóir,
    is sláinte an leinbh nár chuireamair críoch air fós!

Ó mhuise, a shearcrúin, is greannúr an scéal sa tír:
Seoirse is a bhastúin á gclasú 's á dtraochadh ar toinn!
                                        (*ibid.* 76 §§ 1-2, 25-32).

Gnáthamhrán ólacháin ab ea an dán sin a raibh leagan polaitiúil curtha air ag an bhfile, ach ní móide gur ghá a mhíniú don chuideachta cérbh é an 'leanbh' a raibh a shláinte á hól. Thuig an chuideachta sin freisin, is cosúil, brí is tábhacht na seintimintí polaitiúla a bhí á scaipeadh ag an Mangaire: 'sealbh trí choróin', 'ceart a shinsir'. Ní hiad na seintimintí féin is tábhachtaí, ní raibh iontu ach reitric ghnách na Seacaibíteach, ach an comhthéacs ina bhfuiltear á scaipeadh - comhluadar cuideachtúil ólacháin an tábhairne. Is é an comhthéacs sóisialta céanna atá le saothar polaitiúil Sheáin Uí Thuama. Ní hionadh sin, is dócha, óir ba thábhairneoir é féin tamall ar ghnách, is cosúil, lena chomhghleacaithe bualadh umá chéile ina thábhairne i gCromadh. Ní hionadh ach oiread gur saothar rannpháirteach caidreamhach is ea an chuid is mó dá dhánta polaitiúla - freagraí ar amhráin a chum a chairde an tAthair Seán Ó Briain, Seán Clárach Mac Dónaill is Aindrias Mac Craith. Amhrán éagaointeach a chum Seán Ó Briain (*Is atuirse cléibh liom préimhshliocht ghealChoinn*), amhrán a chaith amhras ar theacht 'céile ceart caoin chlár Loirc', a spreag an freagra dóchasach gríosaitheach:

Is tuirseach fá dhaorsmacht péine i bhfad sinn
tréith ag neart nimhe námhad ....

Scoiridh d'bhur bplé is d'bhur ndéanamh ceasnaí,
    a éigse gheal ghrinn ghrámhar,
sin chugaibh an réacs de shaorshliocht cheap Gaol
    i réimeas cheart chríoch chlár Loirc;
den choimreasc bhaoth so an Bhéarla bainfíor
    tréna n-aindlí sásamh,
is ní cuma leo cé acu is éasca ghlacfaíor
    le cléir an phaidrín pháirtigh (ÉM: 27 §§ 1-2, 25-32).

Mar fhreagra ar *Bímse buan ar buairt gach ló* a chum sé *Mo mhíle trua, mo bhuairt, mo bhrón*; mac alla á dhéanamh aige ar bhrón an bhunamhráin ach fós ceangal dóchasach á chur aige mar chríoch air:

Cantar i mbliana mian is aiteas daoibhse
's dá maireann de thriatha d'iarmhar chlanna Mhíle,
an araic tug Dia ar chiarsproit Chailbhin choimhthigh,
's ní dainid liom iad fá phian á ngreadadh i dtintibh (*ibid*. 33 §§ 37-40).

Ag triall ar Sheán Clárach arís a chuir sé *A shaoithibh Éireann créad an tuirse* ..., idir cheist agus fhreagra á soláthar aige féin:

A shaoithibh Éireann créad an tuirse
    d'éirigh anois don dáimh ghlic,
is roimhe seo féin gur shaothrach sibh
    go léir ag seinm dánta?
féach cobhair Dé i bhfogas
    – saol socair sásta -
ár dtaoiseach féinne ag téacht 's a thruip
    go tréan le hiomad áthais. ...

A phríomhshliocht Ghaeil is Éibhir oinigh,
     taoscaidh uile sláinte
an ríghais ghléigil ghlé seo anois
     ag téacht go hInis Fáilbhe;
léig osna daor doiligh
     – scéal docht don táin sin -
chuir buíon an Bhéarla i mbaol 's i mbroid
     go faon fá chiorrú an bhráca (*ibid.* 37 §§ 1-8, 25-32).

Lena chomhfhilí trí chéile a labhrann sé san amhrán is meanmnaí meidhrí dóchasaí dár chum sé:

A chuisle na héigse, éirigh suas,
is tuirseach in éagruth mé gan suan,
     gan duine san tsaol
     ag innisin scéil
ar thuras an té tá i gcéin ar cuaird,
     's, a Éire mo chroí, tá m'intinn ort. ...

Dob aite liom súd óm úrghas óg,
ag gearradh 's ag brú na mbúr go feor,
     is fada mé ag súil
     go bhfaicinn a ghnúis -
an faraire fiúntach fionn i gcoróin,
     's, a Éire mo chroí, tá m'intinn ort. ...

Brisfid is réabfaid, déanfaid ruaig,
ar bhruithinisc bhaoth an Bhéarla uainn,
     cuirfid na Gaeil
     'na n-ionadaibh féin -
sin mise lem ré 's an éigse suas,
     's, a Éire mo chroí, tá m'intinn ort. ...

Ba bhinne liom súd, a rún 's a stór, -
an gloine go húr á dhiúgadh ar bord,
     cuideachta shúgach,
     mhuirneach mhúinte,
is go mbristear an cúl ná cúnfaidh leo!
     's, a Éire mo chroí, tá m'intinn ort (*ibid.* 38 §§ 1-10, 21-5, 31-5).

Véarsaíocht phobalda í an véarsaíocht sin trí chéile - véarsaíocht a cumadh do phobal cinnte áirithe, is léir. Tá comhluadar comhthuisceanach le cur san áireamh, is cosúil, agus glacadh coiteann le seintimintí polaitiúla áirithe agus le dearcadh áirithe ar an saol comhaimseartha. Ba thuiscint uilí den dearcadh sin go raibh an Prionsa cinnte ar a shlí an turas seo. Ach ní ina aonar a bhí Séarlas le teacht go hÉirinn; bheadh a athair ina theannta agus uaisle Gael in éineacht leo ag filleadh go buacach; ár domheasta is eirleach uilí ar lucht an fhill a leanfadh:

Adúirt ainnir an déidghil 'dé do bheatha,
     is éist liom tamall, a sháirfhir:
atá dalta mo chléibh is mo chéile ag taisteal
     go tréan tar chaladh 's a gharda' ....

Preabfaid in éineacht, déanfaid argain,
　　is séidfid aicme na cránach,[25]
's is ceannasach craobhach bhéam gan mhairg,
　　ag téacht don tseabhac so Seámas ....

Sula dtighidh fómhar nó dhó, dar liomsa,
beidh Stíobhart Mór is Óg 'na ndúchas;
'na suí sa choróin fí scóip i Londain,
's muna stríocfaidh Seoirse is dóigh go liúfaidh ....

Tá bagairt le cian ar Thiarna an Chláir ghil
　　do thíocht faoin tír le táintibh sló;
ag trascairt na bpiast fuair biathadh ár n-áitreabh,
　　is is cuí trí dhíograis a shláinte d'ól ....

Ba seascair subhach ag cantain chiúil an dáimh le dréacht,
is i mbailte Mumhan go maiseach múinte gairdeach glé,
gach dragan úr de chlanna Lughaidh, Chárthaigh is Chéin,
ag teacht go humhal gan stad i gcúirt le grá don scléip ....

Dá mhaíomh go mbeidh bíocain na Blarnan
　　'na n-aolbhrogaibh ársa go luath,
's an Stíobhart do bhí seal go fánach
　　'na rí ar thrí háitribh go buan ....

Spreagaidh bhur gcroí ar intinn subhachais,
cé fada sinn cloíte cnaíte cúthail;
sin faraire an ghrinn ag tíocht go trúpach,
is calm céad míle laoch 'na chomplacht ....

Beidh Tiarna geal álainn an Chláir ann go trúpach,
's gach fialbhile rábach den ardchine cumhra,
cliar na bhfear gCárthach do cháibleadh na búiribh,
Ó Néill is a bhráithre thug ár in gach cúige ....[26]

　　Ní féidir gan ardchumas teicníce na véarsaíochta sin a thabhairt faoi deara, ná an réimse leathan meadarachta atá i gceist. Tá réimse leathan teanga is stílíochta in úsáid chomh maith, mar atá réimse leathan is ilghnéitheacht údar: filí aitheantúla, mionfhilí is filí anaithnid a chum. Ach in ainneoin aon difríochta meadarachta, teanga nó údair, is é an dearcadh ceartchreidmheach céanna atá á nochtadh sa saothar tríd síos: bhí Séarlas ar a shlí go caithréimeach díoltasach. An dearcadh coiteann céanna a nochtar ar phearsa Shéarlais Óig féin. Mar churadh laochúil buacach a léirítear é agus é ag troid in Albain; mar fhear cumainn aonaránach agus é tréigthe ag a chairde a léirítear é d'éis a chloíte; dhá ról a samhlaíodh lena athair roimhe agus a raibh na múnlaí liteartha a úsáideadh ina chás-san ar fáil is oiriúnach i gcás an mhic freisin:

Is mac do Mhars an mac so in Albain tuaidh,
fear is fearr ar fhearann treascartha an tsluaigh,
macs is clans is glan ar Ghallaibh do bhuaigh,
rath gach cath don fhlaith, go leana go buan.

Gas is pras i dtreasaibh calma crua,
do ghlac 'na ghlaic an ceart do sheasamh go buan,
a cheap na bhfeart, is a athair parathais thuas,
ós ceart a cheart, 'na cheart go dtaga go luath.[27]

Cé sin amuigh?
tá Séarlas fé shioc,
    gan éadach ná cuid na hoíche;
mo phéinbhroidse sin,
mo chéadshearc gan sibh
    i réimchirt ag scrios do naimhde. ...[28]

Áitíonn Ó Corcora, agus comparáid á déanamh aige idir filíocht Sheacaibíteach na hAlban agus a comhshamhail in Éirinn, go bhfuil an saothar Albanach 'simple, homely, direct .... Warm affection is the note of them' (Corkery 1925: 130), tréithe nach mbaineann, dar leis, leis an fhilíocht Ghaeilge. Is fíor nach samhlófá na tréithe sin leis an chuid is foirmeálta agus is snoite de na haislingí, ach is cinnte go bhfuil a thuilleadh den ábhar simplí tíriúil agus cion dáimhiúil na muintire ina orlaí tríd. Ní mar phearsa imigéiniúil ná mar 'a far-off woe', mar a d'áitigh Corkery (ibid. 134), a léirítear pearsa ná cúis an Stíobhartaigh i gcuid nach beag den fhilíocht Ghaeilge, ach mar phearsa bheo láithreach ar féidir labhairt leis go comhráitiúil tíriúil agus ar féidir ionannú báúil a dhéanamh lena chás is lena chúis:

Go stiúra Mac Dé thu, a Shéarlais go comhachtach,
    go haerach le fórsa, is go dtagair fá mheadhair
ag baint cúitimh go faobhrach de mhéithbhocaibh Sheoirse,
    is ag réabadh na seolta so ghrathain an fheill ....

Mo chumha go héag tu, mo chúis ghoil lem ré thu,
    mo Phrionsa mear éachtmhar éadrom óg;
ar thonntrachaibh baoil, gan chlúid ach an spéir,
    agus complacht an Bhéarla ag déanamh spóirt ....

Uilleo a thoil, ná goil go fóill,
is gheobhair gan dearmad taisce na seod,
do bhí agad shinsear ríoga romhat
in Éirinn iathghlais Bhriain is Eoghain.

So hus ó mo leanbh, mo thaisce, mo bhrón tu,
ag sileadh na súl is mo chúil gan lón.

Do gheobhaidh tú an caol-each éadrom óg,
do gheobhaidh tú an srian 's an diallait óir
bhí ag Fáilbhe Fionn ba teann ar tóir,
ag ruagadh Danar ó Chaiseal go Bóinn. ...

Tair feasta, a Shéarlais, le tréan-neart tar taoid,
gaibh caladh, ní baol duit is Gaeil ar do thaoibh ....[29]

A Shéarlais Óig, a mhic rí Shéamais,
'sé mo mhórchreach do thriall as Éirinn,
gan aon ruainne bróig' ort, stocaí nó léine,
acht do chascairt leis na Francaigh (CCU: 87).

Hó, ró, ró, sé do bheatha chun an bhaile,
hó, ró, ró, os cionn duine eile;
hó, ró, ró, sé do bheatha chun an bhaile,
tá tú amuigh le ráithe (*ibid.* 87 n.).

Stiúraigh le cúnamh an dúilimh a rúin ghil,
go Londain theas is feas i mBreatain bháin ... (NLI G314: 292).

An cion, an muinte8aras, an meas, an tíriúlacht a nochtar sa saothar sin
trí chéile - idir véarsaíocht aitheantúil is véarsaíocht dhí-ainm - is iad na
tréithe céanna a nochtann Eoghan Ó Súilleabháin sa chuntas coscrach a
scríobh seisean ar thuras an Phrionsa (thuas lch 408), ach is é is suimiúla
i dtaobh na cumadóireachta sin trí chéile go bhfuil á nochtadh inti, ar
mhodh áititheach éifeachtach, bunteachtaireacht pholaitiúil lucht
leanúna an Stíobhartaigh ach í á nascadh go sofaisticiúil le cion is
muintearas don Phrionsa agus le simplíocht fhriotail is chomhréire. An
nascadh céanna faoi deara amhrán chomh taitneamhach sásaitheach
marthanach sin a dhéanamh de *Bímse buan* ..., ina léirítear Séarlas mar
laoch curata is mar stór geanúil in éineacht; friotal an ghrá is friotal an
laochais á snaidhmeadh le chéile go healaíonta neafaiseach:

Bímse buan ar buairt gach ló,
ag caí go cruaidh 's ag tuar na ndeor,
ó scaoileadh uainn an buachaill beo,
's ná ríomhtar tuairisc uaidh mo bhrón.
    Is é mo laoch mo ghille mear,
    is é mo Shaesar gille mear,
    ní fhuaireas féin aon tsuan ar séan
    ó chuaigh i gcéin mo ghille mear. ...

Marcach uasal uaibhreach óg,
gas gan ghruaim is suairce snó,
glaic is luaimneach luath i ngleo,
ag teascadh an tslua 's ag tuargain treon....

Is glas a shúil mhear mhuirneach mhóil,
mar leagadh an drúchta ar chiumhais an róis;
tá Mars is Cúipid dlúth i gcomhar
i bpearsain úir is i ngnúis mo stóir.

Ní mhaífead féin cé hé mo stór,
tá insint scéil 'na dhéidh go leor;
acht guím chun éinmhic Dé na gcomhacht
go dtí mo laoch gan bhaoghal beo.

Acht seinntear stáir ar chláirsigh cheoil,
is líontar táinte cárt ar bord,
le hintinn ard gan cháim, gan cheo,
chum saoil is sláinte d'fháil dom leon....[30]

De réir na bhfoinsí, is é 'The White Cockade', fonn Seacaibíteach
Albanach, atá mar cheol leis an amhrán; 'Caoineadh na Mná Albanaí'
atá mar theideal air: dhá leid shoiléire faoina cheangailte a bhí Seán
Clárach leis an Seacaibíteachas Albanach. Leideanna eile is ea an focal

gille ('mo ghille mear')[31] a bheith á úsáid aige agus, níos suimiúla fós, an t-aistriú a rinne sé ar an mbailéad Albanach 'My Laddie Can Fight':

> Comhracann mo mhacaomh is canann chomh binn
> le héanlaith an earraigh, chomh tréan leis an ngaoith;
> ní héidir dá éadan gan é bheith 'na rí,
> tá an oiread san scéimhe in mo mhacaomh....
>
> Osclód mo sheomra is seolfad an fíon
> amach, is cead óla ag gach ógfhear den bhuín;
> is pláigh ar an gcóbach do leomhfadh bheith claon,
> ná hólfadh dea-shláinte ar mo mhacaomh.[32]

Tá Seán Clárach Mac Dónaill ar an bhfíorbheagán filí Gaeilge a luaitear gníomhaíocht pholaitiúil leo agus bíodh nach féidir an béaloideas sin a dheimhniú, is cinnte go dtugann a shaothar filíochta le tuiscint go raibh sé ceangailte go tiomanta is go dlúth le cúis an Stíobhartaigh in Éirinn. Cúis í sin nach raibh caillte fós, dar leis :

> Radaim mo bhréithre in éiric daoibh,
> seachtain ó inné tar éis trí mhí,
> go bhfaicfe sibh Séarlas Maor 'na rí,
> > gan buíochas puinn,
> > le faobharneart cloímh,
> > Sacsa go léir fé a cléir arís,
> is aithris gan mhoill dod chairde é (SMD 15: §§ 38-44).

Mar atá ráite is léirithe cheana, cuimsíonn saothar Sheáin Chláraigh réimse fairsing teicníce, friotail, láimhseála is ama. Fógraíonn sé go bhfuil Séarlas Óg ar a shlí, mórann sé a ghaisce ar pháirc an áir, caoineann sé a imeacht, agus tuarann arís is arís eile go bhfuil i ndán dó filleadh: an scéal a bhí le haithris dá chairde. An port céanna a bhí ag a chomhfhilí. Bhí a fhios acu gur cloíodh é i gCúil Odair, ar ndóigh, ach ní easpa misnigh faoi deara sin: 'trú bhocht feill dá mhuintir féin' a theip air, dar le hEoghan Mac Cárthaigh; b'é 'an Francach', dar le Liam Dall Ó hIfearnáin, a 'd'imir cam ar Charolus'; imríodh 'beart an chruachlis ar chuallacht an rí chirt', dar le Seán Clárach; 'murab é Mac Uí Mhuirí', dar le Peadar Ó Doirnín, 'ní bhrisfí ar Chathal ann':

> Ní diúc ná a bhuíon do chloígh go léir
> > mo dhíogras cléibh, ná staon é i ngleo,
> acht trú bhocht feill dá mhuintir féin
> > do dhíol go claon mo Shéasar leo;
> sin an chúis tug i gcéin óna dhúchas mo lao,
> > is nach spiúnfadh ó chéile ar shléibhtibh na sló;
> a lonradh na naomh, noch d'iompair an phéin,
> > bain cúiteamh sa tsaol so den tséithleach fós.
>
> Ó d'imir an Francach cam ar Charolus,
> > crobhaire an ghaisce dob ard i gcéim,
> i siosma na lann a gcabhair ní bhraithimse,
> > ó d'iompa an galar so i lár mo chléibh;
> tá cluiche an dá cheann ag namhaid na Banba,

is dlithibh na nGall i gciumhais gach baile againn,
is ar imigh anonn gan mheabhair ar chasadh leo,
    d'fhág me im chodladh gan múscailt scéil ....

Is fada dhom in uaigneas 's is buartha bhíos m'intinn,
    siosma slua ná cuideachta ní bhriseann ar mo bhrón;
feidhm le ceart ná fuaimint ní bhfuaireas im thimpeall,
    ráite grinn ná guthanna, soilbhreas ná ceol;
ó himreadh beart an chruachlis ar chuallacht an rí chirt,
    's an Prionsa gur díbreadh le díomas ón gcoróin;
a thaisteal súd tar chuantaibh ná a thuairisc ní fríoth dom,
    an fios fán domhan cá ngabhann sé nó an dóigh go maireann beo? ...

Is cróga do sheasaigh an breacán an báire
ar na slóite ó Loch Abair go Barraic is go Falkirk,
mar bhfuair Cope a thasáil is a raibh ina phártaí,
ach ar theorainn Mhanchester bhain easbhaidh de Chathal é,
    is iombó! ...

Chnuasaigh Sir Wully a bhunadh as gach áit ann,
bhí triúr in aghaidh an duine aige ar thulaigh na spairne,
d'umhlaigh an boinéad an breacán a dh'athrach,
is murab é Mac Uí Mhuirí[33] ní bhrisfí ar Chathal ann,
    is iombó![34]

Tá againn sna véarsaí sin na tréithe atá ina n-orlaí tríd an véarsaíocht chomhaimseartha trí chéile: an cion báúil ar Shéarlas Óg, an muintearas tíriúil leis, an bhuairt ina thaobh, an mioneolas a bhí ag na filí ar a ghníomhréim in Albain, a mbrón bristechroíoch ar a ruagairt; ach tá chomh maith an dóchas dochloíte go raibh sé i ndán dó filleadh:

Tiocfa chughaibh tar sáile an ráib geal 's a chuallacht,
i mbun a chríoch le cúram cirt ag cosnamh díbh go deo;
beidh Gaeil arís i réim go síoch, a dtréad 's a maoin 'na mbailte cóir,
cléir cheart Chríost le spré an Spioraid Naoimh go séimh
    sa tír ag teagasc dóibh ... (SMD: 34 §§ 33-6).

Mar a dhearbhaigh Eadbhard de Nógla, i ndán a chum sé 'tar éis buala Chuloden 1745', bheadh lá eile fós ag an bPaorach:

Atá gach séice do thréig na hoird
    is do dhiúltaigh dlithe Phóil
dá rá le chéile gur tréigthe tú
    is nach fiú leo trácht id chomhair;
mo lámh go n-éacht is bréagach súd,
beidh lá ag an bPaorach d'éis gach púir,
ina bhfágfar daorchoirp traochta i bplúid
    ag m'Uilleacán Dubh Óg.[35]

Níor thuairim uilí í sin. Dar leis na Fuigeanna, leis na heaspaig Phrotastúnacha, agus leis na húdaráis nach raibh sa ghnó ar fad ach reibiliún eile, gníomh mímhorálta ag scata barbar ó iarthar na hAlban a gcaithfí ceacht maith - an ceacht deiridh - a mhúineadh dóibh anois. Ní raibh i Séarlas Óg, dar le Protastúnaigh Eochaille, ach ábhar magaidh:

Youghal, Oct. 25. Last Wednesday being the 23d of this instant, ever
memorable to the Protestants of this Kingdom: the Pretender's eldest son
was burnt in effigy by this antient and loyal corporation. He was drest in a
highland plaid, with a halter and brick about his neck, a wooden sword on
his right side, a blue bonnet on his head, with a white cockade on one side,
and a white rose on the other, and a bundle of Rosarys (or Padereens)
hung to his nose to shew his obedience to the Pope. The night concluded
with loyal healths, bonfires, illuminations and all other demonstrations of
joy. The Pretender was crowned with a warming pan (*The Dublin Journal:*
29 October 1745).

B'é Cumberland an laoch, dar le Fuig anaithnid a d'fhoilsigh óid
adhmholtach air, mar aithris ar shaothar Horace, in Ard Mhacha:

So Britain's royal chief by innate worth impell'd,
and arm'd for vengeance, issued forth;
The vandals of our clime and age,
Hirelings of faithless France and Rome,
Saw thus the dauntless William come
To quell their impious rage ....

Those sons of rapine, whose tumultous band
Flush'd with success, had ravage'd half the land,
By him pursue'd like beasts of prey,
And by his conduct, which prevail'd
Where age and long experience fail'd,
Crush'd in one glorious day ... (*The fourth ode ...*).

Cúis mhór ghairdeachais ab ea cloí Shéarlais Óig, dar le maorlathas
Protastúnach Bhaile Átha Cliath:

Last Thursday being the day appointed for a general thanksgiving to
Almighty God for the suppression of the late rebellion, the same was
observed here with the greatest devotion and joy. Their Excellencies the
Lord Justices went in state to Christ Church and heard an excellent
sermon preached by the Rev. Dean Owen and a new anthem on the
occasion. The churches were never more crowded by all degrees of people
and in the evening there were bonfires and illuminations throughout the
town ... (*The Dublin Journal:* 7-11 October 1746).

Aon abairt lomghoirt amháin a bhí ag Tadhg Ó Neachtain ag freagairt
don chaithréimeachas sin:

1746. Ocbr. a seachtughadh lá Diardaoin. Ní raibh turtach ná tineolcaí inn
Ath Cliath gan líonadh ag breith bhuidhe ionna mbuadha for Scot-
Ghaoidhil sa bhliadhuin so (NLI G 198: 302).

Ach i measc na gCaitliceach féin is léir nárbh í tuairim chách í an
tuairim dhóchasach bháúil a nocht Eadbhard de Nógla. Dar le Owen
Callanan, mionuasal Caitliceach, nach raibh sa ghnó ar fad ach
'chimera', agus gur chuir 'these wicked troubles in Scotland' go mór le
'our confusion' (Dickson 1987: 86). Is é an réaladh is luaithe agus is
léirithí ar an mhalairt tuairimíochta sin an cur síos íogair a rinne Cathal
Ó Conchúir ina leabhar oiris ar imeachtaí Shéarlais Óig in Albain,

tráchtaireacht chomhaimseartha leanúnach ar an bhfeachtas féin agus ar aigne aon duine amháin ag freagairt do gach cor den fheachtas sin:

> Sir Robert Walpole, Ard-stiúrthóir agus Rígh-chomharba na dtrí ríoghacht so agus mórán tírtha eile, do chur as a fhlaitheas tré chumhacht a náimhde agus tré olc na dtírtha dhó .... Ba maith a ré do na Catoiligidh bhochta agus go gcuidigh a mbeannacht ris ... (Ní Chinnéide 1954: 35).
>
> Sep. 22. 1745. Aimsir ró bhreadha. Gidheadh, gan ní ar bith don choirce ar fiú a luadh bainte. Mac mic rígh Séamuis anos in Albain ag buaidhirt na dtrí ríoghacht. Níl fhios nach amhlaidh as féarr ....
>
> Dec. 6 ... Carolus Stíobhard anos i Saxoibh. Ní fhidir fós ga críoch rachas ar a ghnóthaidhe. Do réir gach uile chosamhlacht as críoch í ré sgriosfidhthear é féin agus gach neach dár ghabh ris.
>
> Feb. 14, 1745-6. Aimsir mhaith. An Stíobhardach do dhíbeirt isteach go Gaodhaltacht na hAlban i measg na sléibhte, agus an chuid is mó dhá mhuintir do imtheacht uadha. Ag sin drithle dhéidhionach do choindil taoi dol as re trí fichid bliadhain, mur dtoirmiosgann Dia ... (*ibid.* 39).
>
> Márta 31. Luan Cásg 1746. Buaireadh anocht orm faoi gan fhios agom ga ní tá na hAlbanaigh dhéanamh fón am so, ga treisi nó mí-threisi d'éirigh dháibh re seachtmhuin, nó an críoch ar a gcogadh cathardha so ... .
>
> An 18 lá don Oibréan. Aimsir ró-aoibhinn re mí ... An giúisdís dhá innsin dhúinn seachtmhuin sa lá aniú go ndeachaidh an cogadh cathardha go huile in aghaidh na nAlbanach. Más fíor so as amhlaidh as fearr é (*ibid.* 40).

Is cinnte gur léiriú uathúil léargaiseach í an tráchtaireacht sin, ráiteas seanórtha fáistineach a bhí fíor-neamhchoitianta ag an am agus a bhfuil cuma nua-aoiseach fós air inniu. Ní thagtar i ndioscúrsa comhaimseartha na Gaeilge ar théarmaíocht chomh Fuigeach le 'cogadh cathardha' ná ar thuairimíocht chomh críochnaitheach le 'drithle dhéidhionach do choindil'. Músclaíonn idir théarmaíocht is dearcadh ceisteanna i dtaobh an lucht léite/éisteachta a mheas sé a bhí aige[36] agus ceisteanna maidir le foinse na tuairimíochta sin: an uaidh féin nó ó 'an giúisdís' a tháinig na tuairimí a bhí á nochtadh aige? Ach is dóichí go dtugann an ghluaiseacht tuairimíochta atá á nochtadh sna hiontrálacha féin - ó cheist (*níl fhios* ...), go b'fhéidir (*mur dtoirmiosgann Dia* ...), go cinnteacht (*as amhlaidh as fearr é*) - tugann sin le tuiscint gurb í a aigne féin atá ag obair go machnamhach cianradharcach. Más fíor sin, b'fhéidir nach aon iontas ar fad é mar bhí Cathal Ó Conchúir ar dhuine de na tuataí Caitliceacha is túisce in Éirinn a d'áitigh gurbh é leas na gCaitliceach é glacadh le rítheaghlach Hanover. Níor nocht sé an dearcadh sin go poiblí go dtí an dara leath den aois ach tá ansin againn ina leabhar oiris an bhunchloch stairiúil ar a raibh a pholasaí pragmatach bunaithe.

'In a humble cottage', sa bhliain 1710, a saolaíodh Cathal Ó Conchúir; agus é i mbarr a mhaitheasa, daichead bliain ina dhiaidh sin, bhí 800 acra de thailte sinseartha Uí Chonchúir ar ais ina sheilbh aige.[37]

Ní fhéadfadh nach raibh baint éigin ag an aistriú conáigh sin lena phearsantacht is lena dhearcadh ar an saol is ar dhán a mhuintire. Rómhaith a thuig sé stair na muintire sin: 'I am the son of a gentleman' a deireadh a athair, Donnchadh Liath, go rialta lena chlann mhac, 'but ye are the children of a ploughman' (O'Conor 1796: 152). Sampla léiritheach eile is ea stair mhalartach an teaghlaigh de phatrún coiteann: chaill muintir Chonchúir a raibh de thalamh acu le plandáil Cromwell, ach bhronn Séarlas II ar ais arís orthu í as a ndílseacht dósan; chailleadar arís í ag deireadh an tseachtú haois déag de bharr a ndílseacht do Shéamas II, ach d'éirigh leo an ceathrú cuid di, ocht gcéad acra, a athshealbhú go dlíthiúil sa bhliain 1720. Chonaic Cathal Ó Conchúir an dá shaol, an dá thaobh de stair a mhuintire lena linn féin: ina mhac *ploughman* dó i mblianta a óige, mar *gentleman* a d'fhéach sé siar ar anó na mblianta sin. A fhocail thomhaiste féin is fearr a léiríonn stair anacrach a theaghlaigh:

> It includes a long series of calamities and humiliations. My great-grandfather died young, a few years before a rebellion which was ruinous to his whole family. My grandfather, attainted of high treason, died in misery ... (O'Conor Don 1891: 296).

> Hugh O'Conor Don died in Ballintobber in 1632 in the ninety-first year of his age. He willed his estates to his four sons by Mary O'Ruark, but through the several revolutions since his time, little now remains except about nine hundred acres now in possession of Dominick O'Conor Don of Clonalis and nearly as much by myself here in Belanagare. ... I was born on the 1st of January 1709/10. To the best of fathers, Denis O'Conor, I owe my being instructed in grammar, learning by such school-masters as this country could afford. At the age of seventeen I had better fortune by being sent to Dublin and put to the care of Mr. Walter Skelton, a learned and worthy man. In his academy I was instructed in the Latin tongue and initiated in the elements of mathematical learning. Under this same master I also picked up as much French as enabled me to understand that language in books; but I was never in the habit of conversing in it. My father was married in 1706 to Mary, daughter of Colonel Dermot O'Ruark, grand nephew to Brian na Múrtha, above mentioned, who followed the fortunes of the late King James, entered into the French service, and was killed at the Battle of Luzara, July 1702. This daughter, my mother, died in Belanagare, December 22, 1760, and was buried in our family tomb in Ballintobber. My father died in 1750, aged seventy-six. I am the eldest of his sons and was bred a farmer. I was myself married to Catherine O'Hagan the daughter of John O'Hagan of Abbey Boyle, merchant, and of the family Hagan of Tullyboy in the county of Tirone. My dear wife died November 11, 1741, and was buried at Ballintobber. She left me two sons, Denis and Charles. The former is in possession of Belanagare, and is the father of six sons by Catherine Browne of Galway. My second is a farmer of good property (Ward 1980: 446).

Tá compord is féinsástacht na haicme a bhí tagtha slán ag sileadh as abairtí deireanacha an chuntais sin; dhá íotam d'áirithe dá fhoclóir - *merchant* agus a *farmer of good property* - a léiríonn stádas sóisialta is rath

eacnamaíoch a mhuintire anois agus a dheilíníonn an aicme lenar
bhaineadar - an mheánaicme nua Chaitliceach a bhí ag teacht chun
cinn. Sa phróiseas sin, sa teacht slán, ba ghá cuid mhaith de bhagáiste
na staire a chaitheamh i leataobh; rinne Cathal Ó Conchúir sin agus
d'admhaigh sé é:

> As for the Pretender, I neither like nor detest his cause. I am of opinion
> the affairs of this Kingdom may be well enough administered with or
> without his presiding over them; and as the present disposition runs, I
> believe the Government would be safer in any other hands than his ...
> (Ní Chinnéide 1957: 6).

> Brett[38] makes religion a matter of conscience but is no bigot. In his
> sermons he does not barely confine himself to our common moral duties
> but presses on his hearers the duties they indispensibly owe to our King
> and to the civil constitution over which he is the guardian. The conduct of
> his superiors is equally edifying through the Kingdom, and indeed we are
> all become good Protestants in politics. I have been at all times one, and
> yet my poor mother through her life was a hardened Jacobite, for her
> father followed the fortune of old King James, leaving her no legacy but
> his principles. At this time we are no more affected with those principles
> .... Our present principles lead wholly to the prosperity of our country ...
> (Ward 1980: 407).

Don chuid is mó den mheánaicme Chaitliceach nua bhí an Ghaeilge,
cinnte, ar na heilimintí den oidhreacht shinseartha a bhí le caitheamh
i leataobh ar a slí aníos dóibh. Ní fhéadfá, ar an chéad amharc, é sin a
chasadh le Cathal Ó Conchúir; bhí seisean, dar le Pól Breatnach, ar
dhuine de phríomhscoláirí an tseanchais dhúchais, b'eisean 'the chief
custodian of Irish native learning during the dark century which
followed the Williamite wars' (Walsh 1947: 24). Bhí fírinne éigin san
adhmholadh sin. Bhí dlúthbhaint ag Ó Conchúir, as a óige, le haos
léinn a cheantair féin is lena shaothar; bhí dlúthchairdeas idir é agus Ó
Cearbhalláin, agus le linn dó a bheith ag fáil scolaíochta i mBaile Átha
Cliath, chuir sé aithne ar Thadhg Ó Neachtain is litrithe na
ceannchathrach; feadh a shaoil bhailigh sé is chóipeáil sé
lámhscríbhinní Gaeilge agus d'fhág ollchnuasach fíorthábhachtach ina
dhiaidh. Chaith sé cuid mhaith dá shaol, na blianta ó 1750 ar aghaidh
go háirithe, ag déanamh staidéir ar sheanstair na hÉireann agus lena
linn féin bhí cáil fhorleathan air mar *antiquarian*. Níor lú a cháil mar
phaimfléadaí ar son na gCaitliceach. Aidhm fhollasach pholaitiúil a bhí
lena chuid sinsireachta - a thaispeáint don uaisle Phrotastúnach gur
dhream sibhialta cultúrtha dea-bhéasach iad riamh na Gaeil:

> The history of the old inhabitants of this country is so important, and, at
> the same time, so edifying to a free people, that few subjects merit more
> their attention, and hardly any can afford more political instruction: to
> attain a tolerable idea of it, we must necessarily enter into the genius of the
> people; what we will find, in all ages, invariable, with regard to their
> manners and polity: an inflexibility confirmed by habit, proceeding,

partly, from their original, and partly, from the remoteness of their situation: descended from the most humane and knowing nation of all the old Celts, they imported, very early, the elements of letters and arts into Ireland: here they improved those elements into systems of government and philosophy, which their undisturbed state from foreign ambition left them at full liberty to cultivate, thorough a long succession of ages: their theology, grafted upon the religion of nature, and, partly, deduced from the clearest fountains of the old patriarchal worship, influenced their manners; rendering them a benevolent, whilst their researches in philosophy rendered them a wise, people ... (O'Conor 1753: v).

Aidhm pharailéalach mar í a bhí ag a chuid paimfléadaíochta. Ó ba léir gurbh í príomhchúis an amhrais i dtaobh na gCaitliceach 'our known, our necessary, and our *unavoidable* attachment to the *Pretender*' (Ward 1980: 93), is é a bhí le déanamh, dar leis, a chur ina luí ar na húdaráis go raibh na Caitlicigh anois umhal agus dílis, go raibh an ríora Stíobhartach séanta acu, go rabhadar inmhuiníne is go bhféadfadh an Stát brath orthu feasta. Mar sin a dhéanfaí an reachtaíocht pheannaideach a mhaothú. Chomh fada leis na Caitlicigh féin, b'é a ndualgas is a leas glacadh le rítheaghlach Hanover:

> Their duty lies within a narrow compass - obedience to a protecting government and gratitude to the mildest and most upright of monarchs ... (Ward 1980: 62).

> What conduct does the present state of things impose upon us? Plainly this. To give no offense to either of our contending parties and acquiesce in the operation of laws which forbid our taking an active part in any matter relative to legislation. This submission to *things as they are* is our duty ... we ... should avail ourselves of the negative right left us, that of being silent and passive. It is true that no party in the nation wishes better to the prosperity of our country than the Roman Catholics, but that prosperity must come about (if it comes) through the virtue and prudence of men, *who are not* Roman Catholics ... (*ibid.* 395).

Ní móide gur gá a bhfuil de olldifríocht idir dearcadh pragmatach fulangach Uí Chonchúir agus reitric cheannairceach na bhfilí, faoi mar a nochtar sin san fhilíocht chomhaimseartha, a mheabhrú ná a léiriú. Tá bóthar fada curtha de ag Cathal Ó Conchúir idir é féin agus aos léinn a óige. B'fhada óna chéile iad - agus b'fhada óna chéile a lucht éisteachta araon. Ní ag caint lena mhuintir féin a bhí Ó Conchúir ach lena máistrí ag iarraidh dul i bhfeidhm orthu le réasún, le loighic, le háiteamh fealsúnta, le tláithínteacht. Ach is í an aicme sin féin a bhí le cloí is le ruagairt, dar le Seán Ó Tuama, Eadbhard de Nógla, Seán Clárach is a gcomhfhilí uile. Ní le bladar ná le béal bán, le háiteamh poiblí ná le hachainí, le lúitéis ná le léann, fiú, a dhéanfaí sin ach le faobhar claímh is dortadh fola, le creachadh, loscadh is le hainscrios:

> Beidh caorlasair cuthaigh in éadan gach óigfhir
> chum éirligh is marbhtha gach péist Ghallachóbaigh,
> ní fheicfear aon neach acu ón mbliain seo ach go brónach,

crochfam na búir is a ndúnbhailte dóifeam,
go bhfeicfeamaoidne súd is go súgach ár sórtna ....

Beidh múchadh 'gus traochadh acu ar bhéaraibh an fhill,
sliocht Lúitir na gclaonbheart nár ghéill riamh do Chríost,
    á spiúnadh tar tréanmhuir,
    ní dubhach liom a scéalta,
        gan lionnta, gan féasta, gan fíon.[39]

Le filleadh an Phrionsa a thiocfaidh sin i gcrích agus a thiocfadh an guth faoi ghairm na tairngreachta:

Casfaidh an Francach teann mear feargach,
go hacarthach bantrach campach armach,
le casmairt na lann i dteannta Charoluis,
is ní rachad a chodladh a gcúis go bpléad ....

I mbeathaí na naomh gan bhréag do chibheam
    bréithre is milis liomsa:
gur chaitheadar tréada an Bhéarla bhoirb
    an léas a cuireadh chuchu;
ní fada mo shaol cé haosta roimhe
    mé chun go bhfeicead brúdaigh
dá nglanadh as gach aolbhrog aerach slinne
    is Gaeil 'na n-ionaid dúchais.[40]

Agus de réir mar a d'imigh na blianta agus nach raibh i dtubaiste na bliana '46 ach teip amháin eile den iliomad teip Stíobhartach is i nglóraí a chuaigh an guth fáistineach míleannach.

III

The Royal and truly christian Hero prospers daily ... this is God's own work ... for 'tis not only a war of justice for our King and his Royal family, but 'tis also a holy and sacred war ... 'tis reported that Chesterfield who is Lord Lieutenant of Ireland and who formerly was a vile Whigg is become so great a Loyalist as to have declar'd publickly for our King in Ireland, and that the whole nation has join'd him, this news is not yet confirmed. We hope and wish it may be true, as we always hope the best on this head ...
        (RA SP: 271/80).

Banab na nDoiminiceach Éireannach i gcoinbhint Ypres a scríobh sa bhliain 1745 agus an scéala a bhí tagtha chuici ar thuras Shéarlais Óig á scaipeadh aici i measc lucht tacaíochta an Stíobhartaigh. Mar a dúirt sí, 'we always hope the best on this head': admháil an-fhírinneach is léiriú an-soiléiseach ar dhearcadh na n-imirceach. An dóchas a nochtar sa litir sin, ba dhóchas coiteann ag an am é ina measc; dar leosan freisin, ach oiread leis an aos léinn ag baile, go raibh an uain chinniúnach buailte

leo ar deireadh. Agus é ar tí dul ar bord an árthaigh a bhéarfadh chun
na hAlban é, scríobh 'Lord Clancarty' (Roibeard Mac Cárthaigh, Iarla
Chlainne Cárthaigh) chuig Séamas III á dheimhniú dó go raibh na
Francaigh dáiríre an turas seo agus nach raibh dabht 'but that his Royal
Highness will carry his point' – ar dhul i dtír in Albain dóibh (RA SP:
270/143). Is dóchasaí fós agus is ardmheanmnaí an tuarascáil a chuir
'Abbé James Butler' ó Nantes chuig rúnaí Shéamais:

> It is evident and moraly probable that the least assistance from France or
> Spain in this present happy conjuncture would entirely terminate our
> misfortune and crown this glorious attempt with success ... (RA SP:
> 268/8).

> Wee have all the expectation possible of our dear Prince's conquest in
> England this year ... Some do assume that the Prince has bet Ligonier and
> routed all his army ... but it is certain that all letters agree about the
> Princes great success ... (*ibid.* 272/23).

An port céanna is an tuarascáil áibhéalach chéanna ar thuras
caithréimeach Shéarlais Óig a fhaightear sna litreacha iomadúla a bhí á
gcur ag an am ag imircigh na hÉireann chuig a chéile, de réir mar a
scaip an scéala ar fud na hEorpa.[41] Is i Maidrid, ag gníomhú mar ionadaí
thar ccann Shéamais, a bhí Charles Wogan nuair a tháinig scéala
ardáthais Shéarlais chuige um Nollaig na bliana 1745. Chuir litir
thraoslaithe láithreach ag triall ar chúirt an Stíobhartaigh:

> I take with a great deal of pleasure this opportunity of congratulating with
> you upon the happy success that has attended the arms and gallant spirit
> of our young Hero and making you my hearty compliments upon the
> approaching new year. These many past ones we had only distant hopes
> and wishes to flatter our zeal with but now, thank God, we have the
> acquisition of one of our three Kingdoms, and the visable assistance of the
> Almighty towards makeing that the instrument of gaining or subdueing
> the other two in prospect ... (RA SP: 271/100).

Meabhraíonn na litreacha sin go léir dúinn a lárnaí sa
Seacaibíteachas – agus i saol soch-chultúrtha an ochtú haois déag – a bhí
na himircigh. Ar shlí amháin ba ghluaiseacht imirceach go príomha é
an Seacaibíteachas sa mhéid gur thar lear – i measc imirceach na dtrí
ríochta – is leanúnaí agus is díograisí a leanadh den phlotaireacht ar son
an Stíobhartaigh. Is ina meascsan freisin a cothaíodh an dílseacht
neamhcheisteach do ríora a raibh, in ainneoin gach teipe is tubaiste,
filleadh buacach i ndán dóibh fós. Dob fhéidir a áiteamh go raibh na
himircigh sin agus a sliocht rófhada ó bhaile chun go dtuigfidís dálaí a
dtíre dúchais, gur fhás de réir a chéile bearna idir iad is a muintir ag
baile. B'fhéidir é ach, más fíor sin féin, níl aon cheist ach gurbh eilimint
an-tábhachtach i mbuanú an tSeacaibíteachas trí chéile í an imirce. Mar,
cé gur i gcéin a bhíodar, is cinnte gur mhúnlaigh na himircigh sin an
tuairimíocht phoiblí ag baile mar bhí a gcomhfhreagras lena ngaolta is
lena gcomhghleacaithe ar na foinsí eolais – is dóchais – a bhí ag teacht

de shíor abhaile. Tá dhá shampla den saghas sin comhfhreagrais luaite is pléite cheana againn – an comhfhreagras leanúnach a choinnigh Eoghan Ó Ruairc lena ghaolta iomadúla i dtuaisceart Chonnacht agus comhfhreagras aintín Vailintín Brún lena neach ionúin – agus tugaid araon eolas léiritheach ilghnéitheach dúinn ar an ngréasán sóisialta is eolais a d'fheidhmigh idir na himircigh féin agus idir iad agus a ngaolta ag baile.[42] Ba chúram leanúnach ag spiairí is ag cinsirí na Breataine ar an mhór-roinn é na litreacha sin a ghabháil ach ní raibh sé indéanta riamh acu stop a chur leis an trácht cuimsitheach síoraí. Tá fós sna páipéir Stáit i Londain (SP 63: 403/21-9) litreacha ó Shéarlas Ó Briain, Tiarna an Chláir, agus ó imircigh eile, chuig bantiarna Uíbh Eachach ('Lady Iveagh') i gCill Chais nach bhfuair sí riamh – an cinsire oifigiúil amháin a léigh iad – ach ní raibh sna litreacha sin nár bhain ceann cúrsa amach ach an chaolchuid; tháinig an formhór mór acu slán.

San aircíobhlann ríoga in Windsor tá na mílte litir ar coimeád a scríobh imircigh ó Éirinn chuig Séamas III agus a scríobh seisean chucu.[43] Tagaimid sna litreacha sin ar mhiocracasm beo beathach den náisiún Éireannach, idir íseal is uasal, idir chléir is tuath, idir shaibhir is daibhir; ar Bhúrcaigh, Dhíolúnaigh, Nuinseannaigh, Bhuitléaraigh, Chárthaigh, Cheallaigh, Bhrianaigh; ar Roger O Connor a bhí ina 'Jacobite agent' in Vecchia agus ar Canon Thomas O Connor agus a mháthair a bhí ina 'Jacobite exiles at Leghorn'; ar Captain Felix O Dogherty in Naples agus ar Eoghan Ó Ruairc in Vien; ar Eoghan Ó Súilleabháin is ar a dheartháir Diarmaid, ar Sir John MacDonnel agus ar an gcoirnéal Criostóir Nuinseann 'Brigadier des armées du Roi'; ar Iarla Chlainne Cárthaigh, ar Thiarna Uíbh Eachach ('Mylord Iveagh'), ar Dhónall Ó Súilleabháin Béarra 'Count of Bearhaven of Castile', ar Iarla Chlainne Riocaird, ar mhac le Barún Dealbhna; ar Mary O Hiffernan, Teresa O Donell is ar Anne O Neale; ar na heaspaig Seán Ó Briain, Sylvester Lloyd is Arthur Dillon, ar Randall Mac Donnell is ar James O Neal; ar Dhónall Ó Briain a bhí ina 'valet de chambre' ag Séarlas Óg agus ar an gcoirnéal Dónall Ó Briain a bhí ina rúnaí Stáit ag Séamas III idir 1747 agus 1759; ar mhac Shéamais II, Berwick mórchlú, agus ar an triúr ainniseoir Mathias Driscoll, Timothy McCarthy is John McNamara nach bhfuil d'eolas againn ina dtaobh ach gur chuir Séamas fáltas airgid mar charthanacht chucu a dtriúr.[44]

Foinse uathúil é an comhfhreagras sin trí chéile ní hamháin ar shaol na n-imirceach is ar a ndálaí sóisialta is cultúrtha, ach ar a n-aigne freisin i leith a raibh tite amach dóibh féin is dá muintir. Is ina 'Master of Chancery and Judge of his high Court of Admiralty of the Kingdom of Ireland' a bhí Mathew Kennedy agus Séamas II i réim in Éirinn ach, ar a thurnamhsan, d'fhág sé Éire, i dteannta a rí, 'to follow the fortunes of his Royal Master and being free from much occupation he applyed himself with successe to the knowledge of the antiquities of his native country'.[45] Is deacair a rá cé chomh hionadach a bhí Mathew Kennedy, ach tá an dílseacht a nochtann seisean sa litir sin agus ina shaothar scolártha – dílseacht phearsanta do ríora na Stíobhartach – tá an dílseacht chéanna ina horlaí trí chomhfhreagras na n-imirceach trí chéile. Chomh fada is a bhain leis na himircigh sin – siar isteach san aois fiú – b'é an Stíobhartach fós, is a chúirt sa Róimh, lárionad a saoil, fócas a ndílseachta, foinse a gcoimirce is a bpátrúnachta. Pé acu Seán Ó Briain ag impí nach duine de na Buitléaraigh a cheapfaí mar easpag ar dheoise Chorcaí ach é féin, nó Uilliam Ó Seachnasaigh á iarraidh go mbronnfaí an teideal 'Lieuftenant General' air, nó Mary O Hiffernan ag lorg dídin in St Germain,[46] tá an tuiscint bhunúsach chéanna laistiar díobh uile: is é an Stíobhartach fós a d'fhéadfadh a gcás a leigheas. Achainí is mó a bhí sna litreacha a seoladh chuig an Stíobhartach, agus, mar sin, tá siad urraimeach, agus, go minic, plámásach. Fós i dteannta na hurraime is an phlámáis tá dílseacht shinseartha bhuanseasmhach.

D'fhág Uilliam Ó Seachnasaigh a bhaile dúchais – Gort i gcontae na Gaillimhe – sa bhliain 1690 is d'imigh chun na Fraince mar oifigeach i reisimint an Chláir; mar 'Marechal de Camp' nó 'Major-General' a chuirtear síos air sna cáipéisí oifigiúla. Go dtí gur éag sé sa bhliain 1744 is mó litir a chuir sé ag triall ar Shéamas III ag lorg fabhair is feidhmeannais dó féin nó do dhuine dá ghaolta thar lear; an achainí fite fuaite i gcónaí le dearbhú dílseachta is seirbhíse, móide meabhrán ar a raibh de sheirbhís tugtha cheana féin ag a mhuintir:

> That honour wou'd be infinitely more dear to me, if it furnished me an occasion of shedding the last drop of my blood for your Majesty's service ... Your Majesty know's that we have sacrificed all wee had at home to our loyalty and that abroad wee have no other resourcc but your Royall and gratious protection ... I command here as Marechal de Camp since December last, and probably shall continue for some time. May it please allmighty God, that I, and others have soon orders to cross this sea for your Majesty's service! Tis the wish and hope of Wm. Ô Shaghnussy[47]

Faightear an meascán céanna sa chomhfhreagras trí chéile, go háirithe an dearbhú dílseachta is an tiomantacht chéanna seirbhíse, faoi mar a tugadh cheana. Mhínigh Uilliam Ó Ceallaigh ('Sir William O Kelly of Culagh and Balinahoun') nach raibh d'aidhm aige ach

> To putt myself in a condition of serveing when fortune favors his Sacred Majesty, my religion and oppressed country ... to be serviceable to his Majesty and my country's cause ...

> Nothing shou'd be more acceptable to me than an occasion of giveing an effectual proof of this my sincere protestation; and showing that altho' revolutions and disasters of time have made me live in foreign countrys from my youth, noe lenth of time cou'd ever blot out, or make me forgett the principles of loyalty which have been soe strictly followed by my forefathers ... .[48]

Ó thús deireadh a ghníomhréime ar an mhór-roinn, choinnigh Séarlas Ó Briain, Tiarna an Chláir, comhfhreagras leanúnach le Séamas

III, gach cor dá shaol á thuairisciú aige dá rí agus a dhílseacht dá chúis
á dearbhú arís is arís aige dó. Níor dhearbhú gan bhrí é sin: ó tháinig sé
in aois fir bhí páirt leanúnach ag Ó Briain i bplotaireacht na
Seacaibíteach agus bhí ionad tionscnamhach aige i móriarracht na
bliana 1745. Agus breith Shéarlais Óig, sa bhliain 1720, á traoslú aige le
Séamas b'é a ghuí:

> If I could one day profit of it so as to distinguish the same zeal my
> ancestors always shew'd for the Royal family (RA SP: 51/133).

Trí bliana déag ina dhiaidh sin, mhínigh sé do Shéamas:

> Before I part to join the army on the Rhin I look as an incumbent duty to
> lett your Majesty know the King of France was pleased to make me a
> Brigadier of his army's. Could it procure me the happinness of exerting
> my zeal in your Majesty's service no man would out doe me in proving with
> how much profound respect I am Sir, your Majesty's most dutifull subject
> and most obedient humble servant ... (ibid. 169/63).

Agus an phlotaireacht tosaithe athuair sa bhliain 1743, mheabhraigh sé
arís dá rí a thoilteanaí a bhí sé 'to be in a way of sacrifying my life in so
just a cause' (ibid. 249/115).

An triúr úd atá luaite againn – Ó Seachnasaigh, Ó Ceallaigh is Ó
Briain – ba thriúr iad a raibh conách orthu thar lear. B'uaisle iad ag
imeacht ó Éirinn dóibh, b'uaisle fós iad thar lear dóibh, daoine ar éirigh
leo cuid mhaith de shaol, de ghradam is de ghothaí na huaisle a
choimeád suas le linn a ndeoraíochta. Ní raibh an rath céanna ná an
conách céanna ar an uile imirceach ach, dá ainnise a gcás nó dá éagsúla,
fós is ar chúirt an Stíobhartaigh a bhí a dtriall ag lorg dídin is fabhair. Is
mar 'Gentilhomme d'une ancienne famille en Irlande, a rendu
beaucoup de service au Roy Jacque dans l'année 1715' a chuirtear síos
ar Clement Mac Dermott; ach faoin bhliain 1749 bhí sé tite go mór sa
saol is scríobh chuig Séamas III ag lorg cabhrach 'that I may obtaine
some bread the remainder of my old days and not perish, being actually
in the greatest distress'.[49] Is é gearán a bhí ag Alexis O Sullivan, agus é
ag scríobh chuig rúnaí Shéamais, go raibh tús áite á thabhairt do
Albanaigh i gcúirt an rí; mheabhraigh sé fíricí na staire go gonta dó agus
mhínigh conas mar a d'fhulaing sé féin is a mhuintir, ón dá thaobh, de
bharr a ndílseachta:

> His Majesty King James the 3rd is my King as well as your King, for he is
> King of Ireland, as well and as right as he is King of Scotland or of
> England, and the Irish, especially the Milesians has been far better
> subjects, and ten times more faithfull and loyall to the Royal family of the
> Stuarts ... The Scotch begun the war against King Charles the first (of
> blessed memory) and afterwards sold him to the English and the Scotch
> fanaticks in Ireland kept Londonderry from King James the 2nd (of
> blessed memory) ... Sir, I myself by my faithfullness and loyalty to his
> Majesty (now in Rome) lost two hundred pounds per annum which I had
> by my employ in the Custom house in Cork when (with severall others) I

was banish'd from thence 25 years agoe, besides the lands and estates of my forefathers being forfeited these many years for their loyalty to the Royall family of the Stuarts ... I am descended from two of the most noblest, ancientest, and heroickest Milesian familys in all Ireland by father and mother to witt, of the Ô Sullivans and MacCarthys ... these 2 familys ... lost all their estates by their loyalty to the Royal family of the Stuarts ...

(RA SP: 216/85).

Ní thar a cheann féin a lorg 'Capt. R. McSwiny' cabhair ar Shéamas III, ach do bhean de mhuintir Raghallaigh a raibh a fear páirteach i gcath Chúil Odair féin. Léiriú glinn í an litir, a scríobhadh sa bhliain 1750, ar iarmhairt uafásach an chatha sin:

She is daughter to Ô Reily, her husband was a captain in our Brigade ... Our Prince was pleased both for his conduct and service ... the poor gentleman was wounded at the affair of Coloden, the Princes army being put to the route, he and several other wounded gentlemen, not being able to goe farther got into some house or cabin. Cumberland and his army came upon them and set fire to the house and burned them to ashes ... She was married to one Captain Phillip Ô Reily, one of the most worthy countrymen that could be found ... We are strangers here about. What is become of our Prince. Pray let me know how he is ... (RA SP: 307/75).

Scéal chomh truamhéalach céanna, ach é a bheith níos suimiúla is níos casta, a bhí le hinsint ag Pádraig Sáirséal (Patrick Sarsfeild): chuaigh sé go Sasana 'to make the harvest' (= a dhéanamh an fhómhair?) ach preasáladh é, longbhriseadh an t-árthach, is tháinig sé i dtír in Naples san Iodáil. Chuaigh sé ag triall ar Shéamas sa Róimh is scríobh chuige:

Please your Goodness my Greate King etc;
Plese my king to Look upon me being Come from a man of war from Napels the Presed Me in pargate when i went over to make the harvest I come heare to you to gett Some Money to by Clohs and victuels and Cary me to Leghorn and Depend I will Love you for Ever while my Name is
        Patrick Sarsfeild
God bless king James
my Grand father fought for your father in Ireland against king William

(RA SP: 380/127).

Mar a léiríonn idir litriú is phoncaíocht na litreach sin, níorbh ionann, is cosúil, caighdeán litearthachta an tSáirséalaigh is an caighdeán a léiríonn formhór an chomhfhreagrais. Ach níl sa litearthacht sin ach gné amháin de litir atá ag cur thar maoil le daonnacht. Agus fiú mura mbeadh aon fhírinne sa scéal tragóideach a bhí á insint ag Pádraig Sáirséal, is léir gur thuig sé éifeacht na staire is éifeacht an cheangail a bhí le maíomh idir an Sáirséalach is an Stíobhartach. Bhí díol fiach i gceist is baineadh é – chuir Séamas leathghiní láithreach chuig an Sáirséalach, mar a chuir sé fáltas éigin ag triall ar fhormhór na n-imirceach a lorg a chúnamh is a charthanacht. Is sa bhliain 1759 a scríobhadh an litir sin an tSáirséalaigh; fiche bliain ina dhiaidh sin bhí fós litreacha mar í á gcur ag imircigh bhochta na hÉireann chuig cúirt an Stíobhartaigh. B'fhéidir nárbh fhíor go hiomlán é, mar a dhearbhaigh Uilliam Ó Seachnasaigh, 'that abroad we have noe other resource'; is cinnte gur fíor é gur fheidhmigh an chúirt sin mar fhoinse mharthanach thairbheach, foinse charthanachta is dhóchais go háirithe. Tá leabhar le scríobh fós ar shaol na n-imirceach sin thar lear, ach is léir, fiú ar an mbeagán den chomhfhreagras atá pléite againn, is léir a lárnaí ina saol a bhí an Stíobhartach, pé acu Séamas II, Séamas III, nó Séarlas Óg é; is léir freisin a lárnaí ina gcuid machnaimh a bhí an stair – stair a muintire – agus a cheangailte a bhí an stair sin le dán na Stíobhartach. Ní gá a mheabhrú, is dócha, a bhfuil de pharailéalachas idir dearcadh na n-imirceach, mar a nochtar sa chomhfhreagras é, agus dearcadh an aosa léinn, mar a nochtar san fhilíocht é.

Ba chreideamh coiteann de chuid na n-imirceach é, go háirithe an chuid acu a bhíodh ag cur comhairle ar Shéamas III is ar a chúirt, go raibh tacaíocht uilí ag cúis an Stíobhartaigh sna trí ríochta agus go raibh an pobal trí chéile toilteanach agus ullamh éirí amach ach an chabhair mhíleata a theacht anall. Ach is cinnte freisin gur thuairiscí dóchasacha áibhéalacha mar iad a bhí á gcur go rialta go cúirt an Stíobhartaigh ag a lucht tacaíochta sna trí ríochta. Duine acusan ab ea Sylvester Lloyd a bhí ina ghairdian ar choinbhint na bProinsiasach i mBaile Átha Cliath idir 1717 agus 1727, ina easpag ar dheoise Chill Dalua idir 1728 agus 1739 agus, ina dhiaidh sin, ina easpag ar dheoise na Leasa Móire (1739-47).[50] Ba Sheacaibíteach tiomanta é Lloyd a raibh dlúthchairdeas idir é agus Séamas III, cairdeas a thabhaigh an dá easpagacht sin dó agus mórán fabhar eile. Sa chomhfhreagras leanúnach a choinnigh sé leis an Stíobhartach chuir Lloyd tuairiscí rialta chuige ar dhálaí na hÉireann agus a muintire. I litir amháin tugann sé liosta cuimsitheach de na bailte is cathracha in Éirinn – breis agus céad acu – ina raibh beairicí míleata agus de líon na gcomplacht, idir choisithe is eachra, a bhí ar coinmheadh i ngach beairic acu; i litreacha eile ionsaíonn sé go fíochmhar aindlí is ansmacht na n-eiriceach, cuireann síos go mion ar uaisle na gcúigí difriúla is ar a ndearcadh polaitiúil, meabhraíonn don Stíobhartach cé na heaspagachtaí a bhí gan líonadh in Éirinn, tugann tuairisc dó ar imeachtaí na parlaiminte i mBaile Átha Cliath, cuireann comhairle air i dtaobh na mbailte poirt ab oiriúnaí le haghaidh ionsaí mara agus na gceantracha sa tír arbh éifeachtaí an t-éirí amach a thionscnamh.[51]

Ach tríd an gcomhfhreagras ar fad, a chuimsíonn na blianta c. 1720-47, is port coiteann dá chuid é dílseacht na muintire don Stíobhartach agus an olltacaíocht a bhí ag a chúis ina measc:

> I have spent this last summer in the western parts of this Kingdom, where I had frequent opportunitys of seeing multitudes of your friends, who long for nothing so much as to have it in their power to convince you of their readiness to serve you. There are none absolutely against you but such as have gott illegal fortunes, which they are sure to lose if you gain the lawsuit. Those for you may be reduced to three classes.

The first is of those who are in your own way of thinking as to God and man, and who never deviated from it.

The 2d is of those who lately were of the same opinion but have altered by fear or interest. ...

I come now to the 3d class, you have truly in it severall persons of true honour ... these are men of interest capable to lead a great part of the multitude. The rest are guided by the hopes of having better usage from you in point of trade, which they all follow. They are very zealous to drink your health and indiscreet enough to babble a great deal, which tho' usefull in some measure to keep up sinking spirits, yet certainly dos more hurt than good ... (RA SP: 79/49).

A great many of the nobility and gentry are still Catholicks and have considerable estates and interests. Most of the dealers and rich tradesmen are Catholicks and I am of opinion that Dublin alone would furnish the King with ten thousand ablebodyd young men, apprentices and journeymen to several trades, weavers, taylors, shoemakers etc. A great many of them descended of good familys, whose estates have been forfeited and are therefore very impatient of their sufferings and would be ready on the first notice to sacrifice themselves for the king ... (*ibid.* 90/70).

I have since my landing in this kingdom seen multitudes of his Majesty's friends, as well Protestants as Catholicks. It is impossible to express the impatience they are in to do him service. The rumour we have of an approaching war has made many, whom I never believd sincerely in his interest, declare themselves in the most honest and resolute manner. Let the matter be as it will, our enemys here are in the greatest consternation ... (*ibid.* 94/54).

I have been lately in Munster where you have many friends and very impatient to see you. You may assure your self that I will miss no opportunity that I can with prudence lay hold of to promote your interest. One thing you may depend on that when ever you may think proper to commence your suit, you will not want witnesses to prove your title, so impatient are all your old neighbours to see you restord to your rights. Arms and officers are all that we want. I shall make use of all means that art and providence can suggest to dispose our friends in Dublin to do their duty if a descent should be intended ... (*ibid.* 114/137).

Everything goes, blessd be God, well with me in my new stewardship. No people are more willing to pay their rents but the markets are bad. All your relations wish you sincerely well and often drink your health. They long very much to see you. Pray, dear Sir, write to me ... (*ibid.* 130/176).

Dá áibhéalaí, dar linne, na cuntais sin inniu, fós tugaid tuairim mhaith dúinn den tslí a raibh lucht leanúna an Stíobhartaigh – thall is abhus – ag cothú meanma a chéile le scéalta dóchasacha suirbhíocha misniúla; na scéalta dóchais céanna a chothaigh reitric na filíochta. Ach léiríonn na litreacha freisin tiomantacht dhiongbhálta an easpaig Lloyd ní hamháin do chúis, ach do phearsa an rí féin. Níos mó ná aon uair amháin dearbhaíonn sé 'that I would freely lay down my life to restore His Majesty', geallann sé 'that I will miss no opportunity that I can with

prudence lay hold of to promote your interest'; b'é a ghuí shíoraí 'that
God may bless and prosper him, in all his undertakings, that he may
overcome his enemys, that he may triumph in the throne of his
ancestors'.[52] Sa litir dheiridh uaidh a scríobh sé nuair a bhí sé thar lear
sa bhliain 1747 agus gan é a bheith ar fónamh, cuireann a bheannacht
is a dhea-ghuí arís chuig Séamas is a shliocht – 'Since I can do no more,
I must never cease to pray for them' – agus fiafraíonn go buartha 'how
affairs stand with our Prince' (RA SP: 272/153). An cheist chéanna a
chuir an 'Capt. R. McSwiny' úd – 'what is become of our Prince'; ceist í
a bhí á cur thall is abhus sna blianta sin:

> Is fada dhom in uaigneas 's is buartha bhíos m'intinn,
>   siosma slua ná cuideachta ní bhriseann ar mo bhrón;
> feidhm le ceart ná fuaimint ní bhfuaireas im thimpeall,
>   ráite grinn ná guthanna, soilbhreas ná ceol;
> ó himreadh beart an chruachlis ar chuallacht an rí chirt,
>   's an Prionsa gur díbreadh le díomas ón gcoróin,
> a thaisteal súd tar cuantaibh ná a thuairisc ní fríoth dom,
>   an fios fán domhan cá ngabhann sé nó an dóigh go maireann
>   beo? ... (SMD: 34 §§ 1-8).

> A chara mo chléibh do léas gach stair ghrinn,
>   'nar léir gach ealaí fháthach,
> cá ngabhann an réacs, cá ndéanann taithí
>   céile ceart caoin Chláir Loirc? ... .[53]

Loingeas na Fraince a chuaigh ag triall air go hAlbain a thug Séarlas
Óg abhaile ag deireadh na bliana 1746. Agus cé gur chuir Louis XV féin
fáilte chúirtéiseach roimhe is gur chuir mná uaisle na cúirte an-suim
ann is ina eachtra tháscmhar, nuair a d'éiligh an Bhreatain go ruaigfí
Séarlas Óg ón Fhrainc, ghéill Louis don éileamh, de ghrá riachtanais.
Díbríodh Séarlas go Avignon ar dtús agus ansin, sa bhliain 1748,
lasmuigh den Fhrainc ar fad. Is ansin a thosaigh a fhálródaíocht ar fud
na hEorpa, é ag imeacht ó chúirt go cúirt, ó chathair go cathair is ó thír
go tír; é ag plotáil de shíor, ag lorg cabhrach míleata is thacaíocht na n-
imirceach arís agus, feadh na huaire, finscéal rómánsúil ag fás ina
thaobh féin is a chumainn le Flora MacDonald.[54] Chonacthas é, nó
tuairiscíodh go bhfacthas, in áiteacha difriúla – i Londain go minic, i
gCorcaigh, in Llangedwyn, i nGaillimh agus i nGleann Cholum Cille.[55]
Tá tuairisc ar fáil ar a theacht i measc mhuintir an Ghleanna. Ní nach
iontach, ba dhuine deáthach dea-chumtha uasal oirirc é:

> A stranger, of a remarkably fine person and very handsome face ... A
> person of rank and consequence ... He was the tallest and portliest
> gentleman ... Och, but he was the handsome gentleman ...
>
> (Griffith 1860: 272-4).

Ach, is é is suimiúla i dtaobh a thurais go Gleann Cholum Cille, pé fada
gearr a chónaigh sé ann, gur fheidhmigh sé i measc an phobail mar ba
dhual don Stíobhartach: leag sé a lámh ríoga ar ghearrchaile a raibh an
scrufaile uirthi agus rinne í a leigheas.[56]

Is cinnte gur thug Séarlas Óg turas ar a lucht tacaíochta i Londain sa bhliain 1750. Buaileadh bonn nua don ócáid agus íomhá de chrann críon a raibh craobh ghlas ag sceitheadh as greanta air. Bhíothas fós dóchasach – i measc na bhfíréan, pé scéal é – go raibh beatha shíolmhar i ndán don chraobh ghlas:

> Dá dtigeadh an Francach in am le hintinn,
> 's a chúpla campa go namhaideach nimhneach,
> is breá chrithfeadh an dream so do reamhraigh Aoine
>   leis an gCraoibhín aoibhinn álainn óg ...
>
> Beidh an Maor dá ghairm i gceannas trí ríochta
>   ag an gCraoibhín aoibhinn álainn óg,
> beidh Gaoil gan mhairg i mbailtibh a sinsear,
>   gan chíos, íoc, daoirse, cáin ná tóir;
> beidh saoithe is sagairt go seascair gan stríocadh,
>   go caoin ag cantain a sailm re haoibhneas,
> tír is talamh go beannaithe bríomhar
>   i bpríomhríocht aoibhinn álainn Eoghain .... [57]

Ar bhonn eile a buaileadh sa bhliain 1752, nuair a thug Séarlas Óg turas eile go Londain, bhí íomhá de féin agus an mana *Redeat magnus ille genius Britanniae*. I measc na Seacaibíteach léannta go háirithe, bhí trombhrí shiombalach ag roinnt leis an mbriathar Laidine úd *redeat*, mar b'in é an briathar a d'úsáid an Dr William King nuair a d'oscail sé an Radcliffe Camera in Ollscoil Oxford sa bhliain 1749. San aitheasc tiomnaithe a thug sé uaidh ar an ócáid, d'úsáid an dochtúir léannta an briathar úd *redeat* mar bhurdún trína aitheasc gur bhain gáir mholta is bualadh bas gríosaitheach óna lucht éisteachta.[58] Ollúna léannta Oxford is mó a bhí sa slua, aicme a raibh an-bhá riamh acu leis an Seacaibíteachas agus ar chaitheamh aimsire dá gcuid é véarsaíocht sa mhód clasaiceach a chumadh is a scaipeadh. Mar Caesar, Augustus nó Aeneas a léirítear Séamas III, is Séarlas Óg, sa véarsaíocht sin trí chéile; na seandéithe a d'fhóin dóibh:

> Fresh grass shall on our mountains grow,
> Fat oxen on our meadows low,
> Ceres shall bless our harvest with increase,
> When Albion is possess'd of J—s and peace ...
> Triumphant Caesar by divine comand
> Shall purge the errors of a guilty land (Clark 1954: 51).
>
>   An Antient Prophecy
> Aloud I heard the Voice of Fame
> th'important news relate ...
> Venus shall give him all her charm
> to win and conquer hearts,
> Rough Mars shall train the youth to arms,
> Minerva teach him arts ... (RA SP: 246/157).

An smaoineamh céanna a bhí ag Conchúr Ó Ríordáin – Séarlas Óg á thionlacan abhaile ag na déithe féin:

Bíogann Mars is tíd 'na bharc ar toinnteach mara thaoscach,
is mílte ag ceangal saighead 'na ghlacaibh nimhe le leagfaid laochra,
taobh leis tagann brídeach mhaiseach mhíonla chneasta Téitis,
is í do gheallann soilse a lasadh roimhe ar gach caise baolach.
Scaoileann Bacchus bríomhar blasta fíonta flea gan traochadh ...
Arís is gearr an mhoill go dtaga an ríoghan Pallas phéarlach ... .[59]

Ionannú coiteann ab ea é i saothar na Laidineoirí Séamas III a shamhlú
le Aeneas – laoch eile a bhí ar fán ach a d'fhill – agus Séarlas Óg a
shamhlú lena mhacsan Ascanius 'the great adventurer'.[60] An t-ainm
céanna a thug Piaras Mac Gearailt ar Shéarlas Óg in amhrán dá chuid a
bhfuil cuma amhráin tíre air, idir fhriotal is téama:

Good móra is Muire is Pádraig duit, a Mhalaí bheag ó,
mo sceolta bainfid gáire asad, a chuid den tsaol ó;
    suidh síos, a stór ghil, láimh liom
    is neosfad duit re háthas
    go bhfuil Seoirse ag gol 's ag gárthaigh, a Mhalaí bheag ó.

Táid crónphoic cathach cráite, a Mhalaí bheag ó,
mar táid slóite d'fhoirinn Spáinneach, a chuid den tsaol ó,
    faoi sheol ag teacht 'na dtáinte
    re cóir go lannach láidir,
    is beidh coróin ar Ascanius, a Mhalaí bheag ó.[61]

Bíodh nach eol dúinn go beacht cathain a scríobh Piaras Mac Gearailt
an t-amhrán ríthaitneamhach meidhréiseach sin, is cinnte gur i ndiaidh
1746 é; tá cabhair Spáinneach fós á tuar is an choróin fós á geallúint do
Ascanius. Is cinnte gur chreid Séarlas Óg féin an méid sin agus nárbh
fhéidir a mhalairt a chur ina luí air. Filleadh buacach a bhí i ndán dósan
fós, dar leis, agus is beag foighne a bhí aige leis an dream – a mhuintir
féin fiú – a rinne iarracht comhairle a chur air glacadh leis an saol anois
mar a bhí iompaithe amach. Roimh 1745 féin, is léir go raibh glactha ag
Séamas III go humhal lena dhán: gur rí ar deoraíocht a bheadh ann go
deo, ach gur le dínit ríoga a d'fheidhmeodh sé féin is a chúirt; tar éis
1746 ba mhó ba léir dó nach raibh athbhunú i ndán don ríora
Stíobhartach. An tuiscint chéanna, is cosúil, a bhí ag deartháir Shéarlais
Óig – Anraí, an 'Duke of York'.[62] Le sagartóireacht a chuaigh seisean, sa
bhliain 1748, go ndearnadh cairdinéal de thar oíche agus, ar ball, gur
ceapadh ina easpag ar dheoise Frascati é. Rath céadach a bhí ar
ghníomhréim eaglasta an chairdinéil Anraí, le cabhair a athar, ní miste
a rá, agus sular éag sé, sa bhliain 1807, bhí feidhmeannas
ardcheannasach sa Róimh aige. Ach dá thairbhí an t-athrú gairme sin
Anraí don ríora Stíobhartach féin, ní dhearna sé ach dochar buan don
Seacaibíteachas, go háirithe i Sasana, mar is mó fós, dá bharr, a
ceanglaíodh an Seacaibíteachas is an Caitliceachas le chéile i súile na
nAnglacánach. Is dóichí gur mar fhreagra ar ghníomh a dheartháir, agus
é ag iarraidh an dochar a chealú, a bheartaigh Séarlas Óg ar iompú ina
Anglacánach. Rinne sin go foirmeálta i Londain sa bhliain 1752 ach bhí
an t-iompú ródheireanach. Dá mb'áil leis é sin a dhéanamh sa bhliain

1745, a dúirt tráchtaire comhaimseartha amháin, dá mbeadh sé toilteanach, agus é i nDún Éideann, 'to venture to the High Church of Edinburgh and take the sacraments ... this would have secured him the low-country commons, as he already had the Highlanders by attachment' (Youngson 1985: 238); ach níl ansin ach *dá* amháin eile den iliomad acu a bhain lena chúis. Is chun bualadh le grúpa dá lucht tacaíochta, a raibh plota eile ar bun acu, a bhí Séarlas i Londain; plota é nach raibh de thoradh air ach crochadh Archibald Cameron, Seacaibíteach aitheantúil.[63] Bhí teagmháil déanta arís le cúirt na Fraince is thug Séarlas féin turas ar chúirt na Spáinne agus ar an impire Frederick in Berlin, ach ní mór an éisteacht a tugadh dó: chuir conradh Aix-la-Chapelle, sa bhliain 1748, deireadh le cogaíocht na hEorpa, go cionn tamaill eile, agus ní raibh aon fhonn ar an Spáinn, an Fhrainc ná an Phrúis an tsíocháin shealadach a chur i mbaol. Fós nuair a d'oir sé don Fhrainc arís, mar a d'oir sna blianta 1759/60 agus cogadh na seacht mblian ag dul ina coinne, chuaigh rialtas na Fraince i gcomhairle leis na Seacaibítigh athuair le hionchas ionsaí armtha eile ar an Bhreatain a eagrú.[64] An t-aire gnóthaí eachtracha féin, an Duc du Choiseul, a bhí i mbun na beartaíochta thar ceann rialtas na Fraince; bhí fórsa sluaíochta ollmhór le tiomsú ar chósta thuaidh na Fraince – 337 long is 48,000 fear; bhí an reisimint Éireannach is Iarla Chlainne Cárthaigh, a bhí anois ina leasaimiréal i gcabhlach na Fraince, le bheith páirteach san iarracht; bhí an maoiniú cuí déanta air ag bancaeirí báúla i bPáras, ach nuair a bhris an t-aimiréal Hawke ar chabhlach na Fraince i mbá Quiberon ag deireadh na bliana 1759, éiríodh as an iarracht. Bhí ceannas ar muir bainte amach ar deireadh ag cabhlach na Breataine is bhí an Bhreatain feasta slán ó ionsaí mara. Níor ionsaíodh an Bhreatain de mhuir arís; b'é cath Chúil Odair an cath míleata deireanach a troideadh ar thalamh na Breataine; in arm na Breataine, i reisimintí Albanacha, ag leathnú is ag cosaint na hImpireachta, a throid ógfhir inairm na Gaeltachta feasta.

Ní furasta teip cúise, ideolaíochta nó creidimh a rianadh. Toisc gur ar an iarfhios, de ghnáth, a bhíonn an rianadh sin bunaithe ní hannamh luachanna na linne nó peirspictíocht anacrónach á gcur siar ar an fhianaise chomhaimseartha. Ní hamháin sin, ach níl aon mhodheolaíocht curtha ar fáil fós ag an antraipeolaíocht chun athruithe cultúrtha ná luas na n-athruithe sin a thomhas. Ní hionadh sin nuair nach gá gur de réir a chéile, nó i measc gach aicme den phobal, nó i ngach cuid den tír a tharlaíonn na hathruithe sin in éineacht. Tá feiniméan coimpléascach an athruithe sa chultúr polaitiúil feicthe go glinn againn féin inár dtír féin le cúig bliana fichead anuas. Ní hionann an reitric phoiblí i dtaobh 'na Sé Chontae/Thuaisceart Éireann' anois agus sa bhliain 1970; níorbh ionann dearcadh oifigiúil an Stáit i leith 1916 sa bhliain 1966 agus sa bhliain 1991. Is léir gur tharla athrú bunúsach sa dearcadh oifigiúil sin idir an dá linn; ceist eile í, ceist is deacair a bharraíocht, cén glacadh a bhí ag an bpobal trí chéile leis an dearcadh oifigiúil, nó cé na haicmí sa phobal trí chéile nach raibh glacadh acu leis. Féadfaidh athruithe cultúrtha tarlú an-tapaidh, thar oíche fiú, nó an-mhall, leis na glúnta is na cianta; idir mhall is tapaidh a tharlaíd de ghnáth, ag brath ar na dálaí áitiúla sóisialta a bhíonn i bhfeidhm. Bíodh, mar sin, gur cheart go mbeadh an-leisce orainn teip an tSeacaibíteachais a fhógairt, agus a ilghnéithí choimpléascaí ghabhlánaí a bhí sé mar fheiniméan, fós tá an chuma ar an fhianaise chomhaimseartha féin nach raibh aon éifeacht leis, mar ghluaiseacht pholaitiúil pé scéal é, tar éis 1760.

Fíricí léiritheacha is ea iad gur sa bhliain 1753 a crochadh an Seacaibíteach deireanach sa Bhreatain, gur chuaigh líon na ndíotáilithe maidir le 'seditious words' a urlabhairt i laghad go mór tar éis 1754, agus gur tuigeadh don aos liteartha is léinn thall, do Alexander Pope, do Samuel Johnson is do William King féin, go mb'fhéidir go raibh sé in am acu féachaint amach dóibh féin.[65] Ba thriúr iadsan a thug tacaíocht – tacaíocht liteartha léannta – do chúis an Stíobhartaigh riamh; siar isteach san aois bhí an reitric Sheacaibíteach fós á cothú acu, idéil ardaigeanta is luachanna morálta an tSeacaibíteachais fós á gcraoladh is á gcur chun cinn acu:

> All, all look up, with reverential awe,
> On crimes that scape, or triumph o'er the law;
> While truth, worth, wisdom, daily we decry -
> 'Nothing is sacred now but villany' ... (Clark 1994: 43).

> Such are the evils, Arcas, such the crimes,
> Will make our age the scorn of future times.
> In letter'd story, shall this aera stand
> The darkest, sure, that ever stain'd our land:
> No glory now to awe, no wealth to aid,
> Abroad insulted, and at home betray'd:
> While liberty hangs low her sickning head,
> And honour, virtue, public worth are fled ... (*ibid.* 52).

Bhíodar fós dílis, ar shlí: ní rabhadar toilteanach an Stíobhartach a shéanadh ach bhíodar, a dtriúr, toilteanach móid dílseachta a thabhairt do Sheoirse III. D'admhaigh William King go raibh an-díomá air nuair a casadh Séarlas Óg féin air i Londain sa bhliain 1750 – ní raibh an phearsa a chonaic seisean ag teacht in aon chor leis an íomhá oirirc idéalach a bhí cruthaithe ag an reitric Sheacaibíteach:

> In a polite company he would not pass for a genteel man ... very little care seems to have been taken of his education. He had not made the belles lettres or any of the finer arts his study ... But I was still more astonished, when I found him unacquainted with the history and constitution of *England* ... But the most odious part of his character is his love of money, a vice which I do not remember to have been imputed by our historians to any of his ancestors ... To this spirit of avarice may be added his insolent manner of treating his immediate dependants, very unbecoming a great prince, and a sure prognostic of what might be expected from him if ever he acquired sovereign power ... (Clark 1994: 180-1).

Ba dhearmad mór ag Séarlas é, dar le King, turas a thabhairt ar Shasana mar nach raibh dá bharr aige ach go bhfaca a lucht leanúna nár dhuine mar a thuairisc é.

B'fhéidir gurb é an ráiteas is léirithí ar an athrú dearcaidh sin an litir a scríobh Lord Orrery (John Boyle) chuig an staraí Thomas Carte sa bhliain 1752. Bhí páirt leanúnach tógtha ag Orrery i ngníomhaíocht is i bplotaireacht na Seacaibíteach sna tríochaidí is na daicheadaí; páirt lárnach a bhí aige i bpleanáil na comhcheilge sa bhliain '45; tuigeadh dó anois nach raibh aon leigheas ar staid mhífhortúnach 'my native country' (Sasana a bhí i gceist aige) agus nach raibh de rogha aige ach tarraingt siar ón saol poiblí agus dul chun cónaithe ar a eastáit in Éirinn:

> I retire, Sir, partly upon account of health ... Another reason for my retirement is an absolute conviction that it is no purpose to endeavour to save a Country which is resolved not to be saved. ... But, to say truth, we are a declining people: destined, I fear, to absolute destruction. We have had our day. It ended with Queen Ann. Since her time all has been confusion and discontent at home; folly and false politics abroad; not to mention that spirit of slavery and irreligion that is spreading itself throughout the several parts of the three Kingdoms. These are undeniable truths. What then have we to hope? Or from whence? Not from Heaven, if we are to judge of the future by past events. Not from Heaven, if we are judges of our own merits. Hopes may serve to fil bumpers, but they will scarce at present be the entertainment of closet reflections or cool speculation. Retirement, therefore, is the best choice that the most healthy man can make ... (Orrery 1903 ii: 116).

Ar deoraíocht bhuan, in Éirinn, a chaith John Boyle an chuid eile dá shaol; ar deoraíocht bhuan, sa Fhrainc, a bhí Eoghan Ó Súilleabháin, compánach dílis Shéarlais Óig. Go lá a bháis choinnigh sé comhfhreagras lena Phrionsa, dílseacht na Súilleabhánach is a dhílseacht féin á dearbhú de shíor aige, agus marana á dhéanamh aige ar mhuintir mhídhílis Shasana nár thuig cár luigh a leas:

> I am fully convinc'd that there are no Irish men of families whatsoever of that mournfull and unhappy Kingdom that pray with more constant zeal for the King's restoration, health and eternal happyness than the O'Sullivans do ... (Tayler 1938: 245).

> I am here [Amboise] a retired man from the world, but that does not hinder me of thinking wt tenderness, affection and sometimes with anxiety on what regards the King our Master's interest and the Royal Family. All my reflecting tends yt way but it does not bring the King home and I shall never be happy until I see that day ... (*ibid.* 253).

> My whole thoughts are taken up with what regards his Majesty and the Royal family, but alas I see none appearance & I have very little hopes that this war will bring anything to pass for their advantage unless the Nation which must be ruined by this war[66] will open their eyes and see that they have no other way to save them from a total ruine but by calling home the Lawfull King ... (*ibid.* 256).

Mar a dúirt sé féin, ní thabharfadh a mharana ná a dhea-ghuí an rí abhaile; níor thug, ná cogadh na seacht mblian faoi mar a mheas sé; ná níor thug fálródaíocht Shéarlais Óig. A mhalairt ghlan, mar is é fírinne an scéil é go raibh Séarlas Óg tite as a chéile, é críogtha go smior, ní ag tubaiste na bliana 1746, ach ag a dhíbirt ón Fhrainc sa bhliain 1748.[67] Laistigh de chúpla bliain dá éis sin, bhí pótaire drabhlásach déanta de ar thug a iompar is a shaol scanall dá ghaolta is do lucht a pháirte.

> At the same time like many disappointed men he gave himself up to dissipation ... He was daily becoming more and more a slave to the hateful passion of drink ... Unlike many of the great topers of his age, who worked off the heavy potations of the previous night by hard exercise, or severe intellectual excitement on the following day, the Prince did nothing save amuse himself in a manner that aggravated the craving for drink ...
> (Ewald 1875 ii: 169, 205, 283).

An t-alcól an t-aon taca buan a bhí aige anois is cosúil; bhí sé ina chónaí le bean nach raibh pósta leis agus bhí sé amuigh air go raibh scata leannán eile aige i gcúirteanna is i *salons* na hEorpa; bhí sé tite amach lena dhearthár Anraí, lena athair Séamas III agus le cuid de na comhghleacaithe ba dhílse dá raibh aige; dhiúltaigh sé do phinsean saoil a thairg Louis XV na Fraince dó agus dhiúltaigh don tearmann a thairg an pápa dó; d'fhéadfadh saol socair sóúil a bheith sa Róimh aige, mar a bhí ag a athair is a dheartháir, ach ní hin a bhí uaidh ach coróin a mhuintire; mhol Dominque O Héguerty dó díriú ar Éirinn, go raibh sé indéanta an ríocht sin amháin a ghabháil ach ba scorn leis an smaoineamh: na trí ríochta, is go háirithe Sasana féin, a bhí uaidh. Fiú cuid de dhlúthchairde Shéarlais Óig féin, ba léir dóibh, cinnte faoi 1760, nach raibh an aidhm sin le baint amach. Nuair a d'éirigh Choiseul as a iarrachtsan sa bhliain 1759, thréig cúirt na Fraince na Seacaibítigh is níor úsáid arís mar chomhghuaillithe míleata iad. Le corónú Sheoirse III sa bhliain 1761 bhí – den chéad uair ó dhíbirt Shéamais II – bhí Sasanach ina rí ar an Bhreatain arís. Ó dheireadh an tseachtú haois déag amach, b'argóint lárnach leanúnach de chuid na Seacaibíteach é, argóint a raibh an-éifeacht léi, gurbh eachtrannaigh iad Uilliam Oráiste, Seoirse I agus Seoirse II; le corónú Sheoirse III, an chéad duine de ríora Hanover a saolaíodh is a tógadh i Sasana féin, bhí an bonn tite as an argóint áirithe sin; ní hamháin sin, ach dob fhéidir a áiteamh anois, mar a rinne cuid de na Fuigeanna, gurbh é Séarlas Óg an t-eachtrannach óir, murab ionann is Séamas II nó Séamas III, is thar lear a saolaíodh is a tógadh é.

Na blianta ina dhiaidh sin, tráth a thug Samuel Johnson agus Boswell a dturas ar an Ghaeltacht, is i dteach 'the celebrated Miss Flora Macdonald' a chuireadar fúthu agus is sa leaba ar chodail 'the grandson of the unfortunate King James the second', agus é ar a choimeád sa bhliain 1746, a chodail Johnson féin. Bhí fadhb ag Boswell toisc nach raibh a fhios aige cén teideal ba chóir a thabhairt ar Shéarlas Óg:

I do not call him *the Prince of Wales* or *the Prince*, because I am quite satisfied that the right which the House of Stuart had to the throne is extinguished. I do not call him the *Pretender*, because it appears to me as an insult to one who is still alive, and, I suppose, thinks very differently ... That he is *a prince* by courtesy cannot be denied; because his mother was the daughter of Sobiesky, King of Poland. I shall, therefore, *on that account alone*, distinguish him by the name of *Prince Charles Edward* (Chapman 1970: 280).

An dearcadh a nocht Boswell – go raibh deireadh le ceart na Stíobhartach chun na corónach – bhí sin ag teacht le dearcadh a aicmesean go háirithe is le dearcadh an phobail trí chéile i Sasana ag an am. Ach, más fíor dósan, b'in dearcadh na n-oileánach freisin. Le linn dó a bheith sa teach aici, d'éirigh le Boswell mionchuntas a fháil ó Flora MacDonald ar ar imigh ar Shéarlas Óg sna hoileáin i ndiaidh chath Chúil Odair agus conas a d'éirigh leis, le cúnamh is bá an phobail, éalú ó fhórsaí na corónach. Bhí cuimhne na n-imeachtaí sin fós glé in aigne na n-oileánach agus is le cion fós a labhairtí ar Thearlach ach bhíodar anois, dar le Boswell, lántoilteanach a bheith umhal is géilliúil don rí a bhí orthu:

Having related so many particulars concerning the grandson of the unfortunate King James the Second; having given due praise to fidelity and generous attachment, which, however erroneous the judgement may be, are honourable for the heart; I must do the Highlanders the justice to attest, that I found every where amongst them a high opinion of the virtues of the King now upon the throne, and an honest disposition to be faithful subjects to his majesty, whose family has possessed the sovereignty of this country so long, that a change, even for the abdicated family, would now hurt the best feelings of all his subjects ...

And, therefore, as our most gracious Sovereign, on his accession to the throne, gloried in being *born a Briton*; so, in my more private sphere, *Ego me nunc denique natum, gratulor*. I am happy that a disputed succession no longer distracts our minds; and that a monarchy, established by law, is now so sanctioned by time, that we can fully indulge those feelings of loyalty which I am ambitious to excite. They are feelings which have ever actuated the inhabitants of the Highlands and the Hebrides. The plant of loyalty is there in full vigour, and the Brunswick graft now flourishes like a native shoot. To that spirited race of people I may with propriety apply the elegant lines of a modern poet, on the 'facile temper of the beauteous sex:'

Like birds new caught, who flutter for a time,
And struggle with captivity in vain;
But by-and-by they rest, they smooth their plumes,
And to *new masters* sing their former notes (*ibid.* 293-5).

Do tharlódh, gan amhras, gur réasúnú ar a dhearcadh féin is ar dhearcadh casta ilbhríoch a chompánaigh Johnson (Clark 1994: 219-25) atá á chur chun cinn ag Boswell ina thuarascáil ach murab í an fhírinne iomlán í, is cinnte go bhfuil fírinne éigin sa líne véarsaíochta a luann sé (*and to new masters sing their former notes*) mar is ag moladh Sheoirse, sa mhúnla traidisiúnta, a bhí cuid éigin, ar a laghad, d'fhilí na hAlban anois.[68] Casadh mar é níor tharla riamh in Éirinn.

Teip eile, iarracht gan toradh míleata, a bhí sa phlota deireanach a d'eagraigh Seacaibítigh, i gcomhar le Choiseul, sa bhliain 1759. Ach cé nár éirigh le loingeas na Fraince an cuan a fhágáil an bhliain sin fiú, d'éirigh le scuadrún amháin, faoin gcaptaen François Thurot, éalú ó chabhlach na Breataine, cósta chontae Aontroma a bhaint amach, agus Carraig Fhearghusa a ghabháil.[69] Bíodh nach raibh in Thurot ach príobháideoir a raibh ollsaibhreas déanta aige as a chuid gníomhaíochta, is mar laoch a féachadh air – in Éirinn go háirithe – d'éis a thurais anall. Éireannach ó dhúchas ab ea é – de mhuintir Fhearghail – is bhí gníomh déanta aige a bhí tuartha do mhórán ach nár tugadh i gcrích go dtí sin: bhí ionsaí mara déanta ar Éirinn aige, d'ainneoin chabhlach na Breataine – ceacht nár dhearmad aimiréil na Fraince ina dhiaidh sin. 'Bliain Thurot' a tugadh ar an bhliain 1760 i gcúige Uladh ó shin amach, áirítí aois daoine dá réir, a dúradh; dar le rannaire anaithnid gurbh é an 'lúthleon calma cáidh' é (MN M 8: 417); dar le Liam Dall Ó hIfearnáin, gurbh é 'an rírá dáiríre é, an pléaráca is an t-aoibhneas':

Corraigh, a Phádraig, an gcluin tú na gártha,
    an gcluin tú an pléaráca, an siosma is an gleo?
ar chualais mar tháinig go cúige Uladh an gharda
    Thurot 'na shláinte, le hiomarca scóip?;
preab, bí it sheasamh, glac meanma 's bíogadh,
    gríosaigh na seabhaic tá it aice chum spóirt;
beidh píbí dá séideadh, le claíomh a mbeidh faobhar air,
    is racham in éineacht fé bhrataibh an leoin ...

Is é an rírá dáiríre é, an pléaráca is an t-aoibhneas,
    an scéal breá le hinsint faid mhairfeam gach ló:
na cóbaigh go cloíte, gan fóirthin, gan fíonta,
    gan ceolta, gan saoithe, gan bailte gan lón;
réabaidh gach Gallaphoc, leagaidh is rúscaidh iad,
    cuiridh as talamh bhur n-aithreach an chóip;
tá Seoirse 's a mhuintir go brónach lag cloíte,
    is coróin na dtrí ríochta air ní chasfaidh go deo![70]

Tá an chuma ar an fhianaise inmheánach féin gur sa dara leath den ochtú haois déag is dóichí a chum Liam Dall formhór a shaothair pholaitiúil, saothar atá ionadach go maith, idir théamaí is láimhseáil. Pearsa lárnach ina shaothar is ea Seoirse, pearsa nach le gean ná le bá a labhartar air féin ná ar a shórt; 'fánaí' is ea Séarlas, ar deoraíocht. Tuigeann an file gur buadh air in Albain ach tuigeann sé freisin nach raibh ansin ach díomua sealadach agus go raibh fós i ndán dó filleadh:

Ó d'imigh an greann san am ar mheasas-sa,
is gur milleadh an drong do shantaigh Alba,
fuair leagadh ár bPrionsa i gceansacht Bhreataine,
    d'fhág mé im chodladh gan múscailt scéil ...

Casfaidh an Francach teann mear feargach,
go hacarthach bantrach campach armach,
le casmairt na lann i dteannta Caroluis,
      is ní rachad a chodladh a gcúis go bpléad ...

Beidh aifreann cantaracht i gceann gach baile againn,
is cuirfear ár namhaid i dteannta a marfa,
is aite liom súd ná 'Damhsa an Ghadraigh',
      is má chuirtear a chodladh iad, ní dubhach liom é.[71]

An mustar bladhmannach a bhí ar 'shliocht Mhártain mhallaithe', á rá
go raibh Séarlas fágtha, ní raibh aon bhunús leis; scéal dá mhalairt sin
a bhí ag na fáithe:

Is gidh mustarach ard sliocht Mhártain mhallaithe
dá rá le sealad gur fágadh Carolus,
      ó ró fá leacaibh ag dreo,
sé chluinim ag dáimh 's ag fáidhibh leasa cnoic,
an tráth do ghairmthear spás chum sealad suilt,
      ó ró gur chanadar gó;
is cumasach cáidhiúil an ráib d'fhuil Chaisil chirt,
ag druidim gach lá le clár geal Bhanba,
is fearr mar mheasaim ná 'Stáca an Mhargaidh'
is tláth bheidh Gallaphoic Sheághain chealgaigh,
      ó ró dá leagadh sa ghleo ... .[72]

Agus sin burdún coiteann a shaothair pholaitiúil trí chéile – an
athnuachan ghlórmhar a bhí i ndán do Ghaelaibh agus an dísceach uilí
a bhí le dul ar Ghallaphoic – an scéal dob aite dár chuala sé riamh:

Gidh fada faoi dhaorbhroid laochra Chaisil
      i ngéibheann galair gan áitreabh,
gan talamh, gan tréad, gan réim, gan rachmas,
      gan scléip, gan aiteas, gan áthas;
dá ngreadadh, dá gcéasadh, dá gcreimeadh ag Gallaibh,
      's dá séideadh thar caladh 'na dtáintibh,
ní fada go réife an laoch gan ainm
      ár bpéin, ár bpeannaid, ár ngána ...

Ar chaitheas dem ré ní léir gur ceapadh
      dhom scéal dob aite le háireamh
ná taisteal mo Shéasair thréin 's a ghasra
      ag éileamh Bhanba an áir seo ... .

Saithe beach do luadh linn ar thuairisc a dtreoin,
an Fómhar do bheadh go buartha is gan suairceas ar Sheon,
      Seoirse ar lear dá ruagadh,
      is an chóip bhí seal go buacach
      gan ór, gan bailte ar buan dóibh,
         's ní trua liom a mbrón ... .

Na Highlands 'na bplaideanna ag tarraingt 'na dtrúipibh
      is a bpíobanna fada dá spreagadh chum ceoil,
rince ar gach maolchnoc le háthas na scléipe,
      ag cur fáilte roimh Shéarlas abhaile 'na choróin ... .[73]

An maolú mór a chuaigh ar ghníomhaíocht is ar reitric na Seacaibíteach sa Bhreatain trí chéile, agus an tríú Seoirse i réim, níor tharla maolú mar é riamh in Éirinn: tá an reitric Sheacaibíteach abhus chomh dásachtach dóchasach ceannairceach sa dara leath den aois is a bhí riamh. An t-idirdhealú a rinne aos léinn – agus pobal – na Breataine idir Seoirse III agus an dá Sheoirse a chuaigh roimhe, ní idirdhealú é a rinneadh abhus riamh, mar a léiríonn Liam Dall. Ba mhar a chéile Seoirse amháin is Seoirse eile, dar le haos léinn na Gaeilge; de phór uiríseal na cránach iad uile; ní raibh i ndán dóibh trí chéile is dá muintir ach díbirt is ainscrios:

> Tar sáile dá dtíodh an Spáinneach is a bhuíon
>   ré háthas is Laoiseach taobh ris,
> gach ardfhlaith d'fhuil Choinn 's an Fánach so ar deighilt
>   a bhfáltas, a ngníomh 's a réimheas;
> dob ábalta binn ceáfra le meadhair
>   's an dáimh uile is deimhin go saothrach,
> 's gach cnápach do shíolraigh ón gcráin duibh gan chrích,
>   'na dtréinrith gan mhoill in éamais ...

> Come drink a health, boys, to Royal George,
>   our chief commander – nár orda Críost,
> is aitchimís ar Mhuire mháthair
>   é féin 's a ghardaí a leagadh síos;
> we'll fear no cannon nor loud alarms
>   while noble George shall be our guide -
> 's a Chríost go bhfaiceadsa iad á gcarnadh
>   ag an mac so ar fán uainn ag dul don bhFrainc.[74]

Dá shocra dhaingne í ideolaíocht an tSeacaibíteachais, bhí sí fréamhaithe i ndálaí sóisialta, cultúrtha is eacnamúla difriúla, dálaí a d'athraigh ó ríocht go ríocht agus, fiú, ó ghlúin go glúin. Ní ag aon leibhéal sóisialta amháin ná ag aon leibhéal cultúrtha amháin a d'fheidhmigh an Seacaibíteachas in aon cheann de na trí ríochta; bhí ar chumas a reitrice, is cosúil, freastal intleachtúil is freastal mothaitheach a dhéanamh ar réimse leathan den phobal, idir chléir is tuath, idir shaibhir is daibhir, idir íseal is uasal, idir léannta is neamhléannta, in éineacht.[75] Ar feadh breis agus trí fichid bliain ba dhúshlán leanúnach don Stát féin é, dúshlán a chuir ríora eile – an ríora ceart – chun cinn mar rogha ar an ríora a bhí i gcumhacht. Ach ní toisc nár glacadh leis an rogha sin agus nár éirigh – go polaitiúil ná go míleata – leis an dúshlán sin nach raibh éifeacht leis ná toradh air. Ní ar argóint pholaitiúil amháin a bhí an Seacaibíteachas bunaithe, ná, go deimhin, ar neart ná ar bhagairt mhíleata, ach ar ideolaíocht ghlé ghlinn a bhí neadaithe i luachanna docheistithe a raibh brí leo, gan spleáchas do phearsa ná charachtar aon rí faoi leith. B'í bunchloch na hideolaíochta sin an *ceart*:

> It was a' for our rightfu' king
>   We left fair Scotland's strand;

It was a' for our rightfu' king,
    We e'er saw Irish land, my dear,
    We e'er saw Irish land.

Now a' is done that men can do,
    And a' is done in vain;
My love and native land farewell,
    For I maun cross the main, my dear,
    For I maun cross the main.

He turn'd him right and round about,
    Upon the Irish shore,
And gae his bridle-reins a shake,
    With adieu, for evermore, my dear,
    And adieu for evermore ...

When day is gane, and night is come,
    and a' found bound to sleep;
I think on him that's far awa,
    the lee-lang night and weep, my dear,
    the lee-lang night and weep (Kinsley 1971: 589).

Tá, gan amhras, románsaíocht an ochtú haois déag laistiar den léiriú sin Burns, más é a chum,[76] ach tá, chomh maith, ionracas íogair mothaitheach a aimsíonn eithne fhíre an tSeacaibíteachais, eithne a bhí á haicliú go cumasach éifeachtach ag Burns, Hogg, Stewart is rannairí eile d'fhonn an náisiúnachas nua Albanach a chothú.[77]

Ní hionann an rian a d'fhág an Seacaibíteachas ar aon cheann de na trí ríochta. Is íorónach an casadh ar an stair é gur sa tír is mó agus is leanúnaí a troideadh ar son an Stíobhartaigh – in Albain – gur inti is lú a bhí éifeacht bhuan pholaitiúil aige; is íorónaí fós é gur cosúil gur sa tír is lú ar buaileadh buile ar a shon san ochtú haois déag – in Éirinn – gur inti is mó agus is buaine a bhí éifeacht leis an ideolaíocht Sheacaibíteach.

CUID A TRÍ

An Aisling Pholaitiúil:
Meisiasachas, Míleannachas is Tairngreacht

Is í an aisling pholaitiúil an fhoirm is liteartha agus is foirmeálta den reitric Sheacaibíteach a cuireadh ar fáil in Éirinn. Tugann a ilghnéithí mharthanaí a bhí sí mar sheánra le tuiscint go raibh feidhm iltaobhach léi agus nach feidhm aeistéitiúil amháin a bhí i gceist. Is beag an cúnamh dúinn chun an fheidhm iltaobhach sin a thuiscint díriú – mar a rinne scoláirí na Gaeilge trí chéile go dtí seo – ar chomhdhéanamh téamúil na haislinge amháin. Is móide agus is cuimsithí ár dtuiscint ar an aisling na catagóirí feidhmiúla a chuimsíonn na téamaí sin – meisiasachas, míleannachas is tairngreacht – a thabhairt chun solais agus a chur san áireamh.

Caibidil 9

'Le Linn Chormaic mhic Airt'

I

Cabhair in uair a héigin
fuair an Bhanbha bhláithéidigh,
    go fiadhnach ba taom nár thuill
    ón Iarla Aodh Ó Domhnaill.

Do léig léithe a hanáil,
iar gcluinsin a cruaidhghearáin;
    do leighis a fiabhras fann,
    geibhis an tIarla a hanam ....[1]

The present O Donnel was the acknowledg'd Earl at this tyme: who heareing that his nation was in warr for King James the Second, came into the Kingdom a little after the action at the Boyn, in order to assist his countrymen .... He bore the nickname of Baldarg, or a red place, or a red spot, upon the account that som of the family foolishly believed that the true earl of Tyrconnell, marked on his body with such a spott, wou'd com from abroad into Ireland, and do there great matters for his country; and they applyed their ridicolous belief impertinently to this man ...

(NLI 476: 710).

A trí nó a ceathair de laethanta i ndiaidh chath na Bóinne, an chéad seachtain de mhí Iúil na bliana 1690, san am céanna a raibh Séamas II ag feitheamh le taoide i gCionn tSáile a thabharfadh chun na Fraince ar ais é, tháinig loingeas faoi sheol go cuan Chorcaí isteach. Aodh Ó Dónaill, is é a bhí ar bord: Aodh mac Seáin mic Aodha Buidhe mic Coinn mic an Chalbhaigh mic Maghnusa mic Aodha mic Aodha Ruaidh mic Néill Ghairbh mic Toirdhealbhaigh an Fhíona mic Néill Ghairbh mic Gofradha mic Domhnaill Mhóir ónar shíolraigh clann Dálaigh.[2] Ní fios cathain a saolaíodh Aodh, ach nuair a bhí sé ina ógfhear d'imigh thar lear chun beatha a bhaint amach i seirbhís rí na Spáinne. Tugadh céim ardoifigigh san arm thall dó agus ina theannta sin an gradam ba dhual do dhuine dá shloinne is dá fholaíocht i measc uaisle na Spáinne – an *Conde de Tyrconnell.* Ar bhriseadh amach chogadh an dá rí, thug sé uaidh a choimisiún in arm na Spáinne, d'fhill ar Éirinn agus gan mhoill bhain a dhúiche athartha amach, mar a raibh a dheartháir Conall ceaptha ina 'Lord Lieutenant of Donegal' ag Séamas II. Láithreach bonn chrom ar thaisteal ar fud na tíre ag gríosadh, ag liostáil, ag bronnadh coimisiún; d'fhógair go fada fairsing gurbh eisean Ó Dónaill agus d'áitigh sé, toisc ball dearg a bheith ar a chorp aige, gurbh eisean an té a raibh sé i ndán dó, de réir na tairngreachta, Éire a shaoradh. Géilleadh dó agus glacadh leis gan cheist. 'An tIarla Ó Dónaill' nó 'Ball

Dearg' a thug a lucht leanúna feasta air agus d'fháiltigh an t-aos léinn roimhe sa fhriotal cuí i modh calcaithe traidisiúnta an dána dhírigh:

> Fearam fáilte fria hAodh
> Ua Domhnaill fuithne fíonchraobh,
> > crú ríoghmhac ó Theamhraigh thoir,
> > gríobhshlat nár mheabhraigh meabhail.

> Toirbhrim fáilte don ghéig ghil,
> táinig in am ar n-éigin;
> > budh caithréim don chaoimhfhear chain
> > aithléim Gaoidheal ó nguasaibh ....

> Ráinig a hanam Éire,
> críoch chumhthach na truaighmhéile ....

> Gidh orchrach uair an inis,
> táinig luibh a láinleighis ....[3]

Fíorchaoin fáilte, gan aon agó, a fearadh roimh Bhall Dearg agus ghlac idir chléir is tuath leis mar cheannaire. Chruinnigh 'the vulgar Irish' is na 'loose men' go háirithe, dar leis na húdaráis, timpeall air ina sluaite agus laistigh d'achar gearr bhí breis agus deich míle fear, arbh Ultaigh iad a bhformhór, de lucht leanúna aige. Mhaígh sé féin le d'Avaux, ambasadóir Louis XIV in Éirinn, go bhféadfadh sé tríocha míle Ultach a thógáil ach airm a dhóthain a bheith aige. Ba mhóide go mór meanma na nGael a theacht ina measc; ní rabhadar sásta, a dúradh, glacadh le haon cheannaire eile anois orthu ach é. Scríobh Ginkel chuig Uilliam Oráiste á mhíniú dó go raibh an-mhuinín ag 'the people of Ulster' as Ball Dearg agus, dá réir sin, 'that the submision of this man would add much to the peace of the country' (CSPD 1690-1: 475).

Um an dtaca seo bhí a raibh fanta d'arm scaipithe Shéamais, tar éis bhriseadh na Bóinne, ag déanamh ar Luimneach chun seasamh amháin eile a dhéanamh i gcoinne fhórsaí Uilliam:

> Is ag an mBaile Mór a chodail muinn an oíche sin,
> is ag an tSeandroichead a ligeamar ár scíste,
> dul anonn ar an tSionainn bhí gruaim ar na míltibh,
> is ag Luimneach na long bhí an mháirseáil aoibhinn,
> > > is och! ochón![4]

Is ann a ghluais Ball Dearg líon a shlua, lán dóchais agus muiníne. Bhí sé sa tairngreacht, a dúirt sé lena lucht leanúna, gur ar chnoc Saingil, lasmuigh den chathair, a throidfí an cath deireanach idir Gael agus Gall:

> The enemy then retired to those thick hedges, which were to advantage, and defended themselves for some houers, beyond our expectation. But our men prest on, driveing them from one hedg to an other .... Our guns from the Danish quarter played smartly upon them; and in about three houers time they ran for it .... Among other places which they deserted the hill calld Singland is remarkable ... it was made lately famous by the prophecy of one come not long since from Spain, and the right heir of Tirconnel, who is now in Lymerick; his name is Baul-Darag McDonell. He

held forth that the English should conquer, till they came to the well neer
that hill, but from thence forward they should be defeated, and driven out
of the land. Tis hard to believe, how this dreame had obteind among the
comon sort (HMC Finch 2: 406-7).

Bíodh gur thréig na Gaeil cnoc Saingil féin, d'éirigh leo cosaint
chróga a dhéanamh ar Luimneach agus ionsaí díbheirgeach arm
Uilliam a sheasamh, ach ina dhiaidh sin is uile ní fada a mhair a ndíocas.
Mar a dúirt Story, séiplíneach in arm Uilliam, bhí na Gaeil ag fuaradh;
bhí an galar Gaelach – meascán d'amhras, d'éad, d'easaontas is de
mhíthuiscint in éineacht – ag oibriú arís. Bhí Ball Dearg míshásta toisc
gurbh eisean Ó Dónaill agus, dá réir sin, iarla Thír Chonaill ach bhí an
teideal sin bronnta cheana ag Séamas ar a ionadaí Richard Talbot; bhí
Ball Dearg míbhuíoch de Talbot toisc nach raibh de choimisiún faighte
aige uaidh san arm ach briogáidire nuair ba cheart dó, dar le Ball Dearg
féin, a bheith ina mhaorghinearál; i measc na n-oifigeach, ní raibh na
Francaigh ag réiteach le cinnirí na nGael agus i measc na saighdiúirí
féin ní raibh na hUltaigh ná na Muimhnigh ag réiteach le chéile ná leis
na Laighnigh:

> Geobhadsa siar an sliabh seo im aonar,
> is geobhad aniar arís más féidir,
> is ann do chonaic mé an campa Gaelach,
> an dream bocht silte nár chuir le chéile,
>   och! ochón.[5]

D'éirigh eatarthu agus d'fhuaraigh. Tar éis léigear Luimnigh bhailigh
Ball Dearg leis ar a ábhar féin, gan smacht rí ná ionadaí air; é féin agus
a lucht leanúna, idir fhir, mhná is pháistí; é ag imeacht leis ar fud chúige
Chonnacht ag creachadh nó ag dul ar coinmheadh mar ba thoil leis é.
Níor thóg sé aon pháirt in aon chor i gcath Eachroma, b'fhuarbhruite
an cúnamh a thug sé ag léigear na Gaillimhe, agus go gearr ina dhiaidh
sin scríobh chuig Ginkel ag lorg socraithe. Bhí amhras ar Ginkel ina
thaobh, ach níor ghá an t-amhras. Ag ionsaí Shligigh, Meán Fómhair
1691, is ar thaobh Uilliam a throid mo Bhall Deargsa agus é guala ar
ghualainn le Sir Albert Cunningham, plandóir ó Dhún na nGall.
Pinsean £500 sa bhliain ar feadh a shaoil a fuair sé ó Uilliam mar luach
saothair agus gan aon rómhoill ghlan leis as an tír ar fad. Go Londain a
chuaigh Ball Dearg ar dtús, go cúirt rí Uilliam, á iarraidh airsean an
teideal 'Earl of Tyreconnell' a bhronnadh air. Éisteadh lena achainí
agus ansin d'imigh go Flóndras agus ar aghaidh leis don Spáinn mar ar
tugadh a choimisiún san arm ar ais dó. Is ann a fuair sé bás sa bhliain
1704:

> Tá an Sáirséalach láidir is a ghunnaí á dtreorú,
> is an gcuala tú gur éag sé, Ball Dearg Ó Dónaill?[6]

Dá íorónaí an casadh é an chríoch a d'imigh ar Bhall Dearg, níorbh
é deireadh na heachtra é mar bhí cor eile fós le dul ar a ghníomhréim

neamhghnách. De réir an bhéaloidis, i nGaeilge is i mBéarla, ní marbh a bhí Ball Dearg in aon chor ach é ina chodladh i bpluais agus é ag feitheamh leis an lá a dhúiseofaí é agus a ghluaisfeadh sé amach a shaoradh na hÉireann:

> Dubhairt mac na baintreabhaighe gurbh eisean an fear. D'iarr ingean a' ríogh air annsin a lámh dheas a thógailt go bhfeicfeadh sí an ball dearg a bhí faoi n-a ascall ar a thaobh dheis .... Agus is é atá le theacht a chuidiughadh linne nuair a thiocfas cogadh na hÉireann orainn. Éireochaidh sé annsin agus bainfidh sé an bhuaidh – Ball Dearg Ó Domhnaill (Ó Muirgheasa 1924: 43).

> Then there was *Beal-derg*, and several others of the fierce old Milesian chiefs, who along with their armies lay in an enchanted sleep, all ready to awake and take a part in the delivery of the country .... the countryman happening to stumble, inadvertently laid his hand upon a sleeping soldier, who immediately leaped up, drew his sword, and asked, '*Wuil anam inh?*' Is the time in it? Is the time arrived? To which the horse-dealer of the Rath replied, '*Ha niel. Gho dhee collhow areesht.*' No; go to sleep again. Upon this, the soldier immediately sank down in his former position, and unbroken sleep reigned throughout the cave (Carleton 1834: 314-5).

> Balldearg! Oh sure, he is in Killargue Mountain. He is 'ithin there with his army in a cave, and they under a spell. He is to come when the religious war comes, whenever that's to be ... (*Béaloideas* 42, 1977, 276).

Tá ansin againn sa bhéaloideas ríspéisiúil sin leagan Éireannach den fhinscéal a dtugtar 'finscéal Barbarossa' coitianta air, finscéal arb é is buntéama dó 'King asleep in mountain ... will awake one day to succor his people' (Thompson 1966: D1960.2). Finscéal uilí é a bhfaightear an iliomad leagan de i gcultúir dhifriúla ó thosach ama go dtí ár lá féin: Artúr sa Bhreatain, Charlemagne sa Fhrainc, Macandal i Háítí, Matswa André sa Chongó, Barbarossa sa Ghearmáin, Wenzel sa Bhóithéim, Don Sebastiaño sa Phortaingéal, Olger sa Danmhairg, Siegfried san Ioruaidh, Manko sa tSeirb, Ratu Adil in Iáva, Kimbangu san Afraic Theas, Gesar sa Tibéad. Ach oiread le Ball Dearg in Éirinn, ní sa bhéaloideas ná sa litríocht amháin a d'fheidhmigh na carachtair éagsúla sin ina dtíortha féin, ach mar charachtair mheisiasacha sa saol poiblí polaitiúil ar chreid a lucht leanúna ina dtaobh go raibh sé i ndán dóibh filleadh – ó na mairbh féin – a shlánú a muintire.[7]

'A living political force' a bhí in Artúr sa dara haois déag, dar le Chambers (1927: 231); 'Some men yet say in many parts of England that King Arthur is not dead ... and men say that hee will come againe' a thuairiscigh Malory sa séú haois déag; creideadh go raibh scríofa ar a thuama 'Hic jacet Arthurus, rex quondam, rexque futurus'.[8] Bhí Don Sebastiaño ina rí ar an Phortaingéal nuair a d'éag sé, ag troid ag cath Alcazarquivir sa bhliain 1578; is ansin a cuireadh é ach creideadh go raibh sé chun filleadh arís is a thír dhúchais a shaoradh ó ansmacht na Spáinne; fós féin is creideamh coiteann de chuid an phobail sa Bhrasaíl é go bhfuil i ndán dó filleadh. Chreid Múraigh Valentia go raibh a laochsan, Alfatami, le filleadh go buacach ar each glas ón phluais a raibh sé curtha chun fóirithint orthu is forlámhas na gCaitliceach a bhriseadh. Napolean a bhí le filleadh, dar le seict Shlabhóineach; ní marbh a bhí sé in aon chor, dar leo, ach é ina bheatha i gcónaí sa tSibéir. Fuair Matswa André, cinnire na nGormach sa Chongó, bás sa bhliain 1942, ach is amhlaidh a neartaigh a bhás go mór díocas a lucht leanúna mar, dar leosan, go raibh sé le filleadh arís á saoradh. Ní marbh ach é beo i gcónaí 'i dúr an tsneachta agus an oighre' a bhí laoch na nIndiach den treibh Sauk, dar lena lucht leanúna, agus iad ag súil go dóchasach deimhnitheach le lá a fhillte. Sa bhliain 1190 bádh an tImpire Frederick Barbarossa agus abhainn á trasnú aige san Áise Bheag, ach ar feadh na gcéadta bliain ina dhiaidh sin creideadh go forleathan ar fud na hEorpa gur ina chodladh i sliabh Kyffhäuser a bhí agus go raibh i ndán dó dúiseacht lá éigin, teacht aníos as an phluais agus impireacht na Gearmáine a athbhunú. Sna meánaoiseanna trí chéile chothaigh an creideamh sin an iliomad ceannairc is reibiliún, go háirithe i measc na mbocht, agus sa naoú haois déag, le cabhair na scríbhneoirí Rückerts agus Grimm, baineadh an-éifeacht as an scéal san fheachtas ar son athaontú na Gearmáine.[9]

Ní hionadh, is dócha, gurb é ainm Barbarossa a cheangail scoláirí an naoú haois déag mar theideal leis an bhfinscéal, ach níl ina scéalsan ach leagan amháin de, bíodh gur leagan an-cháiliúil é. Bhí an finscéal ann roimhe mar gur sine an finscéal féin ná aon réaladh faoi leith air; tharla gur samhlaíodh a ainmsean leis mar a samhlaíodh an iliomad pearsa eile leis i dtíortha difriúla roimhe agus ina dhiaidh. Mar is léir, is finscéal idirnáisiúnta é sa chéill is leithne agus is iomláine den téarma sin, finscéal ar léiriú é ar ghné amháin de fheiniméan uilí an anamachais, mar atá neamhbhásmhaireacht an laoich. Ní fhaigheann an laoch bás: is amhlaidh a imíonn sé ar feadh tamaill go Tír na nÓg, go Valhalla, ar Neamh, go Avalon nó isteach i bpluais thalún éigin – le filleadh arís. Ach bhí feidhm chinnte áirithe leis an bhfilleadh sin, feidhm an tslánaithe. Agus san fheidhm sin is réaladh é an finscéal ar fheiniméan uilí eile a bhfuil rian ollmhór uilechumhachtach fágtha ar an stair aige – an meisiasachas, an creideamh go raibh sé i ndán d'aon duine amháin áirithe an slánú sin a thabhairt i gcrích.

Focal Eabhraise é *māshiāh* a chiallaíonn 'An tUngthach', an té a bhí coisricthe nó an té a bhí tofa, agus úsáideadh an focal coitianta sa seantiomna ag tagairt don Slánaitheoir a bhí le teacht, dar le tairngreachtaí na bhfáithe, a shlánú an phobail Eabhraigh. Is mar *Christos* a tháinig an focal *māshiāh* isteach sa Ghréigis, mar *messias* sa Laidin, agus sa tiomna nua rinneadh an focal a thagairt do Íosa Nasarait: 'fuaireamar an Meisias – is é sin le rá an tUngthach' (Eoin 1.41). Cé gur i gcomhthéacs reiligiúnda, agus brí chúng theicniúil leis, a thagtar ar an bhfocal *māshiāh* ar dtús, is léir freisin go raibh ó thús brí is feidhm pholaitiúil leis. B'é a bhí sa mheisias, an té a raibh sé i ndán dó an pobal Eabhrach a shlánú, iad a shaoradh ó ansmacht a namhad, a bheith mar rí orthu (Mowinckel 1959: 7). Úsáidtear an focal inniu, más ea, agus an t-ainmfhocal teibí *meisiasachas* a ghabhann leis, i gcomhthéacs leathan uileghabhálach. Is gnách anois an focal *meisias* a thagairt d'aon duine a éilíonn gur dósan atá i ndán an pobal/cine/náisiún/seict/tír a shlánú agus, dá réir sin, tagraítear *meisiasachas* don chreideamh nó don ghluaiseacht a chothaíonn an té áirithe sin. Is ar an meisiasachas atá príomhreiligiúin an domhain – an Giúdachas, an Chríostaíocht, an tIoslamachas – bunaithe agus is air chomh maith a tógadh is a cothaíodh an iliomad gluaiseacht pholaitiúil sa seansaol agus sa ré nua-aoiseach. Dá sheanda is dá uilí é feiniméan an mheisiasachais – pé acu mar nóisean teibí, mar mhóitíf liteartha, mar scéal béaloideasa, nó mar ghluaiseacht phoiblí a réalaítear é – is laistigh de chultúr áirithe i measc pobail áirithe a thagtar air i gcónaí agus is iad cúraimí comhaimseartha an phobail sin a dheimhneoidh a pharaidím: 'The Messiah would serve Israel precisely as Israel's rabbis directed and would serve the Christian Church just as the Christians wished .... 'The Messiah' is an all but blank screen onto which a given community would project its concerns' (Neusner 1988: xi). Tá, ar a shon sin, tréithe comhchoiteanna síoraí ag roinnt leis agus tréith bhunúsach acusan is ea an teachtaireacht. Is trí bhíthin na teachtaireachta a bhíonn aige a théann an meisias i bhfeidhm ar dhaoine agus a éiríonn leis lucht leanúna a tharraingt chuige féin: ní meisias ná meisiasachas go teachtaireacht.[10]

Is léir gur chuaigh Ball Dearg i bhfeidhm go mór ar lucht a linne , ní hamháin sa tslí ar mheall sé chuige féin, thar oíche geall leis, slua ollmhór – 10,000 deirtear – ach sa mhéid gur tugadh éisteacht dó. Dar le Simms, agus é ag cur síos ar léigear Luimnigh, gurbh iontach an chosaint a rinne na Gaeil 'which produced a dramatic change in the course of the Jacobite war ... it was a great restoration of morale for the Irish ... There seems no doubt that Balldearg's arrival contributed to the raising of Irish morale' (Simms 1967: 308-9). Is cuimsithí fós an tuarascáil a thug Macaulay[11] ar an léigear agus is léirithí an cuntas a thug sé ar thábhacht is éifeacht Bhall Dearg; dar leis gur léirigh an eachtra 'in the most striking manner the real nature of Jacobitism', lean sé air:

> The effect produced on the native population by the arrival of this solitary wanderer was marvellous ... He made a pompous entrance into Limerick; and his appearance there raised the hopes of the garrison to a strange pitch. Numerous prophecies were recollected or invented. An O'Donnel with a red mark was to be the deliverer of his country; and Balldearg meant a red mark. An O'Donnel was to gain a great battle over the English near Limerick ... these predictions were eagerly repeated by the defenders of the city ... (Macaulay 1849 iii: 671-3).

> The conquerors marched first against Galway. ... The last hope of the garrison and of the Roman Catholic inhabitants was that Baldearg

O'Donnel, the promised deliverer of their race, would come to the rescue.
... When it was known that no succour was to be expected from the hero
whose advent had been foretold by so many seers, the Irish who were shut
up in Galway lost all heart (*ibid.* iv: 94-5).

Níor dhuine gan éifeacht é Ball Dearg, is léir; déarfaí inniu ina
leithéid de chás nach foláir nó bhí *charisma* thar meon ag baint leis.
Agus is fíor sin, an fad a thuigimid nach tréith shacrálta nó tréith
osnádúrtha é an carasma ach feiniméan sochshíceolaíoch; níl ann ach
an chumarsáid a bhíonn idir an meisias agus a lucht leanúna: '*Charisma*
is only the uncanny appeal of the prophet's message to his clientale ... .
It is not supernatural but subconscious communication between leader
and led, and it is the secret of the epidemology of the cult' (La Barre
1971: 20,37). Tharlódh, gan amhras, go bhféadfadh pearsantacht
mhealltach a bheith ag an meisias nó cáil chomhaimseartha a bheith air
de bharr a ghníomhartha ach léiríonn éagsúlacht is ilghnéitheacht na
gcarachtar meisiasach a d'fhág rian ar an stair (Moses, Mohammad, Íosa
Nasarait, Charlemange, Luther, Gandhi, Lenin, Hitler, mar shampla),
léiríonn sin féin nach ar a bpearsantacht ná a ngníomhartha a bhí
éifeacht na gcinnirí sin ag brath. Níorbh é a n-ainm ná a gcúlra, a
ngairm bheatha ná a mbéasa, cér dhíobh iad ná cad as dóibh, ba chás
lena lucht leanúna ach na hidéalanna ar sheasadar dóibh. An cinnire
meisiasach a thagann ar an bhfód, bíonn a údarás-san ag brath go
hiomlán ar a theachtaireacht agus ní ar dhlí, ar cheart, ar thraidisiún, ar
phatrúnacht, mar a bhíonn ag cinnirí eile; ach ní leor aon
teachtaireacht in aon chor, caithfidh brí a bheith léi – dar lena lucht
éisteachta. Teachtaireacht í a chaithfidh freastal ar mhianta a lucht
leanúna agus a chaithfidh a bheith ag teacht go hiomlán lena dtuiscintí
cultúrtha:

While there are plenty of people with messages, these must be relevant to
social groups before they begin to be received ... His message had to be
patently consonant with assumptions shared by both himself and his
audience ... The message ... is also highly culturally conditioned itself
(Worsley 1978: xiv, xvi, xviii).

If he is to be accepted as such, a hero or prophet or messiah must make
his presence known to the community that is expecting him; and in order
to be recognised and enabled to communicate with his followers he must
conform in some way to the popular image of a hero or prophet or
messiah (Burridge 1971: 10).

D'éirigh le Ball Dearg is éisteadh leis, ní toisc draíocht nó pearsantacht
neamhghnách a bheith aige, ach de bharr a shoghlachta a bhí a
theachtaireacht. Bhí a raibh á gheallúint aige ag teacht go hiomlán le
mianta a lucht leanúna, is léir:

Who superstitiously believed him the person meant by the old oracle who
was to deliver *Cyprus* [Ireland] from the *Cilician* [English] yoke ...
(O'Kelly 1850: 127).

There is a new life got amongst the Irishmen upon the arivall of the old heir of the familly of Tyrconnel, Odonald, of whom they pretend a prophecy ... So far the people ar led by this fancy, that the very Fryars, & some of the Bishops, have taken arms to follow him ... (*ibid.* 430-1).

The story of the Irish Deliverer. About this time we had an account of one Balderock Rho O Donnel .... But there being a prophecy amongst the Irish, that he should free his country from the English, doing great matters in his own person, and more by his conduct .... It's incredible how fast the vulgar Irish flocked to him at his first coming; so that he had got in a small time seven or eight thousand Rapparees, and such like people together, and begun to make a figure; but after a while the business cool'd and they were weary of one another ... (Story 1691: 124).

Teachtaireacht shimplí neamhchas a bhí á craoladh ag Ball Dearg, de réir na dtuairiscí comhaimseartha atá againn air: gur dósan a bhí i ndán Éire a shaoradh. An fheidhm shimplí neamhchas chéanna a shamhlaítear sa bhéaloideas leis-sean agus leis na laochra eile a gceanglaítear finscéal Barbarossa leo in Éirinn:

At the base of the Grianán Hill there are several caves penetrating for a considerable distance into the interior. Within the innermost of these caves, tradition says, some troops of Hugh O'Neill's horse lie in an enchanted slumber, awaiting the hour when they shall be called forth to strike a blow against the Saxon 'for the freedom of Ireland' ... (*Béaloideas* 42, 1977, 267).

There, deep within the bosom of the hill ... the heroes, Hugh O'Neil of Tír Eoghain and Hugh O'Donnel of Tír Connail, watch amid their slumbering host for the dawning of the day when they are to lead forth their warriors for the final freedom of the land ... (*ibid.* 268).

Ní bhfuair na laochraí a bhí in Aileach fad ó shoin, ní bhfuair sin bás mar shíleas cuid de na daoiní. Nuair a tháinig an tóir róchruaidh orthu b'éigean dófu teitheadh síos faoin talamh. Tá siad ansin go fóill, cúig mhíle acu. Achan fhear acu faoina chuid airm is éide agus iad ag marcaíocht ar eachraí bána. Tá siad ina gcodladh agus béidh go dtara an t-am dófu muscladh agus teacht amach chun troda ... (*ibid.* 269).

Finscéal é atá an-choiteann i mbéaloideas na hÉireann; san aois seo féin bailíodh breis agus leathchéad leagan de i ngach aird den tír (Ó hÓgáin 1974). Agus bíodh gurb é leagan Carleton de scéal Bhall Dearg an leagan is luaithe den fhinscéal, chomh fada agus is eol dúinn, a scríobhadh síos in Éirinn, ní fhágann sin nach raibh leaganacha eile de ar fáil na céadta bliain roimhe sin. Mar cé gur le pearsana stairiúla go minic a cheanglaítear an finscéal, ní mar sin is gá a bheith; is minic freisin nach luaitear aon ainm pearsanta faoi leith leis ach ainmneacha ginearálta mar 'an t-oifigeach', 'an rí', 'fear', 'King O Donnell', rud a thugann le tuiscint gur sine an finscéal féin ná aon duine de na pearsana stairiúla a shamhlaítear leis agus nach ar aon phearsa faoi leith amháin atá éifeacht nó feidhm an fhinscéil ag brath: miotas cianársa uilí é ar féidir leis teacht aníos in aon áit ag aon am a n-oireann na cúinsí sochpholaitiúla dó.[12]

Faoi mar nach ionann i gcónaí an laoch a samhlaítear an scéal leis, ní hionann ach oiread an log a mbíonn sé ina chodladh. Is minic a bhíonn diminsean áitiúil i gceist, pearsa a raibh ceangal follasach cinnte aige le ceantar áirithe á suíomh go háitiúil i gcomhthéacs cinnte geografúil: Aodh Ó Néill is Aodh Rua Ó Dónaill ina gcodladh i nGrianán Aileach, Roibeard Brús ar oileán Reachlainn, Ball Dearg Ó Dónaill i Sliabh Chill Fhearga; uaisle na Mumhan ina gcodladh ina mbailte dúchais féin: Dónall (na nGeimhleach) Ó Donnchú i Loch Léin, Mac Cárthaigh Mór i bpluais ar shliabh Mangartan, Roibeard (an Chairn) de Barra i gCarn Tiarnaigh.[13] Is é Gearóid Iarla amháin, is cosúil, de na pearsana stairiúla a samhlaítear an finscéal leo in Éirinn nach bhfuil ceangailte le haon log áitiúil amháin, ná teoranta d'aon chúige amháin fiú; de réir leaganacha difriúla a bailíodh i gceantracha éagsúla bhí sé ina chodladh, ag feitheamh leis an lá, in Aileach i gcontae Dhún na nGall, i Mullach Ailim i gcontae Lú, i lios Chill Bheag i gcontae na Mí, i Mullach Maistean i gcontae Chill Dara, i Loch Gair i gcontae Luimnigh. Níl sé cinnte, gan amhras, gurb aon phearsa stairiúil amháin atá i gceist sna foinsí difriúla sin, ná, más ea, cén Gearóid Iarla stairiúil den mhórán a raibh an t-ainm sin orthu atá i gceist. Ach is cuma sin, mar ní mar phearsa stairiúil atá Gearóid Iarla nó Ball Dearg nó aon laoch eile acu ag feidhmiú san fhinscéal ach mar phearsana a bhfuil miotasú déanta orthu, a bhfuil tréith de thréithe osnádúrtha na ndéithe – an neamhbhásmhaireacht – bronnta orthu. 'The corrosive action of mythicization' a thugann Eliade (1974: 42) ar an bpróiseas uilí seo, próiseas a neamhníonn stairiúlacht na gcarachtar sin agus a dtréithe indibhidiúla. Comhshamhlaítear iad le múnla réamhdhéanta miotaseolaíoch agus is mar aircitípeanna a réalaítear anois iad. Dírítear, mar sin, san fhinscéal, ní ar a dtréithe fisiciúla ná ar a dtréithe pearsanta ach ar a bhfeidhm aircitípeach. Pearsana meiteastairiúla anois iad a fheidhmíonn lasmuigh de chuing na staire, mar gur san am atá le teacht fós a ghníomhóidh siad arís. Meicníocht is ea an codladh i bpluais chun an t-am idir an tréimhse stairiúil nuair a mhaireadar beo agus comhlíonadh a bhfeidhme san am atá le teacht a chur isteach.

Tharla go minic san eadarlúid sin gur dúisíodh go hantráthúil iad, ach ó nach raibh an t-am ann, chuadar a chodladh arís:

> D'éirigh an t-oifigeach 'na sheasamh, rug greim ar a chlaíomh agus scairt sé: 'O Dónaill abú'. Ansin shiúil aníos fhad le fear na bó, agus d'fhiafraigh dhó: 'An dtáinig an uair fós?' Ní raibh a fhios ag fear na bó caidé ba chóir dhó a rá ná a dhéanamh. ... Ansin dúirt an t-oifigeach leis go raibh sé fhéin agus a chuid fear faoi gheasa, agus go gcaithfeadh siad fanacht ag faire sa ngleann seo go dtí go dtiocfadh an uair -'sé sin, cogadh a shaorfadh Éire ó thonn go tonn .... (*Béaloideas* 42, 1977, 266).

> It is said that at one time a man who was strolling about Elagh saw the end of a sword protruding from the ground, and, on pulling it up, forthwith the place opened, and the giants started up from their sleep, armed with

spears, and shouting, 'Is the time come?' The frightened wanderer replied 'No', and they went to sleep again, and the earth closed round them as before .... (*ibid.* 267).

Bhí rí ina shuí i gcathaoir agus brat síoda ar a uachtar agus coróin ar a cheann agus é ina chnap chodlata. Bhí bard ar an taoibh eile, a chláirseach ag na chosa agus eisean ina chodladh fosta. Síos fríd an halla bhí marcaigh chomh tiugh agus thiocfadh le fear seasamh, aghaidh na n-each ar an doras agus iad uilig ina gcodladh .... 'Éiríg, a fheara', ars an fear a bhí ar a sheachnadh, 'tá saighdiúirí na Sasana ag creach na tíre'. D'fhoscail an rí a shúile go suaimhneach agus d'amharc sé air: 'Ní tháinig an uair go fóill', ar seisean, agus chuaigh a chodladh arís (*ibid.* 269).

It is said that Fionn Mac Cool and his men are asleep in a cave in Sheemore waiting to be called to free Ireland. One day, a man was minding sheep in a field nearby. He saw a cave on the top of Sheemore, and there was a door on it. He went in and turned the key in the door. He heard a strange noise within. He heard people snoring and wakening inside, and the hounds barking, and the sound of swords clattering. Suddenly, he heard a voice saying: 'Did the time come yet?' The man took to his heels, and Fionn and the Fianna went to sleep again (*ibid.* 276).

On another day it happened there was a football near the place, by the shouts at which Garret was roused out of his dwelling asking in person was it the time: *an raibh an t-am ann?, an dtainic an uair?* But finding himself disappointed he retired to where he is still believed to remain (*ibid.* 293).

Míthapa mífhortúnach nó amaidí éaganta ab ea é ag daoine gan an freagra ceart a thabhairt nó gan claíomh an laoich a ardú ina iomláine; dá ndéanfaí sin bhí Éire saor go minic cheana, ach ó nach ndearnadh bhí an lá sin fós le teacht:

'A Thaidhg', arsa an buachaill rua, 'is dona do mhisneach. Dá dtarraingeothá an claíomh ba leat í'. .... Anois beidh siad ina gcodladh ansin go dtí an céad deireanach den dá mhíle ... (*ibid.* 275).

'Bhuel', a deir sé le Seán Ó Ceallaigh, 'is cladhartha an fear thú', a deir sé. 'Fuair tú deis anocht', a deir sé, 'iad a dhúiseacht – na fir atá faoi dheasa', a deir sé, 'le céadta bliain. Agus ní dhúiseoidh siad anois', a deir sé, 'go bhfeicfidh siad', a deir sé, 'dhá chéad bliain eile' (*ibid.* 279).

'Had you drawn that sword all the way from its scabbard', he said, 'every soldier here woud have done the same. They would have awakened from their slumber, and they would go out and set Ireland free' (*ibid.* 288).

Garret said: 'If you had to pull out that sword, I'd have Ireland free in twenty-four hours!' (*ibid.* 292).

The owner began to awake, and raising his head, said in Irish: 'Is the time come?' Nolan, in terror, said: 'It is not, your honour!', shoved the sword back into the sheath, and saw the head again sink down in sleep as he rushed from the place. It is said that if he only had presence of mind to answer in the affirmative, the spell would have been broken, and 'Gerod Iarla' and his knights would have issued out and freed Ireland from her foes (*ibid.* 296).

Dá líonmhaire is dá éagsúla iad na leaganacha den fhinscéal a scríobhadh síos in Éirinn, agus dá iomadúla na hainmneacha difriúla a tugadh ar an laoch a bhí ina chodladh sa phluais, idir ainmneacha pearsanta stairiúla agus ainmneacha neamhphearsanta ginearálta, is í an fheidhm mheisiasach chéanna atá acu go léir – Éire a shaoradh. Feidhm í a nochtar sa bhéaloideas trí chéile i bhfriotal agus i dtéarmaí atá soiléir lom simplí:

Cogadh a shaorfadh Éire ó thonn go tonn ... (*ibid.* 267).

When they are to lead forth their warriors for the final freedom of the land ... (*ibid.* 268).

And Earl Grey's men would then go and free Ireland ... (*ibid.* 286)

And they would go out and set Ireland free (*ibid.* 288).

'Sé Gearóid Iarla a dtaoiseach .... preabfaidh an slua uilig agus amach leo chun shaortha na hÉireann (*ibid.* 293).

Tá idir chinnteacht is shimplíocht ag roinnt leis an fheidhm sin agus ní thugtar de léiriú air ach sin; ní litrítear amach choíche cad tá i gceist le saoradh na hÉireann nó conas mar a bheidh an tír ar a saoradh. Ach sin mar a bhíonn de ghnáth laistigh den mhachnamh meisiasach; dírítear ar an meisias féin go háirithe agus ar a fheidhm phríomha, feidhm a chuirtear in iúl, mar is léir, go simplí soiléir ach freisin go ginearálta i dtéarmaí a thuigfidh cách agus ar féidir le daoine a dtuiscint is a mbrí féin a bhaint aisti. Ach i ndán a scríobh Aodh Mac Dónaill, dán a dhíríonn ar an eirleach a leanfaidh teacht Ghearóid Iarla, rianaíonn sé chomh maith staid na hÉireann d'éis a theachta:

Le torann an lámhaigh lá na feille sin,
fosclóidh gach ráth ó Dhroichead Átha go Gaillimh thart,
tiocfaidh na tuatha de shluaite Chailitín,
    hó, ró, go muileann an chró.

Seinntear an buabhall ar stua Mhullaigh Ailim leo,
is dúiscthear Gearóid Iarla is an ciar-each ceannann fós,
ní fhanfaidh le diallaid ach claíomh agus bearád beag,
    hó, ró, nó go gcruinní sé an sló.

Ansin beidh clanna Mhíle mar bhí siad anallód,
roinntear an chríoch idir mhaoin is fhearann leo,
ní bheidh ocras nó íota ar dhaoine nó eallach ann,
    hó, ró nó fionghal níos mó.[14]

Ní foláir nó tá comhthéacs comhaimseartha na hÉireann – tamall éigin de bhlianta i ndiaidh an Ghorta Mhóir – le cur san áireamh agus Éire gan 'ocras nó íota' á samhlú ag Aodh Mac Dónaill (†1867). Ach tá diminsean níos uilí freisin: clanna Mhíle a bheith mar a bhí siad 'anallód', idir fhearann is mhaoin á roinnt ar chách, gan easpa ar dhuine ná beithíoch: riocht idéalach míleannach.

II

Le linn Chormaic mhic Airt
bhí an saol go haoibhinn is go ceart:
bhí naoi gcnó ar an chraoibhín,
is trí fichid craoibhín ar an tslat.[15]

In aimsir an Chormaic sin,
for droim domhain ché,
do rinne tír tairngire
d'Éirinn ina ré.[16]

Ó d'fhoilsigh Cohn a leabhar síolmhar, *The pursuit of the millenium* sna
caogaidí, tá glactha ag disciplíní acadúla difriúla – an antraipeolaíocht,
an tsocheolaíocht, an staireagrafaíocht, an litríocht chomparáideach –
leis an *míleannachas* mar théarma cuí le cur síos a dhéanamh, go
coincheapúil is go tuarascálach, ar fheiniméan uilí, is cosúil, i gcultúir an
domhain.[17] Faoi mar a úsáideadh an téarma ar dtús, brí chruinn
theicniúil a bhí leis an míleannachas: thagair sé don chreideamh a bhí
coiteann i measc na gCríostaithe, in aoiseanna tosaigh na Críostaíochta,
creideamh a bhí bunaithe ar údarás Apacailipsis Eoin, go mbunódh
Críost, ar fhilleadh dó, ríocht mheisiasach ar an saol seo a mhairfeadh
míle bliain .i. míleannam. Brí i bhfad níos ginearálta ná sin a thug Cohn
don téarma: thagair sé é d'aon ghluaiseacht a chreid go raibh slánú –
slánú saolta iomlán láithreach – i ndán do bhaill na gluaiseachta sin
(Cohn 1978: 13). Ó shin i leith, tá leathnú eile fós imithe ar shéimeantaic
an téarma agus is gnách é a úsáid inniu ag tagairt d'aon réaladh nó d'aon
choincheapú ar ré órga atá le teacht nó atá le cur ar fáil.[18] Níl míle bliain
i gceist a thuilleadh, ná ní leis an Chríostaíocht ná leis an reiligiún
amháin a shamhlaítear an feiniméan. Feidhmíonn an míleannachas, gan
dabht, i réimse an reiligiúin agus na polaitíochta, ach feidhmíonn sé,
chomh maith, i réimse na hideolaíochta is na litríochta. Is léir freisin go
bhféadfaidh nóisean an mhíleannaim athrú ó aois go haois is ó chultúr
go cultúr. Toisc gur ar shaghas áirithe míleannachais a dhírigh saothar
Cohn – míleannachas gníomhach radacach – agus toisc gur i measc
aicmí áirithe – seicteanna Críostaí – a léirigh sé é, tuigeadh do scoláirí is
do thráchtairí áirithe, dá réir sin, gur i measc na n-aicmí sin amháin a
d'fhéadfadh an míleannachas a theacht chun cinn agus gur trí
ghníomhaíocht radacach cheannairceach amháin a d'fhéadfaí é a
réaladh. Bhí glacadh coiteann i measc antraipeolaithe is socheolaithe
leis an tuiscint sin den mhíleannachas ag an am toisc gur i measc phobail
'phrimitíbheacha' na hAfraice, na hIndinéise, na hAigéine is mó a bhí
taighde déanta acu ar an bhfeiniméan is ar a fheidhm. Chomh fada is a
bhain le céadfa choiteann na scoláireachta sna caogaidí is na seascaidí,
ba ghníomhaíocht aimhrialta ag dreamanna imeallacha míréasúnta go
príomha é an míleannachas; mar a chuir scoláire Francach amháin é, ní
raibh ann ach 'la philosophie d'un peuple paria'.[19]

Ach is fada an saghas sin tuairimíochta, agus an tsnobaireacht chultúrtha ar a raibh sé bunaithe, tréigthe is séanta; tá áitithe is léirithe ag scoláirí iomadúla ó shin nach mar sin is gá – ná is gnách – a bheith; nach taobh le gníomhaíocht ná le ceannairc a bhíonn an míleannachas i gcónaí agus nach i measc na mbocht, na n-uireaspach, na n-ainbhiosán amháin a bhláthaíonn sé; ná ní gá, ach chomh beag, go mbeadh gluaiseacht i gceist i gcónaí. Mar a léirigh an scoláire Ollannach Sierksma, 'A people may live with eschatological ideas without becoming involved ... A movement may start as a whispering campaign, but it may also remain a whispering campaign' (La Barre 1971: 33). Is léir anois go bhféadfaidh an míleannachas a bheith gníomhach nó fulangach, radacach nó coimeádach, forásach nó traidisiúnta; nó 'as merely bending with the intellectual wind' (Bloch 1985: xi). Féadfaidh an pobal trí chéile a bheith gafa leis nó aicme faoi leith, neamhshofaisticigh nó an t-aos léinn, an uaisle nó an ísle. Is féidir míleannachas a shamhlú le treabhanna primitíbheacha, le cultais, le seicteanna, le haicmí imeallacha gan dabht; ach is féidir é a shamhlú chomh maith le príomhreiligiúin an domhain, le saothar Virgil, Milton, Spenser is Berkeley; le hintleachtra Florence, leis an 'American dream', leis an gComhchumannachas. Ní mar ghníomhaíocht reibiliúnach cheannairceach a thuigtear an míleannachas go príomha anois ach mar dhóchas, a réalaítear ar shlite difriúla, as tréimhse idéalach atá le teacht; tuigtear gur minicí a bhaineann an feiniméan le ceartchreideamh ná le heitreadocsacht, leis an ideolaíocht oifigiúil ná le reibiliún: 'an arsenal of world-sustaining forces' (Schwartz 1976: 1). Tá sé áitithe, mar shampla, go bhfuil an míleannachas ar an eilimint is bunaithe san aigne Phrotastúnach; gur idé lárnach sa mhachnamh Meiriceánach é, agus go bhfuil sé ar an mód machnaimh is sine agus is marthanaí i sibhialtacht an iarthair.[20] Feiniméan iltaobhach uilí é an míleannachas nach bhfuil teoranta ag am ná ag áit. Ní hamháin gur feiniméan uilí é ach is eilimint bhuan normálta thraidisiúnta é san iliomad cultúr. Mar a áitíonn Thrupp (1962:16), d'aithle Ribeiro, is minic, i gcultúir áirithe, gur trí 'the medium of a millennial myth' a thagann duine ar 'his only coherent view of the universe'.

Sampla maith é de mhiotas míleannach is ea ideolaíocht dhúchais na ríogachta, faoi mar a léirítear sin i litríocht na Gaeilge. B'í eithne na hideolaíochta sin gur bhraith rath na tíre is a muintire ar institiúid na ríogachta, go raibh comhchoibhneas díreach idir an mhaitheas phoiblí agus pearsa an rí féin. Ach rí cóir a bheith i réim, bhláthódh an tír trí chéile; dá mba anlaith é, scriosfaí idir thír is daoine. Mar sin, agus Lughaidh Mac Con ina rí i dTeamhair 'níor tháinig féar tríd an talamh, ná duille tríd an choill, ná gráinne san arbhar. Dhíbir fir Éireann as a ríghe é, mar b'anlaith é' (O Daly 1975: §§ 332-4). Ina choinne sin, le linn do Art mac Coinn a bheith ina rí:

Ro badh maith críoch Éireann lena linn, óir badh críoch mhín chneasálainn chuantorthach chlárfhairsing í. Badh hálainn a slioschoillte agus a sléibhte. Badh tathaigheach Éire fá thaoiseachaibh agus fá dheaghlaochaibh fíorchalma ardchosantacha re tarnamh Éire lena linn. Badh biadhmhar bólíonmhar a brughaidh agus a biadhtachaibh, agus fós ... níor bhaoghal d'aon mhnaoi Éire uile do shiubhal ina haonar .... Badh búirtheach buanbhleachta a mba ar a mbláth-thulachaibh. Badh ceannard cruthbhláith creatramhar caoincheannsa a hóigeachaibh agus a groidheachadh for a hoileánaibh, agus badh mín mórthorthach a monga agus a machairidhe; taoiseach gacha tuaithe dá tathaidhe. Badh clóidhmhín ceanntrom a coillte. Badh súgach síthghrianach soriarach sruthghlan seilgmhór a hinneabhair. Níor chlos garbhghaoth ná frasa falcmhara fearthainne ar mhaigh nó ar mhachaire, acht drúcht ar fhásaibh go maidean gach laoi lántsolais ar feadh gacha tuatha. Badh gnáth gach ardfhlaith gan saoth gan tinneas, lán de shonas agus de shéan re linn an rígh sin do ghabháil ceannais Éireann.[21]

Is beag athrú a chuaigh ar an gcoincheapú a rinne an t-aos léinn ar an ré órga sin in imeacht na n-aoiseanna. Ba choincheapú é a fáisceadh as an mhaitrís chultúrtha thraidisiúnta, a bhí fréamhaithe go domhain in ithir na hÉireann féin, agus a bhí ag freagairt do phobal is do thír talmhaíochta: ba, bainne, bradáin, cnónna, coillte, cruithneacht na hartafachtanna ábhartha a léirigh ré órga na hÉireann riamh anall. Dar le dán a leagtar ar Ghiolla Brighde Albanach, ar theacht do Chathal Croibhdhearg Ó Conchobhair ina ríghe, chiúnaigh an ghaoth, bhláthaigh an tír trí chéile, ní raibh gort gan féar, ná crann gan bhláth:

Do thoirthigh Croibhdhearg na Cruachna
    coillte uaine an fhearainn te,
gach coll bán dá mbeanfa farcha
    go bhfearfa lán dabhcha dhe.

Ioth i dtalmhain tug a ríghe,
    do rad bláth tré bharraibh géag ...

Gach cnú chorr ag cur a blaoisce
    fa bhun slaite ar slios túir,
gráinne buidhe ag cur a chochaill
    fa bhun muine fhochainn úir.

Crobhaing dhearg ar dhuillibh corcra
    ar choilltibh uaine an fhóid mhín,
tig a-nuas 'na dtaoscaibh troma
    cnuas go mblaoscaibh donna dhíbh. ...

Ceart idir charaid is námhaid,
    do-ní leómhan Linne Féig;
tiogfa síon bhalbh ina bhreathaibh,
    ní mharbh fhíor 's ní bheathaidh bréig.

Ó do ríoghsad ríoghradh Connacht,
    Cathal Croibhdhearg caraid mná;
ní bhí gart dall ina dhomhan,
    lacht ann is toradh a-tá.[22]

Agus Brian Mag Uidhir i réim, ba gheall le parthas a dhúiche, dar le Tadhg Dall Ó hUiginn:

Parthas Fódla Fir Mhanach,
clár téiglidhe torcharach;
    tír na ngort dtirmghléigheal dtais,
    ar imdhéineamh port bparthais.

Ceól neamhdhuidhe nuall a tonn,
bláth forórdha ar a fearann;
    taidhbhse mheala millse a sreabh,
    trillse a feadha 'gá bhfilleadh.

Gleannta míne ós moighibh cuir,
srotha gorma ós na gleanntuibh;
    fiodh cnóbhuidhe ar cúl na scoth,
    clúmh órdhuidhe 'gá fholach . ...

Ní fhéad teanga – gá dtám ris? –
leath a haoibhneasa dh'aithris;
    críoch mhaothbharrchas na sreabh seang,
    ceadh acht aonpharthas Éireann?

Ní bhean neach re neach oile,
san pharthas te thalmhoidhe;
    ní fhuil fear éadála ann,
    ná fear éagára d'fhulang (TD 13: §§ 1-3, 6, 7).

Ach ní sa chultúr ábhartha amháin a réalaíodh ionracas an rí chóir nó ionracas na ríogachta. Le linn d'Art mac Coinn a bheith ina rí bhí, i dteannta na torthúlachta, bhí 'gach ardfhlaith gan saoth, gan tinneas, lán de shonas agus de shéan'; ní ina chruth fisiciúil amháin ná i mbail shochrach na tíre lena linn a léirigh Cathal Croibhdhearg a mhaitheas: ba bhreitheamh cóir é a d'aithin 'ceart idir charaid is námhaid', a chothaigh an fhírinne is a mhúch an bhréag; in 'aonpharthas Éireann', le linn do Bhrian Mag Uidhir a bheith i réim, ní raibh creachadh ná éagóir á gcleachtadh.[23] Ní raibh sa torthúlacht ach réaladh coincréiteach follasach ar an staid mhíleannach a bhí inmhianaithe; laistiar den réaladh ábhartha bhí pearsa ionraic an rí féin. Sa téacs ársa teagascach *Audacht Morainn*, múintear gur cheart don rí, i measc tréithe eile, a bheith trócaireach, fíréanta, fial, fáilteach, seasta, leasach, cumasach, solabhartha, forasta, fíorbhreathach; an cumasc céanna de thréithe fisiciúla, sóisialta is intleachtúla a luaitear sa teagasc flatha a leagtar ar Chormac mac Airt: dar leis, gur cheart don rí 'gach maitheas' a chomhlíonadh is lena ré bheadh 'meas for crannaibh, iasc in inbhearaibh, talamh torthach'; sa chuntas a thugtar ar an rí Conaire sa scéal *Togail Bruidne Da Derga*, deirtear nach raibh locht ar bith ann: ina chruth ná ina dheilbh, ina ghaois ná ina urlabhra, ina ghnás ná ina ghaisce.[24] Ní taobh le haon tréith amháin, dá fheabhas é, a bhí an rí; is ina phearsasan a tháinig le chéile, go comhlántach is go comhtháiteach, na tréithe difriúla a dheimhnigh is a chothaigh an t-ordú sóisialta;

b'eisean *fotha* ('bunchloch') na ríochta. Carachtrú idéalach a dhéantar ar an rí agus is pearsantú é an carachtar ríoga ar an saol idéalach. Agus Cormac mac Airt ina rí, ba lán 'an bith de gach maith', dar le foinse amháin; dar le scéal eile go ndearna 'tír tairnngire d'Éirinn ina ré .i. gan goid, gan broid, gan foiréigin'; bhí gach éinne 'ina ionad dúchais féin' agus 'sídh, sáimhe is subha' i réim; ní hamháin go raibh flúirse is torthúlacht i gceist go mór sa ré órga Ghaelach, ach bhí cóir, fírinne, is síocháin freisin: cothromaíocht chosmach.[25]

Fír flaithemon ('fírinne flatha') a bhí mar théarma sa tSean-Ghaeilge ar na tréithe difriúla a chuimsigh pearsa an rí chirt; nóisean eiticiúil ab ea é agus is tríd a deimhníodh rath an phobail, torthúlacht na talún, cosaint na tíre, ionracas an tsaoil. Tá nóisean mar é le fáil i litríochtaí ársa eile agus is féidir analóga cuí a aimsiú, mar atá léirithe go minic ag scoláirí eile, i litríocht na hIndia, na hÉigipte, na Gréige is na Róimhe, mar shampla.[26] Dealraíonn gurbh eilimint uilí den ríogacht shacrálta riamh í an chothromaíocht chosmach sin a bhraith ar phearsa an rí féin agus, mar sin, ag freagairt do *fír flaithemon* na Gaeilge bhí *rtá* sa tSanscrait agus *maat* san Araibis:

> *rtá* expresses that the true is that which confirms to order, whether cosmic or social or moral ... (Dumèzil 1975: 45).

> Whatever was significant was imbedded in the life of the cosmos, and it was precisely the king's function to maintain the harmony of that integration. ... The king lives under the obligation to maintain *maat,* which is usually translated 'truth' but which means the 'right order' – the inherent structure of creation, of which justice is an integral part ...
>
> (Frankfort 1948: 3, 48)

Ach ní sa saol ársa, ná sa mhiotaseolaíocht chomparáideach amháin a d'fheidhmigh an chothromaíocht chosmach. Ta léirithe ag Schrieke (1957) agus ag Van der Kroef (1959) araon gur eilimint bhuan mharthanach den ríogacht Iávach í ó thús na staire anuas go dtí ár lá féin agus, níos tábhachtaí fós, gur fheidhmigh sí mar thuiscint choiteann i measc an phobail sa saol sóisialta agus sa ghníomhaíocht pholaitiúil:

> Fundamental to the Javanese world view is the concept of an unchanging and balanced world order ... the objective of the social order is therefore homeostasis or in the traditional Javanese phrase *tâtâ tenteram* , 'peace and order in harmony'. ... The preservation of social balance, and the compulsion to restore this balance, if it is in any way upset, is ,as we shall see ,the mainspring of Javanese messianic expectations ...
>
> (Van der Kroef 1959: 299-300).

Tá parailéalachas iomlán, geall leis, idir ideolaíocht na ríogachta in Iáva agus ideolaíocht na ríogachta in Éirinn, ní hamháin sa bhunús eiticiúil a bhí leo araon ach, go háirithe, sa tslí ar fheidhmigh an ideolaíocht sa dá thír go tras-stairiúil agus go raibh sí fós, fiú sa ré nua-aoiseach, in innimh an tuairimíocht phoiblí a mhúnlú. Mar cé nár

mhair an téarma *fír flaithemon* mar théarma bisiúil i mbéarlagair na
ríogachta ná na polaitíochta, mhair an nóisean eiticiúil ar a raibh sé
bunaithe. Ba thuiscint bhuanmharthanach í nár rí go rí *ceart* agus gur ar
an gceart sin a bhí an mhaitheas phoiblí ag brath. B'in í bunéirim an
teagaisc a chuir Dónall Ó Colmáin abhaile ar a dhalta, Séamas Óg Mac
Coitir: *an ríocht do stiúraíthear le ceart, sealbhann sí gach aon tsord maitheas
poiblí* (PB: 2068). Agus réasúnú á dhéanamh aige ar an tslí ar ghabh
Brian Bóraimhe ríogacht Éireann, is é an coincheap céanna a tharraing
an Céitinneach chuige. Is i bhflaitheas Bhriain, a mheabhraíonn sé, a
tháinig 'aoinbhean 'na haonar ó Thoinn Tuaidhe go Toinn Clíodhna
theas' agus bíodh go raibh fáinne óir á chaitheamh aici, 'ní bhfuair a
slad ná a sárughadh'; bhí Éire 'go saidhbhir sona síothchánta' an dá
bhliain déag a bhí Brian ina rí uirthi, bhí sí 'gan chiamhair, gan bhéad,
gan bhrath'; ar an ábhar sin:

> Is ursa a aithne ar an dteist se do-bheirid na seanchaidhe ar Bhrian nar
> dhlightheach anfhlaith do ghairm dhe,[27] óir ní do réir a thoile nó a neirt
> do rinne follumhnughadh na críche ré linn bheith i bhflaitheas dó, acht
> do réir reachta is dlighidh na críche. Óir is é is anfhlaith ann an tí do-ní
> follamhnughadh nó riaghlughadh do réir neirt is ní do réir cheirt; agus ó
> nach mar sin do rinne Brian, acht do réir cheirt is reachta, ní hiontugtha
> anfhlaith air (FFÉ iii:262-4).

Ag deireadh an tséú haois déag, agus teagasc flatha á chur ar fáil ag
Tadhg Mac Bruaideadha dá thiarna, Donnchadh Ó Briain, Iarla
Thuamhan, is é an nóisean sin féin is bun agus barr dá shaothar, nóisean
a réalaítear le leicseacan morálta – leas, aimhleas, neamhriaghail,
ainbhfíor, reacht chóir:

> Mór a-tá ar theagasc flatha,
> aige tá teacht deaghratha;
>   cur ríghe in eagar, madh áil,
>   leagadh tíre nó tógbháil.
>
> Is do réir na neith do-ní
> – móide is inteagaisc ardrí –
>   tig leas nó aimhleas an fhoinn,
>   bheas ní hainbhfeas a n-abraim.
>
> Tig don rígh, rádh go bhfiadhain,
> madh é do-ní neamhriaghail,
>   cur cháich go léir tar a leas,
>   ní hé féin a-mháin mhilleas.
>
> Teirce, daoirse, díth ana,
> plágha, cogtha, conghala;
>   diombuaidh gcatha, gairbhshíon, goid,
>   ré ainbhfíor flatha fásaid.
>
> Ag leanmhain ríogh don reacht cháir,
> tig a-rís, ríoghdha an éadáil;
>   sceith gach lántoraidh ré a linn,
>   's gach leith d'fhántolaigh Fheidhlim.

Ioth i dtalmhain, torchur cuan,
éisc i sruthaibh, síon neamhfhuar;
aige a-tá, agus tairthe fiodh,
le'r bhflaithne trá go dtuilltior. ...[28]

Bhí, mar is léir, Mac Bruaideadha ag tarraingt as na seantéacsanna teagascacha agus comhairle a leasa á cur ar fáil dá thiarna saolta aige, ach ní móide gur mar thráchtas léannta acadúil ar dhualgas flatha a bhí sin á dhéanamh aige. Níl aon am is mó – an cheathrú dheiridh den séú haois déag – a raibh gá ag na flatha dúchais le comhairle is le treoir; i gcás an tiarna áirithe a bhí i gceist, Donnchadh Ó Briain, ba léir – agus é ag fónamh sa saol poiblí don choróin – ba léir go n-oirfeadh dósan go háirithe éisteacht le comhairle a fhile, aird a thabhairt ar theagasc na sean, feidhmiú de réir *Tecosca Cormaic*. Is as an téacs céanna a tharraing Fearghal Óg Mac an Bhaird i ndán molta a chum sé dá thiarna Cú Chonnacht Mag Uidhir. Na buanna is na tréithe a bhí riachtanach don rí cóir, de réir an teagaisc a bhí leagtha síos ag Cormac, shealbhaigh Cú Chonnacht iad go huile is go hiomlán, dar leis an bhfile. Bhí sé trócaireach, ní raibh sé uaibhreach, bhí sé so-ranna, ní raibh rún bréige aige, ní raibh imreasain ná eisíth ag roinnt leis. Ní carachtrú réalaíoch atá á dhéanamh ag an bhfile ar a thiarna, is léir, ach, mar ba ghnách san fhilíocht chúirte trí chéile, léiriú ar charachtar an rí idéalaigh.[29] Is idéal é sin a bhí bunaithe, ní hamháin ar fhoirfeacht fhisiciúil is ar dhea-iompar sóisialta, ach ar eitic pholaitiúil chianársa a raibh fós brí mharthanach chomhaimseartha léi – an reacht rí:

'Dála an ríogh, a rún aireach,
dlighidh bhós bheith trócaireach;
briathra an ríogh tré cheart gcomhráidh,
's an reacht ríogh do rochonnmháil.

Dlighidh fós flaith na Banbha
bheith urusa n-agallmha;
a chúl fann órnocht iodhan,
's gan mórdhacht ann d'airiughadh.

Gan rún bréige tré bhioth síor,
gan imreasain, gan eissíodh;
do dhlighfeadh triath Banbha Breagh,
a sciath cabhra na gcóigeadh'. ...[30]

Bhí feidhm – má b'fheidhm theoiriciúil ideolaíochtúil féin í – ag teagasc Chormaic na céadta bliain i ndiaidh scríobh an téacs agus ní móide gurb aon ionadh sin. De réir an tseanchais, b'é Cormac mac Airt barrshamhail an rí idéalaigh – níor tháinig a mhacsamhail de rí ina dhiaidh. Mar a dúirt an Céitinneach ina thaobh, bhí Cormac ar na ríthe ab eagnaí agus ba fhlaithiúla dá raibh in Éirinn riamh; ina theannta sin, 'bhí d'fheabhas ghníomh bhreath agus reachta Chormaic go dtug Dia solus an chreidimh dó seacht mbliadhna ré mbás' (FFÉ ii:304,344). Bhí Cormac le háireamh i measc na bhfíréan – agus mhair sé mar phearsa mharthanach sa traidisiún beo, é fós mar shamhail den saol idéalach:

> Éire isan aimsir sin,
> ní bhíodh ráithe gan mheas;
> ní raibhe oidhche gan drúcht,
> ní raibhe lá gan teas. ...

> ba sonaidhe an aimsir sin,
> ba saidhbhir, ba sáimh. ...

> Loilgheacha na colpacha
> in aimsir mhic Airt,
> ó théigheadh tar aon ráithe
> do doirthí gach dairt.

> Nocha deachaidh d'iascaireacht
> iascaire, is fíor;
> gan bhradán, gach aon mhogall,
> ceangailte ina líon. ...[31]

Inseoidh mé scéilín beag faoi rí mór a bhí ar Éirinn fadó, agus is fadó a bhí, agus ní raibh a leithéid de rí ar Éirinn roimhe ná ina dhiaidh agus ní bheidh arís go mbeidh an tír saor Gaelach mar do bhí sí nuair a bhí an fear ar a bhfuil mé chun an scéilín seo a inseacht faoi beo ...
(RBÉ 354: 126).

Nuair a luíonns an bhó i gcónaí ligeann sí osna. Deir siad gurb é an t-ábhar a ligeann sí an osna ag caoineadh an tsaoil a bhíodh ag ba in aimsir Chormaic. Sé Cormac mac Airt atá i gceist anseo. Nuair atá muintir na háite seo ag rá go bhfuil saol maith ann, 'tá saol Chormaic ann', adeirid
(*ibid.* 706: 535).

Is laistigh de ideolaíocht na ríogachta is leanúnaí agus is léirithí a saothraíodh an mód míleannach i litríocht na Gaeilge agus ó na téacsanna is ársa dá bhfuil againn anuas go dtí filíocht an naoú haois déag is le teacht is le ríghe an rí chóir a shamhlaítear an ré órga i gcónaí. Freagraíonn sin do phatrún uilí an mhíleannachais mar pé acu brí chruinn theicniúil nó brí leathan chuimsitheach a tugadh don téarma bhí, ó thús, meisiasachas i gceist de ghnáth mar eilimint amháin i gcoimpléacs an mhíleannachais. Is annamh a fhaightear an míleannachas gan an meisiasachas ina theannta óir is trí bhíthin aon duine amháin, de ghnáth, a thugtar an slánú i gcrích. Pé acu Dia ar neamh é, rí ar deoraíocht é, laoch ina chodladh i bpluais é, is ar a theachtsan a thiocfaidh an ré órga atá geallta. I gcás litríocht na Gaeilge tá, mar atá feicthe againn, leanúnachas téamúil i réaladh an ré órga sin, leanúnachas a sholáthair talamh torthúil na hÉireann féin. Is léir go raibh éifeacht aeistéitiúil ag baint le móitíf an ré órga is gur bhain an t-aos léinn an-taitneamh as bheith á ríomh is á léiriú go mealltach fileata. Is í an mhóitíf sin a chuir cuid de na rainn is grástúla ar fáil i bhfilíocht an dána dhírigh, mar shampla:

> Talamh, fairge ag fearthain fháilte,
> éasca is grian red ghruaidh mar rós;

neoill na hirminnte 'got fhógra,
  finnlinnte na Fódla fós.

Iongnadh ó uisceadhaibh Fódla
  fáilte Uí Chonaill ó Charn Fraoich:
is beag nach balbh gach sruth sléibhe,
  do mharbh bruth na gréine an ngaoith.

Gach doire ar ndeargadh a chaorthann,
  coill ag sléachtain re sín mbailbh;
na coill, na droighin, na dreasa
  ón bhroinigh throim measa ag maidhm.[32]

Agus is í a thug cuid de na véarsaí is macnasaí dúinn i bhfilíocht an amhráin:

Atáid éisc ar na srúillibh ag léimrigh go lúfar,
tá an t-éiclips gan fiontar ag imeacht;
tá Phoebus ag múscailt, 's an t-éasca go ciúinghlan,
is éanlaith na cúige go soithimh;
táid scaoth bheach ag túirling ar ghéagaibh is úrghlas,
tá féar agus drúcht ar na mongaibh;
ós céile don mBrúnach í réilteann na Mumhan,
's gaol gar don Diúic ó Chill Chainnigh (AÓR 30: §§ 1-8)

Tá tionscal gach ratha is sampla gach maitheas
'na múrthaibh ag teacht ar Éirinn an áir,
na húlla 's an meas go dúbalta ag teacht,
an geamhar is an bleacht go haerach ag fás;
tá an tSamhain mar nár chleacht 'na Samhradh gan scamall,
is lonradh gan bhrat ar Phoebus go hard;
's gan amhras is malairt Prionsa tá ag teacht
nó is túirlint ó neamh do dhéanfaidh an Rí ard.[33]

Ach ní feidhm aeistéitiúil go príomha a bhí aici mar mhóitíf, ach feidhm ideolaíochtúil: mar dhlisteanú ar an rí ceart a fheidhmítear i gcónaí é, pé acu Cormac mac Airt nó Brian Bóraimhe é, Cathal Croibhdhearg Ó Conchobhair nó Aodh Ó Dónaill é, pé acu an Stíobhartach nó Dónall Ó Conaill é; prapaganda polaitiúil a bhí i gceist ó thús deireadh.

Sa staidéar atá déanta aige ar bheatha Chormaic mhic Airt, faoi mar a léirítear sin i dtéacsanna difriúla, áitíonn Ó Cathasaigh (1977: 102) gur dóichí gur aidhm pholaitiúil a bhí leis an bheatha sin a chur le chéile den chéad uair. Bhain Cormac (mac le hArt Aoinfhear, mac le Conn Céadchathach) le Dál gCuinn, an sliocht ónar shíolraigh Niall Naoighiallach, sinsear na Niallach, agus is iad aidhmeanna is éilimh pholaitiúla an tsleachta sin atá á gcur chun cinn sa bheatha. Ní hionadh, mar sin, nach mar ghnáthdhuine a léirítear Cormac agus nach gnáthbheatha a chaitheann sé, ach beatha mar ba dhual don rílaoch: breith neamhghnách, óige shuaithinseach, eachtraí iontacha, bás éagoiteann. 'Beathaisnéis laochta' atá tabhartha ag scoláirí difriúla ar an saghas sin beatha, patrún coiteann tras-stairiúil i litríochtaí an domhain.[34] Faoi mar a léirítear an patrún idirnáisiúnta sin i litríocht pholaitiúil na Gaeilge, dírítear go háirithe ar thrí eilimint den bheathaisnéis: tuar á dhéanamh i dtaobh an laoich, bean á tóraíocht aige, é á dhíbirt is é ag filleadh go buacach arís. Bhí an mhóitíf sin an fhillte lárnach sa bheathaisnéis laochta agus ionad lárnach atá ag an mhóitíf freisin i mbeathaisnéis Chormaic, mar is tríthi a léirítear a oiriúnacht is a cheart chun na ríogachta: ar a dhíbirt ó Theamhair, ní raibh 'meas ná toradh, ná iasc in inbhearaibh, ná lacht ag loilgheachaibh, ná teas i ngréin'; ach ar a fhilleadh buacach, ba lán 'an bith de gach maith' arís – riocht idéalach a bhí de réir na fáistine.[35] Mar ag céimeanna tionscantacha i mbeathaisnéis Chormaic, mar a tharlaíonn sa bheathaisnéis laochta de ghnáth, bhí draoithe ar fáil a rinne tairngreacht ina thaobh: nach mbeadh 'ioth ná bliocht, ná meas, ná muirthoradh, ná síon, ná cóir' in Éirinn go mbeadh seisean ina rí; go mbeadh *síth n-oll* ('ollsíocháin') is 'tuile toradh' ina ré, go mbeadh sé buach san iliomad cath, go mbeadh sé ina rí ar Theamhair, nuair a bhainfeadh sé an ríogacht amach go mbainfí a brón ollmhór de Bhanba.[36] Bhí Éire, i gceann éigin dá hilriochtaibh, dlúthcheangailte le beathaisnéis Chormaic. Bunchloch san ideolaíocht dhúchais ab ea an tuiscint sin: níor rí ceart go céile cuí; b'í Éire féin céile diongbhála an rí.

III

This nymph of Ireland, is at all poynts like a yong wenche that hath the greene sicknes for wont of occupying. She is very fayre of visage, and hath a smooth skinn of tender grasse .... Her flesh is of a softe and delicat mould of earthe, and her blew vaynes trayling through every part of her like ryvoletts .... Her bones are of polished marble .... Her breasts are round hillockes of milk-yeelding grasse .... And betwixt her leggs (for Ireland is full of havens), she hath an open harbor .... She hath had goodly tresses of hayre *arboribusq' coma* .... and in her champion partes she hath not so much as will cover her nakedness .... It is nowe since she was drawne out of the wombe of rebellion about sixteen yeares, by'rlady nineteen, and yet she wants a husband, she is not embraced, she is not hedged and diched, there is noo quicksett putt into her (Gernon 1620: 1).

I litríocht na meánaoiseanna trí chéile, go háirithe i saothar fáthchiallach, ba straitéis choiteann é pearsantú banda a dhéanamh ar thíortha difriúla (Italia, Britannia, Le France), ach is mar mhóitíf liteartha amháin a fhaightear é, móitíf a saothraíodh ag tréimhse áirithe agus a chuaigh as de réir a chéile.[37] Ní hionann an cás in Éirinn. Níl aon tréimhse de litríocht na Gaeilge, ó na téacsanna is luaithe anuas, nach bhfaightear pearsantú mar é á dhéanamh ar Éirinn agus bíodh gur sa

litríocht is iomláine agus is leanúnaí a réalaítear an pearsantú sin, is léir
nach mar thróp fréamhaithe liteartha atá sé á shaothrú ach mar eilimint
lárnach bhisiúil den ideolaíocht oifigiúil dhúchais.

Bíodh gur go déanach, sa dara haois déag is dóichí, a cuireadh
Leabhar Gabhála Éireann le chéile is áirithe go dtéann an bunábhar siar
na céadta bliain roimhe sin, go dtí an seachtú haois, b'fhéidir. Téacs
bunúis é, téacs a mhíníonn bunús na nGael, conas mar a thángadar go
hÉirinn, conas mar a ghabhadar í; tráchtas polaitiúil é freisin a phléann
an ríogacht, ionad na Teamhrach sa ríogacht sin agus a dheimhníonn
ceannas na nGael ar Éirinn go deo. Nuair a tháinig mic Mhíle, ar
theacht go hÉirinn dóibh, i dtír in Inbhear Scéine casadh triúr ban
orthu a chuireann iad féin in aithne dóibh mar Éire, Banba is Fódla.
Cuireann Éire fáilte rompu á rá leo gur fada a bhí a dteacht geallta ag
na fáithe, gur leo go brách 'an inse seo', nach mbeidh oileán ná cine
níos fearr ar domhan go deo; ach iarrann sí aisce orthu mar chomhar:
a hainmsean a bheith ar an inis. Dar le hAimhirgin Glúingheal, 'an file'
a bhí i láthair, gur mhaith an fháistine a bhí déanta is glacann mic Mhíle
le haisce na mban: Éire, Banba is Fódla a bheidh mar ainm feasta ar an
tír, ach gurb í Éire a príomhainm.[38] Cé go dtugann an réaladh
tríonóideach sin le tuiscint gur bunús miotaseolaíoch atá leis an scéal
sin, agus leis an téacs trí chéile, ní mar mhiotas a d'fheidhmigh sé feasta
ach mar chairt pholaitiúil. Chuir sé fráma tagartha stairiúil ar fáil do
chlanna Mhíle, mar a chuir an bíobla do chlanna Iosrael, is sholáthair
sé sinsearacht ghinealach chianársa a shín siar go Míle Easpáinne,
sinsear na nGael, nuair a theastaigh sin ó aon sliocht faoi leith: Dál
gCuinn, Dál gCais, Uí Néill, Síol mBroin, clann Chárthaigh, an ríora
Stíobhartach féin. Is leor de léiriú ar bhuanmharthanacht na cairte sin
go raibh *Leabhar Gabhála Éireann* mar chuid bhunúsach den athinsint
reibhisineach a rinne Mícheál Ó Cléirigh is Séathrún Céitinn araon,
agus téacsanna bunúis nua á soláthar acu, i dtús an tseachtú haois déag;
is leor de léiriú ar éifeacht an téacs nach raibh riamh ó shin d'ainm ar
'an inse seo' ach na hainmneacha cianársa Éire, Banba is Fódla.

Is bean í Éire agus is tír í; pearsantaíonn an bhean an talamh féin – is
í an tír ina cruth daonna í – agus pearsantaíonn sí, chomh maith,
teibíocht pholaitiúil na tíre; an tiarnas, an ríogacht, 'an flaitheas'.[39] Is go
híogair meafarach a réalaítear an pearsantú sin uaireanta, go follasach
léirmhínitheach uaireanta eile; is mó cruth fisiciúil is féidir léi a
nochtadh, is mó ainm a iompraíonn sí. Is mar phearsana liteartha a
chastar Meadhbh, Macha, Eithne is Mór orainne, ach is léir sna
téacsanna liteartha féin nach aon ghnáthmhná iad. Mar a dúradh i
dtaobh duine amháin acu 'roba mór trá nert ⁊ cumhachta Meidhbhe'
(Ó Máille 1927: 137). Ba mhór: bhí idir neart fisiciúil is chumhacht
pholaitiúil ag roinnt léi agus leis na mná eile freisin. Ní mór is fiú a phlé,
agus is beag a bhaineann le hábhar, cé acu carachtair fhicseanúla nó
mná stairiúla iad seo, mar is é a dhealaíonn ó charachtair liteartha eile

iad, gur sa mhód miotaseolaíoch a rianaítar is a réalaítear iad. Ní hamháin gur ríthe is ardríthe a bhíonn mar chéile gnách acu, ach is inchollú iad ar an ríogacht a bhíonn á héileamh ag na ríthe sin agus is acu atá a bronnadh nó a diúltamh. Dá réir sin, de réir scéalta difriúla, níor rí Éireann é Cormac mac Airt go dtí gur luigh sé le Meadhbh; agus nuair a rinneadh aisling dó go raibh a bhean imithe le rí eile, mhínigh a dhraoithe brí na haislinge: is é a chiallaigh imeacht a mhná, cailliúint na ríogachta; níorbh fhéidir le Conn Céadchathach, ar bhás a mhnásan Eithne, níorbh fhéidir leis a ríocht a rialú ná a stiúrú dá héagmais; mhaígh Meadhbh Laighean nach bhféadfadh aon fhear a bheith ina rí ar Theamhair mura bpósfadh sé ise; níorbh fhéidir le hEochaidh feis na Teamhrach a thionól toisc nach raibh céile aige:

> nócor fhaídh Medb lesin mac nír bo rígh Éirenn Cormac ... (Power 1917: 43 § 30).

> Do bhanchéile immorra do fheis leis is ed dofóirne do ríghe faífes leis 7 ní bia acht oen-bliadhain i bhflaithius Temra ... (Carney 1940: 192 § 6).

> Ocus ba trom laisin a banchéile do ég .i. Eithne 7 ar méid do chuir sí fair conar urmais ríghi ná flaithemhnus d'ordugud ná d'fhollamhnugud ... (Best 1907: 150 § 2).

> Roba mór trá nert 7 cumhachta Meidhbhe insin for fioru Éirenn air is í ná léigedh rí i dTemhair gan a beith féin aigi 'na mnaí ... (Ó Máille 1927: 137).

> Ni theclomdais feis Temra do ríg cen rígain lais, ar ní raibi rígan i fail Echach an tan do gab flaithius (Bergin & Best:1938: 30).

Níor rí ceart go céile cuí agus is mar bhainis (bain+fheis), banais ríghe, a samhlaíodh an cumann idir an rí agus a chéile, pósadh idir an rí agus a dhúiche. Sa scéal ársa *Tochmarc Emire* luaitear an *banais rígi* a rinne Lugh ar shealbhú na ríogachta dó; sna hannála tuairiscítear conas mar a ríoghadh Feidhlimidh Ó Conchobhair sa bhliain 1310 de réir 'nóis na naomh', agus ar a ríoghadh, 'ar fheis d'Fheidhlimidh ... re cóigeadh Connacht', d'eagraigh a oide *banais ríghe* dó 'do réir cuimhne na seandaoine agus na seanleabhar'.[40] Nóisean cianársa ab ea an bhainis ríghe, an *hieros gamos*, agus ní i litríocht na Gaeilge amháin a fhaightear é. Aitíonn Campbell (1968), Neumann (1955), Eliade (1974), O'Rahilly (1946b) is scoláirí eile gur aircitíp mhiotaseolaíoch atá á réaladh, bainis shacrálta idir an Dia agus an Bhaindia, máthair na cruinne ar uaithi a shíolraíonn torthúlacht talún is daoine. I litríocht na Gaeilge réalaítear an *topos* i bpearsana logánta (Meadhbh Chruachna, Mór Mumhan, Meadhbh Laighean, Macha na hEamhna, Baoi Bhéarra) agus i bpearsana náisiúnta (Banba, Fódla, Éire) ach i gcónaí bíonn cumann gnéasach i gceist, gníomh collaí na comhriachtana. B'in eithne an mhiotais a bhí laistiar den *topos*, agus eithne gach réaladh dá ndéantar air sa Ghaeilge. Nuair a luigh an bhean leis an rí, is í a ríocht a luigh leis: insint mheafarach ar thuiscint chianársa. Tháinig ríthe is d'imigh siad ach eisint bhithbheo ab ea an talamh, a raibh ar a cumas athnuachan a dhéanamh uirthi féin ó bhliain go bliain agus ó rí go rí. Agus Éire ag caint leis an bhfile Aimhirgin, míníonn sí dó go raibh sí níos sine ná Naoi féin; is cinnte go raibh, chomh críonna leis na cnocaibh, agus d'fhág sí féin is a gníomhaíocht chollaí rian buan, ní hamháin ar an *mentalité* dúchais, ach ar thopagrafaíocht na tíre féin: Dhá Chích Anann á thabhairt ar dhá chnoc chuara chruinne i gcontae Chiarraí, Samhail Phite Meadhbha á gairm de chnoc mór domhain i dTír Eoghain, Bod Fhearghusa mar ainm ar ghallán righin crua ag síneadh cruinndíreach in airde ar chnoc féarmhar na Teamhrach.[41]

Bhraith rath na tíre ar bhailíocht an chumainn idir an rí is a chéile agus léirigh bail na mná an rath sin: ina hóinmhid fhiáin éaganta, is í ag fánaíocht ar fud chúige Mumhan, a bhí Mór gur chuaigh sí go Caiseal is gur phós Finghein an rí; dá éis sin cuma rafar thorthúil a bhí ar an Mhumhain lena linn:

> In Muma
> re linn Fingen maic Aedha,
> robdar lána a cuiledha,
> robdar toirrtigh a treba (RC 17, 1896, 174).

'Ingen bachlaig thruaigh' a bhí in Eithne go dtí gur luigh Cormac léi; mar 'rígan i fail Chormaic' a chaith sí a saol ina dhiaidh sin.[42] Cailleach ghránna ab ea an bhean a casadh ar Niall Naoighiallach ag an tobar, ach ar luí le chéile dóibh rinne bean sciamhach álainn di:

> Cúigear mac ríogh Éireann do ghluasacht ó Theamhraigh do sheilg agus d'fhiadhach ... agus fuaradar tobar fíorálainn isin bhfiodhbhaidh, agus éagosc searbhghlórach seanmhná ag coimhéad an tobair; agus do ráidh nach dtiubhradh an t-uisce acht don tí do bhéaradh póg dhi, agus do luighfeadh ria. ... Is annsin ráinig Niall d'ionnsaighe an tobair, agus do chuaidh i ngnás an arrachta, agus do rad póg dhi. Táinig dealbh agus dearscnadh fuirre gur bho samhail re gríostaitneamh gréine nó re corcairliag ar lasadh gach ball, gach alt agus gach áighe dhi; agus do ráidh re Niall: 'Is mise flaitheas na ríogh,' ol sí, ... agus do thairngir an bhean soin ríghe nÉireann do chloinn Néill Naoighiallaigh airead bheas muir um Ealga. ... (Ó Donnchadha 1931a: 3-4).

Ag deireadh an tseachtú haois déag a cuireadh an leagan Nua-Ghaeilge sin de scéal Néill ar phár. Ach chuaigh ábhar an scéil siar na céadta bliain roimhe sin, chomh fada leis an ochtú nó an seachtú haois, b'fheidir, is cuireadh leaganacha difriúla de, i bprós is i véarsa, ar fáil idir an dá linn. Ba scéal é a raibh trácht air, is léir, agus ní hionadh sin san uair gurbh fheidhm shoiléir pholaitiúil a bhí leis: dlisteanú a dhéanamh ar éileamh Uí Néill ar an ríogacht nó, mar a deir Ó Corráin (1987:33), 'the tale is Uí Néill dynastic propaganda'. Is é tá á chur chun cinn sa scéal gur i seilbh na Niallach a bhí an ríogacht ó aimsir Néill féin agus mar sin gur ina seilbhsean a d'fhanfadh go deo – b'in é a gheall 'flaitheas na ríogh' féin sa tairngreacht a rinne sí. Sa scéal sin agus i scéal an-chosúil leis, scéal faoi Lughaidh Laoighdhe,[43] cuireann an bhean í féin in aithne mar 'an flaitheas', 'banfhlaith Éireann', nó 'flaitheas Alban is Éireann':

'Cia tusa?', or in mac.
'Misi in flaithius', or sí ... (Stokes 1903: 200).

'Maith do thurus', or sí.
'Missi in flaithius, ⁊ gébhthar ríge nÉrenn uait' ... (Stokes 1897: 320).

'Cúich thú, a ingen?', ol siat.
'Missi banfhlaith hÉrenn', or sí ... (*ibid.* 322).

'Is mé ind ingen seta seng,
flaithius Alban is hÉrend' (Gwynn 1924: 142).

Ach is cinnte gurbh eol is gur léir go coiteann cérbh í 'an flaitheas'; mhínigh Séathrún Céitinn go beacht é san athinsint ghonta a rinne sé ar scéal Lughaidh:

Is ar an Lughaidh se atá an finnscéal filidheachta mar a n-aithristear go dtarla agus é ag seilg i ndíthreibh é ré cailligh urghránna ar a raibhe cealltair dhraoidheachta, agus go ndeachaidh 'na leabaidh gur bhean a cealltair dhraoidheachta dhi, gur taidhbhrigheadh dhó a bheith 'na hógmhnaoi álainn da éis; agus go fáthach is í Éire an chailleach so lér luigh Laíghdhe, mar go bhfuair duadh is doghraing fá a ceann ar dtús agus áineas is soirbheas da éis sin (FFÉ ii: 148).

Is maith mar a thuig is mar a d'aimsigh an Céitinneach croílár an scéil, an eithne a ghin idir dhinimic is bhrí: ógbhean álainn á déanamh de chailleach urghránna ar luí di lena céile, áineas is soirbheas a theacht as dua agus doghraing.

Rinne an t-aos léinn saothrú leanúnach, i bprós is i ndán, ar an scéal sin, agus ar scéalta mar é, le linn na meánaoiseanna trí chéile; an téama á aicliú go bisiúil acu ar mhaithe le haidhmeanna polaitiúla na dtaoiseach dúchais; an bhuntuiscint chianársa á craobhscaoileadh de shíorghnáth acu: an comhchoibhneas iomlán a bhí idir riocht fisiciúil na mná agus riocht polaitiúil na tíre. Dob fhéidir an téama a thagairt do mhórshleachta na tíre – Uí Néill, Uí Chonchobhair – nó do mhionsleachta; do mhórthaoisigh ardcheannasacha – Niall Naoighiallach, Brian Bóraimhe, Cathal Croibhdhearg – nó do mhiontaoisigh áitiúla. Sampla fíorshuimiúil den saothar áitiúil is ea *Caithréim Thoirdhealbhaigh,* a cumadh sa cheathrú haois déag, ceaptar, mar phrapaganda polaitiúil ar mhaithe le mionsliocht – Clann Taidhg – de Bhrianaigh Urmhumhan.[44] Éileamh soiléir simplí atá á chur chun cinn: gur do Chlann Taidhg a bhí ardcheannas Éireann uile i ndán agus is í aidhm an tsaothair tacú is dlisteanú traidisiúnta liteartha a chur ar fáil don éileamh sin. Mar sin nuair a bhuaileann Tadhg Ó Briain is Ó Néill le chéile sa bhliain 1252 insítear dúinn go raibh an formhór mór d'fhearaibh Éireann den tuairim gur cheart do Thadhg 'ardthighearnas' a ghabháil orthu tré mhéid a thoirbheart agus a thromthiodlaiceadh ón spioraid naoimh; óir do bhí pearsa álainn oscardha, neart adhbhal coirp, cródhacht agus calmacht intinne agus fós fios agus fírdhéanamh flaithe ann ionnus go ndeachaidh a chlú agus a oirdhearcas tar ógdhamhnaibh Éireann uile. ... Maith trá an t-aonrogha tugadar: óir ní raibhe lá ná uair ó tháinig ann neart airm ghaiscidh do lámhadh, acht ag scrúdadh agus ag sírfheicheamh re anbhroid nGaoidheal d'fhuascladh ... (ITS 26: 3).

Is é Toirdhealbhach Ó Briain, mac Thaidhg, príomhphearsa an scéil agus is mar laoch aircitípeach a léirítear é. Ar a ríoghadh, do chuir an ghrian nuaghnúis gheal uirthi is do niamhnocht an fhirmimint a haghaidh; do chiúnaigh an ghaoth gharbhchainteach is do thréig an mhuir a mórnuall mearghlórach gur líon gach trá dá turcharthaibh; tháinig breachtdhath ar bhogchoillte bliochtchraobhacha buantorthacha 'ag breith a dtoircheas do Thoirdhealbhach'; fuair 'fir na Fódlasa' cuidiú coiteann uaidh lena linn is bhíodar lántoilteanach glacadh leis mar ardrí, murach na hallúraigh (ibid. 23-4). Móitíf lárnach sa scéal is ea feall is anfhorlann na n-allúrach céanna. Uair tar éis do Thoirdhealbhach dúiche na nGall i dtuaisceart Mumhan a scrios, agus é ag filleadh abhaile go caithréimeach, castar ógbhean rí-álainn air, 'inghean bhúilidh bhratnuadhonn bhéalchroidhearg bhaschorrmhaoth bharrchamlag bhánchíochach'. 'Flaitheas Éireann m'ainmse a ardrígh', a deir sí leis agus gríosann sí é gan staonadh den chogadh i gcoinne na n-allúrach; sular éirigh sí arís 'ina solusnéal suas ó na sluaghaibh' rinne fáistine dó:

Togha Teamhrach Toirdhealbhach,
mac Thaidhg Uí Bhriain bognáireach,
airdrí Chaisil chlaidhimhdheirg,
leannán Tailtean taobhuaine, ...
mairg do iompó a n-éinleannán,
nó go bhfóiridh fionnFhódla,
is mé an Flaitheas fiarfholtcham,
mairg ro-m-chráidh fám chaoimhleannán ... (ibid. 27).

Ar a bhás do dhorchaigh grian, do gháir an ghaoth is an mhuir in éineacht, do chríon gach coill; Éire féin a chaoin é:

Do chuaidh Toirdhealbhach Ua Táil,
a deir an Éire d'aonláimh;
    gan fear d'Uíbh Choinn dá cabhair,
    bean Choinn nocha ciallamhail.

A tá ag buaidhreadh Banbha
feis le fearaibh allmhardha;
    dá suidheadh Toirdhealbhach thoir,
    ro budh troimhghreadhnach Teamhair. ... (ibid. 31).

Faoi mar is é Toirdhealbhach is a shliocht laochra an scéil, is iad na 'fearaibh allmhardha' is an dream a thaobhaigh leo in Éirinn an namhaid. Ina badhbh chatha a nochtann Éire í féin dóibhsean 'láimh le Loch Rasca' agus ár, eirleach is ainscrios á dtuar aici dóibh:

Do shilleadar na sluaigh ar an solaslinn gu coitchean i gcoimhnéinfheacht, go bhfacadar ann ós bruachaibh an bhánlocha arracht adhbhalchrom aigheadhghorm abhachthruagh fiacalghlas fionnfadhgharbh ingheanchrom ardchaolruadh éanchaillighe ...

> Mairg téid an toisc,
> budh turas truagh,
> budh fíochdha an fheidhm,
> budh garbh an gleo, ...
> bud iomdha ann
> craoiseach gan ceann,
> cloidheamh go cnáimh,
> folt bláith fa bhonn,
> is corp gan ceann ... (*ibid.* 104-5).

Cé nach raibh riamh i gClann Taidhg ach mionsliocht agus nach raibh de pholaitíocht laistiar den scéal ach coimhlint áitiúil na mBrianach, fós is i bhfráma tagartha náisiúnta a léirítear é: ardríocht Éireann a bhí le gnóthú, Éire a bhí le fortacht, 'anfhlaitheas ainiochtach sin na nGall' a bhí á moilliú sin; le teacht na nGall féin a thosaíonn an scéal: 'Ar dteacht d'urlámhas Éireann i seilbh Ghall isin mbliadhain d'aois Chríost 1172' (*ibid.* 1). Bliain agus tarlang thionscnamhach ab ea í sin ar uaithi a shíolraigh ainriocht na hÉireann, ainriocht nach leigheasfaí go dtiocfadh chuici a céile cuí. Ag freagairt don chreideamh polaitiúil sin bhí íomhá bhisiúil na mná agus an chontrárthacht dhénártha idir cailleach urghánna is iníon sciamhach.

Ní in Éirinn ná i litríocht na Gaeilge amháin a bhí ábhar mar é ar fáil agus bhí i gcumas fhilí an dána dhírigh go háirithe tarraingt as litríocht chomhaimseartha na hEorpa agus apalóga parailéalacha a chur in ócáid: scéal iníon Iopragáid ag Tadhg Dall Ó hUiginn, scéal an ridire Ghréagaigh ag Eochaidh Ó hEodhasa.[45] I ngach cás acusan bhí téama uilí an chlaochlaithe – bean óg álainn in-nuachair á déanamh de sheanchailleach urghránna. Finscéal idirnáisiúnta é an téama sin gan amhras, ach ní mar fhinscéal taitneamhach atá an apalóg á hinsint ag na filí ach mar ghríosadh teagascach dá dtiarnaí. Sa dán *Tógaibh eadrad is Éire*, molann Tadhg Dall Ó hUiginn do Chonn Ó Dónaill (†1583) gabháil le hÉirinn ós baintreach í le tamall is gan 'fear n-aoinleabtha' aici; tá 'ceo tuirse' ar Éirinn anois ach tá sé sa tairngreacht go bhfuil fortacht i ndán di; tá Éire ag feitheamh le fear a fortachta agus is é Conn an té sin; ba cheart dó dul ina dáil agus plé léi mar a dhéanfadh suiríoch lena chumann:

> Sill go meinic a gruadh gheal,
> claon do dhearc uirre os íseal;
>> tug th'aghaidh ar a slios slim,
>> labhair gan fhios re hÉirinn.
>
> Dlúthaigh ria, luigh 'na leaba,
> a chneas álainn oighreada;
>> téigh re cneas chéile Logha,
>> suil bheas Éire in aontomha.

Druid an béal mar bhláth suibhe,
's an déad solas sneachtuidhe;
> le póig go báintealaigh mBreagh,
> go bhfáilteadhaibh chóig gcóigeadh. ... (TD: 1 §§ 12-4).

Luann an file ansin Niall Naoighiallach is Brian Bóraimhe – beirt a
d'fhortaigh Éire cheana le póg – is inseann scéal iníon Iopragáid a raibh
sé i ndán di a bheith i ndeilbh dragain ghránna go dtiocfadh fear a
fortachta; litríonn an file amach ansin brí na hapalóige:

Tug móid ón ló soin i le
nach éireóchadh d'fhior eile,
> go dtí an Tairngeartaidh dar dhán
> sí as a hairmeartaibh d'iompádh.

Atá fós – fada an fulang –
a rosc uaine abhramhall,
> a taobh geal, a gruaidh chorcra,
> nach fuair fear a fortochta.

Éire an bhean soin, a bharr slim,
tusa an fear fhóirfeas Éirinn;
> slóigh goimheamhla Dhanar ndúr
> aghaidh dhoidhealbha an dragún. ... (*ibid.* §§ 38-40).

Sa bhliain 1589 a scríobh Eochaidh Ó hEodhasa a dhánsan do Aodh
Mag Uidhir. Tá Éire tagtha chuici féin ó chumha agus í ag féachaint níos
áille ná riamh anois toisc Aodh – 'fear t'agallmha' – a bheith ar fáil; is
ionann cás di agus don ógbhean ar tháinig an ridire Gréagach i gcabhair
uirthi anallód agus a thug ó ainriocht gránna go háilleacht dho-inste í;
an gníomh claochlaithe céanna atá i ndán do Aodh Mag Uidhir:

Suirgheach sin, a Éire ógh,
goirid duit, dia do chlaochlódh;
> a fhéarmhúr na ngrianchnoc nglan,
> téarnúdh ód chiachbhrot cumhadh ....

Ní fhacamar riamh reimhe
an tlacht álainn ainglidhe,
> an cruth sídh iongantach ort,
> a mhín fhionnchruthach éadrocht ....

Is í an bhean do bhí déarach,
thusa, a Bhanbha bhraoinfhéarach;
> ionann cruth dhí is daoibhse,
> rí Manach an macaoimhse.

Mag Uidhir adhnas folta,
do-ghéana mnaoi mhacdhochta,
> go scéimh ndealbhnaoi ndoinn ndathaigh,
> de sheanmhnaoi Choinn Chéadchathaigh.

Ós é fhóirfeas a héigean,
faoidhfe Banbha braoinghéigeal,
> bláth sídh na céadchoille ór chin,
> le rígh éachtchloinne hUidhir (LCD: 129b §§ 1, 6, 35-9).

Ba bhean í Éire is ba thír í, bhí feidhm ghnéasach is feidhm pholaitiúil aici, bhí idir fhlaithiúnas is torthúlacht i gceist, bhí comhchoibhneas iomlán idir riocht fisiciúil na mná is riocht polaitiúil na tíre: ar an bhuntuiscint bhuanmharthanach sin a tógadh litríocht pholaitiúil na Gaeilge, idir phrós is véarsaíocht. Thug an consaeit síolmhar sin scóp fairsing don aos léinn is níl gné den eisinn bhanda nár cuireadh chun úsáide agus síorearraíocht á baint acu aisti. Ar feadh breis agus míle bliain ghin an consaeit marthanach sin coimpléasc ilghnéitheach de mhóitífeanna, théamaí is mheafair a bhí chomh bríomhar san ochtú haois déag is a bhí san ochtú haois. Mar chailleach urghránna a nocht sí í féin, dcn chéad seal, do Niall Naoighiallach; mar 'mhásach bholgach tholgach thaibhseach/chnámhach cholgach ghoirgeach ghaibhdeach' a taibhsíodh do Bhrian Merriman í; iníon mhacdhacht a chonaic Conn Céadchathach in *Baile in Scáil*; 'síbhruinneall mhómharach' a casadh ar Eoghan Rua Ó Suilleabháin; bean í Meadhbh Chruachna in *Táin Bó Cuailnge* nach raibh riamh gan fear i ndiaidh a chéile aici; i ndán a leagtar ar Liam Dall Ó hIfearnáin is í a thugann sólás comhairleach máthartha do Shéarlas Óg; *Éire ógh inis na naomh*, a thug Giolla Caomháin uirthi san aonú haois déag; 'an tseanbhean Éire iathghlas oileánach' a thaispeáin í féin do Sheán Lloyd san ochtú haois déag; 'an flaitheas', a thugann sí uirthi féin in *Echtra Mac Echdach*, ach is bean í freisin a chaitheann brat uaine, dath na tíre féin; 'tír bhocht bhuartha í', dar le hAogán Ó Rathaille, bean í ar 'fliuch a grua go buan le déaraibh'; tír í agus baintreach in éineacht:

> Tír is cráite tráite tréanfhir,
> tír ag síorghol í go héadmhar,
> baintreach dheorach leointe léanmhar,
> staite brúite cúthail créachtach ....[46]

Fuirigh go fóill, a Éire, a deir Gofraidh Fionn Ó Dálaigh léi; níor cheart di pósadh go fóill, mar níl Tadhg Mac Cárthaigh (†1413), pátrún an fhile, in aois fós; ach eisean fear a diongbhála agus is gearr go mbeidh sé in-nuachair:

> Fuirigh go fóill, a Éire,
> gearr go bhfuighe fírchéile;
> do chéile ní fear foirbhthe,
> a Éire, a threabh théagairthe.
>
> A fhionnráith Teamhra Dá Thí,
> aithnim an fear dá bhfuiltí;
> triath d'óigleanabh do b'áil libh,
> a chláir fhóidleabhair Uisnigh....
>
> Fada nach fuarais, a bhean,
> aoinfhear d'aicme na naoidhean ...
>
> Atá fear in aois leinibh,
> gearr go bhfuighe fóiridhin ...

Oidhre Ó gCarthaigh, ceann Gaoidheal,
gearr bhias i mbeirt ógnaoidhean;
	feith, a Bhanbha, a bhean Tuathail,
	go bhfaghbha th'fhear ionnuachair... (DD: 97 §§ 1-6).

Is othar í, dar le Tadhg Camchosach Ó Dálaigh, agus í ag feitheamh le
fear a fortachta; Niall Mór Ó Neill (†1397) a leigheasfaidh a cás, a
phósfaidh í agus a shaorfaidh í ó neart Gall (DMM: 1). Faoi mar b'í a
'bhean bhithdhílis' féin í a chaith Niall Naoighiallach leis an chailleach
a casadh air ag an tobar: chuir beol ar a beolaibh, d'iaigh a dhá láimh
timpeall uirthi, shín lena cíoch is lena cneas; geallann sí, i ndán dí-ainm
a cumadh sa dara haois déag, go luífidh sí le Toirdhealbhach
Ó Conchobhair agus go mbeidh a thuilleadh den sliocht dá éis-sean mar
leannán aici; ina spreas, gan luí le fear a bheidh sí, dar le hAogán
Ó Rathaille, go bhfillfidh Mac an Cheannaí.[47]

Ó thús deireadh bhí idir ghnéas is pholaitíocht inghreamaithe go
comhlántach sa mheafar, an gníomh collaí ag freagairt don bheart
polaitiúil, rath fisiciúil na mná is conách polaitiúil na tíre ag eascairt as
comhriachtain an rí chirt lena chéile cuí. Is mó cruth agus is mó ainm a
d'fhéadfadh sí a tharraingt chuici féin. Is í an flaitheas í, is í Éire, Banba
nó Fódla í; is í Meadhbh Chruachna is Mór Mumhan í, is í Síle Ní
Ghadhra is Móirín Ní Chuileannáin í; is ríon agus badhbh chatha í, is
bruinneall agus cailleach í, is ainnir agus baintreach í, is buime agus iníon
í, is máthair agus céile í, tá sí óg is ársa, álainn agus gránna – in éineacht:

> For she is the world creatrix, ever mother, ever virgin. She encompasses
> the encompassing, nourishes the nourishing, and is the life of everything
> that lives .... The whole round of existence is accomplished within her
> sway, from birth, through adolescence, maturity, and senescence, to the
> grave. She is the womb and the tomb: the sow that eats her farrow. Thus
> she unites the 'good' and the 'bad', exhibiting the two modes of the
> remembered mother, not as personal only, but as universal. ...
>					(Campbell 1972: 114).

An aircitíp uilí a bhí á léiriú ag Campbell; réaladh Éireannach ar an
aircitíp sin a chuireann litríocht na Gaeilge ar fáil, réaladh a d'fhás is a
cothaíodh in Éirinn féin agus a d'fhreagair de shíor dá cás-san. Eilimint
lárnach bhithbhuan sa réaladh sin is ea an dá mhód bhunúsacha úd, 'an
mhaith' is 'an t-olc', mar a thugann Campbell orthu. Ní ag leibhéal na
teibíochta a léiríodh an chontrárthacht dhénártha sin san ideolaíocht
dhúchais ach ag leibhéal fisiciúil na hinscne i bpearsa na mná féin: í ina
cailleach ghránna nó ina hainnir sciamhach de réir mar a d'oir is de réir
mar a d'éiligh an riachtanas comhaimseartha polaitiúil; dreach na tíre
féin – í torrach nó aimrid – ag comhfhreagairt go hiomlán don
chontrárthacht sin.

D'athraigh dreach Luighne – dúiche Uí Eadhra – ó bheith dubhach
dorcha anchruthach go bheith torthach bláthmhar agus Oilill
Ó hEadhra (†1685) i réim, dar le Maol Mhuire Ó hUiginn:

Malairt chrotha ar chrích Luighne:
do chuaidh uaithe ar éagcuimhne
   a hanchruth ó 'né go 'niodh,
   do scé in amhlach a hinnriomh.

Do theilg dhí a deilbh mbrónaigh,
do dhiult dá dúil n-ochónaigh;
   do reac uaidh a dreich ndubhaidh,
   do theith gruaim ón ghealtulaigh.

Deallradh corcra chnoc nuaidhe,
briocht seirce síoth bhféaruaine;
   meas órdhuighe re a gcrom coill,
   is coll cnóbhuidhe i gcrobhaing.

Duille glasa ag gormadh feadh,
caora donna i ndath doireadh;
   tír fholtsholais na n-eas nocht,
   boltonais leas is lubhghort. ... (McKenna 1951: 25 §§ 1-4).

Máthair thrua í Éire ar bhás Ruairí Uí Dhónaill (1608), dar le hEoghan Rua Mac an Bhaird; cuireann sí uaithi a brat suirí, cailleann sí a rath, sileann a súile deora go fras, scaoiltear folt a crann:

Maith an sealad uair Éire,
maith buidhean dár bhainchéile;
   aitreabh na síothbhuinne sean,
   cíochbhuime mhaicneadh Míleadh. ...

Do hoscladh a bearna bróin,
do chaill sí a rath, a rodhóigh;
   leigthear dí cuisle cumhadh,
   sí ón tuirse ar dtiomchuladh. ...

An mháthair thruagh Teamhair Choinn,
a mac díleas Ó Domhnaill;
   dá ló ní lugha a tuirse,
   a cumha is mó mheasuimse. ...

A tiomthach ríoghna, a reabhradh,
a tlacht suirghe, a sibheanradh;
   tré bhás gcéile chláir Bhearnais,
   dáibh le chéile ceileabhrais. ...

Fearthar frasa diana déar,
as roscaibh áille a haiéar;
   do scaoil folta a fiodhbhadh bhfionn,
   ochta a fionnmhagh ro-s-foilchionn. ... (DER: 13 §§ 1, 32, 47, 52, 54).

Sciamh dhubhach a bhí ar Chaiseal, dar le hAonghus Fionn Ó Dálaigh, ó fuair a céile, Dónall Mac Cárthaigh (†1596) bás; ní mar sin a bhí an tír lena bheo ach í go torthach bleachtmhar síochánta:

Soraidh led chéile, a Chaisil,
maithim dod dhóigh dhíograisigh;
   sciamh dhubhach ní hiongnadh ort,
   a thulach fhionnghlan éadrocht. ...

Ba lán d'iasc gach inbhear faoi,
ba torthach clár gach conntaoi;
    lomlán de bhliocht ó gach boin,
    ó chiort chomhlán do chongaibh.

Do bhí an Mhumha mar sin seal,
le linn Domhnaill fa dheireadh;
    ar iath níorbh uaibhreach ndála,
    mo thriath suaimhneach síothchána. ... (McKenna 1919: 52 §§ 1, 26-7).

A 'céile fíre' a chaill Éire ar bhás Eoghain Rua Uí Néill, dar leis an
Athair Cathal Mac Ruairí; ó d'éag seisean, d'imigh sí ó mhaith is ó rath:

Do chaill Éire a céile fíre,
teascadh fréamh a haonchrainn díona,
do briseadh stiúir iúil na críche,
atá sí déarach tréithlag cloíte ...

is buan gan scor gol na gaoithe,
tuirse na gcuach ar bhruach gach tíre,
treabhadh na dtuar gan luach a saothair,
teirce na gcruach i gcluantaibh íoca,
lacht an bhuair do chuaidh i ndíscibh,
torchur cuan is cnuas gach craoibhe,
ó ló a bháis, mo léan, níor fríoth súd ... (CCU: 7 §§ 1-4, 86-93).

Bíodh gur mhóitíf choiteann an chontrárthacht sin sa véarsaíocht
phoiblí trí chéile, is léir gur earraíocht pholaitiúil is mó agus is leanúnaí
a baineadh aisti riamh anall. Níl aon tréimhse is mó a raibh dianghá léi
agus ar baineadh lánleas aisti ná sa ré nua-aoiseach. Agus dálaí na
hÉireann mar a bhí, ní hionadh gur ar an taobh dochma duairc den
chontrárthacht is mó a dhírigh an t-aos léinn. B'é an Stíobhartach rí
ceart na hÉireann anois, agus b'í Éire a chéile; ach ba bhean mhídhílis
freisin í – meirdreach – a raibh a clann dílis féin tréigthe aici agus lacht
a cíoch á thál anois aici ar bhastardaibh eachtrann:

Ábhar deargtha leacan do mhnaoi Choinn é
táir is tarcaisne a thabhairt dá saorchlainn féin,
grá a hanama is altram a cíoch cruinn caomh
do thál ar bhastard nach feadair cé díobh puinn é.

A Éire, a chailleach is malartach bréagach foinn,
a mheirdreach bhradach le sealad nár éim' ach sinn,
do léigis farat na Galla so i réim id eing
do léirscrios seachad mar bhastard gach aon ded chlainn... (ND i: 10 §§ 1-8).

Óm sceol ar ardmhagh Fáil ní chodlaim oíche,
is do bhreoidh go bráth mé dála a pobail dílis;
gé rófhada atáid 'na bhfál ré broscar bíobha,
fá dheoidh gur fhás a lán den chogal tríthi.

A Fhódla phráis, is náir nach follas díbhse
gur córa tál ar sháirshliocht mhodhail Mhíle;
deor níor fágadh i gclár do bhrollaigh mhínghil
nár dheolsad ál gach cránach coigcríche... (*ibid.* 15 §§ 1-8).

Mo thruaighe mar tá Éire,
d'éis chlaochlúidh a caithréime ....

Adhbhar tuirse tarla dhi
bheith gan chaomhthach gan chéile ....

Gan aoinfhear léi-se ag luighe
d'fhíonfhuil ochta a hionmhuine ....

Meirdreach gan iocht, gan onóir,
an chríoch so phoirt Pharthalóin;
do chríon a cuing gan chomtha
's a síol fa dhruing ndanartha ... (Ó Cuív 1957a: §§ 1, 4, 5, 17).

Cé gur shagairt iad na húdair a chum na dánta sin (Brian Mac Giolla
Phádraig, Séathrún Céitinn, Pádraigín Haicéad), agus go bhfuil eilimint
den teagasc morálta i gceist san úsáid a bhainid as an téama, ní ina
saotharsan amháin a fhaightear é; is téama uilí i saothar na bhfilí trí
chéile é, eilimint amháin den choimpléasc leaisteach iltaobhach a bhí
ar fáil ag cléir is tuath, ag filí aitheantúla is filí anaithnid chun cás ainnis
na tíre a léiriú:

Is truagh Banbha an bhean iodhan,
gach éin-fhear dá héignioghadh ...

Gan truagh ag duine ar domhan
don mhnaoi se dá masloghadh;
    gan ghean ag daonnaidhe dhi,
    bean gach aonduine Éire.

Meas meirdrighe ar mhnaoi Chobhthaigh
atá ag gach aon d'allmhurchaibh;
    bean bhogamh dá déinimh dhi,
    gan obadh éinfhir aici ...[48]

Do chuala scéal do chéas gach ló mé
is do chuir san oíche i ndaoirse bhróin mé ...
is trua lem chroí 's is tinn, dar Ólainn,
nuachar Chriomhthainn, Choinn is Eoghain
suas gach oíche ag luí le deoraibh,
gan lua ar an gclainn do bhí aici pósta ... (ND i: 26 §§ 1-2, 61-4).

A bhé na lúb ndréimneach ndlúth,
    d'aontaigh dúil chealgach,
a réilteann iúil na meirdreach siúil,
    cé haosta tú, a sheanbhean?... (DÓB i: 7 §§ 1-4).

Bhí sí aosta, an-aosta, aosta thar mhnáibh, chomh haosta leis na
cnocaibh; b'í 'nuachar Chriomhthainn, Choinn is Eoghain' í; b'í céile
Néill Naoighiallaigh, Bhriain Bhóraimhe, Chathail Chroibhdheirg is an
iliomad laoch eile í; bhí luite aici le rí i ndiaidh rí eile gur chaith na
ríthe deoranta faoi dheoidh í:

Mo mhíle creach, ba chneasta an striapach í,
do bhí sí i bhfad ag Art, ag Niall 's ag Naois,
do bhí sí seal ag flaith na mBrianach ngroí,
is ba mhín a cneas gur chaith an t-iasacht í. ...

Is bocht an scéal so ag tréinshliocht Ír is Airt,
's ag scoth na nGael gan a dtaobh bheith sínte seal
led chorp geal séimh, a mheirdrigh bhuí na gcleas,
's gach Dutch is Dane dá n-éis 'na luí 'na nead ...

Cárthann crom trom agus fiagaíl fáis
d'fhás id ghabhal, 'ollbhean is liathbhuí más,
a bhairseach bhodhar lomchreatach chiar mhaoil cháir,
in áit na n-abhall dtromdtorthach d'fhiar faoi bhláth ... .[49]

Seal do bhíos im mhaighdin shéimh
is anois im bhaintrigh chaite thréith,
tá mo chéile ag treabhadh na dtonn go tréan,
de bharr na gcnoc 's in imigéin ... (SMD 7: §§ 1-4).

Ach bhí sé i ndán dá céile filleadh. Mar dá aosta chaite í, ba dá nádúr is dá cumas é athnuachan a dhéanamh uirthi féin, dála na tíre féin. Thiocfadh an samhradh arís is d'fhásfadh an féar, chasfadh an t-iasc an abhainn aníos is sceithfeadh an bláth ar chraobh, d'fhillfeadh neart a coirp, sú a cíoch is lúth a géag; bheadh sí in-nuachair arís agus í réidh chun luite arís lena céile cumainn dílis féin:

Ná measaidís gur caile chríon ár stuaire stáid,
ná caillichín 'na gcrapfaidís a cuail bheag chnámh;
cé fada ag luí dhi le fearaibh coimhtheach gan suaimhneas d'fháil,
tá saith an rí i gCaitlín Ní Uallacháin ....

Tá gliaire catha ar deoraíocht sa Róimh mhín faoi choimirc cháich,
de ghriantsliocht Chaisil cheolchaoin is fós níl fuil is fearr;
beidh an triath 's a mhac le fórsaíbh ag ródaíocht go hInis Fáil,
sa bhliain seo ag teacht ag tóraíocht ar Mhóirín Ní Luinneacháin ... .

Beidh reacaireacht feasta, beidh aiteas, beidh dáin, beidh scléip,
ag flaithibh na Banba ar dtaisteal dá n-ardfhlaith féin;
beidh Galla 'na gceathaibh dá leagadh le cáthadh piléar,
's beidh sealbh ag Carolus, geallaimse, ar Ghráinne Mhaol ... .[50]

Beidh. Ráiteas dearfa fáistineach – dearfacht na tairngreachta.

Caibidil 10

'Ráiteachas na Tairngreacht'

I

Nuair a labhraíonn fáidh in ainm an Tiarna, mura dtagann an rud i gcrích ná chun cinn, ansin, ní briathar é a labhair an Tiarna (Deot. 18.22).

Ach is do na creidmhigh is comhartha an fháidheoireacht agus ní do na díchreidmhigh (1 Cor. 14.22).

Ar chan Colum canfa mise
   ar chan seisean, canfa mé;
fada a-nonn ro chan an cléireach
   gur ghar don fhonn fhéileach é (RIA 23 K 32: 1).

Bhí an tairngreacht ar cheann de na meáin a bhí ar fáil sa seansaol chun teacht ar eolas i dtaobh an ama a bhí le teacht. Bhí meáin eile ar fáil – astralaíocht, réadóireacht, asarlaíocht, gintlíocht, mar shampla – ach bhí an tairngreacht difriúil leis na meáin eile sa mhéid go raibh sí ceangailte, den chuid is mó, le seánra litríochta agus gur bhraith a stádas is a húdarás ar an tuiscint gur pearsana a mhair anallód a chum í: fáithe an tseantiomna, sibillí na Róimhe, Merlin agus Bede sa Bhreatain, Fionn agus Colum Cille in Éirinn. Gné uilí de chultúir is de litríochtaí an domhain is ea an fháistineacht; gné bhunúsach lárnach is ea í de reiligiúin an domhain – idir mhion agus mhór: is deacair teacht ar reiligiún nach n-úsáideann an tairngreacht mar dhlisteanú ar a údarás nó ar a éileamh.[1]

I litríocht na Gaeilge is í an tairngreacht an mód is coitinne agus is leanúnaí sa chumadóireacht fháistineach trí chéile agus, ó thús na litríochta anuas go dtí an naoú haois déag, is ar an aicme shagartúil amháin, na heolaithe le fios osnádúrtha – file, fáidh, draoi, naomh – a leagadh iad. Sa litríocht is seanda dá dtáinig anuas chugainn, an litríocht a léiríonn an saol réamhchríostaí, is le filí, fáithe nó draoithe a shamhlaítear an fháistineacht agus bíodh gur dóichí nárbh ionann amach is amach feidhm na ngairmeacha difriúla sin, is deacair idirdhealú cruinn a dhéanamh eatarthu anois; ní hannamh sna foinsí iad á ngrúpáil le chéile agus iad ag malartú le chéile. Nuair a d'fhógair Piaras Mac Gearailt, san ochtú haois déag, nár ghéill sé riamh 'do ráitibh file, fáidh nó draoi', bhí macalla á bhaint aige as aicmiú cianársa a bhí imithe in éag le fada an lá, bíodh gur mhair na hainmneacha sa leicseacan i gcónaí.[2] Ina leabhar cáiliúil ar shocheolaíocht an reiligiúin, áitíonn Weber (1936: 46) gur eilimint uilí i gcultúir an domhain í coimhlint idir an sagart agus an fáidh, ar coimhlint ideolaíochtúil go bunúsach í. Is cinnte gur tharla coimhlint mar í in Éirinn ar theacht na

Críostaíochta agus bíodh nach féidir linn anois mionsonraí na coimhlinte sin a dheiliúniú ná a thuairisciú fós is cinnte cén toradh a bhí uirthi: chuaigh na fáithe is na draoithe ar ceal (mar aicmí feidhmiúla) is ghlac na manaigh chucu féin a bhfeidhmeanna osnádúrtha trí chéile. Pé *modus vivendi* baileach a oibríodh amach idir na filí agus an Eaglais, tá an chuma ar an scéal gur fágadh gnó na *filidechta* faoi na filí agus gur ghlac na manaigh chucu féin gnó na fáistineachta – agus an seanteideal *fáidh*. In ionad an draoi lena shlaitín draíochta, a chuid briochta is a chuid orthaí i nGaeilge chrosta rí-ársa, bhí anois an naomh lena bhachall, a chloigín, a leabhra is a chuid Laidine. Feasta is leis na naoimh go príomha a bhain cleachtadh poiblí na fáistineachta, de réir na litríochta pé scéal é, agus bhain grúpa beag acu – Colum Cille, Bearchán, Séadna, Ultán – cáil faoi leith amach ar fheabhas a bhfáidheadóireachta.

Is ar na naoimh sin a leagtar na tairngreachtaí a thuarann teacht na Lochlannach in *Cogadh Gaedhel re Gallaibh,* agus na tairngreachtaí a thuarann teacht na Normannach, dar le Cambrensis, in *Expugnatio Hibernica;* san fhilíocht trí chéile, ó thús ré an dána dhírigh anuas go dtí an naoú haois déag, is leis na naoimh sin, nó leis na naoimh trí chéile, is mó agus is leanúnaí a shamhlaítear an tairngreacht:

> Tiocfa sé le séan uaire
> do dhíon Banbha bratuaine;
>   ag Bearchán do bhí a dheimhin,
>   an rí a gealchlár goirmFheimhin ....

> Tú do gheall Colum Cille,
> fáidh fíorghlan na fírinne ....
> Cár ghabh tairngre Phádraig naofa,
> rá Bhearcháin nó Sheanáin shéimhghil? ...

> Naoimh is fáidhe a lán do tharangair
> go bhfaigheadh Éire cabhair san am do ghealladar ....

> Beidh de shíor, a deir Ultán naofa, le linn Shéamais
> creideamh Chríost ar fud an tsaoil ag lasadh i ndaonnacht ....

> I mbeathaí na naomh gan bhréig do chibheam bréithre is milis liomsa ....

> Targair fhíor a rinne na naoimh ....[3]

Agus anáil nó éifeacht na tairngreachta á meas agus á scrúdú againn, ní foláir an comhthéacs mistiúil osnádúrtha sin a chur san áireamh i gcónaí: is ó Dhia a fuair na naoimh an *fios* agus an *spiorad fáidheadóireachta* a bhí acusan (SG: 80, BCC: § 42); bhí sé ina nath nach ndéarfadh an fáidhnaomh *gó* (BAR: § 96). Is iad tairngreachtaí na naomh is mó a saothraíodh agus is ar na tairngreachtaí sin a bunaíodh na cnuasaigh a tháinig anuas. Lasmuigh de na naoimh sin, is é Fionn an t-aon duine amháin de na seanphearsana fáidhiúla a mhair mar thairngire sa traidisiún beo. Fiú amháin sna foinsí déanacha, is leis na naoimh amháin a shamhlaítear na tairngreachtaí agus is fíorannamh a leagtar aon tairngreacht ar aon duine de na filí aitheantúla. B'é gnó na bhfilí, is cosúil, eicsigéiseas a dhéanamh ar na téacsanna fáistineacha a tháinig anuas, tábhacht láithreach na tairngreachta a shuíomh agus a áiteamh, brí chomhaimseartha a bhaint aisti, pearsana comhaimseartha a ionannú le pearsana na tairngreachta, na tairngreachtaí a mhíniú is a léiriú. Sin mar a nochtar an file sa litríocht féin, pé scéal é; pé acu file an dána dhírigh é sna meánaoiseanna, nó file an amhráin sa ré nua-aoiseach é. Is leor dhá shampla: i ndán molta a chum Aonghus Ó Dálaigh dá thiarna Aodh Ó Conchobhair (†1309), is í apalóg a tharraingíonn an file chuige an aisling a rinneadh do Chormac mac Airt na céadta bliain roimhe sin, ansin míníonn an file brí na haislinge dá thiarna (O'Dwyer 1948); 'naoimh is fáidhe a lán do tharangair/go bhfaighfeadh Éire cabhair san am do ghealladar' a d'fhógair Diarmaid Mac Cárthaigh i dtreo dheireadh an tseachtú haois déag; bhí an t-am sin anois tagtha, a mhíníonn sé, agus an Talbóideach is Séamas II i réim (DÓB iii: 14).⁴

Dála litríochtaí eile, faightear an tairngreacht mar théama agus mar sheánra araon i litríocht na Gaeilge. Mar théama, agus is téama an-choiteann é, is é a fheidhm, is cosúil, a thaispeáint is a dheimhniú go bhfíortar an tairngreacht i gcónaí: teacht Chú Chulainn, agus an t-ár a d'imreodh sé ar shluaite Chonnacht, á dtuar ag an mbanfhile Feidheilm; Cathbhadh draoi ag tuar, nuair a saolaíodh Deirdre, go dtiocfadh dochar agus díobháil do chúige Uladh dá barr; Colum Cille ag tuar go dtiocfadh fearg Dé ar mhuintir na hÉireann de bharr a n-éagóra is a n-aindlí féin agus go ruaigfí as a dtailte iad fá ghleannta is shléibhte na hÉireann; teacht na Lochlannach á thuar ag Bearchán, príomhfháidh nimhe agas talún; Aoibheall na Craige Léithe ag teacht chuig Brian Bóraimhe, an oíche roimh chath Chluain Tairbh, agus a bhás féin agus bás a mhic á dtuar aici.⁵ Is í an véarsaíocht an príomh-mheán atá ag seánra na tairngreachta sa ré réamh-Normannach agus cuimsíonn sé dhá mhór-réimse théamúla: an reiligiún/an mhoráltacht agus an saol poiblí/an pholaitíocht. Sna tairngreachtaí reiligiúnda cuirtear an-bhéim ar lá an bhrátha, ar éag na seanmhoráltachta, ar fhearg Dé ag agairt pheacaí na muintire:

Beit brethemain gin fis, gin forus, gin foghlaim,
beit flatha gin ecna,
beit mná gin féili ... (RC 46, 1929, 122).

Ragaid mac i ligi a athar,
ragaid athair i ligi a meic ....(RC 12, 1891, 110).

Beid na cléirigh mealltach
ré fallsacht na litreach,
ní bhia brígh 'sna mionnaibh,
biaidh gach fine ciontach .... (ZCP 10, 1915, 50).

Biaidh léan ar laochraidh Laighean ...
Aileach Néid biaidh fo námhaid ...

Ní bhia ceall ná cathair cháidh,
ní bhia rodhún ná roráith;
fiodh glas nó magh gan dul as
     a n-aitheantas. ...

Mairg Éire ro-chluinfe an cath,
mairg, mairg maccu, mairg ríoghradh;
     mairg saor, mairg daor, mairg daoine,
     muir is tír dá héagcaoine ....

Tiocfaid Danmhargaigh anoir,
géabhaid Éirinn iongantaigh ....
Beid cealla ar bheagán crábhaidh ...
beid mná fear ag sagartaibh ....[6]

Is léir cén fheidhm theagascach mhorálta a bhí leis an saghas sin
cumadóireachta, agus leanadh de ábhar mar é a shaothrú anuas go dtí
ár lá féin, an smacht sóisialta mar eilimint lárnach bhuan sa
chumadóireacht sin trí chéile.

Tiocfaidh na liatha luatha,
     tiocfaidh na cruacha cátha,
beidh muileann ar gach sruith,
     is mná óga gan náire.

Tiocfaidh samhradh gan amhras
     nach bhfaicfíor grian,
tiocfaidh an Francach nár cham
     i gcoinníoll riamh ...

Tiocfaidh Aodh tréanmhar
     na gcraoiseach teann,
na céadta de shliocht Éibhir
     is na mílte ar ball ...[7]

     Tairngreacht Choluim Cille
Teach geal ar gach casán,
muileann ar gach sruthán,
Béarla ag gach tachrán,
buataisí ar gach breallán –
agus ar mhná óga dalba dána (Wagner 1966: 371-2).

Níl sé indéanta i gcónaí, mar a léiríonn cuid de na ranna sin féin,
glanidirdhealú a dhéanamh idir an tairngreacht phiúratánach mhorálta
agus an tairngreacht pholaitiúil; bhí diminsean polaitiúil freisin sa
chlaochlú morálta a bhí á thuar:

Abair riom, a Shéadna
     scéala dheiridh beatha:
cionnas bhias an líne
     nach lorg fíre a mbreatha? ...

Tréigfid na mná a mbandacht
     ar chéilibh gan pósadh,
do-ghéanaid gan chagar
     ní bhascfas a nósa ....

Scriosfaidhear a Caiseal
    clann Carthaigh, clann Eoghain;
go nach mbia ina bhfalaidh
    acht Danair is deoraidh.

Teilgfidhear síol saor mBriain
    tar an Sionainn sreabhghlain;
do-chím mar a bhfuilim
    a dtuitim 'na gciontaibh ....

Abair a Mhaoil Tamhlachta,
    scéala dheiridh an domhain ...

A n-uabhar 's a n-aindlighe
    leantar ar mhacaibh Mílidh,
nó go ndearnaid aithrighe
    san gcoir dá dtig a ndíbirt.

Léigfidhear do na Danaraibh
    seal ar Inis Fhéidhlim,
ní ar mhaithe re Saxanchaibh
    acht ar olca re hÉirinn ....[8]

Gan amhras is tar éis do na Danair teacht, agus taithí mhaith ag muintir na hÉireann orthu, a cumadh na 'tairngreachtaí' iomadúla ina dtaobh; ach feidhm chomhaimseartha a bhí leis an chumadóireacht: údarás na tairngreachta a dheimhniú trína léiriú gur fíoradh an tairngreacht cheana. Ní fhéadfadh éinne a shéanadh ach gur tháinig an tuar faoi thairngreachtaí na naomh i dtaobh Phádraig, i dtaobh na Lochlannach, agus i dtaobh an iliomad tarlang stairiúil eile:

Tiocfa an Táilgheann tar Muir Meann,
    ní holc leam is ní holc damh;
beinneóchaidh Éire fó seacht,
    agus a theacht budh céim glan ....[9]

Ticfait Genti dar muir mall
mescfait for ferand Érenn (CGG: 225)

Meascfaid Danair tar muir Meann
a n-uilc ar fhearaibh Éireann ...

Millfidh siad Éire uile,
eidir mhagh mhín is muine ....

Tiocfa aimsir, a Bhréanainn,
's budh olc leat bheith in Éirinn ...
tiocfaidh fuacht is gorta,
fuath is olc is déine ....

Teamhair Breagh,
gidh líonmhar libh líon a fear;
    ní cian go mbia 'na fásach,
    gé tá sí aniogh i sásadh ....[10]

Tréigfidh talamh toradh
    den réim sin a-deirim;
Béarla in gach lios lomlán,
    budh é an comhrádh neimbinn ....

> Béarla i n-ucht gach aon tighe,
> 's saor i n-ucht gach calaighthe;
>> beid Gaoidhil ina nGallaibh,
>> is Gaill ina nGaoidhealaibh ....[11]

Níor dheacair ag an aos léinn eicsigéiseas bailí a dhéanamh ar na ráitis fháistineacha sin agus ba eilimint lárnach bhuan an t-ábhar stairiúil sin sna tairngreachtaí a tháinig anuas agus sa tsíorúsáid a bhain an t-aos léinn astu. I dtairngreacht dhéanach a leagtar ar Fhionn, tuarann sé teacht Phádraig is teacht na Lochlannach go cinnte soiléir agus ansin cathanna, tarlaingí is pearsana difriúla nach bhfuil chomh soiléir céanna:

> Tiocfa an Táilgheann tar Muir Meann ....
>
> Nochan eadh sin is olc leam
> acht iomad ann na nGall nglas ....
>
> Tiocfa an t-ardrí seacha a-dtuaidh
> do-bhéara go cruaidh an treas ....
>
> Ní fhuireochaidh Gall re a chloinn
> ag dul ina loing tar sáil ....
>
> Fa Sligeach do-bhéarthar treas
> dia dtiocfa leas nGaoidheal nglan ....
>
> Is mé Fionn Mac Cumhaill fhéil
>> creidim féin do rí na neamh;
> is mé fáidh is fearr fon ngréin,
>> gé do rinneas réir na mban.[12]

I gcaoineadh a chum file anaithnid ar Mhaol Mórdha Ó Raghallaigh (†1636) luaitear na tairngreachtaí difriúla a rinneadh i dtaobh theacht na Lochlannach is a ndíbirt, i dtaobh stair na hÉireann trí chéile; meabhraítear go raibh sa tairngreacht freisin go dtiocfadh Gaill eile go hÉirinn ach go raibh i ndán do dhuine amháin d'áirithe iad a ruaigeadh; mheas an file gurbh é Maol Mórdha an té áirithe sin ach ní raibh i ndán dósan anois an tairngreacht a thabhairt isteach, bhí briathra na bhfáithe fós le fíoradh:

> Cia fhíorfas fuighle na bhfádh? –
> cumhain liom, liaide ar dtocrádh,
>> go lór d'fháistine gach fhir
>> ar shlógh bhfáis Tighe Fuinidh.
>
> Ughdair Ghaoidheal, leath ar leath,
> scríobhthar leo 'san lorg dhíreach
>> tingheall fádh um Phort na bhFionn
>> ar ágh, ar olc na hÉireann (PR: 12 §§ 1-2).

I ndán a chum Aodh Mac Dónaill, baineann sé earraíocht as tairngreacht a chum Colum Cille chun tagairt a dhéanamh do tharlaingí difriúla, idir tharlaingí stairiúla, tharlaingí comhaimseartha agus tarlaingí a bhí fós le titim amach; tagairtí soiléire ag malartú le tagairtí doiléire éiginnte:

Targair fhíor a rinne na naoimh
san oileán so ar iarsma Gaelaibh,
sul fa raibh smaoineamh go dtiocfadh choích'
milleadh nó díth go hÉirinn ...

Scríobh lena pheann dá dhearbhú dúinn
go mbeadh colann gan cheann in Éirinn ...

is go mbeadh gorta gan táir uaidh sin inár lár,
is go gcrochfaí is go gcéasfaí Gaelaibh ....

I gCill Dara 'na dhéidh sin scaipfear an fhéin
is rachaidh gach aon dá dhúchas,
is ní fheicfear 'na ndéidh in oileán na naomh
ach milíse is éide dubh orthu ...

Beidh Breatain fán tráth so scoilte ina lár
is imeoidh an malrach uafu,
is ní bheidh oiread le bárc nach mbeidh uafu ar sáil,
i gcogadh le náisiún uaibhreach ...

     (AMD: 2 §§ 1-4, 25-6, 31-2, 41-4, 57-60).

Faoi mar a léiríonn na samplaí ionadacha sin, samplaí a cumadh idir an dara haois déag agus an dara leath den naoú haois déag, faightear dhá eilimint chomhlántacha go coiteann sa tairngreacht pholaitiúil: athinsint ar eachtraí stairiúla, atá ar eolas ag cách cheana, agus iad á 'dtuar' ag an údar, in éineacht le réamhinsint ar tharlaingí atá fós le titim amach. Chuir David Rowland, tairngire sa Bhreatain Bheag an-soiléir is an-lom é: is é a bhí á thuar ina thairngreacht 'foretelling many things, already past, now present and which are to come ...' (*A true copy* ...). Cothaíonn an athinsint stairiúil muinín as iontaofacht na tairngreachta trí chéile is go háirithe as údarás na n-údar a leagtar na tairngreachtaí orthu: má bhí an ceart ag Colum Cille i dtaobh na Lochlannach, ca 'má nach mbeadh an ceart aige i dtaobh na coda sin dá thairngreacht a bhí fós le teacht isteach? Agus brí na tairngreachta á míniú aige, tarlang nó pearsa chomhaimseartha á n-ionannú le fíoradh na fáistine aige, tá slabhra leanúnach gan bhriseadh á bhunú ag an údar idir na fáithe ársa údarásacha agus a am féin. Tugtar le tuiscint, ní hamháin go raibh a fhios ag Colum Cille is ag na fáithe eile cad a bhí le titim amach na céadta bliain ina ndiaidh ach éilítear go bhfuil údarás na bhfáithe sin lena bhfuil á thuar. Mar dá sheanda iad na tairngreachtaí, dar le lucht a scaipthe, dá ársa iad na húdair a leagtar orthu iad nó na leabhair a bhfaightear iad, feidhm chomhaimseartha is feidhm phríomha dóibh i gcónaí:

Aréir is mé go tláthlag,
go tabhartha tnáite in easpa chirt,
'sea dhearcas ag teacht im láthair
an bhean dob áille fionnachruth;
bhí gruaig a cinn go búclach buí
'na slaodaibh síos go talamh léi,
's le glór a béil gur bhuail sí an draíocht

ar cheoltaibh sí na Banban,
's a chlanna Gael na n-árann,
    sin é ráiteachas na tairngreacht.

Tiocfaidh aonmhac phrionsa an chomhraic
    gurbh ainm dó siúd Bonaparte,
an tImpire 's an Spáinneach
    ag cur garda leis go hAlbain;
ní bheidh siúd choíche sásta
    le háitreabh rí na Sacsan d'fáil,
gan buíochas cruinn le faobhar a gclaíomh
    go mbainfid díol a n-athar díobh,
's a chlanna Gael na n-árann,
    sin é ráiteachas na tairngreacht ... (Breathnach 1913 ii: 30).

Réaladh í an 'réamhinsint' fháistineach, ní ar a bhfuil le titim amach, ach ar a dteastaíonn ó dhaoine áirithe a thitfeadh amach; réaladh í ar mhianta comhaimseartha polaitiúla: 'His prophecy is largely a re-affirmation of existing values, and a re-telling of stories already known and has to be to acquire credibility, but it is the supernatural claim of prophecy which is the means of conferring validity on its content' (Wilson 1973: 390). Ag tagairt do thairngreachtaí Handsome Lake, fáidh cáiliúil na Seneca, a bhí an t-údar sin ach tá a bhfuil á rá aige chomh fíor céanna i dtaobh na tairngreachta polaitiúla trí chéile agus léiríonn a ráiteas go cruinn a feidhm phríomha.[13]

Tá an fheidhm sin le feiscint go soiléir fiú sna tairngreachtaí polaitiúla is sine dá bhfuil againn. Ceaptar gur sa seachtú haois a cumadh *Baile Chuind*, téacs a leagtar ar Chonn Céadchathach ina dtuarann sé na ríthe difriúla ar Theamhair a thiocfaidh i ndiaidh a mhic Art. Sa deichiú nó san aonú haois déag, is dóichí, a cumadh *Baile in Scáil*, téacs ina dtuarann Lugh do Chonn Céadchathach na ríthe iomadúla dá shliocht a leanfaidh é mar rí ar Theamhair. Ní hamháin gur léir go bhfuil gaol ag an dá théacs sin le chéile, ach is léir chomh maith gur aidhm fhiosach pholaitiúil a bhí lena gcumadh an chéad lá: éileamh an tsleachta a shíolraigh ó Chonn – Uí Néill – ar ríghe na Teamhrach a dhlisteanú. Tá tabhartha faoi deara freisin go bhfuil sa dá théacs an meascán den chinnteacht is den éiginnteacht, den tsoiléire is den doiléire a fhaightear sa tairngreacht pholaitiúil trí chéile: suas go pointe áirithe, an tréimhse ar cumadh na téacsanna, is tagairtí soiléire do ríthe stairiúla nó do ríthe ar féidir ionannú stairiúil a dhéanamh leo a fhaightear (Art, Cormac, Cairbre, Diarmaid, Suibhne, Fiannachta, etc.) ach ón tréimhse sin anuas is leasainmneacha íogara nach bhfuil sé soiléir ná cinnte cé tá i gceist a thugtar: Glúnshalach, Flann, Caileach, Criosalach, Tarbhaineach, Dondaineach, etc.[14] B'é gnó an aosa léinn, is go háirithe na bhfilí, na carachtair íogara sin a aithint is iad a ionannú le pearsana comhaimseartha agus ba ghné choiteann den tairngreacht pholaitiúil sa tréimhse réamh-Normannach liostáil íogair fhollaitheach a dhéanamh ar na ríthe a bhí le teacht:

Ticfa in Donn derg ...
ticfa didiu in rí ruad ...
ticfa didiu in rí flann ...
ticfa didiu in Finn donn,
ticfa didiu in Derg tenn trén ...
ticfa didiu Aed bán ...
bas engach fri cách ... (Meyer 1921a: § 5).

Leanadh den saghas sin ábhair a shaothrú ach gur chuaigh athrú bunúsach téamúil air de réir mar a d'athraigh na cúinsí polaitiúla.

Lasmuigh de theacht na Críostaíochta féin, is cinnte go raibh ionradh na Lochlannach san ochtú haois is gabháil na Normannach ag deireadh an dara haois déag ar na tarlaingí is mó a d'fhág rian ar shaol soch-chultúrtha is ar shaol sochpholaitiúil na tíre, gan trácht ar an rian buan a d'fhágadar ar shícé na muintire. Tá áitithe ag Binchy (1962: 131) go raibh mar thoradh ar ionradh na Lochlannach, i measc torthaí iomadúla eile, gur tháinig chun cinn 'a feeling of otherness' i measc na nGael, tuiscint gur chine faoi leith iad, difriúil go maith leis na heachtrannaigh a bhí anois ag lonnú ina measc. Agus bíodh gur dheacair a chruthú gur le teacht na Lochlannach is túisce a tháinig an tuiscint sin chun cinn agus nach raibh aon fhiosacht náisiúnta á nochtadh roimhe sin in Éirinn (Ó Corráin 1978), is deimhnitheach gur bhrostaigh an tarlang chradhscalach sin an tuiscint idirdhealaitheach agus gur chuir fócas cinnte coincréiteach ar fáil di. Eilimint théamúil lárnach sa litríocht feasta ab ea í, go háirithe san fhiannaíocht, 'laochra ó Lochlainn', Lochlannaigh fhíochmhara bhrúidiúla bharbartha, a bheith de shíor ag ionsaí na hÉireann agus iad á gcloí is á ndíbirt ag Fionn is ag Fianna Éireann arbh é an príomhchúram a bhí orthu cosaint na críche 'ar fhoirneart eachtrann':

> Mar an gcéadna, tar ceann gur scríobhadh iomad d'fhinnscéalaibh filidheachta ar Fhionn agus ar an bhFéin, mar atá *Cath Fionntrágha*, *Bruighean Chaorthainn* agus *Imtheacht an Ghiolla Dheacair* agus a samhail oile sin mar chaitheamh aimsire, tairis sin, is dearbh gur scríobhadh staire fírinneacha inchreidte orra .... ní raibhe ionnta acht buannadha do ríoghaibh Éireann ré cosnamh agus ré caomhna na críche dhóibh, amhail bhíd caiptíne agus saighdiuiridhe ag gach rígh aniú ré cosnamh a chríche féin.
>
> Agus is amhlaidh do bhídís an Fhian ag coinnmheadh ar fhearaibh Éireann ó Shamhain go Bealltaine, agus iad ré cosnamh córa agus ré cosc éagcóra do ríoghaibh agus do thighearnaibh Éireann; agus fós ré caomhna agus ré coimhéad chuan na críche ar fhoirneart eachtrann ... (FFÉ ii: 326).

Más mar théama liteartha is príomha a mhair is a d'fheidhmigh na Lochlannaigh i gcultúr na hÉireann feasta, is mar íotam sa leicseacan polaitiúil is mó a d'fheidhmigh a gcomhainm *na Danair*. Brí chruinn theicniúil a bhí leis an bhfocal sin ar dtús – Danmhargach, duine ón Danmhairg – ach leathnaíodh a shéimeantaic go mór gur tugadh brí

leathan ghinearálta dó – eachtrannach, duine deoranta, é
comhchiallach le Gall. Má bhí sé sa tairngreacht, mar a áitítí, go raibh
na Lochlannaigh le teacht, bhí sé sa tairngreacht freisin gurbh é a bhí i
ndán dóibh a gcloí is a ndíbirt. Ní hamháin gur líon Brian Bóraimhe an
ról sin, faoi mar a bhí geallta, ach gur chuir a phearsa is a ghníomhréim
múnla aircitípeach laochúil eile ar fáil a raibh aithris le déanamh air ag
laochra eile sna glúnta dá éis. De réir an tseanchais, is go 'cathach
cogach conghalach' a thosaigh a ríghe ach is go 'spéarach sádhail
somheanmnach sítheamhail sona somhaoineach saidhbhir' (CGG: 100)
a chríochnaigh sí; bhí Brian le háireamh mar dhuine den triúr 'as fearr
rugadh in Éirinn riamh' agus is mó a rinne sochar d'Éirinn – Fionn mac
Cumhaill agus Lugh Lámhfhada an bheirt eile; is é a d'fhuascail 'fir
Éireann agus a mná ó dhaoire agus ó dhochar Gall agus allmharach';
b'é Séasar, Dáibhí, Solamh is Maoise i dteannta a chéile é agus nuair a
thit seisean, 'ro thuit Éire den bhás sin Bhriain' (*ibid.* 202-4). Laistigh de
chéad bliain d'éis a bháis, braitheadh go raibh géarghá arís leis.

'*Cuin thiocfas samhail Bhriain*'? a d'fhiafraigh Muireadhach Albanach
Ó Dálaigh i ndán a chum sé ag deireadh an dara haois déag, nuair a
chonaic sé 'feart Bhriain Bhóraimhe i dteampall mhór Ardmhacha'.
Dán adhmholtach ar ghníomhartha gaisce Bhriain é, ach dán a thugtar
chun críche le tagairt réalaíoch do chor comhaimseartha na hÉireann.
Ó aimsir Bhriain i leith, ní raibh Gaill in Éirinn go dtí anois; bhí an
chríoch uile ina seilbh is bhí gá arís le samhail Bhriain a d'fhóirfeadh,
mar a rinne seisean, ar na Gaeil:

> Síth Éireann uile uile
> do rinne Brian Bóraimhe;
> > gur imigh an bhean gan an
> > ón dtoinn go 'roile a haonar....
>
> Lugh agus Fionn na Féinne
> Pádraig is Brian go bhféile;
> > ceathrar i dtreasaibh nár thim,
> > is mó do leasaigh Éirinn....
>
> Aoine Cásc do marbhadh Brian
> ag dídean Gaoidheal na ngiall;
> > mar do marbhadh Críost gan choir,
> > ag dídean chlainne hÁdhaimh.
>
> Ó do marbhadh Brian béilbhinn,
> níor aitreabhsad Gaill Éirinn;
> > ó shoin a-nuas gus a-niodh,
> > go dtoirreacht an t-iarla annamh.
>
> Ón ló táinig an t-iarla,
> tig loingeas Gall gach bliadhna;
> > gur ghabhsad Bhanbha na mbeann,
> > aca atá an chríoch go coitcheann.
>
> Cuin thiocfas samhail Bhriain,
> theas nó thuaidh, thoir nó thiar;

neach fhóirfeas Gaoidhil ar ghomh,
mar do fhóirsean in aonar?[15]

Feasta ba phearsa lárnach sa tairngreacht is sa litríocht pholaitiúil trí chéile é an té 'chobhras Banbha', rí a raibh feidhm chinnte phairticleártha le comhlíonadh aige – Éire a shaoradh ó anbhroid Gall, na Danair a dhíbirt:

Fó gairde go dtiocfa an mac
chobhras Banbha a buannacht ...

An mac sin chobhras Banbha
ní ba rí, gidh rídhamhna ....[16]

Cúig fichid déag bliadhan bán,
tréimhse na nGall go hiomlán;
tiocfa Aodh Anghlonnach ann,
díbeoras Gaill dá bhfearann.

Is tiocfa iarsin an Donn,
géabhaidh Éire mar ghaibh Conn;
is géabhaidh an Donn dronach
Éire mar Chonn comhramhach ....[17]

Is olc atá in Éire a-nocht,
Gaill is Gaodhail folt ar fholt;
is Gaodhail bhus méala de
go n-éirghe Sraonghail Doire ... .[18]

Fear an eangha tig a-dtuaidh,
an beodha coscarach cruaidh;
géabhaidh, gion gur dóigh le neach,
Cruachain, Eamhain is Aileach ....

Tiocfa Ball Dearg Easa Ruaidh
i dtréine Éireann in aonuair ... .[19]

Nónbhur ríogh,
géabhtaid an tír thuaidh dá shíol;
bidh díobhsin an Ball Dearg brosnach,
agus an Coscrach nach críon (BF: 228-31).

Tiocfa Graifneach Cruacha,
díth Danar go déadla;
bidh díth é ar a bhfine
go dtéid slighe éaga (*ibid.* 280).

Díth ar Dhanaraibh go beacht,
scarfaidhear Aodh re ardneart (*ibid.* 374).

Is sa chomhthéacs áirithe sin, agus san ábhar sin go háirithe, a thagaimid ar Aodh Eanghach; b'eisean an phearsa phríomha ar samhlaíodh an ról meisiasach leis; b'eisean, seachas aon phearsa liteartha eile, an té a bhí geallta de réir na tairngreachta; b'eisean d'áirithe an té a raibh sé i ndán dó Éire a shaoradh:

Bidh beacht brígh Bréifneach na mbrath,
an tráth éirgheas Aodh Eanghach ...

go dtabhraid mac an Doinn cath
is na Goill don Aodh Eanghach ....[20]

Tiocfa an tAodh Eanghach iodhan,
ní airg cill i mbí iobhar;
   muna raibh acht iobhar ionn,
   Aodh Eanghach nocha n-airgeann ....[21]

Biaidh Éire gan rian, gan rath
nó go dtoir an tAodh Eanghach.[22]

Pearsa mhiotaseolaíoch é Aodh Eanghach ar sa litríocht, agus sa litríocht amháin, a thagtar air. Ón tagairt is luaithe a fhaightear dó, sa scéal *Baile in Scáil*, go dtí an tagairt is déanaí dó, i ndán a chum an tAth. Pádraig Ó Coirnín ar Bhall Dearg Ó Dónaill, is pearsa ionannais i gcónaí é, is é sin le rá, go ndéantar ionannú iomlán idir phearsana stairiúla agus Aodh Eanghach.[23] I bhfilíocht mholta na meánaoiseanna go háirithe, is móitíf choiteann leanúnach ag na filí é an té atá á mholadh acu – pátrún/ tiarna/taoiseach – a ionannú le hAodh Eanghach:

Tusa an tAodh soin ...
is tú is Aodh don fháistine ...

Tú Aodh Eanghach innse Gaoidheal
gheabhas Éirinn, ard a nós ...

Tú an tAodh Iodhan chuireas cath,
is tú an tAodh oirdhearc Eanghach ... .[24]

Ba léire is b'fhusa an t-ionannú sin, is dócha, má bhí Aodh d'ainm ar an taoiseach áirithe a bhí i gceist, ach ní ar pharailéalachas ainm nó sloinne a bhraith éifeacht na móitífe, is léir. Idir 1200 agus 1700 samhlaíodh morán tiarnaí, taoiseach is pátrún le hAodh Eanghach, daoine a raibh ainmneacha is sloinnte difriúla orthu: Cathal Croibhdhearg Ó Conchobhair (†1224), Aodh Buidhe Ó Domhnaill (*c.* 1281), Aodh Ó Conchobhair (†1397), Brian Ó Néill (†1574), Pilib Ó Raghallaigh (†1596), mar shampla. An t-ionannú a shamhlaigh na filí idir Aodh Eanghach agus a bpátrúin ionannú adhmholtach ab ea é, ach ceann a chuir ról cinnte is feidhm áirithe in iúl; b'ionann tiarna a ionannú le hAodh Eanghach agus carachtar laochúil ríoga meisiasach a shamhlú leis.

Sháraigh Aodh Eanghach ar ar tháinig roimhe i gcruth daonna, i gcumas, i dtréithe; dá mhéad an chomparáid a d'fhéadfaí a dhéanamh idir é agus mórlaochra na sean – Lugh, Conaire, Cormac, Fionn – ní fhacthas a leithéidsean riamh cheana:

Folchar mionsrotha sa muir:
Aodh Eanghach aicme Dálaigh,
   téid céim tar gach Aodh oile,
   mar is léir craobh Conaire ....

Lugh mac Céin do chuala sinn ...
do shéad samhail is é sin ....
an dara Lugh chláir Cobhthaigh ....

Is tú an chraobh lubhghoirt leabhair
ar nach fás acht fíneamhain;
    crann toraidh, cnú ós na cnaibh,
    tú an chobhair i gCruachain ....

Tú an crann ós do chlann-aicme,
tú an t-ard ós gach iomaire ...

Tú an teach mór ós mhintighibh,
tú an Róimh cheart ós chathrachaibh ....[25]

Is í torthúlacht na talún a fhógraíonn a theacht agus is fearr a léiríonn a réim; crainn ag cromadh go talamh, flúirse iasc in aibhntibh, raidhse bainne ag ba, farasbarr measa sna coilltibh, síocháin ar muir is ar tír:

Talamh, fairge ag fearthain fháilte,
    éasca is grian red ghruaidh mar rós;
neoill na hirminnte 'got fhógra,
    finnlinnte na Fódla fós ....

Foghar ciúil i gcomhrádh sreabh,
teas i ngréin, iasc in inbhear;
    coill dealbharsaidh claon ó chnaibh
    fán Aodh Eanghachsoin d'Ultaibh ....

Usaide d'Éirinn th'aithne,
ní fhuil tráigh gan torchairthe;
    's ní fhuil ód ríoghadh riasc geal
    nár líonadh d'iasc na n-inbhear ... .[26]

Na boghabhla caomha cuir,
comhurdha Aodha Eanghaigh (IGT ii: § 2.136).

Tá sé i ndán d'Aodh Eanghach na Gaill a chloí is iad a ruaigeadh as Éirinn; eisean an Cabharthach a shaorfaidh Éire is a scaoilfidh a cuibhreacha; eisean an Tairngeartach (nó Tairngeartaidh) atá geallta de réir na naomh:

Tú Aodh Eanghach innse Gaoidheal
gheabhas Éirinn, ard a nós ...

D'fhógra Gall nó do chur gcath,
sluagh Gaoidheal um Aodh Eanghach ...

Ar mhaigh Tuireadh na dtreas dte
tiocfa an Tairngeartach fíre ...

Éire i ngioll re hAodh Eanghach,
budh saor dá chionn a cuibhreach ...

D'Aodh do bhí i ndán a dhéanamh
críoch Ghaoidheal gan dáimh ndeoradh ...

ní dú tár ar na teachtaibh,
i ndán is tú an Tairngeartaidh. ...

tú an fagharthach ar brú beann,
's is tú an Cabharthach coitcheann ....[27]

Tá baint faoi leith ag Aodh Eanghach le Teamhair; géilleann uaisle na

Teamhrach dó, fógraíonn an Lia Fáil ina rí é; eisean a athbhunóidh Teamhair:

> Anois táinig Aodh Eanghach,
> táinig an tAodh gan fhuighleach;
> téid dá reic re taobh Teamhrach,
> Aodh Eanghach ag Leic Luighdheach. ...
>
> Ráth Teamhra ag taiscidh fhleidhe
> don Aodh Eanghach d'áiridhe ...
>
> Do haithéantaoi an tAodh Eanghach
> ag colamhnaibh claoinTeamhrach ...
>
> Ní bhiaidh Banbha ar bhreith a námhad,
> anois a-dtuaidh tiocfaidh sé;
> beanfaidh claon a tulaigh Teamhrach,[28]
> cubhaidh an tAodh Eanghach é.
>
> Lucht Danar do chur tar cuan,
> Teamhair do chur as a claon.[29]

Is leor an imlíne sin féin chun príomhthréithe feidhmiúla an charachtair is Aodh Eanghach a léiriú. Pearsa mheisiasach is ea é ar dó d'áirithe atá sé i ndán Éire a shaoradh; ní bheidh aon rath ar Theamhair is beidh Éire faoi mhairg na daoirse go dtí go dtiocfaidh sé, ach ar a theachtsan tréimhse idéalach shíochánta a thiocfaidh isteach:

> Is fada liom, dar mo láimh,
> go dtig fáistine Bhearcháin;
> go bhfaicinn an tAodh Eanghach
> ar fhaithche na claoinTeamhrach.
>
> Cuirfidh Sagsanaigh tar sáil,
> is scarfaidh iad dá ngabháil;
> maith liom a ndul tar a n-ais,
> i leabhar na sean fuaras ....
>
> Biaidh Éire go suthain sáimh,
> do réir thairngire Bhearcháin;
> ag fine Gaoidheal gan glas,
> is insa tsaltair fuaras.[30]
>
> Bliadhain ar fhithchid go nglé,
> biaidh Aodh ina airdríghe;
> idir tulaigh agus fáin,
> Éire aige 'na síothcháin.[31]

Ina rí – ardrí – a réalófaí Aodh Eanghach, síocháin – síocháin bhuan – a leanfadh a theacht: léiriú coincréiteach simplí ar an tslí ar shealbhaigh Aodh Eanghach carachtar meisiasach an rí idéalaigh agus a fheidhm. Ach níor fheidhm fhréamhaithe thraidisiúnta gan athrú í sin. Leanfadh síocháin is torthúlacht a theacht cinnte, ach sula dtiocfadh an ré mhíleannach sin isteach bhí gníomhartha cinnte áirithe le cur i gcrích aige – uaisle Éireann a aontú, cath a chur ar Ghallaibh, Éire a shaoradh, na Gaill a dhíbirt – agus ról áirithe – An Tairngeartach/An Cabharthach

– le líonadh aige. Údarás docheistithe na tairngreachta a dhearbhaigh dlisteanas an té ar samhlaíodh an ról sin leis.

Faoi mar a thuar Bearchán, a dúirt Giolla Brighde Albanach, a bhí Éire agus Cathal Croibhdhearg ina rí, b'eisean an Tairngeartach; bhí 'tairngire na n-éarlamh' tagtha isteach, dar le Giolla Brighde Mac Con Midhe, agus Aodh Ó Domhnaill (†1333) i réim, b'eisean Aodh Eanghach:

> Táinig an Croibhdhearg go Cruachain,
>   a chomhardha ad-chíu 'na láimh;
> fríoth ó airmeartaibh na n-éarlamh
>   Tairngeartaidh críoch bhféarghlan Fáil.
>
> Táinig, mar do thairngir Bearchán,
>   baisdearg Cruachna, ceart ar rús;
> do ghabh um Charn Fraoich a ríghe,
>   do bhalbh gaoith na tíre ar tús ... (Quiggin 1912: §§ 1-2).
>
> Táinig tairngire na n-éarlamh-
>   uaisle Fódla feirrde dháibh ...
>
> Tú Aodh Eanghach innse Gaoidheal
>   gheabhas Éirinn, ard a nós;
> mar táid Gaoidhil re gairm th'anma,
>   faoilidh ret ainm Banbha bhós.
>
> Is tusa ro thairngir Bearchán,
>   san mbuile tre bhriathraibh Dé;
> tú do gheall béal Colaim Chille,
>   fa tréan orainn ime é ....
>
> Talamh, fairge ag fearthain fháilte
>   éasca is grian red ghruaidh mar rós;
> neoill na hirminnte 'got fhógra,
>   finnlinnte na Fódla fós.
>
> Iongnadh ó uisceadhaibh Fódla
>   fáilte Uí Chonaill ó Charn Fraoich;
> is beag nach balbh gach sruth sléibhe,
>   do mharbh bruth na gréine an ngaoith ...
>
>   (Williams 1980: 6 §§ 1, 5, 6, 20, 21).

B'é Aodh Ó Conchobhair (†1309) an laoch a bhí i gceist san aisling a rinneadh do Chormac mac Airt fad ó shin, dar le hAonghus Ó Dálaigh; b'eisean an té a bhí i gceist ag na naoimh, b'eisean Aodh Eanghach:

> Aisling ad-chonnairc Cormac
> dá bhfuair Fódla fochanbhrat ...
>
> Tusa an cú-soin i gCruachain,
> a mhic Eoghain órchuachaigh;
>   gion gur cú thú, a chraobh chime,
>   is tú Aodh na haislinge.
>
> Tú an tAodh Iodhan chuireas cath,
> is tú an tAodh oirdheirc Eanghach;
>   tú ua na dtrí nAodh eile,
>   a rí nua saor Sligighe ....

Tú an tAodh ós gach Aodh eile,
dá ndearna Fionn fáistine;
  méadaigh, a ghéag Iomghán, inn,
  bréag it iomrádh ní fhaighinn.

Do gheallsad fáidhe fíre
duit, a Aodh, an airdríghe;
  draoithe, idir léigheann is laoidh,
  saoithe Éireann 's a n-ardnaoimh ....

(O'Dwyer 1948: §§ 1, 30, 31, 37, 38).

Is i Saltair Chaisil a fuair Gofraidh Fionn Ó Dálaigh an tairngreacht go raibh sé i ndán do Dhomhnall Óg Mac Cárthaigh (c. 1360) Caiseal a ghabháil, mar a rinne Corc anallód, is neart Gall a bhriseadh; mar a shaor Maoise clann Iosrael, saorfaidh Domhnall Óg clann Eoghain:

Beir eolas dúinn, a Dhomhnaill,
réidhigheas gach rodhoghraing ...

Fuair sinn i Saltair Chaisil
go dtiocfa-sa an turais-sin;
  d'fhéachain fionnphoirt shuairc do shean,
  ionChoirc do chuairt go Caiseal ....

Imirce Mhaoise tar muir,
gá tabhairt 'na tír dhúthaigh;
  dar thráigh an Mhoir Ruadh rompa,
  re shluagh soin ba samhalta ....

Mar do bhuail Maoise an Muir Ruaidh
don tslait le rug gach robhuaidh;
  stiúir, a Dhomhnaill, na sluaigh soir,
  buail do ghormloinn ar Ghallaibh.

Neart Gall, a mheic Mhéig Carthaigh,
ní hinléigthe ar Eoghanchaibh;
  rug Maoise a mhaicne tar muir,
  a-taoise ag aicme Eoghain .... (DD: 74 §§ 1, 10, 20, 33, 34).

Is do Niall Ó Niall (†1397), dar le Tadhg Camchosach Ó Dálaigh, a bhí i ndán an tairngreacht a thabhairt isteach agus Éire a ghlanadh ó shlua Gall, mar a rinne Niall Frasach cheana:

Bean ar n-aithéirghe Éire,
ó uathbhásaibh aigmhéile ....

Cúis athtoirse Inse Fáil,
sochroide Ghall dá gabháil ....

Fóirfidh a-rís, ríodha an chéim,
Niall eile d'fhuil an chéid Néill ....

Niall mhac Aodha, airdrí cáigh,
a-tá i dtairngire Bearcháin;
  ní hionráidh nach é bhus fearr,
  an té do iomráidh Aoibheall (DMM: 1 §§ 1, 4, 31, 41).

Bhí sé sa tairngreacht, a dúirt Aodh Mac an Bhaird, go raibh sé i ndán do Aodh éigin Bréifne a rialú; ba léir gurbh é Aodh Ó Raghallaigh an té sin, b'eisean Aodh Eanghach, b'eisean an Cabharthach; ba léir sin ar dhreach na tíre féin:

> Buaidh nAodh ar aicme Fhearghna,
> dearbhthar le féin bhfinn Leamhna ....

> An tAodh Óg so, ua na nAodh,
> mac Filib, folt na n-órchraobh;
>   cóir a mheas mur Aodh nEanghach,
>   an treas Aodh ó fhinnBhreaghmhach ....

> Aodh mac Róise ó Ráth Teamhra.
> an treas Aodh d'fhuil fhinn Fhearghna;
>   díol ríghe tar Aodh eile,
>   Aodh fíre na fáistine ....

> Tú do gheall Colum Cille,
> fáidh fíorghlan na fírinne;

> Is tú an tAodh Eanghach iodhan,
> atá cách do chuimhnioghadh ....

> Ioth in úir, iasc in aibhnibh,
> barr cnuais ar chraobh chrobhainnghil;
>   de chomharthaibh cháigh ret thocht,
>   a Chobharthaigh chláir Chonnocht (PR: 5 §§ 1, 5, 11, 21, 22, 29).

Meabhraíonn file anaithnid do Shéamas Mac Domhnaill ó Íle in Albain go ndearna Fionn tairngreacht go dtiocfadh 'cabhlach tar sál' i gcabhair ar Éirinn a ruaigeadh na nGall; gríosann an file Séamas dúiseacht as a chodladh mar gur dósan atá i ndán an tairngreacht a thabhairt isteach:

> Bí id mhoscaladh, a mheic Aonghais,
> ionnsuigh Fódla na bhfonn sídh ....

> 'Beid Gaoidhil i nglasaibh Danar',
>   adubhairt Fionn, folt na gcorn;
> líonfaid Saxain ar fheadh nÉireann,
>   gasraidh mear na ngéibheann ngorm.

> 'An bhfuil choidhche,' do chan Oisín,
>   'ar fhóir nDanar, dia do ghuais;
> fortacht i ndán d'Inis Eachaidh,
>   clár milis go gceathaibh cnuais'?

> Do ráidh Fionn ag freagra dh'Oisín:
>   'd'fhortacht Gaoidheal na ngleo mear,
> tiocfa cabhlach tar sál sreabhruadh
>   go clár n-abhlach mbeannbhuan mBreagh'....

> Cuir i gcrích ar chan an fáidh sin,
>   fóil ar Bhanbha na mbrogh bhfionn;
> ná dearg a ghruaidh um Ghort Éibhir,
>   ort do luaidh an féinnidh Fionn ... (IBP: 43 §§ 1, 13-5, 21).

Naomh Bríd agus Brógán, dar le Fearghal Óg Mac an Bhaird, a thairngir gur do Fhiacha Ó Broin (†1597) a bhí i ndán clú Laighean a athnuachan agus cath díoltasach a thabhairt do Ghallaibh:

> Mór cóir cháich ar chrích Laighean,
> caoimheanga ar nár cumhguigheadh ...

> Ní cás dóibh gan íoc n-ainbhreath,
> 'biadsa', ar Brighid ban Laighneach
>   (tuar leoin gan tochta ar a dtoil),
>   'rompa 's 'na ndeoidh i ndeabhaidh'.

> Lé Fiachaidh do fíoradh soin,
> a n-éabhairt inghean Dubhthaigh;
>   i gcríoch na séadmhuigheadh saor
>   níor bréagnuigheadh an bhannaomh ... (LB: 23 §§ 2365-6, 2461-8).

B'é Aodh Ó Dónaill (†1600), dar le Maoileachlainn Óg Ó hEodhasa, 'an dara Lugh chláir Cobhthaigh'; dósan a bhí i ndán, de réir na tairngreachta, luí le hÉirinn, cumann a mbeadh rath céadach air; b'eisean an Tairngeartach:

> Cion suirghe ag Éirinn ar Aodh,
> breatha druadh ag dol d'éantaobh;
>   tuar síth fuighle na bhfileadh,
>   an tsuirghe i gcrích cuirfidhear ....

> Sreabha balbha, bláth tamhan,
> foghar cuain ar gciúnaghadh;
>   creidthe dá dtaobh fuighle Finn,
>   ar suirghe d'Aodh re hÉirinn. ...

> Ar mhagh Tuireadh na dtreas te,
> tiocfa an Tairngeartach fíre;
>   mo labhra ar an draoi is deimhin,
>   an Bhanbha faoi fúigfidhir. ...[32]

Dar le filí iomadúla eile gur don Aodh céanna a bhí i ndán, mar a bhí tuartha, cathanna difriúla a chur ar Ghallaibh, Éire a ghlanadh díobh, síocháin a thabhairt isteach:

> Cath Maistean go muighthear libh,
> nó go gcuirthear cath Sligigh;
>   nó cath Saingeal bhus buan bladh,
>   do dhuan ní daingean dúnadh ...

> Slógh Saxan do chur ar gcúl,
>   ní nós annamh d'fhuil na Niall;
> fáth fá ngéabha Ráth na Ríogh,
>   síol Éanna nach gnáth gan giall...

> Scrios ainbhfine d'fhód na Niall,
>   i dtairngire a-tá dá thaobh;
> sul fríoth uain an anma ríogh,
>   síodh Banbha do fhuaigh 'na Aodh ...

> Aodh Ó Domhnaill do dhíon cáigh,
> do fíoradh fuighle Bearcháin ...

> Re cobhair is cóir feithimh,
> fríth 'na ham an fhóirithin ...

Fada a-tá sul táinig sibh,
dáil gcabhra do chrích Éibhir;
 dá fógra dhaoibh mar dleaghar,
 naoimh Fódla dot fhoillseaghadh ...

Ní bhiaidh Banbha ar bhreith a námhad,
 anois a-dtuaidh tiocfa sé;
beanfaidh claon a tulaigh Teamhrach,
 cubhaidh an tAodh Eanghach é ...

Lucht Danar do chur tar cuan,
Teamhair do chur as a claon ...

Th'aire riot, a rí Dhoire,
sul ghabhthar gort Laoghaire;
 ag sin sluagh Gall ar an ngort,
 do shuan níor bh'am ar th'adhart ...

D'fhógra Gall nó do chur gcath,
sluagh Gaoidheal um Aodh Eanghach ...

Is é an tAodh so an tAodh Iodhan,
 Aodh ler caomhnadh gach caladh;
nár do rígh chláir na gcuradh,
 mín Mumhan fa dháimh nDanar. ...

D'Aodh do bhí i ndán a dhéanamh,
 an rí tar sál dá sheoladh;
a críoch is cáir do mhaoidheamh,
 críoch nGaoidheal gan dáimh ndeoradh. ...[33]

Ní mór a mheabhrú gur mar véarsaíocht oifigiúil mholta a scríobhadh an saothar sin trí chéile, saothar a raibh díolaíocht chuí ag dul do na húdair dá bharr. Mar is léir, ó Chathal Ó Conchobhair (†1224) rí Chonnacht go hAodh Ó Dónaill (†1600) tiarna Thír Chonaill, is beag tiarna, taoiseach nó pátrún áitiúil nár scríobh file éigin ina thaobh gur dósan a bhí i ndán an tairngreacht a thabhairt isteach is na feidhmeanna is na rólanna difriúla a lean sin a chomhlíonadh. 'Complementary formulae, not meant to be taken seriously' a thug Bergin ar an adhmholadh sin, agus é ag tagairt go háirithe don dán úd ar Shéamas Mac Domhnaill (IBP: 23). Is fíor sin tríd is tríd, is dócha, ach fós ba dheacair a áiteamh gurb é iomláine an scéil é. Ní móide gur leor an breithiúnas aontomhaiseach sin mar thuarascáil chuimsitheach ar an ábhar trí chéile, gan idirdhealuithe áirithe a chur san áireamh. Níl aon chúis, dar liom, nach bhféadfadh feidhmeanna difriúla a bheith ag an véarsaíocht adhmholtach sin, ag brath ar an té áirithe a bhí i gceist agus ar an gcomhthéacs áirithe (idir chomhthéacs ama is chomhthéacs polaitiúil) inar scríobhadh aon dán faoi leith.

Ba thaoiseach é Pilib Ó Raghallaigh rí Bréifne (†1596) a thóg páirt ghníomhach leanúnach i bpolaitíocht a linne, idir pholaitíocht áitiúil is pholaitíocht náisiúnta. Thaobhaigh sé le hAodh Ó Néill, ghéill don choróin, chuir ina coinne arís is ghlac chuige a theideal dúchais

Ó Raghallaigh; ní raibh an choróin róbhuíoch de:

> Philip O'Reylly hath of late showed himself openly with the Earl and by
> him hath gotten the title of O'Reylly, meaning thereby to command all the
> Brenny ... O'Reilly claims the Cavan as his inheritance ... (CSPI 1592-6:
> 456, 479).

> Besides the M'Mahons and the O'Reillys, bordering upon the English
> Pale, have had a free scope since the conclusion, and by colour thereof
> ravage up and down, and spoil the good subjects of their meat, drink, and
> goods at their pleasure; and now Philip O'Reilly, contrary to his
> submission and the articles of agreement signed by him, has taken upon
> him the name of O'Reilly since the death of his brother ... and writes
> proudly to the State that he will have the country of the Brenny brought
> back to the tanist law, and will allow of none other ... If Philip O'Reilly,
> upon the death of his brother, be grown to prouder terms, it is no marvel
> for he was ever a perverse rebel ... (*ibid.* 1596-7: 35, 56).

Níorbh ionann in aon chor dála a mhicsean Aodh. Níor thóg seisean
aon pháirt fhollasach sa saol poiblí, is cosúil, ach bhí sásta beatha
chompordach shíochánta a bhaint amach ar a thailte athartha. Scríobh
filí difriúla dánta molta don dís, don athair is don mhac; na múnlaí
nósúla traidisiúnta céanna, an béarlagair adhmholtach céanna á gcur in
ócáid acu sna dánta trí chéile gan aon idirdhealú á dhéanamh eatarthu.
Ní fhágann sin nach raibh idirdhealú i gceist. I gcás Aodha is dóichí
nach raibh d'fheidhm leis an véarsaíocht mholtach a scríobhadh air ach
an fheidhm a bhíonn leis na hóráideanna a thugtar ag dinnéar bliantúil
na craoibhe áitiúla de pháirtí polaitíochta in Éirinn: an cathaoirleach
súgach ag fógairt go mothaitheach – agus bualadh bas aisfhreagrach á
bhaint as an slua aige – é ag fógairt gur damhna aire nó Taoisigh féin é
an teachta dála áitiúil agus gur gearr anois go bhfeicfear a dhán ag
teacht i gcrích. Bladar. Ní móide gur mar adhmholadh nósúil amháin,
mar bhladar gan bhrí a léadh is a tuigeadh na dánta a scríobhadh do
Philib, taoiseach cine a thóg seasamh diongbhálta a chosaint a
theaghlaigh is a mhuintire. Ina chás-san is léir go raibh
comhchoibhneas éigin idir an phearsa liteartha is an phearsa phoiblí,
idir a ghníomhartha poiblí is na tréithe a bhí á lua leis ag na filí.

Ach is é is tábhachtaí, dar liom, i dtaobh na véarsaíochta moltaí trí
chéile go dtuigfí, mar atá ráite is léirithe agam cheana, nach carachtrú
réalaíoch atá á dhéanamh ar aon phátrún faoi leith ach léiriú idéalach
á dhéanamh ar phearsa an rí chóir. B'í feidhm phríomha an charachtair
sin, mar a léirítear i saothar na bhfilí é, ón tríú haois déag anuas, é a
bheith ina Aodh Eanghach trí Éire a shaoradh is na Gaill a ruaigeadh.
Is léir freisin nach i measc na bhfilí amháin a bhí an tuiscint sin agus
nach sa véarsaíocht amháin a fhaightear í. Tagtar ar Aodh Eanghach sna
hannála freisin agus é á ionannú le pearsana comhaimseartha difriúla,
an fheidhm chéanna á samhlú leis ó dhuine go duine is ó aois go haois.
Ní heol dúinn cérbh é an tAodh 'bréige' a tháinig ar an bhfód sa bhliain
1214 mar nach luaitear as a ainm é; 'An Cabharthach' a thugtar air, ach

is léir nár dhuine mar a thuairisc é . Ní mar sin do bheirt a raibh an t-ainm is an sloinne céanna orthu – Aodh Ó Conchobhair rí Chonnacht a fuair bás sa bhliain 1274 agus Aodh eile a d'éag sa bhliain 1374 – beirt thaoiseach laochta oirearc a raibh an buafhocal tuillte go maith acu, is cosúil:

> Isin bhliadhain se do bhí an tAodh bréige frisa ráite an Cabharthach (AU: 1214).

> Aodh mac Feidhlimidh meic Cathail Croibhdheirg Uí Chonchobhair rí Connacht fria ré ix mbliadhan do éag ...

> Naoi mbliadhna don Aodh Eanghach
> ag cosnamh Teallaigh Teamhrach;
> níor fhann re faghail an fear,
> in aghaidh Gall is Gaoidheal (AC: 1274.2).

> Do thugadar troid thalchar thinneasnach dá chéile gan traigh teite rena chéile gur marbhu ann Aodh Ó Conchobhair, ríoghdhomhna Connacht agus adhbhur ríogh Éireann, uair do shaoilsead cách gurbh é an tAodh ordhairc Eanghach hé (MIA: 1397.2).

Nuair a fuair Aodh Dubh Ó Domhnaill bás sa bhliain 1537, bhí dhá bhliain déag ar fhichid caite i dtiarnas Thír Chonaill aige, ré rafar thairbheach dá thír is dá mhuintir, dar leis na hannálaithe. Ní hionadh, dar leo, gur éirigh 'séan ná sonas dó', mar ba é ba mhó 'méid agus maise 'na aimsir féin' agus bhí a lán 'd'uaisle et d'eineach ann' agus tréithe tiarnais: 'déirc agus daonnacht, reacht et riaghail, et cosc droichbhéas et méadughadh maitheasa'. Shealbhaigh sé ina phearsa féin na tréithe difriúla a samhlaíodh riamh le Conn Céadchathach, le hArt, le Guaire is le Brian Bóraimhe; ní hamháin sin, ach ar fheabhas a charachtair idir dheilbh is déanamh, idir eineach is uaisle,

> do saoileadh et do creideadh go mór do réir thairngire na naomh et na gcomhartha cosmhaile tarla air féin et ar an aimsir re a linn gurbh é sin an tAodh Eanghach do ghealladar fáithe agus fisidh agus ardnaoimh eolcha Éireann do theacht i ndeireadh aimsire, et ó nárbh é ní shaoilim a theacht go bruinne mbrátha et go deoigh an domhain ... (AC: 1537.10).

Bíodh gur féidir díomá ollmhór an annálaí anaithnid sin a thuiscint – agus teip a dhóchais – ní minic seintimintí éadóchasacha mar iad á nochtadh ag an aos léinn. Mar cé gur minic a gealladh cheana go raibh Aodh Eanghach le teacht, agus gur mó duine in imeacht na gcéadta bliain ar samhlaíodh an ról áirithe sin leis, níor ídíodh ná níor maolaíodh an téama liteartha riamh; bhí sé chomh bisiúil sa séú haois déag is a bhí ceithre chéad bliain roimhe sin; mar a dhearbhaigh Tadhg Dall Ó hUiginn ag deireadh na haoise:

> Gidh eadh is usaide linn
> an ceó tuirse a-tá ar Éirinn;
>   Múr Té do hainmnigheadh d'Art,
>   gur tairngireadh é d'fhurtacht.

Atá i ndán dó go dtiocfa
fear fhóirfeas a n-airmiorta;
　　budh éigin trá a thocht is teagh
　　lá éigin ar ghort Gaoidheal.[34]

'Lá éigin' a thiocfadh an 'fear fhóirfeas' Éire is mura raibh an lá féin
cinnte, bhí sé deimhnitheach go raibh sé le teacht: b'in í
bunteachtaireacht na tairngreachta mar a thuig is mar a mhínigh an t-
aos léinn í.

II

Yet have and dread an old prophecy among them, which says, *The Irish
shall weep over the English-mens graves,* as they always do over each others
many years after burial ... (*Ireland's lamentation:* 6).

Of this child they have a blind and superstitious prophecy, because he was
born with six toes upon one foot; for they affirm that one of their saints of
Tyrconnel hath prophesied that when such a one, being of the sept of
O'Donel, shall be born, he shall drive all the Englishmen out of Ireland ...
　　　　　　　　　　　　　　　　　　　　　　(CSPI 1606-8: 271).

The generals on each side were enflamed with mortal enmity against each
other; and the superstitious Irish were driven even to phrenzy by their
priests, who assured them, from old prophecies, that this day would prove
fatal to heresy ... (Leland 1733 ii: 349).

Mura mbeadh sa tairngreacht ach téama nó seánra liteartha, ní
móide go mbeadh aon tábhacht faoi leith ag roinnt léi seachas téamaí
eile; ach is toisc gur thuiscint choiteann í, agus ní in Éirinn amháin é,
go raibh dlúthcheangal idir an tairngreacht agus an ghníomhaíocht
pholaitiúil ar bronnadh tábhacht faoi leith uirthi agus ar tugadh aird
faoi leith uirthi. Ar fud na hEorpa trí chéile – anuas go dtí an t-ochtú
haois déag fiú – bhí glacadh coiteann fós leis an tairngreacht mar
fhoinse údarásach eolais, foinse a chuir, ní hamháin míniú ar fáil ar a
raibh ag titim amach, ach a chuir treoir is spreagadh ar fáil freisin,
creideadh. Bhronn na húdair ársa (Virgil, Merlin, Colum Cille) ar ar
leagadh na tairngreachtaí údarás orthu gan dabht, údarás na sean; ach
is air a bhí a n-éifeacht bunaithe ar an tuiscint shimplí
bhuanmharthanach go raibh ar chumas na tairngreachta dul i
bhfeidhm ar dhaoine is ar a ngníomhartha. Dar le Taylor, sa suirbhé
cuimsitheach a rinne sé ar an tairngreacht pholaitiúil i Sasana, go raibh
eolas ar na tairngreachtaí ag gach aicme den phobal, idir shaibhir is
daibhir, idir léannta is neamhléannta, agus gur ghníomhaigh daoine go
minic dá réir; tugadh an oiread sin airde ar na tairngreachtaí, dar le
Rusche, 'that one can safely conclude that they were a factor in the

political affairs of the period'; ba dhóigh le Thomas Hobbes, agus é ag
trácht ar an gcogadh cathartha i Sasana, gurbh iad na tairngreachtaí go
minic 'the principal cause of the event foretold'; áitíonn Cohn go raibh
tairngreachtaí na sibillí, i dteannta an bhíobla agus scríbhinní eaglasta
eile, go rabhadar i measc 'the most influential writings known to
medieval Europe'.[35] Ní téacsanna liteartha amháin, a raibh anailís
fhileolaíoch le déanamh orthu nó sásamh aeistéitiúil le baint astu, a bhí
sna tairngreachtaí, ach 'validating charter' (Thomas 1971: 503) a chuir
ábhar ilbhríoch ilfheidhmeach ar fáil d'aon dream nó d'aon duine ar
theastaigh uathu earraíocht a bhaint astu. Cinnirí polaitiúla go háirithe,
bhí ar fáil acu sa tairngreacht foinse údarásach as a bhféadfaidís
tarraingt de shíor a dhlisteanú a ngníomhartha is a n-aidhmeanna.

Dioscúrsa polaitiúil a bhí sa tairngreacht agus, mar sin, arm
éifeachtach polaitiúil ab ea í chomh maith; agus bíodh gur reitric
fhollaitheach a chleacht an dioscúrsa sin, ba reitric í arbh fhéidir í a
mhíniú is brí chomhaimseartha a thabhairt di. Is san eilimint
chomhaimseartha sin, san eicsigéiseas láithreach dob fhéidir a
dhéanamh uirthi a bhí feidhm na tairngreachta. Léiriú soilseach ar an
fheidhm sin is ea gníomhréim Aodha (Ball Dearg) Uí Dhónaill, mar a
chonaiceamar. Bhí, is léir, tagairtí difriúla do Bhall Dearg éigin agus do
chath Saingeal i dtairngreachtaí éagsúla a cumadh cinnte roimh 1600,
tagairtí ginearálta doiléire:

> Bidh díobh sin an Ball Dearg brosnach
> agus an Coscrach nach críon (BF: 230).

> Tiocfa Ball Dearg Easa Ruaidh
> i dtréine Éireann in aonuair ...

> Acht go dtugthar cath Saingeal,
> ní ghabhthar riú aon daingean;
>   ó chath Saingeal ní bhia Gall
>   seal i ndaingean na hÉireann ...

> Cath Saingeal cuirfidhear ann,
> i n-áithfidhear fir Éireann;
>   ní chuirfid Gaoidhil nó Gaill
>   a shamhail sin in Éirinn.[36]

Ach is é an léamh a rinneadh ar na téacsanna sin, an tslí ar samhlaíodh
le duine beo iad, an t-ionannú a rinneadh idir pearsa na tairngreachta
agus Aodh Ó Dónaill, a thug brí chomhaimseartha dóibh, a thug
éifeacht pholaitiúil dóibh.

Prapaganda éifeachtach polaitiúil a bhí sa tairngreacht agus chuaigh
sí i bhfeidhm ar dhaoine sa tslí chéanna a chuaigh aon saghas
prapaganda eile; b'ionann feidhm na tairngreachta, dar le Weber
(1936: 53), agus 'that of the popular orator (demagogue) or political
publicist'. Feidhm mar sin a bhí ag an astralaí William Lilly sa saol
polaitiúil i Sasana don chuid is mó den seachtú haois déag. Bhí díol
ollmhór ar a shaothar fáistineach, chuireadh sé treoir pholaitiúil ar fáil

do státairí is ríthe, bhíodh triall na mílte, idir íseal is uasal, air ag lorg a chomhairle; agus arm Cromwell in Albain is í slí a ngríostaí iad ag dul sa chath dóibh, a chur ina luí orthu go raibh tairngreacht déanta ag Lilly gur acu a bheadh an lá: 'Lo, hear what Lilly saith; you are in this month promised victory; fight it out, brave boys'; ag cath Colchester cuireadh fios ar Lilly féin a ghríosadh na saighdiúirí (Thomas 1971: 406). Ní móide, mar a deir Rusche gurbh é Lilly a bhuaigh aon chath ná gurbh é a shocraigh aon pholasaí Stáit ach, mar a mheabhraíonn sé, chuaigh a shaothar i bhfeidhm go mór ar an 'national morale'; mar a dúradh lena linn féin:

> You do not know the many services this man hath done for the Parliament these many years, or how many times, in our greatest distresses, we applying unto him, he hath refreshed our languishing espectations; he never failed us of comfort in our most unhappy distresses. I assure you his writings have kept up the spirits of the soldiery, the honest people of this nation ... (Rusche 1965: 332).

Ós feidhm pholaitiúil chomhaimseartha a bhí le saothar Lilly is le saothar na n-astralaithe eile a bhí ag soláthar is ag scaipeadh tairngreachtaí lena linn, ní hionadh go raibh trácht ar Éirinn san ábhar sin; ní hionadh, ach oiread, gur ainscrios uilí a bhí i ndán di is dá muintir:

> Marke and behold yee bloudy Irish nation
> This heavenly figure; where my contemplation
> Hath beene implyoyed: your horrid deedes, mee thought
> Would into question in short time be brought.
> Bloud cries for bloud: meethinks I feare each houre
> God will his vengeance on that island powre ....
>
> Their dayes a number small shall make,
> Another shall their country take;
> Their children vagabonds shall be,
> Walk up and down most wretchedly;
> God shall them put to endlesse shame,
> And quite cut off their hatefull name (Booker 1646: 1, 21).
>
> Oh, all you Irish, behold your own destruction prophessed of by your own prophet ... (Lilly 1645: 11).
>
> England and Scotland will long unite, Ireland will in time come in, when the blood of the massacred English Protestants is restored, which it will *usque, usque,* untill the Irish name be almost extinct ... (Lilly 1644: xiv).

Agus a údarásaí a bhí Lilly lena linn féin, a fhorleithne a bhí a cháil mar thairngire – i gcéin is i gcóngar – is ea a thuigfear a éifeachtaí íorónaí a bhí sé ag fáidh géarchúiseach éigin abhus a chasadh féin a bhaint as saothar is as ainm Lilly a thacú le tairngreacht dhóchasach na nGael gur acusan fós a bheadh an lá:

> Léir ó, léir ó,
>   léir ó, léir ó,

Lillí bu léir ó:
　　bu linn an lá;
léir ó, léir ó,
　　léir ó, léir ó,
Lillí bu léir ó:
　　bu linn an lá (Ó Buachalla 1987).

Feidhm iltaobhach a bhí leis an tairngreacht féin agus lena húdair, is léir; ní taobh le haon léamh amháin a bhí sí agus ní ag fónamh d'aon aicme amháin ná d'aon dearcadh polaitiúil amháin a bhí. Ach ní mhíníonn an earraíocht pholaitiúil a baineadh as na tairngreachtaí an glacadh coiteann a bhí leo – i measc gach aicme den phobal – ná ní mhíníonn an gá a bhí le tairngreachtaí a chumadh *ex post facto* ach oiread. Ní míniú amháin ar an gcor comhaimseartha, is léir, a sholáthair an tairngreacht ach dlisteanú air chomh maith; ceanglaíonn an tairngreacht tarlaingí comhaimseartha – dá radacaí réabhlóidí iad – leis na húdair chianársa is bronann na húdair sin dlisteanú na sean orthu. Tugtar le tuiscint sa tairngreacht go raibh gach ní dá bhfuil ag titim amach feicthe cheana féin ag na seanfháithe agus iad faofa acu. Ní mar bhriseadh uafar caiticlismeach, ní mar chol geise, mar imeacht ón norm, a chuirtear an cor comhaimseartha i láthair ach mar chuid de phatrún níos cuimsithí, mar eilimint sa chontanam ama a shín siar go dtí na seanfháithe; bhí an cor láithreach ag teacht le patrún na staire. Ní raibh san úsáid choiteann a baineadh as an tairngreacht ach gné amháin den tuiscint uilí thraidisiúnta gur ghá fasach a aimsiú do gach nua. Ar an tuiscint chéanna a bhí an ginealach agus an analóg liteartha bunaithe. Sa tslí chéanna ar ghá craobha coibhneasa cianársa a chur ar fáil don rí nó don taoiseach – é a rianadh siar go maca Mhíle – nó analóg liteartha chuí a aimsiú dá ghníomhréim – is é athLugh, athghin Ghuaire nó samhail Bhriain é – ba ghá freisin a theacht nó a dhán a bheith tuartha ag na seanfháithe. Bíodh go dtuigtear dúinne inniu gur tairbhe ann féin é an t-athrú, an nua, an dul chun cinn ar mhaithe le dul chun cinn, sa seansaol níor mhór i gcónaí an nua a chur i láthair i riocht an tsean. 'Pre-political world' a thugann Thomas ar an saol sin, is é sin le rá, 'one where innovation has to be disguised as a return to the past' (1971:507).

Feiniméan uilí ab ea an tairngreacht agus eilimint lárnach i gcultúr coiteann na hEorpa. Agus bíodh gur ghnách – ar fud na hEorpa – an tairngreacht a shamhlú go háirithe leis an daoscar, ní i measc na coitiantachta amháin a saothraíodh í. Bhain Shakespeare an-éifeacht as an tairngreacht ina shaothar, go háirithe in *King Lear*, mar a rinne Spenser in *The Fairie Queene*; scoláire agus staraí mór le rá, lena linn féin fiú, ab ea James Usher, ardeaspag Ard Mhacha, ach cuid nár bheag den cháil sin ab ea a éifeachtaí a bhí sé, a creideadh, mar thairngire; tar éis do Isaac Newton a shaothar tionscnamhach san fhisic a fhoilsiú chaith sé an chuid eile dá shaol ag iarraidh brí a bhaint as tairngreachtaí an

tseantiomna; ag triall ar na tairngreachtaí a chuaigh intleachtra na
Fraince is Shasana trí chéile agus míniú á lorg acu ar chorraíl
réabhlóideach na bliana 1789.[37] An tairngreacht – tairngreacht go raibh
sé i ndán do laoch áirithe na Sacsain a ruaigeadh ón Bhreatain Bheag –
a chothaigh reibiliún Owain Glyndwr i gcoinne Anraí IV agus reibiliún
Rhys ap Gruffyd i gcoinne Anraí VIII; tairngreachtaí Merlin a bhí mar
údarás ag rítheaghlach na dTúdarach a dhlisteanú a n-éilimh ríoga;
Artúr ag filleadh a bhí i Séamas I, dar leis féin is lena lucht leanúna: a
raibh i ndán do Artúr, de réir na tairngreachta – an Bhreatain ina
hiomláine a thabhairt faoi aon rí amháin arís – bhí sin tabhartha i
gcrích ag Séamas. Breis agus céad bliain ina dhiaidh sin, sa bhliain 1733,
scríobh James O Neale éigin chuig Séamas III, tairngreachtaí difriúla á
meabhrú aige dó, agus é á chur ina luí ar Shéamas gurbh eisean 'the
man mentioned in a prophecy well known in England, Ireland and
Spaine, as likewise in France, to be the instrument with the help of God
of your majesty's restoration'; nuair a bhris na Seacaibítigh go
tubaisteach ar arm Sheoirse ag Prestonpans sa bhliain 1745, tuigeadh
dóibh go raibh an tairngreacht a rinne Berthington sa chúigiú haois
déag tagtha isteach:

> On Gladsmoore shall the battle be ...
> It shall not be Gladsmoore by the sey,
> It shall be Gladsmoore where evr it be ....

agus, dá réir sin, theastaigh uathu nach dtabharfaí feasta d'ainm ar
láthair an chatha ach Gladsmoore.[38]

Nuair a d'éirigh le rítheaghlach Capet coróin na Fraince a bhaint
amach sa dara haois déag, le corónú Louis VIII, b'é an guth ag teacht
faoi ghairm na tairngreachta é, dar lena bholscairí: b'é Louis an rí a bhí
i gceist i dtairngreacht naomh Valerie, an *reditus regni,* dar leo.
Rinneadh an-saothrú na glúnta ina dhiaidh sin ar an tairngreacht
chéanna, b'í bunchloch an phrapaganda shíoraí í a cuireadh ar fáil a
dhlisteanú an rítheaghlaigh agus a n-aidhmeanna polaitiúla:

> The *reditus*, once firmly ensconced in the heart of the *Grandes Chroniques*,
> became a keystone for a whole structure of Capetian history, legitimizing
> the dynasty, its activities and its aspirations by grounding them in a remote
> past which held unshakable sway over men's minds. Nor should it surprise
> us that the impulse to the creation of the doctrine derived from the
> immediate preoccupation of the chroniclers with new patterns of political
> behavior emerging in France at the turn of the twelfth and thirteenth
> centuries .... It would be interesting to speculate what rôle the *reditus*
> played in developing the national consciousness ... (Spiegel 1971: 173).

Bíodh gur chuaigh na tairngreachtaí i dtaobh Barbarossa agus a fhillte
siar na céadta bliain, is sa naoú haois déag is mó agus is éifeachtaí a
baineadh leas polaitiúil astu a chothú aontú na Gearmáine. Nuair a
tharla sin le hathbhunú na himpireachta sa bhliain 1871 faoin impire
Wilhelm I, tógadh dealbh den impire nua ar bharr Kyffhäuser agus

faoina bhun i bpluais dealbh eile de Barbarossa ina chodladh: bhí an tairngreacht tagtha isteach (Munz 1969: 3). Bhí sé sa tairngreacht riamh in Iáva agus san Indinéis trí chéile go raibh i ndán don laoch Ratu Adil filleadh agus an ré órga a thabhairt isteach. Is mó cinnire, in imeacht na gcéadta bliain, a d'éiligh gurbh eisean an té sin; is mó duine ar samhlaíodh an ról meisiasach sin leis, ach níor mhaolaigh ná níor ídigh an síoréileamh sin, ná an teip leanúnach, éifeacht nó ábharacht na tairngreachta. Bhí sí fós ar fáil is baineadh lánearraíocht aisti sa chogadh i gcoinne na nOllannach (1945-9) gur fíoradh í fá dheoidh le teacht Sukarno: b'eisean Ratu Adil (Van der Kroef 1959). Sa bhliain 1918 d'fhoilsigh údar anaithnid leabhar i Mainistir na Búille ag cur síos ar thairngreachtraí Choluim Cille; bhí na tairngreachtaí sin fós coiteann sa cheantar i measc an tseandreama agus bhí brí chomhaimseartha fós le baint astu:

> The *prophecies*[39] are long ago out of print, and as they were under the displeasure of the heads of the Catholic Church, who gave no countenance to them, no effort was made to revive them until the question of the Black Pig cropped up. The younger generation look upon the whole thing as a good joke, but the old people pin great faith to the *prophecies* ... It says all the dogs are to be killed, and this proposal is now actually on foot in England. It speaks of Ireland to be freed by a Spaniard, and there is here apparently some indistinct allusion to De Valera ...
>
> (*The prophecies of Columbkille*. 2).

Údarás docheistithe a bhí ag an tairngreacht go dtí gur chealaigh an t-oideachas is an litearthacht an t-údarás sin, ach fad a mhair sí d'fheidhmigh sí mar fhoinse dhuibheagánta eolais. Tá tabhartha faoi deara ag Thomas (1971: 493, 505) gur in aimsir phráinne is chorraíle is mó a chuirtí tairngreachtaí in ócáid sa Bhreatain agus gur sa seachtú haois déag go háirithe, seachas aon aois roimpi nó ina diaidh, is mó agus is leanúnaí a saothraíodh iad. In Éirinn freisin, is ó dheireadh an tséú haois déag amach a thagtar ar fhianaise chomhaimseartha don tairngreacht a bheith á cleachtadh agus don tsíorúsáid a bhaintí aisti sa dioscúrsa poiblí; nós coiteann ab ea é, is cosúil. Nuair a rinneadh Viscount Baltinglass de Thomas Eustace sa bhliain 1541 agus nuair a bronnadh tailte fairsinge eaglasta le cois an teidil air, bhí a dhán is dán a shleachta socraithe cheana féin ag an tairngreacht:

> Méad do thoile d'fhearann cille,
>   bhéara gan iarmhairt do bhaile;
> racha do shliocht uait uile,
>   mar chith duille de dhroim aille (CR i: 180).

Sa bhliain 1566 scríobh easpag Chill Dara chuig an bhanríon á mheabhrú di go dtiocfadh tairngreacht Giraldus Cambrensis isteach, mar atá, 'an universal expulsion of the English government' mura gcoscfaí Seán Ó Néill. Bhí 'muintear na Saxanach' le scriosadh sa bhliain 1567, dar le tairngreacht a leagadh ar Merlin. Sa bhliain 1593 cuireadh

Nicholas Whyte i bpríosún as a scaipeadh 'that there was a prophecy in
Ireland that O'Donell should be king in Ireland, and that there was an
old crown of the Kings of Ireland in Rome, and that the Catholic Bishops
of this land did write to Rome for that Crown'. Thuairiscigh Stanihurst go
raibh 'divers blind prophesies' ann i dtaobh an eirligh – cath fuilteach
idir Gaeil is Gaill – a bhí le titim amach ag Mullach Maistean; bhí
tairngreacht mar í cloiste ag Camden freisin. Dar le Story go raibh
tairngreachtaí iomadúla i measc na nGael i dtaobh na gcathanna a bhí le
troid ag an Bhóinn, ag Eachroim, ag Luimneach, agus ag Cionn tSáile; ní
raibh, dar leis, aon chine 'more superstitious in this point than the Irish',
agus bíodh gur ghéill sé féin gur fíoradh na tairngreachtaí sin, fós
d'áitigh sé nár tuigeadh a mbrí 'till they are past'. Aodh Ó Néill féin a
dúirt lena lucht leanúna, a tuairiscíodh, go raibh an-bhuairt air ag dul ó
dheas go Cionn tSáile: bhí sé sa tairngreacht, a dúirt sé, gurbh é an bás a
bhí i ndán dó sa chath sin. Dúirt Fynes Moryson go raibh tairngreacht
cloiste go minic aige féin 'that Munster should be the destruction of the
three great Northern Hughs'; agus sin mar a tháinig isteach: i gcúige
Mumhan a fuair Aodh Mag Uidhir bás agus is ann a briseadh ar Aodh Ó
Néill is Aodh Rua Ó Dónaill. Bíodh gur áitigh Stafford nach raibh aon
fhear 'less credulous than myself of idle prophecies, the most whereof are
coined after things are done', fós chuala sé féin ó Iarla Thuamhan go
raibh léite aigesean 'in an old book of Irish prophecies which he had
seen' go raibh cath ollmhór le troid in aice le Cionn tSáile; agus bíodh
gur fíoradh an tairngreacht áirithe sin, fós 'as one swallow makes no
summer, so shall not this one true prophecy increase my credulity in old
predictions of that kind'. Agus easpag Chlochair, Éibhear Mac Mathúna
ginearál an airm Ultaigh, ag taisteal ó thuaidh sa bhliain 1649, tháinig 'a
certaine man that had some insight in prophecies' chuige á mholadh dó
gan cath a thabhairt in Inis Ceithleann mar bhí sé sa tairngreacht gur
bhriseadh a bhí i ndán dó ar an láthair chatha sin; 'remember what I say',
a dúirt an comhairleoir leis, 'for I assure you this is noe fixion, but a reall
one penned by a prime saincte and therefore to be duely obsearved'. Le
linn do Mhurchadh Ó Briain, Iarla Inse Choinn, a bheith i gcontae
Chorcaí sa bhliain 1647, chuir sé fios, an oíche roimh chath Chnoc na
nOs, ar 'a wizard, or a man inspired with the spirit of prophecy' chun a
fháil amach uaidh cé aige a mbeadh an bua an lá dar gcionn; b'é
tairngreacht an draoi 'that the Irishman would maintain the field with
credit, and the Englishman totally defeated' agus sin mar a d'iompaigh
amach. Nuair a bhí Maolmhaodhóg Ó Caollaí, ardeaspag Thuama, ag
imeacht ó Chill Chainnigh agus é ag filleadh abhaile ar Shligeach, dúirt
sé lena chomheaspaig a bhí ina theannta go raibh sé sa tairngreacht nach
raibh i ndán dó filleadh arís; ní dhearna – fuair sé bás tamall ina dhiaidh
sin. Dar le Lilly féin go raibh tairngreacht 'undervaluing his Majesty', a
dtugtaí *The Baby Prophesie* uirthi, a raibh an-iontaoibh ag 'the Franciscan
Fryars and secular priests' in Éirinn aisti; san Iúr a fuarthas í agus dá réir:

'Tyrone comes from the East, and consorts himselfe with Clanrickard and five other beasts of great strength, and these will cause Dublin to be all inflamed; then beware Englishmen'. De réir tuairisce eile, bhí 'false prophecies' á gcumadh is á scaipeadh go forleathan i gcúige Uladh; de réir tairngreachta amháin acu 'Tyrone or Sir Phelim O'Neill shall drive your Majesty with your whole posterity out of England'.[40]

Bíodh go bhféadfaí cur leis na samplaí ionadacha sin, is leor iad le taispeáint nach mar théama liteartha amháin a d'fheidhmigh an tairngreacht in Éirinn, ach oiread le haon tír eile san Eoraip; laistiar den téama liteartha bhí creideamh coiteann de chuid an phobail agus is é an creideamh coiteann sin an comhthéacs a mhíníonn éifeacht na tairngreachta mar phrapaganda polaitiúil. Níl aon uair is mó a léirítear sin in Éirinn ná éirí amach na bliana 1641 agus níl aon fhoinse eile is fearr a léiríonn an éifeacht choiteann a bhaintí as an tairngreacht in Éirinn ná na teistíochtaí oifigiúla a tógadh síos ó na plandóirí i ndiaidh an éirí amach. De réir na fianaise sin bhí tairngreachtaí iomadúla – tairngreachtaí na naomh go háirithe – ag imeacht de shíor i measc na reibiliúnaithe; bhí idir chléir is tuath, idir íseal is uasal, tugtha dóibh agus bhí síorúsáid á baint astu ar mhaithe le meanma is dóchas na nGael a fhadú is a chothú:

> Richard Burke of Enniskillen saith ... that in the beginning of the rebellion one of the O'Briens of Thomond did read and relate in this deponents hearing severall prophecies of St. Patrick and of Collumkill, the sainte of Derry, of Berricanus, another of their saints, and of Ffeon Mc Woill, an old Irish champion; and the deponent saw an English booke printed in the Lowe Cuntries importing another prophecie of St. Patrick (in the hande of one of the rebels). All which prophesies the rebells did conceive to import the extirpacon of the English, and the settleing of the whole kingdom on the Irish. And their prophecies are very commonly confidently, and vehemently urged and uistified by their preists for undoubted verities. And amongst the rest there is one prophecy to this effect: *Do behar cach Donaskia curfear Ballacliach er goole murfy Ierla Thraly fear inidi rie ana crue*, which is thus Englished:
>
> > Att Downeskie a fight shalbee
> > And Dublin citty shalbe tane
> > The king his viceroy at Acrue
> > By the erle of Thraly shalbe slaine.[41]
>
> The rebells speake much of a dismall and fatall blow which the English shall receive (say they) in a battaile at Cassangel (which they understand to be Singeland at the south gate of Limrick) saying that that shall be a finall end of the warr. And thenceforth the Irish alone shall enjoy the kingdome of Ireland to the end of the world ... (TCD 835: 20b).
>
> That Sir Phelim O'Neile was borne with the picture of a crowne on his side as a signe that he ought to bee theire King who is by the rebells called that little light that should arrise in Ulidia prophesied of by St. Patrick which should drive away all the mists and darknes out of the Kingdome ... (TCD 814: 61b).

> At Newry we found a prophesie amongst the rebells there much
> undervalueing his Majesty whereby may be seene the loyaltie of such as
> would entertaine such fopperies ... (TCD 839: 3b).

> And that they (meaneing the rebells) nowe expected the fulfilling of
> Collumkills prophecy, which (as they did construe it) was – that the Irish
> should conquer Ireland againe or to that effect ... (*ibid.* 125b).

Cé, mar atá ráite cheana, gur fianaise oifigiúil í na teistíochtaí sin, fós
tá an chuma ar an fhianaise trí chéile gur léiriú fírinneach í ar dhearcadh
is ar sheintimintí na reibiliúnaithe; is cinnte go bhfuil cuma na fírinne ar
na tagairtí do chath Saingil, do ruaigeadh na Sasanach, do Fhéilim Ó
Néill a bheith ina rí, do Éire a bheith faoi Ghaelaibh amháin: téamaí
gnácha na filíochta polaitiúla. Is léir nach ag leibhéal na litríochta
amháin a d'fheidhmigh an tairngreacht agus go raibh comhchoibhneas
cinnte idir an tairngreacht pholaitiúil, mar a thagaimid uirthi sa litríocht,
agus an tairngreacht mar a cleachtadh mar dhioscúrsa poiblí i measc an
phobail í. Drochmheas, gan amhras, a bhí ag na húdaráis ar na
tairngreachtaí seo; ní raibh iontu ach 'fopperies'. An dearcadh céanna,
mar a chonaiceamar thuas, a bhí ag na scríbhneoirí eachtrannacha a
scríobh ar mhuintir na hÉireann sa seachtú haois déag. Ba ghnách
leosan, mar chuid den tuairisc a thugadar ar na barbair phrimitíbheacha
a chónaigh abhus, ba ghnách leo aird faoi leith a dhíriú ar 'superstition'
na nGael agus ar a thugtha a bhíodar do 'idle prophecies' agus do gach
aon saghas piseogaíochta eile:

> The Irish are wonderfully addicted to give credit and beleefe, not onely to
> the fabulous fixions of their lying poets, but also to the prognosticating
> soothsayers and witches .... And if any of their wise men, or wise women (as
> they call them) do prognosticate either good or evill fortune, they doe
> more relie in their presagements, then they do in the foure Evangelists ....
> They doe beleeve in charms and incantations; then they have words and
> spels to drive away rats, and to heal diseases ... (Rich 1610: 41).

Níl aon fhianaise ann go raibh na hÉireannaigh níos tugtha don
tairngreacht ná aon chine eile; dar le húdar Spáinneach gurbh iad na
Sasanaigh, seachas ciní eile na hEorpa, a bhí 'peculiarly credulous, and
easily moved to insurrection by prophecies'; thugadar 'ferme credit', a
dúirt scríbhneoir Albanach, 'to diverse prophane prophesies of
Merlyne'.[42] Ba dhearcadh coiteann i measc scríbhneoirí is intleachtra na
hEorpa trí chéile é an phiseogaíocht a shamhlú le ciní eile seachas lena
muintir féin; ba théama coiteann acu é tairngreachtaí áiféiseacha
dochreidte a shamhlú le daoscar gach cine acu. Áiféis na tairngreachta
a bhí á dísbeagadh acu, ní hí an tairngreacht féin. Rinne na húdaráis,
idir údaráis eaglasta is Stáit, an t-idirdhealú céanna idir an tairngreacht
cheartchreidmheach a dhlisteanaigh a seasamhsan agus an tairngreacht
'áiféiseach' nach raibh *imprimatur* na n-údarás aici. Ní téacsanna
liteartha le taitneamh a bhaint astu a bhí sna tairngreachtaí ach ábhar
pléascach a bhféadfaí mí-úsáid a bhaint astu, má theastaigh sin, is ní

hionadh gur chuir na húdaráis ina gcoinne go minic agus i gcoinne lucht a scaipthe. Le linn na meánaoiseanna trí chéile chuir ríthe difriúla i Sasana – Anraí IV, Risteard III, Anraí VIII – chuireadar daoine chun báis as tairngreachtaí polaitiúla nár thaitnigh leo a chumadh is a scaipeadh; d'fhógair an caiticeasma ó thús go raibh sé in aghaidh na chéad aithne 'comhairle d'iarraidh air lucht fáisdine, draoidheachta, nó piseog, noch do ní cunnradh ris an diabhal'.⁴³ Chomh déanach le 1866 bhí ar ardeaspag Átha Cliath, an cairdinéal Cullen, i dtréadlitir dá chuid, rabhadh a thabhairt dá phobal gan aird a thabhairt ar na tairngreachtaí áiféiseacha a bhí á scaipeadh ina measc; bhí an t-ábhar dainséarach díobhálach sin á leagadh ar Cholum Cille 'though they are the invention of late years, and evidently spurious and unworthy of credit'; b'é a theagasc údarásach dóibh, teagasc Mhatha: 'Beware of false prophets who come to you in the clothing of sheep, but inwardly they are ravenous wolves – Mathew 7.15'.⁴⁴ Bhí fáithe agus fáithe bréige ann agus ba ghá fós idirdhealú a dhéanamh eatarthu.

Ní toisc go raibh véarsaíocht á cumadh ag na filí in Éirinn a chuir na húdaráis ina gcoinne, ach toisc gur tuigeadh gur chuaigh an véarsaíocht sin i bhfeidhm ar na taoisigh dhúchais is ar a ngníomhartha. Is mó an éifeacht a bhí le saothar an aosa léinn i measc na nGael, a dúirt Rich, ná a bhí leis an scrioptúr féin:

> There is nothing that hath more led the Irish into error, then lying historiographers, their chroniclers, their bardes, their rythmers, and such other their lying poets; in whose writings they do more relie, then they do in the holy scriptures, and this rablement do at this day endevour themselves to nothing else, but to feed and delight them with matter most dishonest and shamefull ... (Rich 1610: 3).

Mhínigh Thomas Smyth go beacht, i gcuntas a scríobh sé sa bhliain 1561, cad fá a raibh drochmheas ar an aos dána is ar a gcuid saothair:

> The thirde sorte is called the Aeosdan, which is to saye in English, the bards, or the rimine sepctes; and these people be very hurtfull to the comonwhealle, for they chifflie manyntayne the rebells; and, further, they do cause them that would be true, to be rebelious theves, extorcioners, murtherers, ravners, yea and worse if it were possible. Their furst practisse is, if they se anye younge man discended of the septs of *Ose* or *Max*, and have half a dowsen aboute him, then will they make him a rime ... and in the ende they will compare them to Aniball, or Scipio, or Hercules, or some other famous person; wherewithall the pore foole runs madde, and thinkes indede it is so. Then will he gather a sorte of rackells to him, and other he most geat him a Proficer, who shall tell him howe he shall spede (as he thinkes) ... The fourth sort of Rymers is called Fillis, which is to say in English, a Poete. Theis men have great store of cattell, and use all the trades of the others, with an adicion of propheccies ... (UJA 6, 1858, 166-7).

Bíodh go samhlaíonn an t-údar, suimiúil go leor, tairngreachtaí leis na filí go háirithe, níl fianaise na litríochta féin ag teacht leis sin. Ní tairngire ach fear mhínithe an bhriathair a bhí san fhile, eisean a chuir eicsigéiseas

ar fáil dá lucht éisteachta, a mhínigh brí na tairngreachta, a rinne
pearsana na tairngreachta a ionannú le neachanna comhaimseartha. Sin
mar a nochtar an file de shíor san fhilíocht féin, agus cuireann *Beatha
Aodha Ruaidh Uí Dhomhnaill* dhá shampla léiritheacha ar fáil den fheidhm
sin á comhlíonadh. An oíche roimh chath Bhéal an Átha Buí, agus
meanma a lucht leanúna á gríosadh ag Aodh Ó Néill, tháinig an file Fear
Feasa Ó Cléirigh chuige á mhíniú dó go raibh sé i dtairngreacht a rinne
'naomh Bearchán fáidh Dé' go raibh i ndán dósan briseadh 'for
Ghallaibh Duibhlinne' ar an láthair sin; 'agus ro ghabh ag greasacht agus
ag laoidheadh na laochraidhe amhail ba dú dia iontsamhail go
ndeabhairt innso:

> I gcath an Átha Buidhe
>   is lais thuitfid na Danair;
> iar ndíothughadh allmhuireach,
>   bid faoilidh fir ó Thoraigh' (BAR: § 96).

An bhliain ina dhiaidh sin, agus Aodh Rua Ó Dónaill i dTuamhain,
tháinig an file Maoilín Óg Mac Bruaideadha chuige á mheabhrú dó go
raibh sé sa tairngreacht go raibh i ndán d'Aodh teacht aduaidh agus an
dúthaigh a chreachadh; b'eisean Aodh Eanghach; an file féin a reac
cuid den tairngreacht:

> É digheolas mh'Oileach óg,
> an tAodh groidheach don gharbhród;
>   an corp sleamhain, clú gan goid,
>   an foiltleabhair a Fánoid.

> Budh é sin an tAodh Eanghach
> dá ngiallfaid tuir na Teamhrach,
>   is a fhúigfeas, monar ngrinn,
>   oil gach cúigidh in Éirinn.

Dúirt chomh maith rann as dán molta a chum an file féin:

> Do bhaoi i ndán i ndíoghail Ailigh,
>   a Aodh Ruaidh, do reac an fáidh;
> tocht do shluaigh go hiathMhagh nAdhair,
>   a-dtuaidh iarthar cabhair cháigh (*ibid.* § 112).

Más fíor na tuairiscí sin, léiríd ní hamháin an file ag feidhmiu go poiblí,
ach léiríd chomh maith an tslí arbh féidir le comhthéacs áirithe brí is
éifeacht a bhronnadh ar chonsaeit liteartha. Mar seachas aon duine eile
de na scórtha taoiseach ar samhlaíodh fíoradh na fáistine leo go dtí sin,
ba léir do chách, is cosúil, ag deireadh an tséú haois déag, do Ghael is
Ghall araon, go raibh beirt ar an bhfód anois ar léir ar an imeacht a bhí
fúthu gur dóibhsean a bhí i ndán an tairngreacht a thabhairt isteach:

> Tyrone was among the Irish celebrated as the deliverer of his country fron
> thraldom and the combined traitors on all sides were puffed up with
> intolerable pride ... (Moryson 1603 i: 59).

> For presently he gathers all his forces and frendes of Ulster, besydes some
> out of Conaught, and with theise makes incursions into the English Pale,

even to the countie of Meath, cominge to the hill of Tarrow, where the olde doatinge prophesie was: that if Oneale could come and shoe his horse he should be kinge of all Ireland. Thither comes Tirone attended with greate troupes ... (Perrott 1608: 173).

Notes on the state of Ulster .... Prophesy that when two Hughs succeed each other as O'Donnells the last shall be a monarch in Ireland, and banish all foreign conquerors ... (CSPI 1592-6: 107).

Meanwhile Hugh Roe O'Donnell was rising to manhood ... and his party were filled with joy at the prospect of the realisation of an ancient prophecy (DNB *s. n.*).

Sular saolaíodh Aodh Rua in aon chor, a dúirt Lughaidh Ó Cléirigh, bhí a theacht tuartha ag Colum Cille agus ag na naomhfháithe eile; b'eisean 'an Donn diadha' a raibh trácht air sa tairngreacht, b'eisean an Tairngeartach tofa. Bhí a ainmsean luaite ag gach 'fáidhfhile', dar le Fearghal Óg Mac an Bhaird; dósan a bhí Éire á fógairt acu, dósan a bhí i ndán Éire is a huaisle uile a aontú. De réir na gcuntas comhaimseartha ba thuiscint choitianta í, i measc a lucht leanúna in Ultaibh agus i measc na n-údarás féin, go raibh Aodh Ó Néill le filleadh gan mhoill óna dheoraíocht shealadach. Bhí 'cách ag anmhain re a fhortacht' a dúirt Fearghal Óg Mac an Bhaird; b'eisean Aodh Eanghach, an t-athMhaoise, a bhainfeadh 'fine Choinn a broid'; mura dtiocfadh seisean anoir ní bheadh aon dóchas eile ag daoine, ní chreidfeadh aon duine sa tairngreacht feasta ach bhí a theacht i ndán – b'eisean an Tairngeartach, an té a bhí geallta ag na fáithe:

Do ghairm flatha d'Aodh Eanghach,
go cathair na claoinTeamhrach ...

Aodh Tailtean muna dtí a-noir,
ní bhiaidh dóigh ina dheaghaidh;
re hathchobhair ag Bóinn Bhreagh,
nó ag clachtholaigh mhóir Maistean. ...

Muna dtí do chobhair cháigh,
ní creidte d'aoineach annáil;
ná naomh, ná fáidh, ná file,
's ní cáir taobh le tairngire.

Ná bréagnaigh bréithre Finn,
ná Néill, ná Airt, ná Fheidhlim;
cia an fáth nár tharngair a thocht,
cách ag anmhain re a fhortacht.

Banbha na mbile scoithgheal,
luibh íocshláinte a hothairchnead;
aghaidh an chathchraoise Choinn,
biaidh 'na athMhaoise againn. ...

Fíorfaidh Ó Néill Colum cáidh,
fíorfaidh fós fuighle Bearcháin ...

É féin leigheosas ar loit,
Tairngeartach chríche Cormaic ....[45]

'Not prophecy fulfilled, but fulfillment deferred' a deir Schwartz (1977: 130) agus í ag tagairt go háirithe do fheidhm na dtairngreachtaí a leagadh ar Merlin sna meánaoiseanna, ach cuimsíonn a ráiteas léiritheach ceann de bhuntréithe feidhmiúla na tairngreachta trí chéile: nach mbaineann teip na tairngreachta ag aon ócáid faoi leith dá héifeacht mar fhoinse údarásach eolais ná den chreideamh docheistithe go bhfíorfaí fós í. Chuir an tairngreacht fráma stairiúil ar fáil a chuimsigh an t-am a bhí thart, an láithreach agus a raibh fós le titim amach agus b'í an eilimint fháistineach sin – an creideamh go bhféadfadh daoine áirithe a dhéanamh amach cad a bhí i ndán – a dheimhnigh nár chealaigh aon teip ná díomua faoi leith an chinnteacht fháistineach fhadtéarmach. De réir na dtairngreachtaí apacailipteacha a leagadh ar Joachim Fiore agus a bhí á scaipeadh ar fud na hEorpa sna meánaoiseanna, bhí an tAinchríost le teacht ar dtús sa bhliain 1260 ach nuair nár tháinig, cuireadh a theacht siar, de réir na tairngreachta, go dtí 1290, 1305, 1335, 1350, 1360, 1400, 1415, 1500 agus 1535. Níor mhaolaigh aon cheann de na teipeanna iomadúla sin éifeacht na tairngreachta trí chéile ná níor bhain den chreideamh go raibh sí fós le fíoradh; a mhalairt: 'indeed each failed Antichrist gave an additional plausibility to the claims of his successor' (Southern 1972: 177). Tá an patrún sin atá rianaithe ag Southern tabhartha faoi deara ag scoláirí eile freisin agus anailís á déanamh acu ar an tairngreacht pholaitiúil i gcultúir éagsúla agus is furasta an patrún uilí a léiriú ag an leibhéal idirnáisiúnta nó go háitiúil. Ó thús ama bhí an cine Giúdach ag súil leis an Meisias a bhí geallta ag na fáithe. Is mó duine, in imeacht na gcianta, a d'éiligh gurbh eisean an té sin a bhí geallta; is mó duine ar shamhlaigh aicmí áirithe den chine Giúdach féin an ról meisiasach leis, ach níor fíoradh riamh an tairngreacht; dar le Giúdaigh cheartchreideamhacha go bhfuil an tairngreacht fós le fíoradh, an Meisias fós le teacht.[46] Is é an scéal céanna ag Aodh Eanghach é: níor mhaolaigh an aimsir, ná na céadta pearsa ar samhlaíodh an ról sin leo, an tuiscint ná an creideamh go raibh sé fós le teacht; Cathal Croibhdhearg a bhí i gceist i dtús an tríú haois déag, Aodh Ó Néill i dtús an tseachtú haois déag; bhí súil fós lena theacht ag deireadh na haoise sin. *Táinig tairngire na n-éarlamh*, a deir Giolla Brighde Mac Con Midhe agus Aodh Ó Domhnaill á mholadh aige i dtús an cheathrú haois déag; *An deimhin anois teacht don tairngire?*, a d'fhiafraigh Seán Mór Ó Clúmháin agus Tadhg Ó Conchobhair á mholadh aigesean; 'An í an tairngire tánaig?' arsa Dónall Mac Bruaideadha ag deireadh an tséú haois déag: bhí Danair in Éirinn arís agus bhí i ndán do Thoirdhealbhach Ó Briain iad a ruaigeadh; *Cia fhíorfas fuighle na bhfádh?* a fhiafraíonn file eile nuair a fuair Maol Mórdha Ó Raghallaigh bás sa bhliain 1636.[47] Bhí an tairngreacht le fíoradh, bhí cinnte; is murar fíoradh í ag an am a gealladh nó murar thug an té áirithe a bhí luaite léi ag aon am faoi leith isteach í, ní raibh le déanamh ach an t-am a chur siar agus fíoradh na tairngreachta a shamhlú le duine éigin eile. Sin é go díreach a dúirt Tadhg Dall Ó hUiginn le Maoilir Búrc: ós rud é nár thug a athairsean an tairngreacht isteach, faoi mar a bhí geallta, is don mhac anois a bhí a fíoradh i ndán. Mar ba dhual don fhile, bhí analóg liteartha chuí ar fáil: an fháistine a rinne Aoibheall gurbh é Tadhg, mac Bhriain, a bheadh ina rí ar Éirinn i ndiaidh Bhriain Bhóraimhe; nuair nach mar sin a d'iompaigh amach, mhínigh Aoibheall gurbh fhíor fós dá fáistine ach gurbh é mac Thaidhg – Toirdhealbhach – a thabharfadh isteach anois í. An apalóg chéanna a tharraing Gofraidh Fionn Ó Dálaigh chuige sa dán molta a scríobh sé ar Thadhg Mac Cárthaigh. Bhí sé sa tairngreacht, a mhínigh an file, gur do athair Thaidhg – Domhnall – a bhí a fíoradh i ndán ach ó nár fíoradh lena linnsean í, is é Tadhg anois a thabharfadh isteach í:

Do thairngir fáidh fad ó shoin
go mbiaidh neart Oirir Fhionntoin
    ag Domhnall de chloinn Charthaigh,
    roinn ghormlann ar ghníomharthaibh.

Muna thí an tairngire is-teach
don Domhnall so fa dheireadh,
    biaidh lá bhus ard a eire,
    do Thadhg a-tá an tairngeire.

Fáistine athar, más fhíor,
tiocfa is-teach d'oidhre an airdríogh;
    más fhíor labhradh gach fhir eoil,
    ag sin adhbhar m'uirsceoil ...

Mór gcath chuirfeas de dheoin Dé
mac Domhnaill, gnúis mar ghlainré ...

Cuirfidh cath Mhullaigh Maistean,
gleo re bhféachfaidh fíorghaisceadh;
    brisfidh calg fa mhagh Midhe,
    gar do Thadhg an tairngire.

Cath díbheirgeach Dúin na Sciath,
cuirfidh oidhre fhóid fhinnChliach;
    re a ré muidhfidh gach mearchath,
    is cuirfidh sé an Saingealchath ....[48]

Léiríonn na dánta sin trí chéile an patrún athfhillteach ag feidhmiú ag leibhéal na litríochta, an athnuachan shíoraí ó ghlúin go glúin is ó dhuine go duine; Brian ag teacht is ag fáil bháis, athBhrian ag teacht ina áitsean; a raibh i ndán do Dhomhnall Mac Cárthaigh á shamhlú gan mhaolú lena mhacsan Tadhg; tairngreacht a rinne Aoibheall do Mhurchadh i dtús an aonú haois déag á húsáid go héifeachtach is go hábhartha fós sa séú haois déag. Ach léiríd freisin nach téamaí seanchaite liteartha amháin a bhí i gceist. Sa dán úd a scríobh Gofraidh Fionn Ó Dálaigh do Thadhg Mac Cárthaigh, luann sé na cathanna difriúla a bhí i ndán do Thadhg a bhuachaint, de réir na tairngreachta – cathanna i Mullach Maistean, i nDún na Sciath, i Saingeal. Is iad na cathanna céanna atá á lua fós sa seachtú haois déag, ní hamháin i saothar na bhfilí ach, mar atá feicthe againn, sna tairngreachtaí a bhí ag imeacht i measc an phobail, de réir na dtuairiscí comhaimseartha. Bhí cath Saingil fós gan troid sa seachtú haois déag; bhí an tairngreacht sin fós le teacht isteach. Saothraíodh an tairngreacht pholaitiúil, is léir, laistigh de fhráma téamúil áirithe ar furasta a príomheilimintí a liostáil is a léiriú: teacht an Chabharthaigh/Tairngeartaigh, cath mór deireanach ag ionad áirithe idir Gael is Gall, ruaigeadh na nGall, etc. D'fheidhmigh an fráma ginearálta sin ón dara haois déag, ar a dhéanaí, go dtí an naoú haois déag ach ní feidhmiú fulangach a bhí i gceist ná saothrú aithriseach ar théamaí fréamhaithe, mar laistigh den fhráma sin d'athraigh an ráiteachas de réir mar a d'athraigh na cúinsí soch-chultúrtha.

Bhí sé i ndán do Chathal Croibhdhearg Ó Conchobhair, a dúirt Muireadhach Albanach Ó Dálaigh, 'na Galla' a chur soir; gníomh é a samhlaíodh leis an iliomad taoiseach eile dá éis, port coiteann leanúnach ag na filí é a mhaíomh go raibh i ndán do phátrún áirithe dá gcuid an tairngreacht a thabhairt isteach agus na Gaill/Danair a dhíbirt:

> Is é an Croibhdhearg chuirfeas soir
> na Galla do ghabh Theamhraigh ....

> Scrios Gall de Ghort Laoghaire
> do nocht Flann an fáidhfhile ....

> Do thairngir fáidh fad ó shoin
> treise Gaoidheal ar Ghallaibh ...

> Scrios ainbhfine d'fhód na Niall
> i dtairngire a-tá dá thaobh ....

> Díth ar Dhanaraibh go beacht ....

> Lucht Danar do chur tar cuan,
> Teamhair do chur as a claon ....

> Goill d'fhógra tar sál soirin ....

> D'Aodh do bhí i ndán a dhéanamh ...
> críoch Ghaoidheal gan dáimh ndeoradh ... .[49]

Mhair an dá ainm ghinearálta sin (Gaill/Danair) – agus téama a ndíbeartha – san fhilíocht pholaitiúil anuas go dtí an naoú haois déag ach ón dara leath den séú haois déag amach ba ghá pairticleárú eitneach áirithe a dhéanamh orthu, Gaill áirithe go sonrach a bhí in Éirinn anois agus is iad a bhí le díbirt:

> Beid Gaoidhil i nglasaibh Danar ...
> líonfaid Saxain ar fheadh nÉireann ....

> D'uaislibh Laighneach is leo dul
> dá gcumhdach ar chath Sacsan ....

> cliath fhascaidh na ndruadh ag dul
> in ascaidh lé sluagh Sacsan ....

> Saxoin dá ngoin le a géirinn ...
> scríbhinn Gall ar fhonn Fhéilim ....

Go dul Sagsanach tar sál
ní dhíolfam dán iná laoidh ....

Cuirfidh Sagsanaigh tar sáil,
scarfaidh iad dá ngabháil ....[50]

Teacht Saxanach go Doire ... (BAR ii: 88).

Agus de réir mar a d'éirigh ar an choimhlint, chuir diminsean sóisialta na coimhlinte slata tomhais idirdhealaitheacha eile ar fáil a léirigh is a bheachtaigh, ar bhonn reiligiúin is teanga, an aicme a bhí anois le díbirt:

Do-ghéanaid an dáimh se go gearr aonchorp,
is do-bhéaraid lámh i láimh a chéile,
bualadh ar Ghallaibh i Saingeal do-bhéaraid,
i Mullach Maistean ar Dhanaraibh réabfaid,
ní bhiaidh ceangal le Gallaibh ag éineach,
ní bhiaidh caidreamh le hAlbanaigh mhaola,
ní bhiaidh marthain ar eachtrannaigh in Éirinn,
biaidh céad comharc i dtóin lucht Bhéarla,
is lucht Chailbhin chleasaigh bhradaigh bhréagaigh,
biaidh gáir fá tholl i dtoll Lúitéarus,
biaidh an bua ag slua na nGael so ... (FPP: 2 §§ 290-300).

Léiríonn an sliocht sin go glé an tsintéis théamúil idir an sean (Saingeal, Danair) agus an nua (lucht Bhéarla, lucht Chailbhin) ba ghá a dhéanamh chun go mbeadh brí fós le ráiteachas na tairngreachta. Chítear an tsintéis chéanna i nóisean an Chabharthaigh, an té áirithe a raibh sé i ndán dó aicme an fhill a dhíbirt. Taoiseach áitiúil éigin a bhí i gceist sna meánaoiseanna trí chéile, Brianach, Cárthach, Niallach, Conchúrach nó uasal éigin eile; taoisigh a saolaíodh is a d'fheidhmigh is a fuair bás in Éirinn féin. Ach de réir mar a d'éirigh ar eicseadas na huaisle ó thús an tseachtú haois déag amach, d'athraigh dá réir foinse na cabhrach a bhí i ndán d'Éirinn. Agus sa tslí chéanna gur ón Spáinn nó ón Fhrainc a bhí an chabhair sin le teacht feasta, is thar lear freisin a lonnaigh an Cabharthach anois. Mar a dúirt file anaithnid le Séamas Mac Domhnaill, bhí sé i dtairngreacht Fhinn gur 'cabhlach tar sál' agus 'géag díbh féin' a thiocfadh anall is a d'fhóirfeadh ar Éirinn, tuiscint a raibh idir straitéis pholaitiúil is údarás na tairngreachta léi feasta.[51] Na huaisle a d'imigh thar lear, filleadh buacach a bhí i ndán dóibh: do Aodh Rua Ó Dónaill, dá dheartháirsean Ruairí, do Aodh Ó Néill; dá gclann mhacsan Seán Ó Néill is Aodh Ó Dónaill, dá ngaolsan Eoghan Rua Ó Néill. Níl éinne acusan nár cumadh dánta air á mhaíomh gur dósan d'áirithe a bhí i ndán an tairngreacht a thabhairt isteach, filleadh ar Éirinn go caithréimeach, cath a thabhairt ar Ghallaibh, Éire a shaoradh; mar a dúirt Eoghan Rua Mac an Bhaird i ndán ar Aodh Ó Dónaill, bhí gach rud dá raibh geallta ag na fáithe i dtaobh a ghaolta roimhe le tabhairt isteach aigesean anois agus é ar tí filleadh ar Éirinn sa bhliain 1627:

Ar labhair Cormac Ó Coinn,
   ní samhail d'orchar re haill;
d'Aodh Bhreagh acht go triall tar toinn,
   treabh Choinn ní ba fiadh ar faill.

Glóir a gharma iarrfaidh Aodh,
   triallfaidh le chabhlach tar cuan;
líonfaidh beannBhanbha na mBrian,
   fíorfaidh thiar seanlabhra suadh....

Na feadha ag claonadh dá gcloinn,
   na gaotha ag gealladh Uí Choinn;
tug a dháil go domhan Finn
   foghar binn re tráigh ag toinn.

Don scoith Bhreagh so do bhí i ndán
   gach ní do gealladh dá ghaol;
an cuire do imthigh uainn,
   fillfidh a mbuaidh uile ar Aodh....

Iar ndul tar lear béaraidh buadh,
   géabhaidh gach ar ghabh a ghaol;
cuirfidh na talmha fa thréan,
   luighfidh séan a anma ar Aodh ... .[52]

Ach ní do Aodh a bhí i ndán a raibh geallta ag na naoimh ina thaobh a fhíoradh; níor fhill sé ar Éirinn riamh, faoi mar nár fhill éinne dá ghaolta oirirc roimhe; thar lear a fuair sé bás agus é ag troid in arm na Spáinne, thar lear freisin a d'éag Aodh Rua is Ruairí Ó Dónaill, Aodh agus Seán Ó Néill. De na taoisigh tháscúla uile a chuaigh thar lear i dtús an tseachtú haois déag, is é Eoghan Rua Ó Néill an t-aon duine amháin acu a sháraigh an patrún diomuach a bhain lena ghaolta; d'imigh seisean thar lear, a ndálasan uile, ach, murab ionann is an chuid eile acu, d'fhill sé arís. Is go buacach a d'fhill agus is go háthasach meidhreach ardmheanmnach a cuireadh fáilte roimhe:

Ag so an uair do ghluais an tréinfhear,
as an Spáinn fá lán éarma,
Eoghan ruaghlan na slua mbaolach,
laoch na gcreach é, mac Airt éachtaigh,
mac mic oirirc Chormaic Néill mhir,
lámh ghaisce nár sáradh in aonghoil ....
do chúige Uladh tug furtacht ar éigean,
do chuir sé Gaill de dhroim a chéile,
do chuir sé Lesley ar teitheadh go héasca,
do chuir sé ar chosaibh Mhontgomery géibheann,
do chuir sé meatacht ar Albanaigh mhaola,
do chuir sé a ndaoine tríd a chéile ....
dar Mac Duach, ba suairc an scéal sin,
ar gach cuan de chuantaibh Éireann,
dá rá, dá lua, dá thuar, dá léaghadh,
Eoghan Rua ar ghuaillibh Gaoidheal
dá chur suas ar uachtar an Bhéarla ... (FPP: 2 §§ 130-83).

B'é Eoghan Rua buachaill bán na nGael, go háirithe i measc na nUltach; is fada a bhí sé geallta agus is fada a bhíothas ag súil lena theacht:

> Owen Roe O Neile whoe would thrust out the black divells and then the tythes should be their owne ... (TCD 834: 17).

> That all the nobility of this Kingome wch were papiste ... they expected aide out of Spaine by one Owen Roo O'Neille ... (*ibid.* 835: 31b).

> Sayth that during his imprisonment hee often heard dives of the rebells ... say publliquely that one O'Cane a great man was comen over out of Spaine and that they daily expected the comeing and approach of Owen McArt of the ancient Irish race out of Spaine into this kingdome to be their head or ruler ... (*ibid.* 836: 61).

> Toby Quinn had publiquely said that he had rather see the face of Owen McArt Mcbarron O'Neyle than the face of Almighty God ... (*ibid.* 63).

> If Owen Mc Art should not ere long come out of Spaine they wold make Sr. Phelim O'Neile their kinge ... (*ibid.* 72).

Tá ráite ag staraí amháin gurbh é Eoghan Rua dáiríre ba thionscnóir ar éirí amach na bliana 1641 (Gillespie 1986: 213). Sular fhill sé, mí Iúil 1642, bhí ag maolú ar fhlosc na reibiliúnaithe is bhí baol ann go dtitfeadh an iarracht as a chéile cheal cinnireachta proifisiúnta míleata. Eisean a sholáthair an chinnireacht sin agus dá bharr rinne éirí amach náisiúnta de reibiliún áitiúil Ultach. Ar theacht i dtír i dTír Chonaill dó, bhain a dhúiche athartha i ndeisceart Ard Mhacha amach láithreach agus is ansin i Loch Gall, mar ar tógadh é, a bhunaigh a cheanncheathrú. I litir a scríobh sé chun na Róimhe mhaígh go bhféadfadh sé, laistigh de thrí mhí, "all the English and Scotts who are here" a ruagairt; thuairiscigh chomh maith gur chuir na Gaeil an-fháilte roimhe agus gur éirigh arís ar a ndóchas: "with my arrival they recovered somewhat the hope they had lost".[53] Chuir údar anaithnid an *Aphorismical discovery* níos cinnte ná sin é agus mhínigh go beacht, más go hornáideach liteartha é, an tionchar ollmhór a bhí ag teacht Eoghain Rua ar mheanma is ar iompar a lucht leanúna:

> At this very time did that brave gentlman, Daniel O'Kahan, a Hector in armes, arrive to Kilkeny from Spaine, as a precursor of Owen Oneyll ... The north of Ireland, too farr from this relife, was now bleedinge ... under the force of two warrlicke nations the English and Scotts ... noe shelter of mountaine, bogg or woode was now of force to defende them from the enemie crueltie, soe eager and earnest was he huntinge them out, like deeres, and other savage beastes ... havinge noe leader to conducte them anywheare else they are utterlie undon, noe life or courage now remaineth ... But God Allmightie ... by his divine providence hindered the fatall designe of this puritant, for Owen Oneyll by this time, his master in the art militarie about the last of July, 1642 landed in Ireland at Logh Sullie in Tyrconnell ... Owen cominge to the countrie, all flocked about him, choosed him presently generall of that province, they conceave themselves now reniewed ... each man reputes himself now two, theire

courage soe improved was by his only sight. This newes was soone spred in all the Kingdome ... (CHA i: 41-3).

An dearcadh céanna a nocht filí na Gaeilge, theas is thuaidh, agus bhronnadarsan, is an t-aos léinn trí chéile, ar Eoghan Rua, seachas aon duine eile de chinnirí na linne, na tréithe aircitípeacha ba dhual don rílaoch agus, dá réir sin, an t-adhmholadh traidisiúnta a bhí dlite don taoiseach dúchais. B'eisean 'an leon cróga Gael i gceart/do bhéarfas fód glan Fódla féna smacht', dar le Piaras Feiritéar, ba chuma nó 'glac agus ordóg' iad Éire agus Eoghan Rua dar leis; b'é 'the Hercules both of ye world and Rome' é, b'é an *patriae defensor* é, dar le rannairí anaithnid; b'eisean an 'flaithrí', b'eisean 'rídhamhna Éireann', b'eisean 'in the whole Kingdome the onely stickler of both religion and nation', dar le scríbhneoirí eile; b'é 'an laochmhíleadh onórach agus an míleadh móirmhneanmnach cródha cosantach ar mhuintir an phápa' é, dar le Ó Mealláin;[54] eisean amháin, dar le file eile, nár ghéill do na Danair agus nár mealladh:

Gus a-nois níor thuigeas suim
an rainn do-rinneadh romhuinn:
　　'Éire agus Eoghan Ó Néill,
　　glac agus ordóg iaidséin'.[55]

Ní fhuil acht aoinmhéar den ghlaic
díleas duit, a chríoch Chormaic;
　　acht a-mháin Eoghan Ó Néill,
　　an chráig uile dot' aimhréir.

Ní fhaghaid Danair é ar mhír,
ní shéan a thír ar bhirín;
　　ní thréig a dhaoine ar a chuid,
　　é le baoithe ní bhréagaid ... .[56]

Dar le 'Dochtúir Cléirigh' éigin, gurbh é Eoghan Rua a tháinig 'dar bhfortocht', b'eisean 'cosa agus ceann ar gcogaidh':

Do bhádar Gaoidhil Ghoirt sheing
go teacht d'Eoghan go hÉirinn,
　　gan chlár Cuinn, gan neart, gan neamh,
　　fa chuing Gall, gan cheart, gan chreideamh.

Do bhádar Goill go greadhnach,
spréite innte ilmheadhrach;
　　nochar shona óna sódh sionn,
　　ag ól fhola na hÉirionn.

Triath as fearr chosnas an chríoch
ar neart namhad, ar eisíoth ...

Glac dhiamont is ordóg óir
do ghairm d'Eoghan ní héagcóir;
　　pailm den fhuil is uaisle linn
　　dá bhfuil an uairse in Éirinn.

Cóir do mhol 'na laoidh gan locht,
an tí táinig dar bhfortocht;

glac shéaghainn, fialas gan oil,
Piaras mac Éamainn iúlghloin.

Glac agus ordóg Eoghan ...
cosa agus ceann ar gcogaidh.[57]

Ní san fhilíocht adhmholtach amháin a sheas Eoghan Rua amach: bhí
a reisimint féin aige agus é ina *maitre de camp* in arm na Spáinne, bhí cáil
ar fud na hEorpa air ar fheabhas a shaighdiúrachta is ar mhéid a
chrógachta, b'eisean an t-aon chinnire amháin de chuid na
Comhchomhairle abhus a bhain bua taibhseach ar pháirc an chatha,
mar a rinne nuair a bhuaigh sé go cumasach máistriúil ar Monro lá na
Binne Boirbe; dar le Rinuccini nár thaitin sé lena naimhde go raibh
"the Liberator" á thabhairt coitianta air agus nuair a cuireadh claíomh
Aodha Uí Néill chuige mar thabharthas ón Róimh, bhíothas á rá gurbh
é an chéad rud eile a bhronnfadh an pápa air, coróin na hÉireann.[58]
Murar shealbhaigh sé an choróin riamh, is mar rí a caitheadh leis ar a
bhás agus, siar isteach san ochtú haois déag féin, bhí na filí fós á
chaoineadh. Dá éis-sean bhí Éire gan chéile, gan chosaint; ba
bhaintreach thréigthe í gan dídean, gan taca; shearg an tír féin, gan féar
ag fás, gan lacht ag buaibh, gan iasc san abhainn; b'eisean fear na
tairngreachta, ach ó d'éag sé bhí deireadh le dóchas na nGael; lena
bheo bhí rath ar an gcogadh, dá mairfeadh sé ní éireodh leis na Gaill:

Do chaill Éire a céile fíre,
teascadh fréamh a haonchrainn díona ...
oidhre amhra Teamhrach taoibhghil,
giolla dar dhual buairt a scaoileadh ...
gin ámhar do thairngir draoithe ...
's gurbh é Eoghan fear a bhfóirthin is a leasaigh',
fear cumhdaigh a gcríoch is a n-íocluibh cneasaigh' ...
                              (CCU: 7 §§ 1-2, 31-2, 61, 133-4).

Pósta feasta ag Gallaibh, dar leo féin,
atá Fódla, an bhean do mheath is do chuaidh ó fheidhm ... (*ibid.* 8 §§ 1-2).

Mar atáid, a Dhé, na Gaeil gan treoir is trua,
síol ámhar Néill, síol Eibhir mhóir i dtuaidh,
síol Táil go tréith, sliocht Shéarlais chróga i nguais,
gan cháil, gan chéim, ón éag sin Eoghain Rua ... (*ibid.* 9 §§ 1-4).

Níl stáidbhean tséimh de Ghaelaibh beo monuar,
gan rás na ndéar ag céimniú ród 'na ngrua,
de bhláth gach déise is féir a snua do chuaidh,
is gan ál ar chéis ón éag sin Eoghain Rua ...

Gan ábhar Féinics éigin beo san luaith,
gan ál dá éis, nó aon a d'fhóirfeadh ár nguais,
gan fál fá Eire ach faolchoin ag strócadh ár n-uain,
ó dáileadh cré, mo léan, le hEoghan Rua (ND ii: 14 §§ 1-4, 25-8).

Do ním d'aithne dá maireadh an t-éan so
nach beadh an ealta so i leabaidh na bhféinics,

is nach faigheadh Gaill ná Cromwell géilleadh,
amhail mar fuair an uair d'éag sin ... .[59]

I bhfriotal chomh liteartha snasta céanna a chaoin údar an
Aphorismical discovery a laoch:

> I lament the death of a brave warriour, the choice champion of His
> Holinesse, Urban ... a souldier since a boy in the onely martiall academie
> of Christendome Flanders, never drewe his sworde, unto his dyinge day,
> other then in Catholicke religious defence, as wittnesse Bohemia,
> Sweland, Frizland, Holand, Norwaye, Denmarke, and now Ireland. This
> bulwarke of holy religion ... severally impeded in this his godly designe by
> factious and treacherous members of this same kingdome (as formerly
> touched), as a tall cedar placed on the mountaine toppe of fame and
> reputation was terribly shaken and overturned by the loftie blastes and
> thunderinge winds of emulation and self envie; Irelands fortune in his
> time was favourable, the churche of God flourished, the militia, in
> emulation of his virtues,warrlicke, the enemie weake and declininge, the
> countrie plentifull. But now all things turned toppsie-torvy, as there is noe
> stay betweene the highest and lowest fortune, by his death the enemie is
> growen stronge and cruell, noe citty, forte, or towne doe oppose him, noe
> churche, monesterie, or religious house inhabitted, the militia
> discouraged, dishearted, and growen cowarde, none to shewe his face in
> the field, for now the enemie doe not feare the naminge of Generall Owen
> Oneylle, which not longe before did sounde like a thunderbolte in his
> eares. This is it that I lament, the death of soe well desearvinge a man, in
> the whole kingdome the onely stickler of both religion and nation, whose
> now want is the cause of all the woe and evill hapninge unto us, whose
> onely name ... would keepe life and breath in the decayed affaires of
> Ireland, and discourage the now victor-enemie. What will the poore
> Northeren people doe now (though the losse is common)? Your father,
> your Generall, your ruler, and your styrer is now wantinge? ...

> Soe longe as brave Mars shall but finde a freinde
> Eugenius his lastinge fame shall never end (CHA ii: 61-2).

Tá parailéalachas nach beag, mar is léir, idir seintimintí an údair sin
agus téamaí gnácha na filíochta Gaeilge: an bhuntuiscint lárnach gur
chogadh reiligiúnda é an cogadh in Éirinn, an modh laochta a gcuirtear
Eoghan Rua i láthair, an t-ardú meanman a spreag sé i measc a lucht
leanúna, an brón bristechroíoch coscartha a lean a bhás, ainnise uilí na
tíre dá éis. Ach dar leis an údar, nach marbh a bhí Eoghan Rua in aon
chor, ach é ina chodladh dála Elias:

> Some deeminge God in his divine clemencie, not to deale soe straight with
> this poore nation, as to bereave them of this theire onely champion, rather
> the worlde beinge not worthy of soe good a masterpeece, lulled him
> asleepe, snatched him away to some secret corner of the world (as another
> Elias) to keepe him there for future better purposes, the grounde of this
> surmishe, that sleepe and death are brothers, and therefore not easie to
> discearne betweene both, other then by the effects. As longe as he
> breathed life, we weare to stande in possession of this lande, or the best
> parte therof, now all whipped and snatched out of our hands, wherby are
> certaine of his deathe, this beinge its effecte ... (*ibid.* ii: 63).

I sliabh i gcontae Longphoirt a bhí sé ina chodladh, de réir bhéaloideas an cheantair, agus é ag feitheamh leis an lá:

The soldier replied that if he had pulled the sword out of the scabbard that Ireland would be free today. The soldier went on to say that it had been prophesised many years before that a man of his name would be going on that road, and that the soldier was to meet him and bring him there and see if he would take the sword out of the scabbard. When he did not do so, then Ireland would not be free until as many more years. These men were Eoghan Rua O'Neill's soldiers who before the end of the world were to free Ireland from all invaders ... (*Béaloideas* 42, 1974, 282).

Níorbh aon ghnáthdhuine é Eoghan Rua, is léir, agus ní mar ghnáthdhuine a léirítear é ach mar laoch a samhlaíodh le Hercules, Mars, Maoise, Artabon; b'é 'oidhre amhra Teamhrach' é, b'é 'céile fíre' na hÉireann é, b'é an ghin 'ámhar do thairngir draoithe' é. Is sa mhód miotaseolaíoch a rianaítear a charachtar, beathaisnéis laochta a tugadh dó, mar a tugadh do phearsana táscúla stairiúla eile an tseachtú haois déag: Aodh Rua Ó Dónaill, Aodh Ó Néill, Ball Dearg féin. I gcás gach duine acusan, murab ionann is laochra eile rompu, ní taobh le haon fhoinse amháin – pé acu foinse liteartha nó foinse oifigiúil í – atáimid chun teacht ar a mbeathaisnéis, ach tá foinsí difriúla éagsúla ar fáil, idir fhoinsí liteartha is fhoinsí oifigiúla, idir fhoinsí comhaimseartha is fhoinsí béaloideasa, a dhéanann comhlánú beathaisnéiseach ar a chéile. I gcás gach duine de na pearsana stairiúla sin, ní tuarascáil oifigiúil aontomhaiseach ar charachtar is ar ghníomhréim gach duine acu a chuireann na foinsí ar fáil ach tuarascáil a chuimsíonn níos mó ná na fíricí stairiúla agus, dá réir sin, a chuireann feoil ar na cnámha oifigiúla, a léiríonn an carachtar meisiasach dúinn, a shoilsíonn an mód miotaseolaíoch, a nochtann an bheathaisnéis laochta ag feidhmiú. I ngach cás acu réalaítear is feidhmítear eiliminti lárnacha na beathaisnéise sin: d'imigh gach duine acu thar lear ach bhíodar uile le filleadh arís, bhí Éire féin mar chéile ag gach duine acu, ní marbh a bhí aon duine acu, ach iad ina gcodladh i bpluais, dála Artúir, Barbarossa is laochra meisiasacha eile, ag feitheamh leis an lá; bhí a dteacht is a gcaithréim bhuacach tuartha i bhfad rompu ag na naoimh.

Toisc iomadúlacht is ilghnéitheacht na bhfoinsí comhaimseartha a bhaineann le Ball Dearg, is iomláine iltomhaisí an tuarascáil is féidir a dhéanamh airsean ná ar aon duine eile de na pearsana stairiúla sin; is ina chás-san go háirithe is ea a chímid an tairngreacht ag feidhmiú, ní ag leibhéal na litríochta amháin ach mar chuid de dhioscúrsa polaitiúil is de chreideamh coiteann an phobail. Údarás na tairngreachta a d'úsáid Ball Dearg, de réir na bhfoinsí comhaimseartha, a dhlisteanú a ghníomhartha is a éilimh. B'é Ball Dearg, dar leis féin is lena lucht leanúna, an té a bhí geallta de réir na tairngreachta, an té a raibh sé i ndán dó Éire a shaoradh; thug sé a lucht leanúna leis go Luimneach toisc gur lasmuigh den chathair sin, ag cnoc Saingil, de réir na

tairngreachta, a throidfí an cath deireanach idir Gael is Gall. An
dlisteanú céanna a rinne an t-aos léinn air, an t-údarás céanna a luadar
leis an fháilte mheanmnach dhóchasach a chuireadar roimhe – an
tairngreacht. Dar leis na filí freisin, gurbh é Ball Dearg a bhí geallta de
réir na tairngreachta, dósan a bhí i ndán fáistine na naomh a thabhairt
isteach, Éire a shaoradh; b'eisean Aodh Eanghach:

> Fortacht na hÉireann uile,
> fada a-tá 'ghá tharnguire;
> > scéal nar thuil go sáimh síneadh
> > go bhfuil ar láimh laochmhíleadh. ...
>
> Is é an triath so nach claon cuing,
> Aodh iongantach Ó Domhnaill;
> > draig ríoghdhána ceartchrann ceall,
> > fíornámha eachtrann Éireann. ...
>
> Bhéaraidh fortacht – cúis ro chlos –
> d'achadh Éireann gan amhros ...
>
> Éireochaidh le hAodh mar so,
> ó thoinn Tuaidhe go Clíodhna ...
>
> Brisfidh orra, cuirfidh crioth
> ar Ghallaibh na ngníomh neimhnioch;
> > seabhac léir fa neart nimhe,
> > de réir theacht na tairngire. ...[60]
>
> Atáid re hathaidh fhada,
> uaisle chríche Cearmada,
> > gan comhaill mbuadh mbunaidh,
> > i ndoghraing duagh ag Danaraibh. ...
>
> Mac Seáain, triath gan time,
> ris fíorthar an fháistine ...
>
> Do gheall fós fáidhe Banbha,
> dar ndídean ar olc allmhardha;
> > Aodh Eanghach do theacht tar muir-
> > budh feadhnach a fheacht ar iorghuil. ...[61]

'Tar muir' a lonnaigh an Cabharthach feasta, agus ní de réir na
tairngreachta amháin; fíric shoch-chultúrtha ab ea í gur thar lear anois
a bhí príomhuaisle Éireann agus a rí ceart féin, an Stíobhartach. Eisean,
seachas aon duine eile d'uaisle na linne, a shealbhaigh brat an
Chabharthaigh agus a d'fheidhmigh dá réir. Mar más ar díbirt féin a
bhí, bhí i ndán dó filleadh a shaoradh a mhuintire is a ríochta; ar a
fhilleadhsan thiocfadh an tír chuici féin arís is bheadh rath ar thalamh
is ar dhaoine. B'in é ráiteachas na tairngreachta feasta, mar a
dhearbhaigh is a léirigh an aisling pholaitiúil é:

> Do tharangair éigse dréachta 's feasa
> a dtéacht go treasach trúpach,
> lannmhar léidmheach laochta ag ladairt
> > méithphoc Gallaphoncach ...

Do tharangair éigse 's draoithe,
is dearbh an scéal mar chítear,
    go bhfuil fearta mhic Dé
    dá gcartadh go faon
    's ag treascairt na bhfaolchon sínte ...

Maítear i laoistarthaibh dán le héigs',
gur inseadar draoithe 's faídhe dréacht,
go bhfillfeadh ár Stíobhart go háitreabh Chéin,
d'fhíorscaipeadh na daoirse de rás na nGael ...

Do dhearbh gur fíor an ní seo luadh
do tharangair naoimh ár dtíre uair:
an teascadh so a thíocht gan mhoill anuas
    ar athachaibh tuatha an Bhéarla ... .[62]

Caibidil 11

'An Aisling Do Rinneas ar Mhóirín'

I

The first peculiarity likely to strike the reader is the remarkable sameness pervading those Irish pieces which assume a narrative form. The poet usually wanders forth of a summer evening over moor and mountain, mournfully meditating on the wrongs and sufferings of his native land, until at length, sad and weary, he lies down to repose in some flowery vale, or on the slope of some green and lonely hill-side. He sleeps, and in a dream beholds a young female of more than mortal beauty, who approaches and accosts him. She is always represented as appearing in naked loveliness. Her person is described with a minuteness of detail bordering upon tediousness – her hands, for instance, are said to be such as would execute the most complicated and delicate embroidery. The enraptured poet inquires whether she be one of the heroines of ancient story – Semiramis, Helen, or Medea – or one of the illustrious women of his own country – Deirdre, Blathnaid, or Cearnuit, or some Banshee, like Aoibhill, Cliona, or Aine, and the answer he receives is, that she is none of those eminent personages, but Éire, once a queen, and now a slave – of old in the enjoyment of all honor and dignity, but to-day in thrall to the foe and the stranger. Yet wretched as is her condition, she does not despair, and encourages her afflicted child to hope, prophesying that speedy relief will shortly reach him from abroad. The song then concludes, though in some instances the poet appends a few consolatory reflections of his own, by way of finale ... (O'Daly 1850: 101).

Bíodh go gcuimsíonn an cuntas sin a scríobh Seán Ó Dálaigh príomheilimintí na haislinge polaitiúla agus gur cruinn an cuntas é, ní mór a thuiscint freisin nach bhfreagraíonn a chuntas, dá chuimsithí é, ach do shaghas áirithe aislinge – don fhoirm is iomláine agus is foirmeálta di a cuireadh ar fáil. Is cinnte gurbh é Eoghan Rua Ó Súilleabháin a thug an fhoirm sin chun foirfeachta agus a bhuanaigh í i measc fhilí na Mumhan: cloíonn gach aisling dá chuid féin, a bheag nó a mhór, leis an fhoirm áirithe sin agus is í is mó agus is leanúnaí a chleacht na filí eile a bhí suas lena linn agus ina dhiaidh. Ach cé gur leis an dara leath den ochtú haois déag go háirithe a bhaineann an fhoirm áirithe sin de sheánra na haislinge agus gur sa tréimhse sin is mó a saothraíodh í, bhí sí ar fáil roimhe sin, is léir, agus faightear samplaí di freisin, bíodh gur go hannamh é, i saothar na bhfilí a bhí ag scríobh sa chéad leath den aois. Samplaí luatha den fhoirm sin is ea:

> *Ar mbeith sealad domhsa in aicis mhór cois taoide* (Aindrias Mac Cruitín), in eagar: O'Rahilly (1924: 1);

Aréir ar mo leaba im thaomaibh gan tapa (Eoghan Mac Cárthaigh/Dónall Ó Colmáin), in eagar: Ó Foghludha (1938b: 29);

Ar thulaigh im aonar ag déanamh cumha is me im spreas (Séan Clárach Mac Dónaill), in eagar: SMD: 4;

Ar maidin inné agus mé im shuan (*idem*), in eagar: *ibid.* 15;

Cois caladhphoirt ar maidin dom i dtráth 's mé im néall (*idem*), in eagar: *ibid.* 23.[1]

Cé nach féidir dáta cruinn a chur ach le dán amháin acusan (is léir gur timpeall na bliana 1718/9 a cumadh dán Mhic Cruitín), tá an chuma ar an fhianaise inmheánach i ndán Mhic Dhónaill (*Ar thulaigh im aonar ...*), go háirithe ar na tagairtí don Spáinn, do Shéamas III, agus do Philib, gur dóichí gur timpeall an ama chéanna a cumadh an dán sin freisin; ní féidir a rá i dtaobh na ndánta eile atá luaite agam ach go bhfuil an chuma ar an scéal gur cumadh iad cinnte roimh 1745. Mar a léiríonn na dánta sin trí chéile, agus mar a mhíníonn cuntas Uí Dhálaigh, tá an fhoirm áirithe sin den aisling tógtha ar chúig mhóitíf chomhlántacha, mar atá:

A. An Tionscaint. Insint sa chéad phearsa uathu ar an láthair agus an tslí ar taibhsíodh an aisling don inseoir; de ghnáth is ina chodladh sa leaba nó amuigh san uaigneas cois abhann, cois coille, nó i láthair dhiamhair éigin eile a bhíonn sé:

Ar mbeith sealad domhsa in aicis mhór cois taoide ...

Aréir ar mo leaba im thaomaibh gan tapa ...

Ar thulaigh im aonar ag déanamh cumha is me im spreas ...

Ar maidin inné agus mé im shuan ...
trím aisling ar bhuaic an bhánchnoic ...

Cois caladhphoirt ar maidin dom ....

B. An Tuarascáil. Castar bean ar an inseoir agus tugann sé tuairisc uirthi; tuairisc nósúil de réir ghnásanna liteartha na Gaeilge:

Do sheasaimh as mo chomhairse bean 's a scódfholt scaoilte ...

Gur théarnaigh lem ais-se an bhé mhiochair bhlasta ...

Turastar taobh liom bé ba soineanda snas,

ba ghile ná géis a gné agus glaise 'na dearc ...

A mala ba chaol ar a héadan suairc,
is a reamhar-rosc réidh do chuir gaethe uaidh,
a barrannfholt péarlach léi 'na dhuail ...

A leabharfholt ar baillchrith léi ag fás go féar ....

C. An tAgallamh. Cuireann an t-inseoir agallamh ar an bhean (cé tú? cad as duit? an tusa Helen nó Deirdre? cad fáth do bhróin? etc.):

An ort, aiscim, a óigbhean, is labhair fós go caoin liom,
is freagair feasta cóir dom na ceasta is mó tá om bíogadh ...

A réilteann gan cheas, réidhse mo stair,
nó an éinne den tsleacht tu dhísceadh na slóigh? ...

An sibh, innis dom, Deirdre céile mhic Uisnigh na gcreach? ...

Cé tu féin tá ag déanamh cumha,
an tú Pallas na scéimhe phléigh an t-úll? ...

Aitchim ortsa, a ainnir mhilis mhánla shéimh ....

D. An tAinmniú. Freagraíonn an bhean ceisteanna an inseora agus
cuireann í féin in aithne dó á rá gurb í Éire í:

Freagraim feacht gach fóicheist dár leathais romham, a shaoifhir ...

Ní haon-neach dar cheapais méise, cidh fada,
ag éileamh ar m'ainm bhíonn sibhse fós ...

Ní duine den méid sin mé, ar sise, is feas ...

Ní mé, ná a samhail,
acht Éire dhubhach;
is é fáth mo léinse Gaeil fá smúit,
cé calma a gcuaird tar lánmhuir ....

E. An Tairngreacht. Tar éis don bhean í féin a chur in aithne don inseoir
agus a scéal brónach a insint, tugtar an aisling chun críche le ráiteas
fáistineach uaithi ar dhán na hÉireann:

Casfa ar ais is fóirfidh an flaith tá ar fó go fíochmhar ...

Go bhfuil Séarlas ag teacht is a laochra len ais ...

Tiocfaidh bhur Séamas, cé gur moilleadh a theacht ...

Radaim mo bhréithre in éiric daoibh:
seachtain ó inné tar éis trí mhí,
go bhfaicfe sibh Séarlas Maor 'na rí ...

Geallaim duit, a Charathaigh, is mo lámh 'na dhéidh,
gur radadar na scamaill is gur ardaigh an spéir,
gach faraire tá le fada ann fá lámhach na bpiléar,
go bhfuil a dtaisteal súd i mbailte poirt chum Gráinne Mhaol ....[2]

Eilimintí bunúsacha san aisling pholaitiúil trí chéile is ea na
móitífeanna sin, bíodh nach i gcónaí a fhaightear i dteannta a chéile in
aon dán amháin iad. Móitífeanna iad a bhí ar fáil coitianta ag aos léinn
na Gaeilge – i bhfad roimh an ochtú haois déag – agus bhain an t-aos
léinn an-earraíocht astu ar shlite difriúla, i seánraí difriúla, de réir mar
a d'oir is de réir mar ba ghá. Ach is san aisling pholaitiúil a thagaid le
chéile go comhlántach agus is inti a dhéantar foirmliú foirmeálta orthu,
go háirithe i saothar Eoghain Rua agus na bhfilí a lean é. Agus a uireasaí
atá an fhianaise is a acadúla atá sí mar cheist, ní fiú, dar liom, a bheith
ag iarraidh teacht ar an chéad sampla den fhoirmliú sin ná ar an chéad
fhile a chleacht é; is lú is fiú, dar liom, a bheith ag iarraidh líne dhíreach
ghinealach a rianadh idir na samplaí luatha sin, nó a n-eithne, agus na
samplaí lánfhoirfe déanacha. Ní go teileolaíoch a ghluaiseann an
litríocht, ach oiread leis an stair, agus ní pacáiste réamhdhéanta, a bhí
le seachadadh is le sealbhú ó ghlúin go glúin, a bhí riamh i dtraidisiún
litríochta na Gaeilge ná in aon cheann dá seánraí iomadúla. Agus ní
miste a mheabhrú nach robotanna liteartha ag glacadh go fulangach

urraimeach le hábhar fréamhaithe a shil anuas chucu a bhí riamh in aos léinn na Gaeilge.

Straitéis uilí í an aisling i litríocht an domhain, ó na litríochtaí is cianársa dá bhfuil againn anuas go dtí ficsean is béaloideas an lae inniu. Bhí sí ar cheann de na seánraí ba choitianta sa litríocht mheánaoiseach trí chéile agus baineadh earraíocht aisti go háirithe sa litríocht theagascach agus sa litríocht fháthchiallach. Dob fhéidir teacht ar charachtair is ar eolas san aisling nach raibh teacht orthu sa saol laethúil; dob fhéidir san aisling teagasc a chur ar fáil go hindíreach meafarach fáthchiallach; dob fhéidir riochtanna, staideanna, tíortha – ifreann, neamh, Mag Mell, Tír na nÓg – a shamhlú is a léiriú san aisling; ní raibh ach aon teora amháin le feidhm na haislinge – teora na samhlaíochta daonna. Dar le Freud go bhfuil comhchoibhneas cinnte idir an taibhreamh daonna agus an aisling liteartha: 'Most of the artificial dreams contrived by the poets are intended for some such symbolic interpretation, for they produce the thought conceived by the poet in a guise not unlike the disguise which we are wont to find in our dreams' (Freud 1938: 189). Ach níor thuiscint nua-aoiseach í sin, bíodh gur go heolaíochtúil a léirigh seisean í; ba thuiscint choiteann sna meánaoiseanna freisin í. Sa tráchtaireacht a rinne scolaistigh is fealsúna na meánaoiseanna ar an taibhreamh, ba ghnách leo idirdhealú a dhéanamh idir an gnáth-thaibhreamh (*somnium*), agus taibhreamh a raibh tromluí (*insomnium*), nó fís (*visium*), nó fáistine (*oraculum*) i gceist ann. Níorbh idirdhealú absalóideach é sin agus is mó leagan de a cuireadh ar fáil, ach réalaítear idirdhealú mar é i litríocht na Sean-Ghaeilge sna teidil *fís, aislinge, baile*.[3] Níor leanadh den idirdhealú sa litríocht dhéanach agus, de na seánraí comhchosúla sin, is í an aisling is leanúnaí agus is bisiúla a saothraíodh. Sa tseanlitríocht is i bprós is mó a saothraíodh í, ach ón dara haois déag ar aghaidh is í an véarsaíocht príomh-mheán na haislinge, go háirithe sa litríocht pholaitiúil agus i litríocht an ghrá. Ní hionadh gur sa dá réimse sin is mó a saothraíodh an seánra, mar is iontu is mó a nochtar mianta saolta comhaimseartha – mianta is féidir a shásamh i saol na haislinge. Bíodh gurbh fhéidir rangú áirithe a dhéanamh ar an ilchineál aislinge a cumadh sna meánaoiseanna agus gurbh fhéidir mionléiriú téamúil a dhéanamh ar a mbunábhar éagsúil, fós faightear sa seánra trí chéile, mar a deir Spearing, 'a certain complex of subject-matter: an ideal and often symbolic landscape, in which the dreamer encounters an authorative figure, from whom he learns some religious or secular doctrine ... ' (Spearing 1976: 4). Dá uilí an bunstruchtúr sin, ní raibh an seánra riamh taobh le haon fheidhm amháin ná le haon fhoirm amháin – san Eoraip trí chéile ná in Éirinn.

Aisling is ea *Mo-chean do-chonnarc aréir*, cé nach bhfuil i gceist ach dán molta ar Dhomhnall Gorm Mac Domhnaill; aoir ar Dhiarmaid Ó Conchúir is ea *D'innis m'aisling dhomh aréir* (Seán Ó Neachtain); moladh ar Shéamas Ó Maolagáin is ea *Feacht n-aon dá raibh mé in uaigneas* (Pádraig Mac a Liondain).[4] Aislingí de shaghsanna difriúla, bíodh nach léir sin ar na céadlínte, is ea

> *An tú táinig go Tadhg Dall?*, in eagar: TD ii: 325;
>
> *Ar chraig álainn na n-eas mín* , foinse: RIA 23 D 4: 129;
>
> *Cia na cinn se do-chíu aniar?* (Pádraig Mac an Bhaird), foinse: RIA 24 A 17: 357;
>
> *Éistidh liomsa go scrúda mé scéal díbh,* foinse: RIA 23 O 45: 15;
>
> *Tair, a bháis, tráth is beir mé leat* (Seán Ó Neachtain), foinse: RIA 23 A 35: 75;
>
> *Tar éis mo shiúil thríd chúige Uladh,* foinse: UCD F 20: 152;
>
> *Truagh giorra na hoidhche a-réir,* in eagar: O'Rahilly (1926: 43).

Aislingí is ea

> An aisling ad-chonnarc-sa agus mé im chodladh tréimhse:
> baraille na Nollag so 'gá ól seachtmhain reimpe (*Éigse* 12, 1967, 228);
>
> Do dhearcas im aisling samhail oíche éigin
> gur chalathaigh fear tar lear san tír chéanna –
> sin ainm a ceathair beacht is dís aonda,
> is Laidin ar thaitneamh cait gan díochlaonadh (RIA 23 B 38: 10);

bíodh nach bhfuil iontu araon ach véarsa amháin agus nach ionann a bhfuil á shamhlú iontu.

Ach cé go bhfuil éagsúlacht mar sin le fáil, níl aon cheist ach gurbh é an coinbhinsean liteartha is fairsinge agus is leanúnaí a saothraíodh san aisling, insint sa chéad phearsa agus an t-inseoir ina leaba nó i láthair dhiamhair éigin mar a dtaibhsítear an aisling dó:

> *Ad-chíu aisling im iomdhaidh* (Aonghus Mac an Bhaird), foinse: RIA 24 P 27: 39;[5]
>
> *Ag Cloch Mhór thoir na nIarlaí chas deilbh chríon lom liath liom* (Art Mac Bionaid), in eagar: Ó Fiaich (1979: 30);
>
> *Ag cuan Bhinn Éadain ar bhruach na hÉireann* (Art Mac Cumhaigh), in eagar: Ó Fiaich (1973: 18);
>
> *Ag luí liom féin aréir im leabain,* foinse: BL Eg. 160: 98;
>
> *Ag machnamh bhíos im leaba araoir leathuair roimh lá* (Eoghan Mac Cárthaigh), in eagar: Ó Foghludha (1938b: 4);
>
> *Ag Sionainn na slimbhárc cois Inse go déanach* (Séamas Ó Dálaigh), foinse: RIA 23 A 18: 46;
>
> *Ag siúl go haisteach dhom i lár na Bealtaine,* foinse: QUB B 7: 142;
>
> *Ag taisteal seal im aonar le sleasaibh réidhe na Laoi* (Mícheál Óg Ó Longáin), foinse: RIA 23 C 8: 392;
>
> *Aisling ad-chonnarc ó chianaibh* (Giolla Brighde Albanach), in eagar: McGeown (1953);

Aisling ba léir dhom go déanach san oíche, foinse: RIA 23 K 3: 28;

Aisling bhréagach do rinneadh aréir dom, foinse: RIA 23 O 45: 13;

Aisling chaoin do theagmhaigh linn (Diarmaid Ó Mathúna), in eagar: Ua Duinnín (1912);

Aisling do chonnairc mé aréir ar leabaidh 'gus mé mo luí, in eagar: DCCU: 120;

Aislingthe do chonnacsa (Gearóid Iarla), in eagar: Mac Niocail (1963: 21);

Aisling thruagh do mhear mise (Dónall Mac Cárthaigh), in eagar: O'Rahilly (1926: 44);

Araoir im aisling is mé ag machnamh im intinn (Muiris Ó Gríofa), foinse: MN M 5: 127;

Ar leabaidh aréir do shíleas féin ag teacht, foinse: UCD C14: 54;

Ar maidin ar drúcht is mé ag siúl go pras, foinse: MN M 9: 319:

Ar maidin inné dhom is déarach do bhíos-sa (Tadhg Gaelach Ó Súilleabháin), in eagar: Ua Duinnín (1903: 4);

Ar maidin inné dhom is mé go huaigneach (Muiris Ó Gríofa), foinse: HM 4543: 218;

Ar maidin inné sul mhúscail mé, foinse: UCD C 13: 63;

Ar mhala Dhroma Crí theagaimh domh an naí (Peadar Ó Doirnín), in cagar: de Rís (1969: 2);

Ar mo luí dhom aréir faoi dhuilliúr glas na gcraobh, foinse: UCC T 52: 120;

A spéirbhruinneall mhaorga na rinnrosc (Tomás Rua Ó Súilleabháin), in eagar: Fenton (1914: 8);

Cois imeallaibh sleasa na mara im shuí bhíos-sa, foinse: HM 4543: 247;

Cois leasa dhom sínte 's mo smaointe ar mearbhall (Piaras Mac Gearailt), in eagar: Ó Foghludha (1905: 10);

Do bhíos lá aige barr na gcuan, foinse: RIA 23 F 18: 121;

Do chonnaic mé aislingthe (Gearóid Iarla), in eagar: Mac Niocail (1963: 14);

Do chuas-sa lá im reathaibh go barra na hAoine, foinse: HM 4543: 242;

Iar luí síos ar mo leabaidh aréir dom, foinse: TCD H.6.25: 25;

I ngleanntán sléibhe le luí na gréine (Aodh Mac Dónaill), in eagar: Beckett (1987: 8);

Im aisling ar mo leabaidh is mé aréir im luí (Mícheál Ó Longáin), foinse: UCD F 33: 106;

Im leabaidh aréir do shíleas fein ag teacht, foinse: UCD F 2:16;

Maidean im aonar i gcéin cois na taoide (Seán Ó Braonáin), in eagar: de Brún (1972: 18);

Meanmach m'aisling i gCraig Léith, in eagar: Ó Fiannachta (1969);

Ní fada bhíos ar an leaba im luí nuair a ghlaoigh amach, foinse: TCD H.6.25: 7;

Tá aisling le n-aithris atá ró-íontach, foinse: BL Eg. 208: 133;

Tarfás dam ar brú Teamhrach, in eagar: RC 43 (1926) 10 § 4;

Tréam aisling im leabaidh i Mala go déanach, foinse: HM 4543:218;

Tréam shuan aréir im aonar bhíos (Seán de hÓra), foinse: UCD C14: 144;

Tuirseach dhamh ag éirghe lae (Eoghan Ó Donnghaile), in eagar: ND i: 45.

Cumadh na haislingí difriúla sin idir an tríú haois déag agus an naoú haois déag; tá idir aislingí grá is aislingí polaitiúla ina measc agus tá difríochtaí iomadúla eatarthu san insint, sa phlota agus sa tógaint, mar a thugann na céadlínte féin le tuiscint. I roinnt bheag acu níl de phearsa i gceist ach an t-inseoir agus an aisling á nochtadh aige féin ó thús deireadh; san fhormhór mór acu taibhsítear pearsa eile á casadh ar an inseoir agus leis an phearsa eile i láthair, cuirtear coinbhinsin eile, de ghnáth, in ócáid: tuarascáil, agallamh, ainmniú. Bhí an coimpléasc áirithe sin inghreamaithe san aisling pholaitiúil ó thús, bíodh gur mó casadh dob fhéidir a thabhairt do na bunmhóitífeanna agus gur mó malairt dob fhéidir a dhéanamh orthusan agus ar an seánra trí chéile.

Aisling pholaitiúil, idir théama is déanamh, is ea *Innisim fís is ní fís bhréige í* a leagann Aodh Buí Mac Cruitín ar 'An Síogaí Rómhánach'.[6] Ach murab ionann is an ghnáthaisling pholaitiúil, úsáideann an t–údar idir phrólóg is eipealóg mar fhráma foirmeálta ar an aisling:

Innisim fís is ní fís bhréige í,
le ar súile dúinn ba léir í,
le mo chluasa do chualas féin í,
í ní cheilim, deirim, déarad ...

Slán don mhnaoi bhí araoir ar uaigh Uí Néill,
le crá croí ag caoineadh uaisle Gael,
gidh d'fhág sí mo chlí go suaite tréith,
mo ghrá í 's gach ní dá gcuala mé (FPP: 2 §§ 1-4, 323-6).

Laistigh den fhráma sin, atá an-éifeachtach mar dheis reitriciúil, faightear ceithre cinn de na móitífeanna atá luaite thuas agam, idir thionscaint, thuarascáil, agallamh agus tairngreacht:

Lá dá rabhas ar maidin im aonar
insa Róimh ar órchnoc Céphas ...

cé do chífinn ar mhaoilinn tsléibhe
acht fíormhaighdean bhraighidgheal bhéasach ...

A Dhia mhóir, an deoin libh m'éisteacht,
nó an miste ceist bheag éigin ...

Do dhéanaid an dáimh se go gearr aonchorp
is do bhéaraid lámh i láimh a chéile,
bualadh ar Ghallaibh i Saingeal do bhéaraid,
i Mullach Maistean ar Dhanaraibh réabfaid ... (*ibid.* §§ 5-6, 14-5, 33-4, 290-3).

Dob fhéidir a áiteamh nach é an gnáthshaghas agallaimh a fhaightear san aisling seo, san uair nach leis an inseoir, ach le Dia féin, a labhrann an bhean; ina theannta sin, ní chuireann sí í féin in aithne don inseoir ach oiread: ní ainmnítear in aon chor í ó thús deireadh an dáin. Ach ní móide go bhfuil aon amhras i dtaobh a hainme, ó tá a feidhm san aisling an-soiléir: is ise foinse an eolais (an 'authorative figure' úd), is aici atá scéal na hÉireann idir a stair léanmhar, a cor ainnis láithreach agus a dán dóchasach, agus is ise a chuireann an scéal sin ar fáil don inseoir – feidhm na pearsa mná is Éire san aisling pholaitiúil trí chéile.

Dán molta is ea *Iongnadh mh'aisling in Eamhain* a chum Giolla Brighde Mac Con Midhe dá phátrún Roalbh Mac Mathghamhna roimh dheireadh an tríú haois déag, ach aidhm shoiléir pholaitiúil atá leis an dán: éileamh a phátrúin ar ríogacht Oirialla a chur chun cinn. Foirm na haislinge a tharraing an file chuige chun a chás a dhéanamh agus san aisling a taibhsíodh dó – maidin lae Bealtaine – samhlaítear Roalbh á ríoghadh; tá úire agus éadroime na Bealtaine san insint ghrástúil:

> Iongnadh mh'aisling in Eamhain
> i maidin chiúin Chéideamhain ...
>
> Téighim lá d'fhéaghadh Eamhna
> fa chuairt aoibhinn oireaghdha ...
>
> Suidhim in Eamhain uaine
> i ndún Mhacha Mongruaidhe ...
>
> Goirid beag do bhádhas ann,
> táinig an codladh chugam ... (Williams 1980: 15 §§ 1-4).

Ach san aisling seo is é an neach osnádúrtha a chastar ar an inseoir aingeal, mar a tharlaíonn go minic sa tseanlitríocht, go háirithe i mbeathaí na naomh,[7] agus is é an t-aingeal a mhíníonn brí na haislinge, agus ceisteanna an inseora á bhfreagairt aige; críochnaíonn an aisling le ráiteas fáistineach i dtaobh an ratha is an tséin atá i ndán do Roalbh agus don tír:

> An suan trom 'nar thuit sinne
> do-chonnac ann aislinge;
> do-chím aingeal Dé ar mo dheis-
> dob é mo dhaingean díleis ...
>
> 'Cúich an sluagh mórsa san magh?'
> ar mise ann rem apstal;
> gríos a n-aighthe, geal a ngruadh
> ó ghraifne mhear a marcshluagh'.
>
> 'Mic ríogh Síl Eoghain Oiligh
> do-chí uaid dot ionnsoighidh;
> ceannas gach críche is dual dáibh,
> an sluagh ad-chíthe id chomhdháil' ...
>
> Budh saidhbhride seabhac Fáil
> cách ag caithimh a chonáigh;
> ní gnáth tacha clach ar charn-
> ní racha a rath do Roalbh.

Ní racha a dhealbh dá dhreich glain
re hanbhuain creach nó cogaidh;
   ríoghna Oirghiall do aimsigh
   foirniamh ríoghdha an Roailbhsin ... (*ibid.* §§ 5, 7, 8, 42, 43).

Dán molta, agus achainí lena chois, is ea *Tabhrum an Cháisc ar Chathal* a chum Muireadhach Albanach Ó Dálaigh do Chathal Croibhdhearg Ó Conchobhair sa chéad cheathrú den tríú haois déag. Ach is san aisling a ríomhann an file i lár an dáin a nochtar go fáistineach is go moltach a bhfuil i ndán do Chathal:

Suairc an taidhbhse tárfas damh
aréir de chathaibh Cruachan,
   a dhul a-mach san Midhe,
   gach clach 'na tur theinntidhe.

Do-chíu glastonn mara mir
amuigh ag toidheacht tairsibh;
   is í an ghlastonn mhear mhara
   an geal basdonn béaltana.

Is é an Croibhdhearg chuirfeas soir
na Galla do ghabh Theamhraigh;
   an duine ní diombáidh linn
   'gá dtiomáin uile a hÉirinn ... (IBP: 23 §§ 15, 17-8).

Is luaithe fós ná an dán sin an aisling a chum Giolla Brighde Albanach *Aisling ad-chonnarc ó chianaibh*. Dán molta é ar Dhonnchadh Cairbreach Ó Briain a cumadh *c.* 1200, ceaptar; 'ar chlár loinge i leabaidh chaoil' a taibhsíodh an aisling don inseoir agus is é féin a chuireann na ceisteanna – ceisteanna reitriciúla – a fhreagraíonn iad agus a mhíníonn brí na haislinge:

Aisling ad-chonnarc ó chianaibh,
   ar chlár loinge i leabaidh chaoil ...

Dealbh an té ad-chonnarc im chodladh
   canfad mar is cumhain liom:
dá mhalaigh chomhnúidhe chaola,
   gormshúile caomha in a chionn. ...

Toimhsigh dhamhsa cia ad-chonnarc,
   a chúl casta mar ór peall ...

An leis Caiseal, an leis Luimneach,
   nó an leis Fréamhann, freagair mé;
an leis Teamhair, teagh na ngéibheann,
   nó an fear d'fhearaibh Éireann é?...

Is é Donnchadh cúilfhionn Cairbreach
   do-chonnairc sinn, suairc an ghéag ... (McGeown 1953: §§ 1, 4, 10, 11, 13).

Mar a léiríonn na dánta sin, dob fhéidir feidhmeanna difriúla éagsúla a bheith ag an aisling féin agus ag a móitífeanna bunúsacha; ní seánra aontomhaiseach aonfhoirmeach a bhí inti riamh. Ach tá tábhacht faoi leith ag baint leis na haislingí a chum Giolla Brighde Albanach, Muireadhach Albanach agus Giolla Brighde Mac Con Midhe. Nílim á áiteamh ná á thabhairt le tuiscint gur uathu a d'eascair na haislingí a cumadh ina ndiaidh, ná gur chuir a ndántasan múnla aircitípeach ar fáil a bhí le leanúint feasta; ach is fiú a thabhairt faoi deara gur samplaí luatha iad – ón tríú haois déag – den mhód ceapadóireachta ba choitinne san aisling féin agus sa liric trí chéile feasta: an insint sa chéad phearsa. Leanadh fós de aislingí a bheith á n-insint sa tríú pearsa, mar ba ghnách riamh,[8] ach ón dara haois déag amach is sa chéad phearsa de ghnáth a réalaítear an guth liriciúil sa Ghaeilge féin agus i litríocht na hEorpa trí chéile. Fágann sin go bhfuil cosúlachtaí téamúla áirithe idir an aisling pholaitiúil agus na seánraí eile a chleachtann an insint phearsanta.

Foirm na haislinge a tharraing Dónall Mac Bruaideadha chuige sa dán molta a scríobh sé dá phatrún, Iarla Thuamhan, sa dara leath den séú haois déag. Taibhsíodh don inseoir gur i Luimneach a bhí sé, mar a bhfaca sé na sluaite ag tiomsú ón uile aird d'Éirinn; castar fear air agus cuireann sé agallamh air:

> Lá dá rabha ós ráith Luimnigh,
> láimh re Sionainn sruthfhuinnghil ...

> Níorbh fhada dhamh dá dhéaghain
> Magh Áine an fhóid ghoirmfhéaraigh,
>   gur lán de ghroigh 's de ghasraidh
>   gach clár den mhoigh Mhumhansain. ...

> Fuaras fear dar fhiafraigh sinn
> 'cia an sluagh so ór ardaigh m'intinn' ...? (AD: 27 §§ 1, 2, 6).

Is é an fear a mhíníonn brí an scéil don inseoir: bhí sé sa tairngreacht riamh go raibh i ndán d'Éirinn go dtiocfadh fear a chosnódh í, bhí an tairngreacht á fíoradh anois mar bhí 'Mac Í Bhriain' á ríoghadh, d'fháiltigh an talamh féin roimhe:

> Tiocfa sé le séan uaire
> do dhíon Banbha bratuaine;
>   ag Bearchán do bhí a dheimhin,
>   an rí a gealchlár goirmFheimhin.

> Tairis ar dtús táinig Fionn,
> a theacht do thairngir Aoibhioll;
>   do bhí ag Séadna sean-Ghaoidheal
>   an fear céadna ar comhmaoidheamh. ...

> Re triath Sionna na sreabh mín
> do fháiltigh muir is móirthír;
>   do budh faoilidh fód Caisil
>   don aoidhidh óg amhraisin.

> Lán gach dos ó dhrúcht meala,
> lán d'éignibh na huisceadha,
>   go lár do chlaon i gcoillidh
>   lán gach craobh de chrobhoingibh ... (*ibid.* §§ 23-4, 27-8).

An oscailt phléascach atá ar an aisling sin (*Lá dá rabha* ...), is oscailt í
a fhaightear go coiteann, roimhe sin agus ina dhiaidh, sna seánraí
difriúla a chleacht an insint phearsanta, go háirithe sna laoithe
fiannaíochta, sna tuirimh, sna haislingí grá agus sna haislingí polaitiúla:

Lá dá rabhamar i nDún Bó (DF ii: 59);

Lá ro bhámar ar Sliabh Truim (DF i: 24);

Lá dá rabhas ar maidin go fánach (Séathrún Céitinn), in eagar: Mac Giolla
Eáin (1900: 9);

Lá dá ndeachas ar Mhalaidh na Síthe (Seán Ó Gadhra), foinse: RIA 23 N 33:
378;

Lá dár éireas ag déanamh aeir dom (Eoghan Mac Cárthaigh), in eagar: Ó
Foghludha (1938b: 19);

Lá dá rabhas i gcathair na Gaillimhe, foinse: TCD H.I.17:165;

Lá dá rabhas ag iascaireacht (Séafra Ó Donnchadha), foinse: MN B 6: 79;

Lá dár éirigh mé go huaigneach, foinse: MN C 71: 22.

Cé gur dóichí, de réir na fianaise atá ar fáil, gur sna laoithe fiannaíochta
is túisce a thagtar ar an oscailt áirithe sin, ní fhágann sin gur ón seánra
sin amach a scaip an téama ná gur aithris ar na laoithe atá sna seánraí
eile. Sampla léiritheach amháin, sampla simplí go leor, is ea an oscailt
áirithe sin den tslí arbh fhéidir tarraingt as téamaí is móitífeanna
coiteanna agus iad a ionramháil i seánraí éagsúla. Seánraí éagsúla – le
friotail éagsúla – is ea na seánraí a chleachtann an oscailt áirithe sin ach
is seánraí iad freisin, dá éagsúla iad, a bhfuil cosúlachtaí téamúla móra
eatarthu agus atá tógtha ar mhóitífeanna comhchoiteanna.

Sna laoithe fiannaíochta níorbh annamh, agus Fionn is na Fianna ag
gabháil amach a sheilg, níorbh annamh bean álainn á casadh orthu, an
bhean ab áille dá bhfacadar riamh:

Do chuala Fionn, 's níor chian uaidh
    bean ar bhruach an locha ag caoi,
is ann do bhí an macaomh mná
    dob fhearr cáil dá bhfeaca 's gnaoi.

Ba dheirge a grua ná an rós,
    do bhí a beol ar dhath na gcaor,
a cneas cailce mar an mbláth,
    is a leaca bhán mar an aol ....

Ar rá na bhfocal tig do láthair
    bean dob áille is ba ghile snua,
folt órbhuidhe léi ag fás
    ag rochtain a sál anuas.

Do bhí a grua mar an rós
    is a braoithe módhmhar ar éadan úr,
a rosca glasa glana gan cheo
    's a béilín binn do labhair go ciúin ....

Do stadamair uile den tseilg
  ar amharc deilbhe na rí-mhná,
do ghaibh iongantas Fionn 's an Fhiann
  nach feacadar riamh bean chomh breá.

Bhí mionn ríoga ar a ceann
  is brat donn den tsíoda dhaor,
buailte le réaltaibh dearg-óir
  ag folach a bróg síos go féar.

Bhí fáinne óir ar crochadh síos
  as gach dual buí dá dlaoi mar ór,
a rosca gorma glana gan smúit
  mar bhraon den drúcht ar bharr an fheoir.

Ba dheirge a grua ná an rós,
  ba ghile a snó ná eala ar toinn,
ba mhilse blas a béilín fós
  ná mil dá hól tré dheirg-fhíon ... .[9]

Níorbh annamh freisin sna laoithe Fionn, nó duine eile de na Fianna,
agallamh a chur ar an bhean, í á ceistiú i dtaobh a hainme, a muintire
is a tíre dúchais:

'Cia thú, a ríoghan,' ar Fionn féin,
  'is fearr méin 's is áille dealbh?;
is binne linn fuaim do bheoil
  ná a bhfuil de cheol ar talamh' ...

Fiafruigheas Fionn fa dearg dreach
  cá tír don inghin dathghlain úir;
'cá treabh as a dtángais, a bhean,
  innis scéal go beacht dúinn' ...

'Cia thú féin, a ríoghan óg,
  is fearr cló, maise 'gus gnaoi?;
aithris dúinne fáth do scéil,
  t'ainm féin, is fós do thír?' ....[10]

Toisc gur aislingí iad araon, ní hionadh cosúlachtaí móra a bheith idir
an aisling ghrá agus an aisling pholaitiúil. Is í an tionscaint chéanna, go
hiondúil, a fhaightear iontu (bean á casadh ar an inseoir agus é ina
leaba nó lasmuigh), mar atá feicthe cheana againn; is í an tuarascáil
nósúil chéanna a thugtar ar an bhean; cuirtear agallamh uirthi i dtaobh
a hainm is a cúlra:

'Ga ríghe i mbí do bhunadh,
ga rí tíre ó dtángabhar' ...

'An tusa an bhean do bhí sonn
aréir tré amhra agam?'...

'An tú táinig go Tadhg Dall,
a thaidhbhse táinig chugam?'...

'Cia thú, a mhacaoimh mná ...
Sídh Lir ... an í súd do threabh?'...

'Th'ainm bunaidh, do thír dhúthchais,
foilsigh dhúinn' ...

'An tú gan bhréig Helen tug díth na dtreon ...
nó an tú dar ghéill Séadna ba laochta i ngleo?'...

'An de Ghaelaibh do chine, de shaorfhuil na droinge ... ?'[11]

Ach dá mhéad na cosúlachtaí móra idir an aisling ghrá agus an aisling pholaitiúil – cosúlachtaí téamúla is cosúlachtaí struchtúrtha – tá freisin dhá dhifríocht bhunúsacha eatarthu, difríochtaí a eascrann ó na feidhmeanna éagsúla atá ag an dá sheánra. Baineann an chéad difríocht acu le pearsa na mná féin. Sna haislingí grá trí chéile, pé acu véarsaíocht shiollach nó véarsaíocht aiceanta atá i gceist, agus pé acu bean sí, bean shaolta nó bean ná feadar éinne cé hí nó cér dhíobh í, ní hí Éire choíche í. Ach is í Éire an bhean a bhíonn i gcónaí i gceist san aisling pholaitiúil, más go hindíreach nó go follaitheach féin a ainmnítear uaireanta í.[12] Le láthair na teagmhála idir an bhean agus an t-inseoir a bhaineann an dara difríocht.

Féadfaidh, mar is léir, an-chosúlacht a bheith idir an dá láthair sa dá sheánra. Más í an bhean a thagann chun an inseora, is ina leaba a bhíonn sé sa dá shaghas aislinge: *Im leabain aréir is mé im shuan* a bhí an t-inseoir in aisling ghrá a chum Liam Inglis; aisling pholaitiúil is ea *Im leabaidh aréir trím néal do dhearcas-sa* (Eoghan Rua Ó Súilleabháin); aisling ghrá is ea *Tháinig bé chaomh chneasta im leaba luí araoir* (Éamonn de Bhál), bé a thug sásamh collaí don inseoir; feidhm pholaitiúil a bhí leis 'an tsíbhean tsíleach shuairc', bean 'do shín ... taobh liom suas' in *Oíche bhíos im luí im shuan* (Seán Clárach Mac Dónaill); aisling pholaitiúil is ea *Aréir ar mo leaba im thaomaibh gan tapa* (Eoghan Mac Cárthaigh/Dónall Ó Colmáin), aisling ghrá is ea *Dob aisling dom trím néallta go bhfeaca mise an réilteann* (Seán Clárach Mac Dónaill); dá chosúla a línte tosaigh, aisling ghrá is ea *Aisling ghéar do dhearcas féin/go rabhas go faon sealad im luí*, aisling pholaitiúil is ea *Aisling ghéar do dhearcas féin/im leabaidh 's mé go lagbhríoch* (Aogán Ó Rathaille).[13]

Is nuair a bhuaileann an t-inseoir amach, is fearr a chítear an difríocht idir an dá shaghas aislinge, bíodh nach mbíonn sin soiléir sa tionscaint i gcónaí: aisling pholaitiúil is ea *Ceo draíochta i gcoim oíche do sheol mé/i dtíorthaibh mar óinmhid ar strae* (Eoghan Rua Ó Súilleabháin), aisling ghrá is ea *Ceo draíochta sheol oíche chum fáin mé/ar an mín-tseamair tharlag chun suain* (Pádraig Ó hIarlaithe); aisling ghrá is ea *Is fada mise ag gluaiseacht ag cur tuairisc na mbéithe b'fhearr/gur thaistealas go Tuamhain is ó thuaidh ar gach taobh den Mháigh* (Diarmaid Ó Súilleabháin), aisling pholaitiúil is ea *Tráth is tréimhse thaistealas im thimpeallaibh saoil/ó Ráth Loirc tré gach achrann go Laoi-shruth an éisc* (Conchúr Ó Ríordáin); aisling ghrá is ea *Cois na Bríde seal do bhíos-sa go súgach sámh* (Liam Inglis), aisling pholaitiúil is ea *Cois na Siúire maidean drúchta is mé támhach lag faon* (Eoghan Rua Ó Súilleabháin); *Sealad aréir i gcéin cois leasa dhom* a bhí an t-inseoir in aisling pholaitiúil a chum Liam Dall Ó hIfearnáin; 'cois leasa' freisin a bhí an t-inseoir san aisling ghrá a chum Liam Inglis, *Ag tarraing ar aonach na gCoirríní*.[14] Sna haislingí grá trí chéile níl aon teora, is cosúil, leis an saghas láithreach arbh féidir don inseoir casadh ar a ghrá geal, ó na háiteacha ab uaigní is ab áille (cois coille, cois cuain, cois leasa, etc.), go dtí na háiteacha ba ghnáthaí is ba chomónta (ar thaobh an bhóthair, sa tsráid, etc.):

> *Do tharla inné orm 's mé im aonar sa ród* (Liam Inglis), in eagar: Ó Foghludha (1937a: 2);

> Ar sméide súl ar maidin laoi
> do Phoebus fionn ar fhaid an tsaoil ...

> Sa réim sin dúinn níorbh fhada sinn,
> an spéirbhean chiúin gur dhearcas í,
> go maorga múinte maiseach mín,
> ag taisteal taoibh an bhóthair ... (SMD:26 §§ 1, 2, 9-12);

> *Tráth is mise ar mearaí ag siúl dom san ngarrdha* (Seán Ó Coileáin), foinse: RIA 23 D 36: 46.

Léiríonn saothar Sheáin Chláraigh an difríocht an-soiléir: 'ag taisteal taoibh an bhóthair' a bhí an bhean san aisling ghrá ach is 'ar thulaigh im aonar', 'cois sléibhte in uaigneas', 'ar bhuaic an bhánchnoic', 'cois caladhphoirt ar maidin dom', 'im aonar ar thaobh an chnoic', a bhí an t-inseoir nuair a casadh spéirbhean na haislinge polaitiúla air. Níorbh fhéidir teacht uirthisean 'ag taisteal taoibh an bhóthair', nó í ag siúl 'sa ród'; ní raibh teacht uirthi, is níor nocht sí í féin, ach 'ar slí in uaigneas' cois gleanna, cois coille, cois abhann, cois toinne, cois leasa. 'The opening description of an outdoor scene' a thug Murphy (1939: 45) ar thionscaint na haislinge polaitiúla ach is iomrallach an cur síos é a cheileann a feidhm phríomha. Is chuige láthair sheachtrach na haislinge, ní chun go dtabharfadh an file tuarascáil ar an nádúr dúinn, ach chun go ráineodh dó bualadh leis an spéirbhean cois abhann, cois mara, cois leasa, cois coille: na láithreacha, de réir choinbhinsin litríochta na Gaeilge, ar tháinig an dá shaol le chéile, na doirse isteach sa sí, sa lios, sa bhruíon; tairseacha an alltair. Ní hannamh an méid sin á litriú amach san aisling féin.

Nuair a d'fhiafraigh an t-inseoir den ríon deas mhilis in 'Úirchill an Chreagáin' cérbh í féin is cén tír inar oileadh í, mhínigh sí go beacht cá mbíodh sí ina cónaí:

> 'Ná fiafraigh dhíom ceastaibh óir cha chadlaim ar an taoibh so Bhóinn,
> is síogaí beag linbh mé a hoileadh le taoibh Ghráinne Óig,
> i mbruín cheart na n-ollamh bím go follas ag dúscadh an cheoil,
> san oíche ag Teamhair is ar maidin i gclár Thír Eoghain' ...
> (ND ii: 34 §§ 21-4).

In *Oíche bhíos im luí im shuan* (Seán Clárach Mac Dónaill), chaith an t-inseoir imeacht ó shí go sí chun teacht suas leis an spéirbhean:

Nuair dhearcas í do bhíogas suas
    go bhfionnainn uaithi cérab as í ...
gur leanas í don tír ba thuaidh
    go Sí na nGruagach cé gurbh fhada í.

Tím aníos arís de ruaig
    go Sí Cruachna, go Sí Seanadh,
go Síchnoc aoibhinn Fhírinn' fhuair,
    mar mbíonn an slua le taoibh na beannaí ... (SMD: 3 §§ 17-28).

Sa lios féin a casadh an spéirbhean agus a cuallacht air in *Oíche an aonaigh d'éis mo fhliuchta*:

Do bhí an spéirbhean dhéidgheal mhiochair
    bhéaltais mhilis mhnámhail,
is na mílte béithe aerga ó chnoic
    fé réim sa lios an tráth san ...

Do bhí ann Deirdre ghéigeal dhil,
    Éachtach oilte is Áine,
's an tsíbhean Bhéarra ó thaobh na toinne,
    's Eithne ó thigh an Daghdha ... (SMD: 28 §§ 9-20).

Sna haislingí difriúla a chum Aogán Ó Rathaille freisin, is sa sí nó i mbruíon is gnáthaí a thagtar ar an spéirbhean: ina luisne 'go bruín Luachra' a d'imigh an bhruinneall in 'Gile na Gile'; in *Maidean sul smaoin Titan ...*, is 'i Sí Seanadh solasbhrog thuaidh' a bhí an gasra béithe; *Ag siúl dom ar bhruíonta na Mumhan mórdtimpeall* a taibhsíodh an aisling don inseoir in 'Tionól na bhFear Muimhneach'.[15] Straitéis liteartha a bhí san aisling agus ba chuige í, ní chun go rachadh an t-inseoir ag válcaeireacht dó féin cois coille, cois mara, nó cois leasa dó go huaigneach; ná ní chun go bhfeicfeadh sé an spéirbhean agus go dtabharfadh tuarascáil chalcaithe nósúil uirthi; ba chuige an aisling go bunúsach go dtiocfadh an t-inseoir ar an spéirbhean chun go bhfaigheadh uaithi an fios a bhí aicisean, foinse an eolais:

Fios fiosach dom d'inis, is ise go fíoruaigneach,
fios filleadh don duine don ionad ba rídhualgas,
fios milleadh na droinge chuir eisean ar rinnruagairt,
's fios eile ná cuirfead im loithibh le fíoruamhan. ...

Fios éirime scéilchruinne a déarshileadh is caí,
fios foilsithe créad tug di téarnamh im shlí,
is fios gaolfhine a tréidchine in Éilge na rí ...

Innisim fios is ní fios bréige é,
le ar súile dúinn ba léir é,
le mo chluasa do chuala féin é ... .[16]

Eolas uathúil a bhí i gceist, eolas nach raibh ag cách, agus léirítear mianach sainiúil an eolais sin go soiléir ach an tuireamh a chur i gcomparáid leis an aisling.

Bhí saghas áirithe tuirimh a chleacht filí aitheantúla an tseachtú is an ochtú haois déag a bhí an-chosúil leis an aisling pholaitiúil ina struchtúr téamúil. Samplaí den saghas tuirimh atá i gceist agam is ea:

Lá dá rabhas ar maidin go fánach (Séathrún Céitinn), in eagar: Mac Giolla Eáin (1900: 9);

Do chonnarc aisling ar maidin an lae ghil, in eagar: Ua Duinnín (1934: 22);

Ag taisteal a bhíos trí mhaoil na hÓine (Eoghan Mac Cárthaigh), in eagar: Ó Foghludha (1938b: 5);

I bhfís tarfás an tráth noch léigeas (*idem*), in eagar: *ibid.* 17;

Aréir dom seal is mé i gcás m'aonar, foinse: MN M 10: 129;

Cad é an scéal so ag teacht? (Diarmaid Ó Súilleabháin), in eagar: Ó Foghludha (1938: 9);

Tharla mé im aonar ar thaobh cnoic sléibhe (Séamas Dall Mac Cuarta), foinse: UCD M14: 103;

Ar leaba is mé sínte araoir gan tapa im aonar (Seán Clárach Mac Dónaill), in eagar: SMD: 11;

Ar dtuitim im shuan uaigneach im aonarán (*idem*), in eagar: *ibid.* 27;

Do bhíos-sa inné ar thaobh cnoic sínte (Éamonn de Bhál), in eagar: Ó Foghludha (1946: 17);

Aisling do chréachtchéas me tar barr amach (Conchúr Ó Ríordáin), in eagar: Ó Muirithe (1987: 19);

Is fíor trím aisling gur feasadh aréir dhom (Eoghan Rua Ó Súilleabháin), in eagar: ER: 32;

Lá dá rabhas ar maoilinn ardchnoic aoibhinn (Piaras Mac Gearailt), in eagar: Ó Foghludha (1905: 29);

Is cásmhar cloíte cnoíte céasta (Dónall Mac Cárthaigh), foinse: RIA 23 L 24: 139;

Ar maidin laoi mhínghil trém néallaibh suain (Niall Ó Néill), foinse: RIA A iv 2: 77;

Tar éis mo shiúil fríd chúigibh Éireann (Art Mac Cumhaigh), in eagar: Ó Fiaich (1973: 21).

Mar is léir ar na céadlínte sin féin, tá an-chosúlacht idir na tuirimh sin agus an aisling pholaitiúil agus ní cosúlacht dhromchlach amháin í; bíonn aisling i gceist, láthair uaigneach dhiamhair, tuarascáil nósúil ar an bhean, agallamh léi, agus ainmniú mar a bhíonn san aisling pholaitiúil:

Lá dá rabhas ar maidin go fánach
ar Dhroim Dairbhreach i dtaca le Sláinghe,
is mé in uaigneas go trua tnáite,
gur thuit orm an toirchim támhach.

Músclaim féin óm néal 'na dheáidh sin,
's do chonnarc uaim i mbruach an fheadha,
maighdean mhíonla mhíntais mhánla,
ag caoighol 's a hintinn cráite.

> Druidim léi go déadla dána,
> is beannaím di go faoilidh fáilteach,
> is fiafraím scéala den bhé bhláithghil,
> cá hiath ór thriall an chiabh fháinneach?

> Freagras mé go céillidh cairdeach,
> de ghlór gheanúil shearcúil sháimhcheart,
> gur nocht damh a staid an tráth san,
> is fáth a goil inniu 's amárach.

> 'Is mé Clíona', ar sí, go cásmhar,
> 'ón toinn aneas go beacht do thánag,
> is mé ar baois ag caoineadh an airdfhir,
> do chuaidh uaim san uaigh do láthair'. ... (Mac Giolla Eáin 1900: 9 §§ 1-5).

Sampla léiritheach ionadach an tuireamh sin le Séathrún Céitinn ar Sheán Óg Mac Gearailt den seánra trí chéile agus den difríocht idirdhealaitheach idir é agus an aisling pholaitiúil. Ós tiarna áitiúil a bhíonn á chaoineadh sna tuirimh, is í an bhean sí áitiúil – Clíona, Aoibheall – a chastar ar an inseoir agus a chaoineann an taoiseach marbh de ghnáth. Uaireanta ní ainmnítear an bhean in aon chor, fouair is í Éire í, agus go minic is pearsantú ar an dúthaigh áitiúil féin í – an Feadh, an Mhumhain, an Fleasc is an Ruachtach, casadh suimiúil nua sa chonsaeit cianársa, casadh a léiríonn chomh fréamhaithe i litríocht na Gaeilge féin atá an seánra.[17] Ach is cuma cén t-ainm a thugtar ar an bhean, nó mura n-ainmnítear in aon chor í, is í an fheidhm chéanna atá aici sna tuirimh trí chéile – scéala a thabhairt don inseoir, marbhthásc an taoisigh atá á chaoineadh:

> 'Aithris damhsa, a bhanfhlaith mhánla,
> mhúinte mhaorga aobhga álainn:
> cia hé an té sin is éacht ábhal
> fá chrích Chais is Airt is Mheadhbha?

> 'Triath na nDéiseach an saor seadhmhar,
> aonchú chúngantach chúige Dáire,
> aonfhear faire re seasamh gach bearnan,
> cliath a gcosnaimh ar dhochar a námhad'. ... (*ibid.* §§ 14-5).

Níl aon cheist ach gur léir, dar liom, gur as an múnla liteartha céanna a d'fhás an dá sheánra chomhchosúla an tuireamh is an aisling pholaitiúil, seánraí atá tógtha ar na consaeiteanna is na móitífeanna céanna: an dúiche á pearsantú mar bhean, an t-agallamh idir í is an t-inseoir, ise ag feidhmiú mar údar an fheasa is an eolais. Sa tuireamh, eolas stairiúil (gníomhréim an taoisigh mhairbh) is eolas comhaimseartha (marbhthásc an taoisigh) amháin a thugann sí uaithi; de bharr an drochscéala bíonn an dúiche féin faoi bhrón, gan rath, gan toradh:

> Ceol na n-éan ní léir san Mhárta,
> guth na gcuach im chluais ní ráinig,
> luibh tré thalmhain ní fhaicim go bhfásann,
> is lacht ag boin ní fhuil gan trághadh. ... (*ibid.* § 26).

Ní eolas stairiúil ná eolas comhaimseartha amháin a thugann an bhean uaithi san aisling pholaitiúil ach fios i dtaobh an ama atá le teacht chomh maith, dea-scéala go raibh an Cabharthach ar a shlí agus, dá réir sin, mar ba chuí riamh, cuireann an dúiche malairt chrutha uirthi féin ag fáiltiú roimh a céile:

'A ainnir na gcraobhfholt dréimreach daite,
    do scéalta is greannamhar sámh liom;
go mbeidh flatha 'gus éigse, laochra is eaglais
    go saorghlan seascair 'na n-áitreabh;
go mbeidh beathuisce á thaoscadh is daorphuins againn,
    le pléireacht taitnimh is gairdis;
ós dearfa an scéal gur téacht dár gcabhair
    do dhéanfa an Faraire fánach. ...

Tá lasair san spéir 's ar ghréin níl scamall
    's an ré go lasamhar lánmhar;
atá aiteas ar éanlaith i ngaorthaibh gleanna,
    is gach tréad go magamhail ceáfrach;
tá an fharraige thréan gan fraoch, gan fearg,
    's an ghaoth go taitneamhach páirteach;
ar dtaisteal dom laoch le faobhar abhaile,
    ag léirscrios Gallaibh as clár Loirc.[18]

Is é an ráiteas fáistineach – an tairngreacht – a thugann an spéirbhean uaithi i ndeireadh na haislinge a dhealaíonn an aisling pholaitiúil amach ó na seánraí eile; is é a léiríonn dúinn feidhm phríomha na haislinge – foirm liteartha a chur ar ráiteachas na tairngreachta, dán na ríochta a shoiléiriú don inseoir:

'Aitchim ortsa, a ainnir mhilis mhánla shéimh,
is aithris-se go carthanach ded ráite béil,
labhairse go blasta linn 's is fearrde mé,
nó an bhfuil an leanbh ceart i dtairngreacht chum Gráinne Mhaol?'

'Geallaim duit, a Charathaigh, is mo lámh 'na dhéidh,
gur radadar na scamaill is gur ardaigh an spéir,
gach faraire tá le fada ann fé lámhach na bpiléar,
go bhfuil a dtaisteal súd i mbailte poirt chum Gráinne Mhaol ...'

Ná maslaighse choíche arís mo chruth,
fan agam go síoch, mo laoithe tuig,
    dlí reachta na naomh
    's a dtairngreacht ghrinn,
go bhfuilid fá shuim i mbliana amuigh. ...

Tiocfaidh in am bhur gcrann dínse,
is tiocfaid a gcamthaí anall fí nimh,
tiocfaidh gach crobhaire
i bhfoirm chum concais
is cuirfid i dteannta dream an oilc.[19]

Mar atá léirithe cheana, ní bhíonn an t-eolas a chuireann an tairngreacht ar fáil – eolas fáistineach – ag cách, ná ar fáil do chách, in aon sochaí; ag aicme faoi leith amháin a bhíonn teacht ar an eolas sin agus bíonn slite difriúla chun teacht air. De réir choinbhinsin litríochta na Gaeilge, is í an tslí is coitianta, an suíomh is coitianta, a dtagtar ar an eolas sin i bhfís nó in aisling mar a gcastar neach osnádúrtha éigin – bean de ghnáth – ar an inseoir a nochtann an tairngreacht dó. Ó thús na litríochta anuas go dtí an naoú haois déag is é sin an gnáthshuíomh a shamhlaítear leis an tairngreacht pholaitiúil. Neach osnádúrtha a chasadh ar an inseoir in aisling agus an té sin tairngreacht a dhéanamh i dtaobh na ríochta: sin é bunstruchtúr na tairngreachta polaitiúla sa Ghaeilge ó na téacsanna polaitiúla is luaithe atá againn go dtí aisling pholaitiúil an ochtú haois déag.

Ceaptar gur sa seachtú haois a cumadh *Baile Chuind*,[20] téacs polaitiúil arbh í a aidhm is a fheidhm dlisteanú a dhéanamh ar éileamh polaitiúil an tsleachta a shíolraigh ó Chonn Céadchathach. Tairngreacht is ea an téacs agus bíodh nach luaitear suíomh áirithe ná údar leis an tairngreacht, is léir go bhfuil pearsa bhanda i gceist: is mar dheoch á hól a shamhlaítear an ceannas polaitiúil atá á thuar do na ríthe agus is 'uirthi' a ghlacfaidh siad seilbh; i gcás Chormaic mhic Airt, mar shampla, tá sé sa tairngreacht go mbeidh sé ina fhear táscúil *uirthi* agus go nífidh sé *í* (*Corbmac ... bid án fear fuiri; foilcfithus*). Flaitheas Éireann atá i gceist, mar is léir sa téacs gaolmhar *Baile in Scáil*. Is déanaí an téacs sin – b'fhéidir go dtéann sé siar chomh fada leis an naoú haois – ach téacs é a bhfuil an aidhm pholaitiúil chéanna leis. 'Maidin mhoch' dár éirigh Conn amach i dTeamhair, ráinig dó dul amú i gceo gur tháinig sé ar ráth mar a raibh iníon álainn agus 'barr órdha for a mullach'; b'ise 'flaith Éireann' agus ina teannta bhí Lugh. Ríomhann seisean, i bhfoirm tairngreachta, na ríthe a thiocfaidh i ndiaidh Choinn agus dáileann an bhean deoch an fhlaithiúnais orthu: insint mheafarach ar dhlisteanas á bhronnadh orthu; is é a chiallaíonn sé go bhfuil gach duine de na ríthe sin á ainmniú mar oidhre ar Lugh féin agus mar chéile ag 'flaith Éireann'.[21] Ar na ríthe a ndéantar tairngreacht fúthu in *Baile in Scáil* tá Niall Naoighiallach, pearsa lárnach i bprapaganda polaitiúil na Niallach, mar a léiríonn an scéal *Echtra mac Echdach*. De réir phríomheachtra an scéil, eachtra a ndearna an t-aos léinn an-saothrú uirthi i bprós is i ndán ar feadh na gcianta, bhí Niall ag gabháil amach a sheilg lá nuair a casadh cailleach urghránna air ag tobar i gcoill; d'iarr sí póg air agus ar luí dóibh rinne bean sciamhach fhíorálainn di; d'ainmnigh sí í féin agus ansin rinne tairngreacht: 'agus do thairngir an bhean soin ríghe Éireann do chloinn Néill Naoighiallaigh airead bheas muir um Ealga'.[22] Faightear na móitífeanna céanna, i dteannta a chéile, i scéal an-chosúil le heachtra Néill a insítear faoi Lughaidh Laoighdhe: an tseilg i gcoill, agallamh le cailleach ghránna, ógbhean rísciamhach á déanamh di ar luí dóibh, ise á hainmniú féin mar 'an flaitheas' agus 'ríghe Éireann' á tuar aici i dtairngreacht do Lughaidh is dá shliocht.[23]

Mórshleachta Éireann – agus a ndán – a bhí i gceist sna scéalta sin atá luaite agam; mionsliocht atá i gceist sa scéal *Caithréim Thoirdhealbhaigh* atá pléite cheana againn. Sa chéad leath den cheathrú haois déag, is dóichí, a cumadh an scéal sin mar phrapaganda polaitiúil ar mhaithe le fobhrainse de na Brianaigh, clann Taidhg: bhí sé i ndán dóibhsean, agus go háirithe do Thoirdhealbhach Ó Briain, príomhphearsa an scéil, ardríogacht Éireann a bhaint amach agus na Gaill a ghlanadh as Éirinn. Mar atá léirithe ag McNamara (1961) agus ag Nic Ghiollamhaith (1981), baintear earraíocht an-éifeachtach sa scéal as an iliomad móitíf thraidisiúnta: Éire á nochtadh féin mar chailleach is mar ógbhean, mar bhadhbh chatha is mar bhanríon; an tír féin ag seargadh is ag dul ó mhaith ar bhás Dhomhnaill Uí Bhriain, í ag bláthú go síolmhar bleachtmhar torthúil i réimeas Thoirdhealbhaigh; údarás na tairngreachta á fheidhmiú chun dán na nGall is dán Thoirdhealbhaigh a shoiléiriú. Uair go raibh Toirdhealbhach ag casadh abhaile go caithréimeach, tar éis dó dúiche na nGall a scrios, casadh ógbhean álainn air, in aice le Loch Dearg, a chuir í féin in aithne dó mar 'flaitheas Éireann', a ghríosaigh é gan stríocadh den chogadh i gcoinne na n-allúrach agus a rinne fáistine dó: mairg a chuirfeadh moill nó bac ar Thoirdhealbhach 'nó go bhfóiridh fionnFhódla' (O'Grady 1924: 27).

Is soiléir faoi seo, ní foláir, ar an léiriú atá déanta ar an ábhar agam, go dtéann na heiliminú príomha a thagann le chéile in aisling pholaitiúil an ochtú haois déag – an tionscaint, an tuarascáil, an t-agallamh, an t-ainmniú, an tairngreacht – go dtéid i bhfad siar i litríocht pholaitiúil na Gaeilge. Ní hé atá á áiteamh agam gur ó na téacsanna áirithe atá pléite thuas agam a shíolraíonn an aisling pholaitiúil, ná, go deimhin, gur fhág na téacsanna sin aon rian leanúnach buan ar an litríocht dhéanach; ach is é a d'áiteoinn go léiríonn na téacsanna sin go cruthanta cén t-ábhar téamúil a bhí ar fáil riamh ag an aos léinn agus, níos tábhachtaí fós, dar liom, go léiríd cén comhthéacs litearta inar fearr is féidir an aisling pholaitiúil a shuíomh: litríocht na tairngreachta. Bhí dlúthcheangal riamh, i litríocht pholaitiúil na Gaeilge, idir an *aisling/fís/baile* agus an tairngreacht; is í an tairngreacht a shoiléiríonn feidhm phríomha na haislinge. Tá breis agus leathchéad bliain anois ann ó dhírigh de Bhaldraithe (1945) aird ar a lárnaí san aisling pholaitiúil a bhí an tairngreacht agus ar a fhad siar a chuaigh sí mar mhóitíf. Bíodh gurbh alt misniúil ceannródaíoch é ag an am, ní léir gur chuaigh sé i bhfeidhm puinn ar an tráchtaireacht litearta ina dhiaidh sin. Cúis amháin leis sin, b'fhéidir, gur i bhfoirm 'nótaí' a scríobhadh an t-alt agus, mar sin, nach ndearnadh argóint an-áititheach sa léiriú; cúis eile, is dóigh liom, gur ag ceistiú téise a bhí curtha chun cinn cheana féin ag duine de phríomhscoláirí na linne – Gerard Murphy – a bhí an t-údar; an tríú cúis, an t-ionad míchuibheasach atá ag tóraíocht na hiasachta litearta i scoláireacht na Nua-Ghaeilge. Ach amháin gur bhain sé féin leis an aicme cheannasach (siondróm Bergin, Binchy and Best) a stiúraigh scoláireacht na Gaeilge sna daicheadaí is na caogaidí,

ní móide go nglacfaí in aon chor le téis Murphy (1939) maidir le bunús
na haislinge polaitiúla. Is deacair a chreidiúint inniu ní hamháin go
gcuirfeadh scoláire aitheantúil téis mar í chun cinn, ach go mbeadh
glacadh coiteann léi, a dhochreidte áiféisí atá sí mar théis: dán
fáthchiallach Laidine, a cumadh sa tríú haois déag, ag taisteal go
hÉirinn is ag maireachtaint go follaitheach, ar feadh na gcéadta bliain,
gur bhrúcht aníos i Sliabh Luachra sa dara leath den ochtú haois déag![24]
Ach is modheolaíocht phrimitíbheach mar sin go bunúsach atá laistiar
de na téiseanna difriúla eile atá curtha chun cinn maidir le foinsí
iasachta na haislinge, modheolaíocht atá ag brath go hiomlán ar aon
straitéis shimplí amháin: sleachta as litríocht nó as téacs amháin a chur
i gcomparáid le sleachta parailéalacha comhchosúla i dtéacsanna nó i
litríocht eile d'fhonn 'tionchar' nó 'iasacht' a chruthú.

Níl aon cheist ach gur féidir comhchosúlachtaí dromchlacha a
rianadh idir téamaí áirithe i bhfilíocht pholaitiúil na Fraincise, na
hAlban agus an Bhéarla, agus filíocht pholaitiúil na Nua-Ghaeilge, mar
atá léirithe ag Ó Tuama (1960:192-3, 1965, 1978:149-51), Ó Broin
(1965), Ó Dúshláine (1987: 180-211) agus Mac Craith (1994: 73). Dob
fhéidir freisin, gan amhras, comhchosúlachtaí mar iad a aimsiú sa
Bhíobla, mar a áitíonn Ó Madagáin (1983), agus i litríocht na Laidine,
mar a rinne Murphy (1939) agus mar is soiléir ó shaothar Curtius (1953:
102). Ach ní fhágann sin gur iasachtaí is ea na téamaí sin nó gur
'tionchar liteartha' an t-aon mhíniú amháin atá orthu. Is cinnte go
bhfuil cuid de na téamaí (fearg Dé, clann Iosrael, etc.) a áiríonn
Ó Tuama (1965) mar théamaí 'iasachta', go bhfuilid le fáil i litríocht na
Gaeilge na céadta bliain sula bhfaightear i litríocht na Fraincise iad agus
bheadh sé an-fhurasta a áiteamh gur shíolraigh na téamaí comhchosúla
sin ó stoc coiteann móitífeanna a chuir an Bíobla ar fáil. Bheadh sé
chomh furasta céanna a áiteamh gur chuir litríocht na Laidine – nó an
Ind-Eorpais féin – móitífeanna coiteanna uilí ar fáil nó a áiteamh gur
dóichí go gcothódh cúinsí comhchosúla soch-chultúrtha nó
sochpholaitiúla téamaí liteartha comhchosúla i dtíortha difriúla. Ceist
bhunúsach nach gcuirtear choíche agus iasacht liteartha á cur i bhfáth,
ceist nach bhfuil aon phlé déanta uirthi ag éinne de na scoláirí a
chuaigh i dtuilleamaí na hiasachta i litríocht na Gaeilge, cén fáth a
nglacfadh litríocht amháin, nó pobal liteartha amháin, le hiasacht ó
litríocht nó ó phobal eile? Ní foláir nó bhí glacadh leis an iasacht sin is
má bhí, cad ina thaobh go raibh? Ceist eile, ceist nach bpléitear ach go
hannamh, conas nó cén tslí ar ghluais nó ar tógadh an iasacht ó litríocht
amháin go litríocht eile? Ní leor, mar mhíniú air, bealaí foliteartha
Gerard Murphy.

Is léir go raibh teacht ag aos léinn na Gaeilge, go háirithe sa séú is sa
seachtú haois déag, in Éirinn féin agus thar lear, go raibh teacht acu
agus cur amach acu ar scríbhneoireacht chomhaimseartha na hEorpa
idir staireagrafaíocht, dhiagacht, fhealsúnacht agus litríocht. Ach ní

chuireann an t-eolas sin ar fáil dúinn ach an comhthéacs intleachtúil
ginearálta inar féidir linn a saothar a shuíomh. Ceist eile ar fad is ea é a
thaispeáint gur ó théacs cinnte áirithe nó ó théama cinnte faoi leith a
shíolraigh a macsamhail sa Ghaeilge. Tá, gan amhras, a leithéid
d'fheiniméan ann agus iasacht liteartha – mar atá iasacht teanga – ach
is gá modheolaíocht chuimsitheach shofaisticiúil chun an feiniméan a
rianadh agus a chruthú. Tá taispeánta ag Dronke (1981), i gcomhthéacs
eile ar fad, a uireasaí aontomhaisí mar mhodheolaíocht atá sé brath ar
chomhchosúlachtaí dromchlacha téacsúla amháin, gan an saothar
iomlán, a struchtúr inmheánach agus a chomhdhéanamh, an cúlra
cultúrtha iomlán agus an comhthéacs sóisialta a chur san áireamh. Mar
a deir sé:

> I do not think the aptest way to test if there is a direct relation between the
> *Confessio* and Augustine's *Confessions* is by printing a series of sentences in
> parallel columns, with similar phrases in each column italicized. Such a
> method is illuminating only if there is a question of an immediate model
> or source ... . To assess accurately Shakespeare's influence on Middleton,
> we should have to take a far more complex range of features into account,
> ones more difficult to set out schematically, but no less important for that.
> We should have to consider the 'inner form' of a certain kind of work – its
> characteristic conceptions; how the elements in the work are organised
> (its *conjointure*); the interpretation of life that is mirrored in the work;
> distinctive kinds of trains of thought (rather than resemblances of specific
> thoughts); distinctive modes of expression and association (rather than
> links between specific expressions). To indicate such things is a more
> delicate task than ranging verbal parallels – but it can be done ...
>
> (Dronke 1981: 24-5).

Níor ghá, dar liom, ach roinnt de na paraiméadair a luann Dronke
('inner form ... characteristic conceptions ... its conjointure ...
interpretation of life ...') a thagairt don aisling pholaitiúil chun a chúlra
liteartha a aimsiú: litríocht pholaitiúil na Gaeilge féin. Agus ní gá ach na
paraiméadair sin a thagairt do na dánta indibhidiúla difriúla a
d'fheidhmigh mar eiseamláir nó mar fhoinse ag an aisling, dar le
Murphy (1939), Ó Broin (1965), Ó Tuama (1978: 149-51) is Mac Craith
(1994: 73), chun mí-oiriúnacht na comparáide atá á déanamh a
fheiscint: ní hionann a seánra, a gcomhdhéanamh ná a gcúlra. Más gá
an cúlra sin a dheimhniú is a bheachtú ní gá ach 'inner form' na
haislinge a scrúdú, mar go mbaineann an fhoirm inmheánach sin go
dlúth le pearsa na mná Éire agus le ceann dá feidhmeanna riamh anall
– an fháistineacht. Ní miste a mheabhrú go raibh an phearsa liteartha
sin na céadta bliain d'aois sula raibh aon trácht ar Le France, Britannia
nó Dame Scotia.

II

'Is doilbh me ded ghuth', ar sí,
'gan cine Scoit im bun mar bhí,
ach tuig anois le fuinneamh fíor
go suífead 'na choróin
an rí ceart le míltibh,
ina choimhdeacht de chlanna Gaol,
agus líon gloine timpeall,
sin críoch ar mo sceol.'[25]

Is búch blasta béasach go humhal d'fhreagair méise
    is dúirt 'is me Éire agus tím
chughaibhse le scéalta ar chuntas na laoch mear
    do turnadh le tréimhse tar toinn;
gur subhach thiocfaidh Séarlas faoi réim chirt 'na ríocht,
is gach prionsa d'fhuil Éibhir 'na saorbhailte síoch,
oird bhinne is cléirigh 'na ndúchas gan éiclips
    agus brúidigh an Bhéarla gan bhrí' ... .[26]

Dá fhad siar a théann na consaeiteanna liteartha ar a bhfuil an aisling bunaithe, nó dá fhréamhaithe aon cheann dá móitífeanna, níor cothaíodh mar sheánra bisiúil í, chomh fada agus is eol dúinn, go dtí an t-ochtú haois déag agus is iad Aogán Ó Rathaille is Seán Clárach Mac Dónaill an bheirt fhile aitheantúil is túisce a chleacht an seánra mar phríomh-mhód ceapadóireachta. Seánra solúbtha go maith is ea é i saothar na beirte acu.

Cúig cinn d'aislingí a chum Ó Rathaille agus ní hionann go baileach a bhfoirm, a gcomhdhéanamh ná a bhfeidhm. Aislingí fáistineacha ardmheanmnacha is ea 'Aisling Mheabhail' agus 'Tionól na bhFear Muimhneach' ina dtaibhsítear, i gceann acu, 'ceart an tseanrí' á phlé (AÓR: 6 § 8) agus, sa cheann eile, 'an Fánaí' ag teacht 'na lánchumas caomhghlan dá ionad' (ibid. 20 § 38). Tráchtaireacht mheafarach ar an pholaitíocht chomhaimseartha, go bunúsach, atá sna haislingí eile a chum sé, aislingí a ghluaiseann ó dhóchas go héadóchas in imeacht an dáin féin. An teachtaireacht dhóchais atá sa chéad véarsa de 'Mac an Cheannaí', ní dó a leantar; is go lagbhríoch atá Éire ag deireadh ó fuair sí amach gur éag an té a chleacht sí.[27] Tá an ghluaiseacht inmheánach chéanna in 'An Aisling' (AÓR: 5): coinnle á lasadh ar gach cuan 'in ainm an rí dhíograis bheas againn go luath' agus an deireadh doilbhir duairc nuair nár tháinig sé. Is dóichí gur réaladh í an aisling sin, mar atá ráite cheana, ar imeachtaí polaitiúla na mblianta 1708/9 is, go háirithe, réaladh ar an ard-dóchas as teacht an Stíobhartaigh agus ansin an díomá nár tháinig. Imeachtaí na bliana 1715 atá i gceist in 'Gile na Gile' (AÓR: 4) agus an t-iomlat céanna ó dhóchas go díomá. Scéala lán dóchais ag an bhean i dtús an dáin (Fios fiosach dom d'innis ...), ach scéala dá mhalairt ag an inseoir ag a dheireadh: Éire anois ag an 'adharcach'

Seoirse.[28] Bíodh nach leanann Ó Rathaille aon fhoirmle dhocht ina chuid aislingí, faightear iontu trí chéile, bíodh nach i dteannta a chéile i gcónaí é, na heilimintí bunúsacha atá luaite is léirithe thuas againn. Sa chéad véarsa féin de 'Mac an Cheannaí' tá idir thionscaint, thuarascáil, ainmniú agus tairngreacht; ar an tairngreacht is mó a dhírítear in 'Aisling Mheabhail' agus 'Tionól na bhFear Muimhneach', ar an tuarascáil is mó a dhírítear in 'Mac an Cheannaí' agus 'Gile na Gile'; ní bean amháin ach scata atá i gceist in 'Gile na Gile' agus 'An Aisling'.

Tá an éagsúlacht, an scaoilteacht is an scópúlacht chéanna sna haislingí éagsúla a chum Seán Clárach Mac Dónaill. In *Oíche bhíos im luí im shuan* is í móitíf an tseachráin a tharraing sé chuige, 'an tsíbhean tsíleach shuairc' á leanúint ó áit go háit is ó shí go sí aige ar fud Éireann gur tháinig suas léi is gur agaill í; ach níor thug sí freagra ar a cheist is d'imigh arís:

> D'fhiafraíos di cé hí an bhliain
> d'aois an Tiarna bheadh an fear groí
> 'na rí ar Ghaoil go bríomhar dian
> ag díbirt fiaphoc óna hallaí?;
> do dhún sí a beol, ní dúirt níos mó,
> seo ar siúl mar cheo nó mar shead í,
> 's níl cuntas fós le tabhairt i gcóir
> ca ham a fóirfear ar ár n-easbhaí (SMD: 3 §§ 57-64).

Seachrán atá i gceist in *Tá an spéir 's a cuallacht* freisin, ach ní hí an 'stuaire' a chastar air, ná an t-inseoir, a scaoileann an teachtaireacht ach na dúile féin:

> Tá an spéir 's a cuallacht go léir ar buaireamh,
> tá gaoth is duartan ag teacht de shíor ...
> 's do réir gach tuairim dá ngéillid sluaite,
> beidh Éire buaite ag malairt rí ... (*ibid.* 12 §§ 1-16).

Ní síbhean amháin ach scata acu a casadh don fhile sa taibhreamh a rinneadh dó in *Oíche an aonaigh d'éis mo fhliuchta*, ach aon insint shoiléir amháin a bhí acu ar a scéala aitis:

> Do bhí an spéirbhean dhéidgheal mhiochair
> bhéaltais mhilis mhnámhail,
> is na mílte béithe aerga ó chnoic
> fé réim sa lios an tráth san ...
> dob é a labhairt scéala aitis
> trénar ghlacas gairdeas
> go raibh Séamas ag téacht tar muir
> mar aon le foireann Spáinneach (*ibid.* 28 §§ 9-12, 29-32).

Fánaí fir a bhfuil scéala na hEorpa aige, tar éis ruaigeadh an Phrionsa ó Albain sa bhliain 1746, a nochtar dó in *Is fada dhom in uaigneas 's is buartha bhíos m'intinn*; dóchas ardmheanmnach a bhí ina scéala:

> Tiocfa chughaibh thar sáile an ráib geal 's a chuallacht,
> i mbun a chríoch le cúram cirt ag cosnamh díbh go deo;
> beidh Gaeil arís i réim go síoch, a dtréad 's a maoin 'na mbailte cóir,

cléir cheart Chríost le spré an Spioraid Naoimh
go séimh sa tír ag teagasc dóibh ... (*ibid.* 34 §§ 33-6).[29]

Is ag macalla atá an scéala áthasach meidhreach san aisling is meanmnaí croíúla dar chum sé, 'An Aisling do Rinneas ar Mhóirín':

Is é deir an macalla den ghlór chaoin,
'an bhfuileann tú id chodladh, a Mhóirín?
    siúil cois na toinne,
    agus féach ar do dhuine
tá ag teacht chughat tar uisce le mórbhuíon ...

'Líontar chughainn puins agus beoir chaoin,
is bímís dá dtarraingt i gcónaí,
    cuirfeam an ainnise ar cairde
    go maidean amáireach,
's nár chasa go brách ná go deo arís ...

Faid mhairfidh sin scilling im póicín,
ní scoirfead le cuideachtain Mhóirín,
    ólfaimíd sláinte
    an fhir úd tar sáile –
Tadhg is a gharlaigh i gcóistí' ... (*ibid.* 40 §§ 11-15, 21-5, 46-50).

Sna haislingí dá chuid ina gcloíonn sé, a bheag nó a mhór, leis an fhoirmle iomlán nochtann sé go soiléir feidhm na foirmle sin – Éire a labhairt go húdarásach i dtaobh a raibh i ndán don tír is dá muintir. In *Ar maidin inné agus mé im shuan* dírítear sa véarsa deiridh ar dhán an Stíobhartaigh:

'Más tú Éire céile Ír
is gach curadh ba thréan i dtréimhse Naois',
aithris gan bhréig, a phéarla an ghrinn,
    cá fada bheidh Gaoil fé Ghallsmacht?'

'Radaim mo bhréithre in éiric daoibh,
seachtain ó inné tar éis trí mhí,
go bhfaicfe sibh Séarlas Maor 'na rí
    gan bhaochas puinn,
    le faobharneart claímh,
Sacsa go léir fé a chléir arís
is aithris gan mhoill dod chairde é' (*ibid.* 15 §§ 34-44).

In *Cois caladhphoirt ar maidin dom i dtráth 's mé im néall*, is ar dhán na muintire trí chéile is ar dhán an fhile féin a labhrann Éire:

Geallaim duit, a Charathaigh, is mo lámh 'na dhéidh
gur radadar na scamaill is gur ardaigh an spéir,
gach faraire tá le fada ann fé lámhach na bpiléar
go bhfuil a dtaisteal súd i mbailte poirt chum Gráinne Mhaol ...
                                        (*ibid.* 23 §§ 9-12).

In *Ar thulaigh im aonar ag déanamh cumha is me im spreas* tugann an dán chun críche le ceangal achoimreach a chuimsíonn go gonta léir bunteachtaireacht na haislinge:

Ó milleadh ar fad le seal na hÉireannaigh
le dlithe na Sacsan d'aithle a ndaoraithe,
tiocfaidh tar n-ais aneas bhur gCaesarse,
brisfidh bhur nglas is glacfaidh féin mise (*ibid.* 4 §§ 37-40).

Deis é an ceangal a úsáideann sé in aislingí eile dá chuid freisin, agus
an aidhm pheideagógaíoch chéanna leis – achoimre shochuimhneach
theagascach a dhéanamh ar theachtaireacht na haislinge:

Peannaid is fiabhras dian i dteas na dtinte,
gan charaid, gan lia, gan bhia, gan stad ar íota;
gan leaba, gan rian, gan Dia, gan gean ag daoine,
ar Ghallaibh i mbliana, ós iad do chreach ár muintir ...

Triallfaid cabhartha calma d'ardfhuil Eoghain,
is Brianaigh, gasra an ghaisce den Tálfhuil mhóir,
iafaid Barraigh is Gearaltaigh ársa leo,
's im briathar measaim gurb acmhaingeach dáilfid gleo ...

Masla go mór, is cruaghoin, céasadh is crá,
treascairt is tuairt is bualadh, baol is bás;
fearthainn is fuacht, gan fuascailt Dé le fáil
ar Ghallaibh go luath á ruagadh as Éirinn bháin.[30]

Deis í a chleacht filí eile freisin:

Sin cuntas ceart chughainne tar farraige mhóir
do bhrúfaidh an cúl ag lucht acra a thomhas:
ár bPrionsa le concas nár measadh bheith beo,
cuirfidh sciúirse le búraibh as Banba an tsló ...

Cantar i mbliana mian is aiteas daoibhse,
's dá maireann de thriatha d'iarmhar chlanna Mhíle,
an araic tug Dia ar chiarsproit Chailbhin choimhthigh,
's ní dainid liom iad fá phian dá ngreadadh i dtintibh ...

A chuideachta chraobhach bhéasach mhúinte bhinn,
do thuigeann go tréitheach réaltach rún mo chroí,
ó thuiteas i ndaorbhroid déarach dubhach dá dhroim,
go mbristear an béal ná déanfa a dhiúgadh linn.[31]

Mar a léiríonn saothar Aogáin Uí Rathaille is Sheáin Chláraigh Mhic
Dhónaill féin, seánra solúbtha ilfhoirmeach a bhí san aisling sa chéad
leath den aois agus dob fhéidir mórán samplaí eile a lua ag léiriú a
éagsúla ilghnéithí a bhí. Ach dá ilfhoirmí mar sheánra í, is í an fheidhm
chéanna a bhí léi, ó thús deireadh, agus is iad na pearsana céanna a
fheidhmíonn inti, cuma cén fhoirm sheachtrach a bhíonn ar an seánra.
Agallamh drámata, a bhfuil trí phearsa i gceist ann, atá i gcroílár na
haislinge; agus bíodh nach gcloistear ach beirt den triúr sin – Éire agus
an file – ag agallamh le chéile, is é an tríú pearsa – an Stíobhartach – is
cás leo araon, cé gur i gcéin atá. Den triúr carachtar a chastar orainn san
aisling, is é an Stíobhartach amháin nach labhrann linn nó nach
gcloistear. Is trí shúile na beirte eile a chítear é agus is ó bhéal na beirte
sin amháin a labhartar air is a chuirtear síos air. Eisean amháin nach

mbíonn i láthair, nach dtógann páirt san agallamh; eisean an té atá le
teacht ag fíoradh na fáistine. Mar is gnách sa mhód meisiasach, ní ar a
cheannaithe ná ar a thréithe fisiciúla a dhírítear ach ar a fheidhm, ar a
ról aircitípeach.[32] Is cosúil é lena mhuintir is leis na déithe, agus faoi mar
a bhí an iliomad ainm ar a chéile, bhí a chomhoiread ainm airsean ag
freagairt dóibh. Is beag leicseacan dá raibh ar fáil nár baineadh
earraíocht as ag cur síos air: leicseacan an ríogachais (prionsa, réacs),
leicseacan an laochais (laoch, féinnidh), leicseacan an chlasaiceachais
(Mars, Ascanius), leicseacan an tseanchais (Aonghus Óg, Conall),
leicseacan an dúlra (leon, dreoilín), leicseacan an ghinealais (mac
Shéamais, Séarlas Óg), leicseacan an ghrá (stór mo chléibh, mo ghille
mear) agus leicseacan rúnda na Seacaibíteach (Ristín, Ruairí, an Fánaí,
an Gabha). Tá, mar is léir, réimse fairsing foclóra i gceist agus
réimeanna difriúla teanga agus is i dteannta a chéile, de ghnáth, a
fhaightear iad i saothar na bhfilí trí chéile agus i ndánta indibhidiúla
leo. Ag Ó Rathaille tá 'an rí ceart', 'an Prionsa', 'an brícléir', 'mac
Shéarlais', 'Ristín', 'Mac an Cheannaí', 'an Fánaí', 'an rí corónach'; ag
Mac Dónaill tá 'Séarlas Maor', 'stór mo chléibh', 'Séasar', 'an rí ceart',
'an Stíobhart', 'Séarlas Óg'; ag Liam Inglis tá 'an tAoire Óg','an
Faraire', 'ár leanbhna', 'Ruairí', 'an Prionsa'; ag Seán Ó Tuama tá 'an
buachaill beo', 'an ríghais ghléghil', 'an Féinics'; agus ag Aindrias Mac
Craith tá 'ár bPrionsa', 'Mars', 'Carolus', 'an Fánach'; in aon dán
amháin dá chuid tá 'an leon', 'mo ráib geal', 'an siollaire séimh', 'an
réacs' aige.[33]

Ní hannamh, mar a deirim, níos mó ná aon leicseacan amháin á n-
úsáid in éineacht, mar a dhéanann Mac Craith sa dán sin (ÉM: 93) agus
mar a dhéanann Mac Dónaill chomh héifeachtach sin in *Bímse buan ar
buairt gach ló*:

> Is cas a chúl 's is cúrsach cóir,
> is dlathach dlúth 's is búclach borr,
> is feacach fionn ar lonradh an óir,
> ó bhaitheas úr go com mo stór ...
>
> Is cosmhail é le hAonghus Óg,
> le Lughaidh mac Céin na mbéimeann mór,
> le Cú Raoi ardmhac Dáire an óir,
> taoiseach eirligh tréan an tóir ...
>
> Ní mhaífead féin cé hé mo stór,
> tá insint scéil 'na dhéidh go leor,
> ach guím chum aoinmhic Dé na gcomhacht,
> go dtí mo laoch gan bhaoghal beo ... (SMD: 1 §§ 29-36, 41-4).

Tá, mar is léir, idir fhoirmeacha hipeacoraisteacha is fhoirmeacha
díspeagtha, idir théarmaí ceana is chaint mhuinteartha chaidreamhach
ar fáil go flúirseach san fhilíocht Sheacaibíteach, go háirithe san
fhilíocht a cumadh ar Shéarlas Óg.[34] Is cinnte gur ina chás-san is mó a
úsáideadh leicseacan an ghrá agus gur ina leithsean go háirithe a

baineadh earraíocht as an nguth tíriúil comhráitiúil, mar atá feicthe cheana againn:

> Go stiúra mac Dé thu, a Shéarlais go comhachtach ...

> Fada liom uaim go deimhin do chuaird,
> a leinbh dhil stuama chráifeach ....

> Fáilte dhuit ón tír anuas
> le hais mo chuain, a Shéarlais Óig ... .³⁵

Ach ní ina chás-san amháin é. Séamas III atá i gceist san amhrán Seacaibíteach is tíriúla ar fad; is é is eisceachtúla freisin mar is ann amháin a thugtar a ghuth féin don Stíobhartach, a chloistear é agus é ag agallamh le hÉire, é ag míniú a cháis dá chéile, é á chosaint féin:

> Cé sin amuigh?
> Tá, Séamas faoi shioc
> gan éadach, ná cuid na hoíche ...

> A chéile gan bhinib,
> dob éigean dom rith
> go héasca ó iomad bíobha,
> mar chlaonadar cuid,
> 's do shéanadar me,
> 's im aonar gan foireann bhíos-sa ...

Ise a mhisníonn eisean agus a thugann an t-agallamh chun críche; a dhán buacach á dhearbhú aici dó:

> Níl baol ort anois,
> tá aonmhac na cruinne
> 's ár naomhbhruinneall mhilis taobh leat,
> réidhfid gach broid
> is géibheann 'na bhfuil
> is gléasfaid ar muir na mílte;
> beid saorchlanna Scoit,
> beid Gaeil bhocht ar inneall
> go faobhrach, go fuilteach fíochmhar,
> go séidfid tar sruith
> na bréantoirc le broid
> gan éadach, ná cuid na hoíche.³⁶

Is iad Éire agus an Stíobhartach pearsana lárnacha fhilíocht pholaitiúil an ochtú haois déag trí chéile ach is san aisling is léirithí a nochtar a n-ionad, a bhfeidhm is a ngaol le chéile. Ní raibh in Éirinn san ochtú haois déag, ag an bpobal dúchais pé scéal é, aon ealaín infheicthe, faoi mar a bhí sa Bhreatain is sa Fhrainc, a chothódh tuiscint pholaitiúil na muintire nó a chuirfeadh íomhára a staire féin ar fáil dóibh. Sa Bhreatain bhí ar chumas na Seacaibíteach, bíodh nach acu a bhí an chumhacht, bhí ar a gcumas íomhára pholaitiúil a chur ar fáil is a scaipeadh – ar bhoinn, ghloiní is artafachtanna cultúrtha eile – a chuir faoi bhráid a lucht leanúna go meafarach, ach go héifeachtach, stair is dán na Stíobhartach: Britannia ag caoineadh, leon cróga, fia beannach lúthchosach; an rós, an dair, an chraobh ghlas, an ghrian ag éirí.[37] In Éirinn is san fhilíocht Sheacaibíteach amháin, san aisling go háirithe, a thagtar ar an íomhára theagascach cheannairceach sin. Sa Fhrainc, aimsir na réabhlóide, agus go ceann i bhfad ina diaidh, bhí an dealbh phoiblí ar cheann de na slite ab éifeachtúla ar scaipeadh íomhá den *Rèpublique* i measc an phobail (Agulhon 1979). Is san aisling, i bhfocail, a rinneadh sin in Éirinn agus d'éirigh leis na filí íomhá chomh greanta, chomh fíneálta d'Éirinn a dhearadh is a rinne dealbhadóirí na Fraince agus an Fhrainc á nochtadh i gcloch acu:

> Gile na gile do chonnarc ar slí in uaigneas,
> criostal an chriostail a gormroisc rinnuaine,
> binneas an bhinnis a friotal nár chríonghruama,
> deirge is finne do fionnadh 'na gríosghruannaibh ... (AÓR: 4 §§ 1-4).

> Bhí a dlaoifholt daite feactha fíor go cíortha casta crathach síos
> go slimeach snasta srathach síor 'na shlaodaibh go feor;
> a réaltdhearca réghlasa 'na héadan gan chas, gan chríon,
> ag léirchaitheamh gaetha i gcléithibh gach treoin ...

> Ba gheanúil geal a héadan gan éalaing acht óige,
> 's a malaí gearra caoldeasa ba chéirshnoite cóir,
> 'na leacain leabhair aolda ba thréanmhar an rósbhruith,
> 's a beol tana beobhlasta córach gan cháim ... .[38]

> Bíogann mo chroí ionam le háthas,
>   dá gnaoi tugas lánghean go buan,
> dá braoithe, dá rinnroisc, dá gáire,
>   's dá caoinleacain álainn gan ghruaim;
> dá dlaoifholt tiubh buíchasta fáinneach,
>   's dá cích chruinne bhláfara chrua,
> is dá fhíorfhaid an oíche, níor chás liom
>   bheith ag síoramharc áilleacht a snua ... .[39]

Ní hamháin gur in aisling an ochtú haois déag is mine, is snoite agus is ealaíonta a dheartar íomhá na pearsa úd Éire ach is san aisling freisin is léirithí agus is iomláine a nochtar a carachtar ilghnéitheach ilfheidhmeach. Tá, gan amhras, tuiscintí cianársa laistiar den charachtrú a dhéantar uirthi ach is i gcomhthéacs comhaimseartha an ochtú haois déag a dhéantar sin chun freastal ar shochaí ilaicmeach iltomhaiseach. An cás a raibh Éire san ochtú haois déag, mar a tuigeadh don aos léinn é, a shocraigh is a dheilínigh a carachtar cuimsitheach coimpléascach iltréitheach. Is í Éire, Banba agus Fódla i gcónaí í – na hainmneacha eipeanamacha a thug sí féin uirthi féin ó thús ama; is í Meadhbh Chruachan leis í, réaladh staireagheografúil ar a feidhm áitiúil; is í Póiní an Leasa í, réaladh meafarach ainmhíoch ar a feidhm ghnéasúil; is í Gráinne Mhaol í, ainm a thug idir stair, litríocht is bhéaloideas chun cuimhne; is í Móirín Ní Luinneacháin, Móirín Ní Chuileannáin, Caitlín Ní Uallacháin, Meidhbhín Ní Shúilleabháin, Síle Ní Ghadhra, Siobhán Ní Mheadhra is Síle Bhán Ní Shléibhín í – gnáthainmneacha is sloinnte coitianta a bhí ar eolas ag cách agus arbh

fhurasta, dá réir, ionannú leo is lena gcás.[40] Áitíonn Agulhon gur dóichí
toisc gurbh ainm coitianta é a tugadh Marianne mar ainm ar an
bpearsantú banda a rinneadh ar an *Règublique* sa Fhrainc: 'Marianne,
donc, cela faisait peuple, et c'est sans doute l'essentiel' (Agulhon 1979:
45). An chúis chéanna, is dócha, a bhí le ainmneacha is sloinnte
comónta a thabhairt ar Éire/Banba/Fódla san ochtú haois déag; is
áirithe nach le 'intellectual exhaustion' a rinneadh sin, mar a d'áitigh
R. A. Breatnach (1953: 325). Is mó slí ar nochtadh is ar léiríodh
Marianne do phobal mór na Fraince (ar bhoinn, ar dhealbha, ar
phictiúirí; sa phrós is san fhilíocht; mar bhábóg, mar charachtar
fáthchiallach is mar mheafar beo ar stáitse) agus is mó cruth a tharraing
sí chuici féin is a tugadh di (máthair, bandia, maighdean, meirdreach,
ainnir, cailleach): 'La déesse terrible, étrange, vengeresse ... votre
auguste déesse ... cette vierge féconde ... la fille de Dieu ... c'est une
simple femme ... ses traits soient ceux de la déjà vieille et toujours
juvenile 'déesse de la Liberté' ... Marianne est ... tantôt vierge et tantôt
mère ... et tantôt déesse ... .'[41] An véarsaíocht amháin an t-aon mhód
ealaíne a bhí ag aos léinn na Gaeilge chun léiriú is nochtadh a
dhéanamh ar a mbandia súd ach níor lúide, dá bharrsan, ilghnéitheacht
a carachtair sise ná níor lúide éifeacht a léirithe.

Is 'ríoghan shnuagheal bhreá' í, dar le hEoghan Mac Cárthaigh; is í
'an bhanaltra bhréagach/do tháil ar na céadta' í, dar le Seán Clárach; is
í 'dlúthshearc Charoluis, Banba i mbaol' í, is í 'an bhrídeach mhaiseach
mhánla', an 'mhaighdean mhilis mhúinte', 'bruinneall bheacht na
Fódla', is í 'Éire bhocht chéasta na Stíobhart' í, dar le Piaras Mac
Gearailt; is í 'céile ghil Airt' í, dar le Liam Inglis, atá 'i ndaorbhroid, i
ngéibheann, 's ag éamh gach lá', í anois 'im mheirdrigh óig ag Seoirse
Breatan'; is í 'an chaoinbhean ba mhíne is ba bhreátha/dar shíolraigh
ó Adam anuas' í, dar le Pádraig Ó hIarlaithe; is í 'céile Airt is Lugha' í,
dar le Seon Ó hUaithnín; is í 'Éire bhocht céile na Stíobhart' í, dar le
Tadhg Gaelach Ó Súilleabháin; is í 'Éire mhánla/naíonda ghrámhar' í,
dar le Seán Ó Tuama ach go raibh sí fós ina 'spreas'.[42] *Is mé an chrínbhean
bheag chlóíte gan aird*, a deir sí féin i ndán le Séamas Mac Coitir; *Is mé Éire
bhocht chéasta gan chroí*, a deir sí i ndán eile leis;[43] agus is í féin is léire agus
is minicí a mhíníonn, san iliomad dán le filí difriúla, bunchúis a bróin
is a hanchrutha féin:

> 'Mo chéile gan cheart tá om shéanadh le seal
> d'fhúig Gaeil bhocht fá smacht i gcuibhreach gach ló' ...

> Do fhreagair an réilteann mé go duairc,
> ag greadadh na ngéag is ag éamh go cruaidh:
> 'ní heagal dom aon tar éis mo chuaird,
> ní hé mo bhuairt
> acht Séarlas uaim,
> a ghasra go léir is a chléir go fuar
> ag Gallaibh go buan 'na n-áitreabh' ...

'Is é chuir in éagmais mo ghné,
    is ler thréigeas mo scéimhchruth go fíor,
na faolchoinse ag aoireacht mo thréad,
    is mé gan mo chéile lem thaoibh ...

d'éagadar maoth-thortha craobh,
    is tréith atáid éanlaith na gcríoch,
ós éigean dom chéile geal féin
    me a thréigean 's gan é ag teacht faraor ... .'[44]

Is minic a thugtar le tuiscint, go háirithe sa chritic fheimineach, gur cúpla neamhionann iad Éire agus a céile, gur carachtar fulangach í Éire a ghéilleann do éigean a fir.[45] Ach ní fíor sin, dar liom. Pé acu sa tseanlitríocht nó san fhilíocht dhéanach é, in *Baile in Scáil*, in *Caithréim Thoirdhealbhaigh* nó san aisling pholaitiúil trí chéile é, ní infheidhme duine acu gan a chéile; leathchúpla is ea gach duine acu: 'She is the *other portion* of the hero himself – for *each is both*' (Campbell 1972: 342). Ní hamháin sin ach is í Éire i gcónaí a roghnaíonn a céile, ise a bhronann idir chumhacht pholaitiúil agus shásamh collaí ar a céile cuí:

Is binn do labhair agus d'aithris le díogras
nach luífeadh feasta le beannaphoc coimhtheach,
go sínfeadh seascair i bhfarraid a fírfhir,
sé an fíorlaoch aoibhinn álainn óg ... .[46]

Seal do bhíos im mhaighdin shéimh
is anois im bhaintrigh chaite thréith,
tá mo chéile ag treabhadh na dtonn go tréan,
de bharr na gcnoc 's in imigéin.

Is é mo rogha é a thoghas dom féin,
is maith an domhan go dtabharfainn é,
d'fhonn é bheith ar bord ar long gan bhaol,
de bharr na gcnoc is in imigéin ... (SMD: 7 §§ 1-8).

Is me céile Airt is Lugha,
is Laoire chreach gach cúig',
is méin liom casadh
ar Shéamas feasta,
i bpréimh is i gceart mo thriúch ... .[47]

Tá, cinnte, éigean i gceist – éigean an Ghallaphoic is a chuid cóbach; iadsan a d'imir ainscrios ar Éire bhocht, a mhill is a mhaslaigh í, a d'fhág ina spreas í:

Do fhreagair an bhruinneall i ndlithibh gan mhóid:
    'nach aithne dhuit mise anois, buime na dtreon,
do bascadh, do milleadh, do cuireadh tar fóir
le dalladh, le daille, le buile na gcóbach,
do mhalartaigh mise le duine gan chóngas' ...

Do fhreagair domhsa spéirainnir aobhga na mallrosc:
    'ní bean den aicme is léir duit, ar aon chor mé, a Sheoin;
acht bean le fada i bpéin me gan chéile dom chumhdach,
    dom dhlúithchreimeadh ag búraibh dom shú is dom dheol' ... .[48]

Meafar lárnach ag na filí ab ea an deol/an tál; Éire bhocht á deol go síoraí ag gramaisc allúrach, ise ag tál ar shliocht táir uiríseal:

Is mór an galar tríd an bpeaca so ar Éire d'fhás,
do chuir Fódla dealbh gan aon talamh, gan féar, gan bhláth;
do chuir brón ar Bhanbha ag gramaraisc mhaol na gceard,
dá deol le fada 'gus a macra féin ar lár ...

Gealchíoch na mná do tháil ar Ghallaibh tar ceart,
ag luí go sámh le spás ar leaba clainne Airt,
mar ríomhaid ráite fáidhe seanda is flaith,
íocfaid ál na cránach Sacsan 'na lacht ...

Le bearannaibh faobhair rinn tsleasa a Bhanbha phráis,
go scantar gan bhrí fíorlag do chreatlach fáis,
clanna na rí ndíleas go tartmhar mar táid,
's ar dheamhanaibh nimhe a gclíchorp go bleachtmhar do tháil.[49]

Gearán coiteann ag na filí ab ea é gurbh í Éire a thréig a muintir féin, gur ghabh sí le hallúraigh; bhí idir fhreagra is chosaint aici ar an ngearán sin, cosaint údarásach na staire:

'Ní mise scar lem chéile
    ná thréig mo chara páirte,
ná ghaibh le Gallamheirleach
    in ionad flaith mo chairde;
do sheasas dó le tréimhse
    mar Ghallóglach ar garda,
do thuit mo chlann 'na gcéadthaibh
    is d'fhág san Sacsain carnadh' ...

'Is mé do shearc i gcónaí,
    cé hollbhaois anois a thrácht,
óm thaobh 's ó lacht mo nuachíoch
    tig Eoghan groí is gach cine is fearr;
sliocht Néill is Airt is mór-Choinn
    is pór Mhíle uile d'fhás,
is le héad do marbhadh beo sinn,
    ag stróiríocht ar mire táim' ...

Mise Banba an tseanbhean aosta,
's is fíor gur chaitheas-sa sealad go séanmhar
faoi fhlaithibh dhil de shleachtaibh Mhiléisius,
's ba cheannasach gan easpa ar bith mo chaomhthaigh;
ní mé do dhiúltaigh crú ghlac Éibhir,
síol Éireamhóin lem ló ní thréigfinn,
deighshliocht Ír lem chroí do théifinn,
is fuil Íthe ba dhíon dom ón éigean;
ná meastar leat go gcanfainn riot bréaga,
na flatha sin go dearfa do thréig me
is do mhalartaigh a n-aigeanta 's a mbéasa,
is ní cara dhom a maireann anois acht spré bheag ...
créad dob áil leat dom cháineadh 's dom dhaoradh
's gur fágbhadh me im bháintrigh im aonar
faoi tháintibh dom chábladh 's dom thraochadh ... .[50]

Dá mhioninste an tuarascáil a thugann Éire féin nó na filí ar a stair léanmhar anróch, dob fhéidir buntosca a hainriochta is a mífhortúin a mhíniú go simplí gonta, mar a rinne file anaithnid éigin: *Fóill, a Bhanbha, easpa do chéile ort tá* (RIA 23 B 38: 85). Agus má ba thuiscint shinseartha í sin, ba thuiscint í a raibh brí fós léi. Leigheas sinseartha a bhí ar an easpa sin, freisin, agus is go hoscailte díreach neamhbhalbh a thrácht na filí ar an leigheas sin agus ar an iarmhairt thairbheach a leanfadh:

> Ná measaigí gur caile chríon ná guaireachán,
> ná caillichín an ainnir mhíntais bhuacach mná;
> is fada arís ba banaltra í is ba mór a hál,
> dá mbeadh mac an rí ag Caitlín Ní Uallacháin ...

> A shaoi ghlain de phríomhscoth na sáirfhear saor
> is binnshnoite laoithe 'gus ráite séimh,
> an aoibhinn leat díbirt ár námhad go léir
> 's an rí ceart do luí anois le Gráinne Mhaol?

> Tá gliaire catha ar deoraíocht sa Róimh mhín faoi choimirc cháich,
> de ghriantsliocht Chaisil cheolchaoin is fós níl fuil is fearr;
> beidh an triath 's a mhac le fórsaíbh ag ródaíocht go hInis Fáil
> sa bhliain seo ag teacht ag tóraíocht ar Mhóirín Ní Luinneacháin ...
> Ba cian len aithris gleo a ngníomh go bpósfaí le ruire an bháb,
> 's ná hiarrfaidh ach trí coróiní le Móirín Ní Luinneacháin ...

> Chífeadsa mo dhreoilín le tóirbhuín ag teacht ón Spáinn,
> nó ag tarraingt ar na cóstaí 's is dóigh linn gur geal an lá;
> réifidh sin an brón dínn 's an mórchíos so ag lucht an Stáit,
> 's ní bheidh Éire bhocht go deo arís 'na lóipín ag spreas mar tá.[51]

Bíodh gurb é guth an fhile/inseora – an fileghuth – a stiúraíonn an insint san aisling ó thús deireadh, trí bhíthin an agallaimh leis an bhean, ní insint lom scéalaíoch a bhíonn choíche i gceist. Is féidir, san agallamh, ceisteanna a chur is a fhreagairt, eolas a lorg is a fháil; is féidir go háirithe léiriú beo drámata a dhéanamh ar stair léanmhar ainniseach na mná. Ós í foinse an eolais í, ós í is mó agus is faide a d'fhulaing, is í is fearr fios agus is fearr á chur ar fáil:

> Is dearbh i réimheas Gael gur chleachtas-sa
>   ceannas is scléip, le seascaireacht ceoil,
> gradam is glaoch is aolbhroig fhairsinge,
>   caomhnadh tréinfhear, aiteas is ól ...

> Tar éis Éibhir dhil éachtaigh dhaonnachtaigh fhinn,
>   Ír, Néill agus Coinn do shnaidhmeas le hEoghan,
> 's im shaorchiste chaomhnaitheach cléire do bhíos,
>   agus éigse gan chíos gur chailleas an choróin ...

> 'Táim', ar sí, 'le sealad,
> fágtha ar dhíth mo charad,
> fá tháir ag dríodar Danar d'ardaigh mo léan;
> gan cháin, gan chrích, gan cheannas,
> gan áras rí, mar chleachtas,
> gan táin, gan buín, gan fearann, ardmheas ná réim ... .'[52]

Uaireanta is go mionchúiseach a eachtraíonn sí a scéala, mar a
dhéanann in *A Bhanba, is feasach dom do scéala* (n. 50 thuas), nó mar a
dhéanann san aisling a chum Ó Doirnín:

> Ar mhala Dhroma Crí theagaimh domh an naí
> > is a dealbh mar an gcaomh-Dheirdre,
> i dtuirse 's í 'na suí ag osnaí 's ag caí,
> > is gan neach aici ach í 'na haonar;
> seo mar deireadh sí: mo chreach agus mo dhíth
> > fár theastaigh uaim mo thrí thréinfhir,
> Brian Cheann Coradh an saoi, Fachtna de shliocht Ír,
> > is mac Airt a chothaíodh an fhírfhéile ... (de Rís 1969: 2 §§ 1-8).

Ach uaireanta eile, fiú amháin i saothar Eoghain Rua, is go gonta
achoimreach léir a chuireann sí éirim a scéil i bhfriotal:

> Seo an t-ábhar thug méise go hairgthe im aonar:
> > sliocht Chaisil i ndaorbhroid faoi ardchíos,
> ag Gallaibh an Bhéarla, do shealbhaigh aolbhroig
> > is fearann gach aon neach dár áirmhíos ...
>
> Do bhíos-sa fá mhírchion i mbláth mo shaoil,
> i bhfíorghradam ríora 's i bhfábhar réacs,
> nó gur líonadar Gaillshleachta in áitreabh Gael,
> d'fhúig díthchreachta a dtíortha 'gus carnadh a laoch ...
>
> Tá agam scéal len aithris is insim duit é:
> gur gearr go réifidh an tAthair-Mhac de gheimhleachaibh Gael,
> > tá garda laoch ag Carolus
> > go dána ag téacht tar farraige,
> ní gá díbh téarma ar thalamh is ná caoinidh bhur léis ... .[53]

Mar a dúirt sí féin, bhí scéal le n-aithris aici, a scéal féin is scéal a
muintire, mar a bhí riamh, mar atá fós agus mar a bheidh.

Tá áitithe agus léirithe ag Limón (1992: 31), sa staidéar a rinne sé ar
sheánra an *corrido* i mbailéadra Mheicsiceo, go raibh feidhm
oideachasúil, i measc feidhmeanna eile, ag an seánra sin: gur chuir sé ar
fáil, do phobal neamhliteartha, 'a repository of basic historical data for
a public with minimal access to the official written word'. Is deacair gan
a cheapadh go raibh feidhm mar í ar fheidhmeanna na haislinge freisin
– insint shimplí neamhchas ar scéal na hÉireann a chur ar fáil, ach sin
a dhéanamh i bhfriotal fileata ceolmhar a thug sásamh don chluais is
don chroí in éineacht. B'é gnó an fhile an scéal sin a scaipeadh. Litrítear
sin amach go minic san fhilíocht féin. Luaitear an file as a ainm:

> Geallaim duit, a Charathaigh, is mo lámh 'na dhéidh
> gur radadar na scamaill is gur ardaigh an spéir ...
>
> A fhírfhile dhírigh d'fhuil Chárthaigh thréin,
> 'na bhfuil líofacht is milseacht id ráite béil,
> an rí sin de shíol Scoit as ar fhásais féin,
> tar taoide dá dtíodh sé ba bhreá do ghéim.
>
> Do fhreagair domhsa spéirainnir aobhga na mallrosc,
> > 'ní bean den aicme is léir duit ar aon chor mé, a Sheoin ... .'[54]

agus míníonn an bhean go soiléir dó cad tá le déanamh anois aige lena scéalsan:

> Aithris mo scéal don éigse ag baile,
> is léigfid aiste chughamsa
> do scaipfidh mo léan ciodh léir le lachta
> déar gur dalladh dúr me ...
>
> Do fhreagair sí, ag rá: 'bí lán de mheanmain,
> táimse ag tabhairt mo lámh mar thaca dhuit,
> fán bhfómhar go n-amharcfar gleo;
> is aithris d'fháidhibh Fáil an t-aitheasc seo
> gan práisc do chanaim le páirt is taitneamh
> don ógleon do shealbhaigh m'ócht ...'
>
> Sin agaibh ó thúis gach rún ba mhéin liom,
> is meabhraidh féin le cách mo sceol ... .[55]

Ach malartaítear na rólanna gnácha go minic; ní hannamh gurb é an file a ghlacann chuige ról na mná; eiseann anois foinse an eolais:

> Dúrtsa léi, ar chlos na scéal, i rún
> gur éag a chleacht sí ...
>
> Atá gach séice do thréig na hoird is do dhiúltaigh dlithe Phóil,
> dá rá le chéile gur tréigthe tu is nach fiú leo trácht id chomhair;
>   mo lámh go n-éacht is bréagach súd,
>   biaidh lá ag an bPaorach d'éis gach búir,
> ina bhfágfar daorchoirp tárnocht i bplúid ag m'Uilleacán dubh óg ...[56]

eisean a chuireann comhairle uirthisean:

> D'inniseas dise san bhfriotal dob fhíor uaimse
> nár chuibhe di snaidhmeadh le slibire slimbhuartha ...
>
> Féachsa, a óigbhean mhómhrach mhaiseach,
> t'fheinnidh feoite is ceo ar do cheallaibh,
>   an chléir go deorach,
>   baolach brónach,
> tréigse Seoirse, is gheobhair a mhalairt ...
>
> A mhuirneach, glacse an Prionsa ceart chughat i gceannas céile,
> nó is iomdha fear acu gan taisce chughat dod shlad, a mheirdrigh ... [57]

eisean a thugann misneach di:

> Glac réidhmhisneach séanmharach scléipe 'gus foinn,
> beidh téidbhinneas caolchruite in aolbhrog na gcríoch ...
>
> Léig feasta ded ghéarghol, a phéarla an chúil doinn,
> sin chugat do chéile go faobhrach tar toinn ...
>
> Más caraid duit Séarlas mac Shéamais, a ríoghan,
> is gairid go dtéarnfaidh tar tréanmhuir dod choimhdeacht ...[58]

a chuireann a bhrón in iúl di:

> A ríoghan uasal shuairc 's a stór,
> do chaí is do bhuairt is trua 's is brón,
> guím go cruaidh ar Uan na gcomhacht
> fá thíocht ar cuaird dod bhuachaill beo ...

A spéirbhean ba ghlégile scéimh,
    's a chaomhscoth de phríomhshliocht na rí,
do léirghoin do scéal me go hae,
    's is léan liom do chéile i gcoigríoch ...

A mhaighdean mhilis mhúinte,
    is dubhach liom cúis do chráite;
is fuíoch 's is fras mo shúile
    ar gcloistin rúin do ráite ...[59]

agus a inseann a dán di:

Scoir den gháir sin, a bhruinneall ársa,
    's bí go sásta, cé fada tá
do Phrionsa rábach clúmhail láidir
    trúpach gardach ar seachrán;
atá anois go cróga 'gus buíon na hEorpa
    ar an gcósta go hiomlán,
ag teacht id phórtaibh le neart gan teora
    's buaifid Fódla don Bhuachaill Bán ...

Tá Caesar Óg sa Róimh 'na bheatha,
aon den phór úd phósais cheana;
    ag gléasadh a shlóite,
    ag téacht tar bóchna,
is é sin nóchar Phóiní an Leasa ...

Beidh an rífhlaith againn pósta
    gan mórmhoill in Inis Fáil,
is cliar ag teacht ón Róimh leis
    i gcomhair guí eisean bheith slán ... .[60]

Comhdhán a bhí i gceist; níorbh fhéidir trácht ar dhán duine acu gan dán an duine eile a lua chomh maith. Ach b'é a theachtsan an catalaíoch riachtanach. Go dtí go dtiocfadh seisean ar ais bheadh sise fós ina spreas, gan luí le fear; bheadh sí gan chéile, cé go raibh sí pósta. Is lena theachtsan, is lena theachtsan amháin, a d'fhéadfaí an fháistine a fhíoradh.

III

Fada liom uaim go deimhin do chuaird,
    a leinbh dhil stuama chráifeach,
nach dtagair fá bhruach, dár bhfurtacht go luath,
    ón bhfine nár dhual bheith láimh linn ... (NLI G 135: 155).

Do bhíos im leaba 's mé atuirseach tréith im luí,
araoir tré ainbhfios tamall ag éad le Críost,
tug cíos gach fearainn do Ghallaibh in aolghort Fhloinn,
is Gaoil dá leagadh, dá gcreachadh 's dá gcéasadh shíor. ...

Do bhíodar tamall go carthanach déarcach caoin,
ba bhinn a n-easpaig, a manaigh, 's a gcléir ag guí,
ós fíor gur peaca thuit arthu rinn faolchoin díobh –
a Chríost, cén Sasanach smeartha nár réab do dhlí?

Is fada ag feitheamh Gaoil bhocht le críochnadh gacha tairngreacht,
　　's is gairid feasta an mhoill go mbeidh gach ní ar a dtoil féin;
gach allmharach coimhtheach tá 'na shuí i mbrogaibh Banban,
　　beidh scaipeadh orthu timpeall is díbirt i gcéin ... .[61]

Ó thús an tseachtú haois déag amach, ba mhinic na filí ag éamh ar
Chríost, á fhiafraí de go dólásach an ina chodladh nó an bodhar a bhí,
nár tháinig i gcabhair ar Ghaelaibh; ba mhinic Pádraig is na naoimh
dhúchais á n-achainí go himpíoch acu; ba mhinic an cheist á cur orthu
cathain a thiocfadh an tairngreacht isteach?, cad a bhí á moilliú?, cén
fad eile a bhí le dul ag pobal fadfhulangach:

An trom do chodladh nó an mall th'éisteacht
nach dtugann tú toradh ar éinneach? ...

Go dé an codladh tréan ortsa, a naoimh dhílis Phádraig,
nó an bodhar ataoi th'éisteacht is Éire 'na fásach? ...

Fiafraím díot arís, a Thréinmhic,
cár ghabh tairngre Phádraig naofa,
rá Bhearcháin nó Sheanáin shéimhghil? ...

A Dhia do dhealbhaigh ré is réalta ...
an bhfuil tú bodhar nó cá bhfuile ag féachain,
nach tú do leag na hathaigh led sméideadh,
cá beag duit a fhaid ataoi ag éisteacht? ... .[62]

Má bhí cúis ghearáin ag filí an tseachtú haois déag agus mífhoighne
orthu lena mhaille a bhí an guth ag teacht faoi ghairm na tairngreachta,
ba mhóide fós idir ghearán is mhífhoighne na bhfilí a lean iad. Is minic
nach mór gur bhris ar an fhoighne sin ar fad nuair ba léir, ba chosúil,
go raibh Dia féin ag tacú le héagóir fhollasach na Sasanach; nach raibh
aon deireadh leis an inghreim ná aon fhuascailt i ndán:

M'atuirse ghéar leatrom na nGael ... (MN M 8: 323),

D'imigh an greann 's níl ann ach iarmhar lag ... (MN M 9: 128),

Is fada do Ghaelaibh in achrann éigin ... (RIA 23 B 38: 231),

Mo léansa an galar so shearg me i sírghéibheann ...
ár ndéis gan anadh 's ár gceathra gan puinn saothair,
is léis na nDanar ar fhearannaibh rí Séamas ... .[63]

Mo chreach agus ón mo chreach
nach dtig an rí breitheach ceart
do dhíbirt a bhfuil a-bhus
dár naimhdibh tá cas carrach (BL Eg. 161: 42).

Mo cheas go brách, mo chás, mo chiach, mo chumha,
'na bhfeartaibh tláth mar táid ár dtriatha clú,
's gan fear den phár 'nár láimh 'na ghliaire cúil
do scaipfeadh cách tar sál gan fiach gan fonn.[64]

Is léan liom saoithe sagart,
féile fhíor gan freagairt,
éigse an ghrinn go balbh,
    cráite gan chéill;
is Éire chaoin go cathach,
déarach dlaoithe a dearca,
i ndéidh a laoich is a leanbh
    láidir ba thréan ... .[65]

Le linn an ochtú haois déag ar fad bhí an cheist bhunúsach á cur go
síoraí ag filí difriúla ó cheantair éagsúla, ag Seán Ó Neachtain i mBaile
Átha Cliath, ag Seon Ó hUaithnín i gcontae an Chláir, ag Conchúr
Ó Ríordáin in iarthar Chorcaí, ag Séamas Dall Mac Cuarta i gcontae Lú,
ag filí anaithnid is ag filí aitheantúla theas is thuaidh – cén fad eile a bhí
le dul?, cathain a thiocfadh an tairngreacht isteach? Ar Dhia féin, ar
Phádraig, nó ar na naoimh trí chéile a bhí an cheist fós á cur:

Fiosraím féin de na naoimh,
    de Phádraig caomh na n-uile fheart:
an dtiocfaidh a dtairgialladh go héag,
    nó an mbiaidh Gaeil arís i neart? (NLI G 132: 101).

Do réabadh na géaga is do bearradh na crainn,
's na fréamha tar éis sin dá ngearradh go teann,
a Dhé dhil, an féidir go bhfeicfidh an dream
an spré bheag so do shéidfeadh an teallach in am? ...

Ó shílid Gaill shaobha, a dhilDhé na ngrás,
gur scríobhais go fíre fá shéala dháibh,
mar mhír a míghníomha fá fhéar ghlas Fáil –
an scaoilfe tú daorghlasaibh Gael go bráth? ...

Is an bodhar ataoir, a rí na ríthe,
    ar shlí ná cuirir dár bhfóirthint,
mar chabhair clann Íosraeil a líon d'fhuil dhiaganta
    faoina nginearal Moses ...

'Athair na bhfeart, thug as an Éigipt sinn ...
ná hagair gan stad ár bpeaca 's éistidh linn' ... .[66]

Níos minicí ná a chéile is ar an bpobal trí chéile, nó ar a chomhfhilí, nó
ar bhean na haislinge a chuireann an file an cheist:

Fiafraím ceist díofu, de iarsma na ndraoithe,
    an é iasacht na críche tá ag eachtrannaigh uainn? ...

An measann sibh go bráth an dtiocfaidh an lá
    le go bhfuighe sinn sásadh beag éigin,
ar bhodaigh Ghallta tá in éis ár gcrá
    le cíos, le cáin is le géarsmacht? ...

A shearc mo chroí is mh'anam gan chruas, gan chlaon,
suidh sealad síos im aicese is tabhair dom scéal:
    an scaipfear choíche an scamall so,
    nó an leagfar poimp na Sagsanach
ler leagadh tinte treathana ar ghrua na dtréan? ...

A chara mo chléibh, cad is scéal san tslí leat,
	nó an réifidh Críost ár gcás go deo? ... .[67]

Uaireanta ceistítear fírinne is éifeacht na tairngreachta féin, amhras nach beag á nochtadh ina taobh:

A Dhé cá fada bheidh an galar so ar chrích Fhéilim,
nó an é nach faicfeamna tarngaire naoimh Shéadna,
nó an té cois mhara do labhair an ní céanna,
nó an bréaga is bladar do chanadar trí chéile?[68]...

Measaim gur bréaga do chanadar éigse,
	ag labhairt le haonghuth in adhbhaois;
go gcasfaid na réalta ar atharrach spéire,
	go bhfuil scartha le hÉirinn an tArdmhaor ...

Is eagal liom féin, a spéirbhean mhíonla,
gur reacaireacht bréige an scéal so d'insis;
táid Galla róthréan i mbarcaibh gan spéis
	ar chaise go fraochta nimhneach ... .[69]

Deis reitriciúil a bhí sa cheistiú trí chéile arbh í b'aidhm leis an freagra cuí a mhúscailt, freagra údarásach doshéanta na tairngreachta. Is mó cuma agus foirmle a bhí ar an bhfreagra. Ina léireasc ginearálta fealsúnta a foirmlíodh uaireanta é:

Ní mhairfidh an stoirm ná an tuile se acht tréimhse ghearr,
is is dleacht don doininn an tsoineann do théacht 'na deáidh ...

Bíodh dóchas bhur ndóchais i nDia go beacht,
is ná cuiridh teora le mórchumas thriath na bhfeart ...

Go brách ná deachtaigh teora le gealladh rófhada an rí chirt ...

Níl taoide dá líontacht ná tránn gan braon,
is gach fíorstoirm choimhtheach, bíonn tráth gan gaoth,
dá insint le díograis don társprot clé,
dá airde an Ghaillphoimp go mbeidh tláth 'na dhéidh ...[70]

Tig gealach is réilteann tar éis an duibhré,
soilse 'gus gréin tar éis an fhliuchlae,
is mar sin is léir don tsaol go soiléir,
go dtig sonas is séan tar éis an mhíshéin (RIA 23 B 38: 123).

Meafar an phobail Eabhraigh á thabhairt chun cuimhne arís mar eiseamláir is samhail dhóchais:

Ná measaidís na spreallairí gur buan ár bpáis,
is gur gearra bhíd na glasa á scaoileadh nuair is cruaidh an cás;
go ndearna Maois roimh phobal Íosraeil den mhórmhuir tráigh,
is go bhfóire Críost ort, a Chaitlín Ní Uallacháin ...

Cidh briseadh bhur ndóchas fós, a chlanna Mhíle,
is gur tugadh an choróin gan chóir don aicme choimhthigh,
cidh cuireadh chun róid na treoin ler cheart bheith díleas,
tiocfaidh bhur bpór ón smól mar chlannaibh Íosraeil ...

Nárbh fhada bhí Maoise agus pobal Íosraeil
i gcogadh is faoi chíos ag Pharoah?

is nárbh fhada bhí Críost ar thalamh dár saoradh
ó chathaibh na ndiabhal naimhdeach? ... .[71]

Filí ag admháil go raibh an saol go hainnis ach go raibh leigheas i ndán,
dá cheannasaí an Gallsmacht nach mairfeadh sé go deo:

Cé bhíomair tréimhse i ndaoirse phéin
    gan chill, gan chléir, gan chráifeacht;
is gan dídean ag aon dá airde céim
    ach dlí docht claon dá gcáibleadh ...
beidh slí gan bhaol 'na ríochtaibh féin
    don rímhac Séarlas ardfhlaith ...

Cé ceannasach iad 'nár mbailte le cian,
is flaithibh fé scamall gan aiteas, gan mian;
do chífirse, geallaim dhuit, sceimhle ar Ghallaibh,
dá ndíbirt tar chaladh in ainm an diabhail ...

Cé fada treibh Gaeil Ghlais faon fé tharcaisne,
    in easpa gan réim, gan rachmas, gan só;
ag treabhadh go tréith do dhaoscar Cailbhinists –
    céim d'fhúig daoldubh daite mo shnó ...

tuigidh go dtiocfaidh an té le faobhar do scaipfidh bhur mbrón,
ní bladar ná bréag mo scéal mar tharangair
éigse dréacht na bearta so romhainn ... .[72]

An cheist a chuir file amháin á freagairt ag file eile, éadóchas, brón nó
amhras duine acu á scaipeadh go húdarásach ag an duine eile:

Atá an fhoireann so thall gan amhras díleas ...

Cé heaspathach ár nEaglais fé dhiandlí Gall,
is gur achtadar na hallmharaigh ár gcliar fí gheall,
geallaim duit nach fada bheid 'na dtiarnaíbh teann,
is gur gairid bheidh an tAifreann fé chiarsaíbh ceall ...

Geallaimse dhíbh go bhfillfidh an Saesar ceart
is go mbeidh calg na síon ar dhaoithe an éithigh ar fad ...

A bhile den fhoirinn nach gann
's ba churata in am gach cluiche nirt,
ná tuiteadh do mhisneach go fann,
's a ghoireacht duit cabhair is cuideachta ...

File éigin i gcontae Chiarraí ag freagra d'eagailseach áirithe do rinn
gearán ar thuras thrioblóideach na hÉireann agus atá an duine seo
dá fhoilsiú dhó, más mall Dia, go dtriallaid a ghrása ...[73]

Geallaim duit nár chailleamair go léir na fir ... (MN M 4: 120).

Cuma na díospóireachta poiblí atá ar chuid mhaith den saothar sin,
an cheist á plé, an t-amhras á chealú, an t-eolas údarásach á lorg is á
chraobhscaoileadh. Áitíonn Chapman go léiríonn ábhar na mórbhileog
a d'fhoilsigh Seacaibítigh Shasana sa chéad leath den ochtú haois déag,
go léiríd leibhéal na díospóireachta polaitiúla a bhí ar siúl i measc an
phobail. Bhí ar chumas an ábhair sin, dar leis, agus bhí d'fheidhm aige

neartú a dhéanamh ar 'the political and religious convictions of the faithful, and provide consolation in time of adversity' (Chapman 1983: 1, 277). Is cinnte, ba dhóigh leat, gur chomhlíon an reitric Sheacaibíteach in Éirinn an fheidhm chéanna; is léir, ach go háirithe, go raibh díospóireacht ar siúl san ábhar sin freisin, díospóireacht i measc na bhfíréan féin. San aisling is éifeachtaí dob fhéidir an díospóireacht sin a sheoladh, san agallamh idir an file agus an bhean is léire a d'fhéadfaí an t-amhras a nochtadh agus a chealú:

> 'A fhir ghasta, ní ham duit cantladh a ghlacadh anois,
>   is an chabhair it aice le togha gach scéil:
> beidh fanatics fann gan chabhair in Albain,
>   is plúr na Sacsan acu 'na réacs' ...[74]

a d'fhéadfaí bréaga mailíseacha a shéanadh:

> Is gidh mustarach ard sliocht Mhártain mhallaithe,
> dá rá le sealad gur fágadh Carolus,
>   ó ró fá leacaibh ag dreo;
> sé chluinim ag dáimh 's ag fáidhibh leasa cnoic,
> an tráth do ghairmthear spás chun sealad suilt,
>   ó ró gur chanadar gó ...[75]

a d'fhéadfaí an cheist a chur agus an freagra deimhnitheach a fháil:

> Cuin do scaipfe an ceo so, nó an mair go deo na díleann,
> nó an gcasfa ar ais 'na choróin chirt an flaith tá ar fó idir dhaoinibh?

> Casfa ar ais is fóirfidh an flaith tá ar fó go fíochmhar,
> is rachaidh seacha Seoirse agus gramaisc mhór dá mhuintir ...

> An dtiocfaidh lem ré nó an féidir go gcluinfead a theacht
> do bhriseadh na ngéibheann féna bhfuilim gan phreab?

> Tiocfaidh bhur Séamas cé gur moilleadh a theacht ...

> Aithris dom féinig, sléacht is innis,
>   déin, ná coinnibh rún air:
> an fada bheidh Gaeil bhocht fé gach coiste
>   daor dá bhfuilid fúthu? ...

> I mbeathaí na naomh gan bhréag do chibheam
>   bréithre is milis liomsa:
> gur chaitheadar tréada an Bhéarla bhoirb
>   an léas a cuireadh chuchu;
> ní fada mo shaol cé haosta roimhe
>   mé chun go bhfeicfead brúdaigh
> á nglanadh as gach aolbhrog aerach slinne
>   is Gaeil ina n-ionaid dúchais.[76]

> A fhir chalma sa teangain sin na nGael tá fann,
> tabhair dearca suilt ar mheamram is réidh do pheann,
> aithris dom gan mearbhall, ná claon id rann,
> an fada bheam in anchruth fá réim na nGall? ...

> Níl reachta snoite i meamram dár léas i rann,
> ná aiste suilt ná labhrann ar thraochadh Gall,

'na aice sin tá tairngire na naomh go teann
dá thagradh nach fada anois go bpléasca an crann.[77]

Ba thuiscint choiteann i dtairngreacht an ochtú haois déag, agus
téama coiteann ag na filí é, go raibh 'an léas' caite, an 'téarma' istigh –
an téarma seilbhe a fuair Gaill ar Éirinn, an léas a fuaireadar ar thalamh
na hÉireann a bhí i gceist:

De réir mar cantar in agall na naomh linn,
tá a dtéarma caite 's is gairid an ré sin ...

Atá an téarma anois réidh leo,
beidh bodaigh dá dtraochadh,
ag clannaibh Mhiléisius
        tá lán d'aois ...

A fhir ghasta d'fhuil fhéil is léannta i laoithibh,
ná tagair gur baoth an méad so d'inseas,
        is gur gairid don léas,
        cí fada dó téacht,
        bheith caite de réir gach scríbhinn ... .[78]

Nóiscan é a chuaigh i bhfad siar, ach níor úsáideadh na meafair
thalmhaíochta 'léas', 'téarma', go dtí an t-ochtú haois déag. Cé gur
glacadh leis gan cheist, nó ar a laghad gur ghlac an reitric phoiblí leis,
gurbh iad a bpeacaí féin a tharraing an mífhortún anacrach anuas ar
Ghaeil fhadfhulangacha, ba léir ó dheireadh an tséú haois déag amach
nach raibh na Gaill neamhchiontach ach oiread agus de réir mar a
d'éirigh ar a gciontacht, is ea is mó a bhí díoltas – díoltas Dé – tuillte
acu. Chomh luath le 1578, b'ionadh le Corc Óg Ó Cadhla 'a fhad
fhuilingeas Dia i gceandus iad, achd amháin gurob fada fhuilingeas
agus gurob mall díreach a dhíoghaltus' (RIA 23 P 14: 134) agus ba
mhinic an tuairim chéanna á nochtadh ag scríbhneoirí eile ina dhiaidh
sin:

Tiocfaidh dá n-ainbhreathaibh as
        athchur na nGall nglas;
's biaidh Éire féin ag cách
        ó sin amach go bráth mbras.[79]

Claíomh défhaobhrach ab ea claíomh díoltach Dé, a mhínigh an
tEaspag French: 'Though they think theire fortuns in that land surely
settled; they are but pilgrims in the way as you are ... and then they shall
know and feel God's judgment for what they have done to you' (French
1674: 76). D'imigh impirí is impireachtaí cheana, a mheabhraigh
rannaire anaithnid – dob fhéidir an dán céanna a dhul ar Shasanaigh
freisin:

Do threascair an saol is shéid an ghaoth mar smál,
Alastrann, Saesar, 's an méid sin bhí 'na bpáirt,
tá an Teamhair 'na féar, is féach an Traí mar tá,
is na Sasanaigh féin, dob fhéidir go bhfaighdís bás (O'Rahilly 1925a: 42).

'Bhí a n-am féin re teacht', mar a dúirt Seán Ó Neachtain (thuas lch 273) agus bhí sin le teacht gan mhoill anois – um Shamhain, faoi Cháisc, san fhómhar a dhearbhaigh aisling an ochtú haois déag:

Adúirt an spéirbhean chailce:
'tá an trúp tar toinn ag taisteal,
go líonmhar buíonmhar neartmhar
        chum coimheascair is gleo;
's is gearr an mhoill go mbeidh scaipeadh
ar shliocht Lúitir chlaoin is Chailbhin,
i bhfearann cloímh dá dtreascairt,
is na Laoisigh i gcoróin ...

D'fhreagair sí, ag rá: 'bí lán de mheanmain,
táimse ag tabhairt mo lámh mar thaca dhuit,
        fán bhfómhar go n-amharcfar gleo ...

Fé mar luadar seandroithe,
do dhéanadh tuar is tairngreacht,
beidh fléit i gcuantaibh Banba
        fá fhéile naoimh Sheáin ...

Gabhaidh seal is cabhraidh, a chlann chaoin Bhanba,
fá Shamhain daoibh,geallaimse, go dtraochfar an pór ...

Go mbeidh aicme na nGael san réim is airde,
'na bhfearannaibh saora ag déanamh cíosa,
is Carolus glégeal réacs mo Stíobhard
        ag teacht arís faoi Cháisc i gcoróin ...

Radaim mo bhréithre in éiric daoibh,
seachtain ó inné tar éis trí mhí,
go bhfaicfe sibh Séarlas Maor 'na rí ...

'Admhaim im labhartha gan bhréig,' ar sí,
'nach fada bheas an galar so ar maothadh im chroí;
geallaim duit sul dtaga anois ach b'fhéidir mí
gur ceannasach bheidh araidshliocht na nGael 'na suí ... .'[80]

Ní ag bean na haislinge amháin a bhí an scéala ardmheanmnach sin agus ní i dtairngreachtaí na naomh amháin a bhí sé scríofa. Bhí sé á fhógairt ag éanlaith is ainmhithe freisin, bhí sé le léamh ar an dúlra is ar dhreach na tíre féin. Consaeit cianársa é an dúlra a bheith ag fógairt an rí, mar atá feicthe againn, ach ní teachtaireacht chianársa atá le fógairt anois ach teachtaireacht chomhaimseartha:

Saithe beach do luadh linn ar thuairisc a dtreoin
an fómhar do bheadh go buartha is gan suairceas ar Sheon ...

Sé deir an smóilín go ceolbhinn ar bharr na gcraobh
gur cóir daoibh gan rómhoill bhur dtáclaí a ghléas ...

Táid éanlaith na coille go róbhinn
in éineacht ag seinm ar nótaí,
        dá insint dá chéile
        go meanmnach aerach
ná beidh fearg Mhic Dé linn i gcónaí ...

Tá gné ghlan ar Phoebus is lonradh tríd,
tá an ré 'gus na réalta i gcúrsa cruinn,
tá na spéartha fé scéimh ghlan, gan smúit, gan teimheal,
roimh réacs ceart na Féinne 's a thrúip thar toinn ...

Do bhí lonradh ba ghréagach ar gach aon bharra luibhe,
is lonradh ó Phoebus ar ghéagaibh gach crainn,
    lonradh ón bpéarla
    go dtiobhradh mac Shéamais
gan chuntas fá réimchirt 'na ríocht ...

D'aithníos féin gan bhréag ar fhuacht,
's ar anaithe Théitis taobh le cuan,
ar chanadh na n-éan go séiseach suairc,
go gcasfadh mo Shéasar glé gan ghruaim ...

Tá lasadh sa ghréin gach lae go neoin,
ní taise don ré, ní théann fé neoil,
tá barra na gcraobh ag déanamh sceoil
nach fada bheidh Gaeil i ngéibheann bróin ... .[81]

'A banal word of hope' a thugann R. A. Breatnach (1953: 322) ar theachtaireacht na haislinge. Ní lia duine ná tuairim, gan amhras, ach fós is deacair liom féin bunús na tuairime sin a dhéanamh amach ná fianaise a thiocfadh léi a aimsiú. Ní miste a mheabhrú gur dearcadh simplíoch rómánsúil a bhí ag an mBreatnach i leith litríocht an ochtú haois déag, faoi mar a bhí ag scoláirí a linne trí chéile. Ní raibh san aois sin ach deireadh an aistir sa traidisiún liteartha agus ní raibh san aos léinn trí chéile ach an t-iarmhar: 'the residuary legatees of an age-old poetic tradition which their condition of life did not permit them to alter or materially develop'.[82] Gan amhras, ní ag trácht ar an aisling go príomha a bhí an t-údar san alt sin; ní raibh san aisling ach lúb amháin i slabhra a thabharfadh siar sinn go dtí bunfhoirm an mhiotais a bhí laistiar di. Nóisean de chuid an naoú haois déag é go raibh 'bunfhoirm' finscéil nó miotais ann arbh fhéidir teacht uirthi ach dul siar fada go leor; is é a deir an chuid is sofaisticiúla agus is intleachtúla de scoláireacht na haoise seo linn go bhfuil gach leagan de scéal/miotas/finscéal – cuma cén aois atá acu – chomh bailí céanna; nach bhfuil sna leaganacha difriúla ach réalta éagsúla ar an miotas.[83] Is cinnte gur féidir patrún miotaseolaíoch (an *hieros gamos* atá luaite cheana againn) a fheiscint san aisling, mar a léirigh O'Rahilly (1946b) go cumasach tuisceanach, ach ní mór a chur san áireamh i gcónaí gur sinne, le hardléann, a chíonn is a thuigeann an patrún sin. Tráchtais chomhaimseartha pholaitiúla a bhí á gcumadh ag filí an ochtú haois déag, san aisling, sa tslí chéanna gur tráchtais chomhaimseartha pholaitiúla iad freisin *Baile in Scáil* agus *Baile Chuind*. Ní mar dhiminsean osnádúrtha mistiúil a fheidhmíonn an miotas in aon cheann acu, san aisling ná sna seanscéalta, ach mar eilimint bhisiúil bheo: 'Myth, in fact, is not an idle rhapsody, not an aimless outpouring of vain imagings, but a hard-working, extremely important cultural force. Myth ... is not merely a story told but a reality lived' (Malinowski 1926: 15, 21). Patrún síoraí tras-stairiúil é patrún an mhiotais – faoi mar gur pearsa shíoraí thras-stairiúil í Éire – agus is é an patrún síoraí sin, dar le Levi-Strauss, a thugann a fhiúntas feidhmiúil don mhiotas: 'But what gives the myth an operative value is that the specific pattern described is everlasting; it explains the present and the past as well as the future' (Lévi-Strauss 1955: 430). Sa dioscúrsa poiblí i láthair na huaire, go háirithe sa dioscúrsa polaitiúil, brí neamhfhónta atá leis an bhfocal 'miotas' agus is riachtanach, mar sin, go dtuigfí go baileach cad tá i gceist agam leis an bhfocal. De na bríonna difriúla a bhí agus atá ag an bhfocal agus de na léirmhínithe iomadúla atá tugtha ag scoláirí éagsúla air is é léirmhíniú Cambpell (1972: 256) is fearr a thaitníonn liom féin toisc gurb é is fearr a oireann: 'a powerful picture language for the communication of traditional wisdom'. Is cinnte go bhfaightear léiriú ar an ghaois thraidisiúnta san aisling – an tuiscint gur thír ainnis í Éire d'uireaspa a céile chirt, nach raibh só ná sonas i ndán di go bhfilleadh seisean – ach tá sin á cur i gcomhthéacs nua anois, comhthéacs comhaimseartha. In aisling an ochtú haois déag is staid mhíleannach atá ag freagairt do mhianta na haoise sin atá á réaladh, dá thraidisiúnta an fráma.

Is ar 'deductions from an analysis of the present', a deir Rahner (1964: 98) a bhíonn an tairngreacht pholaitiúil bunaithe i gcónaí. Ag iarraidh idirdhealú a dhéanamh, a bhí an diagaire, idir an tairngreacht reiligiúnda, a bhfuil údarás diaga léi, agus an tairngreacht shaolta, ar údarás daonna amháin a bhíonn aici; ach cé nach seasann an t-idirdhealú, tá méar curtha go barainneach aige ar éifeacht is ar eithne fheidhmiúil na tairngreachta – labhairt, in ainm na sean, leis an ghlúin chomhaimseartha: 'The prophet always speaks primarily to his own generation' (Rowley 1956: 74). Mhair an tairngreacht, mar sheánra, mar théama, mar chreideamh, agus leanadh dá saothrú is dá húsáid, toisc go raibh ar a cumas an teachtaireacht dhóchais fháistineach a chur in oiriúint do dhálaí difriúla soch-chultúrtha agus don chomhthéacs comhaimseartha polaitiúil. Bhí an tairngreacht is a ráiteachas fós á lua leis na seanúdair údarásacha ársa ach, dá sheanda iad na húdair, port nua comhaimseartha a bhí á sheinnt anois acu:

Beidh easpairt go fairsing le fonn
    i mBanba is logha Lá Muire againn,
beid sailm na marbh i dTeamhair
    dá gcanadh 's gan beann ar mhinistir ...

Tá stoirm ná cuirfear ar gcúl
    ag druidim le ciumhais na Sionainne,
nuair thiocfaidh an fhoireann tar abhainn,
    is deimhin go bplancfam Fuigeanna.

Beidh an ghrathain dá dtachtadh re tnúth,
    beidh bascadh 's brú is briseadh orthu;

is gairid go gcacfaid 'na dtriús
   nuair bhainfidh ár bPrionsa cluiche astu.[84]

Mura mbeadh i ráiteachas na tairngreachta ach athrá ar sheintimintí cianársa na naomh, ní bheadh ann ach blúire eile seanchais; is toisc gur chuimsigh sé is gur léirigh an ráiteachas seintimintí comhaimseartha a bhí glaoch fós air agus glacadh coiteann leis. 'The events predicted were indicative of the writer's wishes and desires, or reflected the spirit and sentiments of the times', a deir Taylor (1911: 89) agus anailís á déanamh aige ar thairngreacht pholaitiúil an Bhéarla; conclúid a fhaightear ag scoláirí eile freisin. Ní hamháin sin, ach nochtann is léiríonn an staidéar fairsing atá déanta ag scoláirí iomadúla ar an tairngreacht pholaitiúil i litríochtaí agus i gcultúir dhifriúla, a neamhthábhachtaí atá an teip, an neamhaird a thugtar uirthi – fiú ar an teip shíoraí. Chothaigh cinnteacht údarásach na tairngreachta – agus soghlacthacht a ráiteachais – idir dhóchas agus fhoighne. Dob fhéidir an lá a chur siar is a athrú gan bhaint d'éifeacht an ráiteachais, dob fhéidir glacadh leis an teip, leis an díomua, leis an mbriseadh, mar go raibh an tairngreacht fós le teacht isteach. Pé acu tairngreachtaí Joachim Fiore sna meánaoiseanna é, nó tairngreachtaí na ndúchasach san Afraic Theas san aois seo é, tairngreachtaí na bhfáithe in Iosrael, tairngreachtaí Handsome Lake i Meiriceá Thuaidh, tairngreachtaí Djayabaya in Iáva, tairngreachtaí Merlin sa Bhreatain Bheag nó tairngreachtaí na naomh in Éirinn é, is é an patrún céanna atá aimsithe is léirithe ag scoláirí difriúla: ní chealaíonn aon teip faoi leith, ná teip shíoraí leanúnach ach oiread, éifeacht na tairngreachta; níos minicí ná a chéile is amhlaidh a neartaíonn an teip an éifeacht sin – agus an chinnteacht go raibh an tairngreacht fós le teacht isteach.[85] Bhí meicníochtaí difriúla ar fáil chun déileáil leis an teip. Ceann acu, a bhfaightear réaladh uilí uirthi, is ea fíoradh na fáistine a chur siar, an dáta a athrú. Bhí ar chumas Thomas Taylor, sa seachtú haois déag, a thaispeáint conas a chuaigh na scórtha fáithe roimhesean amú sa chomhaireamh agus lá an bhrátha á thuar acu; lena linn féin, a dhearbhaigh sé, a bhí sé le teacht: 'yet a very little while, and he that shall come, will come, and will not tarne' (Ball 1975: 234). Cúig chéad bliain tar éis do Joachim Fiore teacht Ainchríost a thuar, agus dáta cinnte a lua lena theacht, bhí a thairngreacht fós á cur in ócáid go húdarásach, cé go raibh an dáta athraithe go minic idir an dá linn (Southern 1972: 161). Is i mBealtaine na bliana 1790 a bhí deireadh an domhain le teacht, dar le Suzette Labrouse, banfháidh cáiliúil a linne; nuair nár tharla a raibh tuartha aici, ní dhearna sí ach dáta na tairngreachta a athrú (Garrett 1975: 51-2). Is sa naoú haois déag, cinnte, a bhí an tairngreacht i dtaobh fhilleadh Barbarossa le teacht isteach, dar le scríbhneoirí na Gearmáine, cé go raibh a theacht tuartha na scórtha uair cheana leis na céadta bliain roimhe sin (Munz 1969). Sa staidéar a rinne Festinger (1964) ar an bhfeiniméan, léiríonn

sé é ag feidhmiú san aois seo féin i gcultúr urbánach sofaisticiúil
Mheiriceá: seict in Chicago a bhí bailithe le chéile ag feitheamh le
deireadh an domhain, faoi mar a bhí tuartha sa tairngreacht; nuair nár
tháinig, ní raibh de mhíniú air ach go raibh fabht sa chomhaireamh
agus ní raibh le déanamh ach an dáta a chur siar. Feiniméan uilí é agus
soláthraíonn filíocht na Gaeilge féin sampla léiritheach coincréiteach
de.

Sa bhliain 1735, is cosúil, scríobh Aindrias Mac Cruitín dán do chara
leis 'do bhí ag iarraidh feasa na haimsire atá re teacht air.' De réir an
tseanchais a ghabhann leis an dán sna lámhscríbhinní, is tar éis do
Aindrias turas a thabhairt ar theach mhuintir Chinnéide in aice le
Lothra i gcontae Thiobraid Árann, mar a raibh 'Leabhar Ruadháin
Lothra' ar coimeád, a scríobh sé é. Bhí forógra scríofa ar chumhdach an
leabhair cháiliúil gan é a oscailt 'nó go n-osclódh uaidh fein' agus nuair
a tharla sin, cuireadh fios ar Aindrias chun an leabhar a léamh mar do
'chlis ar aon duine eile a léamh' go dtí sin. Ar léamh an leabhair dó, is
ea a chum Aindrias an tairngreacht:

> Go cúig roimh luis dá dtugadh grásaibh Dé [86]
> dhúinne dul, gan truisle d'fháil ón éag,
> ba súgach dhom ag cur husá san aer,
> trí smuaineadh an chluiche coir atá le téacht.
>
> A chuntas duit, a chuibhe is ársa i gcéill,
> mar údaraid dúinn droithe, dáimh is cléir:
> go siúlfaidh srullach suilt tar sál i gcéin,
> 's ba hiomdha a thruip 's a mhuirear bárc is laoch.
>
> Más súgra san, ní himirt ámhail é,
> lé mbrúfar coirp, cloigne, cnámha is cléibh,
> ag múchadh i moirt na droinge atá go tréan,
> 's a Dhúilimh dhil, fád choimirc fágaim Gaeil ... .[87]

Sampla annamh go maith is ea an dán sin ní hamháin de thairngreacht
á lua le file aitheantúil, ach de bhliain chruinn (1745) a bheith á lua le
fíoradh na fáistine. Ach is léir freisin go raibh tairngreacht Mhic Cruitín
bunaithe ar dhóchas a linne: go dtiocfadh 'srullach suilt' ('an fear so an
fháin ar a dtugtar an Pretender') agus 'fir na mbláthbhoinéad'
('Albanaigh') anall 'lé mbrúfar coirp, cloigne, cnámha is cléibh'. *Faraoir
ná táinig chum críche*, mar a dúirt scríobhaí amháin, díomá a spreag dán
gearánach ceistitheach ag Cláiríneach eile, Mícheál Ó Coimín:

> Cá bhfuil súd, an t-údar glic
> thug gealladh dhúinn ag cúig roimh luis,
> do bheith ag siúl go glúine i bhfuil,
>   i gcorpaibh Gallda tréanphoic?
>
> Bí ag teacht, bí ag teacht, a ghrá bháin,
>   bí ag teacht anois, más áil leat;
> seo an bhliain 'nar gheall tú triall,
>   nó fanamhain siar go lá an bhráth.

Is fada ag trácht an Spáinneach buí,
nó an Francach gránna teácht tar toinn,
meath gan spás ar ádh don dís,
    nach trua leo clann Mhiléisius.

Mo chumha, mo dhíth, mo chroíse an Gabha,
chughainn dá scinnfeadh tar toinn anall,
ní chaithfinn stríocadh fá dhlí na nGall,
    is ní mhaífinn bonn sa treas dóibh ... .[88]

Ach bhí an mheicníocht ar fáil chun déileáil leis an díomá. I bhformhór na gcóipeanna de dhán Aindréis a tháinig anuas chugainn, tá an chéad líne, mar a thug an t-údar féin é, i gcóip a cheaptar a scríobh sé féin (*Go cúig roimh luis dá dtugadh grásaibh Dé*, TCD H.2.5: 242), tá sin athraithe go *cúig tar luis* ... nó go *cúig iar luis* ...; is é sin le rá, an bhliain 1755.

'But what are a few centuries in the world of prophecy, which is a world of waiting?' (Bignami-Odier 1980: 271). Chothaigh cinnteacht na tairngreachta – agus soghlacthacht an ráiteachais – idir dhóchas is fhoighne. Dob fhéidir an lá a chur siar is a athrú gan bhaint d'éifeacht na tairngreaachta, dob fhéidir glacadh leis an teip, leis an díomua, leis an mbriscadh; dob fhéidir feitheamh agus dob fhiú feitheamh, mar dá fhad an tréimhse a bhí le dul, nó dá mhaille a bhí, bhí an tairngreacht cinnte le teacht isteach – lá éigin:

Is araid tá an Béarla is gan tapa insa nGaeilge,
    is balbh ár n-éigse ag gnáthchaí,
go dtaga lá éigin tar farraige Séamas,
    do bhainfeas a réim cheart de Sheán Buí ...

Is tuigthe cách ar scáil na réilteann,
nó ar an scamall d'fhás go hard ar Phoebus,
    nó ar an gcuaichín bhinn,
    bhí ag labhairt sa choill,
nó ar an lasair do bhí sna spéarthaibh:
gurbh atharrach rí bhí i ngaobhar dúinn,
d'fhuil cheannasaigh dhílis Shéamais,
    is ba mhithid an ní sin
    do thuitim chun críche,
is gur mhaith feitheamh le díol uair éigin.[89]

Bhí dhá mheicníocht eile ar fáil agus bhain filí na Gaeilge lánearraíocht astu. Ós rud é gurbh é an Stíobhartach an Tairngeartach anois, ó b'eisean an Cabharthach, is lena theachtsan, agus filleadh na huaisle dúchais, a fhíorfaí an tairngreacht; níorbh fhéidir a fhíoradh go dtí sin. Bhí coinníoll i gceist, mar sin, ach coinníoll an-úsáideach:

A dhronga tar lear le neart bhur gclaíomh do léim
go solasbhrog Airt gan cheart is Choinn is Néill,
dá mbloscadh an Treas tar ais arís i gcéim,
gidh gur soilbh bhur seal, budh searbh críoch bhur scéil (RIA 23 I 35: 121).

Dá gciúnaíodh an smúit dínn is dá dtagadh an réacs,
's cead siúil slí ag an chúin i mBreatain go léir,

rún croí mo mhúirnín 's a faicsint go saor,
is subhach-chroíoch bheadh dúthaí fám phaiteantsa féin ...[90]

Dá dtrialladh feasta an fear sin d'áirithe ...

Dá dtagadh an ní seo mar mheasaid daoine suas ...

Séamas feasta dá dtagadh 'na ríréimibh ...

Is deimhin dá dtigeadh tar uisce chughainn maithibh Éireann ...[91]

Geallaim díbh nach fada arís gur bhuartha an gháir
ag arm faobhair á gceapadh linn is fuadar lámhaigh,
is tapa cruinn do phreabfaimís, 's is buacach ard,
dá mbeadh mac an rí ag Caitlín Ní Uallacháin ...

Muna dtrialla Mac dil flatha an ardfhlaithis,
ag riar na mbeart 'nár measc i dtráth anois,
níl ciall a mheas go bhfaicfeam lá cothroim,
biam mar spreas go teacht don bhráth chugainn ... .[92]

Bhí, mar is léir, an dara coinníoll i gceist. Is le toil Dé a thabharfaí an
tairngreacht isteach; ba ghá is ba riachtanach A chabhairsean freisin;
murach í, ní bheadh slánú ar fáil:

Dá mbeadh Dia le hiathaibh Fáil, dar ndóigh ... (DMC: 14)

Chughainn Críost dá n-iompaíodh na fearachoin tréan ...

Dá gcasadh Íosa Críost le tréin-neart sló ...

Ní sparainn ná scléip ná féachain seanúdar,
ná gasra laochmhar éadrom cleaslúfar,
do scaipfeas a hÉirinn Fhéilim allúraigh,
acht fearta Mhic Dé 'gus é dá gcartmhúchadh.[93]

Ní hionadh, mar sin, an ghuí is an achainí a bheith chomh tréan sin san
aisling féin agus san fhilíocht pholaitiúil trí chéile; guí is achainí ar
Dhia, ar Mhuire is ar na naoimh an tairngreacht a thabhairt isteach:

Aitchim Íosa cheannaigh sinn is fuair páis is péin,
    go dtaga an ní 'na cheart chum críche i dtráth gan baol,
lena bhfaiceam díbirt, scaipeadh is sceimhle 's ár le faobhar
    ar aicme an fhill tar n-ais arís, sin dát mo scéil ...

Aitchim go héagnach ar Athair na naomh ngeal,
    go scaipfidh an daorscamall plá dínn,
do fearadh ar Ghaelaibh 's go bhfaiceamna Éire
    ag atharrach céile tar Sheán Buí ...

Guidheam go léir Mac Dé is a bhanaltra
    an siollaire séimh, 'bé hé ná habraim,
gan mhiolam, gan bhéim do léigean eadrainn,
    gan bhaol, gan bhascadh, gan bhearna ... .[94]

Ach pé acu guí nó dearfacht a bhí i gceist, pé acu achainí nó
tairngreacht, is é an toradh céanna a bhí le bheith orthu, an staid
mhíleannach chéanna a bhí le teacht isteach; bhí an tairngreacht le
fíoradh cinnte, ach is le toil Dé é:

Casfaidh mac Shéamais le feartaibh an Aoinmhic ...

De dheoin an Aoinmhic tiocfa ar ais
go treorach tréanmhar tuilte neart ...

Do tharangair éigse is draoithe,
is dearbh an scéal mar chítear,
    go bhfuil fearta Mhic Dé
    dá gcartadh go faon,
's ag treascairt na bhfaolchon sínte ...

Le sámhthoil Dé fuair páis is péin
tá an báire ag téacht 'na gcoinne ar buile ...

Ní harmáil mhór ná teora hallaí
do chonnairc mo stórsa ar an gcóip so charaíos,
acht fearta na gcomhacht dá seoladh i leataoibh,
's an bhanaltra chóir bheir lón don phaidrín.[95]

Toisc gur ar fhoinsí liteartha na haislinge, nó ar a bunús
miotaseolaíoch, nó ar a téamaí comhlántacha is mó a dhírigh tráchtairí
go dtí seo, is beag aird atá tugtha ar fheidhm na haislinge, ar a lárnaí
san fheidhm sin atá ráiteachas na tairngreachta, ná ar a radacaí atá an
ráiteachas sin – fiú sna haislingí is ealaíonta dár chum Eoghan Rua féin.
Is ait an dán atá bronnta ag an stair ar Eoghan Rua is ar a shaothar. Tá
sé fós mar a chruthaigh is a d'fhág Ó Corcora é : ina réice leisciúil
mífhreagarthach, ina spailpín aerach, ina 'playboy, a Mercutio, albeit a
rustic one' a chum 'wistful and decorative aisling poems' (Corkery
1925: 144, 200). Is í an phríomhfhoinse a bhí ag Ó Corcora, agus
carachtar Eoghain Rua á chruthú aige, an béaloideas a bhailigh an
Duinníneach i dtaobh an fhile ag deireadh na haoise seo caite; ní nach
iontach, aircitíp a nochtar san ábhar sin, aircitíp, ní miste a mheabhrú,
nach bhfaightear aon réaladh uirthi ina chuid filíochta. Toisc gur
bhraith Ó Corcora go raibh de dhualgas airsean filíocht is filí an ochtú
haois déag a chosaint agus gur ghá dó a mhíniú de shíor conas gur
tháinig filíocht chomh ceolmhar, chomh healaíonta sin chun cinn i dtúr
agus i bpobal ainnis, is minic a théann an chosaint amú air; ní hannamh
gur cosaint iomrallach a iompaíonn amach ina leithscéal a bhíonn i
gceist. Is ar áilleacht na bhfocal is an cheoil a dhírigh sé ag trácht dó ar
an aisling, ag tabhairt le fios, nach raibh i gceist ach friotal, friotal ar
áilleacht an domhain:

> It is far otherwise with *aisling* poems. They do not move us; they dazzle us
> ... They are, indeed, poets' poetry ... They are 'words, words, words' ... The
> *aisling* is lyric poetry at its most lyrical. It is decoration ... The words live in
> their sounds, not in their sense; it is the subtle, irresistible witchcraft of
> their music, and not what they say, that steals away the listeners' brains ...
>   (Corkery 1925: 133–4, 136, 138).

Is cinnte, agus is léir, go bhfuil 'subtle, irresistible witchcraft' i
bhfriotal na haislinge; éagóir, dar liom, ar an bhfriotal sin agus ar lucht
a chumtha, is ea é a thabhairt le fios nach raibh ach focail gan bhrí i

gceist. Dá mhealltaí fhileata liriciúla iad aislingí Eoghain Rua, tá
ráiteachas soiléir glinn á iompar acu. Scéala ardmheanmnach fós ag
teacht ó chogaíocht na hEorpa is Mheiriceá:

Atá Arnold laoch nár stán i mbaol
ag fáil an lae ar an bhfoirinn uile ....

Tá scéalta maithe nua ag rith i gcóigíbh na Banba
    go bhfuil gach aon san Eoraip 's a bhfórsaí go tréan,
ag tabhairt iarrachtaí fé Sheoirse 's a sheoltaí amuigh ar farraige,
    dá mhéid a neart 's a dhóchas, dá shlóitíbh is baol ...

Atá Hanover séite le tréimhse in anacra
    's na meirligh mallaithe dá dtraochadh ar feo;
atá Holond gan géilleadh go fraochmhar feargach,
    's is taomach treathanlag atá Lisbon ...[96]

ruaigeadh is sceimhle ar Ghallaibh fós á fhógairt ag ráiteachas na
tairngreachta:

Ní bladar ná bréag mo scéal mar tharangair
    éigse dréacht na bearta so romhainn,
gan mhoill beidh deighilt re saidhbhreas seasamhach
    milleadh 'gus dalladh
ar gach béar nár ghéill do bheartaibh na hÓighe ...

Beidh gearradh cloímh is scaipeadh truip is tréantreascairt námhad,
ar gach ailp acu do chleachtadh puins is féasta san pháis,
    dob aite sult na reamharphoc
    ag rith 's ag crith le heagla
ná an reacaireacht so cheapadar ar féarleagadh ar phá ....

Adúirt an spéirbhean chailce:
'tá an trúp tar toinn ag taisteal,
go líonmhar buíonmhar neartmhar,
    chum coimheascair is gleo;
's is gearr an mhoill go mbeidh scaipeadh
ar shliocht Lúitir chlaoin is Chailbhin,
i bhfearann cloímh dá dtreascairt,
is na Laoisigh i gcoróin' ...[97]

agus athshealbhú a n-atharga á thuar do Ghaelaibh:

I mainistir naomh beidh céir ar lasadh againn,
    is Eaglais Dé go salmach fós,
ag canadh Te Deum gan baol ná eagla,
    cé do bhéir gur searbh an sceol ...

Beidh an tréad so threascair dubhach sinn,
    gan lionntaí, gan fíonta ar bord;
is Gaeil go seascair subhach síoch,
    'na ndúthaí go séanmhar sóil ...

Cloífear, creimfear, díoscfar tréad
    an fhill 's an Bhéarla in iomaidh siosma,
is chífear Gaeil 'na n-ionad suite
    i saordhlí só ...

Is carthanach caomhghlan caomhnach ceannasach
    beidh Séarlas calma fá réim gan ceo,
is clanna Mhiléisius féastach flaitheamhail,
    go séanmhar seasamhach gan géilleadh 'n chóip ...

Go mbeidh aicme na nGael san réim is airde,
    'na bhfearannaibh saora ag déanamh cíosa,
is Carolus glégeal réacs mo Stíobhard
    ag téacht arís faoi Cháisc i gcoróin ... .[98]

Is fada ó 'words, words, words' Uí Chorcora nó ó 'banal word of hope'
an Bhreatnaigh na seintimintí sin, dar liom. Tá, gan amhras, na sleachta
sin tógtha as a gcomhthéacs agam ar mhaithe le soiléire a bhfriotail is a
dteachtaireachta a mheabhrú; ach nuair a shuítear ina gcomhthéacs
féin ar ais iad, is slán fós don bhrí agus don teachtaireacht, muran
éifeachtaí fós iad. Cé go raibh an Duinníneach tugtha don adhmholadh
is don bhladhmann, agus filí Chiarraí á meas aige, tuigtear dom nach
fada ón gceart a bhí sé sa bhreithiúnas a thug sé ar Eoghan Rua:
'Though his language is luxuriant and not without a certain majestic
stateliness, though it dances to the music of a swinging and noble air, he
never forgets the picture that shines through his wealth of words'
(Dinneen 1929: 24). Ag tagairt do dhán áirithe amháin de chuid an
fhile a bhí sé, ach seasann an ráiteas sin freisin dá shaothar trí chéile is
go háirithe dá chuid aislingí. Dá fhocalaí iad nó dá cheolmhaire, níl aon
cheann acu ar easpa fócais ná stiúrach; ní bháitear choíche íomhá
shoilseach na mná ná ní mhúchtar a glór mar is chuige an ceol is an
friotal mealltach chun comhthéacs cuí a chruthú don íomhá spéiriúil is
dá ráiteachas fáistineach. Aonad orgánach ealaíonta is ea gach aisling
dá chuid, ceol na bhfocal is rithim na meadarachta á dtáthú le chéile go
máistriúil neamhdheifreach, na heilimintí difriúla ag teacht le chéile go
comhlántach, iad á dtógaint de réir a chéile go friochnamhach fíneálta
– an tionscaint dhraíochtúil, an tuarascáil bharócach, an t-agallamh
oideachasúil, an t-ainmniú rúnscaoilteach, go mbaintear an bhuaic
amach sa tairngreacht:

Im aonar seal ag siúl bhíos
    i dtúis oíche i ngaortha ceoidh,
lem thaobh gur dhearcas fionnríon
    om ionsaí go séimh ar seol,
a céibhe ar fad 'na mbúclaíbh
    ag tabhairt síos ar scéimh an óir
go craobhach casta ciumhaisbhuí
    'na bhfonsaíbh go béal a bróg.

Ba mhaorga maiseach múinte í,
    ba chiúin í 's ba shéimh a cló,
ba chaomh a dreach, 's a súil ghrinn
    mar dhrúcht ghlinn ag déanamh spóirt;
a déid mar chailc 'na dlúthchír
    gan smúit bhí go néata i gcló,

's a haolchorp seascair subhach síoch
    nár dlúthaíodh le céile fós.

Táid caora 's sneachta ar lúth shíor
    'na gnúis mhín ba mhaorga mhóil,
's a héadan leathan úr, maím,
    gan smúit puinn go séadmhar sóch;
ba chaol a mala dhlúthchaoin,
    a leabhairphíp mar ghéis ar seol,
's a béilín blasta búch binn
    go cionnsaí nár thaobhaigh móid.

'A spéirbhean chneasta chiúin chaoin,
    cár stiúraíodh im ghaobhar do shord?
an léir a mheas gurb iontaoibh
    dom t'ionsaí-se i gcéin im chló?
an tú an bhé tug searc is rún croí
    do Chnú groí ba shéimh i gcló
's a chéile ceart gur fhúig sí
    go dúchroíoch le géill don spórt?'

'An tú Deirdre mhaiseach bhúch bhinn
    do crúthaíodh de phréimh na leon,
lenar traochadh flaith is fionnrí
    le dlúthchroíocht in éigin ghleo;
nó an bhé lér cailleadh Cú Raoi
    gan iontaoibh i ndéana an phóirt,
nó an spéirbhean chneasta dhúblaíodh
    'na smúit ghrinn ar Éirinn ceo?'

Is béasach blasta búch binn
    adúirt sí go séimh ar fód:
'ní haon ded mheas, a rúin, sinn,
    diúltaím go héag don tsord;
is bé mé ag taisteal dúthaí
    go dúchroíoch i ndéidh mo leoin
's mo chréachta ar leathadh ag búraíbh –
    om shú bhíd 'na slaoda om dheol.'

'Tá Séarlas mear 's a thrúip ghroí
    dár n-ionsaí go héasca ar seol,
do réifidh seal mo chúrsaí
    ag búraíbh le faobhar gleo;
beidh séideadh ceart is brú fíor
    ar bhrúdaíbh dá dtraochadh ar feo,
's ní léan liom lag gan lúth puinn
    gach trú dhíobh nár ghéill don Ord.'

'Beidh cléir na gceacht gan phúicín
    ag úrmhaíomh an Aonmhic chóir,
is éigse cheart á dtabhairt síos
    i ngach fionnlaoi go néata i gcló;
beidh an tréad so threascair dubhach sinn
    gan lionntaí, gan féasta ar bord,
is Gaeil go seascair subhach síoch
    'na ndúthaí go séanmhar sóil' (ER: 7).

Nuair a thairngir an spéirbhean in 'Im Aonar Seal' go mbeadh

> Gaeil go seascair subhach síoch
> 'na ndúthaí go séanmhar sóil

bhí friotal oiriúnach á chur aici ar an mian míleannach, bhí an staid idileach a thiocfadh isteach ar theacht an Stíobhartaigh á leagan amach aici, ní go mioninste ná go mionchúiseach, ach go ginearálta, mar is gnách sa mhód míleannach:

> That the Kingdom will come in connection with Simon Kimangu's and Simon André's return, however, all are agreed. As to what form the establishment of the Kingdom will take, on the other hand, there is great uncertainty ... (Anderson 1958: 200).

> This apocalyptic fusion was moreover greatly facilitated by the relatively undefined character of the messianic aftermath ... what would come after ... and just what would follow the victory ... other than some state of bliss is rarely, if ever, speculated upon. The emphasis, in short, falls upon the nature of the *technique* in the establishment of the golden age, not upon the nature of the golden age itself ... There is no clear concept of the goal of messianic ideals. The 'golden age' will see the end of disorder, but there is no indication of the exact social structure of the millennium ...
> (Van der Kroef 1959: 315-6, 322).

'State of bliss' atá á shamhlú san aisling freisin, an ainnise láithreach á cur ar ceal, ré órga nua á tabhairt isteach:

> Beidh Gaeil arís i réim go síoch ...

> Is gairid feasta an mhoill go mbeidh gach ní ar a dtoil féin ...

> 's a ndíleas féin go críoch an tsaoil
> gan mhoill ag Gaelaibh Fálghoirt ...

> Go mbeidh aicme na nGael san réim is airde ...

> Gur ceannasach bheidh araidshliocht na nGael 'na suí ...

> Go mbeidh Gaeil fé cheannas ag seasamh an téarma ...

> Gaeil ag tarraingt fá ghradam dá ndúin arís ... .[99]

Ach cé nach bhfaightear aon mhiondeiliníú ar conas a bheadh an saol ag Gaelaibh ar fhíoradh na fáistine – níl aon phleanáil fhadtéarmach eacnamaíoch i gceist – fós tá athruithe móra bunúsacha á dtuar, athruithe a thug idir shásamh is dóchas, idir mhisneach is ardú meanman do na fíréin. Saol níos sona, níos sásúla, níos ordaithe ná an saol ainniseach anacrach anásta a bhí timpeall orthu; an saol faoi mar a bhí an tan a mhaireadar Gaeil in Éirinn beo:

> Maítear i laoistarthaibh dán le héigs
> gur inseadar draoithe 's fáidhe dréacht
> go bhfillfeadh ár Stíobhart go háitreabh Chéin,
> d'fhíorscaipeadh na daoirse de rás na nGael ...

> Beidh an Maor dá ghairm i gceannas trí ríochta
> ag an gCraoibhín aoibhinn álainn óg,

beidh Gaoil gan mhairg i mbailtibh a sinsear,
    gan chíos, íoc, daoirse, cáin ná tóir;
beidh saoithe is sagairt go seascair gan stríocadh,
    go caoin ag cantain a sailm re haoibhneas,
tír is talamh go beannaithe bríomhar
    i bpríomhríocht aoibhinn álainn Eoghain ...

Beimídne go fíontach 's go fáilteach saor,
's ár muintir go haoibhinn, gan cháin sa tsaol;
beidh Gaoil bhocht go hintinneach, lán de scléip,
's an scaoinse clamh díbeartha ó Ghráinne Mhaol ... .[100]

Beimídne ... 's ár muintir. Ó lár an tseachtú haois déag amach bhí an guth iolrach cuimsitheach sin á shaothrú ag an aos léinn, san fhilíocht aitheantúil agus sa véarsaíocht dhí-ainm araon; guth lárnach is ea é i bhfilíocht pholaitiúil an ochtú haois déag, guth a dheimhnigh is a léirigh gur do na fíréin amháin a bhí an slánú a bhí á thuar san aisling i ndán: do Ghaeil bhochta, do mhuintir úd an daorbhroid, don dream ainniseach a bhí ag treabhadh is ag grafadh do 'Cailbhinists' go dtí seo, nach raibh beathuisce ná fíon ar bord acu, nár chónaigh in aolbhrogaibh. Ach bhí an éagóir fhollasach sin le ceartú anois, bhí an saol le cur ina cheart arís – do 'mo chlann', mar a dúirt Éire féin:

Is caoin 's is caomh an friotal
do chan an tsíbhean mhiochair,
'ní haon me is fíor dá dtigir,
    acht Éire gan ghó,
atá gan géill, gan urraim,
i ndéidh na laoch tá tuirseach,
ba bhrónach déarcach imigh,
    is ba ghníomhach i ngleo;
acht go bhfuil mo shúil go dtiocfaidh
chugainn tar tréanmhuir foireann
do dhíbreoidh gan fuireach
    na meirligh tar toinn;
is go mbeidh mo chlann gan tuirse,
atá anois fá easpa,
go séanmhar sámh is go sultmhar
    go lá deiridh an tsaoil.'[101]

De réir an dioscúrsa atá á chur chun cinn san aisling, b'aon phobal dlúth amháin an chlann sin, bhí díshealbhú déanta orthu trí chéile, faoi bhráca na daoirse a bhíodar uile, ansmacht na nGallaphoc ag luí go trom ar an uile dhuine acu – 'ler greadadh go haeibh gach n-aon againn/ón aoire go n-uige an Prionsa' mar a dúirt Ó Ríordáin.[102] Níor dheacair an chontrárthacht chuí a dhéanamh idir ainnise, easpa is anacracht na haicme sin agus só, saibhreas is sáile na haicme eile a bhí sa tír. A dteanga, a reiligiún, a nginealach uiríseal a ghearr an Gallsmacht amach ón bpobal dúchais ach is iad a ngníomhartha barbartha brúidiúla a mhúnlaigh an leicseacan maslach ainmhíoch a léirigh iad:

gadhair Bhristo ... madraí Sacsan ... faolchoin an éithigh 's an fhill duibh
... clann Shátain ... cuimreasc bhaoth so an Bhéarla ... cuaine an Bhéarla
dhuibh ... na béir chuir Bíobla Chríost as cóir ... ciarsproit Chailbhin
choimhthigh ... buíon an uabhair ... aicme na ndiabhal n-iasachta ...
dream an oilc ... foireann Liútair ... fanatics ... na Seoin ... na bathlaigh ...
daoscar Cailbhinists ... gach duine de chomplacht choirpe Lúitir ...
claonsproit an éithigh ... an társprot coimhtheach meabhail ... gach
smeirle mórchoirp Sasanaigh ... aicme an fhill ... gach béar de chomplacht
na n-amhas de phréamhstoc Londain ... faolchoin ... Gallaphoic ...
béaraibh an ghnáthfhill ... sliocht Lúitir chlaoin is Chailbhin ... gach
allmharach coimhtheach ... bodaigh an fhill ... faolchoin foirnirt ...
athacha tuatha an Bhéarla ... fiarshliocht meirleach ... brúidigh an Bhéarla
... sliocht Mhártain mhallaithe.[103]

Bhíodar sin uile le díbirt anois, Seoirse is a bhastúin le cur thar caladh,
claonsproit an éithigh le cur in ainm an diabhail, a raibh acu de mhaoin
an tsaoil le baint díobh, treascairt bhuan ag dul orthu féin is ar a sliocht,
imeacht gan teacht arís a ndán:

> Gan amhras beidh reamharchloig ar Sheoirse,
>   agus amhgar dá chocadh is dá chloí;
> beidh Francaigh i gcampa chum comhraic
>   agus caithfidh gach crónphoc leo íoc;
> caithfear i gcarcar gearrbhodaigh,
>   fágfar gan cháin iad, gan chíos;
> 's an sagart i gceannas go cráifeach
>   ag canadh gach tráth mar do bhíodh. ...

> Beidh clanna na nGael – is Gallaibh go faon
> dá leagadh, dá dtreascairt, is dá gcaismirt le faobhar;
>   beidh aoibhneas is ceol againn,
>   fíonta dá n-ól againn,
> 's an rí ceart 'na choróin, agus Seoirse gan tréad ...

> Seoirse ar lear dá ruagadh,
> is an chóip do bhíodh go buacach,
> gan ór, gan bailte ar buan dóibh 's ní trua liom a mbrón ...

> Beidh dlí na Róimhe i ngnás go mór,
> beidh díocht is oird go brách gan smól,
> is mín bheidh Seoirse tláth ar ród,
> gan fíon, gan feoil, gan snáithe bróg ...

> Níl fanatic cíordhubh is ganncháil,
> cé ceannasach suíonn sin ag ceann cláir,
>   ná smalaire an chroí bhoicht,
>   is ceacharga i gcuibhreann
> ná caithfeam san aoileach dá bpleangcáil ...

> Beidh míle husá i gclár na Banban,
> beidh cíoradh is carnadh is tnáthadh ar fanatics,
> beidh sagairt is bráithre ag rá na salma,
> is Galla fá sháil an bhráca ag Carolus -
>   is ólam feasta a shláinte!

Rithfid na Danair ar mire i ngealtaibh
as ionad na bhflatha dob uaisle,
ar fhilleadh na seabhac ar buile chum catha,
's ní singil mo ghairm an uair sin.[104]

Bhí na Gaeil le hathréimiú, ceannas le bheith arís acu ina dtír
dhúchais féin, ach ní filleadh ar an seansaol a bhí i gceist ach an sean faoi
riocht an nua. Bhí an rí ceart le filleadh is an uaisle dhúchais ina
theannta, bhí athbhunú i ndán don chléir is don éigse, bheadh an
Ghaeilge i réim arís, faoi mar a bhí anallód; ach ina dteanntasan uile bhí
athruithe á dtuar anois nach raibh aon trácht orthu go dtí seo, athruithe
a chriogfadh an *status quo*, athruithe a chuirfeadh an t-ordú sóisialta bun
os cionn:

Na faolchoin ghéara an fhill 's an éithigh
        bhíos go séadach sáthach,
fíontach féastach rinceach léimneach
        buíonmhar éideach plátach;
beidh sceimhle lae 'gus díoltas Dé orthu
        arís go léir tar sáile,
's a ndíleas féin go críoch an tsaoil
        gan mhoill ag Gaelaibh Fálghoirt ...

Go mbeidh Gaeil fé cheannas ag seasamh an téarma
        ar bhínsí ag suí gan tábhacht 'na ngeoin ...
is daorscar Chailbhin in easpa gan faoiseamh,
        ar dhíth bídh cloíte tláth faoi bhrón ...

An aicme seo an Bhéarla tá i gceannas na hÉireann,
        do cheangail ár gcléir bhocht faoi ardchíos,
beid feasta fá dhaorbhroid ag freastal do Ghaelaibh,
        's gan acfainn a saortha ag Seán Buí ...

Tiocfaidh an aicme, cé fada á shíormhaíomh sinn,
is cuirfid chum reatha lucht trascartha an fhírdhlí chirt;
caithfid sin grafadh nó seasamh i ndíg draoibe –
sinne 'na mbailtibh is an ghramaisc fá chruinndaoirse ... .[105]

'The balm of melody for wounded souls' a thug an Duinníneach ar an
aisling (Dinneen 1929: 25); is cinnte gur furasta tuiscint don tuairim sin
ar a shólásaí shásaithí shuáilcí atá a seintimintí sóisialta: an dream a bhí
thuas go dtí seo á leagan, an dream a bhí thíos ag teacht aníos ina n-
ionadsan. Ní in Éirinn is túisce ná is bríomhaire a nochtadh seintimintí
mar iad; nóisean cianársa uilí é:

Fágann an Tiarna duine saibhir, duine eile daibhir.
Leagann sé ar lár agus ardaíonn in airde.

Tógann sé an bocht as an luaithreach;
Ardaíonn sé na gátaraigh ón gcarn aoiligh,
Á gcur ina suí le flatha
Agus ag bronnadh cathaoir onóra orthu (Sam. 2:7-8).

Leag sé prionsaí óna gcathaoireacha,
agus d'ardaigh sé daoine ísle;

Líon sé lucht an ocrais le nithe maithe,
agus chuir sé na saibhre uaidh folamh (Lúcás 1.52-3).

Nóisean é a chothaigh is a spreag an iliomad reibiliún, ceannairc is
gluaiseacht mhíleannach leis na cianta,[106] ach nóisean nach ndéantar aon
réaladh liteartha air sa Ghaeilge go dtí filíocht pholaitiúil an ochtú haois
déag, san aisling go háirithe. Ach is nóisean é a fhaightear coiteann go
leor sna teistíochtaí a tógadh síos d'éis éirí amach na bliana 1641. De réir
na fianaise sin bhí seintimintí ceannairceacha radacacha á spalpadh ag na
reibiliúnaithe – ag an daoscar go háirithe – an aimsir sin; an saol le cur
bunoscionn, Gaeil a bheith i gceannas ar Ghaill, iadsan ina sclábhaithe
anois, ag fónamh do Ghaelaibh; iad gan talamh, gan mhaoin:

> George Cooke ... deposeth, that one Tirlogh O Gowne, alias Smith, a
> Popish priest, said that the Papists would have their churches, lands and
> the Kingdom to themselves from the English, and be no more slaves to the
> English, as they had been ... (*An abstract* ... 1642: 1).

> 'I will promise you', quoth he, 'the English shall eat no more fat beef in
> this kingdom' ... (Hickson 1884 ii: 137).

> One Hugh O'Ratty (late servant to Henry Manning Esqre) uttering these
> words, viz., 'Wee have been your slaves all this tyme, nowe you shal be ours
> ... (TCD 835: 95).

> And they had a proverb among them in everyman's mouth: 'the horse had
> been a long time on the top of the ryder, but that now, God be thanked,
> the ryder had gotten on the top of the horse agaiyne' (TCD 834: 184b).

> That the rebel, Richard Farrell ... and many more of the rebels, publicly
> said: that the English and the Scotch had gotten all their lands and lived
> bravely and richly, and that they and the rest of the Irish were left poor
> gentlemen, and that they would therfore retake their land again from
> them and their goods ... (Hickson 1884 i:362).

Guth é sin nach dtagtar air sna foinsí ach go hannamh. Tagann sé
isteach sa staireagrafaíocht den chéad uair sa bhliain 1641 is imíonn as
arís chomh tapaidh céanna; faightear arís é, nó eilimintí áirithe de, sa
véarsaíocht dhí-ainm a cumadh ag deireadh an tseachtú haois déag:

> Nár fhagha mise bás 's nár fhága mé an saol seo,
> go bhfeice mé an bhuíon Shacsanach ag stealladh na déirce,
> bróga boga fliucha orthu mar bhíodh ar chlanna Gael bocht ...

> Achainím ar Mhuire is ar Rí na féile
> go bhfeicead na Sacsanaigh ag stealladh na déirce,
> a rámhainne ar a nguaillibh ag tuilleamh pá lae leo
> is a mbróga lán d'uisce mar bhíos ar Ghael bocht ... (thuas lch 174)

ach ní thagtar arís air go dtí filíocht pholaitiúil an ochtú haois déag, go
háirithe san aisling:

> Cé fada treibh Ghaeil Ghlais faon fé tharcaisne
>   in easpa, gan réim, gan rachmas, gan só;
> ag treabhadh go tréith do dhaoscar Cailbhinists,
>   céim d'fhúig daoldubh daite mo shnó ...

is gach mangaire méith den tréad seo d'aistrigh
    fearta an tsoiscéil, le taitneamh don phóit,
gan fearann ná féasta, fé mar charadar,
    tréith fá léan ag grafadh 's ag rómhar ...

A fhir úd na pípe, dlúthaigh liom,
ós tusa do bhí im chúramsa,
    ná dearmaid maíomh
    le clanna na nGaol
    go bhfuil fearann a sinsear chuchu anois;
gach duine do bhí acu múchta i mbroid
do chaitheadh bheith síos i sconsa fliuch,
    caithfid sin díobh,
    an donas gan mhoill,
    's beidh atharrach dlí le cúinse acu ... .[107]

Eilimint lárnach sa mhíleannachas trí chéile is ea an malartú rólanna sin. Tá an-sólás le fáil ann ag an mbocht, an daibhir, an t-uireasach, an lag, an sclábhaí – nó ag dream a dtuigtear dóibh gur mar sin atá acu; cúiteamh is ea é as a bhfuil, dar leo, in easnamh orthu, pé acu maoin shaolta, seasamh sóisialta nó cearta polaitíochta é; cothaíonn sé féinmhuinín, cinnteacht mhorálta is ceartaiseacht; dlúthaíonn sé daoine le chéile mar aon phobal comhtháite amháin agus cuireann íomhá chumhachtach den saol athnuaite atá i ndán dóibh os a gcomhair. Sásaíonn sé mianta an tslua is an duine aonair in éineacht:

Is in aolbhrog sheascair beidh agatsa lastlong d'fhíon ...

Cuirfid na Gaeil 'na n-ionadaibh féin,
sin mise lem ré 's an éigse suas ...

Is go críoch ár mbeatha gan easpa ar mo shórtsa ...

Tar taoide dá dtíodh sé, ba bhreá do ghéim ...

Tá bhur bpaitean le fáil gan dearmad ...

Is subhach-chroíoch bheadh dúthaí fám phaiteantsa féin ...

Tiocfaidh an seabhac suilt Carolus caoin Stíobhart,
dá dtugas-sa taitneamh i gceannas na dtrí ríochta,
cuirfidh sé scaipeadh ar an namhaid is fírdhíbirt,
is gach nduine dá charaid i ngradam gan puinn daoirse ... .[108]

Shealbhaigh Séarlas Óg, gan bhriseadh, gan mhaolú, an nís stairiúil chéanna a shealbhaigh a athair is a sheanathair roimhe: b'é an rí ceart é, dar le haos léinn na Gaeilge. Shealbhaigh sé chomh maith, i súile an aosa léinn, an brat laochúil meisiasach a chaith an Cabharthach dúchais riamh agus is dá réirsean a d'fheidhmigh sé:

In this myth the hero ... returns to his birth-place, overcomes his persecutor, and deprives him of his kingdom (O'Rahilly 1940: 106).

It belongs to a type which might be called 'The Birth of the Child of Destiny', and the common purpose of this type of tale is to describe how evil political and social conditions were, in the past, brought to an end by the birth of a prophesied hero (Carney 1959: 154).

Agus má b'eol don aos léinn gur phótaire nó radaire é, ní mar sin a léiríodar é; b'é Caesar, Mars, Ascanius i gcónaí é – faoi mar a d'éiligh a ról is a fheidhm. 'Sé mo laoch mo ghille mear' a dúirt Seán Clárach agus is mar laoch – laoch aircitípeach a fáisceadh as an mhaitrís dhúchais chultúrtha – agus ní mar phearsa indibhidiúil stairiúil a d'fheidhmigh sé. Ní feiniméan Éireannach amháin é sin:

> Few saw only Charles Stuart, the tall, dark-skinned, thirty-year old monarch ... Instead Charles is Moses or David or Neptune or Monarchy itself ... Almost all observers took this 'noumenal' stance, where all phenomena are understood as transparent to some spiritual or historical analogue ... Contemporary poets and prose-writers exhibit great imaginative dexterity in accommodating favourable noumenalism to unfavourable fact ... (Reedy 1972: 20-1).

An ról a bhí leagtha amach do Shéarlas Óg – a dhán de réir ráiteachas na tairngreachta – ba ról é nach raibh spleách ar a charachtar ná ar a thréithe, faoi mar nár bhraith ról Bhall Dearg ar a charachtarsan; ról a bhí curtha in oiriúint do dhálaí an ochtú haois déag anois:

> Is é deir bodach le bodach go rómhaíteach,
> is é 's an bodach go seascair ag ól phíopa:
> 'beidh Gaeil gan ghradam, ní chasfaidh an chóir choíche,
> tá an réim ag Gallaibh, 's is fearra ná ag pór Mhíle.
>
> Tá Séamas Breatan in eaglais mhór Íosa,
> is Éadbhard fairis 'na shagart san Róimh, insid,
> Séarlas airgthe a Sacsaibh gan dóigh fillte,
> is dá réir, sin Banba i nglasaibh gan cóir saoirse'.
>
> 'Éist ded ghlagaireacht feasta is ded ghleo caointe -
> tá scéal is fearra ná th'aiste i mbeol daoine:
> scéal ar leastair is ar mhartaibh i dtreo a ndíola,
> is scéal ar thalamh á ghlacadh i gcomhair smísteach'....
>
> Ag teacht na Féil' Pádraig gheobhair lánchuid den bhfíon,
> is beidh cupán Uí Eadhra ar an gclár so go binn,
> tá Séarlas 'na shláinte is na táinte dá bhuín,
> is a mbratacha in airde le háthas ag tíocht.
>
> Gibé chífeadh an lá san ar chlár leathan Bhriain,
> scrios agus fán agus ár ar na diabhail,
> iad ag imeacht tar sáile gan cháise, gan scian,
> is Te Deum ag na bráithre le háthas 'na ndiaidh.
>
> Tiocfaidh nuncius tar sáile ó phápa na Róimhe,
> ní bheidh acht ann go brách chun na bráithre a ghóil,
> ní bheidh Sasanach láidir ó Árainn go Bóinn,
> agus gheobha tusa an lá san ó Pharcar do bhó.[109]

Aghaidh mar Janus a chaitheann an míleannachas i gcónaí, mar nach mór dó féachaint siar is ar aghaidh in éineacht. Thiar a bhí an t-aon mhúnla den saol idileach a bhí ar eolas ag daoine go dtí seo; rompu amach a bhí ráiteachas na tairngreachta le fíoradh. Ní hamháin go gcuimsíonn an míleannachas idir stair is fháistine, ach cuimsíonn chomh maith dhá thuiscint dhifriúla den am: tuiscint líneach – am ag gluaiseacht i dtreo críche cinnte – agus tuiscint athfhillteach – an patrún céanna á nochtadh féin arís is arís; Cabharthach ag teacht is ag imeacht, Stíobhartach ag teacht is ag imeacht ach fós an tairngreacht le teacht isteach. 'A rainbow of promise ... an ever-radiant optimism' a dúirt Fromm (1946 iv: 1173) a bhíonn mar thoradh ar an tairngreacht; 'the messianic message is essentially a statement of hope' a deir Barber (1941: 663); sholáthair an míleannachas riamh, a áitíonn Bloch 'the main structure of meaning through which contemporary events were linked to an exalted view of an ideal world'; an patrún sin, dar leis, a chothaigh ideolaíocht na réabhlóide i Meiriceá (Bloch 1985: xiii). Do dhaoine nach raibh páirteach sa saol oifigiúil polaitiúil, nach raibh parlaimint ná feisirí parlaiminte acu, a raibh ceart vótála is cearta eile ceilte orthu, is beag rogha a bhí acu seachas reibiliún. Chuir an reitric Sheacaibíteach – an aisling go háirithe – meán cultúrtha ar fáil chun déileáil leis an saol – mar a bhí – tríd an saol – mar a bheidh – a shamhlú. Dob fhéidir, san fhilíocht, an coinbhliocht idir Gael is Gall a réiteach; dob fhéidir an t-éigeart a chur ina cheart, an éagóir a chur ina cóir; an uaisle a thabhairt ar ais, an t-aifreann a chur á rá go poiblí, an rí ceart a chur sa choróin, Tadhg is a gharlaigh a chur i gcóiste, fiú – gan buille a bhualadh. Ach bhí, feadh na huaire, polaitiú á dhéanamh ar Chaitlicigh na hÉireann, oideachas polaitiúil á chur orthu; leicseacan polaitiúil, dá shimplí é (ceart/neart, saoirse/daoirse, rí/anlaith) á mhúineadh dóibh; fócasú an-éifeachtach á dhéanamh ar chás an chine Ghaelaigh: a stair ghlórmhar, a staid ainnis láithreach, a ndán caithréimeach; bhí díthógáil á déanamh ar údarás an heigeamanaí cheannasaigh agus heigeamanaí dá mhalairtsean á thógáil ina áit. Dioscúrsa polaitiúil é a chuir guth freasúrach ar fáil – i réimeanna difriúla teanga – agus a bhain úsáid as an ordú sóisialta traidisiúnta mar mheafar den saol ceart, an saol mar a bhí roimh ainscrios na nGallaphoc. An saol mar a bhí – an tan a mhaireadar Gaeil in Éirinn beo – á bhunú arís, i riocht nua; an sean ar ais arís ach é athnuaite is athchruthaithe, an nua á chur i láthair i bhfoirm an tsean:

> Beidh gairm ag Gaelaibh go fairsing 'na dhéidh sin
>   is Gallaibh á dtraochadh mar táthaoi,
> beidh preabaire Gaelach 'na scafaire Méara
>   san gcathraigh seo féin 's ní cás linn;
> beidh aifreann naofa i gcealla na hÉireann
>   's beidh cantain ag éigsibh go hardbhinn,
> 's ar mh'fhallaing go mbéadsa 's céad ainnir mar aon liom,
>   ag magadh gan traochadh fé Sheán Buí. ...
>
> Tiocfa chugaibh tar sáile an ráib geal 's a chuallacht
> i mbun a chríoch le cúram cirt ag cosnamh díbh go deo;

beidh Gaeil arís i réim go síoch, a dtréad 's a maoin 'na mbailte cóir,
cléir cheart Chríost le spré an spioraid naoimh go séimh sa tír ag teagasc
dóibh ...

beidh Tadhg gan ghruaim ar bhínse thuas 'na ghiúistís mhórga mhaiseach
thréan,
beidh Wilkes is Jones is Speed is Owens, Reed is Groves is Grant is Lane,
fé haistí daora daingeana in anaithe 's i ndaorbhroid ....

Is tiocfaidh ár leanbhna abhaile um Fhéil Bríde,
      's is minic mé ag guí dár mbuín bheith beo;
's do bheirim cead reatha do Ghallaibh go dtí sin,
      's dar Muiris nár thíd i dtír go deo;
níl aon agaibhse tá as ionad bhur sinsear
ná tabharfa súd margadh ar thalamh gan cíos díbh,
beidh rince fada ag an eaglais timpeall
      leis an gCraoibhín aoibhinn álainn óg.[110]

Is léir go raibh ceist na talún – a húinéireacht láithreach, a
hathshealbhú fháistineach – ar cheann de phríomhthéamaí na
filíochta. B'í seilbh na talún freisin príomhfhócas pholaitíocht na linne
agus ní hionadh sin: is ar sheilbh na talún a bhí an heigeamanaí
Protastúnach, idir chumhacht pholaitiúil is rath eacnamaíoch,
bunaithe. Dá scaoilfí an tseilbh sin, oiread is orlach, níorbh fhéidir an
chumhacht a dhaingniú ná a bhuanú. Nuair a rinne Iarla Chlainne
Cárthaigh iarracht sa bhliain 1734 ar thailte na gCárthach a
athshealbhú go dlíthiúil sna cúirteanna, chuir a bheart sceoin faoi na
húinéirí nua ar fud Éireann. Mar a mhínigh an fear ionaid ag an am,
'the enclosed advertisement of Lord Clancarty which has been posted in
the Courts of Justice in the usual manner has not only alarmed many
persons of distinction, who are more immediately concerned in this
affair, but all the Protestant purchasers in Ireland who think they may
be greatly affected in the consequences of it ...' (SP 63: 398/92). Dá
cheannasaí chumhachtaí an Gallsmacht, ba heigeamanaí é, ar a shon
sin, a bhí i mbaol síoraí; é éiginnte de féin, míshuaimhneach, míshocair;
é eaglach i gcónaí, é cinnte go raibh an móramh sa tír namhaideach is
díoltach, iad ag feitheamh leis an lá. Níorbh eagla gan bhunús é. Sa
bhliain 1682 thagair Robert Southwell don uaisle dhúchais i gcúige
Mumhan a bhí tite sa saol ach a d'fhéach orthu féin 'as unfortunate
gentlemen, who yesterday lost an estate and were to be restored
tomorrow' (Dickson 1979: 172); dar leis an ardeaspag King, go raibh
daoine mar iad ar fud na tíre:

> So that they reckon every estate theirs, that either they or their ancestors
> had at any time in their possession, no matter how many years ago. And by
> their pretended title and gentility, they have such an influence on the poor
> tenants of their own nation and religion, who live on those lands, that
> these tenants look on them still, tho' out of possession of their estates, as
> a kind of landlords ... (King 1692: 37).

Ag deireadh an tseachtú haois déag a bhí King ag scríobh; sa cheathrú
dheiridh den aois dár gcionn a bhí Arthur Young ag scríobh ach is é an
scéal céanna a bhí le ríomh aige:

> The lineal descendants of great families, once possessed of vast property,
> are now to be found all over the kingdom in the lowest situation, working
> as cottars for the great great grandsons of men, many of whom were of no
> greater account in England than these poor labourers are at present on
> that property which was once their own ... and it is a fact that in most parts
> of the kingdom the descendants of the old land-owners regularly transmit
> by testamentary deed the memorial of their right to those estates which
> one belonged to their families ... (Young 1780 ii: 44).

Timpeall an ama chéanna a bhí Robert Bell ag scríobh, ach is do chúige
Uladh a bhí sé ag tagairt:

> Ignorant and obscure as they were ... These families could ascertain every
> spot of ground which was said to have belonged to their forefathers; and
> of which they looked on the modern possessors as so many usurpers. It was
> not because the English were Protestants that they detested them: for the
> same deadly animosities prevailed between the English and Irish, before
> the reformation. But it was because they considered them as masters, who
> had robbed and oppressed them; who retained those estates, which they
> themselves would otherwise have enjoyed ... Their gross understandings
> were satisfied, with learning by tradition, that the lands had once
> belonged to their ancestors who had been driven out by powerful
> invaders; and they never lost sight of the prospect of being one day
> reinstated in them ... (Bell 1804: 27).

Is léir go raibh idir dhíshealbhú agus athshealbhú lárnach sa dearcadh
coiteann a bhí á nochtadh ag Éireannaigh, de réir na dtráchtairí
comhaimseartha; dearcadh é atá ag teacht le seintimintí na filíochta
freisin; dearcadh é a bhí á chothú thall is abhus – ag imircigh thar lear is
ag an aos léinn ag baile – dearcadh a bhí, is cosúil, ag uasal is íseal:

> The name of Maguire predominates in the town of Enniskillen. Though
> most of them move in rather an humble sphere, they take no small share
> of pride in tracing back their ancient lineage to the early lords of
> Fermanagh. Mr. Thomas Maguire, ironmonger (according to his own
> reckoning) is the nearest heir to the forfeited title and estates of the last
> Lord Maguire, who was beheaded in London in the year 1644, and to the
> present day [c. 1830] entertains strong hopes of their inheritance ...
>   (MacWilliam 1991: 75).

Timpeall na bliana 1760 thug Francis Burton turas ar Pháras is casadh
Séarlas Ó Briain, Tiarna an Chláir air; thuairiscigh Burton:

> The Earl of Clare who is in the French service, claims a great part of the
> county of Clare as his patrimony ... he knew all the gentlemen and the
> estates of the county and their private affairs as well as if he had liv'd
> among them ... he had an exact roll of all his own estates, that he had a
> register kept of every part that was sold and to whom and for what ... He
> say'd the time might come when such a registry might be of use to him,
> and indeed it was reported last year that he was to command the French

forces, which were intended for Ireland. Had not Admiral Hawke defeated the French fleet, 'tis more than probable he wou'd before this time have found the benefit of his registry ... (Kelly 1990: 79).

Is annamh a thagtar sna foinsí comhaimseartha ar sheintimintí na bpearsan a bhfuil trácht orthu san fhilíocht chomhaimseartha ach tá ansin againn tuairisc chomhaimseartha ar dhearcadh is ar sheintimintí Shéarlais Uí Bhriain, seintimintí ('the time might come') atá ag teacht le seintimintí na filíochta polaitiúla. Ní fantaisíocht ná rómánsaíocht a bhí sa dílseacht a léirigh seisean don Stíobhartach is dá chúis, ní mar shéadchomhartha ná mar chuimhne míos a choinnigh sé 'an exact roll of all his own estates'; ba leis-sean fós na tailte sin, dar leis, is ní raibh ach an t-aon mheicníocht amháin ar fáil aige len iad a athshealbhú, meicníocht a bhí mínithe go minic ag na filí:

Dá gcasadh Íosa Críost le tréin-neart sló
go ceart a shinsear an rí seo Séamas Óg,
do scaipfeadh Gaill tar toinn gan téacht go deo,
do phreabfadh Gaoil arís go hÉirinn beo ...

Tar toinn má thagann an leanbh nach aithnid dúinne,
go buíonmhar acmhaingcach armach garbhthrúpach,
fíochmhar feargach draganta teannaphúdair,
is mín gan magadh ar bith an aicme seo leanann Liútar. ...[111]

B'é an dála céanna ag Roibeard Mac Cárthaigh, Iarla Chlainne Cárthaigh é. Ní ar mhaithe lena shláinte a thréig seisean a phost gradamúil compordach mar ghobharnóir ar Newfoundland agus a liostáil i gcabhlach na Fraince; agus ní móide gur chun áilleacht na hAlban a fheiscint a thóg páirt chomh lárnach sin i bplotáil na Seacaibíteach sa bhliain 1745; bhí duais ollmhór le gnóthú aigesean freisin dá n-éiríodh leis an iarracht – tailte fairsinge na gCárthach i gcúige Mumhan. Ní ar dhóchas amháin a bhí an Seacaibíteachas bunaithe, is léir. Bhí dílseacht i gceist, bhí ideolaíocht, ach bhí, chomh maith, an tuiscint réalaíoch phragmatach gur tríd an Seacaibíteachas amháin a d'fhéadfadh uaisle Éireann a dtailte sinseartha a athshealbhú. Ní hionadh, mar sin, go raibh Séarlas Ó Briain, Tiarna an Chláir, agus Roibeard Mac Cárthaigh, Iarla Chlainne Cárthaigh, ar an bheirt ba leanúnaí is ba dhíograisí den uaisle thar lear a d'fhóin don Stíobhartach; is iad is leanúnaí freisin, den uaisle trí chéile, a bhfuil trácht orthu san fhilíocht chomhaimseartha:

Tiocfaidh Laoiseach tar taoide le garda thréan,
is an Tiarna geal Brianach gan spás 'na dhéidh,
beidh campa ag an bhFrancach ag ól sláintí réidhe,
'gus scanradh ar na hamhais oilc roimh Ghráinne Mhaol (RIA 24 C 48: 1).

A Dhónaill na n-árann, do ráite más fíor,
caithfead in airde mo bhánhata cíor,
is rachad de rás chun an tábhairne so thiar,
mar a n-ólfaidh mé sláinte Mhic Cárthaigh is Uí Bhriain ...

Tá bagairt le cian ar Thiarna an Chláir ghil

do thíocht faoin tír le táintibh sló;
ag trascairt na bpiast fuair biathadh ár n-áitreabh,
is is cuí trí dhíograis a shláinte d'ól ...

Beidh Tiarna geal álainn an Chláir ann go trúpach,
's gach fialbhile rábach den ardchine cumhra,
cliar na bhfear gCárthach do cháibleadh na búiribh,
Ó Néill is a bhráithre thug ár in gach cúige ...

Beidh triatha Fáil 'na sáinrith ag taisteal,
    cé dubhach le fada an chóip,
go nuig Tiarna an Chláir dá rá leis casadh
    'na dhúiche ar ais go fóill ... .[112]

An Burton úd a casadh ar Shéarlas Ó Briain, b'fheisire parlaiminte do chontae an Chláir ag an am é; is ina sheilbhsean agus i seilbh a mhuintire a bhí cuid de thailte na mBrianach anois; bhí sé i measc na haicme a bhí le díbirt, dar le Seon Ó hUaithnín:

Bíonn Hickman an pruicire taobh le Burton
ar bhinse ag giobadh Mhic Phiarais,
síos go hIfreann íochtair cuirimse
an dís Whigs coirpe is Diarmaid ... (SÓH: 5 §§ 13-6).

Níorbh aon phort nua i ráiteachas na tairngreachta, ná san fhilíocht trí chéile, é Gaill/Danair/Sasanaigh a bheith á ndíbirt – bhí sin á fhógairt ag na naoimh leis na céadta bliain; ná níorbh aon fheiniméan nua é aicme an fhill a lipéadú ar bhonn teanga (bodaigh an Bhéarla) is reiligiúin (clann Chailbhin) – bhí sin á dhéanamh ó thús an tseachtú haois déag; ach casadh nua is ea é, agus casadh fíorthábhachtach, gurbh fhéidir anois logánú a dhéanamh orthu agus ainmniú. Bhí anois baill den aicme sin an fhill á lua as a n-ainm ag filí difriúla i gceantracha difriúla, daoine indibhidiúla a raibh aithne mhaith orthu féin is ar a ngníomhartha:

A choisí, beir m'uiríoll go Daingean Uí Chúis
go bhfuil Ristín 's a thruipí tar farraige chughainn,
go mbeidh Muilín is Deiní is Carrick go dubhach,
ag cur buinní as a n-inníbh is fairsinge mhúin (AÓR: 49).

Beidh Sam is Crook is Baldwin 's na táinte acu ar díbirt fós,
Warren, Brún is Barnett 's gach ardbhodach coimhtheach crón;
    beid arís fén mbráca
    dá ndíogadh a hInis Fáilbhe,
gan chíos, gan chuid, gan chairde, gan aoibhneas, gan spórt ...

Southwell, Croker, Copley,
    Seon Creed is Smith ón Ráith ...

Is é d'fhógair uaidh slóite na ndiabhal amach,
Sódom is Gómar mar iad do leag,
níor mhó leis an fheoirling, cé dian an bhreath,
ná Bródraic do sheoladh 'na ndiaidh is Crofts.

A Dhia, an gcasfairse an mhalairt sin go deo choíche
le nach biaidh triath Chairbreach dá ghairm ortsa, a Sheoirse Aoibhinn.[113]

Ní raibh iontusan trí chéile ach uaisle thacair – 'ceannaithe caola an chnuais', mar a mheabhraigh Aodh Buí Mac Cruitín, 'lucht acra a thomhas', mar a dúirt Eoghan Mac Cárthaigh, 'gramaraisc mhaol na gceard', mar a dúirt file eile; seilbh shealadach a bhí acu, mar a mheabhraigh an tEaspag French, ní fada a bheidís 'na dtiarnaíbh teann', mar a dúirt an tAthair Conchúr Ó Briain;[114] níorbh iadsan an uaisle cheart, ní raibh iontu trí chéile ach fáslaigh uirísle a tháinig aníos:

Gach bathlach bhíos le síoda ag séideadh a shróin,
is a chaile bhuí de mhnaoi i ndaorbhrat sróil,
a athair roimhe so bhíodh ag aoireacht bhó,
an tan do bhíodar Gaoil in Éirinn beo.

An aicme bhíodh i dtrinse cré 'gus fód
ar eachaibh suíd is frínsí féna dtóin,
geallaim díbh go fíor nárbh é ba nós
an tan do bhíodar Gaoil in Éirinn beo.[115]

Is don uaisle dhúchais fós a bhí an urraim shinseartha á tabhairt, is acusan a bhí an seasamh sa saol, bíodh nach acu a bhí an mhaoin ná an chumhacht a thuilleadh. Bhí lucht leanúna Robert Martin, ón Daingean i gcontae na Gaillimhe, a dúradh, 'as absolutely devoted to him as the Camerons to Lochiel', d'fhéadfadh sé ocht gcéad duine acu a thiomsú thar oíche (Hardiman 1820: 182); bíodh nach raibh ag Aodh Ó Dónaill ach tailte ar léas i gcontae Liatroma, b'eisean an tiarna, b'eisean 'the head of the Roman Catholics in this country' (thuas lch 349); thuairiscigh Young gur caitheadh le Cathal Ó Conchúir sa tslí thraidisiúnta chéanna:

The common people pay him the greatest respect, and send him presents of cattle etc. upon various occasions. They consider him as the prince of a people involved in one common ruin ... (Young 1780 i: 305).

D'eachtraigh Miles Byrne ó chontae Loch Garman conas mar a d'inis a athair dó i dtaobh

The persecutions and robberies that both his family and my mother's had endured under the English invaders ... How often had he shown me the lands that belonged to our ancestors now in the hands of the descendants of the sanguinary followers of Cromwell (Byrne 1863 i: 3).

Pearsa mharthanach san fhilíocht agus sa seanchas araon ab ea Cromwell. Clann Cromwell a bhí fós i réim, dar le Tadhg Ó Neachtain; aicme uiríseal, dar leis an bPluincéadach, a bhí ag mursantacht ar an uaisle cheart:

Were notorious rebels to the present King, were atheists in their living, were pittiful men in their extraction ... It is no wonder upon that score to see Oliver's souldiers, poor bakers, taylors, and the like artizans, lord it in their coaches thro out the Kingdom of Ireland, while the true lords and gentlemen of those lands are going afoot ... (NLI 476: 212, 226).

Is minic a thugann nuastaraithe na hÉireann le tuiscint dúinn nach

raibh péindlíthe an ochtú haois déag chomh holc ná chomh díobhálach
is a thug reitric phoiblí na gCaitliceach le fios. Is fíor dóibh, gan amhras:
ní bhíonn inghreim choíche chomh fíochmhar is a mheastar – dar leis
an dream nár fhulaing í riamh. Bheadh sé chomh maith a mhíniú do
dhúchasaigh na hAfraice Theas nach raibh éagóir na bhfear geal
chomh holc sin ar fad, nó a rá le Caitlicigh Dhoire nach raibh ansmacht
na nOráisteach chomh héagórach sin. Má bhraitheann daoine go
bhfuilid faoi bhráca, faoi ansmacht, faoi ainnise, tá siad agus ní féidir an
tuiscint sin a chealú le réasúnú iarfhiosach. Ní féidir inghreim a
thomhas ná a chainníochtú; ní ar an gcorp is mó a fhágann sí rian ach
ar an tsícé, mar a mhínigh Eoghan Rua go gonta léir in aon
leathcheathrú amháin:

> Ní hí an ainnise is measa liom ná bheith thíos leis go deo,
> ach an tarcaisne a leanann san ná scaoilfidh na leoin ... .[116]

B'í an tarcaisne a bhain leis an nGallsmacht is mó a ghoill, an tuiscint
gur ag aicme uiríseal eachtrann a bhí ceannas is cumhacht, ceannas a
bhí bunaithe ar neart, ar éagóir, ar shlad; níor tharcaisne go dtí é:

> Atáid clanna na nGael go léir i dtuirse,
> tréith gan sult, gan subhachas ...
> fá tharcaisne ghéar i bpéin 's i mbroid
> ag béaraibh briste brúite ...
>
> Tá an oiread san tarcaisne ar bhreathaibh na binn-Ghaeilge
> gur milleadh mo theanga le casfhriotal Gaillbhuíne ...
>
> Go fann aréir 's mé ag machnamh ar
> gach planda 'n Ghaelfhuil chalma ...
> in anacra fá tharcaisne 's i ngéarbhroidibh gá
> ag camashliocht na mallaitheacht an éithigh 's an smáil ...
>
> Is flatha na nGaol, mo dhíth, go fuar
> fé tharcaisne ag cuaine an éithigh ...
>
> An trua libh mo scéal i bpéin 's i bpairithis,
> traochta i dtarcaisne léirghlan leagaithe
> ó ró faoi scamallaibh bróin ... .[117]

An mhursantacht sin a ghoill ar an bPluincéadach chomh dóite sin
('the like artizans lord it in their coaches ...'), ba thuiscint uilí í, is cosúil;
is í freisin a luaigh súdaire bocht a díotáladh as bá a nochtadh le
Seacaibítigh:

> 21 July. Upon Friday a bill was prefer'd to the Grand Jury of Kilmainham,
> against one Cusack, a tanner of the aforesaid place, for saying (as the
> Pretender's men were taking to prison there) who wou'd blame them for
> endeavouring to get estates if they cou'd, for that fellows that came over in
> leathern breeches and wooden shoes, now rides in their coaches ... (Brady
> 1965: 311).

Bhí an cóiste ar cheann de na hartafachtanna ábhartha a
shiombalaigh an heigeamanaí ceannasach. I gcóiste a thugadh Séamas

Óg Mac Coitir dúshlán an heigeamanaí sin i gcathair Chorcaí; i gcóiste
a bheadh Tadhg is a gharlaigh feasta:

> An aisling do rinneas ar Mhóirín,
> tógfa sé tuirse is brón díbh,
>> an bhanaltra bhréagach,
>> do tháil ar na céadta,
> mar chaill sise a céile, an leon groí. ...
>
> Líontar chughainn puins agus beoir chaoin,
> is bímís dá dtarraingt i gcónaí,
>> cuirfeam an ainnise ar cairde
>> go maidean amáireach,
> 's nár chasa go brách ná go deo arís.
>
> An bríste go mbaintear dá thóin síos
> den fhear le nár mhian bheith ag ól dí
>> fé thuairim an scéil sin,
>> is tuilleadh ná déarfad,
> dá gcaillinn mo léine is mo chóitín.
>
> Atáid cnaipí dá ndéanamh do Sheoirsín,
> fé thuairim an éadaigh nár cóiríodh,
>> beidh hata breá béabhair
>> ar Dhónall na Gréine,
> dá chaitheamh sna spéartha le mórchroí. ...
>
> Faid mhairfidh sin scilling im póicín,
> ní scoirfead le cuideachtain Mhóirín;
>> ólfaimíd sláinte
>> an fhir úd tar sáile -
> Tadhg is a gharlaigh i gcóistí (SMD: 40 §§ 1-5, 21-35, 46-50).[118]

Ní hamháin gur chuir an aisling ráiteachas na tairngreachta ar fáil i
meán ealaíonta fileata, gur chuir an reitric Sheacaibíteach ar fáil i
bhfoirmle chinnte liteartha, gur chuir comhthéacs socair traidisiúnta ar
fáil don Stíobhartach is dá fheidhm shaolta, ach gur chuimsigh sí,
chomh maith, i bhfriotal snoite mealltach, tuiscintí is seintimintí a bhí,
is cosúil, forleathadúil go maith i measc an phobail. 'Redressive
symbolic action' a thugann Limón (1992: 169) ar bhailéadra polaitiúil
na Chicano, bailéadra a chothaigh is a léirigh leagan frithcheannasach
den saol do na fíréin agus a chuir gníomhaíocht pholaitiúil – más go
siombalach féin é – ar fáil dóibh: 'a poetics of maximum formal political
achievement' (*ibid.* 152). Is é an dála céanna ag an aisling pholaitiúil in
Éirinn é.

Caibidil 12

'An Buachaill Bán'

I

Millenarian beliefs have recurred again and again throughout history, despite failures, disappointments, and repression, precisely because they make such a strong appeal to the oppressed, the disinherited and the wretched. They therefore form an integral part of that stream of thought which refused to accept the rule of a superordinate class, or of a foreign power, or some combination of both ... (Worsley 1978: 215).

Millenarism is not abortive, the failure of its prophecy is not a defeat of its aims, it generates an enormous liberating power and has lasting social sequences ... Millenarism has, in fact, played an important role in all national and social liberation movements in pre-modern and modern Europe ... (Talmon 1966: 197).

In any culture the thinking in which a millennial dream is embedded has a logic of its own that is not an automatic reflection of social situations ...
(Thrupp 1962: 12).

Chuir an aisling, mar atá ráite cheana, foirm fhoirmeálta liteartha den reitric Sheacaibíteach ar fáil i seánra áirithe; bhí an reitric sin á cur ar fáil i seánraí eile chomh maith i bhfoirmeacha éagsúla. Cuid de na dánta is ceannaircí polaitiúla ag na filí aitheantúla, ag Liam Inglis, Seán Clárach, Seán Ó Tuama, is filí eile, cuirim i gcás, ní aislingí iad ach fós cuimsíonn siad, chomh héifeachtach ealaíonta céanna, an reitric Sheacaibíteach:

Is déarach an bheart do chéile ghil Airt ... (Liam Inglis),

A bhé na bhfód nglas ródach rannach ... (idem),

Is ródhian a screadann an seanduine Seoirse ... (idem),

Atá an fhoireann so thall gan amhras díleas ... (idem),

Atá an báire imeartha réidh ... (idem),

A eolcha gasta an deighbhí ... (idem),

M'atuirse traochta na fearachoin aosta ... (idem),

A Éadbhaird aoibhinn uasail álainn ... (idem),

Go stiúra mac Dé thu, a Shéarlais, go comhachtach ... (Eoghan Mac Cárthaigh),

Ó measaimíd nach calm rinn den bhuairt seo i Spáinn ... (Liam Dall Ó hIfearnáin),

Mo dhainid go n-éagaid na fearachoin aosta ... (idem),

A Phádraig na n-árann, an gcluin tú na gártha ... (idem),

Bímse buan ar buairt gach ló ... (Seán Clárach Mac Dónaill),

596

Is é do leonaigh mo chumas ... (*idem*),

Éistidh lem ghlórtha, a mhórshliocht Mhiléisius ... (*idem*),

Seal do bhíos im mhaighdin shéimh ... (*idem*),

An t-éag togarthach taomghonaideach nár fhéach do neach ... (*idem*),

Gach Gaol geal greannmhar tachtadh le cóbaigh ... (*idem*),

Ag taisteal dom trí na críocha ar cuaird ... (*idem*),

A shaoi ghlain de phríomhscoth na sáirfhear saor ... (*idem*),

Sin choíche Clár Loirc támhach gan treoir ... (*idem*),

Is tuirseach fá dhaorsmacht péine i bhfad sinn ... (Seán Ó Tuama),

Mo mhíle trua, mo bhuairt, mo bhrón ... (*idem*),

A ríoghan uasal shuairc 's a stór ... (*idem*),

A shaoithibh Éireann, créad an tuirse ... (*idem*),

A chuisle na héigse, éirigh suas ... (*idem*).[1]

Ní taobh le haon seánra amháin a bhí an reitric Sheacaibíteach riamh agus ní hí an aisling an t-aon seánra amháin a d'iompair an reitric sin. Leagtar breis agus daichead amhrán ar Aindrias Mac Cruitín sna lámhscríbhinní, ach níl ach dhá aisling ina measc; níor chum Aodh Buí Mac Cruitín, Tadhg Ó Neachtain ná Aindrias Mac Craith aon aisling, fós níl aon dabht i dtaobh a gcuid Seacaibíteachais. Bíodh gur scríobh Éamonn de Bhál breis agus daichead amhrán, is deacair teacht ar amhrán ina measc a bhféadfaí a rá gur saothar follasach polaitiúil é. Níl aon aisling pholaitiúil aige, mar shampla, agus is é an tuireamh poiblí an seánra is mó a chleacht sé. Ach dá dhípholaitiúla a shaothar trí chéile, dá fhoirmeálta phoiblí é, fós níl aon cheist i dtaobh a sheasaimh pholaitiúil. Nochtann sé é sin go soiléir ní hamháin sna tuirimh a chum sé ar Shéamas Óg Mac Coitir, ach i ndánta eile freisin. 'Díoltas námhad' a bhí i gceist, dar leis, le crochadh an Choitirigh; 'lucht fill is tnáith', 'fanatics', 'meirligh na hÉireann', 'claonchoiste an Bhéarla' a rinne an feillghníomh: 'ó tachtadh le héitheach Séamas posta na gcliar'.[2] Ach b'fhéidir gur léirithí fós dhá líne shimplí dá chuid i ndánta ócáidiúla eile. Nuair a crosadh ar Bhrian Ó Crualaoich, comharsa leis, scoil a choimeád, scríobh an file chuige go sólásach á mheabhrú dó go mbeadh sé 'i dteannta ag an gclampar go dtaga Laoiseach'; i ndán eile, agus é ag déanamh a mharana ar chora crua an tsaoil, cuireann a mhallacht ar an dream 'ná glacfadh ár réacs do réifeadh dínn ár nglas'.[3]

Níor bhraith an reitric Sheacaibíteach ar an aisling, cé gurbh é an seánra sin is éifeachtaí a choimsigh í. Murar bhain gach file earraíocht as an aisling mar sheánra, nó murab í is lárnaí ina shaothar, ní fhágann sin nár shuim leis na Stíobhartaigh, a gcás ná a gcúis. Mura mbeadh an aisling ar fáil in aon chor, mar sheánra, b'ann fós don reitric Sheacaibíteach. Ó Dháibhí Ó Bruadair ag deireadh an tseachtú haois déag go Mícheál Óg Ó Longáin ag deireadh na haoise dár gcionn, ba chúram leanúnach fileata de chuid na bhfilí é dála an ríora Stíobhartaigh, dá mhéad mar a d'athraigh na dálaí sochpholaitiúla idir an dá linn:

> A chlann Mhaine Leamhna is Cing Séamas,
> lear scanradh a gcantlamh, a Chríost caomhain;
> is go bhfeanntar i dteannta, gan díth phéine,
> gach fealltach is fallsa don rí chéanna ...

> Atá fia beag beannach ag taisteal tar tréanmhuir,
> is rianfaidh sin sparainn insa fearann so Éibhir,
> beidh gach spriata Sagsanach ag screadaigh is ag béicigh
> ag iarraidh a ghlacaithe chun an aifrinn d'éisteacht.[4]

Filíocht Sheacaibíteach go bunúsach is go príomha í filíocht pholaitiúil na Gaeilge sa chuid is mó den ochtú haois déag. Ní mór formhór mór na filíochta a chum filí na tréimhse sin a thagairt do ideolaíocht an tSeacaibíteachais chun í a thuiscint, is í reitric an tSeacaibíteachais a reitricsean, is é an ríora Stíobhartach – Séamas II, Séamas III, Séarlas Óg – atá mar phríomhphearsana san fhilíocht sin trí chéile. Is fíor, gan amhras, nach ionann i gcónaí an earraíocht a bhain filí difriúla as an reitric Sheacaibíteach; ní hionann, ach oiread, méid ná cáilíocht na reitrice sin ó dhuine go duine acu. Eilimint imeallach is ea í i saothar Mhic Cuarta, Mhic a Liondain is Sheáin Uí Mhurchú na Ráithíneach, mar shampla; eilimint lárnach i saothar Uí Neachtain is Mhic Cruitín. Ach is beag duine acu, pé acu file aitheantúil nó mionfhile é, pé acu i mBaile Átha Cliath, in Ard Mhacha, sa Chlár, nó sa Neidín a chónaigh sé nár bhain earraíocht éigin, dá laghad é, as an reitric sin; agus is beag file acu nach bhfuil tagairt éigin aige don Stíobhartach, dá annamhacht é. I gcás roinnt de na filí sin, go háirithe filí Leath Mhogha – Ó Neachtain, Ó Rathaille, Mac Cruitín, Mac Dónaill, mar shampla – is é an Seacaibíteachas is bunchloch dá saothar; filí Seacaibíteacha iad.

   Is cinnte gur glóraí an reitric Sheacaibíteach i bhfilíocht na Mumhan ná i bhfilíocht Oirialla, mar shampla; ach níorbh ionann na dálaí sóisialta sa dá cheantar ach oiread. Is iomadúla i bhfad, agus is fairsinge, na foinsí liteartha a thagann chugainn ó chúige Mumhan san ochtú haois déag ná ó aon chúige eile; bhí an cúige sin ar na ceantracha ba bhuaine ar mhair an uaisle dhúchais agus ar na ceantracha ba líonmhaire sagairt sa chéad leath den aois; is i gcúige Mumhan freisin a bhí na príomhbhailte poirt, lasmuigh den cheannchathair.[5] Níor ghá go mbeadh comhchoibhneas díreach idir na cúinsí difriúla sin, agus nílim ag tabhairt le fios go raibh, ach pé cúis atá leis, is lárnaí agus is marthanaí an reitric Sheacaibíteach i gcúige Mumhan ná sa chuid eile den tír. Ní fhágann sin gurbh fheiniméan Muimhneach é an Seacaibíteachas. Cruthú amháin air sin is ea Seacaibíteachas mhuintir Neachtain agus cé gur reitric liteartha é sin, fós ba reitric í a bhí ag freagairt do ghníomhaíocht phoiblí 'an daoscair' a chuireadh a ndílseacht pholaitiúil in iúl go tráthrialta le briathar, le smaoineamh is le gníomh. Is léir nach bhfuil an t-ionad ceannasach céanna ag an Stíobhartach i saothar fhilí aitheantúla Oirialla (Mac Cuarta, Mac a Liondain, Ó Doirnín, Mac Cumhaigh) is atá aige i bhfilíocht na Mumhan ach fós is ó chúige Uladh a thagann cuid de na dánta Seacaibíteacha is suimiúla agus is neamhghnáthaí dá bhfuil ar marthain: *A Chreagáin uaibhrigh* ..., le Raghnall Dall Mac Dónaill agus *Fada coróin Sacsan faoi bhrón* nach fios cé chum. An t-ionad atá ag an Stíobhartach i bhfilíocht na Mumhan trí chéile agus an ról meisiasach a shamhlaítear leis san fhilíocht sin, ní hannamh i bhfilíocht Oirialla gur le duine de na taoisigh dhúchais a shamhlaítear an t-ionad is an ról céanna. Dar le Mac a Liondain gurbh é Brian Ó Ceallaigh a bhí le filleadh a shlánú a mhuintire:

> Is é Brian Ó Ceallaigh an tréanfhear, Cato bleachtmhar Gaelach,
> ar dteacht isteach as éiclips na ré anois go nua;
> le lasfar ceart do Ghaelaibh, gan stad an fad bhus léir dó,
> acht ag gearradh, creachadh, treaghdadh is ag téarnadh na slua.
>
> Budh fearúil tapaidh tréitheach an mac so ar each ag léimrigh,
> ar gcasadh isteach don réacsa, an treas Séamas le bua;
> gach neach nach glacfaidh géilleadh, beidh dalta dleacht an tsléibhe
> le cleasa bras na mbéimeann á gcréachtadh go luath ...
>
> beidh Brian go tapaidh meanmnach, go dian, teacht na bhFrancach,
> ag riar an iomad fannlag is ag marbhadh na gcéad ...
>
> beidh ríora Fódla in uachtar is cíos dá fhógra ar Nua-Ghaill,
> ag síol na leon uaibhreach is fuil chrua-Mhíle theann ...
> (Mag Uidhir 1977: 4 §§ 1-8, 19-20, 27-8).

Dar le Séamas Dall Mac Cuarta gurbh é an Coirnéal Brian Mac Aonghusa, Toirealach Ó Néill, Brian Ó Néill nó Criostóir Pléimeann, Barún Shláine a líonfadh an ról sin:

> Tá an ríora leanbaí dár dtír ar farraige
>   ag saoradh sealbha do chlanna Róigh ...
> is más fíor don targaire tá síos á dhearbhadh,
>   beidh na mílte in arm le mac Dhónaill Óig ...
>
> Tá seacht mbliana déag, a Thoirealaigh Uí Néill,
>   ó chaithis do léim uainne,
> is ar fheartaibh Mhic Dé agus mhearsaí na naomh,
>   go gcasair le séan buaidhe ...
>
> Tá an cogadh ár gcloí de thoil an dá rí,
>   is a Thoirealaigh mhic Aodha, fuagair,
> cabhair nó scíth a thabhairt dár dtír
>   is do chodlatáin chríoch Ruairí ...
>
> Tiocfaidh an saoi, mac Airt mhic Aodha,
>   fear freastail maoine is ceansú béim ...
> is ar a theacht chun tíre is gearr go scaoilfidh
>   do bhochtaibh as príosún chun a dtailtibh féin ...

Mo chiansa fir na hÁistria, Fléimeannaigh dob áille,
's gan aon anois ar fáil díobh, mo chrása, ach faoi léan,
nó go dtiocfaidh Barún Shláine le flíte longa lána,
dár bhfuascailt as na cásaibh dar fhág sinn i bpéin ...

's anois tá cabhair i ndán díbh ó Chriostóir Óg mac Raghnaill,
ar a fhilleadh anoir ón Státa is ón mbanrín le céim,
gach neach dá raibh faoi sclábhaíocht ag Gallaibh tar éis a sáraithe,
tógfaidh an Barún smál díobh, bráthair ceart Uí Néill.[6]

Bíodh nach bhfuil an lárnacht chéanna ag an aisling pholaitiúil i saothar fhilí Oirialla is atá i bhfilíocht na Mumhan, faightear na heilimintí difriúla a chuimsigh an seánra sin ina saothar trí chéile, bíodh nach dtagaid le chéile go comhlántach i gcónaí, mar a dhéanann sa leagan is foirmeálta den aisling.[7] Móitíf lárnach i bhfilíocht Oirialla is ea an t-agallamh agus cé gur minicí ná a mhalairt nach í Éire a fhreagraíonn ceisteanna an fhile ach neach nó foinse údarásach eile (éan, cill, cnoc, teampall, file eile) is í an fheidhm chéanna atá leis. Is ar an gCreagán a chuireann Raghnall Dall Mac Dónaill agallamh in *A Chreagáin uaibhrigh* ...; Ultán naofa atá mar údarás ag an chill chianaosta sa ráiteas fáistineach a chuireann sí ar fáil don fhile:

Beidh de shíor, a deir Ultán naofa, le linn Shéamais,
creideamh Chríost ar fud an tsaoil ag lasadh i ndaonnacht;
gibé mhairfeas díobh ó thrascairt laoch nó ó bheart an éaga,
beidh gan chíos, gan dualgas ríoga, nó docamhail déirce ....

Is in agallamh le cúirt bhaile Shláine, cúirt a nochtann an tuairim go mbainfear 'cíos is maoin de Ghaelaibh/'s géillfear do Ghalltacht', a thugann Mac Cuarta freagra údarásach na tairngreachta:

Chífidh sibh in Éirinn aimsir éigin
    is beidh ann athrach;
deir na naoimh is na fíorchléirigh
    go scriosfar Galltacht ....

In agallamh le hAodh Mag Oireachtaigh is ea a thugann an chomhairle do bhuachaillí an tsléibhe:

Is a bhuachaillí an tsléibhe, cuidídh le chéile
    is coinnídh bhur ndaingne uaignis,
go dtiocfaidh na Gaeil le guidhe na cléire,
    ar thonnaibh i gcéin ár bhfuascailt ....

Is é Cnoc na Teamhrach a fhreagraíonn ceisteanna Uí Dhoirnín agus a scaipeann a amhras is a éadóchas le dearfacht dhocheistithe na tairngreachta go raibh 'an fhírghin' le teacht:

Chan fhiú mo scanradh má líontar tarngaire na naomh a chuaigh uainn,
a scríobh go dearfa go scriosfaí an dream so le Gaeil go buan;
is nár ba fada an t-am nó go bhfeictear campaí gléasta ar mo bhruach,
is mo shluaite i dTeamhraigh is insan chrích na ceannphoirt le séan go Lá an Luain ...

Má thig an lá sin, beidh sailm chráifeacha i ngrianán na níon,
beidh fíon na Spáinne gan mhaothadh á dháil go rófhial fá mo dhíon,
beidh creideamh an phápa ag na huile ardfhlaith is mo chliar ar a mian,
is claonthreibhean Mhártain á gcur in airde gan diallaid nó srian.

Tiocfaidh na mílte de churaíbh saoithiúil go fóill fá mo bhruach,
scriosfar tíortha is beidh fuil á scaoileadh trén dáil le bua;
go dtiocfaidh an fhírghin a bhéarfas faoiseamh gan spás do mo shlua,
beir mar chír mé is mo mhúir á spíonadh faoi cháin is faoi ghruaim.[8]

Cé nach bhfuil ach tagairtí fánacha ag Mac Cuarta is Mac a Liondain
do Shéamas II is Shéamas III faoi seach, is léir, ina choinne sin, go raibh
mioneolas ag Ó Doirnín is ag Mac Cumhaigh ar ghníomhréim Shéarlais
Óig agus go raibh an-suim acu ann agus bá acu lena chúis. Ní hionadh
sin, is dócha, mar i measc na nÉireannach a throid taobh le Séarlas Óg
ag Cúil Odair, bhí an captaen Féilim Ó Néill, duine de Niallaigh an
Fheadha, a d'fhill ón Spáinn chun bheith páirteach sa ghleo. Is eisean,
dar le Mac Cumhaigh, san agallamh a rinne sé le caisleán na
Glasdromainne, a chuirfeadh Séarlas Óg i réim agus a ghlanfadh Bhullaí
is a bhunadh amach as an tír. Agus cé go nochtann an caisleán an tuairim
go raibh Séarlas is a lucht leanúna 'gan urraim' ón lá cinniúnach sin in
Manchester, fós tá an file lán dóchais go raibh cabhair chucu:

A shaordhúin chaisil is deise ná na céadtaí cúirt,
nach féidir leat seasamh go dtreiseoidh na Gaeil do lúb?
Féilim an gleacaí de aicme shíl Néill na rún,
a chuirfidh Séarlas i mbratach ar neamhchead do lucht pléid i gcúirt ...

tá an Spáinneach i dtoiseach le treise chun scaoileadh dúinn,
agus carnóidh sé Bhullaí is a bhunadh go sléibhte Múirn.

Ón lá sin Manchester sé mheasaim go mbéad ar siúl,
d'fhág Cathal is a bhunadh gan urraim fá na sléibhtibh cúil,
muna bhfuascla Paris, Versailles nó Venice dúinn,
ag ardú na mbratach leis an fleur ghlan tséimh de luce ...

tiocfaidh an lá sin ar Bhullaí a mbeidh cumhaidh air is Jane faoi smúid.[9]

In 'Tagra an Dá Theampall' nuair a fhógraíonn an teampall gallda go
lúcháireach go raibh na Gaeil cloíte is 'tréan Hanover' ceannasach in
Albain, i Sasana agus in Éirinn, freagraíonn an Róimhchill go
dóchasach dúshlánach:

Your whimsical brain, with wrath or disdain,
    it never will change my notion;
For you have no more share with us to compare
    than the purling stream in the ocean;
In Hibernia fair, in Scotland we reign,
    in England great, and Hanover;
So what need we care for France or for Spain,
    or for Charley, your rakish rover ...

Dá nochtadh dhuit féin, réir chothrom an scéil,
    gurb atuirseach mé faoi Sheoirse,

is ar fheartaibh mhic Dé, nár mhaire tú i gcéim,
  nó go gcuire rí Séarlas brón ort.[10]

Is ionann feidhm do na hagallaimh sin agus d'agallamh na haislinge trí chéile: an t-amhras a cheistiú, an t-éadóchas a chealú, an dóchas a chothú, ráiteachas na tairngreachta a dheimhniú. Ach léiríonn ábhar na n-agallamh freisin cuid éigin den tuairimíocht chomhaimseartha phoiblí, tuairimíocht nach raibh aonghuthach agus a chuimsigh idir chinnteacht agus amhras i dtaobh dhán Shéarlais Óig, idir dhóchas is éadóchas, idir mhuinín as a chumas fós agus tuiscint go raibh sé gan bhrí 'ón lá sin Manchester'. Is i mbéal an chaisleáin a chuireann Mac Cumhaigh na seintimintí sin san 'Agallamh le Caisleán na Glasdromainne'; ach nochtann sé féin seintimintí mar iad i ndán molta ar Shéamas Pluincéad freisin:

In Inis Caoin tá an t-óigfhear de fhíorscoith na Fódla,
  chun scaoileadh sliocht Bhreogain anois as gach léan ...

Ón Ghael Glas a shíolraigh an fear céillí gan díomua,
  stoc Fénius ón Scythia ler míneadh gach léann;
is tá coróin ghréagach shliocht Mhíle an deabhtha gan íonadh
  in Edinburgh sínte is gan neach faoina chéim;
téada na buíne thug Séarlas i dtír ann,
  is nach leigheasann na Stíobhartaigh caoineadh na nGael,
gheofar réacsa gan scíste ó fhréimh cheart na dtaoiseach,
  mar is gaolmhar don rímhac so a shaothrú uaidh féin. ...

Ó d'éag siad na taoisigh d'fhág Éire go cloíte,
  is gan oidhre rí Séamas i mBreatain 'na dhéidh;
is tú an Féinics a shíolraigh ó aoibheal na gríse,
  chun scaoileadh as daorbhroid do chreideamh na nGael
    (Ó Fiaich 1973: 22 §§ 1-2, 49-56, 69-72).

Cé gur moladh áibhéalach ar an bPluincéadach an dán sin, agus gur dóichí gur i ndiaidh 1771 a cumadh é, fós is léaspairt fhírinneach í ar thuiscint a bhí ag dul i méid ó 1746 ar aghaidh: *nach leigheasann na Stíobhartaigh caoineadh na nGael.*

In amhrán taitneamhach éadrom, a leagann Nioclás Ó Cearnaigh ar Ó Doirnín, tugtar an méid sin le tuiscint chomh maith, cé nach bhfuil sé chomh deimhnitheach sin. De réir an nóta a chuir Ó Cearnaigh leis an téacs (UCD M 17: 279), is ar litir a tháinig 'from one of his friends in Scotland, who was personally engaged in the battle, which confirmed the truth of the current reports' a bhunaigh an file a thuairisc; chuir a chara an tuairisc chuigesean 'as he well knew that he was strongly fixed in the Pretender's favour'. I bhfoirm agallaimh le héinín a scríobhadh an t-amhrán:

'A éinín bhig shuairc, a tháinig ar cuairt
  ó thulaigh na ruag go hÉirinn,
aithris an buan do Ghallaibh le bua,
  nó an neartmhar na sluaite éirceach;

bhfuil Séarlas fá bhua i Londain gan ghruaim,
    is a choróin fá ghruadha an tréanfhir,
nó ar sraonadh, mar chualas, cath air go crua
    ler cailleadh sa dua a chuid laochra?' ...
'Cé gur briseadh sa mhaidhm ar an chathmhíle thréan,
    bhfuil aigesean méin le tarrtháil,
nó an dtiocfaidh sé féin fá choimirc na nGael
    thar tonna lom tréan an tsáile?' ...

'Ní mheasaim gur féidir dó theacht chun na hÉireann
    le cabhair dár dteampaill naofa,
tá borbshlua réabtha le foirneart na dtréatúr
    atá cinnte go géar á ruagadh;
tá a éarlaimh i ngéibheann is a chairde gan aon smid,
    is a gcroíthe araon róbhuartha,
Séarlas leis féin i mbréigríocht is i bpéin,
    ag teitheadh sna sléibhtibh uathu'.

'Má tá sé gan slua is dóigh liom nach dual dó
    theacht fá na cuanta Gaelach ,
is nach dósan a fuagradh ceannas is bua
    réir thairngire dhrua ár naomhna' ...
      (de Rís 1969: 5 §§ 1-8, 17-20, 25-36).

De réir an bhéaloideasa a chuala Lorcán Ua Muireadhaigh (1940: 79) in Ó Méith i dtús na haoise seo, ba Sheacaibíteach gníomhach é Ó Doirnín, é mar cheann feadhna ar bhuíon a bhí ag gníomhú sa cheantar thar ceann Shéarlais Óig. Pé ní ina thaobh sin, is léir ar a shaothar go raibh tuarascáil chruinn aige ar chath Chúil Odair agus gur thuig sé a impleachtaí. Dar leis siúd freisin gurbh é Manchester an casadh cinniúnach i ngníomhréim Shéarlais Óig; murach sin agus ar lean é, bheadh 'Fódla agus Breatain gan stad ag an bpáiste':

Is cróga do sheasaigh an breacán an báire
ar na slóite ó Loch Abair go Barraic is go Falkirk,
mar bhfuair Cope a thasáil is a raibh ina phártaí,
ach ar theorainn Mhanchester bhain easbhaidh de Chathal é,
    is iombó!

Ach munab é Saxe a bhí i gceannas a chairde,
sna cóigibh bhí i bhfad uaidh, is a ghasra nach dtáinig,
bheadh Fódla agus Breatain gan stad ag an bpáiste,
is chóireofaí a chaipín go tapaidh ar Chathal ann,
    is iombó ... .[11]

Sa nóta a chuir Nioclás Ó Cearnaigh leis an dán sin, nocht sé an tuairim gur 'some zealous partisan who took an active part in the war or rebellion, as it was called, perhaps some Scotch clansman who followed and shared the adverse fortune of the prince' a chum é; níos tábhachtaí fós, dúirt go raibh 'This old song, descriptive of the Pretender's career, was universally sung and highly esteemed in the northern counties of Ireland about 80 years ago' (RIA 23 E 12: 388). B'fhéidir nach fíor sin

ar fad, ar ndóigh – ní i gcónaí a bhíonn Ó Cearnaigh agus a chuid eolais
intaofa – ach meabhraíonn sé dúinn nach sna lámhscríbhinní amháin a
seachadadh an reitric Sheacaibíteach agus nach ag lucht scríofa is lucht
léite na lámhscríbhinní amháin a bhí teacht uirthi – theas ná thuaidh.

Ó bhéal amháin, chomh fada agus is eol dúinn anois, a seachadadh
'Óró Sé Do Bheatha Abhaile' gur bhailigh Éinrí Ó Muirgheasa i dTír
Eoghain i dtús na haoise seo é; ó bhéal freisin, i dTír Chonaill, a
bailíodh an leagan suimiúil seo den amhrán coiteann 'An Droimeann
Dubh':

> 'A Dhroimeann dubh díleas, a shíoda na mbó,
> cá bhfuil do dhaoine nó an maireann siad beo?'
> 'tá siad sa díg agus beidh lena ló,
> nó go dtiocfaidh an Pretender is go seasa sé an chró'
>
> (Ó Laighin 1990: 384).

An t-amhrán ólacháin úd 'Sláinte Rí Pilib' (*Tabhair cárt in gach láimh liom
is gloine*) a cumadh, ní foláir, sa chéad cheathrú den ochtú haois déag,
bhí sé fós á ghabháil mar amhrán coiteann i gcúige Mumhan san aois
dar gcionn; an véarsaíocht dhí-ainm a cumadh ar chogadh an dá rí, bhí
sí ar fáil agus í á gabháil in áiteacha difriúla ar fud na tíre nuair a
bhailigh is nuair a scríobh Seán Ó Dálaigh is Nioclás Ó Cearnaigh síos
í 'from the mouths of the peasantry' i lár an naoú haois déag.[12] Is dóichí
gur ó bhéal amháin a seachadadh an véarsaíocht sin – agus mórán eile
mar í – ó thús deireadh; sna lámhscríbhinní amháin a seachadadh a
thuilleadh den ábhar; seachadadh a thuilleadh de ó bhéal agus de láimh
in éineacht:

> Tá aisling le n-aithris atá ró-íontach
> agam go deimhin, mar fágaim scríofa
> le mo mhéara chum na ndaoine
> do léifeas nó mheabhras é 'na gcuimhne ... (BL Eg. 208: 133).

Níor dhá mheán seachadta neamhspleácha iad an litríocht scríofa agus
an litríocht bhéil ach dhá mheán chomhlántacha a d'oibrigh ar a chéile,
a shaibhrigh a chéile, agus a raibh síorthrácht eatarthu feadh na huaire.
Nós coiteann ab ea é, is cosúil, ag an mionlach a raibh léamh acu, ábhar
na lámhscríbhinní a léamh amach don chomhluadar ar ócáidí sóisialta
ar an bportach, ar an aonach, sna tithe.[13] Nós é a chinntigh gur bhain
cuid éigin den ábhar scríofa pobal níos fairsinge ná an t-aos liteartha
amach agus gur thaistil an t-ábhar sin go ceantracha lasmuigh de láthair
a chumtha is a chóipeála.

Bíodh nach samhlófá dánta Aogáin Uí Rathaille le reacaireacht
phoiblí ná leis an choitiantacht, dhearbhaigh an Duinníneach gurbh é
an bunús a bhí leis an gcion ollmhór a bhí aigesean ar an bhfile 'my
mother's crooning of his lays' (Fenton 1950: 14). Ní deir sé cé na dánta
a bhí i gceist – b'fhéidir gurbh iad na tuirimh iad – ach is cosúil gur
chuala sé cuid éigin de shaothar an fhile á rá ag a mháthair.[14] Ní mar

fhile pobalda a chuimhneofá ar Sheán na Ráithíneach ach mar shaoithín a scríobh véarsaíocht chumasach ócáidiúil, fós chuala P. W. Joyce an tuireamh a scríobh an file ar Dhonnchadh Mac Cárthaigh (*Osna agus éacht na hÉireann tríd an dtreoir*) á rá ag 'simple farm labourer' i gcontae Luimnigh sa bhliain 1851.[15] I measc na n-amhrán a bhí ag an amhránaí cáiliúil ó Shliabh gCua, Maighréad Ní Annagáin (1925: 3), bhí an t-amhrán Seacaibíteach 'An Craoibhín Aoibhinn' a chum Liam Inglis. Fuair an t-amhránaí an t-amhrán óna máthair, Máire Ní Mhuirithe, agus fuair sise é óna seanmháthair, Síle Ní Fhoghlú, a bhí ceithre bliana agus ceithre fichid ar éag di sa bhliain 1856, dáta a thugann ar ais go dtí ré an fhile féin sinn. Sa chnuasach amhrán a bhailigh an tAthair Pádraig Breathnach (1913) in iarthar Chorcaí i dtús na haoise seo, bhí cuid den chumadóireacht dhí-ainm pholaitiúil ba mhó le rá ón seachtú is ón ochtú haois déag: 'Éamonn an Chnoic', 'Cill Chais', 'Róisín Dubh', 'Móirín Ní Chuileannáin', 'An Droimeann Donn Dílis', 'Seán Buí', 'Síle Ní Ghadhra', 'Táimse Im Chodladh'; bhí, chomh maith, cuid de na haislingí ba mhó le rá dár chum filí aitheantúla na Mumhan: Liam Dall Ó hIfearnáin ('Caitlín Ní Uallacháin'), Piaras Mac Gearailt ('Rosc Catha na Mumhan', 'Seán Ó Dí'), Seán Ó Coileáin ('An Buachaill Bán') agus, gan amhras, Eoghan Rua Ó Súilleabháin ('Im Aonar Seal', 'Ag Taisteal na Blárnan', 'Ceo Draíochta', 'Cois Laoi na Sreabh', 'Cois na Siúire').

Is cinnte gurbh é Eoghan Rua an file aitheantúil is mó a d'fhág rian ar an traidisiún béil i gcúige Mumhan. Ní hamháin gur samhlaíodh carachtar leis arbh fhurasta taitneamh a thabhairt dó, bá a bheith leis agus meas a bheith air, ach gur chum sé cuid den fhilíocht ba bhinne is ba cheolmhaire dar cumadh riamh sa Ghaeilge, filíocht a thug sásamh don chroí is don chluais in éineacht. Ach ní ar bhinneas a shaothair amháin, tuigtear dom, a tugadh Eoghan an Bhéil Bhinn air, ach, chomh maith céanna, gur bhinn lena lucht éisteachta an port a bhí á sheinnt aige. I saothar Eoghain Rua chímid go soiléir an reitric Sheacaibíteach á cur ar fáil don phobal i gcoitinne, an sean á nascadh leis an nua, an fhéachaint siar á ceangal leis an fháistine, an fráma tagartha sinseartha – cléir/uaisle/éigse – á úsáid mar chúlbhrat traidisiúnta don saol nua. Dar le Mícheál Ó hAnnracháin, agus é ag scríobh sa bhliain 1856, go raibh eolas coiteann fairsing ar Eoghan Rua is ar a shaothar sa chuid is mó de chúige Mumhan:

> His powerful satires, rife with scathing denunciation, and severe personal invective, his bold enmity to English rule, his longing for the restoration of the exiled Stewart, his love songs, descriptive of his own irregular amours, these varied compositions, preserved in the native tongue, have cheered the hospitable fireside of the cottier in many a district of Cork, Kerry, Limerick, and Clare, where his memory survives, his poems are recited, and the brilliant effusions of his happy wit shine 'familiar as household words' (RIA 24 L 12: 120-1).

Dar leis an Duinníneach gur fhág a shaothar rian ní hamháin ar an mbéaloideas, ach ar dhearcadh na ndaoine chomh maith:

> His Aislingidhe or poetical visions ... have had a profound influence on the social and political outlook of the people. They found their way into the dwellings of rich and poor, in valleys and uplands, bearing with them the balm of melody for wounded souls and the comforts of a seer's prevision of deliverance for the degraded and oppressed ... To our fathers and grandfathers and to some of those of us who have passed into middle age, the Eoghan Ruadh tradition has been vivid and inspiring. His name was a household word not only in Kerry but throughout the greater part of Munster ... One of his Aislingidhe sung with fervour never failed to rouse enthusiasm and a favourite was the one beginning: *Ag taisteal na Blárnan lá is mé ag machnamh* ... At the fine conclusion of this noble melody ... the whole company, as by sudden impulse, would kneel and join in the poet's prayer. Eoghan educated our fathers and grandfathers in Irish history and Irish legend ... (Dineen 1929: 25-6).

Bhí an cuntas sin an Duinnínigh bunaithe cuid mhaith, mar is léir, ar thaithí a óige féin i Sliabh Luachra agus is dócha, mar sin, nár cheart dúinn a chuntas, dá spéisiúla é, a thagairt d'aon chomhthéacs eile seachas sin. Fós is cinnte gur féidir a áiteamh, ar an fhianaise uile a chur san áireamh, nach i Sliabh Luachra amháin a bhí meas ar Eoghan Rua is ar a shaothar.

Nuair a d'áitigh an tOllamh Louis Cullen, in alt tionscantach reibhisineach dá chuid, gur 'literary form' í an aisling agus nach 'a message for the people' (Cullen 1969: 18), bhí contrárthacht á cur chun cinn aige nach bhfuil i gceist: níl aon chúis nach bhféadfadh foirm litríochta teachtaireacht a iompar chomh maith – is minic a dhéanann – pé acu teachtaireacht shóisialta, mhorálta, chultúrtha nó teachtaireacht pholaitiúil í. Is léir go bhfuil idir theachtaireacht agus fhoirm ceangailte go dlúth le chéile san aisling, teachtaireacht, mar a chonaiceamar, a bhí le scaipeadh ag an bhfile:

> Go bhfaicfe sibh Séarlas Maor ina rí ...
> is aithris gan mhoill dod chairde é ...
>
> Do fhreagair sí, ag rá, bí lán de mheanmain ...
> is aithris d'fháidhibh Fáil an t-aitheasc seo ...
>
> Ná dearmaid maíomh
> le clanna na nGaol
> go bhfuil fearann a sinsear chuchu anois ...
>
> Sin agaibh ó thús gach rún ba mhéin liom,
> is meabhraídh féin le cách mo sceol ...
>
> Is aithris don éigse nach bréag a mhaím ... .[16]

Níl aon cheist ach go dtugann an fhilíocht féin le tuiscint gur ag caint le comhluadar a bhíonn an file, go mbíonn lucht éisteachta i gceist, pobal tuisceanach comhbhách. Uaireanta is í an éigse d'áirithe a luaitear mar chomhluadar:

A éigse shuairc na n-aradbheart,
gléasaidh suas go hachomair ... (Anraí Mac Amhlaoibh);

A shaoithibh Éireann, créad an tuirse
d'éirigh anois don dáimh ghlic ... (Seán Ó Tuama);

A chuisle na héigse, éirigh suas,
is tuirseach in éagruth mé gan suan ... (*idem*);[17]

uaireanta eile is le comhluadar ólacháin a labhartar:

Seo dhaoibh sláinte Mhagaí Lauder
ler mian grá a críche ... (Seán Ó Neachtain);

Tabhair cárt in gach láimh liom is gloine ...;

Líontar chughainn puins agus beoir chaoin,
is bímís á dtarraingt i gcónaí ... (Seán Clárach Mac Dónaill);

Gach sáirfhear glé de shaorshliocht Airt is Fhéilim ...
is sláinte Shéarlais taoscam feasta timpeall ... (Aindrias Mac Craith);

Scaoil chughainn scairdeach den mbeoir,
is cuí dhúinn a shláinte siúd d'ól ... (Piaras Mac Gearailt);[18]

ach níos minicí ná a chéile is é an pobal i gcoitinne a bhíonn i gceist,
gan aon aicme faoi leith ná aon chomhluadar faoi leith a lua:

Éistidh lem ghlórtha, a mhórshliocht Mhiléisius ... (Seán Clárach Mac
  Dónaill),

Gach Gaol geal greannmhar tachtadh le cóbaigh ... (*idem*),

A shaoi ghlain de phríomhscoth na sáirfhear saor ... (*idem*),

An eol díbhse, a dhaoine i bhfonn Fáil ... (Liam Inglis),

Is tuirseach fá dhaorsmacht péine i bhfad sinn ... (Seán Ó Tuama),

Tógaidh go tréitheach, go héachtach, go haoibhinn ... (Tadhg Gaelach
  Ó Súilleabháin),

Gabhaidh seal is cabhraidh, a chlann chaoin Bhanba ... (Eoghan Rua
  Ó Súilleabháin),

Crom is caoin go fuíoch ár dturas ... (Seon Ó hUaithnín),

Gabhaidh misneach, a chuideachta chaomh so ar láimh ...,

Cia briseadh bhur ndóchas fós, a chlanna Mhíle ... (Dáibhí Ó hIarlaithe),

Éistidh feasta lem labhartha, a Ghaeil bhocht ...,

A chlanna Gael, fáiscidh bhur lámha le chéile ... (Uilliam Mac Cairteáin),

Stadaidh d'bhur ngéarghol, a ghasra chaomh so ... (Eibhlín Ní Chaoilte),

Insim díbh le díogras dlúth, a mhuintir úd an daorbhroid.[19]

Ceist bhunúsach í, ceist nach bhfuil aon fhreagra cinnte deifnídeach
ar fáil uirthi, cén lucht léite/éisteachta go díreach a bhí ag an fhilíocht
seo?, cé chomh líonmhar a bhí sé?, cé chomh fairsing? De réir na
filíochta féin ba phobal cuimsitheach dlúth é 'muintir úd an
daorbhroid', pobal a shín ó cheann ceann na tíre agus a bhí ar aon

aigne i dtaobh mhórcheisteanna an lae, pobal fadfhulangach nár
dheacair suim a bpurgadóra a liostáil go héagaointeach liodánach:

> A fhir chalma sa teangain sin na nGael tá fann,
> tabhair dearca suilt ar mheamram is réidh do pheann,
> aithris dom gan mhearbhall, ná claon id rann,
> an fada bheam in anchruth fá réim na nGall?

> An fada bheid na Gallaphoic dár ndaoradh i bhfeall,
> an fada bheid i mbailte poirt na nGael go teann,
> an fada bheam ag glafarnaigh le Béarla Gall,
> an fada bheam ag agallamh 's gan éifeacht ann?

> An fada bheidh ár n-eaglais go léir i dtreall,
> an fada bheidh an ainnise 's an léan ár dteann,
> an fada bheidh ár ngealabhroig ag cléir is cam,
> an fada bheam fá anbhroid na hÉigipt thall?

> An fada bheam in ainbhfios mar aon is dall,
> an fada bheam gan seanchas ná spéis i ngreann,
> an fada bheidh an Charthafhuil is Ó Néill go fann,
> an fada bheidh na seanastoic in Éirinn gann?

> An fada bheid na fanatics ag réabadh ceall,
> an fada bheid ag seasamh cnoic le faobhar lann,
> an fada bheid ár mainistreacha maol gan cheann,
> an fada bheid ár n-aifrinn fá ghéagaibh crann? ... (thuas lch 568).

Is san fhilíocht amháin a mhair an pobal sin, tógáil liteartha is ea é ach
tógáil a raibh an-éifeacht léi ag cothú is ag scaipeadh na tuisceana go
raibh in Éirinn pobal bocht ainniseach faoi bhráca anorlannach uilí na
nGall. Ní folláir nó b'í an reitric áititheach chumasach sin a chuir ina luí
ar Ó Corcora go raibh

> unity of mind between the Big House and the cabin ... Perhaps the unity
> that existed between Big House and cabin in the Gaelic districts was a
> phenomenon not known anywhere else in Europe ... It is, then, very
> probably, correct to say that the division of the whole nation into high and
> low was very different in Ireland from what it was elsewhere; there was
> surely less of a gap ... (Corkery 1925: 56-7).

Ní leor, gan amhras, idirdhealú dénártha idir 'the Big House and the
cabin', idir 'high and low' chun tuarascáil a thabhairt ar an tsochaí in
Éirinn san ochtú haois déag; ní mór aicmí eile is leibhéil dhifriúla
shóisialta eile a chur san áireamh chomh maith, faoi mar is gá a
dhéanamh san Eoraip trí chéile. Níl aon fhianaise ar fáil, go bhfios dom,
a thabharfadh le fios gur homaighéiní sochaí na hÉireann – nó pobal
na Gaeilge – san am ná aon sochaí eile in iarthar na hEorpa; Ó Corcora
féin is údar leis an áiteamh gur 'peasant society, without distinction of
class' (Breatnach 1960: 130) a bhí i gceist. Ní léir, dar liom, gur ag
freastal ar aon phobal monacrómach amháin a bhí aos léinn na Gaeilge
trí chéile, ná gur ag freastal ar an aicme shóisialta chéanna a bhí an uile
dhuine acu; tá difríochtaí geografúla is difríochtaí sóisialta le cur i

bhfáth, mar a léiríonn saothar Uí Neachtain, Uí Mhurchú is Mhic Cumhaigh, mar shampla. Ní móide, ach oiread, go raibh teacht ag an bpobal trí chéile ar *corpus* iomlán na filíochta ná gurbh é an saghas céanna ábhair a thaitnigh leo trí chéile nó le haon ghrúpa nó le haon aicme faoi leith. Ní fhágann sin ná go mbíonn i ngach sochaí eilimintí cultúrtha comhchoiteanna a tháthaíonn an pobal le chéile, a mhúineann comhdhearcadh ar a stair dóibh, a bheathaíonn a gcuid siombailí, a chothaíonn an ideolaíocht dhúchais, a chuireann ar chumas aicmí difriúla ionannú le chéile is le cás a chéile. Bhí an litríocht riamh ar cheann de na heilimintí sin agus i gcás na Gaeilge, is sa litríocht is léirithí agus is leanúnaí a chítear an ideolaíocht dhúchais ag feidhmiú. San ochtú haois déag, is ina reitric Sheacaibíteach is mó agus is éifeachtaí a nochtadh an ideolaíocht dhúchais sin; reitric í a bhí á cur ar fáil go forleathan.

Cé gur léir nach é an scaipeadh céanna a chuaigh ar gach dán nó ar shaothar gach file san ochtú haois déag – ní móide go raibh puinn tráchta ar fhilíocht Sheáin Uí Neachtain, mar shampla, lasmuigh den cheannchathair – is léir freisin gur chuaigh scaipeadh fairsing, idir scaipeadh geografúil is scaipeadh sóisialta – ar a thuilleadh den ábhar. Agus Aogán Ó Rathaille fós ina bheatha, rinneadh cóipeanna de dhánta dá chuid i lámhscríbhinní a scríobhadh i gcontae Chiarraí, i gcontae Chorcaí, i gcontae Luimnigh agus i mBaile Átha Cliath; tamall tar éis a bháis faightear dánta leis i lámhscríbhinní a scríobhadh i gcontae an Chláir agus i gcontae Loch Garman.[20] I lámhscríbhinn a scríobh Piaras Mac Gearailt sa bhliain 1769 (MN M 58a) tá, i dteannta roinnt dánta dá chuid féin, tá freisin dánta le Liam Inglis, Liam Rua Mac Coitir, Aindrias Mac Cruitín, Eoghan Ó Caoimh, Uilliam Mac Cairteáin. Mar a léiríonn an lámhscríbhinn sin, ní seachadadh amháin a bhí ar siúl ag na scríobhaithe ach teaglamadh chomh maith agus bíodh gur sa naoú haois déag a rinneadh na cnuasaigh ba chuimsithí is b'iomláine, fós bhí an cnuasú is an teaglamadh ar siúl ó lár an ochtú haois déag amach. Toisc go raibh buíon scoláirí ó gach cúige lonnaithe i mBaile Átha Cliath sa chéad cheathrú den aois, is cosúil gur fheidhmigh an cheannchathair mar theach sórtála sa tréimhse sin. Ach ní hí an láthair faoi deara sin ach an cumann gairmiúil a bhí idir an bhuíon úd agus an aithne phearsanta a bhí acu ar a chéile.[21] Is léir ó fhianaise na filíochta féin go raibh gréasán gairmiúil sóisialta mar é coiteann i measc na bhfilí i gceantracha eile freisin, go háirithe i gcúige Mumhan: bhí caidreamh ag Liam Inglis le Liam Rua Mac Coitir, Eadbhard de Nógla, Seán na Ráithíneach, Seán Lloyd; bhí caidreamh ag Liam Rua Mac Coitir le hAodh Buí Mac Cruitín, Aindrias Mac Cruitín, Eoghan Mac Cárthaigh, Éamonn de Bhál, Seán na Ráithíneach, Séamas Mac Coitir; bhí caidreamh ag Seán Clárach le Seán Ó Tuama, Aindrias Mac Craith, Liam Inglis, Liam Rua Mac Coitir, Éamonn de Bhál, Liam Dall Ó hIfearnáin; bhí caidreamh ag Mac a Liondain le Mac Cuarta, ag

Ó Doirnín le Muiris Ó Gormáin, ag Seán Ó Braonáin le Mícheál Óg Ó
Longáin.[22] Tá toradh an chaidrimh sin le feiscint go soiléir san fhilíocht
féin – filí ag freagairt dánta a chéile, filí difriúla ag scríobh dánta ar an
ábhar céanna, filí ag scríobh i bpáirtíocht le chéile, tuirimh á scríobh
acu ar a chéile – agus is cinnte gur chothaigh sé ní hamháin
comhthuiscint is comhoibriú eatarthu, ach comhdhearcadh chomh
maith. Is ceart a thuiscint nár chaidreamh gairmiúil liteartha amháin a
bhí i gceist ach caidreamh sóisialta chomh maith. I gcolafan dá chuid
míníonn Donnchadh Ó Floinn cúlra na cumadóireachta a rinne Seán
Clárach, Liam Rua Mac Coitir agus Risteard Ó Murchú ar ócáid áirithe:
'ar dteagmháil dóibh re chéile san Ráth timpeall na bliadhna 1720
d'aontoisg chum coidribh do chur ar a chéile. Ar n-ól dóibh tamall do
leig Uilliam air féin tuitim do chodladh ...' (MN B 11: 59); i gcolafan eile
a scríobh sé sa bhliain 1798 míníonn sé conas a tháinig sé ar an eolas a
bhí aige ar an dán cáiliúil a chum Aindrias Mac Cruitín (*Go cúig roimh
luis* ...): 'D'aithris Aindrias an cuntas so do Shéamas Mac Coitir
Chaisleáin Uíbh Liatháin iar bhfaicsin an leabhair do. Et d'aithris
Séamas an nídh céadna d'Éamonn Ó Mathamhna, do bhí 'na chumann
et ina charaid diongbhálta aige san mbliaghain 1780. Et tug an
tÉamonn so (mo chara ionmhuin) an cuntas céadna go friochnamhach
in mo thigh féin damhsa ...' (*ibid.* 120).

Níl aon cheist ach go raibh teacht ag an aos léinn ar shaothar a chéile
agus ar shaothar an dreama a chuaigh rompu agus gur chuid dá gcúram
é an saothar sin a theaglamadh agus a sheachadadh. Seachadadh
fulangach friochnamhach a bhí i gceist uaireanta, seachadadh bisiúil
cruthaitheach uaireanta eile – ag brath ar an ábhar. Nuair ba sheanchas
a bhí i gceist, na téacsanna canónda a d'fheidhmigh mar fhoinsí
tagartha is eolais ag an aos léinn (*Foras Feasa ar Éirinn*, 'Tuireamh na
hÉireann', na ginealaigh, mar shampla) ní dearnadh leo, ar an
mhórgóir, ach iad a chóipeáil, an t-ábhar fréamhaithe a chur ar aghaidh
go dtí an chéad ghlúin eile. Sampla an-léiritheach den phróiseas sin is
ea an lámhscríbhinn a scríobh Pádraig Mac Gathan i gcontae Lú sa
bhliain 1843: 'who copied from a book by Aodh Ó Néill, dated 1803,
who copied from a book by Muiris Ó Gormáin written in Dublin in
1775, who copied from the Book of Dubhaltach Mac Fir Bhisigh written
in the College of Galway in 1649' (IG 16 ,1906, 209). Ach ní mar sin a
caitheadh leis an fhilíocht pholaitiúil arbh fhéidir agus ar ghá í a chur
in oiriúint do dhálaí comhaimseartha, idir dhálaí áitiúla is dálaí
náisiúnta. In 'Innisim Fís Is Ní Fís Bhréige Í', a scríobhadh timpeall na
bliana 1650, agus an bhean, i dtreo dheireadh an dáin, ag misniú an
inseora le scéala dóchais, luann sí na laochra táscúla a bhí fós ar
marthain:

> Gidheadh fós, mo dhóigh níor thréigeas
> 's ní bhiaidh mise gan misneach éigin,
> is treise Dia ná fian an Bhéarla;

mairidh fós de phór Mhiléisius
an tAodh Buí se d'fhuíoll na nGaelfhear ...
mairidh an ruaifhear gruaigheal Féilim,
is Colonel Fearghail an gaiscíoch éachtach,
is Aodh Ó Broin le dtuitfeadh céadta ... (FPP: 2 §§ 265-74).

Céad bliain ina dhiaidh sin, sna cóipeanna den dán a rinneadh i gcúige Mumhan, athraítear cuid de na hainmneacha sin agus ina n-ionad luaitear ainmneacha oiriúnacha comhaimseartha:

mairidh fós de phór Mhiléisius
Séarlas Stíobhart d'fhuíoll na nGaelfhear,
an fear do thárngair fáidh nach bréagach ...
is Tiarna an Chláir le a gcáithfear céadta ... .[23]

Sa véarsaíocht dhí-ainm ar chogadh an dá rí a cumadh, ní foláir, ag deireadh an tseachtú haois déag, faightear an véarsa dóchasaach fáistineach

Tiocfaidh an rí is tiocfaidh an bhanríon,
tiocfaidh an Sáirséalach is an dá Mhac Cárthaigh ...

ach i leaganacha eile is é Séarlas atá le filleadh agus i leagan a bhailigh Éinrí Ó Muirgheasa i gcontae Thír Eoghain is iad *an dá Mhac Cába*, sloinne coiteann Ultach, a bhí le bheith ina theannta.[24] *Is mac do Mhars an Mar so in Albain tuaidh* a scríobh Donnchadh Caoch Ó Mathúna 'ag moladh an Iarla Mar an tan táinig an Pretender go hAlbain 1715' (RIA 24 A 6: 367); sa dara leath den aois *Is mac do Mhars an mac so in Albain tuaidh* a bhí á scríobh ag scríobhaithe Chorcaí, bhí an dán á leagan acu ar Aindrias Mac Cruitín is ar Thadhg Gaelach Ó Súilleabháin agus é á thagairt anois acu do Shéarlas Óg.[25] Dán coiteann go leor sna lámhscríbhinní is ea *Níorbh fheasach sinn i gcríochaibh Éibhir mhóir* a scríobh Diarmaid Ó Súilleabháin, dán a chaitheann anuas ar na bathlaigh uirísle atá anois go mustarach agus ar anchás na hÉireann dá bharr. Dán é a aimsíonn go cruinn aonfhoinse an dóchais:

Dá gcasadh Íosa Críost le tréin-neart sló
go ceart a shinsir an rí seo Séamas Óg ...

ach sna lámhscríbhinní déanacha is é Séarlas Óg a luaitear.[26] Séamas a bhí 'amuigh ... fé shioc/gan léine ná cuid na hoíche' sa chéad leath den aois; Séarlas a bhí 'amuigh' ina dhiaidhsean (thuas lch 417).

Is le traidisiún bisiúil beo atáimid ag plé, traidisiún liteartha a bhí ag freastal, is cosúil, ar phobal fairsing ilaicmeach ilghnéitheach. Tugann an t-ábhar féin an méid sin le tuiscint agus is léir air go raibh na filí féin, cinnte ó *c.* 1730 ar aghaidh, ag iarraidh freastal le guthanna difriúla ar phobal chomh fairsing agus ab fhéidir. Tá réimse fairsing teicníce is stílíochta i gceist san ábhar trí chéile, mar atá feicthe againn cheana; ón rabhcán is simplí go dtí an liric is ealaíonta, ón véarsaíocht dhí-ainm go dtí saothar na bhfilí aitheantúla, ón dán fuinte críochnaithe go dtí ceathrúna fáin:

Tabhair do Shéamas shéimh na ráite suairc
nóchad de bhéithibh maorga blátha buan,
gan faice ar a dtaobh ón fhéar go barr a gcuach,
dá dtaisteal go tréan tréimhse 'na dháil go luath (BL Eg. 158: 160).

> Aon is dó fá dhó im chrannsa d'oir,
> 's go tréan 'na ndeoidh ar seol dá sceinneadh *mus*;
> mo léan ná fónann crógacht saoithe Loirc
> don réacs i ndóigh go scólfaidís na toirc (ÉM: 41 §§ 1-4).

Tá, mar is léir, réimse fairsing teanga chomh maith, idir ardréimeanna liteartha léannta, íosréimeanna graosta barbartha, réimeanna foirmeálta, réimeanna poiblí, réimeanna neamhfhoirmeálta, réimeanna comhráitiúla. Chítear an réimse leathan céanna, idir theanga is teicníc, sna seánraí difriúla, sna haislingí, sna hamhráin ólacháin, sna liricí eiligiacha, sna tuirimh, sa véarsaíocht dhí-ainm fiú. Tá an réimse sin an-soiléir i saothar Mhic Dhónaill agus i gcuid mhaith de shaothar na bhfilí a bhí suas lena linn, go háirithe Liam Inglis, Aindrias Mac Craith, Seán Ó Tuama, Liam Dall Ó hIfearnáin. Níl aon duine de na filí sin, agus is beag file de chuid na linne, nár bhain úsáid as foinn choiteanna chomónta an phobail, an mheicníocht ab éifeachtaí a bhí acu chun teacht ar ghnáthphobal a linne. Fágann sé, go bhféadfadh an reitric Sheacaibíteach, ar bhíthin na bhfonn comónta sin, taisteal ó cheantar amháin go ceantar eile, ó phobal áitiúil amháin go pobal eile, agus ón aicme liteartha a chum an saothar go haicmí sóisialta eile. Cé go dtugaimidne 'an t-aos léinn' de ghnáth mar ainm ginearálta ar na filí aitheantúla, ní mór a mheabhrú nár ghairm lánaimseartha í an fhilíocht san ochtú haois déag agus, mar sin, gur chuimsigh an ghairm sin gairmeacha difriúla eile chomh maith: sagairt, tábhairneoirí, feirmeoirí, múinteoirí, mar shampla. Ba leithne fós réimse na ngairmeacha i measc na scríobhaithe:

> Is mó sórt eile duine seachas múinteoirí agus sagairt a gheobhfaí i measc na scríobhaithe. Bhí orthu ceardaithe de gach saghas (siúinéirí, saoir chloiche, fíodóirí, gaibhne agus a leithéidí), feirmeoirí láidre agus sclábhaithe, siopadóirí, scoláirí bochta taistil ab ea cuid acu leis agus bhí cúpla tincéir ar a laghad ina measc (de Brún 1972: 18).

Ach tá le tuiscint freisin go raibh daoine eile, idir mhná is fhir, sa phobal, seachas na filí aitheantúla, a shaothraigh an chumadóireacht fhileata, ar beag lua atá orthu sna foinsí scríofa. 'Tuata neamhlitirdha' a thugann scríobhaí amháin go drochmheastúil ar fhile anaithnid a raibh dán leis á chóipeáil aige agus is cinnte go raibh filí iomadúla mar é ann a raibh saothar 'neamhliteartha' á chur ar fáil acu.[27] Cé gur beag eolas beacht atá againn ar na cúirteanna filíochta a d'fheidhmigh i gcúige Mumhan, go háirithe sa dara leath den ochtú haois déag, tá an chuma ar an bhfianaise atá againn go raibh feidhm cheardchumainn ar cheann de na feidhmeanna a bhí acu – daoine mí-oiriúnacha a choimeád amach is a stop ó bheith ag cleachtadh na filíochta:

Ar dtúis, gan aon do ghlaca san suagdháil so acht fear fíoreolach san nGaoidhilg ... Aon neach le a gceapfar dán nó abhrán gan cead bheith aige a chraobhscaoileadh go teacht do ar dtúis do láthair na suagdhála agus a dhéantús d'fhoillsiú; ansin má chítear go mbeadh a shaothar dea-chumtha bhéarfar scríobhtha do chantaire na cúirte é chum a fhoirleathnú ... A bheith ceangailte go cinnte ar gach aon den dáil le a gcasfar séideánach seasc saobheolach agus millteoir dáin agus abhráin do mheallas an chomhchoitinne i mbréigriocht file foghlamdha fírghrinn, foillsiú do dhéanamh air ionnas go dtabharfaí faoi dhlí na n-ollamhan é go fíréasca ... (Ó Cuív 1965a: 216-7).

Is í 'an chomhchoitinne' sin agus a cuid filí is rannairí nach bhfuil teacht orthu sna foinsí ach tugann na barántaisí liteartha le tuiscint freisin nach aon saghas amháin file a bhí ann agus gurbh fheiniméan coiteann é – is móitíf choiteann ar a laghad é – daoine a bheith ag cleachtadh na filíochta i measc an phobail nárbh fhilí cearta in aon chor iad, dar leis an aos léinn:

Contae Thiobrad Árann etc. Ag so faisnéis Uilliam Uí Bhriain ó cheannbhaile na contae réamhráite dom láthair, aon de bhreithimh na hollúnachta san gcontae chéana ... go bhfuil bruinnire bolgmhór breacluirgneach bréananálach burdúnach bundúnach ... ag imtheacht ó thír go tír, ó thuaith go tuaith, ó thriúcha go triúcha, ó bhaile go baile, ó thigh go tigh, ó bhothán go bothán, ó phosta go piléar, i leith a bheith 'na mháistir scoile, ag milleadh, ag míchorú, 's ag maslú Béarla agus Gaeilge, in aghaidh ceartdhlí na bhfáidhe agus na bhfíorollún, agus contrárdha do rialacha léinn agus lánfhoghlamtha chúirte na naoi mbéithe agus Apollo. Adeir an faisnéisí seo mar an gcéanna gur gháthbhéas leis an gcrochaire creatlom cnámhársaidh camspágach so sórt seanleabhráin lán de righinráiméis leamh, gan bun gan barr, gan sníomh gan snas, do bheith ina chríonphóca aige ... i gcomhair a bheith á léamh agus á rannghabháil sin do scológa, do chailleacha, et do dhaoine tuatúil beagléinn ...
(Ó Fiannachta 1978: 44).

I gcolafan i lámhscríbhinn dá chuid, insíonn Piaras Mac Gearailt conas mar a chum Liam Rua Mac Coitir an t-amhrán Seacaibíteach *Is briathra leamha ar ollbhaois* .... Míníonn sé go raibh an tAthair Seán Riabhach Ó Briain lá ar cóisir agus gur airigh sé 'bacach ag gabháil briléis amhráin do rinneadh do Mhóirín Ní Luinneacháin'; scríobh an sagart an t-amhrán síos agus, toisc nár shaothar dea-dhéanta é, thug don fhile Séamas Mac Coitir é len é a fheabhsú; ansin thug Liam Rua 'iompó eile don stáir agus dubhairt sé na focail seo ionár ndiaig ar an dtiúin céadhna' (MN M 58a: 29). Ní mór ná go bhféadfaí caibidil iomlán i stair shoch-chultúrtha an ochtú haois déag a bhunú ar an gcolafan léiritheach léaspartiúil sin. Ní minic sna foinsí comhaimseartha a thagaimid ar bhacach is ar shagart i dteannta a chéile, fiú amháin ag cóisir; ní minic, ach oiread, a chímid nó a chloisimid liric fhuinte ealaíonta á déanamh ag file aitheantúil d'ábhar nach raibh ann, den chéad seal, ach 'briléis amhráin' bacaigh. Léiríonn an colafan go glinn dúinn ní hamháin a choimpléascaí a bhí gréasán soch-chultúrtha na haoise, ach nach ag aon leibhéal sóisialta amháin a bhí ábhar á chumadh agus, níos tábhachtaí fós, nach in aon treo sóisialta amháin a ghluais an t-ábhar sin. San amhrán cumasach ceolmhar a chum Donnchadh Ó Súilleabháin (*Fá chliath an smáil na táinte chlanna Mhíle*), amhrán éagaointeach coinbhinseanach a thugtar chun críche le ráiteas dóchasach díoltach, tá mar cheangal air, sa leagan a cuireadh i gcló, an véarsa seo:

> Tar toinn má thagann an leanbh nach aithnid dúinne,
> go buíonmhar acmhaingeach armach garbhthrúpach,
> fíochmhar feargach draganta teannaphúdair –
> is mín gan magadh ar bith an aicme seo leanann Liútar
>
> (Ó Foghludha 1938: 31 §§ 21-4).

Ach i leagan de cheann de na hamhráin a cumadh ar an aibiúráisean (*Fóill, a shagairt, ná dearbhaigh gan fios do chúise*), faightear véarsa mar é móide malairtí tábhachtacha difriúla:

> Tar toinn dá dtagadh an leanbh go gallathrumpach,
> buíonmhar sealpach armach garbhthrúpach,
> fíochmhar feargach draganta ceannaphúdair,
> is mín do chacfadh an aicme so ag dearbhú 'nois (MN M 9: 223).

San amhrán meanmnach gríosaitheach a chum Aindrias Mac Craith (*A bhile den fhoirinn nach gann*), is é dán na haicme atá le ruagairt, dar leis,

> Beidh an ghrathain á tachtadh le tnúth,
>   beidh bascadh agus brú agus briseadh orthu;
> 's is gairid go bpreabfaidh chun siúil
>   nuair bhainfeas ár bPrionsa cluiche dhíobh (ÉM: 75: §§ 33-6)

ach i leagan eile, dán níos míchompordaí fós atá á thuar dóibh:

> Beidh an ghrathain dá dtachtadh re tnúth,
>   beidh bascadh is brú is briseadh orthu;
> is gairid go gcacfaid 'na dtriús
>   nuair bhainfidh ár bPrionsa cluiche astu (RIA 23 B 38: 80).

Ní heol dúinn cathain a cumadh na malairtí sin nó cé chum iad, nó ar cheart féachaint orthu, ní mar mhalairtí, ach mar bhunléamha; léiríd arís ní hamháin cuid de na réimeanna difriúla is na guthanna difriúla a bhí ar fáil, ach gur tuigeadh don aos léinn gur ghá ábhar barbartha gáirsiúil a chur ar fáil freisin. Is cosúil go raibh glaoch air is glacadh leis:

> Níl garbhphoc coimhtheach den Ghalltáin,
> ó chaladh ghil Naoise go Ceann tSáil',
>   nach cacfaidh 'na mbríste
>   le hanaithe an sceimhle,
> ar talamh nuair suífear a chompáin ...
>
> Dá dtagadh an ní seo mar mheasaid daoine suas,
> an drong so is aithnid díbhse glacfaid tríd sin spuaic;
> bheadh scanradh,scaipeadh, scaoileadh ar Ghallaibh, sceimhle is ruaig,
> 's is úr bheadh cac 'na mbríste 's a slat ag síorchur fhuail ...

An sceol a theacht mar súd,
bheadh Seoirse ag cac 'na thriús ...

Is gur seadach do mhúinfid sliocht Chailbhin is Liútair
le heagla lúth na laoch mear ...[28]

A choisí, beir m'uiríoll go Daingean Uí Chúis,
go bhfuil Ristín 's a thruipí tar farraige chughainn;
go mbeidh Muilín is Deiní is Carrick go dubhach,
ag cur buinní as a n-inníbh is fairsinge mhúin (AÓR: 49).

Mar is léir, ní sa chumadóireacht dhí-ainm amháin a fhaightear ábhar mar é; leagtar ar na filí aitheantúla freisin é, ar Aogán Ó Rathaille féin. Is dóichí gur réaladh é an saghas sin véarsaíochta ar sheintimintí a bhí coiteann go leor i measc an phobail, agus ní i measc na hísle amháin é, agus léiríonn sé chomh huileghabhálach ilghnéitheach a bhí an reitric Sheacaibíteach féin. Ní ar éileamh morálta na Stíobhartach, ar an gceart oidhreachtúil, ar na trí coróiní, ar dhíbirt an rí chirt a bhí an reitric sin dírithe i gcónaí, ach ar ghnéithe eile den cheist freisin, gnéithe a bhí níos talmhaí is níos coincréití. Ní ina ghuth féin a labhair an file i gcónaí ach trí neacha is nithe a bhain leis an timpeallacht áitiúil is leis an saol laethúil; londubh, dreoilín, cnoc, cill, bean sí, caisleán, go fiú na bó:

An uair éiríos ar maidin 's chuas ar lorg mo bhó,
fuair mé mo dhroimeann is í báite san móin,
bhuail mé mo bhasa 'gus shil mé mo dheor,
sé mo chumha mar do cailleadh mo dhroimeann donn óg.

'A dhroimeann donn cíortha, 's a shíoda na mbó,
cá gcónaíonn do mhuintir nó an bhfuil aon acu beo?'
'cónaíonn mo mhuintirse i gcontae Mhaigh Eo
's ní fhágfad an tír seo go mbeidh an rí ceart i gcoróin' ... (RIA 23 O 77: 76).

Ní ina haisling amháin ná ina hamhrán polaitiúil amháin a cuireadh an reitric Sheacaibíteach ar fáil ach, ina dteanntasan, mar thomhas, mar thuireamh, mar aoir, mar liric phearsanta, agus go háirithe mar amhrán ólacháin is mar amhrán grá:

Adúirt an fháidhbhean mhánla linn
    i láinlios aoibhinn taobh le loch Laoi,
déintear tráth dhúinn gártha grinn
    is cnámhathinte tréan ar chnocaí;
fagham ar bord fíon is beoir,
    bíom ag ól gan traochadh a deochaí,
siúd ort, a Áine, sláinte an rí
    atá tar toinn ag téacht le borraíocht ...

Éistidh liomsa go scrúda mé scéal díbh
    gan glór, gan éifeacht nach bréag mo rún,
go rabhas go huaigneach i mbruach coille im aonar,
    cois leasa sléibhe 's mé ag sileadh súl;
bhí an smóilín binn ann ar bharr na géige,
    an lon, an chéirseach ag déanamh ceoil,

> is iad dá shíorchur síos gan scíth i gcéill dom
>> go bhfaicfinn Séarlas gan mhoill i gcoróin.

> Tá fuadar scléipe i mbliana ar Éirinn
>> idir Gaeil agus clanna Gall,
> go bráth ní féidir ár gcúis a réiteach
>> go bpósfar Séarlas lem chailín donn;
> trí lár mo smaointe is mé tinn tréithlag,
>> cé shínfeadh taobh liom ach an cailín donn,
> is í dá shíorchur síos gan scíth i gcéill dom
>> go raibh lá le Gaeil 's go mba ghar uainn cabhair.

> Is a chailín donn deas 'na dtug mé gean duit,
>> druid anall liom is tabhair dom póg,
> na mílte fáilte sea chuirim féin romhat,
>> ós tú do réifeadh gan mhoill mo bhrón ... .[29]

Ní furasta i gcónaí glanidirdhealú a dhéanamh san ábhar idir an t-amhrán polaitiúil agus an t-amhrán grá[30] agus ní hionadh sin nuair a bhí idir fheidhm ghnéasach is fheidhm pholaitiúil chomh hinghreamaithe comhlántach sin i bpearsa na mná Éire – mar a léiríonn 'An Cailín Donn' chomh simplí soineanta dúinn. Ní furasta ach oiread idirdhealú a dhéanamh i gcónaí idir amhráin ólacháin is amhráin ghrá agus ní hionadh sin ach oiread: dís iad, an grá is an t-ól, sa litríocht pé scéal é, a ghabh le chéile agus a samhlaíodh go minic leis an láthair chéanna, an tábhairne:

> Mo sháith nuair ibhim 's go bhfeicim mo bhuíon go sóch,
> scáil is gile tré dheirge bhíos 'na gcló,
> is dána duineamhail goirimse an tsíbhean mhóil
> ar clár go gcuireann gach duine againn timpeall coróin.

> Is gearr go dtigeann an Mhuirinn is aoibhne snó,
> cárt is gloine go cliste aici líonta ar bord;
> 'fáilte is fiche', deir sise, 'don tírse romhaibh –
> ná fágaidh sinne, tá tuilleadh den oíche romhainn'.

> Is sámh sinn uile 's is sultmhar ár ngnaoi 's ár nglór,
> a lán go gcuirim is gach imeall den tír le ceol,
> níl trácht ar bhinneas nach acu do fríoth ar chóir,
> is sláinte an leinbh nár chuireamair críoch air fós.

> Ó mhuise a shearcrúin is greannúr an scéal sa tír:
> Seoirse is a bhastúin dá gclasú 's dá dtraochadh ar toinn.[31]

Ní hé Aindrias Mac Craith amháin ar éirigh leis idir pholaitíocht, ólachán is shuirí a chumasc le chéile ina shaothar; meascán coiteann é ag na filí eile freisin, meascán a chinntigh go raibh an pholaitíocht dlúthcheangailte leis an dá sheánra ba phobalda dár cuireadh ar fáil – an t-amhrán grá is an t-amhrán óil.

Tá áitithe ag Clark go raibh ar chumas na reitrice Seacaibití sa Bhreatain, dá léannta Laidní í ar uairibh, go raibh ar a cumas freastal ar réimse fairsing den phobal: 'to reach out to include both the patrician and the plebian' (Clark 1994: 50); 'A Jacobite literature exists for this period at all levels of society,' a deir Pittock (1984: 7); 'Jacobite propaganda was remarkably diverse ...', a deir Monod (1989: 170). Bhí teacht ag na bolscairí Seacaibíteacha sa Bhreatain ar mheáin éagsúla iomadúla chun an reitric sin a scaipeadh: cló is lámhscríbhinn, prós is véarsaíocht, seanmóirí is paimfléid, mórbhileoga is tráchtais. Bhí a macasamhail in Éirinn taobh le haon mheán amháin – an véarsaíocht – ach fós d'éirigh leo an reitric sin a chur ar fáil i módanna difriúla, i seánraí éagsúla, ag leibhéil shóisialta dhifriúla. Mar théacsanna scríofa neamhbheo a thagaimidne inniu ar an aisling pholaitiúil agus ar an fhilíocht pholaitiúil trí chéile, ach ní mar théacsanna scríofa amháin agus ní mar ábhar scríofa a d'fheidhmigh an fhilíocht sin go príomha san ochtú haois déag. Eilimint bhisiúil amháin sa chultúr liteartha trí chéile ab ea an fhilíocht sin, eilimint a léiríodh do lucht éisteachta mar amhráin i gcomhthéacs cuideachtúil sóisialta ag cóisir, ag bainis, ag tórramh, ag céilí; sa teach, sa tábhairne; ar an aonach, ar an bportach, ar an bhfarraige. Feidhm théacsúil amháin atá ag an fhilíocht sin inniu, chomh fada is a bhaineann linne, ach ag am a cumtha, a léirithe is a scaipthe bhí feidhm chomhthéacsúil freisin aici: ba chumadóireacht í a raibh athshondais, macallaí is ceangail iomadúla idir í agus gnéithe eile de chultúr coiteann na muintire. Ní hamháin sin, ach bhí parailéalachas nach beag idir seintimintí polaitiúla na filíochta agus an tuairimíocht phoiblí.

Bhí an chabhair choigríche, mar shampla, ar cheann de théamaí uilí na filíochta san ochtú haois déag, idir fhilíocht aitheantúil is chumadóireacht dhí-ainm; de réir tuairiscí iomadúla, a scríobhadh ó cheann ceann na haoise, ba thuiscint fhorleathadúil i measc na ndaoine í, ba chreideamh coiteann é, go raibh an chabhair sin le teacht:

> The Papists lived continually in hope of aid from the Catholic powers to root out the Protestants, and shake off the yoke of Britain ...
> (Froude 1872 i: 350).

> The people here, I mean Papists, are so far advanced that they will pay no money, and the whisper is that the six thousand Irish abroad are to land this spring in this Kingdom ... (SP 63: 374/43).

> The Irish Papists of this country have ... flattered themselves with hopes of seeing an army of French land at Cork, nay they have carried their insolence to that pitch as even to look out for an easterly wind to favour a descent on this Kingdom ... (*ibid.* 402/107).

> The insolent behaviour of the Papists and their clergy, at Galway, in September 1745, upon the appearance, on the coast, of the homeward-bound East Indian fleet ... which proved how ripe they were to lay hold of every occasion to attempt the subversion of the Government ...
> (Hardiman 1820: 182).

> Many of the rioters ... were overheard to claim that the French would arrive shortly, that 'they should all get estates' and 'that not one Protestant

should be alive in a month' … Recently, emmisaries have been among
them … to excite them to join the United Irishmen, and to fill them with
hopes of a French invasion … 'We really did expect the French … it was
such a common phrase on everyone's mouth, that we all thought it'

(Elliott 1982: 45, 96, 172).

Cé nár ghá gur macalla díreach é an téama liteartha ar an tuiscint
choiteann, ní móide gur gan fhios dá chéile nó neamhspleách ar a
chéile a d'fheidhmíodar sin ná na seintimintí comhchoiteanna eile a
nochtar san fhilíocht agus sa tuairimíocht araon: an díoltas a bhí le
baint amach ar Ghallaphoic, filleadh na huaisle, athréimiú na nGael. Is
soiléire i bhfad na macallaí i gcás na bhfonn coiteann ar baineadh
earraíocht astu sa chumadóireacht pholaitiúil, amhráin mar 'Éamonn
an Chnoic', 'Seán Ó Duibhir an Ghleanna', 'An Craoibhín Aoibhinn',
'An Seanduine Dóite', 'Stáca an Mhargaidh', 'Fágfaimíd Súd Mar Atá
Sé', 'Seán Buí', 'Táimse Im Chodladh', 'M'Uilleacán Dubh Ó';[32] mar
atáid sna tagairtí iomadúla inmheánacha do eilimintí eile den chultúr
coiteann, idir rince is cheol is litríocht:

Sin gártha ag Gaoil re haiteas,
fághaid saoirse feasta,
's a námhaid cloíte i dtreasaibh,
        báis insa scléip;
's is fearr le maíomh sin, measaim,
ná ráite baois an raiste
Seán Ó Duibhir an Ghleanna
        ag áireamh a ghéim …

Beidh aifreann cantaracht i gceann gach baile againn,
is cuirfear ár namhaid i dteannta a marfa,
is aite liom súd ná 'Damhsa an Ghadraigh',
is má chuirtear a chodladh iad, ní dubhach liom é …

Is cumasach cáidhiúil an ráib d'fhuil Chaisil chirt,
ag druidim gach lá le clár geal Bhanba,
is fearr, mar mheasaim, ná 'Stáca an Mhargaidh',
is tláth bheidh Gallaphoic Sheághain chealgaigh,
        ó ró dá leagadh sa ghleo …

Monuar nach gcasann an ghasra ghnímhéachtach
tar cuantaibh Sacsan is as sin go críoch Éibhir,
ba dual go mbainfinnse den aicme mhíbhéasach
luach mo chapaill le bagartha 'Bruíon Chaorthainn' …

Gach Gaelfhear ceannasach scléipiúil cróga,
fuair péin ó Ghallaibh is i gcéin gur seoladh,
sin chugaibh abhaile iad is fáiltidh rompu …
is gur bhinne liom mar ábhacht san ná 'Ráiseanna Bhlá Úlla' …[33]

Mo chás, mo chaí, mo cheasna,
an fáth thug cloíte in easpa
fáidhe, draoithe, sagairt,
        dáimh agus cléir …
gan stát, gan mhaoin, gan fearann,

ár is míle measa
ná Seán Ó Duibhir an Ghleanna
fágtha gan ghéim ... (ER: 3 §§ 189-92, 201-4).

Ní screamh dromchlach caite anuas ar an ábhar traidisiúnta a bhí sa reitric Sheacaibíteach ach eilimint orgánach a rinne athnuachan ar an ábhar sin agus a chuir in oiriúint do dhálaí difriúla é, idir dhálaí náisiúnta is dálaí áitiúla. An ruaigeadh uilí a bhí le dul ar na Gallaphoic trí chéile, is ar Crofts is Jones, Burton is a sórt, tiarnaí indibhidiúla áitiúla, a chífí á chur i ngníomh é; an chabhair choigríche a bhí geallta a theacht go hÉirinn is go logánta cois abhann is cois farraige a chífí ag teacht í:

> A éigse shuairc na n-aradbheart, gléasaidh suas go hachomair,
>   féachaidh uair na hachaine, mar d'éist Mac na hÓighe;
> is uaisle Gael dá dtarraing chughainn, go fuadrach féil le fairsinge,
>   go cuantaibh ciumhaise Chairbre ag réiteach ár mbróin ...
>
> Tá stoirm ná cuirfear ar gcúl
>   ag druidim le ciumhais na Sionainne,
> nuair thiocfas an fhoireann tar abhainn,
>   is deimhin go bpleancfam Fuigeanna ...
>
> Is dá dtagadh i dtráth ón Spáinn *invasion*,
> go caladh Fionn Trá nó don bhá sin Bhéarra,
> ba chalma an trúp do rachadh don Mhumhain
> go hachomair umhal dá bhféachaint ...;[34]

an uaisle dhúchais a bhí le filleadh abaile, is ina mbailte dúchais a chuirfí fáilte rompu:

> Ba seascair subhach ag cantain chiúil an dáimh le dréacht,
> is i mbailte Mumhan go maiseach múinte gairdeach glé,
> gach dragan úr de chlanna Lughaidh, Chárthaigh 's Chéin,
> ag teacht go humhal, gan stad i gcúirt le grá don scléip ...
>
> Tá mo dhóchas go síoraí i gcomhachtaibh an Aoinmhic
>   an ceo so go scaoilfí dár gcairdibh,
> go mbeidh Seoirse 's a mhuintir gan lón bhídh, mar bhímse,
>   gan feolmhach dá ngríosadh lá páise;
> a mborda gan fíonta, a dtóna gan bhríste,
>   gan orlach 'na dtimpeall, acht tarnocht,
> toirneach is síonta, tar bóchna dá ndíbirt,
>   is seoladh a ceart-thaoisigh don Bhlarnain ...
>
> Go dtige an lá sin a mbeidh basa in airde,
>   is seinm cláirseach fá Dhomhnach Mór,
> ag cur fearadh fáilte roimh mo pháiste,
>   is fíon na Spáinne á scaipeadh is beoir ...
>
> Ar dteacht anois ar sáile don óg so Barún Shláine,
>   is ordú leis ón mbanrín chum sásaithe na nGael,
> beidh cnó na coille ag fás leis is tórthaibh ar chrannaibh gairdín,
>   is an Bhóinn ag briseadh cárthach le bláth beannaithe an éisc ....[35]

Is fada siar a chuaigh 'cnó na coille ag fás' mar mheafar den saol idileach in Éirinn, an saol faoin rí ceart nó faoin tiarna ceart, saol nach dtiocfadh isteach arís nó go bhfillfeadh seisean. Bhí nóisean sin an fhillte lárnach sa tuairimíocht phoiblí is sa litríocht araon, in ideolaíocht an tSeacaibíteachais agus in ideolaíocht dhúchais na ríogachta, san aisling agus sa bhéaloideas; pé acu an Stíobhartach, Tiarna an Chláir nó Ball Dearg Ó Dónaill a bhí i gceist, b'ionann feidhm dóibh is don fhilleadh buacach a bhí i ndán dóibh. Dar le Máirtín Ó Cadhain nárbh é Tone

> a rinne an stair ach na daoine a bhí ag targaireacht sna púiríní faoi Bhalldearg Ó Domhnaill, agus ag cumadh filíochta chomh deireanach sin féin, faoi fhilleadh na Stíobhartach! Agus ní hí Dírbheathaisnéis Tone a rinne an stair ó shin. Níorbh í ach 'long an óir' agus Balldearg Ó Domhnaill úd, a mbíodh 'súil ó dheas' thar dhromchla díleann i leith na Spáinne ag mo sheanathair leis, gach lá gur éag! ... (Ó Laighin 1990: 142).

Is suimiúil, agus is léiritheach, mar a cheangail an Cadhnach, agus a sheanathair roimhe, is cosúil, Ball Dearg agus an Seacaibíteachas le chéile, an litríocht agus an béaloideas.[36] B'é Ball Dearg an phearsa stairiúil dheireanach ar samhlaíodh finscéal Barbarossa leis in Éirinn, an phearsa stairiúil dheireanach ar shamhlaigh an t-aos léinn é ina Aodh Eanghach. Ar na Stíobhartaigh ina dhiaidh sin a thuirling an ról a samhlaíodh le hAodh Eanghach leis na cianta; ar fud Éireann, bhí laochra iomadúla ag feidhmiú mar a d'fheidhmigh Ball Dearg sa bhéaloideas: an laoch ina chodladh sa phluais ag feitheamh leis an lá a d'éireodh sé amach a shaoradh na hÉireann. Dhá réaladh chomhlántacha ar an bhfeiniméan céanna is ea an aisling pholaitiúil is an finscéal; dhá réaladh dhifriúla ar an bpatrún uilí tras-stairiúil céanna is ea codladh/díbirt agus dúiseacht/filleadh; is í an fheidhm mheisiasach chéanna a bhíonn ag an gCabharthach sa dá chás: 'the culture hero is the secular intermediary between man's needs and the world he lives in' (La Barre 1970: 200). Agus cé nach ionann suíomh geografúil dóibh, is ionann láthair fheidhmiúil dóibh: an rí thar lear, de bharr na gcnoc is in imigéin; an laoch i bpluais aitheantúil nó i gcnoc áitiúil sna hionaid dhiamhra chéanna ar chónaigh an spéirbhean – cois locha, cois fothraigh, cois mara, cois leasa.[37]

Cé gur go curata cogach, gona chlaíomh is a chlogad, is mó a léiríodh an laoch san fhinscéal, ní hannamh gur ina rí corónach a samhlaíodh freisin é, rí ag feitheamh leis an lá – agus lena chéile:

> Ní bhfuair na laochraí a bhí in Aileach fad ó shoin, ní bhfuair sin bás mar shíleas cuid de na daoiní. Nuair a tháinig an tóir róchruaidh orthu b'éigean dófu teitheadh síos faoin talamh ... Bhí fear ar an bhaile seo tá corradh le céad bliain ó shoin agus bhí sé istigh acu oíche amháin ... Bhí rí 'na shuí i gcathaoir agus brat síoda ar a uachtar agus coróin ar a cheann agus é 'na chnap chodlata ... Tá siad ansin ó shoin ag fanacht lena scairt, agus deirtear gur dual dófu bheith ansin nó go dtigidh bean agus go lasaidh sí ceithre teinte ar chnoic na hÉireann, ceann thoir agus ceann

thiar, ceann ó dheas agus ceann ó thuaidh. Thíos ansin ar an Eargal a lasfaidh sí an ceann deireanach. Deir siad gur dual díthe ansin teacht go hAileach agus adharc a shéideadh ar an Ghrianán. Sa bhomaite foscólaidh seacht ndoirse[38] ar an halla mhór atá faoin dún agus tiocfaidh cúig mhíle marcach amach agus anuas taobh an chnoic ar chosa in airde. Rachaidh siad thart ar Éirinn den rása sin agus nuair a bhéidh siad ar ais ar Ghrianán Aileach ní bhéidh aon saighdiúir Sasanach beo sa tír (*Béaloideas* 42, 1977, 269-70).

Dá logánta na hionaid ar chónaigh is ar chodail an laoch – faoi Loch Léin, i nGrianán Aileach, ag Mullach Maistean, ar an gCnocán Glas – ní feidhm áitiúil amháin a tugadh dó ach an fheidhm chéanna a bhí tuartha don rí thar toinn:

> The soldier replied that if he had pulled the sword out of the scabbard that Ireland would be free today. The soldier went on to say that it had been prophesied many years before that a man of his name would be going on that road, and that the soldier was to meet him and bring him there and see if he would take the sword out of the scabbard. ... These men were Eoghan Rua O'Neill's soldiers who before the end of the world were to free Ireland from all invaders ... (*ibid.* 282).

> 'Sé Gearóid Iarla a dtaoiseach. Tá capall breá gléasta ag gach duine agus diallaid agus srian air, ina seasamh; claíomh géar geal gorm ina lámhaibh deasa agus a lámha clé ar shrianaibh na gcapall. Mar sin atá siad go dtí an lá ar a mbuailfidh isteach duine chucu a d'fhéadfaidh a ndúiseacht ... preabfaidh an slua uilig agus amach leo chun shaortha na hÉireann ...
> (*ibid.* 293).

De na laochra difriúla ar samhlaíodh an finscéal leo in Éirinn is é Gearóid Iarla an té is mó a bhfuil trácht air agus is leithne dáileadh: is é a ainmsean a luaitear leis an laoch i leaganacha a bailíodh i gcontae Luimnigh is i gcontae Thiobraid Árann; i gcontae Loch Garman, i gcontae Cheatharlach, i gcontae Chill Dara, i gcontae na Mí, is i gcontae Lú; i gcontae an Chabháin, i gcontae Mhuineacháin agus i gcontae Dhún na nGall. In Oirialla go háirithe bhí lua marthanach air – anuas go dtí an aois seo – san fhinscéal féin agus sa bhéaloideas trí chéile, idir véarsaíocht agus phrós, mar laoch a raibh sé i ndán dó an tairngreacht a thabhairt isteach:

> Nuair a sciordfas na muilte cró
> is nach mbíonn deor acu acht fuil,
> éireoidh Gearóid Iarla ar a each ciar ceannann,
> is bainfidh sásamh fán fhuil a doirteadh
> i ndeireadh an Domhnaigh in Eachroim;
> sin an t-am a thiocfas an cogadh go hÉirinn.[39]

> Déarfadh cuid acu go dtáinig mé as na bruíne,
> déarfadh cuid eile gur den tslua sí mé,
> déarfadh cuid eile gurb as Teamhair na rí mé,
> ag dul síos go Mullach Ailim le Gearóid a scaoileadh,
> is go mbeadh cogadh gan mhoill ann le gcailltí na mílte
> (Ó Buachalla 1968: 116).

Targair Ghearóid Iarla

Éireoidh Gearóid Iarla
ar an each chiar cheannann,
agus bhéarfaidh sé cath gan iarraidh
ag Áth Fhir Dhia gan bheannú;
i Mullach Curraigh na gcrann gcath,
bhéarfaidh Gaill agus Gaeil an chéad chath;
eadar Mullach Curraigh is Droim Fhionn,
beidh na cinn gan áireamh
ag na féich dhubha á roinn,
agus ní á gcur i gcill nó i gcáraí (QUB 1/153: I).

Is léir gur ar an ábhar béaloideasúil sin a bhunaigh Aodh Mac Dónaill a thairngreachtsean:

Le torann an lámhaigh lá na feille sin,
fosclóidh gach ráth ó Dhroichead Átha go Gaillimh thart,
tiocfaidh na tuatha de shluaite Chailitín,
    hó, ró, go muileann an chró.

Seinntear an buabhall ar stuagh Mhullaigh Ailim leo,
is dúiscthear Gearóid Iarla is an ciar-each ceannann fós,
ní fhanfaidh le diallaid ach claíomh agus bearád beag,
    hó, ró, go gcruinní sé an sló ... (AMD: 32 §§ 134-41).

Cé go bhfuil tagairt do Ghearóid Iarla 'triath na gcaoleach' i gceann de dhánta polaitiúla an tseachtú haois déag (FPP: 3 § 145), agus go gcuirtear i láthair in éineacht le síphearsana táscúla na linne é – Clíona, Áine, Aoibheall, Donn Fírinne – níl aon trácht air, go bhfios dom, i saothar na bhfilí aitheantúla ina dhiaidh sin. Mar phearsa bhéaloideasúil amháin a d'fheidhmigh sé, is cosúil, pearsa ar ceanglaíodh a ainm is a scéal le téamaí coiteanna na taingreachta polaitiúla, go háirithe le muileann fola is leis an gcath deireanach a bhí le troid idir Gael agus Gall.

Ó na meánaoiseanna i leith, ba théama coiteann litríochta é áiteanna faoi leith – Mullach Maistean, Sligeach, Domhnach Sciath, Cnoc Saingil go háirithe – a bheith á lua leis an gcath deireanach sin:

Cath Saingeal cuirfidhear ann,
i n-áithfidhear fir Éireann;
    ní chuirfid Gaoidhil nó Gaill,
    a shamhail sin in Éirinn ...

Acht go dtugthar cath Saingeal
ní ghabhthar riú aondaingean;
    ó chath Saingeal ní bhia Gall
    seal i ndaingean na hÉireann ... .[40]

Sa naoú haois déag ba thuiscint choiteann i measc an phobail é go raibh an cath sin fós le troid. Mar a thuairiscigh Seán Ó Donnabháin:

The prophecy relating to Singland is still current among the peasantry in the county of Limerick, where it is believed that the battle remains yet to be fought. A man with three thumbs will hold the general's horses, and a mill in the neighbourhood will be turned by the blood of the slain. After this battle the power of the new English will be for ever suppressed and the Gaels and the *ould* English will be restored to their former power and possessions ... (ÁRE v: 1798).

I measc na dtairngreachtaí éagsúla a bhí cloiste ag Stanihurst, trí chéad bliain roimhe sin, bhí an scéal sin faoin muileann fola; i Mullach Maistean a bhí sé, dar leis:

> There is also in the countie of Kildare a goodlie field called Mooleaghmast, between the Norrough and Kilka. Divers blind prophesies run of this place, that there shall be a bloudie field fought there, betweene the English inhabitants of Ireland and the Irish, and so bloudie forsooth it shall be, that a mill in a vale hard by it shall run foure and twentie houres with the streame of bloud that shall powre downe from the hill. The Irish doubtlesse repose a great affiance in this balducktum dreame ...
>
> (Stanihurst 1578: 38).

Ní téama é sin a fhaightear san fhilíocht, go bhfios dom; fós ba thairngreacht choiteann i measc na ndaoine í, is cosúil. Luann Carleton í i measc na dtairngreachtaí áiféiseacha a bhí ag imeacht i measc 'the poorest, least educated ... the most ignorant description of the people', dar leis; lean sé air:

> They are, also, the most numerous. There have been for centuries, probably since the Reformation itself, certain opinions floating among the lower classes in Ireland, all tending to prepare them for some great change in their favour, arising from the discomfiture of heresy, the overthrow of their enemies, and the exaltation of themselves and their religion ... The influence on the warm imigination of ignorant people, of the fictions concocted by vagrant mendicants is very pernicious ... These mendicants consequently pander, for their own selfish ends, to the prejudices of the ignorant, which they nourish and draw out in a manner that has in no slight degree been subversive of the peace of the country ...
>
> (Carleton 1834: 313-6).

Bíodh nach le meas ná le tuiscint a labhrann Carleton ar na 'mendicants' úd ná ar a gcuid tairngreachtaí, fós is foinse uathúil é a shaothar trí chéile do réimsí áirithe den saol réamh-Ghorta in Éirinn – an cleamhnas, an fhaicseanaíocht, an tsagartóireacht, an bochtanas, an tairngreacht, mar shampla. Ag caitheamh anuas ar an tairngreacht, gan amhras, atá Carleton; mar dhuine a bhfuil oideachas air, ag labhairt le pobal a raibh oideachas orthu freisin, atá sé ag scríobh. Ach is fianaise ón taobh istigh a chuir sé ar fáil; ag cur síos ar chultúr a chonaic sé agus a raibh sé páirteach ann, atá sé, más ag iarraidh éalú ón gcultúr sin féin a bhí sé. Sa tuarascáil a thug sé ar na tairngreachtaí, is iontach mar a léiríonn sé cumas na tairngreachta féin, agus cumas lucht a scaipthe, an ráiteachas a chur in oiriúint don ócáid, do dhálaí comhaimseartha:

> Scarcely had the public mind subsided after the Rebellion of Ninety-eight, when the success of Bonaparte directed the eyes and the hopes of the Irish

people towards *him*, as the person designed to be their deliverer ...
Pastorini also gave such notions an impulse ... and the mill of Louth was
to be turned three times with human blood ... Then there was *Beal-derg* ...
all ready to awake and take a part in the delivery of the country ... Scarcely
any political circumstance occurs which they do not immediately seize
upon and twist to their own purpose ... When our present police force first
appeared in their uniforms and black belts, another prophecy, forsooth,
was fulfilled ... (*ibid.* 314-6).

Ní ag cumadóireacht a bhí Carleton, is léir; tá trácht i litríocht
chomhaimseartha na Gaeilge freisin ar Bonaparte, Pastorini is an
mílíste dubh.[41] Ach ní ag tarraingt as an litríocht sin ná ag trácht uirthi
a bhí an t-údar; ag cur síos a bhí sé ar 'certain opinions floating among
the lower classes', tuairimí a bhfaightear réaladh eile orthu sa litríocht
chomhaimseartha. I saothar eile dá chuid tá tuarascáil fhíorspéisiúil,
tuarascáil uathúil, aige ar an tairngire féin nó an 'prophecy-man', mar a
thugann sé air; é i mbun a ghnó agus gorta á thuar aige:

'Is that in the prophecy, Donnel?'
'It's St. Kolumbkill's words I'm spakin''. ...
'Look about you, and say what is it you see that doesn't foretell famine-
famine-famine! Doesn't the dark wet day an' the rain, rain, rain, foretell
it? Doesn't the rottin' crops, the unhealthy air, an' the green damp foretell
it ... Isn't the earth a page of prophecy, an' the sky a page of prophecy,[42]
where everyman may read of famine, pestilence, an' death?' ....

Donnel Dhu, like every prophecy-man of his kind – a character in Ireland,
by the way, that has nearly, if not altogether, disappeared – was provided
with a set of prophetic declamations suited to particular occasions and
circumstances, and these he recited in a voice of high and monotonous
recitative, that caused them to fall with a very impressive effect upon the
minds and feelings of his audience. In addition to this, the very nature of
his subject rendered a figurative style and suitable language necessary, a
circumstance which, aided by a natural flow of words, and a felicitous
illustration of imagery – for which, indeed, all prophecy-men were
remarkable – had something peculiarly fascinating and persuasive to the
class of persons he was in the habit of addressing ... (Carleton 1847: 16).

Saothar cruthaitheach é saothar Carleton, ach fós níl aon cheist ach
gurbh é an saol comhaimsearhta, nó gnéithe áirithe de, a bhí mar
bhunábhar aige. Ní ag cumadóireacht a bhí sé, is cinnte, agus é ag trácht
ar an tairngreacht nó ar an tairngire, bíodh nach gá gurb í an fhírinne
iomlán a fhaightear uaidh i gcónaí. Luann Nioclás Ó Cearnaigh freisin
na 'prophecy-men' agus a gcuid saothair; ní hiad amháin, dar leis, a
bhíodh ag gabháil don fháidheadóireacht i measc an phobail:

There was a custom, however, very prevalent amongst the Irish ... to
reduce the prophecies of our Saints to metre, in order to suit the language
of the age in which they wrote, as well as to render them the more easily
to be committed to memory by the people ... These rhymers were, for the
greater number, prophecy-men who were always well-received by the
people, on account of the amount of information they gave concerning

their future liberation ... There was another less excusable mode adopted for corrupting our ancient prophetic writings ... There were in Ireland ... persons who ... announced that they had the aid of a pythonic spirit called Leannan Sighe in Irish. ... Those pythonics, or Leannan-sighe men, as a matter of course, delivered oracles suited to local subjects and matters, which were eagerly received and retained in the memory of the people; and some made genuine prophecy their text, whenever it was found suitable to their selfish purposes ... (O'Kearney 1856: 6-7).

Ainneoin gur fianaise dhéanach chlaonta é saothar Carleton is Uí Chearnaigh, is fianaise an-tábhachtach í sa mhéid is go gceanglaíonn siad araon an tairngreacht is a cleachtadh le haicme áirithe – 'vagrant mendicants', 'prophecy-men', 'leannan-sighe men' – agus go suíonn siad i measc an ghnáthphobail í, mar chuid de chultúr 'the poorest ... the least educated'. Dar le foinse chlaonta dhéanach eile, bhí

Multitudes of the ignorant and simple-minded who receive the lying prophecies fathered upon St. Columkille with implicit faith; and that they are consequently in continual expectation of the coming of those times of turbelence and blood, which the predictions here described allude to; so that in the late times of violent agitation, and trembling expectation of change, they were filled with the idea that *the time* was coming. And although they be now for a time disappointed, and their expectations unfilled, still the written lies remain with power to work as effectively for evil at any future time ... (King 1844: 218-9).

Dhá chéad bliain roimhe sin go beacht, sna teistíochtaí a tógadh síos d'éis éirí amach na bliana 1641, bhí comhchoibhneas á dhéanamh freisin idir tairngreachtaí na naomh agus gníomhaíocht cheannairceach an daoscair (thuas lch 511).

Ní sa litríocht amháin a d'fheidhmigh an tairngreacht is léir; ba chuid lárnach mharthanach choiteann de chultúr an phobail trí chéile í; í á seachadadh ó bhéal is de láimh, í ar fáil ag cléir is ag tuath, ag uasal is íseal, ó cheann ceann na tíre. Is beag ceantar sa tír, ó Bhaile Átha Cliath go contae an Chláir is ó Dhún na nGall go contae Chorcaí, nár scríobhadh síos, sa tréimhse *c.* 1650-1850, cóip de thairngreachtaí na naomh, faoi mar a bhíodar tagtha anuas. Chuir na cnuasaigh sin foinsí údarásacha ar fáil a bhféadfaí tarraingt astu de shíor, cur leo nó baint díobh gan stró, coigeartú is eicsigéiseas a dhéanamh orthu, de réir mar a d'oir is de réir mar a d'éiligh na dálaí comhaimseartha. Chuir ráiteachas na tairngreachta bailíocht údarásach na sean ar fáil do dhaoine is do ghníomhartha; foinse dhuibheagánta dho-ídithe ab ea é san uile réimse den saol. Is i ndán molta ar Thoirealach Mac Lochlainn a mheabhraigh Aodh Buí Mac Cruitín dó:

A fhir cheannsa chaoin chroíghlain den fhéin is mó,
do gheall na naoimh daoire na nGael do chló ...;

i ndán fáiltithe do Bhrian Mac Mathúna, ardeaspag Ard Mhacha, a mhínigh Pádraig Ó Prontaigh

> Dá dtigeadh an t-iarmhaireach is-teach,
> 's go bhfeicfeamaois díothchur éirceach,
> bheadh carbad luath go stéadaibh mear
> agaibh, ar nós bhur sinsear.[43]

Cé gurbh é teagasc oifigiúil na hEaglaise é gur pheacaigh

> lucht na bpiseog et na geasadóireachta; lucht na gíntliachta, et na
> hastróluíochta, et na fáistine, do bheir an onóir dhlighthear do Dhia, do
> Dhiabhol iofrionn ... adharaid é mar Dhia díleas, et le na choghnamh,
> bidh dóchas et muinighein aca fáistinibh do dhéanamh ar na nithibh
> bhíos chum teacht ... (Stapleton 1639: 63);

luadh na sagairt féin, go minic, leis na tairngreachtaí agus is léir go
raibh lámh acusan freisin ina seachadadh.[44] Bhí tairngreachtaí agus
tairngreachtaí ann, gan amhras; ó na naoimh, naoimh dhúchais na
hÉireann – dream nach bhféadfaí caitheamh anuas orthu nó
díspeagadh a dhéanamh ar a saothar – a shíolraigh ráiteachas na
tairngreachta in Éirinn.

Pé bunús stairiúil a bhí leis, ó na meánaoiseanna anuas go dtí an naoú
haois déag, is leis na naoimh sin, agus ní leis an aos léinn, mar atá
feicthe cheana againn, a samhlaíodh an tairngreacht. Bhí, is cosúil, cáil
na fáistine ar Aindrias Mac Cruitín ach is eisceacht a chás-san;[45] nuair a
chuir Aogán Ó Rathaille tairngreacht dá chuid féin i mbéal na
síphearsan Donn Fírinne (AÓR: 28), bhí sé ag cloí le nós traidisiúnta na
bhfilí leis na céadta bliain anuas: údar nach file é a lua leis an
tairngreacht; údarás, nach é údarás na filíochta é, a shamhlú lena
ráiteachas. Más fíor do Carleton is d'Ó Cearnaigh, níorbh aicme
rómheasúil ná róghradamúil iad na 'prophecy-men' lena linnsean is
b'fhéidir gur mar sin a bhí riamh: gur bhain cumadh na tairngreachta
le rannairí de chuid an phobail nach raibh gradam poiblí ná stádas
sóisialta acu.[46] Pé ní ina thaobh sin, nuair a luaitear, sna foinsí déanacha,
tuataí leis an tairngreacht is mionfhilí gan puinn aithne iad, daoine
imeallacha nach raibh aon seasamh sa saol acu is cosúil, daoine mar
Mhac Amhlaoibh i gcontae Chorcaí is Dhónall Cam i gcontae Mhaigh
Eo. 'An ubiquitarion or a sort of mysterious wanderer about whom no
person knew anything except that he was a *great prophecy-man*' a thug
O'Kearney (1856: 164) ar Dhónall Cam; 'his favourite haunt', a dúirt sé,
'was near Ballina, Tyrawly, though he was known to most people in every
part of Ireland'. Cé gur mar 'the notorious, coarse-minded, foul-
mouthed, intemperate blacksmith of Cork' a chuir údar claonta amháin
(Madden 1866: 23) síos ar Mhac Amhlaoibh, is léir go raibh an-mheas
ar a shaothar lena linn féin agus ina dhiaidh; tá sé ar dhuine den
bhfíorbheagán tuataí a luaitear tairngreachtaí leis sa bhéaloideas agus
sna lámhscríbhinní agus chuaigh an-scaipeadh ar an tairngreacht ba
mhó cáil dá chuid 'Aonta Mhic Amhlaoibh':

> Súd a haon: Loch Léin gan daingean ar bith,
> 's an darna haon: ní bheidh tréan i nGearaltaibh,

an tríú haon: ní bheidh éinne i nDúiche Ealla dem shliocht,
an ceathrú haon: beidh Éire ag Sasanaibh,
an cúigiú haon: is tréan 's is cleasach a gcoir,
an séú haon: beidh léirscrios fada ar a gcuid,
an seachtú haon: ní léir leo talamh ná muir,
is an t-ochtú haon: beidh Gaeil ag seasamh ar chnoic ... .[47]

Ach eisceacht is ea Mac Amhlaoibh freisin; fiú sa naoú haois déag, is ar na naoimh i gcónaí a bhí an tairngreacht fós á leagan ag an aos léinn:

Targair fhíor a rinne na naoimh ... (Aodh Mac Dónaill),

I dtairngreacht naomh is léir go bhfeaca
    scéal beag deas le lua ... (Mícheál Óg Ó Longáin),

Colum Cille naofa do léirchuir in eagar san-
's is dearbh linn nach bréagna na bréithre do canadh ris (Seán
    Ó Braonáin),

Dar oird Chille hÚire is dar feartaibh an leabhair,
beidh sciúirse le cuntas sula fada ar shliocht Gall ... (An Tiarna Barrach),

Is fada ó cuireadh síos go dtiocfadh sé sa saol
    go ndoirtfí fuil is go ndéanfaí sléachtadh,
de réir mar scríobh na naoimh is i mbliain an naoi atá an baol,
    má ghéilleann muid don scrioptúr naofa (Raiftearaí).[48]

Ach cuma cé na húdair a bhí ag na tairngreachtaí, pé acu naomh nó tuata a chum iad, pé acu i saothar na bhfilí aitheantúla nó i saothar na mionfhilí a thagtar orthu, pé acu san ábhar scríofa nó sa bhéaloideas a seachadadh iad, aon bhunteachtaireacht shimplí amháin a bhí á hiompar acu uile: *Gaill d'ionnarbadh is Banba a shaoradh* (FPP: 2 § 312).

Sa dara haois déag a múnlaíodh an nóisean sin ar dtús ach nóisean é a cuireadh in oiriúint do na dálaí soch-chultúrtha nua sa seachtú haois déag; na haoiseanna ina dhiaidh sin d'fhreastail ráiteachas na tairngreachta, go háitiúil is go náisiúnta, i dtéamaí, i seánraí is i módanna difriúla ceapadóireachta, ar mhianta polaitiúla na muintire – muintir 'úd an daorbhroid' – a raibh Colum Cille, Seanán is Maolmhaodhóg mar naoimh acu.[49] Bhí bliain chinnte á lua le fíoradh na tairngreachta, ach ba bhliain í, mar ba ghá is mar ba dhual, a d'athraigh ó ghlúin go glúin:

Míle agus seacht gcéad go beacht,
is aon bhliain déag gan amhras,
ó d'fhulaing Críost páis i gcrann,
go díbirt Gall a hÉirinn ... (AÓR: 25 §§ 16-20),

I ndiaidh míle et seacht gcéad,
an treas uair is a dó dhéag ... (NLI G 57: 1),

Bliain míle seacht gcéad le deich agus ceathair déag ... (RIA 23 M 6: 30),

Ag dáta bliana na dtrí seacht ...(RIA 23 B 19: 104),

In seventeen hundred and eighty two,
    old Ireland will be free ... (MN C 62h: 249),

Antrim John ... replied that according to a prophecy they had in the North, Ireland could not be free before the autumn of '98 ... (Byrne 1863 i: 228),

Míle slán go brách, is ocht de chéadaibh,
comhdhlúthaigh gan tláth cúig deich is ceangail naoi leo,
aois Mhic Mhuire táithigh seacht is aon fós,
ó sin go brách ar lár do aicme an Bhéarla ... (O'Kearney 1856: 186).

Bhí eilimintí difriúla sa ráiteachas, cinnte, ach is eilimintí iad a bhí ag teacht le chéile is a d'fheidhmigh go comhlántach is go parailéalach le chéile agus le foinsí eile. Bhí ionsaí mara i gceist:

Tiocfaidh oraibh ó thaobh na dtonn ... (RIA 23 D 16: 193),

Tiocfaidh don Daingean cabhlach mór ...,

Biaidh Gaill lán d'ansmacht
    san am san in inis Éireann,
go dtig Laoiseach Francach
    go críoch Banbha na mbéimeann;[50]

bhí an cath mór deireanach idir Gael is Gall fós le troid:

I bhfearann Saingil doirtfear fuil is ionathar,
mairg a bhéas ar dhíth reatha lá catha fhearann Saingil (RIA 3 C 8 iv: 129),

Bhéarfar cath i bhfearann Saingil;
beidh Gaeil ann, Francaigh is Albanaigh ... (AÓR: 25 §§ 13-4);

bhí fuil le dortadh:

Cá bhfuil súd an t-údar glic
thug gealladh dhúinn ag cúig roimh luis,
do bheith ag siúl go glúine i bhfuil,
    i gcorpaibh Gallda tréanphoic ....?

fuil go glún cos:
is mairg nach beidh 'na fhíréan an lá sin ...

Beidh aoltoir dá síorchur ar lár go féar,
's beidh síorfhuil dá scaoileadh le hármaibh laoch ...;[51]

bhí na Gaill le cloí:

Cruinneoidh deireadh na bhfear gcalma
    ar chnocaibh garbha sa Mhumhain,
sciosfar leo Gaill go héigneach
    is fúicfear Éire fúibh ...

Tiocfaidh cabhair 'gus fuaim orainn,
    'gus béam go léir go haiteasach,
'gus glaofam ar ár gcúnamh
    chun dúbailt insna rainceanaibh;
'gus séidfeam adharc 'gus biúgal,
    galltrumpa ar dtúis an chatha amuigh,
beidh smáil 'gus bleast an phúdair
    ag baint smúit as croí na Sasanach,
's a chlanna Gael na n-árann,
    sin é ráiteachas na tairngreacht ...;[52]

bhí na Gallaphoic le scrios is le díbirt:

> Beidh Robertson tréith is Réamons lag,
> beidh Wallis is Swaine tréith gan mhaith,
> Longfuil dá dhaoradh idir coiste 'n fhuil Ghaelaigh,
> Morrison claon idir Bhléac is Trant,
> beidh Johnson an fhill ag íoc sa cheart
> in ifreann thíos i dtintibh ceap;
> sin atharrach slí
> ag ainnir an tí,
> amen lem ghuí,
> is líontar chughainn casc ...
>
> A shaoi ghlain, ná smaoinigh gur bladar mo ghlór,
> tá an sceimhle seo mhaím i ngearracht don chóst,
> an bhuíon úd Dé hAoine d'alpas an fheoil,
> do chífirse brístí smeartha orthu fós ...;[53]

agus bhí na Gaeil le cur ar ais faoi réim arís:

> Beidh meascadh Gaelach i gcomhdháil éigeart Bhreatain Mhóir,
> do bhrisfidh suas a dtéarma 's do chuirfidh Gaeil tar n-ais 'na gcóir
> (BL Add. 27946: 18),
>
> Má ghéillimíd don laoi dar chansad fáidhe,
> atáid tréinfhir ghroí le tíocht gan stad tar sáile,
> do réifidh pian do bhuínse i nglasaibh tharla,
> 's do shaorfaidh sinn ó chuing na nDanar ngáifeach ...[54]
>
> Do bhíomairne agus ní bhfuilimíd,
> atáidsean agus ní rabhadar,
> beimídne agus éistfidhear sinn,
> ní bheidsean ná a dtuairisc go brách.

Mar mhíniú ar sheantairngreacht a fhaightear na línte sin sna lámhscríbhinní. Téacs é a bhfaightear cóipeanna de theas is thuaidh agus ar léir ar na malairtí téacsúla nach in aon cheantar ná in aon chanúint amháin a saothraíodh é.[55] Coimriú chomh héifeachtach leis ba dheacair a fháil ar reitric an tSeacaibíteachais; ní hamháin ar ráiteachas dóchasach na tairngreachta, ach ar ghuth iolrach cuimsitheach na filíochta polaitiúla trí chéile (*bhíomairne*), ar an chontrárthacht ba ghnách a dhéanamh idir iadsan agus an dream eile (*atáidsean*), agus ar an malartú rólanna a bhí i ndán dóibh araon (*beimídne ... ní bheidsean*). Coimriú gonta é, chomh maith, ar bhuntréith an mhíleannachais, cuma cá bhfaightear é: 'a strong sense of collective calamity and a demand for collective redemption' (Wilson 1973: 307).

Ní féidir a áiteamh gur leath an reitric sin mar bhrat ar fud na tíre gur bhain gach cearn den tír amach is gach duine, gurbh í an teagmháil chéanna a bhí ag cách i gcoitinne léi, ná gurbh í an éifeacht chéanna a bhí aici ó dhúiche go dúiche nó ó aicme go haicme. Ach ní ar a cainníocht ná a hiomadúlacht a bhí éifeacht na reitrice sin bunaithe ach ar a hionracas cultúrtha, ar a mhéad a bhí sí inghreamaithe sa chultúr

dúchais. Meabhraímis nach ina reitric liteartha amháin a réalaíodh an
Seacaibíteachas in Éirinn ach mar liostáil mhídhleathach, mar
scliúchais sráide, mar ólachán polaitiúil chomh maith, agus go raibh an
reitric liteartha ag freagairt don ghníomhaíocht cheannairceach sin trí
chéile. Ní mar sheánra ná mar théama liteartha amháin a d'fheidhmigh
an tairngreacht; bhí sí ina dlúthchuid de chreideamh coiteann an
phobail; ní san fhilíocht pholaitiúil amháin a bhí trácht ar an rí ceart, is
ina ainmsean a rinneadh an liostáil freisin; ní mar phearsa litearta
amháin a léiríodh an Stíobhartach, cuireadh i láthair mar fhear tuí
comónta chomh maith é; ní sna hamhráin amháin a d'fheidhmigh an
rós, is é a chaitheadh eachra Sir Séamas Mac Coitir agus dúshlán na
n-údarás á thabhairt aige i gcathair Chorcaí; ní i leaca na spéirmhná
amháin a bhí an deirge is an ghile ag coimhlint, bhíodh coinbhliocht
mar é go rialta ar shráideanna na ceannchathrach; ní don fhile san
aisling amháin a léiríodh an phearsa bhanda sin ach don daoscar i
mBaile Átha Cliath freisin. Pearsa í arbh fhéidir di í féin a chur in
oiriúint d'aon ócáid is d'aon chomhluadar; thaithigh sí an chúirt is an
bothán, an tsráid is an tuath; rinne sí suas le ríthe is le flatha, leis an
chléir is leis an intleachtra, le híseal is le huasal; is má thug sí seal le
Conn is le hArt, le Niall is le Brian, ní sa ríleaba amháin a chodail sí; bhí
teacht ag Tadhg is ag Ruairí uirthi, chomh maith céanna, sa tábhairne
is ar cóisir:

Ba spórtmhar seascair saidhbhir sinn
   's níor thinn linn na búir ar lár,
le gleo is caismirt faghairt claíomh
   dá ndeimhindíbirt siúd tar sáil;
beidh ceol dá spreagadh ar bheidhlín
   is geillfhíon dá dhiúgadh ar clár,
is go deo feadh mhairfidh Raidhrí
   beidh Meidhbhín go súgach sámh ...

Aisling do deineadh tThe líom chodladh aréir dom
go bhfeaca an chaismirt i ngach fearann cloímh d'Éirinn,
ag an gcóisir seo fada tá ceangailte i mbraighdneas
ag rince ar do phósadh, a Shíle Ní Ghadhra;
   a Shíle Ní Ghadhra, raghainn leat ag ól,
   a Shíle Ní Ghadhra, raghad leat sa ghleo,
   is b'fhéidir in éineacht go dtéimís ann fós ... .[56]

Cuma cén trácht a dhéanfaimid ar an phearsa iltaobhach seo, ní
móide go bhfuil aon dul againne ar a feidhm ná a héifeacht a thuiscint
ina n-iomláine. Is féidir linn cuid dá feidhmeanna a liostáil: is léir, ba
dhóigh leat, go raibh feidhm aeistéitiúil aici, feidhm shóisialta, feidhm
theiripiúil, feidhm pholaitiúil; ach an méid sin ráite, fágann sé fós go
bhfuilimid dall ar an éifeacht a bhí aici ar dhearcadh na ndaoine nó ar
a n-iompar agus dall chomh maith ar dhearcadh na ndaoine uirthisean.
Tuairiscíodh i seascaidí na haoise seo caite gur mheas cosmhuintir na

Briotáine gur ghnáthbhean í Marianne, pearsa bheo a mhair ina measc agus a bhí, rinneadar amach, críonna go maith faoin am sin:

> L'empereur et le roi ne sont qu'un pour nos paysans, et quand, en passant, on leur a parlé ... de la République, ... ils n'ont guère pu s'en rendre compte qu'en se la représentant comme un mythe auquel beaucoup prêtaient une existence et une figure, en disant qu'aujourd'hui *cette dame* devait être bien vieille ... la République était, pour les simples gens, dans l'alternative d'être inconcevable, ou conçue sous une forme personnalisée; et d'une personnalisation qui, à la différence de la tradition rhétoricienne des élites, était singulièrement prise au sérieux
> (Agulhon 1979: 142-3).

In áiteacha eile sa Fhrainc 'la mère Marianne' a thugtaí uirthi – 'elle a du bon vin' – is óltaí a sláinte; 'enfants de la Marianne' a thugtaí ar a lucht leanúna (*ibid.* 149-50). Tá le tuiscint ó fhianaise na n-amhrán abhus, go háirithe na hamhráin phobalda a dtagann an phearsa bhanda i láthair iontu ina Móirín, nó Meidhbhín, nó Caitlín, nó Síle, gur féachadh uirthisean freisin mar phearsa mharthanach bheo; go raibh 'l'intimité domestique' (*ibid.* 160) ag roinnt léisean chomh maith. Chítear sin go soiléir i bhfoinsí comhaimseartha eile.

II

> In the year 1759 ... an alarming spirit of insurgency appeared in the South of Ireland, which manifested itself by the numerous and frequent risings of the lower class of Roman Catholics, dressed in white uniforms, whence they were denominated white boys; but they were encouraged, and often headed, by persons of their own persuasion of some consideration. They were armed with guns, swords, and pistols, of which they plundered protestants, and they marched through the country, in military array, preceeded by the musick of the bag-pipes, or the sounding of horns. In their nocturnal perambulations, they enlisted, or pressed into their service every person of their own religion, who was capable of serving them, and bound them to secrecy, of fidelity and obedience to their officers; and those officers were bound by oaths of allegiance to the French King, and prince Charles the pretender to the crown of England ...
> (Musgrove 1801: 32).

Cé go nglactar leis coitianta gur timpeall na bliana 1760 a tháinig na Buachaillí Bána ar an saol agus gur i gcúige Mumhan a thosaigh an ghluaiseacht, níor cheart a dhearmad go raibh an talamh – idir a seilbh agus a húsáid – ina cnámh spairne leanúnach ar fud na tíre ó thús deireadh na haoise. Achrainn áitiúla i dtaobh na talún ba mhó faoi deara gníomhaíocht cheannairceach na 'Torys, Robbers and Raparees' a bhí á bhfógairt go síoraí ag na húdaráis; an t-aistriú a tharla ón churaíocht go féarach, is cosúil, a spreag na 'Houghers' a bhí chomh gníomhach sin ar fud chúige Chonnacht sa dara deichniúr den aois; ba ghearán coiteann ag na húdaráis é – i bhfad roimh 1760 – go mbíodh crainn á stathadh, clathacha á leagadh is ainmhithe á speireadh agus gur ghrúpaí fear, ag obair in éineacht, faoi deara na míghníomha coiriúla sin.[57] Tuairiscíodh ó chontae Chill Dara sa bhliain 1753 go raibh buíon fear tagtha le chéile agus móid tabhartha acu 'with heart and hand to aid and assist all persons who lye under the same (by them pretended) grievances'; tuigeadh nár ghnáth-thiomsú é seo agus go raibh tábhacht – is baol – as an ngnáth ag baint leis:

> That very disorderly and evil-minded persons did afterwards, on Whitson-Monday last past assemble themselves in a riotous and unlawful manner in the neighbourhood of said town of Kilcock, to the number of eight hundred, who marched in a military manner with colours flying and a person with them playing on a hautboy (NAI: 1A/44/145).

Is deacair a rá an é sin an chéad tiomsú chomh mór sin dá bhfacthas go dtí sin nó ar tharla aon tiomsú chomh taibhseach leis roimhe, ach tá againn sa tuairisc cuid de na tréithe idirdhealaitheacha a samhlaíodh leis na Buachaillí Bána ó thús: móid, eagrú míleata is tionlacan ceoil.[58] 'Levellers' is túisce a tugadh orthu toisc gur ag leagadh na gclathacha a bhí tógtha le déanaí ar na coimíní is mó a bhídís; tugadh Buachaillí Bána orthu ina dhiaidh sin toisc an éide bhán – léine nó ceannbheart – a chaithidís. Aidhmeanna teoranta go leor a bhí acu ar dtús – na coimíní a choimeád oscailte – ach laistigh de chúpla bliain bhí dírithe acu ar an éagóir ba mhó a bhí ag luí ar na haicmí ba bhoichte in Éirinn – an deachú a bhí orthu a dhíol leis an chléir Anglacánach. Gluaiseacht phobalda a bhí i gceist – an chéad cheann dá leithéid in Éirinn – a raibh tacaíocht an-fhairsing aici i measc aicmí difriúla ach ar samhlaíodh go háirithe í le 'the lower class of Roman Catholics'; dar leo féin gur 'levellers and avengers for the wrongs done to the poor' ab ea iad (Froude 1874 ii: 25). Agus cé gur ghluaiseacht faoi mhionn í, is go poiblí ina sluaite a d'fheidhmíodh a baill; idir *c.* 1760-80 is beag contae i gcúige Laighean is i gcúige Mumhan nach bhfacthas na Buachaillí Bána ina gcéadta, uaireanta ina mílte, ag taisteal i bhfad ó bhaile, istoíche de ghnáth, a gcearta á n-éileamh acu, an éagóir á cur ina ceart acu, pé slí ar mheasadar ba ghá sin, ordú míleata orthu, caiptíní is oifigigh eile i gceannas orthu, agus idir phíb is adharc ag coimeád ceoil lena máirseáil is lena gcuid gníomhaíochta. De réir tuairisce ó chontae Chorcaí is 'disaffected and treasonable tunes' a bhíodh á seinnt acu; 'many songs of the same nature' a bhíodh á rá acu; luann tuairiscí difriúla gurbh fhonn coiteann dá gcuid é an t-amhrán Seacaibíteach 'An Cnota Bán' ('The White Cockade'), an fonn a ghabh le *Bímse buan ar buairt gach ló*, a chum Seán Clárach Mac Dónaill, agus le mórán amhrán eile.[59]

Bíodh go bhfuil cuma phléarácúil an charnabhail ar chuid mhaith de ródaíocht oíche na mBuachaillí, laistiar den cheol is den gheáitsíocht mhíleata bhí aidhmeanna cinnte pairticleártha agus cé gurb iondúil gur mar aidhmeanna áitiúla sóisialta a chuirtear síos orthusan ba dheacair, i gcomhthéacs comhaimseartha na hÉireann, aon idirdhealú absalóideach a dhéanamh idir áitiúil/náisiúnta nó sóisialta/polaitiúil. Is go háitiúil a léirigh an Gallsmacht é féin go príomha agus is i bpearsa an ghiúistís áitiúil a rinne sin; níos minicí ná a chéile b'é an tiarna agus/nó an ministir áitiúil a d'fheidhmigh mar ghiúistís chomh maith. Is go háitiúil a chonacthas an t-aindlí ag feidhmiú agus is go háitiúil, trí ghníomhaíocht shóisialta – nó míshóisialta ba chirte a rá – i gcoinne tiarnaí, ministrí is a gcuid feidhmeannach a d'fhéadfaí cur ina choinne. Gráscar áitiúil a bhí san eachtra a tharla i mBéal Átha Ragad i gcontae Chill Chainnigh sa bhliain 1775 ach ní i gcomhthéacs áitiúil amháin a chuirtear síos air san amhrán áitiúil a cumadh air:

I gcontae Chill Chainnigh sea rinneadh an t-ár go léir,
i mBéal Átha Ragad in aice na Feoireach tréin,
mar a mbíodh an breac insa ghaise, is an lon dubh ar bharr na ngéag,
an chuaichín ag casadh, is an eala ag snámh go séimh.

A Bhéal Áth Ragad, is ortsa thá an saol ag trácht,
sé guí gach duine gan tusa a dh'fháil cabhair na ngrás,
mar gheall ar an chasair do rinneadh dhá uair roimhis an lá,
ar na buachaillí geala bhí ag feitheamh le cabhair a dh'fháil ...

A Aonmhic Mhuire, ar dh'fhulaing tú féin an pháis,
an bhfeiceann tú na Gallaibh ag seasamh is a ngunnaí ina lámhaibh,
ag síorthabhairt tarcaisne do bhanaltra an Uain ghil bháin,
is gan a céad míle beannacht níl flaitheas Mhic Dé le fáil?

I mBéal Átha Ragad do leagadh na buachaillí groí
a bhí lúfar seasmhach meanmnach, lán de chroí;
thá siad sa mbaile is iad marbh ar gcúl a gcinn,
is gan aon rud a bhaint duitse, a Heweston bhuí! ...

A Mháire, glac ciall, ná bíodh ciach ort trí thamall beag bróin,
beidh Heweston ag an diabhal ar iarann ceangailte fós;
Oscar na bpian á stialladh is á loscadh go deo,
is a chnámhanna ag an bhfiach, agus a bhléan á creimeadh ar an ród! ...

Liomsa níorbh ionadh dá loscfadh an ghrian an t-aer,
ná an ghrian nó an ghealach a dh'fheiscint le saol na saol,
tríos na fearaibh do leagadh gan choir, gan chúis, mo léan –
ach is minic do fealladh ar chlanna bocht cráite Gael
                    (Ó hÓgáin 1980a: 2 §§ 1-8, 17-24, 33-6, 49-52).

Cuma cé chomh háitiúil ná chomh heisceachtúil a bhí an eachtra úd i mBéal Átha Ragad,[60] de réir an amhráin sin – amhrán a mhair ar bhéalaibh daoine go dtí gur bailíodh sa naoú haois déag é – is mar chuid de choimhlint níos leithne, mar chuid den tseanchoimhlint idir 'chlanna bocht cráite Gael' agus 'na Gallaibh' a chonacthas is a tuigeadh é. An tuiscint chéanna – agus an fráma tagartha céanna – atá laistiar den amhrán meidhreach luascach 'Éigean na mBuachaillí Bána', amhrán a shnaidhmeann le chéile go ceolmhar slachtmhar an sean is an nua:

> Rachmas is sástacht ar mórmhuir 's ar bhánchnoic,
>> 's is suairc linn a ngártha 's a misneach;
> níl luascadh ar árthach nó buaireamh san lá so,
>> ó chuan Cheanna tSáile go Doire;
> is buacach na blátha go fuadrach ag fásadh,
>> ar dhualladh na mbánta gan mhilleadh,
> le huaill 's le háthas na mBuachaillí Bána,
>> faoi thuairim rí Seárlas go dtiocfadh....
>
> Faghaimse na grása ó mhac Muire mháthar,
>> buail linn an báire go gcuirfeam,
> ar an slua sin á gcarnadh le buannacht, le básaibh,
>> le cruatan, le cáineadh, 's le daille;
> an cruachuradh táinig ár bhfuascailt ó ardneamh,
>> an bua leis i mbearna 's i mbriseadh,
> is gach uasal nó táireach de Bhuachaillí Bána,
>> faoi thuairim rí Seárlas ar uisce.
>
> Tá buaireamh san áit seo i dtuaith Inis Fáilbhe
>> ar ghruagachaibh gránna na leitean,
> le huaigneas go bhfágfaid a suanbhrogaibh sámha,
>> a gcruacha, a gcáise, 's a gcuigean;
> dar Muiris ní cás liom a ruagadh 's a rásadh,
>> fá ruathar nimhe rátha le tine,
> 's a mbualadh go bás libh, a Bhuachaillí Bána,
>> faoi thuairim rí Seárlas go dtiocfadh.[61]

Is dócha nach ionadh mar sin, i bhfianaise na seintimintí a nochtar sna hamhráin sin, gur mhínigh tuairiscí ó áiteacha difriúla nach leagadh clathacha ná speireadh ainmhithe amháin a bhí ar bun ag na Buachaillí Bána:

> It is thought they had other views, besides houghing and levelling. They expected (as had passed among them) a person from abroad to head them .... nothing less than an absolute rising was fully intended ...
>> (*Dublin Journal*: 10-13 April 1762).

Is cinnte gurb é sin a chreid na húdaráis agus gurb é sin a d'oir dóibh a chreidiúint. 'Popish rebellion' eile a bhí i gceist a raibh an Fhrainc agus an Stíobhartach dlúthcheangailte leis: éide bhán na Seacaibíteach a chaitheadh na Buachaillí Bána, an cnota bán a chaitheadh cuid mhaith acu mar cheannbheart; chonacthas Séarlas Óg féin, a dúradh, agus é gléasta mar bhean, ina measc; chonacthas oifigigh d'arm na Fraince i gcathair Chorcaí agus an 'lower class of people' á dtraeineáil acu:

> Intelligence having been transmitted from Corke, that several French Irish officers have been employed, for some time past, in disguise, to corrupt the minds of the lower class of people in those parts, and to stir them up

to sedition, and rebellion, ... and that 1500 or 2000 persons had by their means been collected in different places ... to learn military discipline by moonlight ... under the command of two or more well dressed men with white cockades committing various outrages under the pretence of redressing the grievances of the poor ... (SP 63: 421/245).

Ag feitheamh a bhí na Buachaillí Bána 'till Prince Charles and his friends from France land for our assistance'; chonacthas loingeas na Fraince i gcuanta difriúla, dá dtiocfadh oiread is long amháin i dtír, creideadh, 'people in such a temper of mind would have been readily induced to join him'; mhóidigh na Buachaillí Bána, a dúradh, go mbeidís 'faithful to the French king, conquer Ireland, and make it their own'; go mbeidís 'faithful to the king of France and King Charles'; tuairiscíodh go bhfacthas na Buachaillí Bána i gcontae Thír Eoghain, fiú; ach ní ar an tuath amháin a bhí an cheannairc seo á heagrú, chonacthas 'a mob assembled with white cockades' sa cheannchathair féin, fiú i measc na gceardaithe, i measc na dtáilliúirí, na bhfíodóirí is na ngréasaithe:

He repeatedly heard insinuations and reports tending to reflect on the times, and that something very extra-ordinary would soon happen, and in particular heard James Killeen a working journeyman taylor ... sing a song ... the words were tending to treason and in which ... these words following were repeated by him the said James Killeen 'Charley and then we will get plunder careery' ... (SP 63: 418/73).[62]

Níl sna tuairiscí sin den chuid is mó ach ráflaí, gan amhras, ach is eilimint bhailí sa staireagrafaíocht ráflaí freisin; is minic gur mó an éifeacht a bhíonn acusan ná ag na 'fíricí'. Ar na 'fíricí' sin – má tá a leithéid ann – a bhíonn an staireagrafaíocht bunaithe, is é a cheapann daoine a tharla is mó a mhúnlaíonn an stair féin. Leor a rá nach féidir gluaiseacht na mBuachaillí Bána a thuiscint laistigh de chomhthéacs áitiúil; nach cúinsí sóisialta eacnamúla amháin a mhíníonn í; paraidím níos casta, níos cuimsithí ná sin a oireann.

Le linn do John Wesley a bheith ar an misean in Éirinn agus soiscéal an Tiarna á mhíniú aige – i mBéarla – don phobal bocht aineolach, choinnigh sé dialann inar bhreac sé cuid mhaith dár chuala is dá bhfaca sé. Agus é ag taisteal ó dheas trí chúige Mumhan, samhradh na bliana 1762, chuala sé i dtaobh 'the late commotions' ach ní bhfuair aon tuairisc chruinn orthu gur bhain cathair Chorcaí amach:

I rode to Cork. Here I procured an exact account of the late commotions. About the beginning of December last, a few men met by night near Nenagh, in the county of Limerick, and threw down the fences of some commons, which had been lately inclosed. Near the same time others met in the county of Tipperary, of Waterford, and of Cork. As no one offered to suppress or hinder them, they increased in number continually, and called themselves Whiteboys, wearing white cockades and white linen frocks ... They moved as exactly as regular troops, and appeared to be thoroughly disciplined ... They compelled everyone they met to take an

oath to be true to Queen Sive (whatever that meant) and the Whiteboys ...
(Wesley 1872 iii: 96-7).

Ba dhóigh leat gur ag tabhairt freagra ar Wesley a bhí Darby Browne
bocht, caiptín ar na Buachaillí Bána a crochadh i bPort Láirge i mí Iúil
na bliana 1762. Agus é ar scafall a chrochta mhínigh sé don lucht
féachana cérbh í Sadhbh:

We swore to be true and faithful to each other ... To be true to Sive and
her children. By Sive, we mean a distressed harmless old woman, blind of
one eye, who still lives at the foot of a mountain in the neighbourhood; by
her children, all those that would join us for the aforesaid purposes ...
(*London Magazine*: July 1762, 436).

I dtuairiscí comhaimsertha eile, i bhfocail is in athfhriotail na
mBuachaillí Bána féin, tagtar ar an phearsa bhanda sin go minic faoin
ainm céanna sin nó faoi ainmneacha eile:

I do hereby solemnly and sincerely swear, that I will not make known any
secret now given me ... to any one in the world, except a sworn person
belonging to the society called Whiteboys, otherwise Sive Oultho's[63]
children ... (*Dublin Journal*: 6-10 April 1762).

That they would punish in the severest manner, any person who should
presume to speak in the least disrespectfully of their Queen Sive Oultagh,
her children or their midnight operations ... Swore them to secrecy, and
allegiance to the sovereign Queen Sive Oultagh ... to carry her Majesty and
her children through such parts of her dominions as she should deem
necessary ... to have the houses and windows illuminated as an honour due
to Queen Sive and her attendants ... (Kelly 1989: 21-3).[64]

Joanna Meskel[65] cautioned of upstarts supplanting my poor people on
expiration of their leases, and stocking their lands with bullocks, a practice
not known in any part of the world, Ireland alone excepted ... As to the
killing of cattle on a late occasion it was intended as a scheme to awe some
obstinate and uncharitable stock-jobbers into compliance with the just and
necessasry demands of my poor afflicted people ... (Froude 1874 ii: 25-6).

Waterford. August 27. Last Wednesday a party of about 200 Whiteboys ...
enlisted numbers under their standard, on which is displayed a white flag,
and obliged every one they found to swear fidelity to Joan Meskill, secrecy
and obedience ... (*Dublin Journal*: 1-4 September 1764).

Ní le fáthchiall liteartha atáimid ag plé anseo ach le réaltacht nó, ba
chirte a rá, nach seasann, i bhfianaise an ábhair seo, an chontrárthacht
is gnách a dhéanamh idir fáthchiall agus réaltacht, idir miotas agus stair,
nó, fiú, idir litríocht agus polaitíocht. Is é tábhacht na mBuachaillí Bána
gurb í an chéad ghluaiseacht de chuid 'the lower orders' in Éirinn í a
bhfuil eolas cuimsitheach comhaimseartha againn ina taobh.
Gluaiseacht í a thug guth do na haicmí ar beag an lua a bhí orthu sna
foinsí go dtí sin, aicmí a bhí ag teacht aníos agus a raibh a líon ag dul i
méid de réir mar a thosaigh an daonra ag méadú. Gluaiseacht í a
léirigh, mar a léirigh gach gluaiseacht phobalda eile a lean í, eilimintí

áirithe den mhíleannachas agus a thug aníos léi sistéam tacaíochta cultúrtha a mball: a gcuid ceoil is amhránaíochta, a gcuid nósanna chomh maith, agus ina dteannta de shíor, Siobhán/Sadhbh mar aingeal coimhdeachta á dtionlacan, á spreagadh, á bhfaireadh. Banríon is ea Sadhbh, ach is seanbhean í a bhfuil leathshúil chaoch aici in éineacht; í ina cónaí ag bun sléibhe sa cheantar áitiúil; bean í a raibh clann ollmhór uirthi. 'Mo chlann' a thugann Éire ar a muintirsean in aisling de chuid Eoghain Rua; mar 'a chlann chaoin Bhanba' a labhrann sí leo (ER:15 § 1194, 42 § 3092). Mar 'fairies' a chuireann na Buachaillí Bána síos orthu féin i dtuairisc amháin (Lecky 1892 ii: 23); in éineacht le hAoibheall, Áine, Gráinne agus iad ag teacht amach as an síbhrog, a léirítear iad in amhrán dí-ainm a bhfuil 'Clann Shadhbha agus Shaidhbhín (A Whiteboy Song)' mar theideal air:

> Im shuan aréir go fuadrach faon, do chuala mé an slua ag teacht,
> go trúpach tréanmhar luaimneach éadrom siúlach saothrach fuadrach,
> bhí Sadhbh 's a clann ar fáil gan dabht, go buacach lansach luaimneach,
> 'is dearbh', ar Sadhbh, do ráidh go deimhin, 'tá an báire ar Ghaill den ruaig seo'.

> 'Is éachtach liom ár nGaeil go fann, faoi ghéarsmacht Gall á gcloíochan,
> 's gach méithphoc reamhar go craosach teann, ag éigneart braindí 's fíona;
> éamhaim ar chabhair na séimhfhear modhail do theacht le fogha aon oíche,
> le faobhar, le fonn, le tréine lann do bhéarfadh scanradh baoth dóibh'. ...

> 'Bíogaidh suas, ná bídh bhur suan, bíodh faobhar is crua in gach claíomh libh,
> díbream scuaine an Bhéarla uainn, go tréan as cuantaibh ár sinsir;
> táid síbhrog áille chríche Fáilbhe ag éirí ar lár na hoíche,
> Aoibheall, Áine, Sadhbh is Gráinne, a gclann, a gconách, 's an Stíobhart.' ...

> Táid draoithe 's dáimh na gcríoch ag trácht ar ghníomh na sárfhear múinte,
> is Aoibheall áigh ag scríobh chum Áine an chliar bheith fáilteach rompu;
> mo ghuí gach lá dem shaol go brách le hintinn Mháire ar úrneamh,
> gach Buachaill Bán den tslua bheith slán, is Rí na ngrás dá gcumhdach.[66]

Faoi mar a cheangail na húdaráis, agus cuid mhaith de na tuairiscí, an Stíobhartach le gníomhaíocht na mBuachaillí Bána, cheangail an fhilíocht chomhaimseartha freisin; agus cé gur ina réacs, ina phrionsa, ina leon nó ina fhéinics is gnáthaí a shamhlaigh Eoghan Rua is na filí eile é, is ina Bhuachaill Bán a chuireann Seán Ó Coileáin i láthair é:

> Maidin lae ghil fá dhuille géag-glais
>   daire im aonar cois imeall trá,
> i bhfís tríom néaltaibh do dhearcas spéirbhean
>   ag teacht ó thaobh dheas na mara im dháil;
> ba chirte a braoithe ná buille rinnchoirr
>   tanaí caoilphinn buailte ar phár,
> 's sé dúirt le díograis 'Och, uaill mo chroíse,
>   nó an bhfeicfead choíche mo Bhuachaill Bán?' ...

'Scoir den gháir sin, a bhruinneall ársa,
    's bí go sásta, cé fada tá
do Phrionsa rábach clúmhail láidir
    trúpach gardach ar seachrán;
atá anois go cróga 'gus buíon na hEorpa
    ar an gcósta go hiomlán,
ag teacht id phórtaibh le neart gan teora
    's buaifid Fódla don Bhuachaill Bán'.

Ar gclos an scéil sin, do scaip a claonta
    's do ghaibh a caomhchruit órga bhláith,
do sheinn a géaga laoithe 's dréachta
    ríoga aosta ba mhór le rá:
ní héin ná míolta ach cnoic is coillte,
    aibhne 's líoga in iomarbhá,
do bheadh ag rince sna gleannta timpeall,
    le greann dá laoithibh dá Buachaill Bán (RIA 23 D 42: 61).

'For any ideology effictively to convince and propel men', a deir La
Barre (1971: 15), 'it must have a secure base in established culture
complexes. Ideology does not appear by fiat like a military order, nor can
it be plotted 'rationally' like a millitary campaign'. Ní i bhfolús a mhair
is a d'fheidhmigh an reitric Sheacaibíteach, is léir, ach i gcomhthéacs
cinnte cultúrtha is sóisialta. Is í an mhaitrís dhúchais chultúrtha a
mhúnlaigh an chéad lá riamh í, is í ideolaíocht dhúchais na ríogachta a
chuir fráma tagartha intleachtúil ar fáil di agus a chuir ar a cumas í féin
a athnuachan ó ghlúin go glúin agus feidhmiú go háitiúil is go náisiúnta
in éineacht. B'í an phearsa bhanda eithne choincheapúil is eithne
fheidhmiúil na hideolaíochta sin ó thús ama agus cé gur mar phearsantú
nó mar theibiú is gnách cur síos ar an phearsa sin – agus cur síos bailí is
ea é – ní mór a chur san áireamh i gcónaí gurb í an tréith is idirdhealaithí
a bhaineann le pearsantú nó teibiú mar é, a éifeacht thras-stairiúil, a
chumas cruthaitheach síoraí a chuireann ar chumas na hideolaíochta sin
í fein a athnuachan ó ghlúin go glúin, i ndálaí difriúla polaitiúla is
sóisialta: 'Ideological factors are more enduring than the social and
political structures of which they were a part – in other words that they
have an afterlife in consciousness – as a force which can challenge,
disturb and perhaps transform the *status quo*' (Kelley 1981: 9).

Is cinnte go raibh, ó *c.* 1760 ar aghaidh, dúshlán an *status quo* á
thabhairt go poiblí neamheaglach in Éirinn agus ní sa réimse
teamparálta amháin é. Dhírigh na Buachaillí Bána ar an chléir
Chaitliceach chomh maith, nuair ba ghá sin, agus cé go raibh roinnt
bheag sagart ina measc, agus gur crochadh duine amháin acu dá bharr,
ó thús chuir an cliarlathas ina gcoinne go tréan. Ní raibh iontu, dar le
Seán Ó Briain easpag Chluana, ach 'the loose and desperate sort of
people ... a multitude of dissolute night-walkers'; dar le heaspag
Fhearna, gur 'banditti ... abandoned wretches ... accursed sons of Belial'
iad a raibh a ngníomhartha 'drawing on us, and our holy religion the

odium of our mild government, and the gentlemen in power of our country'; idir 1762 agus 1779 chuir easpaig na ndeoisí difriúla ina raibh na Buachaillí Bána ag gníomhú iad féin agus a lucht tacaíochta faoi choinnealbhá.[67] Ní léir go raibh aon éifeacht ag 'eascaine na cléire' – faoi mar nach raibh riamh ina dhiaidh sin – ar iompar an phobail ná ar a mbá leis na Buachaillí Bána ach den chéad uair riamh, is ní den uair dheireanach é, bhí an cliarlathas Caitliceach ag ailíníu, ní lena muintir féin ach le fórsaí an *status quo*. Ceist an-chasta í, ceist ar beag plé nó taighde atá déanta uirthi, cén cumann go díreach a bhí idir an chléir Chaitliceach agus a pobal féin sa seachtú is san ochtú haois déag; cén tionchar a bhí ag teagasc na cléire ar dhearcadh is ar iompar an phobail sin? Níl aon chúis a cheapadh, dar liom, gur mhó ná gur dhifriúla an tionchar sin ná tionchar na cléire san aois seo nó tionchar aon chléire eile in aon sochaí eile: is patrún coiteann é, agus ní in Éirinn amháin é, go nglacann pobal le teagasc a gcléire nuair a oireann sin dóibh; nuair nach n-oireann, bíd beag beann air. Ach bhí difríocht bhunúsach idir an Eaglais Chaitliceach in Éirinn agus formhór na nEaglaisí náisiúnta in iarthar na hEorpa, óir b'Eaglais gan cheart dlí í, í ag fulaingt faoi inghreim an Stáit, í ag fónamh, faoi choim go minic, do phobal a bhí ag fulaingt freisin. Mar a chuir seanmóirí amháin é:

> Féach mar atá an tír se aniodh, gan ab, gan chill, gan chléir, gan altóir, gan adhradh, gan aifreann, gan íodhbairt, gan le faghail ar lorg na naomh ach áiteacha uaigneacha agus ionadadh falmha, balladh dorcha dubha arna gcaitheamh le haois agus le haimsir, ag tuitim agus ag tuirneamh go talamh ... Atámuidne aniodh, ar an adhbhar chéadna, faoi smacht agus faoi dhaoirse, faoi léan agus faoi leatrom cionn go ndearnamar dearmad do Dhia ... (Ó Maonaigh 1965: 37).

Níl aon cheist ach gur dhlúthaigh an chomhfhulaingt sin, go háirithe sa chéad leath den ochtú haois déag, an chléir agus an pobal Caitliceach le chéile agus gur sholáthair an chléir sólás spioradálta don phobal sin in am an ghátair. Is cinnte go dtugann filíocht chomhaimseartha na Gaeilge le tuiscint go raibh comhbhá is comhthuiscint idir an chléir agus an pobal trí chéile, go háirithe idir an chléir agus an lucht léinn. An chuid den chléir a shaothraigh filíocht na Gaeilge, níl aon difríocht, maidir le dearcadh polaitiúil, idir a saotharsan agus saothar na bhfilí tuata. B'fhéidir nárbh fhíor go hiomlán é go raibh, mar a dúirt an file,

> Táid cléir ag guí 's ag agall
> réabadh a thíocht ar Ghallaibh ... (MN M 5: 281),

ach is cinnte go bhfuil seintimintí ceannairceacha mar iad le fáil go pras i saothar fileata na sagart trí chéile, pé acu Eoghan Ó Caoimh, Mánus Ó Ruairc, Conchúr Ó Briain, i dtús na haoise é, nó Proinsias Ó Cuinn, Liam Ó hIarlaithe, Tomás Ó Gríofa níos faide anonn san aois é. 'Marbhna an mheirligh sin Seán Buí' a thug Tomás Ó Gríofa ar dhán polaitiúil amháin dá chuid; ní brón, ach a mhalairt, a nocht Liam

Ó hIarlaithe sa dán a chum sé 'Ar Bhás Sheoirse II'; 'stróinse méiscreach' a thug Proinsias Ó Cuinn ar Sheoirse III i ndán a nascann le chéile go cumasach, más go neamh-aistearach féin é, idir theagasc morálta agus ráiteas polaitiúil:

> Is fuiris aithne an peaca rinn Éabha
> go bhfuil dá agairt ar an dtalamh so Éibhir,
> is go ndearna hAnraí a thrampaí a shéideadh,
> do thug mallacht eadrainn go hÉirinn;
> gur chaill a cheann an Prionsa Séarlas,
> is gur díbreadh uainn, mo chruatan, Séamas,
> is gur imigh Laoiseach, mo dhíth, in éagaibh,
> ní is mó chráigh mé is d'fhág mé tréithlag;
> go bhfuil san Róimh, mo bhrón, an Séasar,
> is dó ba chóir an choróin, dá mhéid í,
> atá ag Seoirse an stróinse méiscreach,
> is fuiris aithne gur chailleamair naofacht.[68]

Ní thagtar choíche, chomh fada agus is eol dom, ar sheintimintí mar iadsan sna seanmóirí de chuid na haoise atá tagtha anuas chugainn agus ní hionadh sin is dócha – ráiteas poiblí is ea seanmóir – ach is fianaise iad go raibh bunús éigin leis an ngearán is mó a bhí ag na húdaráis ar an Eaglais Chaitliceach: a cheangailte a bhí sí, mar Eaglais, leis an Seacaibíteachas. Bhain an gearán sin go háirithe le hoifigigh na hEaglaise, leis na heaspaig, ós é an Stíobhartach féin a d'ainmnigh iad. Níl aon cheist ach gur fheidhmigh an ceart ainmniúcháin sin – go siombalach is go praiticiúil – mar nasc cumhachtach idir cúirt na Stíobhartach agus cliarlathas na hÉireann. Agus cé nárbh fhéidir a áiteamh gur Sheacaibíteach tiomanta an uile easpag Caitliceach in Éirinn, is léir go raibh dlúthchairdeas idir cuid mhaith acu agus an Stíobhartach, go háirithe Séamas III; ceapadh iad, i gcoinne thoil uaisle is cléire a ndeoise féin go minic, toisc go raibh aithne agus meas ag Séamas orthu. Léiríonn an comhfhreagras a choinnigh easpaig dhifriúla ó dheoisí difriúla leis an chúirt ríoga sa Róimh – Mícheál Mac Donnchadha easpag na Cille Móire, Seán Ó Briain easpag Chluana, Bernard Dunne easpag Chill Dara, Sylvester Lloyd easpag Chill Dalua, mar shampla – léiríonn sé nach cairdeas amháin a bhí eatarthusan agus an Stíobhartach ach dílseacht chomh maith, dílseacht dá rí agus dá chúis.[69] Mar a mheabhraigh an tEaspag Lloyd go minic do Shéamas, bhí sé 'at all times ready to sacrifice my life with pleasure for his majesty's service' (RA SP: 94/54). Ní miste a mheabhrú nárbh aon 'turbulent priest' é Lloyd ach easpag a raibh seasamh, gradam is cumhacht aige san Eaglais Chaitliceach in Éirinn ag an am. Bhí sé mar údar ar dhá chaiticeasma agus is é a d'fheidhmigh mar ionadaí chliarlathas na hÉireann thar lear is é ag plé le prionsaí na hEorpa. Sa bhliain 1723 tráth a bhí acht peannaideach eile á bheartú ag parlaimint Bhaile Átha Cliath, acht a bhí dírithe go háirithe ar na sagairt agus arbh é an coilleadh a phionós dlíthiúil, is é Lloyd, measadh, a spreag leasrí na Fraince a chur ina luí ar Sheoirse I an t-acht a stop. Ar fhilleadh abhaile do Lloyd an bhliain sin, chuir Tadhg Ó Neachtain fáilte léannta roimh 'áilléan Éireann':

> Dia bhur mbeatha go flaith Floinn,
> a Leoid ionmhuin, a chléir chumainn;
> a bhile curtha críche Coirc,
> a thagarthaigh adhbhair oirdheirc ...

> A theachta tréan 'n aghaidh eachtaibh Gall,
> tré thonnaibh borba ag taisteall,
> ag fulang duadha is fuatha Danar
> do shaoradh do chríche is do charad ... (DMM: 64 §§ 1, 3).

Is cinnte, agus is léir, go raibh meas ar Lloyd, i measc a mhuintire féin pe scéal é. Tá a fhios againn freisin gurbh easpag an-ghníomhach, an-choinsiasach é sna blianta tosaigh dá easpagacht i ndeoise Chill Dalua. Bhí an deoise sin ar cheann de na deoisí ab fhairsinge in Éirinn ag an am – choimsigh sí líomatáiste a bhí céad míle ar leithead agus a thug isteach stráicí de cheithre chontae – agus níl aon chúinne di nár thaistil Lloyd ag seanmóireacht, ag teagasc, ag freastal ar a thréad; dúradh go bhfacthas é i gceantair nach bhfacthas easpag le céad bliain roimhe sin.[70] Ach an t-eolas ba mhaith linn a bheith againn ina thaobh, níl sin ar fáil: cén tionchar a bhí aige féin is a chuid Seacaibíteachais ar an bpobal trí chéile nó ar shagairt is ar phobal a dheoise féin?, cén t-ionad a bhí ag an Seacaibíteachas sa teagasc morálta a chuir sé ar fáil dá phobal ina chuid seanmóireachta? Níl a fhios againn, ach ní móide gur reitric gan bhrí a bhí sna seintimintí ceannaírceacha a nochtadh sé ina chuid litreacha; tá a fhios againn gur ghníomhaigh sé freisin de réir na seintimintí sin is gur nocht a thuairimí go hoscailte poiblí nuair ba ghá sin. Sa bhliain 1727, ar chorónú Sheoirse II, tháinig grúpa beag den uaisle Chaitliceach le chéile i mBaile Átha Cliath chun foirmliú a dhéanamh ar mhóid dílseachta a d'fhéadfadh Caitlicigh a thabhairt don rí: uain thráthúil ab ea í, dar leo, ag Caitlicigh na hÉireann teacht chun réitigh éigin le ríora Hanover.[71] Ach ní raibh aon toradh ar an iarracht. Mar a mhínigh proibhinseal na bProinsiasach do Shéamas III, Lloyd a chuir deireadh leis an mbeart easonórach mínáireach sin:

> I cannot here omit recommending to your Majesty's favour and protection Fr. Sylvester Lloyd, who undoubtedly oppos'd their wicked attempt and did by writing as well as declaiming against it, awaken the loyalty of your faithfull subjects, and not only prevented many from following their wicked example laid before them, but in some measure render'd the whole project abortive ... (RA SP: 114/138).

Níl teacht againn anois ar aon chuid den 'declaiming' úd de chuid Lloyd a bhí chomh héifeachtach sin, ach tá ar fáil an freagra a scríobh sé ar an dream a raibh an mhóid á cur chun cinn acu. Freagra cumasach gonta léir é a cheistigh ceart na n-uaisle sin labhairt thar ceann

Chaitlicigh na hÉireann, a cháin go géar a gcuid plámáis uirísil, agus a
mheabhraigh go glinn dóibh an t-idirdhealú tábhachtach riachtanach a
bhí le déanamh i gcónaí idir rí *de jure* is rí *de facto*. Mar shraith
ceisteanna a chuir sé an freagra faoi bhráid an phobail:

> A few queres ... Whether three or four Lords and about twenty Gentlemen,
> without election or deputation from the Roman Catholicks of Ireland, can
> in any honest sense be understood to be the Roman Catholics of Ireland ...?

> Whether these words *The goodness and lenity of whose government we are deeply
> sensible of* ..., do not wipe away our tears without removing the cause...?

> Whether the following words, *And we most humbly beseech Your Majesty* ...,
> may not be understood by a sagacious English ministry to be vile and
> nauseous flattery ...?

> Though allegiance to the Lords annointed may be a religious duty, wherin
> no power on earth can dispence. Yet since it is evident from our history
> that there may be kings *de facto* and that our great lawyers as Coke and
> others say: That allegiance is due to the kings *de jure* in their natural
> capacity; and that allegiance does in our language and laws mean
> something more than that mere fidelity... Whether then, and in every such
> case, allegiance be equally a religious duty to all Kings *de facto* as well as *de
> jure* ....? (RA SP: 108/99).

Is ar an idirdhealú sin *de jure/de facto* a bhí polasaí oifigiúil na hEaglaise
in Éirinn i leith na corónach bunaithe ó dheireadh an tseachtú haois
déag amach. Ba pholasaí é ar dhíol an chléir Chaitliceach go daor as, go
háirithe na heaspaig agus na bráithre ós orthusan a díríodh an chuid ab
fhíochmhaire den reachtaíocht pheannaideach. Agus cé gur mhaolaigh
ar an inghreim go mór i ndiaidh 1730, d'fhéadfaí an reachtaíocht a
fheidhmiú aon uair, ag brath ar chúinsí polaitiúla áitiúla nó náisiúnta.
Sa bhliain 1731, mar shampla, bhí ar thriúr easpag éalú thar lear – ar
eagla na heagla – nuair a cuireadh i leith easpag Chorcaí go raibh
airgead á bhailiú aige do Shéamas III; chomh déanach le 1756
díotáladh easpag Fhearna agus ardeaspag Ard Mhacha as bheith ag
gníomhú thar ceann Shéarlais Óig. Ní dócha go raibh aon bhunús leis
na cúisimh sin – b'é an Seacaibíteachas, mar a deir Rogers (1982: 71),
'the classic frame-up' san ochtú haois déag – ach léiríd an-soiléir ar fad
an ceangal a samhlaíodh do na húdaráis a bheith idir Caitliceachas agus
Seacaibíteachas, fiú amháin i ndiaidh 1745. Mar sin, nuair a beartaíodh
sa bhliain 1756, agus cogadh briste amach arís idir an Bhreatain agus an
Fhrainc, ar bhille a dhíbirt na cléire a chur faoi bhráid na parlaiminte i
mBaile Átha Cliath, ba léire ná riamh do roinnt de na heaspaig go raibh
an t-am tagtha cinnte teacht ar *modus vivendi* éigin le ríora Hanover.[72] An
t-am seo, ní raibh aon Sylvester Lloyd ar fáil chun cur ina gcoinne.

Sa bhliain 1757 tháinig seachtar easpag le chéile i dteach Lord
Trimlestown i gcontae na Mí agus é d'aidhm acu polasaí éigin a leagan
amach chun aitheantas dlíthiúil a fháil do chliarlathas Caitliceach na
hÉireann. Bhí sé i gceist acu iarraidh ar an bpobal guí ar son an rí, a

ndílseacht dó a dhearbhú le móid oiriúnach agus, dá mba ghá, ceart an
Stíobhartaigh a shéanadh. Ach nuair a chuireadar a dtuairimí faoi
bhráid na n-easpag eile, ba léir nach raibh gach easpag eile ná an chuid
eile den chléir ar aon tuairim leosan; mar a mheabhraigh proibhinseal
na nDoiminiceach do ardeaspag Átha Cliath:

> Any priest who read the text from the altar, or prayed for George II and
> his family as the primate wished, would take his life in his hands. When still
> a schoolboy, he himself would have stoned a priest for doing so, and that
> feeling was still strong among the people ... (Fenning 1975: 470).

Cé nár éirigh leis an ngrúpa easpag sin a ndearcadhsan a chur i
bhfeidhm láithreach ar a gcomhghleacaithe, d'éirigh leo ceist na
dílseachta teamparálta a mhúscailt ina measc arís agus í a choimeád á
plé mar cheist achrannach bheo phoiblí go ceann fiche bliain eile. San
am céanna bhí grúpa tuataí tagtha le chéile sa Catholic Committee, faoi
chinnireacht Charles O'Connor agus John Curry, agus é d'aidhm
acusan freisin ceart dlíthiúil na gCaitliceach a bhaint amach trína
ndílseacht neamhchoinníollach do ríora Hanover a dhearbhú is a
thaispeáint go poiblí. Bhíodarsan lántoilteanach anois ní hamháin móid
dílseachta a thabhairt do Sheoirse, ach bhíodar toilteanach chomh
maith an Stíobhartach a shéanadh; dar le O'Connor go raibh éileamh
an Stíobhartaigh gan bhrí anois agus gur cheart é a fhágáil mar sin:

> Peace to the political manes of the Pretender, our masters are silent about
> him, and to them let us leave his political resurrection. It would be
> indiscreet as well as officious in us to revive his memory ... (Ward 1980: 94).

Tá againn sa dá athfhriotal sin thuas dhá thuairim éagsúla
chomhaimseartha ar an Stíobhartach agus ar mheas an phobail air. Ba
dheacair teacht ar dhá thuairim chomh difriúil le chéile, ach ní fhágann
sin nár thuairimí bailí iad a nocht go fírinneach tuairimíocht aicmí
difriúla. Mar bhall den chléir rialta a d'fhulaing agus mar dhuine a
chonaic, agus é ag fás suas sa cheannchathair sna blianta *c.* 1710-25, an
chuid ba mheasa den inghreim, a bhí proibhinseal na nDoiminiceach
(Thomas Burke) ag caint, is dócha; mar bhall den mheánaicme
Chaitliceach a bhí tagtha slán a bhí Charles O'Connor (Cathal Ó
Conchúir) ag áiteamh, aicme ar tuigeadh dóibh gurbh é a leas féin agus
leas na gCaitliceach trí chéile é teacht chun réitigh leis an choróin. Cé
nach eol dúinn go baileach anois cén tacaíocht a bhí ag an dá thaobh
nó ag an dá dhearcadh, is léir gur scoilt an cheist an cliarlathas
Caitliceach ó bhonn agus gur dhóbair di an chléir trí chéile a scoilteadh
chomh maith. Is dócha gur fíor le rá go mbeadh formhór na n-easpag
toilteanach móid dílseachta áirithe a thabhairt do ríora Hanover, mura
mbeadh i gceist ach sin; ba cheist eile í an Stíobhartach a shéanadh agus
b'in í an fhadhb bhunúsach a bhí acu, fadhb a raibh idir dhílseacht
pholaitiúil agus diagacht thraidisiúnta comhcheangailte le chéile inti.
An Róimh féin a scaoil an fhadhb dóibh.

Nuair a fuair Séamas III bás sa bhliain 1766 níor aithin an pápa a chomharba, Séarlas Óg, mar rí *de jure* ar na trí ríochta agus dhiúltaigh a thabhairt dósan an ceart a bhí ag a shinsear roimhe – easpaig na hÉireann a ainmniú. B'é aitheantas na Pápachta an príomhthaca a bhí riamh ag éileamh *de jure* na Stíobhartach; b'é an ceart ainmniúcháin an t-aon chumhacht fhollasach a bhí fágtha acu; á gceal ní raibh i Séarlas Óg ach fánaí ríoga eile. Cling an bháis don Seacaibíteachas a bhí i gcinneadh sin na Pápachta agus cé nár tugadh cead do Chaitlicigh na hÉireann a ndílseacht do Sheoirse III a mhóidiú go dtí 1774, ó na seascaidí ar aghaidh bhí paidreacha nua á múineadh ag an chléir Chaitliceach don phobal ar fud na tíre:

> We are credibly informed that exhortations will be read by all the Romish clergy in their different chapels throughout the kingdom from their altars, requiring their congregations to be faithful and obedient to his majesty king George III and to all his governors and magistrates whatever ... to observe the general Fast and Humiliation on Friday the 12th of March next; and to offer at all times their sincere prayers to Almighty God for the prosperity of his Majesty ... (*Pue's Occurences*: 9-13 February 1762).

> 9 Jan. Sunday. On this day the following prayer was publickly read by order in all the Popish chapels of the city and diocese of Cork. Let us offer up our prayers to the Almighty God that He may bless and preserve his majesty king George III, our most gracious sovereign, the queen, the prince of Wales, and all the royal family; that under His holy protection, they may enjoy all the happiness of this life, and in the next be crowned with eternal glory ... (Brady 1965: 129).

> 6 Feb. Waterford. Yesterday his most gracious majesty king George III, Queen Charlotte, and all the royal family were prayed for in all the Romish chappels in the city ... (*Freeman's Journal*: 6 February 1768).

Ach oiread le haon ghné eile de theagasc na cléire, ní heol dúinn conas a chuaigh an tuiscint nua i leith na corónach i bhfeidhm ar dhearcadh nó ar ghníomhaíocht na ndaoine, nó cén glacadh a bhí acusan leis an teagasc sin. Más aon treoir í filíocht chomhaimseartha na Gaeilge, ní mór an glacadh a bhí leis, i measc aicmí áirithe pé scéal é. Mar de réir mar a dhearbhaigh na heaspaig a ndílseacht don teaghlach ríoga agus de réir mar a ghríosadar an pobal guí ar son Sheoirse III, is glóraí agus is binibí a dhírigh reitric na filíochta Gaeilge airsean agus ar na Seoirsí trí chéile. Tá an chuma ar an scéal gur freagra é *Cárbh ionadh taoiseach nó easpag comhachtach*, a chum Liam Dall Ó hIfearnáin, gur freagra binibeach é ar an treoir a thug na heaspaig cloí le hordú an rialtais agus 'General Fast and Humiliation' a dhéanamh ar an Aoine 12 Márta 1762, le hionchas Dia bua catha a dheonú do Sheoirse. B'é an troscadh seo do rí Seoirse an donas ba mhó, dar le Liam Dall, a raibh airsean cur suas leis go dtí seo:

> Cárbh ionadh taoiseach nó easpag comhachtach
> do thabhairt saoire Dé hAoine 'gus troscadh dhomhsa,

le díograis chum Stíobhairt do ghlacadh corónach,
is gan smaoineamh go nguífinn le sleachta Sheoirse?

An bhuíon úd do dhíbir mo charaid romhamsa
fé dhaoirse le dlíthibh na nGallachóbach,
ní shílim im smaointe gur peaca dhomhsa
gan guíochan Dé hAoine le haicme 'n tsórtsan ...

Mar bharr ar gach dochar tug Cromaill go críoch Fódla,
is gur ársa mo chogal san bpobal le taoibh Srónaill,
ní tharla an donas go follas im shlí dhomhsa
go ránga mé ag obair im throscadh do rí Seoirse

(Ó Foghludha 1939: 10 §§ 1-8, 17-20).

An dílseacht don Stíobhartach agus an fuath do Sheoirse is dá shórtsan a nochtar chomh neamhleithscéalach sa dán sin, faightear araon iad, chomh glórach céanna, i saothar na bhfilí eile freisin, idir fhilí aitheantúla is mhionfhilí, sa saothar Gaeilge agus – den chéad uair anois – sa saothar macarónach chomh maith:

Beidh puins is fíon craorac dá dtaoscadh chun dí,
druma dá phléascadh ag truip Éibhir 'na suí,
is Féinics fear Éircann 'na léadar gan mhoill;
　　na Seoirsí seo rithfid, is an chuid eile dá mbantracht
　　go faobhrúil ag teitheadh le heagla an Fhrancaigh ...[73]

You gallant blades who thirst for fame,
cuiridh le chéile i gcomhar caoin,
This pleasant tale we will relate
ár namhaid do thraochadh d'ordaíodh;
You shining blades from hiding shades,
glacaidh céim gan cónaí,
Your martial train and bold array,
cuir deireadh le saol na Seoirsí ... .[74]

Chomh fada is a bhain le haos léinn na Gaeilge, ní raibh aon idirdhealú le déanamh idir na Seoirsí; ní raibh i Seoirse III ach Gallaphoc méith eile a bhí le feannadh is le ruaigeadh, dar le Piaras Mac Gearailt:

Múscail, a Chormaic churata chróga,
scaoil ár nglasa le lúth do ghéag;
gléas go hobann ort clogad is clóca,
claíomh chum díoltais is fuinneamh 'na ndéidh;
do gheobhaidh tú féd shliasta, gan iarraidh, gan dearmad,
gillín fé shrian is diallait airgid,
fachtar an fia is tugtar abhaile é,
is gearrfam na beanna den nGallaphoc mhéith.

Más seanaphoc rua do ghluais thar farraige é,
do tháinig chum baile, gan phaitean, gan réim,
bainidh an chluas de is ruagaidh abhaile é,
nó fágaidh a shamhailt gan anairt i gcré ... .[75]

Dála na beirte a chuaigh roimhe, 'tar teorainn isteach' a tháinig Seoirse III freisin, dar le Uilliam Ó Murchú:

Uilliam Ó Murchú cct. ag áireamh na coda eile dhíobh ó aimsir Eilís go ré
an treas Seoirse 1764:

Dhá Shéamas, dhá Chormac is Uilliam,
Máire is Anna ar aoinrian;
    trí Sheoirse tar teorainn isteach,
    lem ló go bhfagham a n-athrach.

A n-athrach go bhfaiceamna i réim na rí,
d'aradfhuil na hAlban is Éibhir fhinn,
is greadadh aige ar na Gallaphoic as Éirinn aird,
's an t-aifreann dá chanadh againn go séimh i gcill (RIA 23 O 39: 197).

Chun éifeacht chomhaimseartha na véarsaíochta sin trí chéile a
thuiscint ní mór an comhthéacs comhaimseartha a mheabhrú arís is a
chur san áireamh: ní ag cur i gcoinne na n-údarás teamparálta amháin
a bhí an t-aos léinn anois, agus an tseandílseacht don Stíobhartach fós á
cur chun cinn acu, bhíodar ag dul glan i gcoinne na n-údarás
spioradálta freisin, ag cur i gcoinne theagasc a gcléire féin. Ní móide,
mar sin, gurb aon chomhtharlúint é, gur sa tréimhse chéanna sin (ó
c. 1760 ar aghaidh) a thagann chun cinn i bhfilíocht na Gaeilge ní
hamháin frithchléireachas binibeach ach íomhá úrnua den sagart,
íomhá a sheas is a lean dó. Ní mar Shuibhne ar a choimeád, é ag
teitheadh ó choill go coill; ní mar phríosúnach bocht daortha, ná mar
dhíbeartach ó Éirinn; ní mar dhuine uasal léannta ag seasamh an chirt
dá mhuintir a léirítear an sagart anois, mar a léiríodh é i ndánta difriúla
roimhe seo,[76] ach mar thíoránach uaibhreach ansmachtúil, é in airde ar
chapall agus a fhuip á aicliú go bagarthach tiarnúil aige ar bhochtáin
ainnise a mhuintire féin:

Tá sagart stuama in áit na huaisle ar an tsráid se Chríonchoill,
nach nglacann uafu gan maola is cruacha is ciseán líonta;
bíonn an buinne suas gach bliain dá ngluaiseann ag tabhach a chíosa,
ní ghlacann sé trua le tréan nó trua gan fháil mar is mian leis ...

agus muna bhfaighidh gach ní ar a mhian féin baigeoraidh mur
dtrascairt agus mur ngearradh go lár agus go lántalmhain le bun fuipe
lódáilte ... .[77]

Sagart áirithe amháin a bhí i gceist ag Ó Doirnín, gan amhras, ach is í
an íomhá cheannann chéanna a léiríonn Donnchadh Rua Mac Con
Mara in 'Aoir Do Na Sagartaibh':

Piardaí sagart gan teagasc, gan dlí, gan reacht,
ina liaraí magaidh, le macnais bídh, gan tart,
iarsmaí deachmhaithe, sraithe 'gus cís gan cheart,
is tiarnaí tacair tá ag creachadh na ndaoine ar fad ....

Gach scriosaire chas tar ais le burdún cam,
má rinne ceacht i Nantes nó i mBurdús thall,
tráth is cluthair a nead, is lasmhar brúchtúil teann,
's is mursanta a chleas 'nár measc ár stiúrú dall. ...

Dá dtigeadh Peadar an t-apstal is Pól arís,

go huireaspach ainnis, ag teagasc, mar d'ordaigh Críost,
bheadh mioscais is fala ag an Eaglais nua don dís,
gan fuip is capall agus spaga den ór is fíon ....[78]

Is beag aoir eile sa Ghaeilge atá chomh fíochmhar garg leis an dán sin ach b'fhéidir gurb é an ráiteas is suimiúla ann an tuairim go raibh 'Eaglais nua' in Éirinn anois arbh í a comharthaí sóirt an fhuip is an capall, an t-ór is an fíon. Téama coiteann feasta is ea an chontrárthacht sin idir an Eaglais mar a bhí is an Eaglais mar atá:

Na fir bheannaithe den Eaglais bhí clúmhail dea-cháil,
nár dhearmad an charthanacht ó aois go bás,
do fhreagradh an ainnise go humhal sámh,
's ní taitneamh liom lucht bailithe na bpunt 'na n-áit.[79]

Ó thús an tseachtú haois déag amach bhí cléir is éigse na hÉireann ar aon rian, iad ar aon dearcadh i leith na corónach agus an Stáit, iad araon agus an uaisle dhúchais in éineacht leo, ag cothú céadfa choiteann phoiblí a tháthaigh aicmí difriúla le chéile, a thug comhthuiscint pholaitiúil dóibh is dílseacht choiteann – dílseacht don ríora Stíobhartach. An Eaglais Chaitliceach a leag amach i dtús an tseachtú haois déag an bonn morálta diagachta a bhí faoin dílseacht sin, an uaisle a leag amach an straitéis pholaitiúil a bhí laistiar di, an t-aos léinn a chuir réasúnú traidisiúnta ideolaíochtúil ar fáil di. Comhpháirtíocht í a d'fhóin don náisiún Éireannach – agus do litríocht an náisiúin sin, ní miste a mheabhrú – agus a sholáthair idéil shamhlaíocha phoiblí do bhaill an náisiúin sin isteach sa dara leath den ochtú haois déag. Ach bhí an chomhpháirtíocht sin smiota anois ag athrú pholasaí na hEaglaise, an chomhthuiscint tréigthe acu, an dílseacht choiteann séanta acu. Tá sé ar cheann de athruithe móra na haoise, dar liom, athrú a raibh iarmhairt mharthanach thromchúiseach aige ar shaol intleachtúil is ar shaol cultúrtha na hÉireann ina dhiaidh sin.

Agus an chléir – is a raibh fanta den uaisle – ag druidim i dtreo *rapprochement* leis an choróin ó c. 1760 ar aghaidh, is é an t-aos léinn amháin a d'fhan dílis, a d'fhógair fós an tseandílseacht, a chuir cath fós ar na Seoirsí, má ba bhriatharchath féin é; an Stíobhartach fós mar laoch curata buacach acu. Nuair a d'ionsaigh arm na Meiriceánach Quebec sa bhliain 1775, agus an ginearál Arnold i gceannas orthu, is laistigh de reitric an tSeacaibíteachais a shuíonn Eoghan Rua an eachtra agus a tábhacht:

Atá Arnold laoch nár stán i mbaol
ag fáil an lae ar an bhfoirinn uile,
ag mál 's ag maodhm 's ag milleadhbhriseadh
an chlaondlí nua ...

is go críoch mo shaoil ní luífead féin
le smeirle coimhtheach cúil an iomaidh,
ar thíocht dom Shaesar dhil is guidhidh é a shuí i gcoróin ...;

nuair a chaith fórsaí na Breataine teitheadh ó Bhostún, Lá 'le Pádraig 1776, ní hamháin gur chúis ghairdeachais ag Tomás Ó Míocháin é ach gur cheangail sé an eachtra mhíleata sin le seanphatrún:

> Is fonn 's is aiteas liom Howe is na Sasanaigh
> tabhartha treascartha choíche,
> is an crobhaire Washington cabharthach calma
> i gceann is i gceannas a ríochta ...

> D'éis an chluiche seo Éire ligfidhear
> dá céile dlitheach ceart díleas,
> an féine fuinneamhach faobhrach fulangach
> Séarlas soineanta Stíobhart ....;

agus fiú Bonaparte ag teacht tar toinn, ní ina aonar a bhí:

> Tá Bóna tar toinn chughainn go fíochmhar feargach
> is íocfaid as dearmad an scéil go docht,
> treascarfar gach smíste fill den aicme seo
> do dhíol na haitheanta ar lón dá gcorp;
> beidh an gasra ríoga gan mhoill i mBanbain,
> an bhuíon le fada tá go taodach bocht,
> sin againne ár Stíobhart go buíonmhar bagarthach
> le díoltas danartha ar smeirlí is lot.[80]

'Everything new must have its roots in what was before', a mheabhraíonn Freud (1947: 28). Ní mór an nua a chur i láthair i bhfoirm an tsean; ní sean go nua is ní nua go sean:

> The residual is never quite residual and the emergent is never quite emergent; that, in fact, the residual can be overwhelmingly present ... that the 'emergent' emerges only through the incorporation of the residual (Limón 1992: 153).

Ag tagairt do bhailéadra Mheicseacó amháin a bhí Limón, ach tá feidhm lena léireasc i gcomhthéacs níos fairsinge agus níos uilí ná sin. Sa Rúis, le linn an naoú haois déag ar fad, ba fheiniméan coiteann é tagaraigh iomadúla a theacht chun cinn ag éileamh aitheantais mar shár; ba sheanfhocal coiteann é "is baintreach í an tír gan an sár, dílleachtaí é an pobal gan an sár"; nuair a fuair an sár bás sa bhliain 1825 creideadh nach marbh a bhí sé in aon chor ach go raibh sé imithe ar feadh tamaill is go bhfillfeadh sé arís; rinne an t-aos léinn athnuachan fhiosach ar sheanmhiotas is ar sheansiombail an tsáir sa tslí gurbh í an phearsa sin 'the most obvious and prevalent symbol of Russia'.[81] Sa Ghearmáin bhain idir scríbhneoirí is pholaiteoirí an-leas as finscéal Barbarossa agus athaontú na himpireachta á chothú acu sa naoú haois déag; finscéal é, tá sé áitithe, a chuaigh i bhfeidhm go mór 'both on the German public in general and on the minds of historians'; nuair a cuireadh an t-athaontú i gcrích sa bhliain 1871, tuigeadh go raibh an tseantairngreacht tagtha isteach, gurbh é an tImpire nua athghin Barbarossa féin (Munz 1969: 3-5). San Indinéis b'iad 'the popular messianic beliefs' a chothaigh is a spreag an réabhlóid i gcoinne na

nOllannach; rinneadh athnuachan ar an seanchreideanh míleannach
sa tslí gurbh é a mhúnlaigh 'the eschatology of modern Indonesian
nationalism' (Van der Kroef 1959: 318-22). Tá léirithe ag scoláirí
difriúla a láidre is a mharthanaí a bhí na seantuiscintí pobalda sa
Fhrainc aimsir na réabhlóide féin; an tslí ar chuathas i muinín na
dtairngreachtaí, míniú ar an nua á lorg sa sean: 'once again the
metaphors and images of traditional piety could make the experience of
revolution comprehensible' (Garrett 1975: 226). Níorbh aon
ainbhiosán é Victor Hugo, ach duine de scríbhneoirí is d'intleachtóirí
móra a aoise; níorbh aon ainbhiosán é Combeferre, duine dá
charachtair fhicseanúla, ach oiread, ach ógfhear sofaisticiúil a raibh
ardoideachas air; fós is go lúcháireach mórtasach neamhnáireach a
ghríosann sé a lucht aitheantais in *Les Misérables* leis an amhrán:

> Si César m'avait donné-la Gloire et la Guerre,
> Et gu'il me fallût quitter-l'amour de ma mère,
> Je dirais au grand César-Reprends ton sceptre er ton char,
> J'aime miux ma mère, ô gué – J'aime miux ma mère ...
> – Ma mère? dit Marius pensif.
> En ce moment il sentit sur son épaule la main d'Enjolras.
> – Citoyen, lui dit Enjolras, ma mère, c'est la Rèpublique (Hugo 1951: 714).

Ní in Éirinn amháin a mhair na seansiombailí, is léir; ach meabhraímis
gur artafachtanna cultúrtha iad siombailí, gur daoine a chumann iad
agus a thugann brí dóibh, nach mbíonn de bhrí acu ach a dtugann
daoine dóibh, agus nach maireann na siombailí ach fad a bhíonn
feidhm ag daoine leo.

Uair éigin in earrach na bliana 1788, uair dár éirigh Seán
'Neamhurchóideach' Ó Muláin amach, casadh spéirbhean air gur chuir
agallamh uirthi, mar ba ghnás, ag fiosrú a hainme, a tíre is fáth a bróin.
Agus 'a géaga ar leathadh is í ag tál na ndeor' a d'inis an spéirbhean an
marbhthásc léanmhar a bhí aici don fhile:

> D'fhreagair an ghlébhean ghlégeal ghasta
> 'ní haon den aicme sin ráis mé fós,
> acht ainnir i gcéin faoi léan do thaistil
> go tréith ag aithris duit fáth mo bhróin:
> gan ábhar ag éigsibh Éireann feasta
> ar scéal do thabhairt ar thrácht na leon,
> ó cailleadh mo laoch mear Séarlas cailce,
> d'fhúig Gaeil faoin am seo mar táid go deo'.

> 'Is eagal liom féin, a chéibheann chneasta,
> gur bréag do chanais id ráitibh beoil,
> is gairid do théarma an léis bheith caite,
> de réir mar meastar le fáidhibh eoil;
> aithris don tréad sin daoscar Chailbhin,
> tug taod is tarcaisne ghnáth don ord,
> go nglanfar as Éirinn Fhéilim Danair
> gan réim, gan rachmas le fáil don chóip'.[82]

Níorbh fhéidir d'fhilí na Mumhan slán a fhágáil leis an Stíobhartach go dtí go raibh a mhalairt de Chabharthach dúchais acu; ní raibh sin ar fáil go dtí toghchán an Chláir sa bhliain 1828:

Beidh Laighnigh go dána ag treascairt an tsló,
is ní raghaidh as an láthair aon tSacsanach beo,
le cúnamh na Muimhneach bheidh i dtosach an ghleo
    beidh an choróin ar Dhónall go hórga is go meidhreach,
    is luífidh lena stórach sí Síle Ní Ghadhra.[83]

III

Why the Gaels, Irish and Scotch, endured so much for the Pretender, after all they had already sufferred at the hands of those ungrateful Stuarts is to us incomprehensible ... (Prendergast 1899: 178).

Never was a cause served with such fidelity and self-sacrifice by the rank and file, and never so badly and with such inept folly and treachery by its leaders as this one ... (Lart 1938: xxix).

It is far otherwise with the *aisling* poems. They do not move us; they dazzle us. Or if one is at all moved by them, it is not by or for the cause they sing. If for a moment, as we read them, we admit thoughts at all extraneous and away from the wonder of the verse itself, it is never a thought of Prince Charlie or his endeavour that visits us, it is rather feelings of surprise, or feelings of anger – anger that such talents should have wasted themselves on such a cause, surprise that songs like these could find an audience in such a desolate land (Corkery 1925: 133).

Is minic fós a nochtar seintimintí mar iadsan thuas agus a chuirtear ceisteanna dá sórt ach, ós seintimintí is ceisteanna iad atá bunaithe ar thuiscintí is ar luachanna na haoise seo, is beag an chabhair iad chun feiniméan an tSeacaibíteachais ná dílseacht na nÉireannach don ríora Stíobhartach a thuiscint. Is riachtanach i gcónaí agus sinn ag iarraidh an t-am atá thart a thabhairt chun cuimhne nó a athshealbhú, is riachtanach tuiscintí na linne seo a chur i leataobh agus iarracht a dhéanamh maireachtaint de réir *mentalité* na linne atá i gceist. Is riachtanaí sin fós agus sinn ag plé le ré na Stíobhartach. Ní mór dúinn nóisean an daonlathais a chealú agus na prionsabail a thug réabhlóid na Fraince isteach – *Liberté, Fraternité, Égalité* – a chur as. Nóisin eile ar fad, coincheapanna difriúla polaitiúla, luachanna beatha dá malairtsean is gá a chur i bhfáth: an ríogachas, an ceart oidhreachtúil arbh eilimint den cheart diaga é, an t-ordú cliarlathach sóisialta a bhí laistiar de, an eitic uaslathach. Ní mór a thuiscint freisin nach riotuál poiblí ná creideamh príobháideach a bhí sa reiligiún ag an am ach gurbh é bunchloch an tsaoil phoiblí é agus gur dá réir a riaradh an saol uile. Ina theannta sin, ní mór bunphrionsabal na beatha, na moráltachta is na polaitíochta san am a chur san áireamh – an Deonú; an Deonú ag feidhmiú ní mar nath seanchaite gan bhrí (*le cúnamh Dé, toil Dé go ndéantar*), ach ina airteagal creidimh mar a bhí ag Peig Sayers san aois seo nó ag Edmund Burke san ochtú haois déag:

> Daoine bochta ab ea sinn ná raibh eolas ar rachmas ná ar éirí in airde an tsaoil againn. Ghlacamair leis an sórt saoil a bhí againn á chleachtadh; ní rabhamair ag súil lena mhalairt. Thug Dia, moladh go deo leis, cabhair dúinn. Is minic a thugamair fé ndeara an tArd-Mháistir a bheith i bhfabhar dúinn, mar is mó scríb agus ruathar a bheir ar ár ndaoine ar an bhfairge, agus gan dul as acu ach len A chabhair ... (Sayers 1936: 249).

> Taking it for granted that I do not write to the disciples of the Parisian philosophy, I may assume that the awful Author of our being is the Author of our place in the order of existence, – and that, having disposed and marshalled us by a divine tactic, not according to our will, but according to His, He has in and by that disposition virtually subjected us to act the part which belongs to the place assigned us. We have obligations to mankind at large, which are not in consequence of any special voluntary pact. They arise from the relation of man to man, and the relation of man to God, which relations are not matters of choice. On the contrary, the force of all the pacts which we enter into with any particular person or number of persons amongst mankind depends upon those prior obligations. ... Dark and inscrutable are the ways by which we come into the world. The instincts which give rise to this mysterious process of nature are not of our making. But out of physical causes, unknown to us, perhaps unknowable, arise moral duties, which, as we are able perfectly to comprehend, we are bound indispensably to perform. ... because the presumed consent of every rational creature is in unison with the predisposed order of things. Men come in that manner into a community with the social state of their parents, endowed with all the benefits, loaded with all the duties of their situation ... (Clark 1985: 256).

Dá mhéad iad na difríochtaí teanga, ábhair, stíliochta is machnaimh atá idir an dá shliocht sin; dá dhifriúla an dá chultúr as ar fáisceadh iad, is í an fhealsúnacht chéanna atá laistiar díobh – cé gur mar mhíniú ar thubaistí an tsaoil a fheidhmíonn sí i sliocht amháin, mar chosaint ar an *ancien régime* i sliocht eile. Léiríd araon chomh húsáideach, chomh huilí is chomh marthanach a bhí sí mar fhealsúnacht. Dia a dheonaigh coróin na hÉireann do Shéamas I sa bhliain 1603, dar le Fearghal Óg Mac an Bhaird; is 'le feartaibh an Aoinmhic' a bhí Séarlas Óg le filleadh sa bhliain 1746, dar le hEibhlín Ní Chaoilte.[84] Ach dá mhéad a bhí Dia laistiar den ríora Stíobhartach nó a bhí a lámhsan san obair ar a son, ba mhíhortúnach an ríora iad. Is mó ríora eile san Eoraip a díchuireadh sa seachtú is san ochtú haois déag ach is beag ríora acu ar lean an tubaiste chomh leanúnach is chomh marthanach sin dóibh, chomh leanúnach is chomh marthanach is a lean don náisiún Éireannach féin. B'ionann mífhortún don ríora is don náisiún: díchur, díshealbhú, díbirt, aindlí, ainscrios, éigeart, feall, feillghníomh is forneart a shamhlaigh siad féin

is a gcuid bolscairí lena gcás araon. Ba mhar a chéile díbirt Shéamais
agus díbirt Mhaoise, dar le Mathew Kennedy; ba mhar a chéile
mífhortún na nGael, dar le Tadhg Ó Neachtain, agus mífhortún an
phobail Eabhraigh; is 'ar son a mbeith 'na Rómhánchaibh' a díbríodh
'rí Séamas agus a mhac ... le fuacht is le fán', dar le hAogán Ó Rathaille;
an drong mhallaithe mhíthrócaireach chéanna, dar le Seán
Ó Neachtain, a dhíbir 'an eaglais naomhtha agus ár rígh caomh ciúin
ceannsaithe gan fháth gan tsiocair'; b'ionann cás don Stíobhartach agus
do Éamonn an Chnoic féin: é 'amuigh ... gan éadach, ná cuid na
hoíche'; mar a chuir Dónall 'na Buile' Mac Cárthaigh é, ní mór ná bhí
Séamas 'chomh dona linn féin':

> Tá an fómhar so le Seoirse 'gus Breatain tinn tréith,
> is Bródruic 'na chomhairleach ar arm rí Gael,
> an té bhí i mórchion na corónach 's i gcomhthrom dlí inné
> ní mór ná fuil comhartha air chomh dona linn féin.[85]

Ó dheireadh an tseachtú haois déag amach, is 'ar fán' a bhí an
Stíobhartach is uaisle Gael in éineacht; comhdheoraíocht a bheir orthu
agus comhfhilleadh a bhí i ndán dóibh. Ceist aimrid anois í, ach ceist
nach miste a chur, b'fhéidir, conas a bheadh in Éirinn agus ag
Éireannaigh dá bhfillfeadh an Stíobhartach?, dá n-éireodh leis na trí
coróna a athshealbhú? Níl a fhios againn, gach aon seans nach
ndéanfadh sé aon difríocht, ach is ar an gcreideamh diongbhálta go
mbeadh an saol in Éirinn difriúil – ag Gaelaibh – faoin rí ceart a bhí an
Seacaibíteachas Éireannach bunaithe. Rófhurasta atá sé beag is fiú a
dhéanamh den chreideamh sin nó díspeagadh ciniciúil a dhéanamh
air; droim láimhe a thabhairt dó mar fhantaisíocht nó mar 'Charley-
over-the waterism':

> They are interesting as early specimens of the form [an aisling], before it
> had become associated with 'Charley-over-the waterism' ... (Knott 1922:
> lxiii).

> The Gaelic cultural tradition, then, was threatened from without by
> totalitarian oppression ... From within it was endangered by a pessimism
> which sought relief in the 'Charley-over-the waterism' of the Aislings or in
> useless repining ... (Breatnach 1960: 132).

Ní raibh de thoradh go dtí seo – ní bhíonn de thoradh de ghnáth – ar
thráchtaireacht aithriseach neamhcheisteach den saghas sin ach
scoláireacht leisciúil neamhmhachnamhach. Is dúshlánaí i bhfad
iarracht a dhéanamh an Seacaibíteachas a thuiscint – é a thuiscint de
réir a théarmaí tagartha féin. Nuair a thrácht Seán Ó Neachtain ar 'ár
rí caomh ciúin ceannsaithe', nó nuair a dhearbhaigh Aodh Buí Mac
Cruitín gur 'ag cosnamh cirt na corónach' a bhí Cú Chonnacht Mag
Uidhir in Eachroim, nó nuair a mhínigh Tadhg Ó Neachtain gur 'ar son
an cheirt et in rígh do hoirnidhe forradh' a bhí Gaeil ag seasamh i
gcogadh an dá rí[86] glacaimse leis go nochtann na seintimintí sin a n-

aigne féin i dtaobh an Stíobhartaigh, mar a nochtann saothar Uí Rathaille, an Phluincéadaigh, Sheáin Chláraigh Mhic Dhónaill is na scórtha eile nach iad. Glacaimse leis na seintimintí sin mar léiriú – léiriú fírinneach – ar dhearcadh polaitiúil na scríbhneoirí sin; ní móide gur ag soláthar fantaisíochta a bhíodar do scoláirí neamhthuisceanacha na haoise seo.

Mar is léir ar na seintimintí sin, agus ar an reitric Sheacaibíteach trí chéile, b'é an ríogachas bunchloch a ndearcaidh pholaitiúil agus a gcuid Seacaibíteachais. Táimid ag plé le daoine nárbh fhéidir dóibh an saol a shamhlú gan rí agus nárbh fhéidir leo glacadh ach leis an rí ceart. Is deacair againne inniu – tá sé dodhéanta nach mór – tuiscint don ríogachas agus don cheart oidhreachtúil. Ach is le fíordhéanaí a cuireadh deireadh leis an gceart oidhreachtúil i saol sóisialta na tíre seo; maireann an ceart oidhreachtúil sa saol polaitiúil – go buacach fós – san oileán taobh linn. Ní beag an chabhair dúinn chun an Seacaibíteachas a thuiscint cás na Breataine sa lá atá inniu ann a mheabhrú. Ní móide, a cheapfá, gur dream iad rítheaghlach Windsor a thuilleann urraim ná meas, dílseacht ná tairise; fós in ainneoin éagantachta, dúire is amaidí an rítheaghlaigh sin; in ainneoin a gcuid pléaráca is radaireachta le blianta beaga anuas; in ainneoin a ndíomhaointis is a n-ollsaibhris, tá, is cosúil, móramh mór an phobail sa Bhreatain toilteanach a bheith umhal dóibh is urraimeach, dílis is géilliúil – agus fós toilteanach díol as a gcothú is a gcothabháil. Leanann a thuiscintí, a réasúnú, is a eitic féin an ríogachas, mar a leanann aon ideolaíocht pholaitiúil eile, agus tá sé chomh 'réasúnta', chomh 'loighiciúil' – dar le ríogaithe – is atá aon ideolaíocht eile.[87]

Nuair a ghlac uaslathas Éireann, idir chléir is tuath, le Séamas I mar rí ceart ar Éirinn i dtús an tseachtú haois déag agus nuair a bhronnadar 'coróin na hÉireann' air, ní ag cuimhneamh ar leas na Stíobhartach a bhíodar ach ar leas na hÉireann is ar a leas féin; ba chinneadh pragmatach féinleasach é arbh fhéidir réasúnú intleachtúil diagachtúil a dhéanamh air. B'é a leas fós é, dar leo, cloí le Séamas II ag deireadh na haoise. Um an dtaca sin bhí dlúthcheangail ghéillsine, dhílseachta is chleithiúnais snaidhmthe idir cléir, uaisle is intleachtra na hÉireann agus an ríora Stíobhartach; ceangail nár scaoileadh go dtí an dara leath den ochtú haois déag. Scaoileadh ansin iad toisc gur oir sé do aicmí áirithe in Éirinn go scaoilfí – cinneadh a bhí chomh pragmatach féinleasach céanna leis an chéad chinneadh. Is cinnte go gcloistear an guth pragmatach féinleasach ó uair go chéile sna foinsí. Tuairiscíodh sa bhliain 1653 go raibh cuid de na hÉireannaigh a d'imigh thar lear i dteannta Shéarlais II, go rabhadar á rá:

> That God blinds their counsels, and that nothing will ever prosper that is derived from RC[88] or any of his. And were it not for transportation and persecution, they would never look after him (Thurloe 1742 i: 562).

Tuairiscíodh timpeall an ama chéanna gurbh é dóchas na n-imirceach a bhí thar lear fónamh don ríora Stíobhartach chun go bhféadfaidís filleadh ina dteanntasan agus a n-atharga a athshealbhú (CR v: 205). Tuairiscíodh gur fhógair duine de lucht leanúna Shéamais ag deireadh na haoise 'We are fighting not for King James nor for the popish religion but for our estates' (Simms 1969: 189). Ní mór glacadh leis gur fíor na tuairiscí sin, bíodh gur i bhfoinsí tánaisteacha a fhaightear iad, agus ní hionadh sin: níl aon chúis nach mbeadh tuairimí difriúla indibhidiúla á nochtadh i dtaobh na Stíobhartach nó i dtaobh aon ghné eile de shaol a linne ach chomh beag. Níl aon cheist ach go raibh, cinnte ó dheireadh an tseachtú haois déag amach, daoine aonair is aicmí, a bhí toilteanach an Stíobhartach is ar bhain leis a shéanadh agus a thuig gur cheart – go pragmatach féinleasach – teacht chun réitigh leis an ríora nua; ní i measc na nAnglacánach amháin a nochtadh tuairimíocht mar í.

Réaladh ar mhalairt tuairimíochta is ea an nath marthanach úd 'Séamas an Chaca'. Cé nach eol dúinn go cruinn cathain a cumadh an nath nó cé ina measc a scaipeadh ar dtús é, is cinnte gurbh ann dó faoin ochtú haois déag: tá tagairt ag Piaras Mac Gearailt dó, tá sé mar theideal ar fhonn ceoil ag Bunting agus is cinnte gurbh é a bhí i gceist ag Liam Inglis nuair a dúirt 'mairg do bhéarfadh leasainm ar Shéamas'.[89] Cruthú comhaimseartha é an dán sin go raibh an 'leasainm' sin ann, ach cruthú é chomh maith nárbh é an leasainm sin an ceartchreideamh, an dearcadh ceannasach – de réir na bhfoinsí liteartha, pé scéal é. Is iad na foinsí sin príomhfhoinse an leabhair seo agus is é dearcadh na haicme a shaothraigh na foinsí sin – an t-aos léinn – a phríomhfhócas. Ní gá buntéamaí na bhfoinsí sin a mheabhrú arís anseo ná a mheabhrú a lárnaí ina reitric atá an dílseacht do chúis na Stíobhartach agus an dóchas síoraí go raibh filleadh i ndán dóibh. Ach ar deireadh thiar, b'fhéidir nach iad buanseasmhacht ná marthanacht na reitrice sin is suimiúla ach a mhéid is féidir parailéalachas a rianadh idir í agus seintimintí daoine nár bhain leis an aos léinn agus nach i bhfilíocht a nochtadar a dtuairimí. Tá léiriú cuimsitheach le fáil againn ar an bparailéalachas sin i saothar ilghnéitheach an Phluincéadaigh, ball d'uaisle Fhine Gall, duine sofaisticiúil léannta ilbhéarlach nach raibh dabht dá laghad air i dtaobh bhuntoscaí ainriocht Éireann agus i dtaobh leigheas na hainriochta sin. Tá parailéalachas chomh soiléir leis feicthe againn i gcomhfhreagras na n-imirceach agus bíodh go bhfuil cuma phlámásach urraimeach – mód an ríogachais agus nós na haimsire – ar an gcomhfhreagras sin trí chéile tá freisin ina orlaí tríd ó thús deireadh an tseandílseacht is an dóchas marthanach; tá chomh maith, mar atá feicthe againn, tuiscint léir don stair agus don teagmháil leanúnach idir Éireannaigh is Stíobhartaigh. Tá parailéalachas nach beag freisin idir reitric na liostála agus reitric na filíochta, mar a chonaiceamar, agus parailéalachas idir an reitric ilfhoirmeach sin agus

gníomhaíocht iltaobhach na Seacaibíteach in Éirinn: gaisce a
sheanathar ag an Bhóinn á mheabhrú ag Pádraig Sáirséal, gaisce Chú
Chonnacht Mhig Uidhir in Eachroim á thabhairt chun cuimhne ag
Aodh Buí Mac Cruitín; beag is fiú á dhéanamh d'uabhar is phoimp na
nGallachóbach ag an bPluincéadach, ag na filí trí chéile, ag 'one
Cusack' súdaire a díotáladh as bheith ag tacú leis an liostáil i mBaile
Átha Cliath; uaisle Éireann thar lear ag plotáil thar ceann an
Stíobhartaigh, a bhfilleadhsan á thuar ag an aos léinn ag baile; 'poor
grey-headed Ireland, with bloody tears' ag caoineadh Shéamais Mhic
Coitir agus díoltas fuilteach á agairt aici ar an 'hell-born crew' a
mharaigh é; Éire an 'ainnir mhómhrach náireach mhaiseach' ag
tairngreacht in aisling de chuid Eoghain Rua gur gearr go mbeadh
scaipeadh ar 'shliocht Lúitir chlaoin is Chailbhin'; coinnle sna
fuinneoga ag daoine ag fáiltiú roimh an Stíobhartach, 'trí coinnle' á
lasadh ar Chnoc Fírinne 'in ainm an rí dhíograis' in aisling de chuid
Aogáin Uí Rathaille; 'spéirchoinneal résholais Éilge' á thuar ag Éire in
aisling de chuid Eoghain Rua; an rós bán á chur go dúshlánach
caithréimeach ag Séamas Óg Mac Coitir ar a chonairt is ar a eachra; é á
chaitheamh go dúshlánach neamhthairiscach ag daoscar Bhaile Átha
Cliath ar lá breithe an Tagaraigh; sláinte 'an róis lileach' á ól ag Tadhg
Ó Neachtain is a chairdc.[90]

Níor théama fileata amháin é 'sláinte an Mhaoir' a bheith á hól; nós
coiteann ab ea é, is cosúil. Tagraíonn Sylvester Lloyd dó ina chuid
litreacha, dar leis go raibh na daoine a bhí 'very zealous to drink your
health' go rabhadar freisin 'indiscreet enough to babble a great deal'
agus cé go raibh an t-ólachán sin 'useful in some measure to keep up
sinking spirits', fós is mó de dhíobháil ná a mhalairt a rinne sé, dar leis
(thuas lch 433). Is cinnte gur ríphléisiúrtha an nós é sláinte an 'té ná
habraim' a ól, fós ba ráiteas polaitiúil freisin é – an t-aon saghas ráitis a
d'fhéadfadh mórán a dhéanamh. Is fíor, mar a dúirt rannaire anaithnid
éigin,

> Were our glasses but turn'd into swords
> Or our actions half as great as our words;
> Were our enemies turn'd into quarts,
> How nobly we should play our parts (Baynes 1970: 36)

ach is fíor freisin go raibh feidhm ag an ólachán sin – an misneach a
choimeád suas, an dóchas a chothú, an guth freasúrach a chódú; an
fheidhm chéanna a bhí le reitric na filíochta agus is i dteannta a chéile
a fhaightear go minic iad:

> Scaoil chughainn scairdeach den mbeoir,
> is cuí dhúinn a shláinte siúd d'ól;
> is síoch subhach sámh seal, gan bhrón,
> go fíontúil fáilteach, gan ghleo,
> > bheidh clanna na nGael is Gallaibh go faon
> > dá leagadh, dá dtreascairt, 's dá gcaismirt le faobhar;

beidh aoibhneas is ceol againn,
fíonta dá n-ól againn,
's an rí ceart 'na choróin agus Seoirse gan tréad.[91]

Tá le tuiscint as na dánta ólacháin sin, mar atá as reitric na filíochta polaitiúla trí chéile, go raibh pobal báúil i gceist, go raibh lucht leanúna fairsing ag an chúis a bhíothas a mhóradh. Is cinnte gur chreid comhairleoirí an Stíobhartaigh go raibh; b'é a n-aonphortsan go raibh pobal mór na hÉireann toilteanach agus ullamh éirí amach – ach an chabhair mhíleata a theacht anall. Ní féidir a rá, gan amhras, cén tacaíocht ghníomhach a bheadh ag an Stíobhartach in Éirinn dá ráineodh dó teacht anall; ach is féidir a thaispeáint a fhorleithne i measc aicmí difriúla den phobal a bhí bá – agus níor bhá fhulangach amháin í – dá chúis: 'daoscar' Bhaile Átha Cliath idir shiopadóirí, cheardaithe is thábhairneoirí; an chléir trí chéile, idir easpaig, shagairt is bhráithre; na mílte liostálaí – ó na cathracha is ón tuath – a d'imigh thar lear le filleadh arís; an uaisle trí chéile, idir na himircigh a d'fhóin don Stíobhartach thar lear in airm na hEorpa agus an t-iarmhar a d'fhan ag baile; agus, gan amhras, an t-aos léinn – an dream ba ghlóraí is ba leanúnaí a nocht a ndílseacht do phearsa is do chúis an Stíobhartaigh. Dílseacht bhriathartha amháin a bhí i gceist, chomh fada agus is eol dúinn,[92] dílseacht easnamhach leisciúil, dar le hEoghan Ó Comhraí:

> And the believers in these idle dreams were but too sure to sit down and wait for the coming of the promised golden age; as if it were to overtake them, without the slightest effort of their own to attain happiness or independence (O'Curry 1861: 431).

Ach is é an briathar, agus ní hé an gníomh, a bhí mar chúram ar an bhfile riamh in Éirinn; air siúd d'áirithe a bhí mar chúram, ó thús na staire anuas go dtí an naoú haois déag, eicsigéiseas a dhéanamh ar ráiteachas na tairngreachta, an ráiteachas sin a mhíniú is a aithris dá chairde. Is fírinní fós i dtaobh na hÉireann é a raibh le rá ag Lenman (1982: 36) i dtaobh na Seacaibíteach sa Bhreatain trí chéile: 'there is more to Jacobite history than counting those who stood upon a battlefield ... those who wrote most did not act, and those who acted wrote little, if anything'.

Fós dá mhéad nó dá fhairsinge an bhá a nochtar don Stíobhartach abhus agus dá fhuiltí cheannaircí mharthanaí a bhí an reitric Sheacaibíteach, is in Éirinn amháin, de na trí ríochta, nár éiríodh amach thar ceann an Stíobhartaigh. In Éirinn, sa chéad leath den ochtú haois déag, pé scéal é, d'fhan an reitric ina reitric, an aisling ina haisling: 'The dream takes the place of action as elsewhere in life' (Freud 1938: 209). Agus cé nach fiú, dar liom, a bheith ag iarraidh an easpa gníomhaíochta sin a mhíniú (bheadh sé chomh tairbheach céanna a phlé cad ina thaobh nó conas gur sa bhliain 1916 – agus nach sa bhliain 1716 – a tharla éirí amach na Cásca) ní miste a mheabhrú arís nach iad an

cheannairc, an reibiliún ná an chíor thuathail a bhíonn mar thoradh ar
an míleannachas i gcónaí; bíonn de thoradh air, chomh minic lena
mhalairt, an fhoighne, an fhadfhulaingt, an feitheamh fada leis an lá –
go dtiocfadh an Tairngeartach. 'We obey the enemy while awaiting the
day when the yoke of our servitude shall be broken', an dearcadh a bhí
ag dúchasaigh na hAfraice Theas a thuairiscigh Anderson (1958: 70);
mar a mheabhraigh an scoláire Ollannach Sierksma:

> A people may live with eschatological ideas without becoming involved in
> such a movement. A movement may start as a whispering campaign; but it
> may also remain a whispering campaign ... and if all whispering campaigns
> culminated in action there would have been not one, but at least three
> D-Days in occupied Holland (La Barre 1971: 33).

B'fhéidir gur chreimí cheannaircí i bhfad an 'whispering campaign' úd,
an reitric ná aon reibiliún. Is cinnte nach bhfuil sé as an cheist in aon
chor gur éirigh leis an reitric sin dul i bhfeidhm ar líon níos mó daoine
ná a d'fhéadfadh aon ghníomhaíocht pholaitiúil. Tá áitithe ag Darnton
(1995) nach iad tráchtais fhealsúnta Voltaire is Rousseau a bhrostaigh
réabhlóid na Fraince ach an gnáthábhar léitheoireachta, ficsean graosta
san áireamh, a bhí á scaipeadh go mídhleathach i measc an phobail; dar
leis gurbh é an t-ábhar sin a rinne dídhlisteanú ar an *ancien régime* sa
Fhrainc.

Toisc nár leagadh síos go beacht riamh aidhmeanna an
tSeacaibíteachais – seachas filleadh an rí chirt – bhí ar a chumas bá is
tacaíocht fhairsing a chothú i measc ciní, aicmí is reiligiúin difriúla. Dob
fhéidir, mar sin, aidhmeanna a shamhlú leis an Stíobhartach – go
háirithe nuair is i gcéin a bhí – nach raibh riamh aige féin; dob fhéidir
a ainm a luà le cúiseanna nach raibh bá riamh aige leo. I Sasana, ó thús
deireadh, b'é athbhunú an ríora chirt bunaidhm is príomhaidhm na
Seacaibíteach. Le filleadh an rí chirt is ea a théarnódh an saol trí chéile:

> And you shall see he will come to the Throne and then we shall have
> flourishing times (Monod 1989: 257).

> We shall have no good times till we see King James the Third in England
> (*ibid.* 261).

B'in tuiscint choiteann thall is abhus ach in Éirinn ní raibh san fhilleadh
ach an catalaíoch a thabharfadh athruithe bunúsacha radacacha
isteach, athruithe nár samhlaíodh riamh le filleadh an Stíobhartaigh
thall:

> Dá dtíid mic Mhíle ón Spáinn gan éag,
> de mhíthoil na gcríoch so 's de ghrástaibh Dé,
> beidh díbirt ar scaoth mhaith den Stát so tréan,
> is beidh díomas ar dhaoinibh gan aird, gan éill.

> Beidh aoltoir dá síorchur ar lár go féar,
> 's beidh síorfhuil dá scaoileadh le hármaibh laoch,
> beidh ríona ag síorghol 's ag fáscadh a méar
> trí dhíbirt a ndaoine 's a bpáirt den tsaol ... (RIA 23 L 34: 215).

Níorbh ionann ó thús mar a réalaíodh an Seacaibíteachas in aon cheann de na trí ríochta, toisc nárbh ionann riamh an mhaitrís shoch-chultúrtha a chothaigh é i ngach ríocht faoi leith acu. I méid a chuaigh an t-easionannas sin le himeacht ama; faoin dara leath den ochtú haois déag, de réir mar a bhí pobal mór na Breataine ag glacadh le Seoirse III mar 'patriot King' (Clark 1985: 179), is mar *clamh*, mar *scaoinse*, mar *stróinse méiscreach* a bhí an reitric Sheacaibíteach fós á léiriú in Éirinn. Bóthar eile ar fad a bhí gafa ag Seacaibíteachas na hÉireann um an dtaca sin: ina Albanach aircitípeach gona bhreacán, a bhoinéad, a scian dubh is a phíb mhór – ar chúis gháire anois é, agus ní cúis eagla – a bhí Séarlas Óg á léiriú i litríocht na Breataine roimh dheireadh na haoise;[93] ina Bhuachaill Bán a chríochnaigh sé a ghníomhréim in Éirinn. Agus sin é bunpharadacsa an tSeacaibíteachais in Éirinn: gluaiseacht a bhí bunaithe, den chéad seal, ar luachanna traidisiúnta coimeádacha uaslathacha an *ancien régime*, gur ina reitric cheannairceach radacach chreimeach a bhí sí á nochtadh féin ag deireadh.

Mar 'consolatory legend' a chuir an staraí Christopher Hill (1968: 183) síos ar an Seacaibíteachas. Is cinnte go bhféadfadh is go raibh – go háirithe in Albain – an fheidhm sin aige ach níorbh in é an t-aon fheidhm amháin a bhí aige ná an t-aon toradh amháin a bhí air, mar ghluaiseacht. D'fhéadfadh sé feidhmiú, chomh maith, ag brath ar dhálaí áitiúla, mar 'a language of defiance ... an idiom of protest on a range of social issues', dar le Rogers (1988: 132). Is é a mhúnlaigh is a spreag 'plebian protest' ar feadh daichead bliain sa Bhreatain, dar le Monod (1989: 161); dar leis nach raibh riamh gluaiseacht cheannairceach pholaitiúil mar í sa tír a raibh tionchar mar í aici ar an bpobal. Dar le Clark is scoláirí eile gurbh é an Seacaibíteachas bunfhoinse an radacachais trí chéile sa Bhreatain agus gur uaidh go háirithe a shíolraigh an Seacóibíneachas.[94] Ní hé an poblachtachas ná an diasachas a rinne dídhlisteanú ar an *ancien régime* in Éirinn ach an Seacaibíteachas. Ní hé Tone ná Ó Conaill faoi deara an náisiún Éireannach a mhúnlú ach na Stíobhartaigh – más gan fhios dóibh féin é. Ach is cuid de pharaidím an mheisiasachais é nach mbíonn aon smacht ag an Meisias ar a dhán ná ar a fheidhm thras-stairiúil. Ní móide go mbeadh Íosa Nasarait róshásta dá mbeadh a fhios aige a bhfuil d'éagóir imeartha ar dhaoine ina ainmsean le dhá mhíle bliain anuas; is cinnte nach mbeadh an Stíobhartach sásta dá mbeadh a fhios aige a raibh á fhógairt, á thuar – is á dhéanamh – ina ainmsean in Éirinn. Mar más fíor gur úsáid na Stíobhartaigh cine Gael, gur bhain leas astu ar mhaithe lena gcúis féin, is fíor freisin gur úsáid cine Gael na Stíobhartaigh is gur bhain leas astusan ar mhaithe lena gcúis-sean – náisiúnachas na hÉireann. Agus dá íorónaí mar nóisean againne é, is laistigh de chomhthéacs an ríogachais (agus an reiligiúin) a saolaíodh an náisiúnachas sin, 'coróin na hÉireann' a shiombalaigh é, coróin a shealbhaigh an ríora Stíobhartach, fiú nuair nach iad a bhí sa choróin.

Chuir an Seacaibíteachas fócas cinnte ar fáil don náisiúnachas sin, chuir leicseacan an chirt is an dlisteanais ar fáil dó, chothaigh sé a reitric radacach cheannairceach, agus b'é an príomh-mheán é a d'iompair an náisiúnachas sin ó thús deireadh an ochtú haois déag.

Den chuid is mó de dhá chéad bliain bhí ionad príomha ag an ríora Stíobhartach i saol polaitiúil, i saol intleachtúil agus i saol cultúrtha na hÉireann. Agus más léiriú iad féin, agus an ideolaíocht a chothaigh iad, ar leanúnachas an tsaoil sin, léiriú iad chomh maith céanna ar phróiseas an athraithe a bhí inghreamaithe sa leanúnachas. Tá áitithe ag Stevenson (1980) gurbh í teagmháil na gclann dúchais leis an ríora Stíobhartach, gurbh í go bunúsach a lagaigh an cultúr sinseartha in Albain agus gurbh í go príomha faoi deara a chloí; bhí idir thragóid is pharadacsa i gceist, tragóid dhosheachanta, dar leis:

> In the alliance of many of the clans which had formerly been the most 'disloyal' in the Highlands with the Stewarts there is a paradox as well as a tragedy. Both tragedy and paradox lie in the fact that the Jacobite clans, fighting to preserve their way of life and autonomy, found themselves led by circumstances into fighting for a dynasty which had shown little sympathy for them ... Highland Jacobites backed a loser in the dynastic stakes. This was a tragic miscalculation; but it was almost inevitable ... It is here that the paradox lies. In seeking to resist alien, external pressure on their world, they had to enter the politics of the alien world that was threatening them, and, in doing so, to begin to accept its values ...
> (Stevenson 1980: 297-8)

Patrún é sin a fheidhmíonn i gcomhthéacsanna eile freisin; feiniméan uilí é, is cosúil. Is é an toradh gnách a bhíonn ar an machnamh míleannach, dar le scoláirí difriúla, athrú – athrú bunúsach a dhul ar an gcultúr dúchais. Mar dá mhéad a fhéachann an míleannachas siar, dá mhéad a mhórann sé an saol mar a bhí anallód, ní hé an seansaol a chuirtear ar bun choíche dá bharr, ach saol nua: 'basically millennarianism is an ideology of change' (Harrison 1979: 222). Sa mhíleannachas gníomhach go háirithe, sna gluaiseachtaí míleannacha a tháinig chun cinn i measc ciní a raibh concas déanta orthu, is tréith uilí í go santaíonn – agus go sealbhaíonn – an cine dúchais eilimintí áirithe de chultúr a máistrí. Déanaid sin ní chun aithris a dhéanamh orthu, ach chun bheith ar aon chéim leo. Sna gluaiseachtaí míleannacha a dtugtar lastchultais ('cargo cults') orthu, is iad artafachtanna ábhartha an chultúir eachtrannaigh is mó a shantaíonn na dúchasaigh, ach is é an sealbhú sin féin a lagaíonn an cultúr dúchais agus a chuireann dá threoir inmheánach é.[95]

Tá lua i bhfilíocht pholaitiúil an ochtú haois déag, ag filí difriúla i gceantair dhifriúla, tá lua acu ar chuid de na hartafachtanna ábhartha a shantaigh an cine dúchais nó, ar a laghad, ar na hartafachtanna a raibh tábhacht shiombalach nó stádas sóisialta acu, dar leis na filí: beathuisce is fíon, feoil, bróga, cóiste, aolbhrog slinne. Ach is beag lua ná trácht atá acu ar an eilimint sin den chultúr ceannasach is mó a santaíodh agus is tapúla a sealbhaíodh – teanga an chultúir sin. I gcás na hÉireann, b'é an Béarla an last a tháinig anall a shantaigh is a shealbhaigh an pobal dúchais. Port coiteann de chuid an aosa léinn é, ó thús an tseachtú haois déag amach, caitheamh anuas ar bhodaigh an Bhéarla, bheith ag gearán, mar a dúirt Aodh Buí Mac Cruitín, go raibh 'Béarla Sagsan go tairise is Gaeilge fuar'.[96] Ach dá ghlóraí an gearán acu, dá bhinibí an aithis, is léir go raibh an t-aos léinn ar na haicmí is túisce a shealbhaigh an Béarla. Ní raibh aon rogha acu, ar ndóigh; bhí an teanga sin riachtanach chun déileáil le réimsí áirithe den saol comhaimseartha poiblí; bhí sé riachtanach go háirithe chun dul i bhfeidhm ar an saol sin. I mBéarla amháin atá an comhfhreagras iomlán idir uaisle Éireann agus cúirt na Stíobhartach, i mBéarla a scríobh Mathew Kennedy a nginealach, i mBéarla a scríobh Aodh Buí Mac Cruitín *A brief discourse* ..., i mBéarla amháin a scríobh Cathal Ó Conchúir na paimfléid pholaitiúla a d'fhoilsigh sé; na Buachaillí Bána féin, dá dhúchasaí a siombailí is a meafair, is i mBéarla a scríobhadar a litreacha bagracha agus a bhfógraí dúshlánacha. Dob fhéidir caitheamh anuas ar na Gallaphoic i nGaeilge, iad a mhaslú is a tharcaisniú i dteanga nár thuigeadar, ach is ina dteangasan ba ghá déileáil leo:

> Beidh dearbhshliocht Éibhir fá réim inár dtír,
> is Éireamhón éachtach, Ó Néill is Mag Uidhir,
> beidh Hollister is Séacar is Béacar gan bhrí,
> Swadlers is Quakers is gach aon eile dhíobh.

> Beidh ministir taibhseach gan saghdar, gan leann,
> is sursaing ar Thadhg 's é á leadhbadh go teann;
> 'tóig leat do *bible, its time to be gone,*
> tú féin is *your wife* is, gan aimhreas, do chlann' ... .[97]

Ba eilimint lárnach san aisling pholaitiúil ó thús deireadh díchur an Bhéarla is athchur na Gaeilge. De réir na tairngreachta a rinne Aogán Ó Rathaille, bheadh 'Gaeilge á scrúdadh 'na múraibh ag éigsibh/Béarla na mbúr ndubh go cúthail fá néaltaibh' (AÓR: 28 §§ 14-5). An malartú rólanna a bhí geallta do Ghael is do Ghall, bhí sin i ndán don dá theanga chomh maith. B'é an diminsean cultúrtha é den athnuachan iomlán a bhí tuartha. 'Myth-dream' a thugann Burridge (1960: 27) mar théarma ar an gcoimpléasc de thuiscintí, de nóisin, d'aidhmeanna – den fhírinne – a bhíonn laistiar den mhíleannachas; coimpléasc é a mhaireann 'side by side with, and at the same time as, the humdrum tasks of a workaday world' (*ibid.* xxiii), ach bíonn gá i gcónaí le duine sonrach amháin – 'a charismatic figure' (*ibid.* 148) – chun an aisling a chothú is a ghníomhú. B'in é an ról a samhlaíodh leis an Stíobhartach – é mar Chabharthach – in Éirinn nó, ar a laghad, i litríocht na hÉireann. Ach is é oighear an scéil é nach raibh tuiscint dá laghad ag aon duine den ríora Stíobhartach don ról á bhí á shamhlú leo in Éirinn. Dá chosúla le chéile fortún na nGael is na Stíobhartach, dá fhad a dteagmháil le chéile is dá dhlúithe, is ar aon taobh amháin, cuid mhaith, a bhí an bhá is an dílseacht; cumann leataobhach a bhí i gceist den chuid is mó. Is cinnte gur fhóin an ríora Stíobhartach trí chéile do Éireannaigh indibhidiúla, gur sholáthair an chúirt Stíobhartach idir thearmann is charthanacht don iliomad imirceach ó Éirinn; is cinnte freisin gur fhóin an ríora Stíobhartach don Eaglais Chaitliceach in Éirinn tríd an cliarlathas a athnuachan is a bhuanú; is cinnte gur fheidhmigh an ríora mar fhócas dóchais is misnigh ag aicmí difriúla in Éirinn ó thús an tseachtú haois déag amach. Is fíor sin, ach is beag suim a léirigh aon duine den ríora i gcás na hÉireann agus is beag tuiscint a bhí acu don chás sin. Sa ráiteas deiridh a thug Séarlas Óg uaidh sa bhliain 1753, agus a pholasaí polaitiúil á leagan amach aige, gheall sé an pharlaimint a thionól go rialta, an t-arm seasta a scor agus míliste náisiúnta a bhunú ina áit, saoirse tuairimíochta is cearta sibhialta is reiligiúnda a dheimhniú, ríocht aontaithe a dhéanamh de na trí ríochta (RA SP: 345/164). Ba pholasaí é a bhí beag beann ar Éirinn is ar chás na nÉireannach. Séamas II féin, an t-aon duine den ríora a chaith aon tamall in Éirinn, is beag an tuiscint a léirigh sé do dhálaí na tíre, a muintire, ná a gcás. Thuig sé gurbh é a dhualgas morálta é féachaint i ndiaidh na nÉireannach agus cúram faoi leith a dhéanamh de na 'old natives', ach tuigeadh dó chomh maith gurbh é a dhualgas príomha, mar rí, é leas na corónach a chur chun cinn agus, mar sin, is de réir thuiscintí a chine féin a d'fhónfadh sé do na Gaeil:

> As to Ireland, tis the interest of the Crown to improve that kingdom as well as the rest of their dominions, all that may be, and to order it so as their cheef dependence may be in the Crown, this will please the old natives of whom especial care must be taken, as well for justice sake, as for their loyalty and great sufferings in the late war, and to keep up a Catholick interest there, that at least in one of the kingdoms there may be a superiority of those of that persuasion, and to make them the more considerable, great care must be taken to civilise the antient familys, by having the sons of the cheef of them bred up in England, even at the charge of the Crown, when they have not where with all out of their own estates to do it, by which means they will have greater dependence on the Crown, and by degrees be weaned from their natural hatred against the English, be more civilised, and learne to improve their estats, by making plantations and improving their land as the English and Scots have done wheresoever they have settled; this with the charge the Crown should be at in setting up scholes, to teach the children of the old natives English, would by degrees weare out the Irish language, which would be for the advantage of the body of the inhabitants, whether new or old, and would contribut much to lessen the animositys that are amongst them ...
>
> (Clark 1816 ii: 636).

An aisling a chum an t-aos léinn i dtaobh an Stíobhartaigh, b'aisling í a bhí tógtha ar na tuiscintí traidisiúnta a léirigh ról an Chabharthaigh dhúchais ach ní de réir an róil sin a d'fheidhmigh aon duine de na Stíobhartaigh. Dá áille nó dá shamhlaithí, dá spreagúla nó dá dhóchasaí an aisling sin, i bhfianaise na staire, mar a chímidne anois í, níl aon cheist ach gur ghéar an aisling í.

NÓTAÍ

Caibidil 1

[1] Féach ARÉ vi:2258,2322; Ó Donnchadha (1931a:53), Meehan (1868:11) faoi seach.

[2] Hayes-McCoy (1937:285-305), Bagwell (1909 i:2-3), Willson (1956:320), Lynch (1662: 247-9), Rothe (135-9), *Archivium Hibernicum* 3 (1914) 302-4, Meehan (1868:26), CSPI 1603-6:25.

[3] *Mór theasta dh'obair Óivid*, in eagar: Breatnach (1978: §§ 4,13,14,16,21).

[4] Féach DIL *s.v. barr, corann, imscing, mind.* Féach freisin, mar shampla, Thurneysen (1936: §6), O Daly (1975: §68), Gray (1982: §237). Maidir leis an armas, féach Hayes-McCoy (1979:20-21). Is é an t-armas sin atá anois ar bhrat chúige Mumhan. Táim an-bhuíoch de mo chomhghleacaí, an Dr N.J.A. Williams as an fhoinse sin a chur ar mo shúile dom agus ceist an armais a phlé liom.

[5] Féach Simms (1987:21-40), Mac Cana (1973), Hore (1857), Dillon (1973). B'fhéidir gur iarsma den siombalachas a shamhlaítí uair leis an leathbhróg an tagairt úd don 'leathbhróg ghallda' is 'leathbhróg Ghaelach' i leith Shéamais II (thuas lch 169).

[6] Féach F.M. Jones (1967), Edwards (1944), Binchy (1921), Silke (1959, 1966), NHI iii:69-141, *Calendar Carew MSS* 1589-1600:122-3, CSPI 1592-6:406-10, CSPS 1587-1603:608-20, Simms (1987:38).

[7] Féach faoi seach: *Coróin Éireann ainm Uí Néill* (Ó Gnímh), foinse: Leabhar Uí Chonchobhair Dhoinn:135b §1; *Cia ara bhfuil th'aire, a Éire* (Pádraig Glas Mac an Bhaird), foinse: Leabhar Uí Chonchobhair Dhoinn:222a §39; *Mór an lucht arthraigh Éire* (Fearghal Óg Mac an Bhaird), in eagar: DD:107 § 10; *Teasta Éire san Easpáinn* (Fearghal Óg Mac an Bhaird), in eagar: Breatnach (1973: § 66).

[8] *Cia ara bhfuil th'aire, a Éire* (Pádraig Glas Mac an Bhaird), foinse: Leabhar Uí Chonchubhair Dhoinn:222a §§ 21,35,44,46.

[9] *Coróin Éireann ainm Uí Néill*, foinse: Leabhar Uí Chonchobhair Dhoinn:135a §§ 3,4. 'Ó Gnímh' atá mar údar leis an dán sa lámhscríbhinn; is dóichí gurb é Brian Ó Gnímh, ceann na fine, atá i gceist. Féach Ó Tuathail (1948:157-60), McGrath (1953:127-8), Cunningham & Gillespie (1984:111), Ó Cuív (1984).

[10] *Cia re bhfuil Éire ag anmhuin?*, in eagar: Greene (1972:2). Féach freisin n. 11 thíos. Tá an scéal céanna in *The Annals of Clonmacnoise*: 'until Donnogh McBryan carried the crown to Roome' (Murphy 1896:3).

[11] *Teasta Éire san Easpáinn* (Fearghal Óg Mac an Bhaird), in eagar: Breatnach (1973: §57); *Is follas, a mheic Dáire* (Roibeard Mac Artúir), in eagar: DMM:38 §64; *Beag táirthear don tagra mbaoith* (Fear Feasa Ó Maoil Chonaire), in eagar: DMM:39 §100; *Ro chuala ar thagrais, a Thaidhg* (Lughaidh Ó Cléirigh), in eagar: IF:6 §237. Féach 'flaith corónta chosnas tnúdh' ag Mac an Bhaird i ndán eile dá chuid (*Fuarus iongnadh, a fhir chumainn*, in eagar: DMM:24 §18) agus an sampla seo i ndán (*Buime trír máthair mhic Dé*) a leagtar ar Dhonnchadh Mór Ó Dálaigh: 'An mac do b'fheirrde ise / dá oileamhain aicise, / an rí caránta ar a cígh / baránta í don airdrígh' (DD:9 §5) agus 'Cocad mór etir na rígaib corónta féin *in hoc anno* .i. Rí Franc 7 Rí Saxan' (AC:1418.16). Féach freisin DIL *s.v. corónta.*

[12] Féach Ó Buachalla (1983a) agus thuas caíb. 10.

[13] Féach Ó Cathasaigh (1977, 1978), Ó Buachalla (1989).

[14] Paul (1950:170,360), CSPI 1611-4:474, McIlwain (1918:272).

[15] Féach Thomas (1971:494), Willson (1956:141,322), Murray (1875:xli), Goldberg (1983), Erskine-Hill (1983:99-198).

[16] Féach Kenyon (1970), Davies (1959), Willson (1956), Craigie (1944), Silke (1955), Smith (1973).

[17] Féach Figgis (1914), Straka (1962), Clark (1985:119-41), Laslett (1983), McIlwain (1918), Elton (1974).

[18] Féach Greenleaf (1964), Levy (1987), Viner (1972).

[19] Féach CSPI 1603-6:241, 1611-14:484, 1615-25:94,277.

[20] Níl sé cinnte gur sloinne é seo, b'fhéidir gur ainm pearsanta (*mac Marcais*) é agus gur le muintir Ghnímh a bhain sé. Féach BAR ii:147, O'Rahilly (1921:105).

[21] *Truagh liom Máire agus Mairgréag* (Fearghal Óg Mac an Bhaird), in eagar: IBP:8 §14; *Truagh do chor a chroidhe tim* (Eoghan Rua Mac an Bhaird), in eagar: IBP:4 §§ 9-10.

[22] Féach DIL *s.v. inis, ailén*, agus Ó Corráin (1978).

[23] *Mo thruaighe mar táid Gaoidhil* (Fear Flatha Ó Gnímh), in eagar: MD ii:54 §§ 40,65-8,81-8,90.

[24] *Anocht is uaigneach Éire* (Eoghan Rua Mac an Bhaird/Aindrias Mac Marcais), in eagar: Knott (1915: §11).

[25] Céitinn, *Eochairsgiath an aifrinn*:16.

[26] Féach Moody (1938), Kearney (1973), Lodge (1772 i:208-9), Bagwell (1909 i:111-31).

[27] *Archivium Hibernicum* 3 (1914) 202-10.

[28] *Archivium Hibernicum* 3 (1914) 260-8.

[29] Féach NHI iii:629-30, Silke (1955, 1965, 1975), DNB.

[30] Féach *Archivium Hibernicum* 3 (1914) 274-84, 284-99.

[31] Féach Moran (1874 i:100,110), Renehan (1861:118-9), Bossy (1971:160).

[32] Féach Cregan (1979), Corish (1958), Kearney (1960).

[33] Féach O'Brien (1928:455), *Irish Theological Quarterly* 22 (1955) 144; Meehan (1868:529).

[34] I Spáinnis atá buntéacs an aithisc sin Uí Mhaoil Chonaire ach tá aistriú Béarla air ag Meehan (1868:395-7) is ag Renehan (1861:396-7) agus aistriú Laidine air ag Ó Súilleabháin Béarra (1621: §§ 255-7).

[35] Féach CSPI 1615-25:19-20, CSPI 1606-8:359; O'Brien (1928:454,459,839). Maidir le Ó Maoil Chonaire, féach DMM ii:156, Meehan (1868:105-11, 251-3, 281-2), Renehan (1861:395-40), Jennings (1964:286*n*), Ó Cléirigh (1935:35-45), Ceyssens (1957), Neary (1912), O'Brien (1927), Ua Súilleabháin (1990).

[36] Aistriúchán ar chaiticeasma Spáinnise le Jeronimo de Ripalda (Cregan 1979:104) a rinne Ó Maoil Chonaire ach níor cuireadh in eagar go dtí ár linn féin é (Ó Cuív 1950).

[37] Féach Gierke (1938), Copleston (1953), Skinner (1978), Eccleshall (1978), Greenleaf (1964).

[38] Is beag Íosánach a bhí in Éirinn san am sin ach sna cáipéisí stáit tugtar 'Jesuits' nó 'Seminary Priests' ar na sagairt a oileadh thar lear.

[39] Thugtaí *rí Forbhair/flaith Forbhair* coitianta ar Bhúrcaigh Chlainne Riocaird. Féach, mar shampla, IF:29 §35. Is é is dóichí atá i gceist 'Rémann mac Seáin a Búrc' a d'imigh chun na Spáinne i dteannta Aodha Rua Uí Dhónaill sa bhliain 1602 (ARÉ vi:2290).

[40] Foinsí: RIA 23 L 17:39, 3 B 31:65, 3 C 10:90; UCD C 18:66, CUL Add. 6532:e4, Add.

6559:386. 'Aisling Aonghusa Mhic an Bhaird mar do chonairc ar chlannaibh Gaoidheal ag teacht tar ais ón Easbáinn' atá sna ceannscríbhinní ach níl aon trácht ar an Spáinn sa dán féin; *a Franncaibh* atá sa téacs. Thabharfadh sin le tuiscint go raibh na hiarlaí fós sa Fhrainc, ar a slí chun na Róimhe, nuair a scríobhadh an dán. Is í an Dr Katharine Simms is túisce a dhírigh m'airdse ar an dán seo; tá sé luaite ag Murphy (1939) ina altsan ar an aisling is tá véarsa as cóip dhéanach de curtha i gcló ag Ó Tuama (1978:152). Mar le dánta eile an-chosúil leis, féach *Lá dá rabha ós ráith Luimnigh* (Dónall Mac Bruaideadha), in eagar: AD:27; *Iongnadh mh'aisling in Eamhain* (Giolla Brighde Mac Con Midhe), in eagar: Williams (1980: 15). Féach thuas lgh 535, 537.

41 Féach Rothe (35-9, 103, 135-9, 287), TBG: 6047-50, *Mo thruaighe mar táid Gaoidhil* (Fear Flatha Ó Gnímh), in eagar: MD ii:54 §§ 69-80; SC:3580, SSA:4904-46, O'Sullevano Bearro (1621: §§ 201-2); *Ní deireadh leóin do Leath Cuinn* (Cú Choigríche Ó Cléirigh), foinse: NLI G 167:292; *Trua̍gh liom Máire agus Mairgreág* (Fearghal Óg Mac an Bhaird), in eagar: IBP:8.

42 Féach Maxwell (1923:145,169), Ó Lochlainn (1939:42), Walsh (1986:227), Breatnach (1952:320-2), Renehan (1861:396-7), Lombard (1632: § 55), Jennings (1964: §§ 252,254,265); féach freisin F.M. Jones (1967), Mooney (1967:33-9), Corish (1968), Silke (1955).

43 Archivo General de Simincas: GA 587.

44 Féach O'Sullevano Bearro (1621:vii), *Archivium Hibernicum* 3 (1914) 278, *ibid.* 22 (1959) 146.

45 In cagar: Mhág Craith (DMM:28). Deir an t-eagarthóir go mb'fhéidir gurb iad eachtraí na bliana 1572-3 atá i gceist sa dán ach toisc tagairt do 'sluagh Saxan ... is fir Alban' (§2) a bheith in Éirinn ba dhóigh leat gur tar éis phlandáil Uladh a scríobhadh é. Glactar leis gur sa bhliain 1590 a fuair Eoghan Ó Dubhthaigh bás ach ní aon duine amháin den ainm is den sloinne sin a bhí suas ag an am (DMM ii:163).

46 Féach *Beannacht ar anmain Éireann* (Fear Flatha Ó Gnímh), in eagar: IBP:26 §2; *Anocht is uaigneach Éire* (Eoghan Rua Mac an Bhaird/Aindrias Mac Marcais), in eagar: Knott (1915: §5); *San Spáinn do toirneadh Teamhair* (Dónall Ó Dálaigh), in eagar: Breatnach (1955: §30); *Soraidh slán lér saoithibh saoidheachta* (Eoghan Mac Craith), in eagar: Ní Dhomhnaill (1975:20 §§ 4,13); *Dursan mh'eachtra go hAlbain* (Fearghal Óg Mac an Bhaird), in eagar: AD:53 §§ 4,5,8; *Cáit ar ghabhadar Gaoidhil?* (Lochlainn Ó Dálaigh), in eagar: Gillies (1970: §13).

47 Féach *Cáit ar ghabhadar Gaoidhil* (Lochlainn Ó Dálaigh), in eagar: Gillies (1970: §§19,24); *Mór an lucht arthraigh Éire* (Fearghal Óg Mac an Bhaird), in eagar: DD:107 §22; *Mo thruaighe mar tá Éire* (Séathrún Céitinn), in eagar: Ó Cuív (1957a: §10); *Do chuala scéal do chéas gach ló mé*, in eagar: ND i:26 §§ 73-6; *Fríoth an uain se ar Inis Fáil* (Eoghan Rua Mac an Bhaird), in eagar: DER:14 § 23.

48 Mar le samplaí ionadacha as téacsanna a cumadh roimh 1100 féach Stokes (1891:422) agus Van Hamel (1941:85).

49 Féach Thomas (1971:90-132), Miller (1954), Webster (1975), Pocock (1975:38-47), Raab (1964), Patch (1927). *Toil Dé* is coitianta ag scribhneoirí próis an tseachtú haois déag ach faightear *an deonaghadh* freisin agus glacaim leis sin mar théarma teibí ar an gcoincheap.

50 Féach Lombard (1632: §§ 19-20), AD:44 §3, TBG: 5367, Gearnon (1645:1344-70), Ó Fachtna (1967:597,984-8).

51 Féach McKenna (1919:52 § 38), ARÉ vi:2294, SSA:3082, 4158,4830-3; Ó Súilleabháin Béarra (1621: § 61), Breatnach (1955: § 50), ARÉ vi:2288, CSPS 1587-1603:732, DER:14 §§ 9-12.

52 Tá an rann sin tógtha as an dán *A fhir théid go Fiadh bhFuinidh* (Maol Mhuire Ó hUiginn), in eagar: MD ii:52 §14.

[53] Féach Patch (1927), Pocock (1975:43).

[54] Féach Eliade (1974:102-12), Raab (1964), Miller (1984), Webster (1975), Weinstein (1970).

[55] Féach Céitinn, *Eochairsgiath*: 17; *Anocht is uaigneach Éire* (Aindrias Mac Marcais/Eoghan Rua Mac an Bhaird), in eagar: Knott (1915: §§ 36-40), SSA:4946-57.

[56] Féach Bradshaw (1970, 1974, 1976, 1977, 1978, 1981, 1988), Canny (1976, 1979, 1986, 1987), Ford (1985), Quinn (1958).

[57] Ba chomparáid choiteann ag na coilínithe san am é dúchasaigh Mheiriceá is na Gaeil a chur i gcomórtas le chéile. Féach Quinn (1966:106), Canny (1976:160-3, 1979), Bottigheimer (1978:61), Muldoon (1975).

[58] *Archivium Hibernicum* 3 (1914) 300, CSPI 1611-4:94. Féach Olden (1971), F.M. Jones (1967), Kearney (1960), Edwards (1944), Silke (1973), Corish (1957, 1981), Ryan (1975).

[59] Féach Williams (1986).

[60] Féach Brady (1955), Wall (1942, 1943), Ó Cuív (1950), Cregan (1979:104), Ó hEodhasa (1611), Rogan (1987).

[61] Féach Céitinn, *Eochairsgiath*: 17; Jennings (1936:38), Ó Maoil Chonaire (1616:4139-42, 4341-42), Ó hEodhasa (1611:533-9), Mac Aingil (1618:6132-5).

[62] Féach Bradshaw (1978), Canny (1979), Bottigheimer (1985), Ford (1985), Ellis (1990).

[63] Is beag an earraíocht a bhain gníomhairí an Fhrithreifirméisin in Éirinn as an ábhar cráifeach spioradálta traidisiúnta a tháinig anuas chucu. Is mar phearsana stairiúla amháin, a raibh an creideamh fíor acu, a úsáideadh Pádraig, Bríd is Colum Cille.

[64] Féach Ó Cléirigh (1935:100-5), DMM ii:160-6.

[65] Féach Kearney (1960) go háirithe agus Clarke (1970).

[66] *Archivium Hibernicum* 3 (1914) 320-4; Jennings (1964: § 968).

[67] Féach Mac Aingil (1618:4905-6,4423-4,4153-4,70-72,3085-8,4946-55).

[68] *Archivium Hibernicum* 3 (1914) 303.

[69] Is fíor gur mar dheireadh tragóideach apacailipteach a léiríonn Lughaidh Ó Cléirigh an cath in *Beatha Aodha Ruaidh Uí Dhomhnaill* ach ní tuairisc chomhaimseartha an insint sin. Is cosúil go raibh Ó Néill marbh († 1616) nuair a scríobhadh an téacs (féach BAR ii:16-8) agus is mar bheathaisnéis adhmholtach (dán díreach i bprós) a scríobhadh é. Ní hí an insint chéanna a thugtar ar an gcath in ARÉ (vi:2290).

[70] ARÉ vi:2290; *Rob soruidh t'eachtra, a Aodh Ruaidh* (Eoghan Rua Mac an Bhaird), in eagar: IBP:3; CSPI 1601-8:439,637, CSPI 1615-25:504, Hill (1877:117), Jennings (1964:48).

[71] Féach *Clogher Record* 2 ii (1958) 306, 2 iii (1959) 469-89; IBP:14, *Irisleabhar Maighe Nuad* 1929:46.

[72] McGrath (1943a, 1957), Carney (1967), *Irish Book-Lover* 23 (1935) 8, CSPI 1608-10:210, Hill (1877:333,485), *Clogher Record* 2 (1958) 229.

[73] Féach Ó Donnchadha (1931a:22,23,25,30,31,36), *The Irish Monthly* June 1920:314-8, DD:89, IBP:28, Cunningham & Gillespie (1984), Ó Cuív (1984).

[74] In eagar: DER:18 § § 1,3,13,19. Leagtar an dán freisin ar Sheán Mag Colgáin. Féach O'Donnell (1959:62-7), CSPI 1606-8:281, O'Grady (1926:388).

[75] Féach *Maith an sealad uair Éire, Cia re bhfáiltigh fian Éirne, A leabhráin ainmnighthear d'Aodh*, in eagar: DER:13,2,3.

[76] Féach Aston (1965:195), Trevor-Roper (1972), Clarke (1970), Mousnier (1965:103).

[77] *Mo thruaighe mar táid Gaoidhil* (Fear Flatha Ó Gnímh), in eagar: MD ii:54 §§ 2,3;

Beannacht ar anmain Éireann (Fear Flatha Ó Gnímh), in eagar: MD ii:55 §§ 2,16; *Mairg rug ar an aimsirse*, in eagar: Breatnach (1989: §§ 2,15); *Tugadh an t-ár so ar Éirinn* (Eoghan Mac Craith), §§ 2,7; féach n. 83 thíos.

[78] Is fiú a thabhairt faoi deara go leagtar an dán céanna go minic ar fhilí difriúla agus go bhfaightear na rainn chéanna i ndánta difriúla. Mar shampla, leagtar *Fríoth an uain se ar Inis Fáil* ar Eochaidh Ó hEodhasa agus ar Eoghan Rua Mac an Bhaird; leagtar *Anocht is uaigneach Éire* ar Eoghan Rua Mac an Bhaird is ar Aindrias Mac Marcais; leagtar *Beannacht ar anmain Éireann* ar Thadhg Dall Ó hUiginn is ar Fhear Flatha Ó Gnímh. Faightear véarsa coiteann amháin in *Anocht is uaigneach Éire* (§ 11) agus *Cáit ar ghabhadar Gaoidhil* (§ 19); aon véarsa déag coiteann in *Fríth an uain se ar Inis Fál* (§§ 8-18) agus *Anocht is uaigneach Éire* (§§ 12-16, 18-23); véarsa coiteann eile in *Anocht is uaigneach Éire* (§ 27) agus *Mo thruaighe mar táid Gaoidhil* (§ 21).

[79] Féach *do thriall ar toisc don Easpáin* (IBP:26 § 3), *don Spáin ionnarbthair iaidsèin* (DG iii:2 § 2). Ach i leagan déanach de *Beannacht ar anmain Éireann* faightear an léamh *do thriall ar toisc don Eadáil* (MD ii:55 § 3).

[80] In SP 46:90/50 tá litir den dáta 1617 a scríobh Tadhg Mac Bruaideadha chuig Lughaidh Ó Cléirigh maidir leis an *Iomarbhágh*. Féach Mac Cuarta (1980, 1987, 1993); *Éigse* 28 (1994-5) 97. Ní léir dom go bhfuil aon bhunús le téis Leerssen (1994); is cinnte nach bhfuil an fhianaise théacsúil ag teacht lena théis.

[81] Mar le Ó Cléirigh, féach Walsh (1935a), IF:ix, BAR ii:3-4, *Irish patent rolls of James I*: 47 lxxvii, 382; *Annalecta Hibernica* 8 (1938) 211; mar le Mac Bruaideadha, féach McGrath (1943:61,52,65), O'Rahilly (1921:96), DD:95, Ó Cuív (1984), IF:x, *Annalecta Hibernica* 6 (1934) 11.

[82] *Measu, u Thaidhg, do thagrais féin*, in eagar: IF:13; *Gé saoile, a Thaidhg, nach dearnas*, in eagar: IF:16; *Is follas, a mheic Dáire*, in eagar: DMM:38. Áitíonn Mhág Craith (DMM ii:158,201) – agus tá bunús leis an tuairim, is cosúil, – gurbh é Flaithrí Ó Maoil Chonaire a chum na dánta a leagtar ar Mhac Artúir.

[83] *Tugadh an t-ár so ar Éirinn* (Eoghan Mac Craith), foinsí: RIA E v 2:337, 23 M 24:27, 24 G 24:409,438; BL Harley 1921, Eg. 113:98; TCD H 1 7:174b; *Budh griangha i gcruachúis ag fuasclú peannaide ár bpréamh*, foinse: RIA 23 L 37:163; is dóichí gur 'Protastúnach' is brí do *Saxanach* sa rann sin.

[84] *Eascar Gaoidheal éag aoinfhir* (Tadhg Mac Bruaideadha), in eagar: Ó Cuív (1984a: §§ 4,18). Féach O'Grady (1926:388-90).

[85] Féach an litir a scríobh Conaire Ó Maoil Chonaire sa bhliain 1584 chuig Ó Briain 'dá ghearán ribh a mhéad d'éagóir et d'ainndligheadh do rinneadar na drochsheirbhísigh atá ón mBannríogain i dTuadhmhumhain' (TFG:54). Féach freisin *Memoirs* (1772): clxvii.

[86] I dtráchtas ar stair na hÉireann a scríobh Finín Mac Cárthaigh dó sa bhliain 1609. Féach Gilbert (1882a), O'Grady (1926:61), FFÉ iii:290. Mar le dánta eile a scríobhadh ar Ó Briain, féach *An ngeabhthá, a Dhonnchaidh, mo dhán* (Aonghus Fionn Ó Dálaigh), foinse: RIA 23 M 28:298; *Aoidhe Ó gCais 'na chrích féin* (Dónall Ó Maoil Chonaire), foinse: RIA 23 M 28:289; *Do bronnadh damh cara cuilg* (Muiris Mac Gearailt), in eagar: Williams (1979:3); *Do chuala tásc do chráigh fir Éireann* (Caitlín Dubh), foinse: MN M 107:193; *Is mé Suibhne ar díth mo chéile* (Seán Mac Criagáin), foinse: MN M 107:221.

[87] Féach McGrath (1944), DMM ii:147-8, Ó Raghallaigh (1930), Jennings (1964:540), Walsh (1986:425), Ó Buachalla (1990).

[88] Loch Dearg 'long since deserted and dissolved' an áit a bhí i gceist; mar seo a chuirtear síos ar an bheirt: 'Loy O'Clere of Doran, cronocler ... Owen Roe McAward of Kilbarron, cronicler' (*Irish patent rolls of James I*: 47).

[89] Féach CSPI 1608-10:lxxxvii-ix, 293. Féach freisin Pawlisch (1985), Moody (1938), Hill (1877).

[90] Féach CSPI 1606-8:389, 391; Hill (1877:181), *Ulster Journal of Archaeology* 4 (1856) 195. Féach freisin Ó Doibhlin (1969:63-107), Ó Ceallaigh (1951:112-8).

[91] *Rob soraidh an séadsa soir* (Eoghan Rua Mac an Bhaird / Seán Mag Colgáin), in eagar: DER:18; *Rug cabhair ar chlár mBanbha* (RIA 23 F 16:68). Féach freisin O'Grady (1926:388), O'Donnell (1959:62-7), CSPI 1606-8:281.

[92] *Gearr bhur gcuairt a chlanna Néill,* in eagar: Ó Cuív (1954: §3). Féach thuas lch 51.

[93] Féach Walsh (1986:5,91-4,116-20,259,308,316), Giblin (1985:279), CSPI 1611-14:435, HMC Downshire IV:232,449, Jennings (1941:226), Meehan (1868:328-9), Corish (1968:27).

[94] Féach Ó Cuív (1965: §§ 1,8), Walsh (1947: 182-3).

[95] Féach *Geinealaighe Fear Manach* (*Annalecta Hibernica* 3, 1931, 68-70), Lynch (1662: § 248-51), O Flaherty (1685:499-700), RIA 24 N 2:162, 24 G 15:463-6, C iv 1:222.

[96] Féach *Rannam le chéile a chlann Uilliam / Inis Banbha,* in eagar: DD: 111 § 18; *Bráthair don bhás an doidhbhreas* (Maoilín Óg Mac Bruideadha), in eagar: MD i:26 § 13; TFG:69, ARÉ vi:2362, 2334, 2346; IBP:2 § 18, DER: 13 §§ 21-22, 76; DD:63 §§ 20-21; IF:26; SSA:3159,5632,6050; IF:16 § 100.

[97] Is deacair a rá cé acu foirm bhailí (ón mBéarla *nation*), dearmad cló (*náisíon* ón Fhraincis *nation*), nó litriú canúnach (i nGaeilge an Tuaiscirt chiorrófaí an siolla deiridh: *náisión, náisiún —> náision*) atá i gceist. *Náision* atá in FPP:5 § 359 freisin ach *náisiún* atá ag Fearghal Ó Gadhra (RIA 23 F 16:iv, thíos lch 670 n. 30). Féach freisin *reversion/reversiónoibh < reversion* (*Annalecta Hibernica* 26, 1970, 68).

Caibidil 2

[1] Litir a scríobh an Proinsiasach Antaine Ó Dálaigh chun an Athar Breandán Ó Conchobhair i Lobháin sa bhliain 1638 maidir le cló nua Gaeilge a chur ar fáil. Tá an bhunchóip in FLK A 30: 4 agus tá sleachta aisti i gcló ag Ó Maonaigh (1940).

[2] Féach Clarke (1966, 1968); NHI iii: 60, 233-42, CSPI 1625-32: 110, 156-8, 347.

[3] Féach CSPI 1625-32: 436, Bagwell (i:167), *Report on Franciscan MSS*:106, CR i: 307-8, CSPI 1633-47: 309, CSPI 1625-32: 442.

[4] Féach Kearney (1961), Clarke (1966: 75-8, 116-8), Edwards (1944: 11-17), Ranger (1961), NHI iii: 243-69.

[5] Féach Kelley (1970), Ranum (1975), Pocock (1975), Fussner (1962), Burke (1969), Collingwood (1945), Ó Buachalla (1985).

[6] Féach FFÉ i: 18, 32, 42, 56, 62, 74, 76, 90 faoi seach.

[7] Féach Burke (1969: 74), Kelley (1970: 22-27, 132, 146), Pocock (1961: 226). Ní mór a mheabhrú, mar a deir Burke, nach raibh i gceist ach *tábhacht* na mbunfhoinsí; níor tosaíodh ar anailís a dhéanamh orthu ná idirdhealú eatarthu go dtí an t-ochtú haois déag.

[8] FFÉ i: 30, 62, 76, 2; 18, 66, 86; 'The study of chronology is the most technical aspect of the new sense of the past' (Burke 1969: 48). Maidir le tuiscint an Chéitinnigh do phróiseas an athraithe, féach FFÉ i: 66, 70.

[9] FFÉ i: 92-4. Maidir leis na foinsí scríofa a cheadaigh an Céitinneach, féach Cronin (1945, 1948).

[10] *Anois tráth an charadraidh*; in eagar: Mac Niocaill (1963: 17). Féach freisin Ellis (1986), Leerssen (1986:190).

[11] Féach, mar shampla, AU: 1487, AC: 1536.17. Féach freisin DMM: 1 § 83, Mac Airt (1944: 44 § 4169).

[12] Féach CSPI 1509-73: 314, Ó Cuív (1986: 116), RIA 24 P 14: 134, *Créad an t-uamhan so ar fhéin Ghall* (Dónall Mac Bruaideadha), foinse: Leabhar Uí Chonchobhair Dhoinn: 291 b § 10; *Uaigneach sin, a cheann Aodha,* foinse: Leabhar Uí Chonchobhair Dhoinn: 225 a § 10; *Cia cheannchas adhmad naoi rann* (Seán Ó hUiginn), in eagar: Mac Airt (1944: 8 § 2); *Cia as sine cairt ar chrích Néill* (Dónall Mac Bruaideadha), foinse: RIA 23 B 35: 1 § 32; *'Na Bhrian táinig Aodh Eanghach* (Brian Ó Gnímh), in eagar: Ó Donnchadha (1931a: 7 § 37); *Fuaras i Saltair Chaisil,* foinse: BL Eg. 146: 93; féach thíos lch 707 n. 30.

[13] *Créad agaibh aoidhigh i gcéin* (in eagar: IBP: 20), dán molta ar Riocard Mac Uilliam Uachtair de Burgo (1213) a leagtar ar Mhuireadhach Albanach Ó Dálaigh. Féach Ó Cuív (1961), Simms (1987: 59). Féach freisin *Ó Dhia dealbhthar gach uige,* in eagar: Ó Raghallaigh (1928: 30-50); *Ní deireadh d'anbhuain Éirionn* (Leabhar Uí Chonchobhair Dhoinn: 345b), Ó Raghallaigh (1928), AD: 35-41, IBP: 11,17,35,36; O'Sullivan & Ó Riain (1987), Carney (1945), RIA 23 E 29; BL Add. 30512, BLO Laud 610.

[14] Féach go háirithe *Seanóir cuilg cairt an Bhúrcaigh* (Leabhar Uí Chonchobhair Dhoinn: 344a), *Ní deireadh d'anbhuain Éireann* (Leabhar Uí Chonchobhair Dhoinn: 345b), *Cá mhéad ngabháil uair Éire?* (Pender 1951: 169); *Cia as sine cairt ar chrích Néill?* (Dónall Mac Bruaideadha, RIA 23 B 35: 1). Féach freisin *Éireannaigh féin Fionn-Lochlannaigh,* dán molta a scríobh Fear Flatha Ó Gnímh ar Raghnall Mac Dónaill (céadiarla Aontroma) ina n-áitíonn sé gur *Éireannaigh* iad sinsir Mhic Dhomhnaill (sliocht Cholla) toisc gur in Éirinn a saolaíodh iad. In eagar: DD: 89.

[15] Tá an tsraith dán sin ar na Díolúnaigh ar fáil in RIA A v 2: 1-40. Féach go háirithe *Maith an seanadhsa ag síol Néill* (*ibid.* 27a) agus *Buan go sona Sior Séamus* (*ibid.* 29a § 12). Féach go dtugtar *a dhream ghaoidhealta ghallda* ar Riocard de Burgo sa dán atá luaite thuas (n. 13, IBP: 20 § 1). Maidir le seanchas na nDíolúnach, 'Bunús Mhuintir Dhíolún', féach Ó Cuív (1966).

[16] *Mór antrom inse Banbha;* in eagar: Mac Giolla Eáin (1900:14 §§ 6-10).

[17] Níor cuireadh an saothar iomlán i gcló riamh ach chuir T.J. O'Donnell codacha áirithe de in eagar i sraith an IMC (1960). Tá bunchóip an tsaothair in NLI 2762 agus tá an saothar pléite ag Gwynn (1934).

[18] I meamram (TCD 580:95-8) dar teideal 'A Briefe Relation of Ireland and the diversity of Irish in the Same' a cheaptar a chum Ó Súilleabháin Béarra agus a chuir Flaithrí Ó Maoil Chonaire faoi bhráid chomhairle na Spáinne timpeall na bliana 1618.

[19] *Séad fine teist Thoirdhealbhaigh* (Muircheartach Ó Cobhthaigh), in eagar: Ó Cróinín (1975: § 9).

[20] In eagar: Bergin (1919, 1970: 1), Ó Raghallaigh (1930: 3), Ó Buachalla (1990).

[21] Féach *Cia as sine cairt ar chrích Néill* (Dónall Mac Bruaideadha), foinse: RIA 23 B 35: 1 § 22; *Fríoth an uainse ar Inis Fáil,* (Eochaidh Ó hEodhasa), in eagar: DER: 14 § 12; *Mór antrom Inse Banbha* (Séathrún Céitinn), in eagar: Mac Giolla Eáin (1900: 14 § 7); *Dia libh a uaisle Éireann* (Uilliam Óg Mac an Bhaird), foinse: NLI G 167: 321 § 46 (thuas lch 110); *Eascar Gaoidheal éag aoinfhir* (Tadhg Mac Bruaideadha), in eagar: Ó Cuív (1984a: § 42).

[22] *Beannacht siar uaim go hÉirinn* (Fearghal Óg Mac an Bhaird), in eagar: IBP 5: § 11; *Coróin Éireann ainm Uí Néill* (Ó Gnímh), foinse: Leabhar Uí Chonchobhair Dhoinn: 135 b § 30; *A dhúin thíos atá it éanar* (Maol Mhuire Mac an Bhaird), in eagar: MD ii: 56 § 22; *Ó Dhia dealbhthar gach uige* (Ruaidhrí Ó hUiginn), in eagar: Ó Raghallaigh (1928: § 69); *Mór antrom inse Banbha* (Séathrún Céitinn), in eagar: Mac Giolla Eáin (1900: 14 § 13). Féach freisin *DanarGhoill* ag Maol Mhuire Mac an Bhaird (MD ii: 56 § 25) agus *gealGhall/Dubhfhine Gall* ag Ó Bruadair (DÓB ii: 50, 96).

[23] 'Leabhar Uí Chonchobhair Dhoinn' a scríobhadh in Oistín sa bhliain 1631; 'Duanaire Finn' (FLK A20) a scríobh Aodh Ó Dochartaigh in Oistín sa bhliain 1627; 'Leabhar Inghine Í Dhomhnaill' (BR 6131-33) a scríobhadh i bhFlóndras timpeall an ama chéanna; 'Leabhar Fhearghail Uí Ghadhra' (RIA 23 F 16) a scríobhadh 'san Tír Iachtair' sna blianta

1655-9. Mar leis na lámhscríbhinní sin, féach Hyde (1915), Walsh (1927, 1944: 179-205), Murphy (1953: ix-xi, 217), de Brún (1969b: 39-43).

24 Uilliam Nuinseann, Séathrún Céitinn, Pádraigín Haicéad, Fearghal Óg Mac an Bhaird a n-údair faoi seach; in eagar: ND i: 4, 14, 19; IBP: 5. Féach freisin *Dá ghrádh do fhágbhas Éirinn* (Tadhg Camchosach Ó Dálaigh), in eagar: DMM: 2; *Fada i n-éagmais inse Fáil* (Uilliam Nuinseann), in eagar: Murphy 1949: 13; *A scríbheann luigheas tar lear* (Giolla Brighde Ó hEodhasa), in eagar: IBP: 35; *Truagh an t-amharc sa a Éire* (Giolla Brighde Ó hEodhasa); in eagar: Knott (1912); is dánta eile leis an Haicéadach (Ní Cheallacháin 1962: 12-15, 48, 51).

25 Féach thuas lch 110. Maidir leis an saothar sin, féach McNeill (1930), NHI iii: 561-86; Alison & Rogers (1989).

26 Féach NHI iii: 614-5, 619, 628-9, 633; Corish (1954); Kearney (1960).

27 Sin é an t-ainm a úsáideann Mac Aingil ar leathanach teidil *Scáthán shacramuinte na haithridhe* (Lobháin 1618).

28 Ní luaitear na Céitinnigh – ná cuid de na sloinnte eile – i ngach cóip de FFÉ agus b'fhéidir, mar sin, nach raibh an sloinne sin luaite sa bhuntéacs is gur scríobhaí éigin a chuir isteach é. Féach FFÉ iii: 386.

29 Cf. 'history was now valued as a vehicle of orthodoxy, a source of moral teaching and lessons by example' (Church 1975: 53); Kelley (1970: 130).

30 Aistriú an Chéitinnigh (FFÉ iii: 368) ar ráiteas Davies: *For there is noe Nation of people under the sunne, that doth love equall and indifferent justice better than the Irish; or will rest better satisfied with the execution thereof, although it bee against themselves; so as they may have the protection and benefit of the Law, when uppon just cause they do desire it* (Davies 1612: 287). Tugtar faoi deara gur *cine* atá ag Céitinn ar *nation* ach déanann Fearghal Ó Gadhra idirdhealú soiléir idir *cine* agus *náisiún*: 'Tuig a léightheoir chairdeamhuil méad geana agus comaoine an scríbhneora ar a nasiún go generáilte ⁊ ar a chineadh go spesialta' (RIA 23 F 16: iv).

31 B'in an teideal coiteann roimhe sin: *do chongnamh la Rígh Saxan i n-aghaidh Rígh Frangc* ... (AC: 1419.5); *Mac Iarla Chille Dara* ... ⁊ *a chur soir chum rígh Saxan* (AU: 1535); *do chuir do shaighidh rígh Saxan iad* (ARÉ: 1535).

32 Tá a leithéid chéanna tuairime nochtaithe i dtaobh an staraí Albanaigh, John Major: 'No doubt, though his history does not continue up to his own times, Major was painfully conscious of contemporary politics' (Williamson 1979: 100).

33 Dar le Ó Maonaigh (1962: 184) agus le Mag Colgáin (Colgan 1645: b3) i bhfad roimhe 'Annála Dhún na nGall' ba chirte a thabhairt ar an saothar. Is é Mag Colgáin is túisce a bhronn an teideal 'na Ceithre Máistrí' orthu: *erant quatuor peritissimi Magistri* (Colgan 1645: b3). Is iad an ceathrar a bhí i gceist, Cú Choigríche Ó Cléirigh, Fear Feasa Ó Maoil Chonaire, Cú Choigríche Ó Duibhgeannáin agus Ó Cléirigh féin; bhí cúntóirí eile freisin aige. Tadhg Ó Cléirigh ('Tadhg an tSléibhe') an t-ainm baistí a bhí air; Mícheál an t-ainm a ghlac sé chuige féin sna Proinsiasaigh. I gcolafain a chuid lámhscríbhinní (thuas lgh 93, 96) Michél an fhoirm is coitianta a scríobh sé féin. Féach de Brún (1969b: xii), Jennings (1936), Walsh (1937, 1938, 1944), O'Donnell (1959).

34 Féach Haller (1963:32), Kelley (1970:181).

35 Féach, mar shampla: 'There is, indeed, hardly to be found in the history of literature a more pathetic tale than that of the way in which Colgan and his fellow workers ... strove, amid poverty, and persecution, and exile, to save the remains of their country's antiquities from destruction' (Plummer 1910: x); 'in the midst of persecution, and with devastation and desecration of all kinds under their very eyes' (GIM: 85); 'Ba rí-chontabharthach an obair í sin. Bhí air siubhal ó cheann go ceann den tír ar thóir na sean-leabhar. Ba mhinic fuacht agus ocras air; bhí na braitheadóirí ar gach taobh agus an bás féin ins an spéir ...' (Ó Cléirigh 1935: 4). Is fíor go n-abrann comhghleacaí amháin de chuid Uí Chléirigh 'ní

beag an miorbhuil leamsa le meas nár crochadh Tadhg Ó Cléire a nÉirinn 7 fios a thurais ag cách' (FLK A30: 4) ach is sa bhliain 1638 a scríobhadh an méid sin is níl sé ag teacht le fianaise ná le dálaí na mblianta roimhe sin.

36 Is é Ó Comhraí, ní foláir, a chuir tús leis an bhfinscéal gur i bpluaiseanna na nGaibhlte a scríobh an Céitinneach FFÉ: 'yet so far was he from receiving countenance or patronage, that it was among the inaccessible crags and caverns of the Gailté, or Galtee, mountains and among the fastnesses of his native country of Tipperary, that he wrote these works' (O'Curry 1861: 141); 'The history of Dr. Keating was compiled ... among the caves and woods of Tipperary' (442). Is é a deir de Blácam (1929: 240) ina thaobh: 'for years his refuge was the Glen of Aherlow; and there he conceived his masterwork'. Pé ní i dtaobh an bhaill inar bheartaigh sé an leabhar a scríobh, is cinnte agus is soiléir go raibh leabharlann chuimsitheach ilteangach timpeall air agus é á scríobh aige. Féach Cronin (1945) mar le cur síos ar na foinsí tánaisteacha amháin a cheadaigh Céitinn.

37 Féach BR 4190-200: 274b, 87b; BR 2324-40: 286a, BR 5100-4: 238a, BR 4190-200: 31b, BR 2324-40: 218b, 273b, 226a; BR 2542-3: 35a, TCD 1286: 5, BR 5100-4: 244a faoi seach.

38 Féach Jennings (1936), Millet (1964), Moloney (1934), Mooney (1944).

39 Maidir le Ó Gadhra is Mag Uidhir, féach Boyle (1963) is Ó Gallachair (1959) faoi seach; maidir le Mag Cochláin, féach CSPI 1637-47, 65; CHA i: 47,196,209; ii: 28,111,161,458; iii: 285; Cox (1973), Nicholls (1983). Is é an cuntas atá ag Nicholls (1983: 456) air: 'Toirdhealbhach ... was a remarkable and successful man who played a prominent part in the affairs of his day'.

40 Féach ARÉ vi: 2288, 2294, 2334-6, 2362; ARÉ v: 1778, 1794-6 faoi seach. Dar le Seán Ó Donnabháin, gurbh é dearcadh Fhearghail Uí Ghadhra agus ní a ndearcadh féin ar na himeachtaí comhaimseartha a bhí á nochtadh ag na Ceithre Máistrí: 'But these annals were compiled for Farrell O'Gara, who was loyal to his Protestant sovereign, Charles I; and it is quite evident that the Four Masters adopted their language to his, not to their own notions on this subject ... This was written for Farrell O'Gara, and the loyalists of the reign of Charles I' (ARÉ v: 1776, 1792). Glacann Murphy (1935: 593) leis, mar a ghlacaimse, gur léiriú iad na sleachta sin ar dhearcadh na gCeithre Máistrí féin.

41 Sampla luath d'ionannú a ndearna nath seanchaite ('for Faith and Fatherland') de ina dhiaidh sin. Féach an úsáid chéanna i leith Ruairí Uí Dhónaill agus Aodha Rua Uí Dhónaill: ro badh meinic i mbeirn bhaoghail ag imdhídean a irsi 7 a athardha (ARÉ vi: 2364), do chosnamh a n-irsi a n-athardha 7 a n-anma (BAR: 187).

42 Féach, mar shampla: 'Omnia quae ad sacrum profanumque Hiberniae statum pertinent ab anno post diluvium 300 usque ad annum Christi 1234, ea videlicet intentione ut illa impressionis beneficio eternitati consecraret, ad Dei sanctorumque gloriam et Hiberniae decus et honorem' (GIM: 82); 'do smuain aige féin nárbh iomchubhaidh an teaglamadh sin do chur i dteangthoibh oile gan ughdarás, dearbhadh, 7 radharc seanchadh eolach oile' (GRS: 5); 'do chíthear damh nach fuil slidhe as réighe ná na nithe do chur ar cuimhnigh, ionnas nár éidir feasta a múchadh 7 a gcur uime sin mar táid i gcló Gaoilge, ór tiocfaid daoine iar soin chuirfios iad i dteangthaibh eile. Do budh mhaith, na focail chruaidh do-thuigsi tá ionta do mhíníoghadh' (FLK A30:4); GRS:7. Maidir leis an ábhar a aistriú go Laidin, féach Kenney (1929: 41), Jennings (1936: 201 n. 9), Mooney (1959: 16, 20).

43 Nochtar an tuairim chéanna sa dán a leagtar ar Ghiolla Brighde Mac Con Midhe (A theachtaire tig ón Róimh) mar a bhfuil na seintimintí céanna:

Dá mbáití an dán, a dhaoine,

gan seanchas, gan seanlaoidhe,

go bráth acht athair gach fhir

rachaidh cách gan a chluinsin ... (N.J.A. Williams 1980: 18 § 21).

⁴⁴ Tá fianaise éigin ann go raibh caidreamh acu ar a chéile: is dóichí gur i láimh Uí Chléirigh atá an chóip luath de FFÉ in FLK A14 agus is go Lobháin a cuireadh bunchóip i láimh an Chéitinnigh féin (HMC 4, 1874, App.603, xix). Is dóichí gur chun a foilsithe a cuireadh an chóip sin go Lobháin. Maidir leis an cheist seo, féach go ndeir de Blácam (1929: 240) 'apparently he (Céitinn) met Michael O'Clery'. Is deacair glacadh le ráiteas Dooley (1992: 530): 'In the compilation of history he seems to have alienated himself from the main body of *émigrés* in the Low Countries'.

⁴⁵ Féach Gardiner (1869), NHI iii: 224-5, 232,581; Davies (1959: 56-7); Kenyon (1970: 59-63).

⁴⁶ Féach Ó Fiaich (1971), Jennings (1964: 968, 983, 986-7, 990-1, 995, 1030); Casway (1984: 30-4).

⁴⁷ Féach McGrath (1944), Walsh (1986:425), DMM ii: 147-8, Jennings (1964:540), Ó Raghallaigh (1930), Walsh (1947:154-8).

⁴⁸ In eagar: Ó Raghallaigh (1930:20), Mac Cionnaith (1938:93). Leagtar an dán i lámhscríbhinní áirithe (sna cinn is luatha) ar Fhearghal Óg Mac an Bhaird, ach ní móide gurbh é a chum toisc an-dealramh a bheith ag an dán le dánta eile de chuid Eoghain Rua Mhic an Bhaird.

⁴⁹ Is in NLI G167:300 amháin atá an cheannscríbhinn (féach Ní Shéaghdha 1979: 13) a mhíníonn cúlra an dáin. Féach thuas lgh 81-2 agus Ó Buachalla (1990), IBP:1, Ó Raghallaigh (1930: 3).

⁵⁰ Táim buíoch de mo chomhghleacaí, an tOllamh Patrick Gallagher, as an cheist seo a phlé liom is an tagairt chuí a thabhairt dom. *Republic* atá ag Jennings (1964:1030) san aistriú Béarla a chuir sé ar fáil ar na foinsí bunaidh, ar i Spáinnis a scríobhadh iad. Gan féachaint ar na bunfhoinsí, is dóichí gur foirm éigin mar *república* atá iontu, foirm a thagann ó *res publica* na Laidine agus arbh é an t-aistriú ab oiriúnaí air 'Commonwealth' nó 'Commonweal'. Féach Bock (1990).

⁵¹ Féach Davies (1959), Coward (1980), Kenyon (1970), Carlton (1980), Collinson (1967), Lamont (1969), Hill (1970).

⁵² Féach Manning (1982), Clarke (1966,1981), Dunlop (1887), Hickson (1884), CHA i, Gillespie (1986), NHI iii:289-316, Gilbert (1882), Stevenson (1981), Mac Cuarta (1993a).

⁵³ Féach *Murder will out*: 1, *The petition*: 4, Casway (1984:82).

⁵⁴ Féach Stevenson (1981), Clarke (1966:227-8), Trevor-Roper (1963:89-90), Manning (1982).

⁵⁵ Féach Hickson (1884 ii:388), Stevenson (1979:60).

⁵⁶ Féach CHA i:399, CSPI 1647-60:253, CHA i:373 faoi seach. Féach freisin Stevenson (1981), CHA i:446-7.

⁵⁷ An bhunbhrí atá le *dúthchas* anseo – 'inheritance, patrimony, territory' (DIL *s.v.*). Maidir leis an nóisean *díon creidimh*, bhí sé ar cheann de na téamaí nua a bhí tagtha isteach i bhfilíocht na Gaeilge ó thús na haoise. Féach 'Ag díon chreidmhe i gcruas cogaidh ... do thuit i mogh mhairtírigh ... ag díon chreidiomhna an choimhdheadh ... ag díon chreidmhe ar chath n-eachdrann ...' i gcaoineadh a chum Maoileachlainn Ó hUiginn (*Bean dá cumhaidh Cruacha Aoi*; RIA C iv 1:177) ar Fhéilim is Éamonn éigin ('ó chomhairle aird Éireann') a maraíodh sa bhliain 1643; 'díon creidmhe, cosnamh ar gclú' i ndán molta (*Taistil mhionca ór siabhradh sionn*; in eagar: Ó Cuív (1981) ar Raghnall Mac Dónaill, iarla Aontroma. Is deacair gan a cheapadh nach bunaithe ar *fidei defensor* atá an nath.

⁵⁸ Féach Beckett (1959), Cregan (1973), Lowe (1954) NHI iii:317-55. Féach cuntas Uí Mhealláin: 'Do rinneadar fir Éireann comhairle parlameint agus Comhairle do bheith i gCill Cainnigh' (Ó Donnchadha 1931:13).

⁵⁹ Féach: 'Moore [Ruairí Ó Mórdha cinnire an éirí amach] at first spoke in the abstract

about the sufferings of what he called "the old and new Irish"' ... (Clarke 1966:156). Is iad an dá dhream a bhí i gceist aige na Gaeil is na Sean-Ghaill. I rún eile dhearbhaigh an Chomhchomhairle 'that there shall be no distinction or comparison made betwixt old Irish, and old and new English, or betwixt septs or families, or betwixt citizens and townsmen and countreymen, joyning in union' (Gilbert 1882 ii:80). Cf. *Bádur Comhuirle Cilli Cainnigh ag dénamh síthe ... gan chead na Sean-Éirionnach* (Ó Donnchadha 1931:39). Maidir le díospóireachtaí is plé na Comhchomhairle, féach Beckett (1966:82-103), Gilbert 1882 i:86, NHI iii:317-55, Lowe (1954).

60 Féach Clarke (1966, 1981) go háirithe is NHI iii:270-335, Beckett (1959), Lowe (1954).

61 Maidir leis an leabhar sin is a údar, féach Aiazza (1873: 321-43), Walsh (1674: 736-41), CHA i: 667-9, 736-41; NHI iii: 326, 607; McNeill (1930: 28-9), Conlon (1955), CR ii: 769, iii: 524. Bíodh gur *Francofurti* atá ar chlúdach an leabhair féin, meastar gur in Lisbon a foilsíodh é.

62 Sin é an figiúr ar glacadh leis coitianta ina dhiaidh sin agus a luaitear fós fiú sa phrapaganda Oráisteach. Téann an figiúr féin siar go dtí céadtús an éirí amach (Clarke:1986), ach níl aon bhunús leis: ní raibh líon na bProtastúnach i gcúige Uladh leath chomh hard sin ag an am. Maidir le háireamh oibiachtúil (*c.* 5,000) ar an líon a maraíodh, féach NHI iii:291-2, Bagwell (i:333-5), Love (1966), Clarke (1986).

63 Féach CR ii:769, iii:524; Conlon (1955). Féach 'The first copy was brought from France, and others have since come from Portugal ... A great outcry has been raised on all sides' (Aiazza 1873: 321); 'That of this wicked book, many copies had been in the Nuncio's time privately dispersed up and down amongst trusty men throughout Ireland' (Walsh 1674: 739).

64 San anailís atá déanta ag Canny (1993) ar na teistíochtaí ó chontae Chorcaí aithníonn sé catagóirí difriúla eile, seachas uaisle/daoscar san ábhar.

65 Féach Hill (1972), Cohn (1978), Mousnier (1967).

66 Féach FPP:3 § 21; 5 § 401; ND i: 26 § 23.

67 Féach FPP:3 §§ 35, 209, 212. Féach freisin (DÓB iii:6 § 4, CHA ii:418), French (1674:13, 1704:66), Lynch (1662:253), Kenyon (1977:75-6).

68 Maidir leis an tréimhse 1640-60, sin iad na dátaí a thugann O'Rahilly (FPP:vii) is tá an-dealramh orthu, ar fhianaise inmheánach amháin. Tá an dáta tosaigh (1630) a thugann Ó Cuív (NHI iii:541) róluath is ní móide an ceart a bheith ag Ó Tuama (1978:187) sa tuairim gurbh é Ó Rathaille a chum *Do chuala scéal do chéas gach ló mé*. Idir ábhar, fhriotal is mheadaracht baineann an dán sin freisin leis an tsraith chéanna agus leis an tréimhse chéanna.

69 Féach FPP:4 §§ 279-280, 382; 5 §§ 25-7.

70 Mar le *Parliamentarians na dtarr maothlach*, féach FPP:2 § 112 agus Harrison (1977).

71 Bíodh gur dóichí gur chun a léite a scríobhadh na dánta seo, mar sin féin níl sé as an áireamh – agus a chumhachtaí atá an reitric iontu – gur chun a léite go poiblí a scríobhadh iad. Níl aon fhianaise agam a thacódh leis an tuairim sin ach féach an méid seo a dúradh i dtaobh aon cheann amháin acu, 'Tuireamh na hÉireann' (FPP:4): 'The name of this hill, *Bellach bemi*, is further well known by Mr John Connel's composure called 'Tiriv of Ireland', which is still repeated and kept in memory on account of the great knowledge of antiquity comprehended in it ... ' (JCHAS 6, 1900, 101).

72 Maidir le líon is dáileadh na lámhscríbhinní sin, féach FPP: 1,14,33,55,83. Is é an dán is mó cóip agus ba mhó meas, ní foláir, 'Tuireamh na nÉireann' le Seán Ó Conaill a bhfuil breis agus céad cóip de ar marthain. Bíodh gur Chiarraíoch é Ó Conaill leath an dán ar fuaid Éireann agus go hAlbain féin. Mar a deir O'Rahilly 'the poem ... must have enjoyed an extraordinary popularity' (FPP:50).

73 Féach Ó Dúshláine (1987:123), mar a n-áitíonn sé 'go bhfuil struchtúr críochnúil,

slachtmhar faoi na dánta seo ar fad' agus go bhfreagraíonn an struchtúr sin 'do chéimeanna bunúsacha an fhreachnaimh spioradálta'. Is cinnte go bhfuil cuma an tseanmóra phoiblí, agus an seanmóirí ag cothú éisteachta, ar oscailt mar: *Innisim fís is ní fís bhréige í,/le ár súile dúinn ba léir í,/le mo chluasa do chualas féin í,/is ní cheilim, deirim, déarad* ... (FPP:2 §§ 1-4).

74 Ní fios go deimhnitheach cérbh é an t-údar ach is léir nár Mhuimhneach é. Is dóichí gurbh as Leath Choinn is, b'fhéidir, as cúige Uladh dó. Níl aon údar luaite leis an dán i bhformhór na LSS ach in dhá cheann acu leagtar ar Eoghan Rua Mac an Bhaird is ar Phádraig Mac an Bhaird é, ach ní móide gur cheachtar acusan a chum é. Tá le tuiscint as cuid de na ceannscríbhinní nach teideal dáin atá in 'An Síogaí Rómhánach' ach ainm cleite an údair (FPP:12-3) agus deir Aodh Buí Mac Cruitín gurbh é Cathaoir Buí Ó Maolmhuaidh a bhí i gceist (MN M 86:219). Maidir le bráthair bocht den ainm is den sloinne sin, féach DMM ii:340.

75 Féach 'the dyrefull ministers of Gods wrathe, famen and plague, displayinge its colours, first in Galway, from whence my Lord Nuncio was banished ... whence did flowe ... the divine vengeance of high power unto the respective provinces of Irelande except Ulster, as not guiltie of either censure, curse, or ejection of My Lord Nuncio' (CHA ii:97). Féach freisin CR iv:317.

76 Féach FPP:1 § 110, 4 § 352; Reilly (1695:116), Ó Muirgheasa (1915:9), Ní Cheallacháin (1962:42), FPP:5 § 402, faoi seach. Tugann Ó Bruadair idir *Cormac* is *Séarlas* ar Shéarlas I is ar Shéarlas II faoi seach (DÓB i:26,54; ii:274,276; iii:15,82); *Cormac* a thugann Séafra Ó Donnchadha an Ghleanna ar Shéarlas II (thuas lch 130) is sin é a thugann filí eile air freisin (thuas lch 224). B'úsáid choitianta ina dhiaidh sin é *Cormac* a thabhairt ar Shéarlas Óg (féach *Treoir* s.n.). Is deacair míniú teangeolaíoch a aimsiú a mhíneodh *Cormac* mar aistriú ar *Charles* ach is dóichí go raibh tosaithe roimh thús an tseachtú haois déag féin ar *Charles* a thabhairt mar aistriú ar *Cormac*. Féach CSPI 1600 (s.n. McCarthy) mar a bhfuil idir *Cormac* agus *Charles* in úsáid. *Cathal* a thugann Pól Mac Aodhagáin ar Shéarlas II (DMM:54 § 6); is sin é a thug Ó Doirnín ar Shéarlas Óg (istigh *innéacs*).

77 *Albanaigh do reacadar an rí lá ar ór* (RIA 23 G 24:139, 426; 23 N 15:126); *A bhfaicimse d'fhoirnibh Fódla Inse Gall* (Tomás Ó Maoil Riain), foinse: RIA 23 C 8:78; French (1674:13); *Cúis m'osna mo dhúiche fá mhoghsaine 's fá dhúbhroid* (BL Add. 4779:1; thuas lch 117). Féach an téama céanna ag Iain Lom Mac Dhomhnaill: 'reic iad t'athair air ór 's bu déistneach é' (OIL:2435).

78 *Och mo threighid is tinn do chéas me*, in eagar: Ó Donnchadha (1916:1 § 100). Féach freisin 'the captains to be of such birth as to be able to raise the men from among their own vassals' (Jennings 1964: 2821), 'una fuit magnam partem ex O Ferallis atque eorum clientibus et sectatoribus compacta' (CR v:314-5). Maidir leis na reisimintí thar lear, féach O'Connor (1845), O'Callaghan (1870), Jennings (1964), NHI iii:608, Thurloe (i:514,526).

79 Féach NHI iii:607-8, Scott (1905), Cregan (1941,1964,1965); Ashley (1973:83,101); Ó Donnchadha (1931a:56,140).

80 Féach *The statutes at large* ii (1786) 245-63, Jennings (1964:510-14).

81 Lynch (1662: caib. xxii-xxvii; 247-51, 268, 243 faoi seach).

82 Féach Corish (1953:217-36, 1954:32-50); NHI iii:573,614; CR v:485-504.

83 Féach NHI iii:570-74, 614-5; Corish (1953,1954), Wall (1957).

84 Lynch (1664:3-10,15-22,23,28,47-9,62-9,94-100,122-7,130-5). An tagairt do 'rímharfóirí', tagairt í sin do na hiarrachtaí a rinne Eoghan Rua Ó Néill i dtreo dheireadh an chogaidh teacht chun tuisceana éigin le fórsaí na parlaiminte (Casway 1984:232-48). Maidir le 'marú is le creachadh', tagairt í sin do sheachtainí tosaigh éirí amach 1641: rinne Lynch idirdhealú idir iarracht tosaigh na nUltach ar cheannairc (*vulgi seditio*) de chuid an daoscair é agus an mhóriarracht naisiúnta a lean sin, ar chogadh cóir thar ceann an naisiúin uilig é (Lynch 1662:259). Rinne an tEaspag French an t-idirdhealú céanna (1674:23-4).

[85] Féach Lynch (1662:17,25,136,140; 1667: *praefatio)*, Corish (1953), NHI iii:717, Ó Concheanainn (1984), DNB. Ba nóisean coitianta sa seachtú haois déag é gur bharbartha iargúlta na hUltaigh ná áititheoirí aon chúige eile sa tír. Dar le Lombard (1632:336) gurbh aineolaí is gur mhíshibhialta na hUltaigh ná na Gaeil eile: *Ex qua sequuta illa, quae in Ultonibus prae aliis notatur Hibernis, inscitia et incivilitas.* Féach freisin CR i:573 (réaladh ar an nóisean sin is ea brí tharcaisneach a bheith le *Ultach* is le *Tuaisceartach* i gcomhthéacsanna áirithe i nGaeilge na Mumhan).

[86] Lynch (1662:273). Maidir leis an meafar seo, féach 'mar ubhall ó thuinn go tuinn' (DIL s.v. *uball* f). Níor éirigh liom an rann seo a aimsiú in aon dán is ní léir cé acu an véarsa de chuid an Linsigh féin é nó an ag tarraingt as saothar duine eile atá. Tá cóip den rann in NLI G 198:300 a scríobh Tadhg Ó Neachtain.

[87] Féach Lynch (1662:v), O'Daly (1655: *praeludium*, 155), FPP:5 § § 360, Lynch (1664: 130-5), Meehan (1878:133-5), CHA i:76-7.

[88] Na Sean-Ghaill atá i gceist aige (*nonne recensiores Hyberni cum antiquis ... coniuncti sunt?* 157); níor úsáid neamhchoitianta é: féach téarma mar é ag Ó Súilleabháin Béarra agus ag Ruairí Ó Mórdha (thuas lgh 80, 111 n. 59).

[89] Ní shin é an téarma a úsáidtear sa bhuntéacs ach *Hybernico ... Hybernorum.*

[90] Is le taobh Ormond a thaobhaigh John O'Callaghan (Seán Mac Ceallacháin), mar shampla, san aighneas a d'éirigh idir é agus Paul King (Corish 1954); ba mhór idir breith is dearcadh Risteaird Uí Fhearghail is Roibeaird Uí Chonaill, bíodh gur Ghaeil iad araon is gur chomhúdair iad ar *Commentarius Rinuccinianus* (féach NHI iii:570-3); filí na Gaeilge féin, ní i gcónaí a bhíodar ar aon aigne (thuas lch 124).

[91] Féach NHI iii:570-3, Callaghan (1650), Corish (1954); O'Kelly (28); Meehan (1878:22), Gilbert (1892:5), Lynch (1664:15-22); FPP:4 § § 275-80, 381-95.

[92] Féach Walsh (1674), *Collectanea Hibernica* 12 (1969) 81-5; Millet (1964:418-63), CSPI 1660-2:503-5, Cosgrave (1965), Bender (1948), Brennan (1951).

[93] Féach CSPI 1660-2:503-5; Walsh (1674:8,683-4), Cosgrave (1965:171). Ní miste a thabhairt faoi deara gur beag buntaighde atá déanta go dtí seo ar cheist ríthábhachtach na Foirmlí. Lasmuigh de shaothar tionscnach Cosgrave níl oiread is alt amháin eile scríofa ar an ábhar agus is beag an plé atá déanta uirthi sna téacsleabhair aitheantúla.

[94] In An Coláiste Ollscoile, Baile Átha Cliath atá bunchóip *Leabhar na nGinealach* a scríobh Mac Fhirbhisigh (UCD Add.14) anois; tá cóip den *Cuimre* in MN B 8 agus RIA 24 N 2. Maidir le saothar Mhic Fhirbhisigh, féach Ó Muraíle (1995).

[95] Féach go háirithe: 'Cibé lena mian a fhios do bheith aige créad an gaol nó an comhfhoicse fola re dtáinic do Stiuartacha na hAlban toigheacht chum sealbha coróna na Saxan tar éis na banríoghan Eisibéal ag so mar atá ... Ag so mar do thig an gaol isteach' (RIA C IV 1:222v). Féach freisin FFÉ ii:386, Ó Cuív (1965:124); Lynch (1662:248-51), O Flaherty (1685:499-700), *Analecta Hibernica* 3 (1931) 68-70. Cuireadh le ginealach na Stíobhartach ina dhiaidh sin de réir mar ba ghá agus lean na scríobhaithe orthu isteach sa naoú haois déag féin ag cur leis is á chóipeáil. Féach go háirithe RIA C IV 1, C IV 2, 23 G 15, 23 B 22, 24 B 21, 23 N 21, 23 B 12, 23 E 18, 24 N 2, 24 P 8, 23 M 17, 23 N 11, 23 D 9, 23 N 33, 23 M 17.

[96] Féach Mhág Craith (1958), O'Sullivan (1976), Ó Raghallaigh (1930).

[97] Féach NHI iii:563, Ó Concheanainn (1984), Corish (1953), Silke (1973). Gearánann Lynch (1662:377) go raibh cuid mhaith daoine lena linn féin in Éirinn ag déanamh a ndíchill Béarla a fhoghlaim; is trua le Mac Fhirbhisigh 'esbaidh a heoluis ar chách, ionnus gurob usa leó focail choimhightheacha do thuigsin ináid focail fhíre na Gaoidheilge' (Knott 1948:154).

[98] Féach NHI iii:429-33, Corish (1968, 1981:56-72), Ó Fiaich (1975).

[99] Féach Kenyon (1970:100-43), Ashley (1973), Davies (1959:160-89), NHI iii:387-407; Bagwell iii:145,318; Coward (1980:239-291), Ogg (1963).

[100] Féach Miller (1973:127), NHI iii:432.

[101] *Monuar is mairg don ghasra dhaonna* (RIA 23 H 30:91; MN C 55:23). Féach freisin Ó Fiannachta (1989:292).

[102] *Do fearadh a flathas tré peaca na prímhfhéinne* (Ó Bruadair); in eagar: DÓB iii:6 § 7.

[103] Tugann Murphy 'the affectionate term *mo phrionnsa*' (1935:596) ar an mbuafhocal sin ach ní mar théarma ceana atá an file á úsáid, dar liom, ach mar theideal teicniúil polaitiúil.

[104] Míniú mar é a thug 'an Irish priest at Bilbao in the year 1701: *King Charles the Second, imposed uppon by the craft and policy of the Cromwellians, and the weakness and corruption of his own ministers*' (O'Donovan 1860:52).

[105] 'To the tune of *Shea veer me geh hegnough turshogh tyne trelogh etc.*' = *Sé bheir mé go huaigneach tuirseach tinn tréithlag* (Wadding 1684:8).

[106] Féach Hogan (1920), CPSD 1682:325,385; 1683:13,62,98; MacPherson (1775 i:320, 337, 342, 345); DÓB iii:xvi-xxv, HMC Ormonde 2:291-2, HMC *Report* 7 i (1879) app. 335-7.

[107] Féach O Flaherty (1685:ix). Maidir le Ó Flaithearta is a shaothar, féach Ó Concheanainn (1984), NHI iii:574, Hardiman (1846:425-30). Deir Hardiman (1846:427) go bhfuair Ó Flaithearta roinnt bheag dá thailte ar ais (*c.* 500 acra) sa bhliain 1677.

Caibidil 3

[1] Ráiteas 'John Maitland, Duke of Lauderdale'; in eagar: *Journal of Modern History* 20 (1948) 121-22.

[2] Féach Turner (1948), Kenyon (1970: 144-65), Ashley (1977), Clarke (1816), Coward (1980), Miller (1978), Ogg (1955), Smith (1973), Carlton (1980).

[3] Tá an cheist seo pléite ag Miller (1973: 11) agus Bossy (1976: 422).

[4] Is cinnte gur chuaigh éirí amach 1641 agus na scéalta uafáis a scaipeadh ina thaobh i bhfeidhm go mór ar aigne an ghnáth-Phrotastúnaigh i Sasana gur chuir comhthéacs cinnte is sampla léiritheach ar fáil de cad ba phápaireacht ghníomhach ann. Féach Clifton (1971: 49), Lindley (1972).

[5] Ceaptar go mb'fhéidir gurbh é James Farewell a chum an aoir seo. Féach Bliss (1979:57).

[6] Féach Turner (1948:456-503) is Ashley (1977:264-77). Ní mór a chur san áireamh gur dóichí nach cuntais shuibiachtúla amach is amach iadsan. Féach freisin Garrett (1980: 70-2), Carlton (1980).

[7] *Is baintreabhach bhocht mise a d'fhág Dia breoite* (UCD C 14:232); in eagar: Ó Concheanainn (1972:225-226), Ó Buachalla (1989: 88). Féach na línte *rí glégheal Séamas ag aifreann/i Whitehall is garda sagart air* i ndán (*Céad buí re Dia i ndiaidh gach anaithe*) a chum Diarmaid Mac Cárthaigh (DÓB iii: 14).

[8] *A chlanna Gael, do fuaireabhair náire* (MN M10:75-6); in eagar: *Fáinne an Lae* 2 Bealtaine 1925:5-6, *An Lóchrann* Feabhra 1927:116, Ó Buachalla (1989:89). I líne 4, *Séarlas* atá sa LS ach *Séamas* atá faoi dhó sna véarsaí roimhe sin agus *Séamas* atá i leagan eile den véarsa céanna: *d'aimhdheoin a n-abraid bodaigh an Bhéarla/beidh na trí ríocht so arís ag Séamas*. Féach Lenihan (1866:281).

[9] Féach, mar shampla: 'He was the first Prince in England who had been baptized by a priest for two hundred years. Upon this account Robert Hannon, Mayor of Limerick, made great rejoicings, and let three hogsheads of wine run among the populace' (Lenihan 1866:211).

10 Sampla amháin is ea Cormac Mac Cárthaigh (an té ab óige de chlann mhac Dhonnchaidh Mhic Cárthaigh, Iarla Chlainne Cárthaigh) a ndúradh ina thaobh 'it seems, of all mankind there is no man so led by another as the Duke [Séamas II] is by my Lord Muskerry' (Pepys: 15/12/1664). Sa chath mara ag Lowestoff idir Sasana is an Ollainn sa bhliain 1655, is é Séamas a bhí i gceannas an chabhlaigh is taobh leis ar dhroichead na loinge feadh an chatha bhí Cormac Mac Cárthaigh gur mharaigh caor ordanáis é. Féach Pepys (8/6/1665); Clarke (1816 i:412), Ó Donnchadha (1916: 7), n. 13 thíos.

11 RIA 23 M 17: 62-73; 23 N 11: 32-4. Mar aguisín leis an chóip de ghinealach na Stíobhartach a bhí ag Séafra Ó Donnchadha an Ghleanna scríobh sé amach teidil onóracha uile Shéamais: *James Duke of York and Albany, Earle of Ulster, Lord High Admirall of England and Ireland ...* (RIA 24 P 8: 251).

12 Bryan O'Neill a thugann sé air féin sa bhunchóip (RIA H iii 3 a). Is dóichí gurb é atá i gceist 'Sir Bryan O'Neill of Upper Clandeboy' ar bhronn Séarlas I an teideal bairnéad ar a athair mar luach saothair ar a chrógacht i gcath Edgehill sa bhliain 1642 agus ar cheap Séamas II é féin mar ghiúistís in Ultaibh sa bhliain 1687. Bhí sé pósta le duine de Phluincéadaigh na Mí is fuair sé bás sa bhliain 1697. Féach Burke (1838:393) agus Ball (1926:364).

13 Féach D'Alton (1860 ii:96,115), Smith (1750 i:152-3,186,475; ii:113-5), O'Callaghan (1870:8-24), Murphy (1959).

14 Féach Bagwell (iii:286), CSPD 1686-7:339-40,353; Lenihan (1866:211).

15 *D'fhigh duine éigin roimh an ré so*; in eagar: DÓB iii:13.

16 Féach Simms (1966, 1969); Ashley (1977:264-277).

17 Ba thuiscint choitianta i Sasana é gur phcarsa shacrálta é an rí a raibh fcidhm íocshláinte aige. Cleachtadh an 'touch' go leanúnach is go fairsing i Sasana le linn an tseachtú haois déag. Féach Thomas (1971:227-51), Bloch (1924), Crawfurd (1911) agus thíos lgh 697 n. 95, 701 n. 56.

18 *A chlanna Gael, do fuaireabhair náire* (MN M10 : 75); in eagar: *Fáinne an Lae* 2 Bealtaine 1925: 5-6, *An Lóchrann* Feabhra 1927:116, Ó Buachalla (1989:90) agus *Is baintreabhach bhocht mise a d'fhág Dia breoite* (UCD C 14 : 232); in eagar: Ó Concheanainn (1972: 225-6), Ó Buachalla (1989: 90).

19 Féach Grueber (1911 i: lxxx), Loftus (1990).

20 *The bogg-trotters march.* London (gan dáta).

21 I gCléire sa bhliain 1959 a thógas síos an leagan sin ó Thadhg Ó Síocháin. Tá tagairt ag Piaras Mac Gearailt san ochtú haois déag (MN M 58a:27) agus ag Raiftearaí san aois ina dhiaidh (Ó Coigligh 1987:147) don bhuafhocal freisin agus bhailigh Bunting fonn ceoil a raibh an teideal 'Séamas an Chaca a chaill Éire' air (Ó Súilleabháin 1983:107). Féach thíos lch 720 n. 89.

22 Táim buíoch de Enda O'Boyle a bhailigh an t-amhrán sin i gceantar na Bóinne is a chuir cóip de chugam.

23 Bhí Uilliam pósta le Máire, iníon Shéamais.

24 Táim buíoch den Dr. Séamas Ó Catháin as an ábhar seo in RBÉ a chur ar mo shúile dom.

25 'Yet when it came to a trial they basely fled the field and left the spoil to the enemies, nor could they be prevailed upon to rally ... so that henceforth, I never more determine to head an Irish army and do now resolve to shift for myself, and so gentlemen must you ... ' (HMC Ormonde 8, 1688-1713, 401). Féach freisin Clarke (1816 ii:406), O'Kelly (48), Gilbert (1892:104).

26 Féach: *Is iomdha saighdiúir láidir mómhar/do chaill a chlaíomh is do chaill a chlóca ... agus ar an bpáirc do bhí an rás ar Dhiarmaid/do chaill sé a chlóca is a chórú ciarsach ...* i véarsaí ar chath na Bóinne (thuas lch 173).

27 Timpeall na bliana 1838 a scríobh Ó Comhraí síos a leagansan i lámhscríbhinn ar cnuasach amhrán a tógadh síos ó bhéal is mó atá inti (UCD C 14); sa bhliain 1844 a bhreac Seán Ó Dálaigh síos a leagansan den chéad uair agus sid é a raibh le rá aige i dtaobh an leagain áirithe sin: 'Enclosed you have a copy of a very scarce old song – the Lamentation of Patrick Sarsfield on his departure to France after the surrender of Limerick. It is one of the songs of the Irish brigade ... After receiving it in scraps from various parts of the country, I arranged it in its present form ...' (RIA 23 H 34: 146-8); 'we had to take our copy of the poem from the mouths of the peasantry, never having met a manuscript copy of it' (O'Daly 1850: 278); 'it needs only be remarked here that the following lament perhaps as old as the period to which it refers is sung this day by the peasantry of Limerick' (RIA 12 F 3: 45). Féach freisin Ó Concheanainn (1972: 215 n. 1, 233) agus DG i: 111, Lenihan (1866:218).

28 Níor chuireas an dán sin san áireamh agus an cheist seo á plé cheana agam (1989). Tá an chóip in UCC ar iarraidh, deirtear liom.

29 Is é Seán Ó Dálaigh is túisce a bhreac an dán sin ar phár (RIA 23 H 34: 146-8) is a chuir in eagar é (O'Daly 1850: 270-9) agus is uaidhsean a shíolraíonn na leaganacha sna LSS eile agus na heagráin difriúla a cuireadh i gcló. Ní luaimse anseo ach an t-eagrán is luaithe agus an ceann is déanaí. Sa chóip a rinne Ó Cearnaigh (RIA 23 E 12:308-12) de leagan Uí Dhálaigh, chuir sé seacht véarsa breise (a bhí bailithe aige féin) le leagan Uí Dhálaigh nach raibh ann ach seacht véarsa déag. Bíodh gurbh é 'Marbhchaoine Phádraig Sáirséal' atá mar theideal ag Ó Dálaigh sna LSS a scríobh sé féin (12 E 24: 182, 12 F 3: 45, 23 H 34: 146, 23 L 48: 69), is é an teideal eile a chuir sé ar an leagan foilsithe (O'Daly 1850:270).

30 Fágaimse an luinneog ar lár anseo. Sid iad na foirmeacha eagsúla de a fhaightear i LSS Uí Dhálaigh: *Seinn, óch! óch! ón!* (RIA 23 H 34:146), *Seinn, óch! óchón!* (RIA 23 L 48:69), 's *seinn, óch! óch! ón* (12 E 24:182); *och! ochón* a chuir sé in eagar (1850:270). Sna foinsí eile faightear na leaganacha seo *is uch! uchón* (UCD C 14:232), 's *óch! ochón* (Lenihan 1866:218), *och, ochón* (MN M10:75), 's *m'uchón ó* (Ó Muirgheasa 1934:22), *is uch! uch! chóin* (RIA 3 C 4i:29).

31 Mar le léiriú téamúil níos iomláine, féach Ó Buachalla (1989).

32 Ach féach thuas lch 180 n. 37.

33 *Séamas*, is dócha, ba cheart a scríobh in ionad *Séarlas* atá sa bhunfhoinse. Is minic a mhalairtítear an dá ainm sna foinsí. Féach, mar shampla, thuas lch 158 n. 8.

34 *A dhaoine tá líonta den daonnacht*, teideal: 'Eachroim'; in eagar: Ó Buachalla (1973: 118-9; 1976: 2-3). Cuireadh leagan eile de, faoin teideal 'Caoineadh Eachdhroma' in eagar in *An Stoc* Eanáir 1928:3 (féach Ó Buachalla 1973: 120-1). Féach thíos n. 36,38. Féach freisin Ó a Dhia, a dhaoine, an bhfuil maoin bhocht nó spré agaibh (UCD C 13: 10).

35 Trí chóip den dán seo a tháinig anuas, go bhfios dom: RIA 3 C 4 i:46 is UCD F 20:142 a scríobh Peadar Ó Gealacáin, agus RIA 23 E 12:37 a scríobh Nioclás Ó Cearnaigh. 'Briseadh na Bóinne, The Battle of the Boyne 1690' atá mar theideal ag Ó Gealacáin; ag Ó Cearnaigh, mar theideal is líne tosaigh faoi seach, tá: 'Briseadh na Bóinne. The Battle of the Boyne 1690. By a Dragoon of James' Army (Fragmentum), *Créad é an scléipse ar lucht scriúdú an Bhéarla'*. Tá miondifríochtaí idir na cóipeanna. Chuir Laoide (1914: 13) an dán iomlán in eagar ach d'fhág Ó Muirgheasa (1934: 21-2) véarsa amháin ar lár is d'athraigh foirmeacha na LSS. Is ar leaganacha Uí Ghealacáin is mó atá m'eagránsa bunaithe.

36 'Cumhaidh Eachruim' is teideal dó; foinse: JRL 61:72-7. Féach thuas n. 34 agus n. 38 thíos.

37 Ní léir gur thóg an Sáirséalach páirt róshonrach i gcath Eachroma: 'According to a Williamite officer Sarsfield was in the rear behind the centre with positive directions not to stir till he received orders ... There is evidence from both Jacobite and Williamite sources that Sarsfield was not given authority to take charge' (Simms 1969:219,266).

38 *Sé lá na Bóinne bhreoidh go héag mé*, teideal: 'Brisaimh Achruim' (RIA 23 Q 18:227, 23 M

6:55); 'Colonel Sarsfield's Lamentation ris a raitear Cumhaidh an tSarséalaigh no Brisseadh Achruim. Air na cur a bfunn re saighdiuir bocht don arm ceadna' (RIA 23 O 35:275). Tá cosúlachtaí móra (ábhair, téama, foclóra agus meadarachta) idir an dán seo agus an dá dhán eile ar chath Eachroma atá luaite cheana (n. 34, 36 thuas) agam. B'fhéidir gur chirte féachaint orthu go léir mar leaganacha difriúla d'aon dán amháin, dá mhéad na difríochtaí téacsúla eatarthu, ach ba rídheacair na trí cinn acu a thabhairt dá chéile in aon téacs amháin.

³⁹ Ní heol dúinn cé chum an paimfléad seo, ach dar le Barry (1954:135) gurbh é an Cornal Dónall Ó Donnabháin ó iarthar Chorcaí an t-údar. In NLI 39 atá an bhunchóip is tá sleachta as curtha in eagar ag Barry (1954). Féach 'Collonel O'Donovan had treated with the Governor of Cork ... to bring in his whole regiment upon terms to enjoy his liberty and estate' (HMC Finch iii:77).

⁴⁰ A rí na cruinne do rinn ise ('Caithréim Phádraig Sáirséal); in eagar: DÓB iii:22.

⁴¹ Is in Eachroim an áir atáid 'na gcónaí ('Tuireamh Shomhairle Mhic Domhnaill'); foinsí: NLI G 411:1, RIA 23 D 13:45, 23 D 7:75, F v 3:138, TCD H 5 7:11; in eagar: Ó Gallchóir (1971:63).

⁴² A theampaill, b'fhuras duit cuidiú le Gaelaibh ('Tuireamh Mhurchadh Crúis'); foinsí: NLI G 4 11:46, RIA 23 I 37:17, 24 L 31:1; BL Add. 34119:163; in eagar: An tUltach Bealtaine 1930:7-8; Meitheamh 1930:4-5; Ó Gallchóir (1971:32).

⁴³ Sé is léir liom uaim gurb oidhre ar Ghuaire ('Séamas Mac Cuarta agus Aodh Mag Oireachtaigh'); foinsí: BL Add. 18749:133, MN Lav. 12:79, RIA 24 L 31:185; in eagar: Ó Tuathail (1923:2).

⁴⁴ Ní maith is léir domh na leabhair Ghaeilge ('Mac Airt Uí Néill'); foinsí: RIA 24 M 11:8, 23 E 12:74; BPL 24:81, EUL Db. 7. 1:125. Tá leagan ciorraithe den dán ('Na Leabhair Ghaeilge') in RIA 3 C 4i:32, UCD F20:175. Cf. dán Uí Dhoirnín Is fada ag éisteacht mé leis na scéalasa/ó chogadh Shéamais an dóú rí (Ó Buachalla 1969: 34).

⁴⁵ Le ciontaibh na healta ag ar dalladh a gcluastuigse; in eagar, DÓB iii:25. Nochtar an tuairim chéanna i bhfoinsí comhaimseartha eile. Féach go háirithe, Murray (1912: 155); O'Kelly (96-7).

⁴⁶ Ceaptar gur dhuine de Phluincéadaigh Átha Cliath a scríobh an tráchtas seo. Féach Kelly (1985). Tá cuid de curtha in eagar ag Gilbert (1892). Féach thuas lch 195 n. 1.

⁴⁷ Is é an Cormac atá i gceist, is dóichí, 'Charles Tallon' a bhí ina viocáire ar dheoise Ardach is Chluain Mhac Nóis (bhí an t-easpag thar lear) ó 1688 go dtí go ndearnadh easpag ar an deoise de sa bhliain 1696 (féach Monahan 1886: 37, 385). Táim an-bhuíoch den Ollamh Pádraig Ó Riain as an té seo a aithint is an fhoinse a chur ar mo shúile dom. Tá an litir curtha in eagar cheana ag Flower (1926: 624-7) agus ag Ó Lochlainn (1939: 179-82). Sna sleachta atá fágtha ar lár agamsa tugann an t-údar gearrthuairisc idéalaíoch ar 'oileán na naomh' is áitíonn go raibh 'a brí' caillte ag Sasana toisc í a bheith 'faoi fheirg Dé'; tugann sé tuairisc freisin ar Luimneach d'éis an léigir.

⁴⁸ Geadh ainbhfiosach feannaire nár fhiar a ghlún; in eagar: DÓB iii:26; A chaithbhile dár thairgeas-sa díogras mhór; in eagar: DÓB iii:24.

⁴⁹ Is liachtain leasaithe ar chiach do charadsa; in eagar: DÓB iii:34.

⁵⁰ Tá an tiomna in eagar sa Journal of the Cork Historical and Archaeological Society 13, 1907, 166-78. Féach Murphy (1959), O'Callaghan (1870: 8-24), D'Alton (1860 ii:96,115).

⁵¹ Aon chóip amháin den chaoineadh sin a tháinig anuas chugainn (RIA 23 G 3:237) a scríobh Diarmaid Ó Conchúir sa bhliain 1715. Ós i measc dánta eile leis an Rathailleach a fhaightear an caoineadh sa lámhscríbhinn ceaptar coitianta go mb'fhéidir gurbh eisean a chum é (AÓR:lix); in eagar: de Brún (1969: 10). An t-amhrán ceangail a théann leis an gcaoineadh (Péarla na hÉireann ...) faightear é i gcóipeanna áirithe den chaoineadh a chum Diarmaid Mac Cárthaigh ar Shaorbhreathach (A Shaorbhreathaigh éachtaigh, mo bhrón tú, in eagar: Ó Donnchadha 1916: 14) ach níl an rann sin le fáil i ngach cóip agus is léir

nach leis a bhain sé ó cheart. Tá acrastaic Laidine ar Shaorbhreathach (*Insignis pietate heros, quem cognitus orbi*) in RIA 23 H 18:192.

[52] *A Shaorbhreathaigh éachtaigh, mo bhrón tú*; in eagar: Ó Donnchadha (1916: 14).

[53] *Thug sinn an chéad bhriseadh ag bruach na Bóinne* (RIA 3 C 4i:29); in eagar: Ó Buachalla (1976:4, 1989:97). Féach thuas lch 172.

[54] *Cí nach gcanair dhamh*. Níl ach aon chóip amháin den dán ar marthain (TCD H.5.3: 47-9) a scríobh Cormac Mac Parthaláin sna blianta 1696-7. Bhain seisean le Bréifne Uí Ruairc is b'fhéidir gurbh é féin nó duine dá mhuintir a chum an dán. Maidir le filí eile den sloinne sin, féach de Brún (1969a:553-4); in eagar cheana: Breatnach (1986). Maidir le dán eile – dán grá – i bhfoirm sin an mhacalla, féach Mac Craith (1982, 1989: 62-77). Is dóichí gurb é Eoghan Ó Ruairc atá i gceist, cornal mórchlú in arm Shéamais a lean go St Germain é agus a d'fhóin do na Stíobhartaigh i bpostanna difriúla ardfheidhmeannais go cionn daichead bliain ina dhiaidh sin. Féach Ararat (1974: 20), Hayes (1949: 526), de Breffny (1978), thuas lch 348.

[55] Is ar *Jacobus*, an fhoirm Laidine de *James*, a bunaíodh *Jacobite*. Féach O'Callaghan (1870:31).

[56] Féach Garret (1980: 83-101), Miller (1978: 238-9), O'Callaghan (1870: 165, 183-5), Ashley (1977: 278-89), Macpherson (1775i: 458, 513).

Caibidil 4

[1] Maidir leis an údar, féach Kelly (1985). Sna LSS NLI 345, 476, 477 agus BLO Carte 229 atá na paimfléid anois; tá cuid den cheann is faide acu (*A Light to the Blind*) curtha in eagar ag Gilbert (1892).

[2] Is iad na 'ould heros' a bhí i gceist aige cinnirí na Normannach a tháinig anall sa dara haois déag.

[3] *Is léan le n-aithris dá ndealbhadh éigse duain* (Aodh Buí Mac Cruitín), foinsí: BL Sloane 3154:44, Add. 31877:53, RIA 12 E 22:144; in eagar: *Fáinne an Lae* Samhain 1898; *Cnead agus dochar do ghortaigh mo chéadfa* (Aogán Ó Rathaille), in eagar: AÓR:35 §§ 205-8; *Tabhair cárt in gach láimh liom is gloine*, foinsí: RIA 23 O 77:74, 23 E 12:411; in eagar: Ó Muirgheasa (1934:3); *Ní fheadarsa ca talamh cirt, ca tír, ca treabh* (Dónall Ó Súilleabháin), in eagar: Ó Foghludha (1938:33 §§ 16-20).

[4] *Uch is cásmhar mise go huireasach tuirseach déarach* (Diarmaid Ó Súilleabháin); *A shéimhfhir ghasta den aicme nár cheasnúil gnaoi (idem); Atáid siad sin i mbliana cois Láine ag spórt (idem)*, in eagar: Ó Foghludha (1938:17 §§ 21-2, 21 §§ 9-10, 22 §§ 5-6).

[5] Féach *Cia choimhéadfas clú Laighean* (Fear Gan Ainm Mhac Eochadha), in eagar: Mac Airt (1944:17 § 23); *Fréamh gach oilc oidheadh flatha* (Lochlainn Ó Dálaigh), in eagar: Carney (1950:11). Féach freisin: AD: 6, 10, 12, 14, 23, 29 agus Simms (1989).

[6] AÓR:21 § 28. Áitíonn Ó Tuama (1978:96,182) gurbh é Sir Nioclás Brún 'an rí díonmhar' ach is deacair aontú leis an ionannú sin. Níor cheangail aon fhile riamh an Leamhain leis na Brúnaigh (ach leis na Cárthaigh amháin) agus bhí Mac Cárthaigh Mór fós ina chónaí sa Phailís cois Leamhan san ochtú haois déag (McLysaght 1942:8,10,21,149-53); i gCill Airne féin a chónaigh an Brúnach (McLysaght 1942:229,403,404). Míníonn an file féin sa véarsa ina dhiaidh sin ('an Carathach groí ...') cé a bhí i gceist aige. Féach Ó Buachalla (1993). Féach freisin: 'The tract of country lying along the banks of the Laune and at the mountain's foot, to some considerable distance is still called MacCarthy Mor's country as containing the ancient residence of the chief of that name' (AÓR:188).

[7] Féach: 'He [Iarla Chlainne Cárthaigh] is of the family of the Cartys, which they affirm to have a being as long before the coming of our blessed Saviour as there hath been time since ... It was put into his head – and without any other ground than such as the bards or

rimers have invented – that his ancestors have been Kings of Cork ...' (JCHAS 2, 1896, 17-8); 'Whereas the Earl of Clancarry, Daniel Carti Macartimor, has represented to us that his family has maintained its existence for two thousand years since it left Spain ...' (Jennings 1964: § 2411). Féach Ó Murchadha (1985, 1993), Ó Donnchadha (1940), MacCarthy (1868), Smith (1774:29-49), Butler (1925).

8 San aoir phróis *Eachtra Thaidhg Dhuibh Uí Chróinín* (a leagtar ar Ó Rathaille féin in aon fhoinse amháin) deirtear gurbh é 'céim is aoirde' a bhí ag muintir Rathaille 'buachailleacht cliabháin Uí Chaoimh' (AÓR:297). Samhlaíonn Ó Bruadair an sloinne le saighdiúir singil in arm Shéamais II: *is róshámh le crónán Uí Rathaille/Brian Ó Dubhda is trúmpa baice aige* (DÓB iii:20 § x). Tá go leor tagairtí do mhuintir Rathaille sna cáipéisí Stáit ó dheireadh an tséú haois déag amach (AÓR: x, Pender 1939:207, Hickson i:214) ach is beag atá ar fáil roimhe sin. Chuir Diarmaid Ó Murchadha na tagairtí seo a leanas (ó thús an cheathrú haois déag) ar mo shúile dom ach is dóichí gur muintir Raghallaigh atá i gceist: John Orayghly, William Duff Orayghly, Philip Duf O Railly (*Cal. Justiciary Rolls Ireland 1308-1314*: 197, 202, 298). Bunfhadhb í an cheist sin; nílimse cinnte in aon chor gur dhá shloinne dhifriúla iad Ó Raghallaigh is Ó Rathaille.

9 Féach O'Reilly (1820:ccii), O'Daly (1850:22), Butler (1925:68,117); 'Ionad mo shean le seal in Uíbh Laoghaire' (AÓR:35 § 241). B'as Uíbh Laoghaire freisin sinsear Thaidhg Dhuibh Uí Chróinín (AÓR:52). Ní in Uíbh Laoghaire féin atá an dá áit sin, ní mór a mheabhrú, ach sna paróistí Mo Bhide agus Baile Bhuirne i mbarúntacht Mhúscraí. Féach Simington (1942:303, 341), Ó Donnchadha (1940:157, 427-8). I dtuairisc a scríobhadh sa bhliain 1618 ba le 'Teige Mc Carthy of Inchirahilly' na tailte i Mo Bhide. Féach JCHAS 65 (1960) 79.

10 Féach D'Alton (1860 ii:115-20), O'Callaghan (1870.64-74), Smith (1750:167), HMC 13 (1892) App. 5:236; Kenyon (1958:102-42, 302-5); Ó Donnchadha (1916:27), Simms (1956:178), Butler (1925:107), DNB.

11 Ní hionann go baileach an dá chuntas a tháinig anuas ar an eachtra. Féach: 'There was a prophecy current among the Irish peasantry, that *a Clancarty should one day knock at the gates of Derry* ...' (Witherow 1876:161); 'On the same day the Earl of Clancarty arrived ... and being buoyed up by the Pastorini of the day, with the ridiculous prophecy that the gates of Derry should fly open at the approach of Mac Cartymore ...' (Graham 1823: 107-8).

12 *Monuarsa an Chárthfhuil tráite tréithlag* (Aogán Ó Rathaille), *Do leathnaigh an ciach diacrach fám sheanachroí dúr* (*idem*), in eagar: AÓR:2 §§ 45-8, 8 §§ 13-4.

13 *Do thráigh féile na hÉireann mar áitíos clú* (Diarmaid Ó Súilleabháin), *Mo chiach atuirseach an treascairt sin ar phór Mhíle* (*idem*), in eagar: Ó Foghludha (1938:3 §§ 13-20, 6 §§ 13-5); *Truagh do chléireach de chur cárta* (Eoghan Ó Caoimh), *Ó chailleas do cheartdlí an dea-rí is airde ar mbith* (*idem*), in eagar: Ó Donnchadha (1912:11 §§ 21-4, 15 §§ 25-8); *Is léan liom leagadh na bhflatha is na bhfioruaisle* (Tadhg Ó Duinnín), foinsí: RIA 23 C 8:137, 23 B 38:128, 23 N 14:330, 23 G 20:239, 23 I 1:133, 23 C 10:941; MN M 11:116, M1 2:35, M 95:88; NLI G 40:26.

14 Féach Ó Donnchadha (1916:1, 2, 3; 1940:426), RIA 23 K 4:53; *Fuascail solasghort Chonaire, a rí Chárthaigh* (RIA 23 C 8:232).

15 *Uch is cásmhar mise go huireasach tuirseach déarach* (Diarmaid Ó Súilleabháin), *Atáid siad sin i mbliana cois Láine ag spórt* (*idem*), in eagar: Ó Foghludha (1938:17 §§ 21-4, 22 §§ 5-8, 25-8).

16 *Gadelica* 1 (1912) 259, n. 5.

17 Féach Butler (1925:107,117,127), McCarthy (1922:175-222), Ó Donnchadha (1940).

18 *A chaithbhile dár thairgeasa díogras mhór*, in eagar: DÓB iii:24 §§ 2,6,24; *Le ciontaibh na healta ag ar dalladh a gcluastuigse*, in eagar: DÓB iii:25 § xli.

19 Foinsí: MN Don 1:146, UCG 20:1, RIA 3 B 38:288, 23 N 33:425, 23 L 31:11, 23 Q 3:196; BPL 24:23, UCD F 20:65; in eagar: *An tUltach* Iúil 1930.

[20] Féach AÓR (208) agus Ó Tuama (1978:179-81). Féach freisin JCHAS 6 (1900) 136-7.

[21] *Atáid siad sin i mbliana cois Láine ag spórt* (Diarmaid Ó Súilleabháin), in eagar: Ó Foghludha (1938:22 §§ 29-30); *Gile na gile do chonnarc ar slí in uaigneas* (Aogán Ó Rathaille), in eagar: AÓR:4 §§ 33-6.

[22] Féach Giblin (1971:37, 52-65), HMC Stuart 1:110-70, 135-6; HMC Finch 2:310-11; D'Alton (1860 ii:752), Hayes (1940:25).

[23] *Fáth éagnach mo dheor* (Seán Ó Neachtain), foinsí: NLI G135:86, RIA 23 N 5:36, 23 M 46:20; 'Ar fonn Toirdhealbhaigh Óig' nó 'Molly St. George' atá sna ceannscríbhinní.

[24] Foinsí: BL Eg.146:15-6, RIA 23 D 16:418. Féach D'Alton (1860 ii:750), Carney (1959a:68).

[25] O'Callaghan (1870:60,163), Simms (1969:260), *The Irish Sword* 1 (1949) 70, Petrie (1959:135).

[26] Féach Lart (1938), Walsh (1947:108), RIA 23 P 2, BL Harleian 4039-40; PRIA 38 C (1928) 31-50; TCD H.2.16; Giblin (1971:52-3).

[27] B'in an t-ainm a tugadh ar choláiste na gCaipisíneach Éireannach in Charleville. Féach Martin (1962:177), Walsh (1973:140-68), Hayes (1934:ix), BN: N. Ac. Fr. 7489.

[28] Féach Mooney (1946), Ó Cuív (1930). Is in FLK A 24 atá an saothar anois.

[29] *An tAhir sih ry flahis dih ghyme/An tAthair seo rí flaithis do ghuím* (Mánus Ó Ruairc), in eagar: Mooney (1946:31).

[30] Féach Giblin (1957, 1966, 1971:47-52), Brady and Corish (1971:8-10, 31), HMC Stuart 1:193, 210, 329; 2:339-40, 356; 5:52-3, 93-4; 6:167, 196, 223.

[31] Féach O'Callaghan (1870:42-44, 46-8, 70-2, 85, 116, 137, 151, 256, 302-16, 336, 346-51, 375, 436), NHI iv:634-40, Murphy (1983), de Breffny (1978), RA SP:50/61, 141/157, 175/77, 261/151-4, 362/146.

[32] *A dháimh le ndéantar dréachta sníofa* (Aodh Buí Mac Cruitín), foinsí: NLI G296:18, RIA 23 N 12:41, 23 G 20:116; MN M 7:387.

[33] *Is léan le n-aithris dá ndealbhadh éigse duain* (Aodh Buí Mac Cruitín), féach thuas n. 3 agus lch 316.

[34] RA SP 51/33, 249/115. Féach O'Callaghan (1870: 26-7, 38-44). Frost (1893), NHI iv:637, O'Brien (1986).

[35] Féach O'Callaghan (1870:8, 42-3, 72, 85, 116, 137, 151, 153, 336, 375, 436) agus thuas n. 31.

[36] *Aunle wanrk hivir ar manhif nih Ghealhy schaunde/Amhail mhanairc shaibhir ar mhaithibh na Gaelaí seand'* (Mánus Ó Ruairc), in eagar: Mooney (1946: 11, 1946a: 297), Ó Cuív (1930: 5).

[37] *Fá chliath an smáil na táinte chlanna Mhíle* (Donnchadh Ó Súilleabháin), in eagar: Ó Foghludha (1938:31 §§ 21-4); *Ná creid an chliar so leigeas rian le dearbhú anois* (Seon Ó hUaithnín), in eagar: Ó hAnluain (1973:4 §§ 5-8).

[38] *nátion* atá sa lámhscríbhinn; Séamas Mag Uidhir a scríobh sa bhliain 1718 don Chaptaen Brian Mag Uidhir.

[39] PB:129-34; Sir Séamas Mac Coitir atá i gceist. Féach thíos n. 43.

[40] BLO Carte 229:70-5. Féach Cullen (1992,1993), Whelan (1995), Butler (1925:68), MacCarthy Morrogh (1986:83); Bartlett (1982), Gillespie (1985:38, 1985a:2-3), Ó Murchadha (1981:213).

[41] Féach Dinneen (1911), Ó Mainnín (1961), Morley (1995), Ó Gallchóir (1967), O'Sullivan (1958).

[42] Féach Ó Fiaich (1970,1975), Heussaff (1992), Ó Tuathaigh (1986), Ó Conchúir (1982).

[43] In eagar: Ó Cuív (1952). Maidir le cúlra is bunús an téacs, féach Ó Cuív (1952:i-xliv), Ó Súilleabháin (1955), Stewart (1966), Killeen (1977), Ó Dúshláine (1982). Maidir le Sir Séamas Mac Coitir is a mhac, féach Ó Cuív (1959), Hogan & Ó Buachalla (1963), Ó Conchúir (1982:212-5), Ó Buachalla (1993a).

[44] Féach *Fáilte Uí Cheallaigh ria Sur Séamas* (Dáibhí Ó Bruadair); in eagar: DÓB iii:29; *Níor bhoirbe an fhoireann sin in árthaíbh Gréag* (Uilliam Mac Cairteáin), in eagar: O'Grady (1926:583), Breatnach (1992), féach freisin PB 2287-91; *Is och im chliabh 's is diachair phéine* (Uilliam Mac Cairteáin), foinsí: RIA 23 L 37:16, 23 O 73:293; NLI 711:115, G 353:280.

[45] 'Tuigeann agus labhrann Séamas a cúig nó a sé do theangthaibh go cliste, et níorbh fholáir do féin an t-eolas sin do bheith aige re linn a thraibhléireacht ar fcadh mórán blian ar fud ríochta na hEorpa' (PB:141-5); i measc na leabhar a bhí i seilbh Shéamais Óig ar a bhás, bhí leabhair Fhraincise, Laidine is Bhéarla. Féach NLI 711:156 agus Ó Buachalla (1993a:486). Féach Cullen (1992, 1993).

[46] Féach thuas lch 308 agus caib. 9 ii.

[47] Féach Ó Conchúir (1982:216-8). Gabhadh an t-easpag sa bhliain 1698 agus díbríodh thar lear é sa bhliain 1703.

[48] Tugann an mhalairt *dá rí nach claon* (RIA 23 B 38:152) le tuiscint gur aidiacht agus nach briathar é *claon*.

[49] Féach Monod (1989:183), Rogers (1982, 1988).

[50] Féach thuas caib. 7 iii.

Caibidil 5

[1] Féach Kantorowicz (1957:314-450) go háirithe agus freisin Giesey (1960) agus Gierke (1938).

[2] Féach Kantorowicz (1957:385-401) agus go háirithe Hubaux & Leroy (1939).

[3] Ní fhágann sin, ar ndóigh, nach raibh cur amach ar an Ghaeilge aige – tagraíonn sé don Chéitinneach agus do *Foras Feasa ar Éirinn* (BLO Carte 229:26), mar shampla. Áitíonn Kelly (1985:1 n. 1) nach bhfuil aon diminsean polaitiúil i saothar Uí Bhruadair is Uí Rathaille agus gur chúinsí sóisialta amháin ba chás le filí na Gaeilge. Ach admhaíonn an t-údar féin (*loc. cit.*) go bhfuil an tuairim sin aige bunaithe ar shaothar Canny (1982a) agus Dunne (1980).

[4] Bíodh gur dóichí go raibh scéal an fhéinics ar eolas ag aos léinn na Gaeilge riamh, ní cosúil gur úsáideadh mar mheafar polaitiúil é go dtí an séú haois déag. Sa dán *Ciondus fríth fearann Luighne* (eag. McKenna 1951:6) tagraíonn an file Tadhg Mac Bruaideadha an téarma do mhuintir Eadhra; sa dán *Forrán ort a mhacaoimh óig* (BL Eg. 133:30b) tagraítear an téarma d'Éirinn féin.

[5] *D'fhigh duine éigin roimh an ré so*, in eagar: DÓB iii: 13 § xiii. Níl tagtha anuas den dán eile sin ach an tuairisc seo i mBéarla: 'A congratulation on the coronation of our Sovereign Lord James 2nd ... performed and accomplished April 23rd 168[5] and in the first year of His Majesty's reign *Rejoice the Phoenix James of York is crowned* .... This poem speaks of the joy which Ireland should manifest on his being crowned and especially on account of his religion .... Dermot Macrath a native of Cork, descended from the antiquarian of Ireland and House of Ballylomasny in Co. Tipperary' (NLI 711:424). Maidir leis na sleachta Gaeilge, féach *Cé sin amuigh?*, thuas lch 326; *Sin choíche clár Loirc támhach gan treoir* (Seán Clárach Mac Dónaill), in eagar: SMD: 25 §§ 21-4; *Im aonar seal ag ródaíocht* (Seán Ó Tuama), in eagar: ÉM: 39 §§ 45-8.

[6] Féach Cruickshanks (1979, 1982, 1988), Lenman (1980), Monod (1989), Clark (1986), Szechi (1984). Féach freisin Figgis (1914), Clark (1985:119-98) agus thuas lch 13.

[7] Féach Ó Baoill (1979:208, 1105-8), Matheson (1970:248), FM:183, 215, 255, BG:2345, 2513.

[8] Féach Ó Corráin (1971), Simms (1987:41-59), O'Brien (1962), Walsh (1918), Patterson (1991), Kelly (1988:26).

[9] Féach go háirithe IF:5 § 26, 6 §§ 8-12, 11 §§ 13-14. Féach freisin: *Ní haois fhoirfidheas, a Aodh*, in eagar: Ó Donnchadha (1931a:1); 'Tuig tuilleadh leat, a léughthóir, gurab dlighech i nÉirinn sósar do chur i bhflaitheas ar bhéulaibh sinsir ...' (Ó Raithbheartaigh 1932:30), BAR: § 63.

[10] Féach Butler (1925:32), O'Dowd (1983), Bartlett (1982), Nicholls (1972, 1976), Kelly (1988:102), Curtis (1941:122-4). 'Ceart sinsearachta' atá ag de Bhaldraithe in EID mar aistriú ar *right of primogeniture* ach aistriú iomrallach é sin; 'Ceart na céadghine' an t-aistriú cruinn.

[11] Féach *String, muse, thy lyre with lumpish led* ... agus *Help my sorrow, weeping fountains* ... (NLI 477:5,6).

[12] Féach Mooney (1946:11,31).

[13] Féach *Cabhair ní ghoirfead go gcuirtear mé i gcruinnchomhrainn* (AÓR: 21 §§ 9, 12), *Cnead agus dochar do ghortaigh mo chéadfa* (AÓR: 35 §§ 53, 55, 177-8), *Ag siúl dom ar bhruíonta na Mumhan mórdtimpeall* (AÓR: 20 §§ 37-40), *An trua libhse faolchoin an éithigh 's an fhill duibh* (AÓR: 28 §§ 13, 16, 20, 3-4), *Aisling ghéar do dhearcas féin im leabaidh is mé go lagbhríoch* (AÓR:3 § 8).

[14] Féach *Do thuit clann Cholla sa Spáinn* (Peadar Ó Maoil Chonaire), foinsí: RIA C iv 1: 197 § 22; RIA C iv 1: 124, NLI G 198: 290; *Mo dhíthse go n-éagad, mo léan is mo chrá* (Seán Ó Neachtain), féach thíos lch 686 n. 56. Maidir le *dualgas* sa véarsa sin ag Ó Neachtain, is é is brí dó 'traditional right, that which is due to a person in virtue of descent, rank or other qualification' (DIL *s.v.*).

[15] *D'fhigh duine éigin roimh an ré so*, in eagar: DÓB iii:13 § xvii.

[16] Féach *Níorbh fheasach sinn i gcríochaibh Éibhir Mhóir* (Diarmaid Ó Súilleabháin), in eagar: Ó Foghludha (1938:1 §§ 45-6); *Cois leasa is mé go huaigneach do chuala corraí* (Conchúr Ó Briain), in eagar: Ó Foghludha (1938a:2 §§ 5-8).

[17] Féach MacDonald (1911:79), OIL:2565, 2638; *Tá glas ar mo bheol is is cóir dom a réabadh* (Seon Ó hUaithnín), in eagar: Ó hAnluain (1973: 2 § 6); FM:189.

[18] Féach O'Rahilly (1940, 1946:154-70), ARÉ i:96, FFÉ ii:234-40 (Is in NLI G 226 atá an chóip a rinne Ó Rathaille de FFÉ); *Cnead agus dochar do ghortaigh mo chéadfa*, (Aogán Ó Rathaille), *An trua libhse faolchoin an éithigh 's an fhill duibh* (*idem*), in eagar: AÓR:35 §§ 205, 226; 28 §§ 3-4.

[19] *An chríoch so ba naofa 's ba féile cáil* (Seán Ó Neachtain), féach thíos n. 55.

[20] Féach Moore (1951), Erskine-Hill (1982:53).

[21] Féach Calver (1644), Poole (1648), *The maid's prophecies* ..., Aylmer (1968), Erskine-Hill (1982:53).

[22] Féach Kenyon (1977:61-82), Lenman (1980:20), Szechi (1984:36).

[23] O'Flaherty (1685:x, 442), NLI G 132:27, FM:239.

[24] *Aunle wanrk hivir ar manhif nih Ghealhy schaunde/Amhail mhanairc shaibhir ar mhaithibh na Gaelaí seand'*, in eagar: Mooney (1946: 11, 1946a: 297).

[25] *Fada coróin Saxan i mbrón*, féach thuas lch 307 n. 14.

[26] *Do fearadh a flathas tré peaca na prímhfhéinne* (Dáibhí Ó Bruadair), in eagar: DÓB iii:6 §

1; *Cnead agus dochar do ghortaigh mo chéadfa* (Aogán Ó Rathaille), in eagar: AÓR:35 § 239; NLI G 198:276, NLI 477: 226.

[27] *An trua libhse faolchoin an éithigh 's an fhill duibh* (Aogán Ó Rathaille), in eagar: AÓR:28 §§ 13-6.

[28] *Éistigh uaim, a chairde chroí* (Seon Ó hUaithnín), in eagar: Ó hAnluain (1973:37,67). Is í fuascailt na tomhaise: dhá thrí = sé, luch i Laidin = *mus;* i.e. Séamas. Féach thuas lch 353.

[29] *A shéimhfhir ghasta den aicme nár cheasnúil gnaoi* (Eoghan Mac Cárthaigh), in eagar: Ó Foghludha (1938:21 §§ 9-12, 1938b:10 §§ 9-12).

[30] Féach Miller (1973, 1988), Overton (1902), Straka (1962), Goldie (1982).

[31] Féach Kenyon (1974, 1977), Straka (1963, 1972), Erskine-Hill (1979, 1982), Cherry (1950).

[32] 'This was the universal and fixt opinion of the whole body of the Protestants of Ireland, grounded upon the principles and practices of the Irish Papists; the bloody massacre of Forty One was in the thoughts and mouths and looks of them all .... Upon the powerful principle of self-preservation, and that alone, did all the Protestants in this Kingdom unite ...' (Tisdall 1712:14-5). Féach freisin King (1692:338).

[33] Féach King (1691, 1692) agus King (1906: 22-3). Féach freisin Eccleshall (1993).

[34] Féach Leslie (1692, 1695), Leslie (1913), DNB, Clark (1985:220,443), McGuire (1979:149 n. 56).

[35] Is iad na téacsanna bíobalta eile is mó a thaithigh na Seacaibítigh: Pead. 2:13-14, Seanfh. 8:15-16, 24:21; Mth. 22:21, Tít. 3:1.

[36] Féach Fritz (1975), Cruickshanks (1979), McLynn (1981b), Szechi (1984, 1994).

[37] Féach Lenman (1980:30-49), Mackenzie (1973:307-16), Terry (1905).

[38] Féach Prebble (1966), *The massacre of Glencoe...* (1703), Buchan (1933), Hopkins (1986), Lenman (1980:53-4).

[39] Féach Mitchison (1983), Lenman (1980, 1982); féach freisin: 'No man would make himself such a novice in Scotch affairs, as not to be sensible that an Episcopalian in Scotland is a profess'd Jacobite' (Bushnell 1957:49).

[40] Is iad na contaetha a bhí i gceist contae an Chláir, contae na Gaillimhe, contae Mhaigh Eo, contae Chiarraí is contae Chorcaí.

[41] Tuigim gur ghnách le scríobhaithe na Gaeilge 'bliain ár slánaithe' a úsáid mar théarma annálaíoch amháin ach tuigtear dom go bhfuil brí chomhaimseartha pholaitiúil leis anseo.

[42] *A catalogue of proclamations* : 54.

[43] *ibid.* 58.

[44] Féach Fritz (1975), Szechi (1984, 1994), Roberts (1963), Ogg (1955), Holmes (1969), Horn (1967).

[45] O'Rahilly (1912), Risk (1975), Harrison (1988), Flower (1926: 98-100).

[46] BL Eg. 165: 8-64, Eg. 164: 44-104, CUL 40: 45-102. Féach Breatnach (1948) agus Ó Blioscáin (1961).

[47] Petrie (1953), Berwick (1779), O'Callaghan (1870:640), DNB.

[48] Foinsí: BL Eg. 139:82, Eg. 146:28; NLI G135:97.

[49] *Do bhris Mórbleu mo shluasaid* (Seán Ó Neachtain), foinsí: BL Eg. 139:93, NLI G 135:77, RIA 23 Q 2:34.

[50] *Adhbhar gáire d'Inis Fáil* (Cathal Ó hIsleanáin), foinsí: MN M 10:94, NLI G 127:386.

Féach 'An elegy on the death of James, duke of Berwick, who was kill'd one the 11th of April, ... 1706 ... *Alas what dismal news of late affrights* ... A false alarm' (Foxon i:215). D'fhéadfadh, mar sin, gurb é Berwick atá i gceist in 'Mac an Cheannaí' ag Ó Rathaille – an té a fuair bás 'thuas san Spáinn'. Féach thíos n. 61.

51 Foinsí: NLI G 127:428, G 135:157, RIA G IV 1:89.

52 Foinsí: RIA 23 D 1:26, 24 C 44:9; NLI G 135:96.

53 *Tá na dúile ag fearadh díleann* (Seán Ó Neachtain), foinsí: BL Eg. 139:98, G 135:76, RIA 23 Q 2:33; in eagar: DMM:57.

54 *Is trom do chodladh, a Mhuire mhór* (Seán Ó Neachtain), féach thuas n. 51.

55 Foinsí: NLI G 135:65,171; RIA 23 N 5:34, 23 I 1:92, 23 A 45:73, 23 Q 2:21. An *brícleagtha* atá ag Ó Neachtain ar an *bricklayer*, an t-ainm tarcaisniúil a tugadh ar athair Shéamais III á thabhairt le fios nár mhac dlisteanach é; an *brícléir* atá ag Ó Rathaille (AÓR:166). Féach thíos n. 70.

56 *A ansacht 's a shearc gach saoi* (Seán Ó Neachtain), foinsí: NLI G 135:78, RIA 23 N 32:303, 23 Q 2:35, G VI 1:97; in eagar: DMM:60; *An chríoch so ba naofa is ba féile cáil* (*idem*), n. 55; *Slán go marthanach, lán de charthanacht* (*idem*), foinsí: LNI G 135:88, RIA 23 M 46:17; *Tabhair mo bheannacht, a pháipéir* (*idem*), foinsí: NLI G 135:68,74; RIA 23 Q 2:24,31; in eagar: DMM:62, Ó Fiaich (1958); *Mo dhíthse go n-éagad, mo léan is mo chrá* (*idem*), foinsí: NLI G 135:84, RIA 23 Q 2:42, 23 M 46:18.

57 *A ansacht 's a shearc gach saoi* (Seán Ó Neachtain), féach n. 56 thuas.

58 In BL Eg. 139:86-7 amháin atá an sliocht próis sin i láimh Uí Neachtain féin.

59 Féach Lenman (1980:79-90), Tayler (1934), Terry (1922), Petrie (1959:150-72).

60 Lenman (1980:89).

61 Ní furasta an té anaithnid seo a fuair bás 'thuas san Spáinn', a ainmniú. Ní móide an ceart a bheith ag O'Daly (1845:14) ná Ó Tuama (1978: 164,202) a cheap gurbh é rí na Spáinne é. Beirt rí Spáinneach a fuair bás agus Ó Rathaille beo – Séarlas II († 1700) agus Don Luis († 1724) – ach ní raibh baint ná bá ag ceachtar acusan le cúis ná le cúirt na Stíobhartach. Is dóichí ar fad gur duine den triúr seo atá i gceist: Ball Dearg Ó Dónaill a fuair bás sa Spáinn sa bhliain 1704; an Duke of Berwick (mac le Séamas II) a raibh ráfla ina thaobh, nárbh fhíor, á scaipeadh go bhfuair sé bás sa Spáinn sa bhliain 1708, an Cúnta Dónall Ó Mathúna a fuair bás sa Spáinn sa bhliain 1714. Féach Ó Buachalla (1983), Ó Mathúna (1982), Edwards (1991), Ó Cléirigh (1993), thuas n. 50 agus caib. 9 i.

62 Féach Wall (1989:1-60), Connolly (1992:263-313), Cullen (1986), NHI iv:16-21.

63 *A shagairt ná dearbhaigh gan fios do chúise* (Seon Ó hUaithnín), foinse: BL Add. 27946:38, in eagar: O'Grady (1926:692), Ó hAnluain (1973:15); *Fóill, a shagairt, ná dearbhaigh gan fios do chúise*, foinse: MN M 9:223; *Ná creid an chliar so leigeas rian le dearbhú anois* (Seon Ó hUaithnín), in eagar: Ó hAnluain (1973:4).

64 *Dhá fhear déag agus píobaire* (Seán Ó Neachtain), foinsí: NLI G 135:67,170; RIA 23 N 5:32, G VI 1:18, 23 Q 2:23; BL Eg. 133:4; *An trua libhse faolchoin an éithigh 's an fhill duibh* (Aogán Ó Rathaille), in eagar: AÓR:28 § 8; *Mo scíos, mo lagar, mo scairteacha im chlí breoite* (Uilliam Ó Dálaigh), foinsí: RIA 23 C 8:127, 23 G 20:76. Féach freisin: *Meilt bratha don Mhuileann Gearr* (BL Eg. 133:1), *When learned authors hold it safe to swear* (Burke 1914:464; Breathnach 1937a), n. 65.

65 *A shaoi is a shagairt tá ag seasamh go síorchróga* (Aodh Buí Mac Cruitín), foinsí: RIA 23 G 20:76, 23 C 8:127, 23 C 33:103. Mar le rann Uí Dhálaigh, féach n. 64.

66 *Tá an bhliain ag teacht le calmthráth chugainn* (Conchúr Ó Briain), in eagar: Ó Foghludha (1938a:9 §§ 5-8). Freagra é an dán sin ar rann a scríobh an tAth. Muiris Ó hEichiarainn (*A Dhia na bhfeart, fuair peannaid páis is broid*) ar an ábhar céanna; in eagar: Ó Foghludha (1938a:9).

[67] Féach Kenyon (1974, 1977), Clark (1985:42-118).

[68] Maidir le Dryden is a shaothar, féach Myers (1973), Cameron (1972), Erskine-Hill (1971, 1982), Bredvold (1956), Roper (1965).

[69] Myers (1973:139), Erskine-Hill (1982:53). Sa Beinecke Rare Book and Manuscript Library (Osborn Shelves b 111:80) in Yale University Library tá cóip den dán seo, gan ainm údair leis, 'May Day' mar theideal air agus ceithre véarsa ann. B'fhéidir gur bailéad dí-ainm atá ann ó cheart a leagadh ar Dryden nó a bhí mar bhunfhoinse aige.

[70] *An trua libhse faolchoin an éithigh 's an fhill duibh* (Aogán Ó Rathaille), in eagar: AÓR:28 §§ 9-12. Sa dá LS a bhfaightear an dán (RIA 23 G 236, 23 M 11:197), mínítear an *brícléir* mar seo: '.i. Prionsa Séamas mac don dara Séamas bhí iomráite ina mhac tabhartha ag an mbricléir'.

[71] Féach Kenyon (1970:186-207), Gregg (1972, 1980), Clark (1985:129-33).

[72] Féach go háirithe *Manifeste touchants les droits du roi Jacques* III (RA SP:3/98), paimfléad a scaipeadh ar fud na hEorpa i dteangacha difriúla (Chapman 1983:28-9).

[73] Lenman (1980:112), Clark (1985:130), Gregg (1972).

[74] Féach Holmes (1973, 1976), Ewald (1956:57), Bennett (1975:98-118), *The tryall ...*, *Dublin Intelligence.* 4 March, 14 March, 1 April, 4 April 1710; *The Flying Post.* 4 August 1710, NLI 477:1401-8.

[75] Féach Dickson (1987:59-63), Burns (1989:21-8), Cullen (1981:198), Hayton (1975), NHI iv:1-30.

[76] *Some pious resolutions ...*, *A true account of the riot ...*; *Sir Will Fowne's ...*; féach freisin Dickson (1987:59), Cullen (1981:198), NHI iv:29, *A long history* :26.

[77] Froude (1872 i:408-12), Connolly (1985).

[78] Féach Berkeley (1712:i-ii), Berman (1986:310), McDowell (1982:32), Gilbert (1861 ii:42-3).

[79] Huddleston (1814:20). Féach freisin McDowell (1982:32) agus DNB.

[80] Féach *A catalogue of proclamations.* 58, *A poem occasion'd by the city of Dublin's repairing the statue of William IIId ...* (Foxon i:595), *A poem on the late King William ... occasion'd by the defacing and breaking some part of his statue 1710* (*ibid.* 600), McDowell (1982:32-6).

Caibidil 6

[1] Foinsí: NLI G 135:89, RIA 23 A 45:72. Mar atá léirithe cheana ag Risk (1951), is féidir na focail sin – agus mórán focal eile san amhrán – a mhíniú ar dhá shlí: *fáilte* 'welcome' / *fál te* 'hot wall', *andúil* 'monster' / *an-dúil* 'very fond', *anfhlaith* 'tyrant' / *an-fhlaith* 'a great Prince', *neamhchumtha* 'mis-shapen' / *neamh-chumtha* 'heavenly', *sláinte* 'health' / *slán te* 'a hot farewell', etc.

[2] Féach Tracy (1953) agus Savage (eag. Tracy 1962).

[3] Féach Roberts (1963:9), Monod (1989:57); 'The horns of cuckoldry featured prominently ... and that vegetable was frequently linked with the Hanoverian family' (Chapman 1983:279). 'The turnip was the symbol of his mediocrity ... The other side of George's sex life was his cuckoldry ... (Monod 1989:58-9). Féach freisin Rogers (1982:79). Le feamaineach, gan amhras, a shamhlaítear *feam* de ghnáth (DIL s.v. *fem*). Mar a mheabhraigh L.P. Ó Murchú agus R. Ó hUrdail araon dom, tá brí eile freisin – an ball fearga – le *feam*. Féach, mar shampla, 'feamaire fann is feam gan féile' in *Cúirt an mheon-oíche*, eag. Ó Murchú (1982: § 756). Tá an tagairt don *adharcach* aithinte ag Mac Craith (1994) freisin.

[4] *Fada coróin Saxan i mbrón*, féach thíos n. 14.

[5] Féach, faoi seach: SP 63:374/37, *The Dublin Intelligence*: 28 January 1715, SP 63:373/56, 374/43, 451, 148; 375/51; McDowell (1982:35), SP 63: 372/111, 109; *Dublin Gazette*: 20-23 September 1712, PRONI D10 4/5/3:45-51; SP 63: 372/47.

[6] Féach Thomas (1962), Thompson (1975), Rogers (1978, 1982, 1988), Lenman (1980:115), Cruickshanks (1985), Petrie (1959:210-3), Monod (1989:161-266).

[7] Féach Rogers (1982:71-84, 1988:127-32).

[8] Féach Holmes (1969), Plumb (1967), Lenman (1980:107-25), Fritz (1975).

[9] Féach Gregg (1982), Lenman (1980:318), Tayler (1936:183-98), Petrie (1959:495), DNB.

[10] Féach Tayler (1934, 1936), Petrie (1959:236-65), Lenman (1980:126-54), Ó Baoill (1972:130-55), Szechi (1994: 73-84).

[11] Diarmaid Ó Súilleabháin, in eagar: Ó Foghludha (1938:24); faightear an dán faoi dhá líne tosaigh sna LSS: *Beidh radharc súl nach tinn liom gan sos in Éirinn / Tá an réilteann go gléineach le feartaibh Íosa.*

[12] Féach an dán *Trí coróna i gcairt Shéamais* (Fearghal Óg Mac an Bhaird), thuas lch 5. Sa liosta a leanann fágtar Séamas II ar lár sna LSS.

[13] *A Chreagáin uaibhrigh fána mbíodh sluaite d'uaisle ríoraí* (Raghnall Dall Mac Dónaill), foinsí: RIA 23 B 18:30, 24 L 31:69; MN Donn. 1:63, in eagar Murray (1940:56), DCCU:8; féach freisin *An tUltach* Feabhra 1928:8.

[14] Foinsí: NLI G 411:30, G 127:529; RIA 23 Q 3:156, BL Eg. 49:167; tá leagan Béarla (*Long is the crown of England in sorrow*) in RIA 24 E 26:47.

[15] Leagtar an dán freisin ar an Athair Conchúr Ó Briain; foinsí: RIA 23 G 20:225, 23 C 8:126; MN M 12:62; in eagar: Ó Foghludha (1938:23, 1938a:20).

[16] Foinsí: RIA A iv 2:76, 24 A 6:367, 23 I 26:98; féach Ó Foghludha (1938a:21).

[17] Foinsí: RIA 23 I 26:98, A iv 2:76; in eagar: Ó Foghludha (1938a:21).

[18] Foinsí: RIA 23 I 26:99, A iv 2:77.

[19] Leagtar an dán ar Dhónall Ó Murchú i LSS áirithe (RIA 23 K 51:8, 23 E 15:215); in eagar: Ó Foghludha (1938a:22). Maidir leis an cheannscríbhinn, féach MN M 58a:39 (a scríobh Piaras Mac Gearailt) agus RIA 23 C 8:20.

[20] Féach White (1905 ii:184, iv:281); táim buíoch den Dr Diarmaid Ó Murchadha as an tagairt sin.

[21] Féach Tenison (1895:176), DNB, Burns (1989:21-8), Hayton (1975). Mar le tagairtí eile do Brodrick i bhfilíocht na Gaeilge, féach *Tá an Low Church gan ceo anois ó malartaíodh é* (Dónall na Buile, feach thuas lch 652 n. 85); *Mo theastas ar an leabhar so na laoithe lán* (Conchúr Ó Briain, in eagar: PB:2339), *Ar mbeith sealad domhsa in aicis mhór cois taoide* (Aindrias Mac Cruitín, thuas lch 323). Féach thuas lch 362.

[22] In eagar: Ó Foghludha (1938:6), O'Grady (1926:552-4).

[23] *Is léan le n-aithris, dá ndealbhadh éigse duain* (Aodh Buí Mac Cruitín), foinsí: BL Sloane 3154:44, Add. 31877:53; RIA 23 L 13:57, 12 E 22:144.

[24] Féach Ó Mainnín (1961), Morley (1992, 1993, 1995), O'Rahilly (1925:8), Mac Curtin (1717, 1728), Ó Beaglaoich (1732); siod iad na LSS dá chuid atá fós ar marthain: RIA 23 L 25 (1701), C iv 1 (1713); MN M 107 (1712), M 86 b (1714), C 57, C 67, C 68 e; NLI 22 486 (1739), 560 (1739).

[25] Foinsí: MN R 69:462, R 97:276, C 15:134; RIA 12 F 7:318, 23 A 13:5, 23 N 32:93; in eagar: O'Rahilly (1925:10).

[26] Féach NHI iv:394, Dickson (1987:35,37,53), Tenison (1895:277), DNB.

[27] Féach Gilbert (1861 iii:313), Ó Cuív (1948), Morley (1992, 1995). Más de bharr a leabhair a príosúnaíodh é, fágann sin gur i ndiaidh 1717 a tharla sé. B'fhéidir gur choir eile ar fad ba chúis leis – amhras an tSeacaibíteachais, b'fhéidir.

[28] Foinsí: RIA 23 K 20:80, 23 H 25:9. Féach O'Rahilly (1925:7). Féach freisin an t-amhrán (*A aoire chliste ghloin d'fhoireann an rífháidh mhóir*) a scríobh sé 'Ar mbeith do Aodh Buidhe Mhic Curtain a néigin 7 a namhuid luighe go trom air scríobhann go Sir Donnchadh Ó Briain an dá rann abhráin so nar ndiaigh ag rádh' (RIA 24 P 41:306). Féach thuas lch 355.

[29] Mar shampla, Colonel Thomas Butler, Captain Terlagh O Brien, Major Charles Mac Carty, Colonel Manus O Donnell, Colonel Thomas Dillon, Captain Henry Mac Donogh, Colonel Daniel Magenis, Colonel Robert Nugent, Captain Teig Mac Namara. Féach McCurtin (1717: xvii-xx).

[30] *A dháimh le ndéantar dréachta sníofa* (Aodh Buí Mac Cruitín), thíos n. 32.

[31] MN M 86b:244, O'Sullivan (1945), Ó Cuív (1948), Killeen (1983). Tá an-chosúlacht, ó thaobh friotail is stíle, idir an dán seo agus *A ghearráin ler chailleas mo shearc*, a leagtar ar Aodh Mac Gabhráin i LSS áirithe (ND ii:11) agus freisin idir é agus *A uaisle Éireann, searc mo choim* le Seán Ó Neachtain. Níl sé as an cheist gurbh é an t-údar céanna a chum iad uile ach, gan amhras, bhain Mac Cruitín, Mac Gabhráin is Ó Neachtain leis an ngrúpa liteartha céanna is mhíneodh sin freisin an chosúlacht. Bíodh go leagtar an dán seo ar Chathal Ó Luinín i bhfoinse amháin (O'Sullivan 1945), is dóichí gur mar mhagadh a rinneadh sin. Ní mór an meas a bhí ag an aos léinn ar Ó Luinín (Harrison 1988:29, Williams 1986:114, Greene 1948) agus b'fhéidir go raibh cúis mhaith acu: san 'Account of Secret Service Money' don bhliain 1719 luaitear 'Charles Linegar' i measc na ndaoine ar tugadh íocaíocht dóibh (PRONI D10 4/5/3:71).

[32] Is iad na dánta a bhfuil na sleachta sin tógtha astu: *A Bhanba, is feasach dom do scéala* (Aodh Buí Mac Cruitín), foinsí: RIA 23 L 31:24, 24 L 7:166, 24 L 14:196; MN M 12, 78, C 5a:30, B 14:vi, MN R 69:292, R 70:486; NLI G 314:31, G 443:1, G 182:125; *A dháimh le ndéantar dréachta sníofa (idem)*, foinsí: NLI G 296:18, RIA 23 N 12:41, 23 G 20:166; MN M 7:387; *Dá ndearbhadh bean go bhfanfadh sí go bráth (idem)*, foinsí: RIA 23 B 37:19, F iii 2:137, 23 C 21:266; MN M 26:234, M 94:85.

[33] Féach faoi seach: RIA C iv 1:124, NLI 22 488; *Scéal do chuala do bhuair Éire* (Aodh Buí Mac Cruitín), foinse: NLI G 296:15; *A dháimh le ndéantar dréachta sníofa (idem)*, féach n. 32 thuas; *Is adhbhar do thuras, a Thaidhg (idem)*, in eagar: O'Rahilly (1925:11); *Do laghdaigh clú úrchlainne Táil go fras (idem)*, foinsí: RIA 23 G 20:180, 23 B 25:84, 23 G 21:357; MN M 6:65, M 12:350; *A óig do fuineadh as cuisle na mearlaoch gcruaidh (idem)*, foinsí: RIA E iv 3:18; MN M 86:237.

[34] S. atá sa chóip is sine (BL Sloane 3154) a scríobhadh sa bhliain 1715; *Séarlas* sna cóipeanna eile.

[35] *A Shéarlais/a Shéamais* atá sna LSS.

[36] Féach, faoi seach: *Gráin mharbh ort, a Bhanba, na mbuí-ndlaoi ndual* (Aodh Buí Mac Cruitín), RIA 23 L 31:85, 23 C 8:84, 24 B 9:198; NLI G 314:287; MN C 46:42, C 72:17, M 12:302, R 69:463, NLI G 158:1; *A Bhanba, is feasach dom do scéala (idem)*, féach thuas n. 32; *Is léan le n-aithris dá ndealbhadh éigse duain (idem)*, féach thuas n. 23; *A úirmhic na cruinne, ós tú chruthaigh sinne (idem)*, foinsí: RIA 24 L 12:245, 24 B 11:182; 23 N 9:72, 24 I 9:125; NLI G 314:321; TCD 1423:64.

[37] Ina measc 'Randall MacDonald, Earl of Antrim, Richard Viscount Dillon, Peter Plunkett, Earl of Fingall, Colonel Daniel Magenis, Colonel Robert Nugent, Edward Rice, Thomas Nugent, Earl of Westmeath, Col. Thomas Butler'. Féach *The Flying Post*: 15 April 1708, *The Dublin Intelligence*: 28 January 1715, McCurtin (1717: xvii-xx), Morley (1992, 1995).

[38] *A úirmhic na cruinne, ós tú chruthaigh sinne* (Aodh Buí Mac Cruitín), féach thuas n. 36;

Do chonnarc aréir ré ghlan san aird aniar (idem), foinsí: RIA 23 M 51:39, 23 L 35:12, 23 C 8:125; 23 D 42:85; NLI G 193:202, MN M 12:77, BL Add. 18946:135; *A shaoi is a shagairt, tá ag seasamh go síorchróga (idem)*, thuas lch 280 n. 65.

39 Féach Horn (1967), Fritz (1975), Lenman (1980:180-204), Szechi (1994).

40 *An t-éag togarthach taomghonaideach nár fhéach do neach* (Seán Clárach Mac Dónaill), in eagar: Ó Foghludha (1934:14), O'Grady (1926:562).

41 Foinsí: RIA 12 E 22:69, 23 G 21:452, MN M 4:345.

42 *Ní dúirt le neach dem mhuintir go mairfe an tsíth seo buan*, foinse: BL Sloane 3154:55.

43 Féach *Do chonnarc aréir ré ghlan san aird aniar* (Aodh Buí Mac Cruitín), agus *Is briathra leamha ar ollbhaois do ghlórmhaíomh, scoir ded phlás* (Liam Rua Mac Coitir); féach thuas n. 38 agus lch 560, n.51. Féach freisin Fritz (1975:41), Petrie (1959:286-7).

44 Féach Fritz (1975:18-55), Lenman (1980:186-96), Petrie (1959:221,288), HMC Stuart 2:477, 3:481; Smith (1982), Szechi (1994:107-11).

45 Féach O'Callaghan (1870:291-2,318-20), Petrie (1959:292-3). Na hainmneacha céanna – James Edward Francis – a bhí ar an Sáirséalach agus ar Shéamas III.

46 *Is é Brian Ó Ceallaigh an tréanfhear* (Pádraig Mac A Liondain), in eagar: Mag Uidhir (1977:4); *Cois leasa is mé go huaigneach do chuala corraí* (Conchúr Ó Briain), foinse: MN M 6:136; in eagar: Ó Foghludha (1938a:2).

47 *Oíche an aonaigh d'éis mo fhliuchta* (Seán Clárach Mac Dónaill), foinsí: RIA 24 L 2:90, 12 E 22:127, MN T 52:9; in eagar: Ó Foghludha (1934:28), O'Rahilly (1912a).

48 *Is tuirseach fá dhaorsmacht péine i bhfad sinn* (Seán Ó Tuama), *A chuisle na héigse éirigh suas* (Seán Ó Tuama/Seán Clárach Mac Dónaill), in eagar: ÉM: 27, 38.

49 *Ar thulaigh im aonar ag déanamh cumha 's me im spreas* (Seán Clárach Mac Dónaill/Eoghan Mac Cárthaigh/Seán Ó Tuama), in eagar: SMD: 4.

50 *Ar mbeith sealad domhsa in aicis mhór cois taoide* (Aindrias Mac Cruitín); foinsí: RIA 23 C 8:89, 23 N 12:29, 24 M 4:81; MN M 10:240, M 12:353; in eagar: O'Rahilly (1924:655-7). 'An Leon' = an Bhreatain, 'Ailbiorón' = an cairdinéal Alberoni, 'An Scíteach' = an t-iarla George Keith, is dócha, a bhí ina ionadaí ag Séamas i gcúirt na Spáinne agus ina cheann ar an bhfórsa sluaíochta a cuireadh go hAlbain sa bhliain 1719.

51 Foinsí: RIA 23 B 8:238, 24 L 12:451; leagtar an t-amhrán ar Liam Dall Ó hIfearnáin in L ach toisc an tagairt don Diúc ní móide gurbh é a chum; glacann scríobhaí L leis gurbh é an Duke of Ormond atá i gceist. Féach O'Daly (1850:137), Ó Foghludha (1939:2). Féach freisin Fritz (1975:56), O'Callaghan (1870:319).

52 Féach Petrie (1959: 285-303), Lenman (1980:189-95), Fritz (1975:41-66), Tayler (1936), O'Callaghan (1870:319).

53 Foinsí: RIA 23 B 38:11, 23 L 38:38, 23 M 8:175, 23 M 11:169.

54 Féach Petrie (1959:415), *Manifesto touchant les droits du Roi Jacques III* (RA SP 3:98), Rogers (1982, 1988), Monod (1989:399), Skeet (1930:10).

55 *Mo léansa an galar so shearg mé i sírghéibheann* (Séamas Mac Coitir), féach lch 564 n. 63.

56 Aon fhocal amháin go bunúsach iad *Stuart* (< *Stewart*) agus *Steward* (> *Stuart/Stewart*); féach OED *s.v.*

57 Tá na sleachta sin tógtha as na hamhráin seo: *Araoir im aisling is mé ag machnamh im intinn* (Muiris Ó Gríofa), foinse: MN M 5:127; *A Thaidhg, a Sheáin, Diarmaid thráth* foinse: NLI G 135:16 (féach thuas lgh 390, 435).

58 RA SP 46:120, 51:33.

59 Féach Lenman (1980:180-204), Cruickshanks (1988:92-106), Sedgwick (1970:65), Fritz (1975: 102), Bennett (1975), Cremer (1948), *An historical narrative* ... .

60 Féach Fritz (1975:72, 175), C. O'Kelly (xvii-xix); Howell xvi.

61 *A faithful register.* 325, *True copies:* 47, 62; Szechi (1988:61-2). Féach freisin Sharpe (1985).

62 Fritz (1975), Sedgwick (1970:65), Youngson (1985:163), Lenman (1980:180-230).

63 Thomas of Erceldoune nó mar a thugtaí coitianta air 'Thomas the Rymer', pearsa a mhair, de dhealramh, i dtús an tríú haois déag a raibh cáil fhorleathan i Sasana is in Albain air mar thairngire. Féach BG:283, BSC:153, Murray (1875), Thomas (1971:842).

64 Féach Hay (1975), Thompson (1975:68, 198, 216), Broad (1988), Cruickshanks (1985), Vaughan (1920), Jenkins (1979), F. Jones (1967), Monod (1989).

65 *Tá mo chóraid gan fothain,* foinse: BL Eg. 158:139. Leagtar leagan eile den amhrán, i bhfoinsí áirithe, ar Sheán Clárach Mac Dónaill (féach SMD:5). Féach freisin *ag díbirt fiaphoc óna hallaí* (SMD:3 § 60), thuas lch 645 n. 75.

Caibidil 7

1 *Beidh radharc súl nach tinn liom gan sos in Éirinn* (Diarmaid Ó Súilleabháin), in eagar: Ó Foghludha (1938:24 §§ 9-12, 37-40); *Is dubhach liom an smúit seo ar Ghaeil* (Piaras Mac Gearailt), foinse: MN M 58:30; in eagar: Ó Foghludha (1905:13 §§ 457-60).

2 Féach SP 63:388/111, 378/135, 137, 141; Lenman (1980:107), *Quarters of the army ...* (1733, 1734); NHI iv: 82.

3 *A chlanna Gael, fáiscidh bhur lámha le chéile* (Uilliam Mac Cairteáin), foinsí: RIA 23 C 8:366, 23 N 14:148, 23 M 5:31, 24 B 27:179.

4 Féach, mar shampla: 'Early notice should be given ... to those in Ireland that they make what diversion they can' (HMC Stuart 1:522), 'Though they judge it proper ... that the peole there should rise to make a diversion' (*ibid.* 4:57), 'Experience shows that the want of a diversion in Ireland much contributed to the success of the King's affairs in Scotland' (*ibid.* 6:406), 'I must say however that a diversion with Ireland would be of great and good consequence' (*ibid.* 7:87); HMC Stuart 4:71-2, 6:xxv, 406. Féach freisin O'Callaghan (1870:319).

5 Féach Dickson (1987:73), O'Callaghan (1870:160-4, 295-8); Monod (1989:107-11).

6 Féach: 'Traitors were drawn on a hurdle to the place of execution. They were hung for a few minutes only before being cut down, alive but choking, to be castrated and disembowelled. Ideally they were to see their entrails burned before their eyes before being hacked into the several pieces which were subsequently displayed publicly for the terror of others. A 'gracious' sovereign might remit parts of the sentence, but the whole penalty was always available and not infrequently enforced' (Lenman 1980:108).

7 Féach PRONI D104/5/3:75; 'On Tuesday last 21 persons received sentence at Kilmainham to be drawn, hang'd and quarter'd for listing and being inlisted in the Pretender's service' (*Dublin Gazette:* 6-10 July 1714). Féach freisin SP 63:373/6, 30-34, 156; 376/35, 383/133, 384/36, 387/194, 403/61; PRONI D104/5/3:85; Ó Buachalla (1993c).

8 Féach E. O'Byrne (1981:171), mar a bhfuil trácht ar 'Charles McCarthy, gent' a d'iompaigh ina Phrotastúnach ar an 20 Iúil 1718. Féach thíos n. 16 freisin.

9 Tá an tuairisc iomlán curtha in eagar cheana in Ó Buachalla (1993c); tá an bhunchóip in PRONI D104/5/3:86.

10 Féach an líne *breaba á lua gach Luan ag briseadh mo chroí* sa dán 'Buachaill Ristín Rís'. Féach thuas lch 351 n. 31.

11 Féach an caoineadh a chum Ó Rathaille ar mhac an té seo ('The Knight of Glin'), *Créad é an tlacht so ar cheannaibh Éireann?*; in eagar: AÓR:26; mar le dánta eile ar bhaill eile den teaghlach, féach Gaughan (1978).

[12] Is fíor go raibh plota ar bun i Sasana ag an am Seoirse a mharú, plota a raibh baint éigin ag Éireannaigh leis; féach Lenman (1980:196-204), Fritz (1975:71-80). San fhianaise a thug Derby Ryan uaidh (thuas lch 340), luann sé an plota seo freisin agus ceanglaíonn sé Vailintín Brún is uaisle eile leis: 'And that to the number of sixty persons ... have all of them appointed to go to London on the 29th of September instant in order to assassinate the King after some private manner and they are to receive a gratuity of twice as much as is offered for taking the Pretender, if they effect the killing King George and this informant is credibly told that the money is secured to them by obligations from Valentine Brown, commonly called Lord Kenmare, the Lord Viscount Donboyne, the Lord Baron of Cahir and several other Papist Lords' (PRONI D104/5/3:86).

[13] Iarla Chinn Mara (Kenmare) atá i gceist, is é sin Vailintín Brún. Féach thuas n. 12.

[14] *Cois leasa is mé go huaigneach do chuala corraí* (Conchúr Ó Briain), in eagar: Ó Foghludha (1938a: 2 §§ 5-12); *Fanaidh go n-éisteam a ceathair ar chaogad* (Seán Ó Coinneagáin), foinsí: RIA 23 B 14: 135, 175, 23 B 38: 233; féach freisin O'Daly (1850:168), Bunting (1840:94), D. O'Sullivan (1927:74-5).

[15] Foinsí: RIA 23 H 25: 13, 23 C 8: 82, 23 C 19: 289, 24 A 34: 11; MN M 11: 268; in eagar: O'Rahilly (1925: 8).

[16] Féach Ó Donnchadha (1954:460-62), SMD:13, Ó Conchúir (1982:368); Ó Foghludha (1938), Ó Tuama (1978:176); féach freisin n. 8 thuas.

[17] Rúnscríobh is ea 368 a sheasann do Shéamas II. Féach HMC Stuart 6: lxxv.

[18] *Monuarsa an Chárthfhuil tráite tréithlag*, in eagar: AÓR: 2 §§ 65-8; *An trua libhse faolchoin an éithigh 's an fhill duibh*, in eagar: *ibid.* 28 §§ 13-6.

[19] *Gile na gile do chonnarc ar slí in uaigneas*, in eagar: AÓR: 4 §§ 25-8; *Maidean sul smaoin Titan a chosa do luaill*, in eagar: *ibid.* 5 §§ 9-16; *Ag siúl dom ar bhruíonta na Mumhan mórdtimpeall*, in eagar: *ibid.* 20 §§ 25-6.

[20] *A bháis, do rugais Muircheartach uainn*, in eagar: AÓR: 17 §§ 21-4.

[21] Féach HMC Stuart 1: 550-2, 2: xxxix, 3: 575, 593-9, 4: 576-82, 5: 416, 693; 6: 524, 721, 780; Finch 3: 199-201, 210, 231-3.

[22] Maidir le hEoghan Ó Ruairc, féach de Breffny (1978), *Analecta Hibernica* 8 (1938) 395, Hayes (1949:256), HMC Stuart 1: 589, 2: 594, 3: 637, 4: 615, 5: 731, 6: 777; RA SP 45-246.

[23] Deoise Chill Alla atá i gceist; an Dr Brian Ó Ruairc, a ceapadh ina easpag ar an deoise sa bhliain 1739 (Brady 1876 ii:179), an té atá ag scríobh chuig Eoghan Ó Ruairc; an Dr William Blake a ceapadh ina easpag ar Áth Chonaire sa bhliain 1739 (Brady 1876ii:191) atá i gceist le 'Mr Blake'.

[24] Féach NLI G 167, Ó Tuathail (1941), Ní Shéaghdha (1979:8), Ó Cléirigh (1939), ARÉ vi:2398.

[25] Úsáidtear an téarma céanna i mbailéid Sheacaibíteacha na hAlban. Féach, mar shampla, *It's a health to our landlord, his wife, and his son, sir* (Hogg 1819 ii:46).

[26] *Sé meastar liom ar leagadh túr is áitreabh réacs* (Muiris Ó Gríofa), foinsí: RIA 23 B 14:153; 23 N 12:160.

[27] Féach 'The invasion of Ireland is "the journey" and the doings of the King and his party are veiled under the disguise of business proceedings' (HMC Finch 2:xxi).

[28] Foinsí: RIA 23 C 8:47, 23 E 16:281; MN M 12:276; UCC T 80:10. In C agus M amháin a leagtar ar Ó Rathaille é; *Ruistín* atá sna LSS; in eagar: AÓR:49. Glacann Seán Ó Tuama leis (1978: 184) gurb í Christian Rice atá i gceist, a bhfuil 'a cabhair fear' ag teacht thar farraige. Ach 'a thruipí' atá sa téacs féin (gach cóip) sa tslí gur léir gur fear atá i gceist. Féach thíos n. 31. Maidir le Muilín, Deiní, is Carraic féach Hickson (ii:107-9, 145); JKAHS 4 (1971) 49-50, 63-4.

29 Féach 'Tá sé déanta anois, íocadh Donnchadh nó Doinnín as (Doinnín, Donnchadh beag)';
Ó Floinn (1941:66).

30 Féach Mac Ricín, ó dtáid clann Ricín (O'Donovan 1844:326); Ricin Bairéad (RIA 23 P
2:72vB29). Táim buíoch den Ollamh Tomás Ó Concheanainn as na tagairtí sin.

31 Foinse: RIA 23 G 3:237. Ní luaitear ainm Uí Rathaille leis an dán ach is i LS luath
(1715) agus i measc dánta eile de chuid Uí Rathaille a fhaightear é agus is dóichí gurbh é
a chum. R. do ris (aon uair amháin), Ristird do rís (faoi dhó), agus Ristird do Rís (faoi dhó)
atá sa líne dheireanach de gach véarsa sa dán féin; 'Buachuil Ruistín Rís' atá sa teideal. Ní
miste a mheabhrú go raibh Mr. Rice mar ainm bréige ar an Stíobhartach freisin. Féach
freisin Níl togha fir dínne d'iarrfadh inghean / mhíonla Ristird nó Sheoirse ag Ó hUaithnín (Ó
hAnluain 1973:5 §§ 41-2); Séamas III atá i gceist, is dóichí.

32 Seoirse I atá i gceist.

33 Féach MacPherson (1775 i: 486) agus thuas lch 345. Féach freisin an bailéad polaitiúil
Béarla 'The Merchant a-la-mode' (Foxon i: 455, Wilkins 1860 ii: 136), aoir ar lucht
leanúna na bhFuigeanna; an tagairt seo do Shéamas III: 'and to declare the King the sole
marchant' (HMC Finch 2: 479); agus an ceannaí fionn á thabhairt ar Shéarlas Óg in aisling
a chum Eadbhard de Nógla (Maidin aoibhinn ar bhuíochaint gréine, foinse: MN M 6: 192).

34 San aistriú Gaeilge a rinne Finín Ó Mathúna sa bhliain 1475 ar The Book of John
Maundeville (Stokes 1899), tugann sé athinsint ar scéal iníon Iopragáid agus ar macaemh
ócc cennuige (ibid. § 34) a bhí á tóraíocht; luann Tadhg Dall Ó hUiginn, agus athinsint á
déanamh aige ar an scéal céanna, mac ceannaighe, mac an cheannaighe (TD:1 §§ 23,33), agus
nocht Eleanor Knott an tuairim 'Here we may have the origin of the epithet Merchant's
Son applied to the Pretender by Aodhagán Ó Raithille' (ibid. ii:192). An b'fhéidir sin ag
Knott, tá deimhin déanta de ag scoláirí eile ó shin (Breatnach 1953:323), ach ní fheicim
féin go bhfuil aon bhaint ag Mac an Cheannaí le mac ceannaighe Uí Uiginn. Ní miste a
mheabhrú nach bhfuil bunús dá laghad le ráiteas Uí Thuama (1981:154) 'go dtagraíonn
an teideal sin [Mac an Cheannaí] do sheanscéal Gaeilge mar ar tuigeadh 'slánaitheoir' nó
'fuascailteoir' leis an ainm'.

35 Foinsí: RIA 23 B 38: 10, 23 G 20: 91, 12 E 22: 39, 23 L 35: 27, 20 C 56: 23 D 8: 281, 38,
23 E 15: 1; UCC T6a: 192; Ó Foghludha (1905: 21), Irisleabhar na Gaedhilge 7 (1896-7) 98-
9, Ó hAnluain (1973: 14), RBÉ 53: 343.

36 Foinsí: RIA 23 G 20: 91, 23 N 15: 92, 23 C 26: 65, 23 G 10: 44.

37 Mar mhíniú ar na véarsaí seo a leagtar ar Sheán Ó Tuama in RIA 23 D 8: 282 deirtear
'For each of the four verses above, John Twomy won a bowl of punch wager, from Father
George Brown in the County Limerick, who obliged him to compose the two last of single
aces which were doubled in the two first verses'. De réir RIA 24 C 56: 38 is mar fhreagra
ar véarsa le Diarmaid Ó Súilleabháin a chum Aogán Ó Rathaille a véarsasan.

38 Foinsí: RIA 23 B 38: 10, 23 B 4: 189, 23 D 8: 282.

39 Foinsí: RIA 23 C 56: 38, 23 B 38: 10. Leagtar ar Ó Rathaille é in C; féach AÓR: 48.

40 Foinsí: RIA 23 L 9: 192, 23 B 38: 10, 23 B 4: 189, 23 D 8: 282; féach Ó Foghludha (1952:
41).

41 Foinsí: RIA 23 D 8: 281, 23 L 9: 192, 23 B 38: 10.

42 Foinse: RIA 23 B 38: 10; leagtar ar an Ath. Seán Ó hAodha é.

43 Foinse: RIA 23 B 38: 10; leagtar ar Sheán Ó Tuama é. Féach Ó Foghludha (1952: 41).

44 Féach, mar shampla, Come, cut again, the game's not done (A choice collection: 297), Erskine-
Hill (1979: n. 73, 74); Lord iii: 225-9, Benham (1931), Morley (1931), Goldsmid (1886).

45 Do dearbhadh linn i gCorcaigh cois Laoi (Seán Ó Murchú), in eagar: Ó Donnchadha
(1954:74 §§ 9-12); Cabhair ní ghoirfead go gcuirtear mé i gcruinnchomhrainn (Aogán Ó
Rathaille), in eagar: AÓR:21 § 12; A aoire chliste ghloin d'fhoireann an rífháidh mhóir (Aodh

Buí Mac Cruitín), foinse: RIA 24 P 41:306; *Tógfaidh sí atuirse is brón díbh* nó *An aisling do rinneas ar Mhóirín* (Seán Clárach Mac Dónaill/An tAthair Pádraig Ó Broin), in eagar: SMD:40 §§ 51-60, DMM:107 §§ 51-60.

[46] Féach Rogers (1978, 1982, 1988), Monod (1989: 6-7, 96-107, 125), F. Jones (1967), Jenkins (1979).

[47] *The three B's = The Best Born Briton* (Séamas III).

[48] *Mo ghreadadh go cruaidh mé duairc ag druidim le haois* (Aogán Ó Rathaille), féach thuas n. 31.

[49] *Cois leasa is mé go huaigneach ar uair na maidne im aonar* (Seán Lloyd/Seán Clárach Mac Dónaill/Uilliam Ó Móráin), foinsí: RIA 23 F 18:1, 23 O 26:4, 23 L 5:76, 23 L 28, 140; MN M 6:73, 136; M 11:94, R 69:287, C 18:1.

[50] *Tógaidh bhur gcroí, bídh meidhreach meanmnach* (Seán Ó Tuama/Seán Clárach Mac Dónaill/Seán Lloyd/Tadhg Gaelach Ó Súilleabháin), foinsí: RIA 23 N 9:47, 23 L 35:17; MN M 8:424, R 69:142, C 73 j: 65.

[51] *Irisleabhar na Gaedhilge* 7 (1896-7) 99, Ó Foghludha (1905:21).

[52] Foinsí: RIA 23 O 77:74, 23 E 12:411. Féach DCCU:3. Féach 'The song is the production of the early part of the last century, and is this day sung with *éclat* in Munster, particularly among the 'Boys of Tipperary' in the vicinity of Carrick on Suir' (RIA 23 O 77:74).

[53] Féach *A dháimh le ndéantar dréachta sníofa* (Aodh Buí Mac Cruitín), foinsí: NLI G 296:18, RIA 23 N 12:41, 23 G 20:166; MN M 7:387; *Tá glas ar mo bheol is is cóir dom a réabadh* (Seon Ó hUaithnín), in eagar Ó hAnluain (1973:2 § 10).

[54] Féach McLysaght (1942:132). Féach freisin Wall (1989:1-60), Cullen (1981:193-209), MacNamara (1908), Ó hAnluain (1973:16).

[55] Féach NLI G 353:284, RIA 23 E 12:319, A iv 2:58, 23 O 77:43; *Fochtaim ort, an doiligh leat a Rí na ngrás* (Éamonn de Bhál), foinsí: RIA 23 O 77:43, NLI 711:173, G 353:269; in eagar: Ó Foghludha (1946:21); *Mo dheacairbhroidse, a mharcaigh mhir de phríomhfhuil triath* (Éamonn de Bhál), foinsí: RIA A iv 2:58, 23 E 12:319; in eagar: Ó Foghludha (1946:21 §§ 41-68); *Mór an chreill seo gheibhim do chéas mé* (Liam Rua Mac Coitir), foinsí: NLI 711:176, G 353:249; MN B 11:92, RIA 23 O 77:43, 23 G 24:397; in eagar: Ó Foghludha (1937:7 §§ 353-6).

[56] Féach Ó Cuív (1952, 1959), Hogan & Ó Buachalla (1963), Ó Buachalla (1993a), thuas lgh 309-10.

[57] Féach Cullen (1986, 1992, 1993), Whelan (1988, 1995), Hayton (1975), Burns (1989).

[58] Féach NLI 711: 5, 14, 425. Bhí baint ag Liam Rua Mac Coitir, is cosúil, le ceann de na hiarrachtaí sin (*ibid.* 5). Féach freisin Froude (1872 i: 432).

59 Béaloideas anacrónach é seo mar nár samhlaíodh an lile leis an Oráisteachas go dtí deireadh na haoise. Féach Loftus (1990:28). B'é an rós dearg siombail lucht leanúna Sheoirse an rós bán siombail na Seacaibíteach.

[60] Féach macasamhail na línte is na móitífeanna céanna in 'Caoineadh Airt Uí Laoghaire' (eag. Ó Tuama 1961: §§ 21-33).

[61] Féach JHC 3: 395, 476, 983; 4: 23, 390, 430.

[62] Féach *Some pious resolutions* ... . Féach freisin thuas lch 288 agus Dickson (1987: 59), Cullen (1981: 198), NHI iv:29.

[63] Féach Ó Buachalla (1993a:486). Sa bhliain 1709 scríobh Conchúr Ó Corbáin cóip de *Foras Feasa ar Éirinn* do 'An seabhac uasal Séamus Óg Mac Coitir' (CUL Add. 4181:198).

64 Is iad na leabhair a bhí i gceist, is dóichí, D. Jones, *The life of James II, late King of England* (London, 1703) nó *An impartial account of the life and actions of James the Second* ... (Dublin,

1701); G. Miege, *The present state of Great Britain and Ireland* ... (London, 1718); G. Harbin, *The hereditary right of the Crown of England asserted* (London, 1713); *The tryall of Dr. Henry Sacheverell, before the house of peers, for high crimes and misdeamors* ... (London, 1710).

[65] Féach MN M 9:343, RIA A iv 2:57, BL Eg. 158:63, RIA 4 A 46:223, NLI G 353:278, 269; RIA 23 E 12:318, 314, 319, 320; NLI 711:176, 175, RIA 23 N 11:82, faoi seach. Níl luaite ansin agam ach cóip amháin de gach dán agus file amháin de na filí difriúla a leagtar na tuirimh dhifriúla orthu; ní luaim na véarsaí aonair a cumadh air. Féach freisin Ó Foghludha (1937:7, 1946:21,37), Ua Duinnín (1902a:15,16).

[66] *Do tolladh mé trém aeibhse 's do goineadh mé im scairt* (Seán Clárach Mac Dónaill), foinsí: RIA A iv 2: 56, 23 E 12:317, MN M 10: 63, 116, M 12:172; NLI G 353: 278, 711:172. Féach Ua Duinnín (1902a:15).

[67] Leagtar an tuireamh seo ar Éamonn de Bhál, Phiaras Mac Gearailt, Sheán Clárach Mac Dónaill; foinsí: RIA 23 M 14:180, 23 O 77:45, 24 P 29:57; MN B 11:107, NLI G 353:274, 711:175. Féach Ó Foghludha (1946:37), Ua Duinnín (1902a:16).

[68] *Aisling do chuala ar maidin do bhuair mé,* 'Tuireamh do rín a bhanaltra do Sir Séamus Mac Coitir' (MN M 9:343).

[69] Tá na sleachta sin tógtha as na tuirimh atá luaite thuas (n. 65). Féach go háirithe RIA A iv 2:55, Ó Foghludha (1937:7 §§ 24,28,92,100,113-16; 1946:21 §§ 4,14,44,82-4).

[70] Féach RIA A iv 2, 12 E 24, 23 I 26, 24 P 29, 24 C 43, 23 E 12; TCD H.4.24, MN M 10; NLI 711, G 353.

[71] Féach NLI G 198: 1,551; Ní Chléirigh (eag. 1944).

[72] I liosta oifigiúil de 'Popish Schools' sa bhliain 1731 tá an cuntas seo: 'Parish of St. Catherins in Thomas Court. In Earl Street kept by Thaddeus Norton' (*Archivium Hibernicum* 4, 1915, 148). I lámhscríbhinn a scríobh Tadhg féin (RIA 23 G 8: 124) tá 'Agreement dated 15th. August 1709, between Richard Poole, Earl St. and Thadhg Naughton as to the letting (on a seven years lease) of four street rooms in his house at Earl Street viz. a cellar, a low room, a middle room and a garrett'. An cíos bliantúil a bhí ar na seomraí, £6-7-6 (féach freisin RIA 23 G 8: 123). I ndán a scríobh Tadhg (*Seacht gcéad déag fiche 's a hocht*) ar imeacht a mhic Peadar chun na Spáinne ina ábhar sagairt deir sé gurbh é féin a mhúin idir cheol is scríobh na Gaeilge dó (*Éigse* 1, 1939, 110).

[73] Cóip de *Foras Feasa ar Éirinn* an lámhscríbhinn is luaithe (1704-6) dá chuid atá ar marthain (NLI G 192); 1752 an dáta is déanaí atá in aon lámhscríbhinn dá chuid (NLI G 135: 186). Bhí sé breis agus ceithre scór ansin. Níl dáta a bháis againn ach sa bhliain 1671 a saolaíodh é. Phós sé faoi cheathair (féach BL Eg. 198: 2).

[74] Féach go háirithe NLI G 132, G 135; RIA 24 P 41, TCD 1361.

[75] Ar na nuachtáin is luaithe a foilsíodh sna bailte sin bhí *Cork Intelligence* (1717), *The Cork News-Letter* (1723), *The Limerick News Letter* (1716), *The Limerick Journal* (1739), *The Belfast News-Letter* (1737), *The Waterford Flying Post* (1729), *The Waterford News-Letter* (1741). Féach Munter (1960, 1967).

[76] 'The main purpose of the Irish newspaper, until well into the 1720's was to furnish its narrow field of readers with the latest news of political happenings, not in Ireland, but in England and on the Continent .... Politics became important only when they dealt with foreign wars, religious questions, the Pretender and the throne .... *The Limerick News Letter* of 1716 was made up of the usual packet collections – brief excerpts on the aftermath of the 'Fifteen', the pursuit of the rebels, Continental wars and rumours of wars – and only two lines on local affairs' (Munter 1967: 116, 136).

[77] Féach de Breffny (1978:90), *Sceol beag do fríoth linn i nóchtain na hAoine* (Tadhg an Tarta), foinse: RIA 3 B 38:252.

[78] Féach 'The poet takes up a newspaper and reads an account of the state of the great European war, 1740-1748, and translates his views on it into song. He evidently followed

the campaign with interest ...' Ua Duinnín (1902a: 66); 'a poetic translation of part of a news-paper in the year 1744. Seághan (Clárach) Mac Dómhnaill cct' (RIA 23 D 8: 277); 'News Letter Chsheádhain Chláraigh', (RIA 23 B 38: 214). Is é an t-amhrán atá i gceist *Éistidh lem ghlórtha, a mhórshliocht Mhiléisius,* in eagar: SMD: 6. Féach thíos n. 113.

[79] Féach Ó Donnchadha (1954: viii), Ó Conchúir (1982: 170).

[80] Féach go háirithe RIA 24 P 41: 74, 207, 221, 229; NLI G 132: 25.

[81] Is eisean, mar shampla, a d'fhoilsigh saothar Swift. Faoi thríochaidí na haoise bhí 'the Prince of Irish Printers' á thabhairt air agus cúisíodh go minic é as ábhar tréasach a fhoilsiú. Féach Munter (1967: 160, 212).

[82] Féach NLI G 132: 33, 102; G 135: 8, 9, 20, 30, 138, 169; TCD 1361: 122, 521; RIA 24 P 41: 201-20, 222-4; KIL 20: 177.

[83] Chum Tadhg féin dán Gaeilge ar mheath na bprátaí (*Má bhí brón romhór gan teimheall* NLI G 135: 24) atá pléite ag Buttimer (1990: 86-88). Tugann sé dhá dhán eile chomh maith ar ainnise na mblianta sin: *Fó liag sheaca i ngéibheann tá* (NLI G135: 27), agus *While the fierce winter rages all around* (*ibid.* 23). Deir sé gur file anaithnid Béarla (an file Gallda) a chum *While the fierce ...* ach ní luann aon údar le *Fó liag sheaca ...* Is dóichí gurbh é féin a chum. Féach freisin an tagairt ag Pilib Ua (Mhac) Giobúin (Philip Gibbon, Cilhaigil, Co.Wexford), sa bhliain 1740, do 'bliaghuin an ocrais déis a tseaca agus a tsneachta mhóir' (RIA 23 D 8:30).

[84] Tá roinnt tagairtí ag Ó Neachtain don té sin agus dá charthanacht. Féach NLI G 198: 301, G 135: 30; RIA 24 P 41 c:131.

[85] *Baois i ndrúis gan ghean gan ghrá* (NLI G 135: 93). Tugann sé dhá dhán eile ar easaontas na nGael i gcogadh Cromwell ach ní deir gurbh é féin a chum iad: *Mo mhallacht ar Éire nach gcumnann re chéile, Tá mo dhís macaibh nach gabhann re chéile* (BL Eg. 146: 108; NLI G 135: 15).

[86] *Uaisleacht ag iarradh gean is grádh* (KIL 20: 116).

[87] 'Guilds' Bhaile Átha Cliath atá i gceist aige. Tá tagairt eile aige dóibh in NLI G 132: 118.

[88] *A Ghaeil dhil, Dia do bheatha* (NLI G 132: 108).

[89] Tá leagan eile aige in BL. Eg. 146: 25 ('Ar bás 7 crochadh in Trialluigh Sagart-gabhalach'). Leagtar an rann, chomh maith, ar Aogán Ó Rathaille (AÓR:43) agus ar fhilí eile (NLI G 127: 525). Maidir leis an Tiriallach, féach Burke (1914: 223-373), agus: 'This day Terrel, the famous priestcatcher, who was condemned this term for having several wives, was executed ... A man called Edward Tyrrell ... and goes by several other names; he is a lusty man, well set and made, with the sign of the smallpox on his face, hollow-ey'd, bigg-mouth'd, round nos'd, thick-legg'd, burnt in the left hand last term and mar'd. He hath a black suit of English cloath and speaks but indifferent English ...' (Munter 1967: 118).

[90] An leagan Gaeilge, a chuir sé féin, ar an Pretender. San fhoclóir Gaeilge/Béarla a chuir sé le chéile míníonn mar seo é: 'Tagarach: A pretender or claimer to ...' (TCD 1361:492).

[91] Féach RIA 24 P 41, NLI G 192, TCD 1289; tugann sé ginealach Shéamais II faoi cheathair in RIA 24 P 41 (127, 135, 283, 312).

[92] Na seintimintí céanna a nocht filí eile. Féach thuas lch 674 n. 77.

[93] Féach NLI G 198: 283. B'fhéidir go raibh sé páirteach i gcogadh an dá rí (bhí sé fiche bliain d'aois sa bhliain 1691). Chum a athair Seán Ó Neachtain dán (*Is trom do chodladh a Mhuire mhór*) a chum sé 'déis briseadh na Bóinne 7 é idir dhá shliabh uaithmhialta air bruach srotha bige gan do mhaoin aige acht aoinleabhrán bheag amháin dfáguidh Goill aige, ó nár thuigeadar a leagha' (NLI G 127: 428, G 135: 157). In TCD 1361: 127-210 tá dán fada (*Chum glóire Dé gan bhréag im fhuighle*) – breis agus cúig chéad rann – ar stair na hÉireann aige. Ní luann aon údar leis ach b'fhéidir gurbh é féin a chum é.

[94] Rann a leagtar ar Oliver Plunkett; in eagar: O'Rahilly (1921a: 79).

[95] Féach Thomas (1971:227-51), Bloch (1924), Crawfurd (1911). Nuair a bhí Séamas II i mBaile Átha Cliath sa bhliain 1690 chleacht sé an 'touch' freisin: 'On Good Friday the King touched for the evil, and all that were touched brought their own money ...' (HMC Ormonde 8, 1688-1713, 362). Níl sé as an cheist go bhfaca duine de mhuintir Neachtain an riotuál sin á chleachtadh. Féach thuas lch 434 n. 56.

[96] Mar seo a bhí an mhír ag Faulkner: 'His Holiness continues constant in his devotion, watchings and fastings and on all ocassions seems sensible of the nothingness of this world; and tho' the clergy here, as well as in other parts, are wishing for a new conclave, yet his Holiness is in as good a state of health as can be expected for one who is upwards of 76 years of age ... The Chevalier de St.George, his spouse and eldest son, had lately an audience of the Pope ...' (*Faulkner's Dublin Journal:* 18 December 1725). Sa bhliain 1719 phós Séamas III Clementina Sobieski, iníon rí na Polainne. Méad a spré, deirtear, a mheall Séamas chuici is níor shona ná níor mharthanach an cleamhnas é. Thréig Clementina é sa bhliain 1725 is thug an chuid eile dá saol i gcoinbhint. Féach Lenman (1980:202-3, 243-4).

[97] Féach 'Whereas his present Majesty hath given orders for a general mourning for his late Majesty King George of Blessed Memory ... That all persons to put themselves in the deepest mourning ...' (TCD A.7.4:161).

[98] Féach, mar shampla, 'Fitzimons told them there lay a ship off Dalky island ready to carry them and Connor swore that Taylor and Doran marched with him to Bullock in order to take shipping and go to Lorrain to serve the Pretender ...' (SP 63:373/30).

[99] Maidir le tuairiscí oifigiúla ar na tarlaingí sin, féach *The Dublin Gazette:* 15-19 March, 26-29 June 1726; *The Dublin Journal:* 7 June 1726; SP 63: 373/6,7,32,34; thuas lch 334.

[100] In TCD A.7.4:68 atá an t-aon chóip amháin den óráid sin ar marthain inniu; George Faulkner a d'fhoilsigh í. Féach freisin *The whole tryal and examination of Capt. Moses Nowland* ... (TCD A.7.4:67). Maidir le hóráideanna báis ón tréimhse chéanna a thug daoine eile uathu, nár Sheacaibítigh iad, féach TCD A.7.4:11,13,101; CUL Hib. O. 715 i, 717 i.

[101] Féach *The Dublin Journal:* 8-12, 12-15 January, 5-9 February 1739-40; Ó Buachalla (1992a n. 18, 1993c), Buttimer (1990).

[102] Féach 'In the early part of the last century the spirit of Jacobitism which prevailed ... incited the students to inflict repeated indignities upon the statue, which was frequently found in the mornings decorated with green boughs, bedaubed with filth, or dressed up with hay; it was also a common practice to set a straw figure astride behind that of the King ...' (Gilbert 1861 iii: 42-3).

[103] Féach, mar shampla, *The Dublin Gazette* 29 October, 2-5 November, 3-7 November 1728; 28 October 1729; 3-7 November 1730; féach freisin '23 October and 5 November continued to be occasions for prayers, sermons, bonfires and other popular anti-Catholic demonstrations, especially at times of perceived danger. Through such activities, officially encouraged after 1690, Protestant identities were shaped and toughened' (Barnard 1990:57).

[104] Féach an tuairisc oifigiúil ar an ócáid chéanna: 'Dublin-Castle, February 3, 1728. This day the Lords Justices, together with several of the nobility, members of Parliament etc. attended by the Battle-Axe-Guards, a detachment of Dragoons and another of Foot on Dublin duty, repaired to perform the ceremony of laying the first stone of the new Parliament House in the body of which stone was placed a copper plate with the following inscription engraved thereon, viz. Serenissimus & potentissimus rex Georgius Secundus ...' (*The Dublin Gazette:* 1-4 February 1728).

[105] Féach TCD A.7.4:182-5, Foxon i: 33,79,176,605.

[106] Féach go háirithe NLI G 135: 9,57,65-97,139,157,170-2.

107 Scríobh Tadhg féin dán (*Sloinfead scothadh na Gaoidheilge grinn*) ina gcuireann sé síos ar shé dhuine fichead de scoláirí Gaeilge a bhí ina thimpeall sa chathair ag an am (O'Rahilly 1912); scríobh seisean is a athair dánta ar chléir Chaitliceach na cathrach (Mhág Craith 1967:267) agus scríobh sé féin dánta ar scoláirí i gColáiste na Tríonóide (NLI G 135: 35-7,84; RIA 24 P 41: 291, 316). Féach freisin Harrison (1988).

108 NLI G 135: 9; RIA 23 A 45: 75, 3 C 4i: 9; BL Eg. 127: 4.

109 NLI G 135: 89, RIA 23 A 45: 72.

110 Féach, mar shampla, *The Dublin Intelligence:* 11 September 1711, 27 February 1725; *The Dublin Gazette:* 15-18, 25-29 March 1728, 8-11 June 1728, 3-6 August 1728, 15-18 November 1729.

111 Ar eagla go gceapfaí nach raibh i scliúchas sráide den saghas sin ach teaspach samhraidh nó pléaráca soineanta is fiú aird a thabhairt ar a iarmhairt faoi mar a thuairiscíonn an nuachtán céanna é: 'We hear that several of those Eminent Gentlemen who distinguish'd themselves the Pretender's Birth Night in the Mobb at Stephen's Green, by beating the Loyalists, and roaring out High Church and Ormond! down with K. George, long live the Pretender, Etc. hearing that some of their Antagonists are about giving an account of their Names and Occupations in to the Government, have thought fit to set out on a pilgrimage, lest they should be taken and made examples of to the rest of their Comrogues' (*The Dublin Intelligence:* 17 June 1724).

112 Féach Hatton (1976), Black (1988), Szechi (1984, 1994), Fritz (1975), Lenman (1980).

113 Féach thuas n. 78. Féach freisin an tagairt seo ag Cathal Ó Conchúir: 'Dia Sathairn Octobris. 19. 1739. Rígh Saxan do fhuagairt cogaidh aniu ar Rígh Easpáinne ..., ní nar saoileadh; tiucfaidh chum uilc néxamdhail ar fud iarrthair dhomhain; mur dtoirmiosgaidh Dia' (Ní Chinnéide 1957:11).

Caibidil 8

1 Féach SP 63:398/94, O'Callaghan (1870:642),Wright (1854ii:336), Cruickshanks (1979:77-96), JCHAS 13 (1907) 163; féach freisin: 'Riobárd: atá anois (A.D. 1736) i Lundain; mac Donnchadha' (LM: 208).

2 *Sin choíche clár Loirc támhach gan treoir,* in eagar: SMD: 25 §§ 21-4, 29-32.

3 *Ar thulaigh im aonar ag déanamh cumha is me im spreas,* in eagar: SMD: 4 §§ 33-34, *Oíche an aonaigh d'éis mo fhliuchta is mé go tuirseach támhach,* in eagar: *ibid.* 28 §§ 29-32, *Ar maidin inné agus mé im shuan,* in eagar: *ibid.* 15 §§ 19-22, *A shaoi ghlain de phríomhscoth na sáirfhear saor,* in eagar: *ibid.* 22 §§ 37-40.

4 *Oíche bhíos im luí im shuan is mé ar buaireamh tré na cathaí,* in eagar: SMD: 3 §§ 61-4; *Gach Gaol geal greannmhar tachtadh le cóbaigh,* in eagar: *ibid.* 16 §§ 5-8; *A shaoi ghlain de phríomhscoth na sáirfhear saor,* in eagar: *ibid.* 22 §§ 9-12.

5 *Is é do leonaigh mo chumas an bonnaire fiaphoic fáin,* in eagar: SMD: 5 §§ 21-4; *Gach Gaol geal greannmhar tachtadh le cóbaigh,* in eagar: *ibid.* 16 §§ 9-12; *A shaoi ghlain de phríomhscoth na sáirfhear saor,* in eagar: *ibid.* 22 §§ 21-4.

6 Féach Lenman (1980:231-59), Cruickshanks (1979), Szechi (1984:85-121).

7 I lámhscríbhinn a scríobh Tadhg Ó Neachtain (NLI G 135: 132), tá dán (*Mian gach mórdhacht cloidheann cró*) ar 'bhás cairdional Flouri'. Féach freisin an tagairt seo ag Cathal Ó Conchúir: 'Cairdional Fleuri do bhreith A.D. 1655 7 é anos san 87 bliadhain dia aois' (Ní Chinnéide 1957:16).

8 Féach freisin 'Diarmaid mac Dónaill mac Finín Chaoil Uí Shúilleabháin cct. don tsolus

réilltean do bhí ann timcheall na bliana 1745 *Biaidh radharc súl nach tinn liom gan sos in Éirinn ...'* (RIA 24 C 8:146); 'Réalta iongantach san gceathramhain shiar, agus eirball fada siollach as suas' (Ní Chinnéide 1954:37).

[9] *A ríoghan uasal shuairc 's a stór* (Seán Ó Tuama), in eagar: ÉM:34 §§ 10-18, SMD:2.

[10] *A shaoithibh Éireann, créad an tuirse* (Seán Ó Tuama), in eagar: ÉM: 37 §§ 22-5; *A bhile den fhoirinn nach gann* (Aindrias Mac Craith), in eagar: *ibid.* 75 §§ 37-40; *A bhé na bhfód nglas ródach rannach* (Liam Inglis), in eagar Ó Foghludha (1937a:15 §§ 36-40); *Aréir ar mo leaba im thaomaibh gan tapa* (Eoghan Mac Cárthaigh), in eagar: Ó Foghludha (1938b: 29 §§ 37-40).

[11] *Beidh radharc súl nach tinn liom gan sos in Éirinn* (Diarmaid Ó Súillleabháin), in eagar: Ó Foghludha(1938:24 §§ 5-8, 41-44); *Chítear ceatha caorthaibh catha* (Conchúr Ó Ríordáin), foinsí: RIA 23 C 8: 324, 23 G 20: 135, 23 N 12: 196, 23 D 35: 147, 23 G 21: 455; in eagar: Ó Muirithe (1987:13). Féach thuas n. 8.

[12] Féach Lenman (1980), Cruickshanks (1979), Youngson (1985), Sedgwick (1970), Bongie (1977), Jarvis (1954, 1971), Hatton (1976), Black (1990), Szechi (1994), Gooch (1995).

[13] Féach Campana (1871i: 19), 'La Cour des Stuarts à Saint-Germain' (BN N.Ac.Fr. 7489), Haile (1907), Terry (1901), Tayler (1934); maidir le Séarlas Óg, féach Jesse (1860), Lang (1903), Kybett (1988), Duke (1938), Daiches (1973), Bongie (1986), McLynn (1985).

[14] Féach Blaikie (1897,1916), Behre (1972), Tayler (1928,1938,1939), Terry (1922a), Petrie (1956,1959), McLynn (1979, 1980, 1981b), Mac-Choinnich (1845), Scott-Moncrieff (1988).

[15] Féach Sinton (1906:194-205), HS:165-91, Gillies (1988, 1991), Grimble (1979).

[16] Consaeit an-choiteann ag filí na hAlban ab ea é 'an roth', 'an chuibhle', 'an cuibheall' ('wheel of fortune') a bheith ag casadh; féach BG: 2496, 4359, Ó Baoill (1979: 1001,1132); Matheson (1970: 289,797); HS: 1 §13, n. 2. Féach Patch (1927), Pocock (1975:43).

[17] Féach MacDonald (1924), HS: 33-101, Gillies (1991).

[18] Féach Lenman (1980: 230-59), Cruickshanks (1979), Cunningham (1932: 481-2).

[19] Maidir leis an gceathrar sin, féach Petrie (1959: 348-51), O'Callaghan (1870: 369-79), Tayler (1938), Hayes (1949), Hayes-McCoy (1967), McLynn (1979, 1981), Edwards (1988).

[20] Féach Wright (1854 ii: 336-41), NHI iv: 82, 118. 635-6, Dickson (1987: 85), Petrie (1959: 341), Hardiman (1820: 182).

[21] Foinsí: RIA 23 F 18: 67, 23 O 26: 63, 23 C 8: 299, 24 M 5 : 49, 23 C 19: 16, 23 G 21: 497, 23 C 19: 16, 23 G 21: 497; MN M 6: 252, M 8:393, M 14: 293,507.

[22] An prionsa Henry Stuart, deartháir Shéarlais Óig, a bhí páirteach san ionsaí míleata a bhí á bheartú ag an Fhrainc. Féach Youngson (1985:120-1), Lenman (1980: 259), Cruickshanks (1979: 96-7), Shield (1908), Jesse (1860).

[23] *A éigse shuairc na n-aradbheart* (Anraí Mac Amhlaoibh), foinsí: RIA 23 N 9: 79, MN R 69: 436; *Gach Gaol geal greannmhar tachtadh le cóbaigh* (Seán Clárach Mac Dónaill), in eagar: SMD: 16 §§ 17-20; *Lá meidhreach dá ndeaghas liom féin* (Brian Ó Flaithearta), foinsí: 23 F 18: 18, 23 O 26: 66, 23 C 8: 305, 23 B 36: 16, 23 D 35: 124, 23 D 1: 315, 23 Q 3: 168; MN M 8: 411, M 13: 30, C 40: 66; *A dhalta nár dalladh le dlaoithe* (Aindrias Mac Craith), in eagar: ÉM: 94 §§ 5-8.

[24] *Is ceasnaíoch cásmhar atáim 's is léanmhar* (Aindrias Mac Craith), in eagar: ÉM: 86 §§ 9-12; *Mo mhallachtsa fá thrí do phearsa ar bith mar sinn* (*idem*), in eagar: ÉM: 90 §§ 17-24. Maidir leis an 'gcráin duibh', féach n. 25.

[25] Meafar coiteann ab ea é, go háirithe san fhilíocht Albanach, Seoirse a shamhlú le cráin; féach, mar shampla, HS: 3 § 6; 9 §§ 102, 145; 10 § 90.

[26] *Ar maidin inné is mé ag déanamh machnaimh* (Liam Dall Ó hIfearnáin), foinsí: RIA 23 B 5: 212, 24 M 11: 33; in eagar: Ó Foghludha (1939: 20 §§9-12, 29-32); *Mo léirscrios greadaithe reachta gach móirmhíle* (Proinsias Ó Súilleabháin), foinsí: RIA 23 G 24: 388, 23 C 8: 87, 23 N 14: 67,23 N 15: 226, 23 C 10: 54; MN M 12: 91; *Is fada mo chiach gan riar ar dhántaibh* (Eadbhard de Nógla), foinsí: RIA 23 B 14: 138,182; 23 C 3: 59, 24 P 29: 64; MN M 6: 195; *Sé meastar liom ar leagadh túr is áitreabh réacs* (Muiris Ó Gríofa), foinsí: RIA 23 B 14: 153, 23 N 12: 160; MN M 5: 124, M 11: 216, R 69: 30; *Ceo draíochta sheol oíche chum fáin mé* (Pádraig Ó hIarlaithe), foinsí: RIA 23 0 26:82, 23 F 18: 77, 23 G 23: 251, 23 M 14: 125; MN M 6: 260; in eagar: Ó Muirithe (1987:3); *Spreagaidh bhur gcroí ar intinn subhachais* (Anraí Mac Amhlaoibh), foinsí: RIA 24 C 55: 220, 274; 24 C 56: 525; MN C 62: 7.

[27] Foinsí: RIA 23 C 8: 124, MN M 10: 38, M 12: 61; leagtar an leagan sin den dán ar Aindrias Mac Cruitín (C), agus ar Thadhg Gaelach Ó Súilleabháin (M); féach thuas lch 308.

[28] Foinsí: RIA 23 C 8: 297 ('Comhagallamh idir Éire agus Séarlas Stíobhart 1746'), 23 F 18: 20, 23 O 26: 69, 24 A 34: 64, 23 C 8: 297; leagtar an leagan seo ar Eadbhard de Nógla; féach thuas lch 326.

[29] *Go stiúra Mac Dé thu, a Shéarlais, go comhachtach* (Eoghan Mac Cárthaigh), in eagar: Ó Foghludha (1938b: 16 §§ 1-4, 25-8); *Uilleo a thoil, ná goil go fóill* ('Uilleo Mheadhbh Chruachain do Chormac Stíobhart'), foinsí: BL Eg. 162:1, RIA 23 L 35: 8, 23 B 37: 17, 23 G 24: 432, 23 B 36: 196; MN M 6: 323, M 7: 135, M 9: 396, R 69: 220, DR 4: 163; leagtar an dán i bhfoinsí áirithe ar Liam Dall Ó hIfearnáin (féach Ó Foghludha 1939: 12) agus ar Eoghan Rua Ó Súilleabháin (féach Ua Duinnín 1901: 18); *Is ainnis na scéalta tar tréanmhuir ag tíocht* (Tomás Ó Glíosáin), foinsí: RIA 23 B 38: 82, 23 B 37: 13, 23 N 9: 14, 23 L 35: 7, 24 C 48: 20; MN R 69: 31.

[30] Foinsí: RIA 23 L 24: 236, 23 F 18: 3, 23 O 26: 7, 23 C 16: 73, 23 C 8: 343, 24 L 22: 22, 23 L 13: 126, 23 G 21: 465, 24 A 34: 91; MN M 10: 77, 233; M 11: 226, R 69: 148; in eagar: SMD: 1.

[31] Bíodh go bhfaightear *gille* sa tSean-Ghaeilge (DIL s.v.), is i nGaeilge na hAlban amháin a mhaireann an focal inniu. ·

[32] Féach Hogg (1819 i: 115), SMD: 9.

[33] Lord George Murray, is dócha; féach Petrie (1958: 495), Youngson (1985: 269), Lenman (1980: 318).

[34] *Go stiúra mac Dé thu, a Shéarlais go comhachtach* (Eoghan Mac Cárthaigh), in eagar: Ó Foghludha (1938b: 16 §47); *Is atuirseach fann i dteannta ar caitheamh mé* (Liam Dall Ó hIfearnáin), in eagar: Ó Foghludha (1939: 11 §9); *Is fada dhom in uaigneas 's is buartha bhíos m'intinn* (Seán Clárach Mac Dónaill), in eagar: SMD: 34 §5; *Tá bearád i Londain 's is iomaí fear láidir* (Peadar Ó Doirnín), in eagar: de Rís (1969:7).

[35] *Is cráite an scéal so léitear dúinn noch d'fhúig mé lán de bhrón* (Eadbhard de Nógla), foinsí: MN M 6: 347, M 9: 497.

[36] Fiú sa dialann is 'príobháidí', bíonn lucht léite i gceist, mar a mheabhraíonn dialanna an Ríordánaigh dúinn.

[37] Féach O'Conor Don (1891: 289), O'Conor (1796), O'Conor (1934), Ward (1979, 1980), O'Sullivan (1958 i: 53-64), Ó Catháin (1989), Hyde (1898), Ní Chinnéide (1954, 1957).

[38] Sagart Caitliceach i mBaile Átha Cliath.

[39] *Spreagaidh bhur gcroí ar intinn subhachais* (Anraí Mac Amhlaoibh), thuas n. 26; *Aréir is mé im aonar cois taoibh Fleasca an Ghaorthaidh* (Dáibhí Ó hIarlaithe), foinsí: RIA 23 C 8: 307, 23 M 14: 4, 306; 23 I 44: 147; MN M 6: 78, M9: 177; in eagar: Ó Muirithe (1987:5).

[40] *Is atuirseach fann i dteannta ar caitheamh mé* (Liam Dall Ó hIfearnáin), in eagar: Ó Foghludha (1939: 11 §§ 21-4); *Atáid clanna na nGael go léir i dtuirse* (Conchúr Ó Ríordáin), foinsí: 23 C 8: 270, 23 D 35: 151, 23 N 9: 145, MN M 6: 84.

[41] Féach go háirithe RA SP: 271/19, 20, 35, 100, 101, 107, 108.

[42] Féach thuas lgh 343-4, 348-9 agus de Breffny (1978), McLysaght (1942).

[43] Táim an-bhuíoch de Eilís, banríon Shasana, as cead a thabhairt dom taighde a dhéanamh san aircíobhlann ríoga agus ábhar aisti a chur in eagar sa leabhar seo.

[44] Féach RA SP: 41-157, 270-448 go ginearálta is go háirithe RA SP: 245/113, 135; 46/25, 27; 412/39, 415/46, 299/91, 97, 124; 340/65, 334/5, 9; 206/103, 309/121, 299/97, 200/103, 223/143, 261/154, 262/151, 46/1, 359/180, 450/36, 181/42, 94/65, 272/59, 78, 113, 153; 174/19, 20, 35, 36; 309/4, 5, 43.

[45] RA SP: 130/79. Féach freisin Kennedy (1705) agus thuas lgh 239-41.

[46] RA SP: 275/140, 175/77, 450/36.

[47] Féach RA SP: 175-249 is go háirithe 175/77, 249/53.

[48] Féach RA SP: 92-201 is go háirithe 188/197, 191/20, 92/55.

[49] RA SP: 296/101, 297/61.

[50] Féach Fagan (1993), Fenning (1972: 135), DMM ii: 256-7.

[51] RA SP: 72-272 go ginearálta is go háirithe RA SP: 99/29, 90/70, 130/176, 101/67.

[52] RA SP: 90/70, 114/137, 96/101.

[53] *Is atuirse cléibh liom préimhshlíocht ghealChoinn* (An tAthair Seán Ó Briain), in eagar: ÉM: 25 §§ 17-20.

[54] Féach Petrie (1959: 404-31), Szechi (1994: 102-4), Lenman (1980: 260-82), McLynn (1988), Bongie (1986).

[55] Féach Petrie (1959: 434-41), Griffith (1860), Danagher (1966), Mac Sheáin (1973: 92).

[56] Griffith (1860: 273). Féach thuas lgh 166, 380 agus, freisin, an tagairt seo: 'Elinor Kelly, a red-haird woman, born in Dublin, a Roman Catholick, she has the King's Evil upon the small of her leg, they are gone to Rome that she may be touch'd by his Majesty our King there ...' (RA SP: 216/85).

[57] Petrie (1959: 415, 422), Hawkins (1889 ii: 670), Woolf (1988: 121); *Atá an fhoireann so thall gan amhras díleas* (Liam Inglis), in eagar: Ó Foghludha (1937a: 22 §§ 5-8); *Araoir im aisling is mé ag machnamh im intinn* (Muiris Ó Gríofa), foinsí: MN M 5: 125, R69: 33; RIA 23 L 24: 222, 23 C 16: 88, 23 E 1: 9.

[58] Petrie (1959: 415), Clark (1994: 38-40); is é an t-aistriú a rinne Seacaibíteach eile ar an nath 'restore and prosper him' (Clark 1985: 155).

[59] *Chítear ceatha caorthaibh catha ar scaoileadh scamall spéartha* (Conchúr Ó Ríordáin), in eagar: Ó Muirithe (1987: 13 §§ 5-9, 13). Féach thuas n. 11.

[60] *Ascanius the great adventurer, Aeneas and his two sons* ... Féach Clark (1994: 50-8), Pittock (1994: 91).

[61] In eagar: Ó Foghludha (1905: 6 §§ 161-75). Féach freisin MN M 6: 181, BSC: 4.

[62] Petrie (1959: 409-11), Szechi (1994: 120), Shield (1908), Jesse (1860).

[63] Petrie (1959: 413-31), Szechi (1994: 114-6).

[64] Nordmann (1982), Petrie (1959: 444), Szechi (1994: 104).

[65] Féach Clark (1994), Petrie (1959: 413-56).

[66] Cogadh na seacht mblian (1756-63) a bhí i gceist aige, cogadh ar tháinig an Bhreatain as go buacach.

[67] Féach Petrie (1959: 408-31), McLynn (1988), Szechi (1994: 95-104), Lenman (1980: 260-82).

[68] HS: 25, Gillies (1989).

[69] Féach O'Reilly (1859), Beresford (1971), Kennedy (1964), *Students' Literary and Scientific Magazine March* 1852: 17-9, Young (1986), Croker (1845 i: 15); SP 63: 413/137, 417/170.

[70] Foinsí: RIA 23 B 36: 367, 24 L 12: 457, 24 C 48: 7; faightear *Corraigh a Phádraig ... / A Phádraig na n-árann ...* mar líne tosaigh sna LSS, leagtar an dán ar Éinrí Mac Amhlaoibh in 24 C 48 agus tugtar aistriú Béarla air (*O Patrick, my friend, have you heard the commotion*) in 24 L 12: 458. In eagar: Ó Foghludha (1939: 14 §§ 1-10, 31-40).

[71] *Is atuirseach fann i dteannta ar caitheamh me* (Liam Dall Ó hIfearnáin), in eagar: Ó Foghludha (1939: 11 §§ 5-8, 21-4, 29-32).

[72] *Sealad aréir i gcéin cois leasa dhom* (*idem*), in eagar: *ibid*. 18 §§ 56-66.

[73] *Ar maidin inné 's mé ag déanamh machnaimh* (*idem*), in eagar: *ibid*. 20 §§ 17-24, 45-8; *Ar bruach na Coille Móire fé ruabhrataibh bróin* (*idem*), in eagar: *ibid*. 1 §§ 11-5; *A Phádraig na n-árann an gcluin tú na gártha* (*idem*), in eagar: *ibid*. 14 §§ 26-30; féach n. 70 thuas.

[74] *Mo mhallachtsa fá thrí do phearsa ar bith mar sinn* (Aindrias Mac Craith), in eagar: ÉM: 90 §§ 17-24; *As I was walking one evening fair* (Donnchadh Rua Mac Con Mara), in eagar: Ó Foghludha (1933: 36 §§ 25-32).

[75] Féach Clark (1985: 277-348), Cruickshanks & Erskine-Hill (1985), Szechi (1994: 29-40, 136-8), Brims (1987), Gooch (1989), Rogers (1978, 1982, 1985), Monod (1989).

[76] D'áitigh Hogg (1819: 15) gur bhunaigh Burns a dhánsan ar bhailéad a chum Capt. Ogilvie a throid in Éirinn ar son Shéamais ag deireadh an tseachtú haois déag; is cinnte gur sheanbhailéad a bhí mar bhunábhar ag Burns. Féach freisin Macquoid (1888: 491).

[77] Féach Donaldson (1988), Pittock (1991), Kidd (1993).

Caibidil 9

[1] *Ní hionann Ultaigh is Éire* (Éamonn Ó Caiside), foinse: NLI G 167: 363 §§ 23-4.

[2] Maidir le Ball Dearg is a ghníomhréim, féach Simms (1969: 231-60), Canning (1867), O'Donovan (1860), ARÉ vi: 2378, 2398; M. Walsh (1970 iii: 22-4), O'Connor (1845: 125-6,159-61), Story (1691: 124,1693: 182), C. O'Kelly (1850: 125, 136, 141, 430, 466); Gilbert (1892: 151,189,267), Haverty (1860: 665), Clarke (1816 ii: 434), Macaulay (1849 iii: 671-3, iv: 94-5), Hogan (1934: 735), *Collectanea Hibernica* 4, 1961, 17-22, 25-36, 84; Pender (1951), Lenihan (1866: 234), Hardiman (1820: 156), Melvin (1975), Ó hÓgáin (1974), Ó Buachalla (1983a).

[3] *Fearam fáilte fria hAodh* (An tAthair Pádraig Dubh Ó Coirnín), foinse: NLI: G 167: 358 §§ 1-2; *Ráinig a hanam Éire* (Fearghal Óg Mac an Bhaird), foinse: NLI G 167: 402 §§ 1,2.

[4] *Thug sinn an chéad bhriseadh ag bruach na Bóinne*, in eagar: ND ii: 3 §§ 17-20. Féach freisin, thuas lch 172.

[5] *A Phádraig Sáirséal, slán go dtí tú*, in eagar: ND iii: 2 §§ 16-20. Féach freisin, thuas lch 171.

[6] *Thug sinn an chéad bhriseadh ag bruach na Bóinne* (n.4 thuas), §§ 21-2.

[7] Féach Chambers (1927: 205-32), La Barre (1971: 18-20, 33), Hartland (1891: 170-2, 205-21), Lanternari (1965: 26, 159, 212), Anderson (1958: 117-37), Krappe (1962: 108-10).

[8] Féach Wright (1858 iii: 33). Féach freisin Chambers (1927), Bromwich (1991), Thomas (1971: 483-6), Von Döllinger (1871: 31), Jones (1958, 1966), Faral (1929).

[9] Féach Munz (1969), Cohn (1978: 113), n. 7 thuas.

[10] Mar leis an meisiasachas trí chéile, féach La Barre (1966, 1971), Chambers (1927),

Klausner (1955), Barber (1941), Fuchs (1965), Worsley (1978), Wallace (1972), Wallis (1918, 1943), Lanternari (1962, 1965), Lanczkowski (1977), Guiart (1959), Fülöp-Miller (1935), Matthews (1936), Neusner (1988), Sierskma (1965), Thrupp (1962), Desroches (1959), Mowinckel (1959), Anderson (1958).

[11] Táim an-bhuíoch de mo sheanchara an Dr. Diarmaid Ó Mathúna as an tagairt sin a chur ar mo shúile dom.

[12] Féach 'The substance is older and more important than the names' (Hartland 1891: 215), 'Once again we find the substance of topographical legends far more stable than their nomenclature' (Chambers 1927: 226), DF iii: 194-7. Áitíonn Ó hÓgáin (1974: 261) gurb iad na Normanaigh a thug an finscéal leo go hÉirinn agus gur 'truailliú nó scaipeadh' (233) faoi deara na leaganacha difriúla den fhinscéal a bheith ar fáil.

[13] Féach Croker (1825 i: 353-7, ii: 313-4), RC 4, 1897, 195-8; RIA 24 C 55: 69, Ó hÓgáin (1974: 221-6), MacCarthy (1868: 213).

[14] 'Haistí Hó Chathail Mhic an Deirg Mhic Loirc' (Aodh Mac Dónaill); in eagar: AMD: 32 §§ 134-41, 146-9; DCCU: 131, Lia Fáil 1, 1912, 111.

[15] Foinse: BPL 31:4 (ábhar a bailíodh i dtús an naoú haois déag); féach freisin Ó hÓgáin (1985:67).

[16] Conn Céadchathach na ríogh, foinsí: RIA 23 N 12: 163, 23 G 4: 354, 23 G 5: 80.

[17] Is sa bhliain 1957 a foilsíodh leabhar Cohn den chéad uair, is do eagrán 1978 na tagairtí anseo agamsa.

[18] Féach 'the term may be applied figuratively to any conception of a perfect age to come, or of a perfect land to be made accessible' (Thrupp 1962: 12), 'to mean any vision of a future golden age' (Bloch 1985: xvi); maidir leis an míleannachas trí chéile, féach Cohn (1978), Burridge (1960, 1971), Wilson (1973), Lanternari (1962, 1965), La Barre (1971), Worsley (1978), Toon (1970), Talmon (1966), Mühlmann (1961), Milo (1988), Kaufmann (1962, 1964), Bloch (1985), Schwartz (1976), Lerner (1976, 1981), Van der Kroef (1959).

[19] Anderson (1958: 258). Féach freisin Brown (1952), Pocock (1975), McGinn (1975, 1984), Garrett (1975), Schwartz (1976), Harrison (1979), Lerner (1983), Capp (1984).

[20] Féach Pocock (1972: 27, 1975: 46), McGinn (1984: 29), Ball (1975: 231), Tuveson (1949: x), Smith (1965: 537), Bloch (1985: xi).

[21] Cath Maighe Mucraimhe, foinse: RIA 23 M 47: 130; féach freisin Ó Dúnlainge (1907-8), O Daly (1975).

[22] Táinig an Croibhdhearg go Cruachain, in eagar: Quiggin (1912: §§ 3, 4, 27, 28, 32, 36).

[23] Féach thuas n.21, 22 agus TD: 13 § 7.

[24] Féach Kelly (1976: § 55), Meyer (1909: §§ 1,3), Knott (1936: § 102).

[25] Féach Dillon (1945: 341), O'Grady (1892: 90), Stokes (1891a: 185). Féach freisin Binchy (1970), Watkins (1979), O'Leary (1986), McCone (1980), Watson (1986), Ó Cathasaigh (1978), Ó Buachalla (1989).

[26] Féach Hocart (1927), Breasted (1912: 204-5), Widengren (1946, 1957), Schrieke (1957), Makarius (1970), Frankfort (1948), Dumèzil (1973), Wagner (1971), McCone (1990: 107-60).

[27] Freagra é seo ar Roibeard Mac Artúir a thug 'anfhlaith' ar Bhrian Bóraimhe. Féach IF: 16 § 149 agus thuas lch 55.

[28] Foinsí: BLO UC 103: 58, RIA 23 D 14: 128, 23 F 16: 2, 24 P 27: 117; féach O'Flanagan (1808), IG 1, 1883, 337-61.

[29] Féach 'The writers of these centuries considered the real in terms of the ideal, and were interested in nothing less than the pattern of the perfect prince' (Born 1928: 470).

[30] *Cia re bhfuil Éire ag anmhain?* (Fearghal Óg Mac an Bhaird), in eagar: Greene (1972: 2 §§ 30-2).

[31] *Conn Céadchathach na ríogh* (n. 16 thuas).

[32] *Táinig tairngire na n-éarlamh* (Giolla Brighde Mac Con Midhe), in eagar: Williams (1980: 6 §§ 20-22).

[33] *A úirmhic na cruinne, ós tú chruthaigh sinne* (Aodh Buí Mac Cruitín), foinsí: RIA 24 L 12: 245, 24 B 11: 182, 23 N 9: 72, 24 I 9: 125; NLI G 314: 321, TCD 1423: 64.

[34] Féach Nutt (1881), Rank (1910), Kluckhohn (1960), Taylor (1964), Campbell (1972), Eliade (1974), Ó Cathasaigh (1977), Cross (1952: A516).

[35] Féach Dillon (1945: 341), Hull (1952: 84).

[36] Féach Hull (1952: 82-4), O'Grady (1892: 253-5), ZCP 3, 1901, 461; 13, 1919, 375; 20, 1936, 222; Ó Cathasaigh (1977: 42-3), Ó Buachalla (1989: 215).

[37] Féach Zimmermann (1967: 53), Clarke (1991), Warner (1985), Curtius (1953: 101-5).

[38] Féach Macalister (1956 v: §§ 390-2). Féach freisin Scowcroft (1982, 1987, 1988), Carey (1993).

[39] Féach Ó Máille (1927), O'Rahilly (1946), Mac Cana (1955), McCone (1980), Bhreatnach (1982), Trindade (1986), Ó Cathasaigh (1989), Herbert (1992). Is mar 'sovereingty' a aistrítear *flaitheas* de ghnáth, ach ní léir dom cén bunús atá leis an aistriú sin; b'oiriúnaí, dar liom, 'lordship' nó 'kingship', nó b'fhéidir, 'country'.

[40] Féach Van Hamel (1933: 41), AC: 1310.7; ALC: 1310.

[41] Féach Bergin (1912a: 3), Gwynn (1911: 134, 142), Hogan (1910: 324), Mooney (1946: 71 § 66), Petrie (1839: 135).

[42] Féach O'Nolan (1912), Mac Cana (1955), Greene (1955: §§ 519, 540).

[43] Féach Stokes (1903), O'Grady (1892: 326-30), Joynt (1908), Ó Cuív (1983), Stokes (1897), Gwynn (1924); féach thuas lch 546.

[44] Féach O'Grady (1924); féach freisin Nic Ghiollamhaith (1981), MacNamara (1961); thuas lch 547.

[45] Féach *Tógaibh eadrad is Éire* (Tadhg Dall Ó hUiginn), in eagar: TD: 1; *Suirgheach sin a Éire ógh* (Eochaidh Ó hEodhasa), foinse: LCD 219b; féach O'Grady (1926: 476), Ó Caithnia (1984: 194, 202).

[46] Féach Ó Donnchadha (1931a: 3-4), Ó Murchú (1982: §§ 47-8), Joynt (1908: § 35), ZCP 20, 1936, 219 § 6; Ua Duinnín (1901: 11 § 877), C. O'Rahilly (1976: § 37), Ó Foghludha (1939: 12), O'Grady (1926: 52), RIA 23 L 31: 67, Joynt (1908: § 53), AÓR: 2 §§ 9, 25, 21-4). 'A parody of the standard *aisling*'a thugann Ó Tuama/Kinsella (1981: 221) ar phrólóg *Cúirt an Mheán-Oíche*. Ní hea in aon chor, dar liom, ach úsáid fhíoréifeachtach á baint ag Merriman as an chontrárthacht chianársa. Féach freisin 'An Guairne' (Peadar Ó Doirnín), in eagar: de Rís (1969: 20) agus 'Triamhain na hÉirinne' (Art Mac Bionaid), in eagar: Ó Fiaich (1979: 30).

[47] Féach Joynt (1908: §§ 49-50), Ó Cuív (1983), AÓR: 3.

[48] *Iomdha éagnach ag Éirinn* (Séathrún Céitinn/Flann Mac Craith/Tadhg Mac Dáire, etc.), foinsí: RIA 23 F 16: 156, 23 M 27: 269, 3 B 9: 220, 23 E 14: 16, 161; féach McKenna (1919: 53 §§ 4-6).

[49] *Cois taoibh abhann sínte is mé tráth inné* (Eoghan Rua Ó Súilleabháin), in eagar: Ua Duinnín (1901: 14 §§ 1130-3); féach freisin CCU: 8; *Gráin mharbh ort, a Bhanba na mbuí-ndlaoi ndual* (Aodh Buí Mac Cruitín), foinsí: RIA 23 L 31: 85, 23 C 8: 84, 24 B 11: 198; MN R 69: 463, M 12: 302, C 46: 42, C 72: 17; féach *Éigse* 3, 1942, 196.

[50] *Ó measaimíd nach calm rinn den bhuairt seo i Spáinn* (Liam Dall Ó hIfearnáin), in eagar:

Ó Foghludha (1939: 2 §§ 13-6); féach thuas lch 324 n. 51; *Is briathra leamha ar ollbhaois do ghlórmhaíomh, scoir ded phlás* (Liam Rua Mac Coitir), in eagar: Ó Foghludha (1937: 4 §§ 9-12); *A shaoi ghlain de phríomhscoth na sáirfhear saor* (Seán Clárach Mac Dónaill), in eagar Ó Foghludha (1934: 22 §§ 37-40).

Caibidil 10

[1] Maidir leis an tairngreacht is a feidhm i gcultúir is i litríochtaí difriúla, féach Hölscher (1914), Tatlock (1950: 402-21), Von Döllinger (1871: 268-9), Chadwick (1932: 445-74), Griffiths (1937), Taylor (1911), Reeves (1969), Cohn (1978: 19-36), Thomas (1971: 461-541), Wilson (1973: 221-308), Hartman (1966), Weinstein (1970), Zumthor (1973), Lerner (1983), Dobin (1990). Agus sleachta as na tairngreachtaí á gcur in eagar agam, chloíos, an oiread agus ab fhéidir le leaganacha Nua-Ghaeilge na LSS.

[2] Féach Plummer (1910: clviii-clxxiv), Chadwick (1932: 607, 1942), Murphy (1940), Mac Airt (1958), Binchy (1961), Mac Mathúna (1982), McCone (1990: 226-32); *Níor ghéilleas riamh do ráitibh file, fáidh nó draoi* (Piaras Mac Gearailt), in eagar: Ó Foghludha (1905: 4).

[3] Féach CGG: 8, Dimock (1867: 341-5), *Lá dá rabha ós ráith Luimnigh* (Dónall Mac Bruaideadha), in eagar: AD: 27 § 23; *Buaidh nAodh ar aicme Fhearghna*, (Aodh Mac an Bhaird), in eagar: PR: 5 § 21, *Innisim fís is ní fís bhréige í* ('An Síogaí Rómhánach'), in eagar: FPP: 2 §§ 223-4; *Céad buí re Dia i ndiaidh gach anaithe* (Diarmaid Mac Cárthaigh), in eagar: DÓB iii:14 §§ 24; *A Chreagáin uaibhrigh fána mbíodh sluaite d'uaisle ríoraí* (Raghnall Dall Mac Dónaill), lch 305 n. 13; *Atáid clanna na nGael go léir i dtuirse* (Conchúr Ó Ríordáin), foinsí: RIA: 23 C 8: 270, 23 D 35: 151, 23 N 9: 145; *Targair fhíor a rinne na naoimh* (Aodh Mac Dónaill), in eagar: AMD: 2 §1.

[4] Tá cuntas an-ghinearálta ag O'Curry (1861: 382-434) orthu agus tá an cnuasach curtha in eagar ag O'Kearney (1856). Maidir le Fionn mar fháidh is tairngire, féach O'Rahilly (1946: 318-40), DF iii: 113, Nagy (1985).

[5] Mar leis na samplaí sin, féach C. O'Rahilly (1976: §§ 54-112), Hull (1949: §§ 43-5), BCC: 125, CGG: 200; mar le samplaí eile, féach Cross (1952: M300-99).

[6] *Tréidhe nach fuilngeann rígh réil*, in eagar: Knott (1958: §§ 5, 21, 37); *Airis big, a mheic bhig bháin* (Bearchán), in eagar: Anderson (1929: § 106); *Aontaidh do rónsad nár ghann*, in eagar: Grosjean (1934: 68 §§ 7, 9).

[7] *Is aoibhinn dá bhfuiltí go léir sa Mhumhain* ('Aonta Mhic Amhlaoibh'), foinsí: BL Eg. 118: 1, IG 14 (1904) 678-9, Grosjean (1934a). Féach thuas lch 626.

[8] *Abair frim, a Shéadna* (Séadna), foinsí: BLO RB 512: 121, BL Eg.146: 92, RIA 23 M 12: 102; féach O'Kearney (1856: 110), ZCP 3, 1901, 31; *Abair, a Mhaoil Tamhlachta* (Maol Ruain), foinsí: BL Eg. 146: 92, RIA 23 M 12: 107; féach O'Kearney (1856: 94), IG 14, 1904, 838.

[9] *A bhean labhras rinn an laoidh* (Fionn), in eagar: DF i: 34, O'Keefe (1934a: 43); féach freisin RIA 23 K 8: 46, O'Kearney (1856: 224).

[10] *A Oisín, an ráidhe rinn?* (Oisín), in eagar: DF ii: 49 §§ 7-8; *Tiocfa aimsir in Éirinn/Tiocfa aimsir, a Bhréanainn* (Colum Cille), foinsí: BLO Laud. 615: 139, RIA 24 M 9: 187, 23 K 8: 22, 23 M 12: 91, TCD 1284: 160; féach O'Kearney (1856: 18), ZCP 10, 1915, 49; *Teamhair Breagh* (Colum Cille), foinsí: BLO Laud. 615: 161, BL Eg. 146: 77; féach O'Kearney (1856: 72), ZCP 13, 1921, 9.

[11] *Abair frim, a Shéadna* (n. 8 thuas), *Abair, a Mhaoil Tamhlachta* (n. 8 thuas). Féach 'do shíolraigh a bhfuil trína chéile/do bhí an Gael Gallda is an Gall Gaelach' (FPP: 4 §§ 279-80), 'Séamas an chaca ... is é a rinne Gaelach Gallda agus Gallda Gaelach' (Ó Coigligh 1987: 46 §§ 381-3).

[12] *A bhean labhras rinn an laoidh* (Fionn), féach thuas n. 9.

[13] Féach go háirithe 'In prophecies like these, which in order to win trust mingle accounts

of the past, related as if it were future with forecasts of the future, the wish is sometimes father to the thought, and events are forecast which are desired' (Tatlock 1950: 404); féach freisin Hartman (1966: 23), Dodds (1916: 279).

[14] Féach Murphy (1952), Thurneysen (1936), Meyer (1901a, 1918, 1919), Anderson (1929: 4), Dillon (1946: 11-4, 22; 1948: 107-9).

[15] Foinsí: RIA 23 C 18: 71, F vi 2: 524; féach Goedheer (1938: 45-60), Ó Cuív (1961: 59-60).

[16] *Airis big, a mheic bhig bháin* (Bearchán), in eagar Anderson (1929: §§ 10-11).

[17] *Uathadh mé i dTeamhraigh anocht* (Fionn), foinse: BLO RB 514: 67a; féach O'Keefe (1934: §§ 14-5).

[18] *Is olc atá in Éire anocht* (Coireall Mac Curnáin), foinsí: BLO RB 514: 66a, BL Eg. 146: 89, RIA 23 M 12: 103, 24 M 9: 179, 3 B 2: 47, 23 K 8: 32; féach O'Kearney (1856: 118).

[19] *Éistea frim, a Bhaithín bhuain/Éistse riom, a Bhaoithín bhuain/Éist riom, a Bhaoithín bháin* (Colum Cille), foinsí: BLO Laud 615: 82, RB 514: 64b, BL Eg. 146: 61, RIA 23 N 12: 168, 23 K 8: 7,14; 24 M 9: 158, 23 E 16: 252; 3 B 2: 42, 23 H 22: 71, 23 G 4: 361; féach O'Kearney (1856: 32).

[20] *Aed in chét fher cráides mé/Aodh an chéad fhear chráidheas mé* (Seanán), in eagar: BF: 372 §§ 6,15.

[21] *Éist riom, a Bhaoithín bháin* (n. 19 thuas).

[22] *Marthain tar ais d'Éirinn uaim* (Bearchán), foinsí: BLO RB 514: 66b, BL Eg. 146: 92, RIA 23 M 12: 106, 23 G 5: 74, 23 K 8: 37; féach O'Kearney (1856: 126).

[23] Féach ZCP 12 (1918) 237 § 62, *Fearam fáilte fria hAodh* (Pádraig Dubh Ó Coirnín), foinse: NLI G 167: 358; thuas lch 450. Mar le tuarascáil níos iomláine ar Aodh Eanghach, féach Ó Buachalla (1989).

[24] Féach *Buaidh nAodh ar aicme Fhearghna* (Aodh Mac an Bhaird), in eagar: PR: 5 § 19; *Táinig tairngire na n-éarlamh* (Giolla Brighde Mac Con Midhe), in eagar: Williams (1980: 6 § 5); *Aisling ad-chonnairc Cormac* (Aonghus Ruadh Ó Dálaigh), in eagar: O'Dwyer (1948: § 31).

[25] Féach *Cia thagras Éire re hAodh?* (Flann Mac an Bhaird), foinse: NLI G 167: 157 § 39; *Cion suirghe ag Éirinn ar Aodh* (Maoileachlainn Óg Ó hEodhasa), foinse: NLI G 167: 152 §§ 15,28; *Aisling ad-chonnairc Cormac* (n. 24 thuas), § 36); *Ré lán ós ceann Chonnachtach*, in eagar: PR: 1 §§7,9.

[26] Féach *Táinig tairngire na n-éarlamh* (n. 24 thuas), § 20, *Biaidh athroinn ar Inis Fáil* (Uilliam Óg Mac an Bhaird), in eagar: Ó Cuív (1977: § 20), *Aisling ad-chonnairc Cormac* (n. 24 thuas), § 45.

[27] *Táinig tairngire na n-éarlamh* (n. 24 thuas), § 5; *Th'aire riot, a rí Dhoire* (Eoghan Mac an Bhaird), foinse: NLI G 167: 175 § 14, 20; *Éire i ngioll re hAodh Eanghach* (Cú Uladh Mac an Bhaird), foinse: NLI G 167: 179 §§ 1, 40; *Aisling ad-chonnairc Cormac* (n. 24 thuas), §§ 41, 46. Mar le tagairtí eile do An Cabharthach, féach AU: 1214, ALC 1214, Ó Donnchadha (1931a: 17 § 77), PR: 5 § 29, Ó Buachalla (1989: 208-9), DIL *s.v.*; mar le tagairtí eile do An Tairngeartach / Tairngeartaidh, féach Greene (1972: 2 § 44), DD: 83 § 1,96 § 35, 102 § 13, 117 § 36; TD i: 1 § 38, 2 § 21, 13 § 32, 27 § 39, 31 § 17; PR: 8 § 6, 12 § 12; ZCP 20 (1936) 226 § 37, Ó Buachalla (1989: 201, 206-8), DIL *s.v.*

[28] Maidir leis an *claon* i dTeamhair, féach Ó Cuív (1976), Ó Cathasaigh (1981), Ó Buachalla (1989), Sayers (1992).

[29] Féach *Anois tánaig Aodh Eanghach* (Cú Chonnacht Ó Fialáin), in eagar: Ó Donnchadha (1931a: 4 § 1); *Cia thagras Éire re hAodh?* (n. 25 thuas), § 5; *An tú arís a ráith Teamhrach?* (Aonghus Ruadh Ó Dálaigh), in eagar: Quiggin (1913: § 37); *Ní théid clann ó chóir a n-athar* (Giolla na Naomh Óg Mac Craith), foinse: NLI G 167: 161 § 22; *Trom an suan so ort, a Aodh* (Uilliam Óg Mac an Bhaird), foinse: NLI G 167: 170 § 18.

[30] *Fuaras i Saltair Chaisil* (Giolla Caomháin/Mo Liag), foinsí: RIA D iv 2: 1v, F v 5:25, 23 D 5: 212, 23 D 32: 72, 23 F 16: 163, 23 I 40: 3, 23 G 25: 93; BL Eg. 146: 93; féach O'Kearney (1856: 126), Ó Riain (1989).

[31] *Éistse riom, a Bhaoithín bhuain* (Colum Cille), n. 19 thuas.

[32] *Cion suirghe ag Éirinn ar Aodh* (Maoileachlainn Óg Ó hEodhasa), foinse: NLI G 167: 152 §§ 1, 4, 20.

[33] Féach *Gréas dearbhtha duan na Feirste* (Uilliam Óg Mac an Bhaird), foinse: NLI G 167: 137 § 46; *Mó ná díol aon chúigidh Aodh* (Tomás Ó hUiginn), foinse: NLI G 167: 145 §§ 9, 15; *Cia thagras Éire re hAodh?* (Flann Mac an Bhaird), foinse: NLI G 167: 157 §§ 9, 11; *Ní théid clann ó chóir a n-athar* (Giolla na Naomh Óg Mac Craith), foinse: NLI G 167: 161 § 22; *Trom an suan so ort, a Aodh* (Uilliam Óg Mac an Bhaird), foinse: NLI G 167: 170 § 18; *Th'aire riot, a rí Dhoire* (Eoghan Mac an Bhaird), foinse: NLI G 167: 175 §§ 1, 14; *Éire i ngioll re hAodh Eanghach* (Cú Uladh Mac an Bhaird); foinse: NLI G 167: 179 §§ 3, 40.

[34] *Tógaibh eadrad is Éire* (Tadhg Dall Ó hUiginn), in eagar: TD: 1 §§ 8, 9.

[35] Féach Taylor (1911: 83-6), Rusche (1969: 753), Dobin (1990:39), Cohn (1978:33), Thomas (1971: 501).

[36] Féach *Éistea frim a Bhaíthín bhuain* (Colum Cille), thuas n.19; *Fuaras i Saltair Chaisil* (Giolla Caomháin/Mo liag), thuas n.30; *A Oisín, an ráidhe rinn?* (Oisín), thuas n.10. Féach freisin go dtugann Diarmaid Mac Cárthaigh 'mo Bhall Deargsa' mar mholadh ar an Talbóideach (DMC: 39) i ndán a chum sé *c.* 1687. Tá tagairt ag O Flaherty (1685: 388) do Achaius Ball Dearg éigin a mhair in aimsir Phádraig.

[37] Féach Schwartz (1977: 134), Seymour (1913: 102), *Strange and remarkable prophecies ...*, Thomas (1971: 172, 387, 466), Popkin (1988: 176), Garrett (1975: 11-5), Southern (1972: 179).

[38] Féach Thomas (1971: 470, 493-508, 829), Gwyndaf (1987), RA SP: 181/14, 163/166; *Collection of ancient Scottish prophecies*: 15-6; Erskine-Hill (1982: 58), Petrie (1959: 353-6), Murray (1875: lxxix).

[39] Leabhar Taaffe (1844) atá i gceist aige.

[40] Féach HMC Pepys: 87, Ó Cuív (1986: 116), HMC Egmont 1: 25; Stanihurst (1577: 38), Camden (1602: 88), Story (1693: 145-6), CSPI 1601-3: 198, Moryson (1603 ii: 59), Stafford (1633 ii: 62-3), CHA ii: 84, Prendergast (1898: 276-8), FPP 4: 361-2, Meehan (1878: 206), Lilly (1645: 7-9), HMC Ormonde 2: 245.

[41] Is é atá sa leagan Gaeilge: *Do bheirthear cath Dhún na Sciath/cuirfear Baile Átha Cliath ar gcúl/muirbhfidh iarla Thrá Lí/fear ionaid an rí in Áth Crú.* Féach O'Kearney (1856: 200), ARÉ v: 1797-8.

[42] Féach Thomas (1971: 472), Dobin (1990: 92, 107).

[43] Thomas (1971: 470), Dobin (1990: 24, 41-2), Dodds (1916), Jansen Jaech (1985), Schwartz (1977: 5), Donleavy (1742: 68).

[44] Féach *The Freeman's Journal* 2 November 1866; Madden (1866: 67).

[45] Féach BAR: §§ 1,193, *Ní fada ón Fhódla a táth a-dtuaidheamhain* (Fearghal Óg Mac an Bhaird), in eagar : DD: 109; *Mór do mhill aoibhneas Éireann* (*idem*), foinse: RIA 23 F 16: 70 §§ 23, 26-9, 42, 48; CSPI: 1606-8: 398, 439; thuas lgh 49-50.

[46] Féach Talmon (1962, 1965), Worsley (1978: 122), Festinger (1964), Lerner (1981, 1983), Klausner (1955), Silver (1927), Kastein (1931), Southern (1972), Reeves (1969, 1974, 1983).

[47] Féach Williams (1980: 6), AD: 4, *Créad an t-uamhan so ar fhéin Ghall?* (Dónall Mac Bruaideadha), foinse: LCD: 291b § 4; PR: 12.

[48] Féach *Ísligh do mheanma, a Mhaoilir* (Tadhg Dall Ó hUiginn), in eagar: TD: 21; *Fuirigh go fóill, a Éire* (Gofraidh Fionn Ó Dálaigh), in eagar: DD: 97 §§ 30-2, 41-3.

⁴⁹ Féach *Tabhrum an Cháisc ar Chathal* (Muireadhach Albanach Ó Dálaigh), in eagar: IBP: 23 § 18; *Lá i dTeamhraigh ag Toirdhealbhach* (Tadhg Óg Ó hUiginn), in eagar: AD: 20 § 2; *Éasca an oinigh fán aird toir* (Domhnall Ó hUiginn), in eagar: LB: 32 §§ 3521-2; *Mó ná díol aonchúigidh Aodh* (Tomás Ó hUiginn), foinse: NLI G 167: 145 § 15; BF: 374, *Trom an suan so ort,a Aodh* (Uilliam Óg Mac an Bhaird), foinse: NLI G 167: 170 § 18; *Th'aire riot, a rí Dhoire* (Eoghan Mac an Bhaird), foinse: NLI G 167: 175 § 16; *Éire i ngioll re hAodh Eanghach* (Cú Uladh Mac an Bhaird), foinse: NLI G 167: 179 § 40.

⁵⁰ Féach *Bí id mhoscaladh, a mheic Aonghais,* in eagar: IBP: 43 § 13; *Gar fuaras cúpla coimseach* (Seán Mac Eochadha), in eagar: LB: 30 §§ 3381-2; *Mairg do-chonnairc ceann Fiachaidh* (Domhnall Mac Eochadha), in eagar: LB: 42 §§ 4012-3; '*Na Bhrian táinig Aodh Eanghach* (Brian Ó Gnímh), in eagar: Ó Donnchadha (1931a: 7 § 37); *Cia cheannchas adhmad naoi rann?* (Seán Ó hUiginn), in eagar: LB: 8 §§ 799-800; *Fuaras i Saltair Chaisil* (Giolla Caomháin/Mo Liag), thuas n. 30.

⁵¹ Féach *Bí id mhoscaladh, a mheic Aonghais,* in eagar: IBP: 43 §§ 15, 18; féach freisin *Do-fhidir Dia Cinéal Conaill* (Giolla Brighde Mac Con Midhe), in eagar: Williams (1980: 7); O'Rahilly (1946: 163).

⁵² *Fogas furtacht don tír thuaidh* (Eoghan Rua Mac an Bhaird), in eagar: DD: 93 §§ 6, 7, 11, 12, 43; DER: 20. Féach freisin *Teasta Éire san Easpáinn* (Fearghal Óg Mac an Bhaird), in eagar: Breatnach (1973); *Rob soraidh t'eachtra a Aodh Ruaidh* (Eoghan Rua Mac an Bhaird), in eagar: DER: 8, IBP: 3; *Maith an sealad uair Éire* (*idem*), in eagar: DER: 13; *A leabhráin ainmnighthear d'Aodh* (*idem*), in eagar: IBP: 1; *Mór do mhill aoibhneas Éireann* (Fearghal Óg Mac an Bhaird), foinse: RIA 23 F 16: 70, thuas lch 50 ; féach freisin Ó Buachalla (1990).

⁵³ Féach Jennings (1964: 507-9), Casway (1984: 10, 54, 68), CR i: 331, CHA ii: 198.

⁵⁴ Féach *Más é an leoghan cróga Gael i gceart* (Piaras Feiritéar), in eagar: Ua Duinnín (1934: 7), CR iii: 60, CHA ii: 463; CCU: 7 § 129, *Celtica* 1 (1946) 149 § 34; CHA ii: 62; Ó Donnchadha (1931: 37).

⁵⁵ Maidir leis an leathrann sin, a leagtar ar Phiaras Feiritéar, féach *Celtica* 1 (1946) 149, MN M 4: 124 , Ua Duinnín (1934: 7), thíos n. 56.

⁵⁶ *Dursan do chás, a chríoch Bhreagh* (Brian Óg Mac Con Midhe/Toirdhealbhach Ó Conchobhair), in eagar: McKenna (1949: §§ 35-6), Mhac an tSaoi (1946: §§ 35, 37).

⁵⁷ *A Éamoinn in' aghaidh féin* (Dochtúir Cléirigh), foinse: NLS G 42: 26.

⁵⁸ Féach CR ii: 618, iii: 60; Aiazza (1873: 385, 517, 523), Moran (1874 ii: 30), Casway (1984: 39, 208-9).

⁵⁹ Féach *Innisin fís is ní fís bhréige í* ('An Síogaí Rómhánach'), in eagar: FPP: 2 §§ 196-9; féach freisin FPP: 5 § 404; BAR ii: 76, O'Sullivan (1958 i: 8, 284, ii: 134); CHA ii: 62, 463.

⁶⁰ *Ráinig a hanam Éire* (Fearghal Óg Mac an Bhaird), foinse: NLI G 167: 402 §§ 3, 7, 11, 38, 39.

⁶¹ *Fearam fáilte fria hAodh* (An tAthair Pádraig Dubh Ó Coirnín), foinse: NLI G 167: 358 §§ 4, 6, 8.

⁶² *I Sacsaibh na séad i gcéin óm dhúchas* (Eoghan Rua Ó Súilleabháin), in eagar: ER: 8 §§ 691-4; *Ar maidin inné cois ché na slimbharc* (*idem*), in eagar: *ibid.* 9 §§ 783-6; *Cois taoibh abhann sínte is mé tráth inné* (*idem*), in eagar: *ibid.* 14 §§ 1114-7; *Ag taisteal dom trí na críocha ar cuaird* (Seán Clárach Mac Dónaill), in eagar: SMD: 18 §§ 16-9.

Caibidil 11

¹ Féach freisin *Aréir is mé fíorlag marbh,* foinse: TCD 1376: 274; *Geilchnis ghléghil álainn óg* (Tadhg Ó Neachtain), foinse: NLI G 135: 123; *Do casadh im threo i gcóngar coille óigbhean shnoite phlúrach* a leagtar ar Aindrias Mac Cruitín in MN C 13: 21, C 50: 148.

[2] Féach O'Rahilly (1924: 1 §§ 1, 5, 9-10, 29, 33), Ó Foghludha (1938b: 29 §§ 1, 3, 9-10, 27-8, 37), SMD: 4 §§ 1, 5-6, 13, 21, 29; 15: §§ 1, 4, 5-7, 23-4, 30-3, 38-40; 23: §§ 1, 3, 5, 9-12.

[3] Féach Hieatt (1967: 23-33), Spearing (1976: 1-11), Curtius (1953), Dillon (1948: 132-48), Cross (1952: V 510, V 515).

[4] Féach RIA E I 3: 17, 23 A 35: 75, *Éigse* 12 (1967) 38, Mag Uidhir (1977: 9a).

[5] Féach thuas lch 28. Sa liosta seo ní luaim ach foinse amháin i ngach cás.

[6] Féach FPP: 14. Dar le de Bhaldraithe (1944: 214), gur caoineadh é: 'Éire atá dhá caoineadh ag an sídhbhean annseo' ach ní fíor sin; le tairngreacht dhóchais i dtaobh na hÉireann a chríochnaíonn an dán. Dar le Ó Tuama (1978: 150), gur 'sagart ... sa Róimh' a chum an dán ach ní heol dúinn cé chum é ná cár cumadh; ní toisc gur 'insa Róimh ar órchnoc Céphas' a taibhsíodh an aisling don inseoir gur ansin a chum an file an dán. Féach freisin Ó Dúshláine (1987: 192) agus n. 16 thíos.

[7] Aingeal atá i gceist freisin sna scéalta a bhaineann le Corc, an té a bhunaigh Caiseal sa chúigiú haois (Byrne 1973: 192, Sproule 1985).

[8] Féach mar shampla, *Aisling ad-chonnairc Cormac,* in eagar: O'Dwyer (1948).

[9] *Lá dá raibh Fionn flaith,* in eagar: Ó Siochfhradha (1941: 74 §§ 6-7); *A Oisín, is binn liom do bhéal* (*ibid.* 137 §§ 16-7); *A Oisín uasail, a mhic an ríogh* (*ibid.* 213 §§ 7-10).

[10] *Innis dúinn, a Oisín suairc* (*ibid.* 24 § 62); *Atá scéal beag agam ar Fhionn* (*ibid.* 151 § 8); *A Oisín uasail, a mhic an ríogh* (*ibid.* 213 § 14).

[11] *Néall mná síthe sunn aréir* (Tadhg Dall Ó hUiginn), in eagar: TD: 39 § 10; *An tusa an bhean do bhí sunn* (*idem*), in eagar: *ibid.* 40 § 1; *An tú táinig go Tadhg Dall,* in eagar: ii 325 § 1; *Cia thú, a mhacaoimh mná?,* in eagar: O'Rahilly (1926: 48 §§ 1-6); *Tuirseach dhamh ag éirghe lae* (Eoghan Ó Donnghaile), in eagar: ND i: 45 §§ 35-6; *Go moch is mé im aonar gan aoin im chomhair* (Eoghan Mac Cárthaigh), in eagar: Ó Foghludha (1938b: 15 §§ 37,39); *Tríom thaobhsa tig tuirse aréir dom d'éis luite* (*idem*), in eagar: *ibid.* 26 § 51.

[12] Ach Themis a thugann sí uirthi féin – go heisceachtúil – in aislingí polaitiúla a chum Eoghan Mac Cárthaigh (Ó Foghludha 1938b: 29 § 29) agus Seán Clárach Mac Dónaill (SMD: 4 § 23).

[13] Féach Ó Foghludha (1937a: 8), ER: 1, Ó Foghludha (1946: 43), SMD: 3, Ó Foghludha (1938b: 29), SMD: 39, Hardiman (1830 i: 304), AÓR: 3.

[14] Féach ER: 11, Ó Muirithe (1987: 3), Ó Foghludha (1938: 16), Ó Muirithe (1987: 16), Ó Foghludha (1937a: 33), ER: 5, Ó Foghludha (1939:18, 1937a: 1).

[15] Féach AÓR: 4 § 16, 5 § 4, 20 § 1; 'síbhruinneall mhómharach' a thugann Eoghan Rua ar an spéirbhean in 'Ceo Draíochta' (ER:11).

[16] *Gile na gile do chonnarc ar slí in uaigneas* (Aogán Ó Rathaille), in eagar: AÓR: 4 §§ 1, 9-12; *I gcaoldhoire chraobhchluthmhar néamhdhuilleach bhíos* (Eoghan Rua Ó Súilleabháin), in eagar: ER: 2 §§ 137-9; maidir le *Innisim fios ...* (FPP: 2), sin é an léamh i bhformhór mór na lámhscríbhinní agus b'é ba oiriúnaí mar líne tosaigh.

[17] Féach go háirithe Ua Duinnín (1934: 22), Ó Foghludha (1938: 9, 1938b: 5), SMD: 11, 23; RIA 23 L 24: 139; Ó Fiaich (1973: 21).

[18] *Ar maidin inné 's mé ag déanamh machnaimh* (Liam Dall Ó hIfearnáin/Piaras Mac Gearailt), foinsí: RIA 23 B 5: 212, 24 M 11: 33, HL 2: 23; in eagar: Ó Foghludha (1905: 9, 1939: 20).

[19] *Cois caladhphoirt ar maidin dom i dtráth 's me im néall* (Seán Clárach Mac Dónaill), in eagar: SMD: 23 §§ 5-12; *Aréir dom go sámh in áras chúng* (Seán Ó Tuama), in eagar: ÉM: 60 §§ 21-5, 31-5.

[20] Féach Murphy (1952). 'Vision; frenzy, madness (originally arising out of supernatural revelations)' an míniú a thugtar ar *baile* (DIL *s.v.*).

21 Thurneysen (1936), Meyer (1901a, 1918, 1919), Ó Cathasaigh (1989: 31·).

22 Féach Ó Donnchadha (1931a: 3-4), O'Grady (1892: 326-30), Stokes (1897), Gwynn (1924), Ó Cuív (1983); thuas lch 473.

23 Féach Stokes (1903), Joynt (1908), thuas lch 473.

24 'Evidently we have here to deal with one of those hidden streams of sub-literary tradition .... some of the elements which explain it are doubtless for ever hidden from us in the stream of unwritten oral tradition which carried to Eóghan Ruadh in eighteenth century Kerry the modes and metaphors of a student of Paris University who composed a Latin poem in thirteenth century France' (Murphy 1939: 47, 50).

25 *Cois leasa is mé go huaigneach ar uair na maidne im aonar* (Seán Lloyd), féach thuas lch 357 n. 49.

26 *Aréir is mé im aonar cois taoibh Fleasca an Ghaorthaidh* (Dáibhí Ó hIarlaithe), in eagar: Ó Muirithe (1987: 5 §§ 41-8). Féach thuas lch 426 n. 39.

27 Féach thuas lch 277.

28 Féach thuas lch 296.

29 Leagtar an dán i bhfoinsí áirithe ar Ghiolla Dubh an Ghluaráin. Féach *Cidh fada dhom in uaigneas ...* (RIA 23 M 14: 226, 23 E 21: 169; MN M 11: 105).

30 *Oíche bhíos im luí im shuan* (Seán Clárach Mac Dónaill), in eagar: SMD: 3 §§ 65-8; *Ag taisteal dom trí na críocha ar cuaird* (*idem*), in eagar: *ibid.* 18 §§ 46-9; *Gach Gaol geal greannmhar tachtadh le cóbaigh* (*idem*), in eagar: *ibid.* 16 §§ 29-32.

31 *Aréir ar mo leaba im thaomaibh gan tapa* (Eoghan Mac Cárthaigh), in eagar: Ó Foghludha (1938b: 29 §§ 41-4); *Mo mhíle trua, mo bhuairt, mo bhrón* (Seán Ó Tuama), in eagar: ÉM: 33 §§ 37-40; *Tógaidh go tréitheach go héachtach go haoibhinn* (Tadhg Gaelach Ó Súilleabháin), in eagar: Ua Duinnín (1903: 2 §§ 105-8).

32 Féach, mar shampla, 'This mechanistic view of the apocalyptic process perhaps also explains why the Saviour figure itself remains relatively abstract. He is viewed almost as a cosmic principle, without any singular personal characteristic' (Van der Kroef 1959: 316).

33 Féach AÓR: 3, 20, 21, 28, 35; SMD: 7, 15, 16, 17, 18, 22, 25; Ó Foghludha (1937a: 13, 14, 19, 22, 24, 26); ÉM: 34, 37, 38, 39, 75, 86, 90, 93.

34 Ní miste a mheabhrú nach bhfuil aon bhunús leis an ráiteas údarásach: 'One must not expect to find diminutives of affection or hypocoristic names in poems which concern the marriage of an allegorical Queen with an equally allegorical King' (Breatnach 1953: 322). Ag glacadh a bhí an Breatnach leis an idirdhealú a rinne Ó Corcora (Corkery 1925: 130-1) idir filíocht Sheacaibíteach na hAlban is na hÉireann, idirdhealú gan bhunús, dar liom. Féach thuas lch 417.

35 Feach thuas lgh 389, 400, 417.

36 Feach thuas lch 326.

37 Féach Monod (1989: 70-92), Woolf (1988), Hawkins (1885).

38 *Cois leasa is mé go huaigneach ...* (Seán Lloyd), féach thuas lch 357 n. 49.

39 *Ceo draíochta sheol oíche chum fáin mé* (Pádraig Ó hIarlaithe), in eagar: Ó Muirithe (1987: 3 §§ 9-16). Féach thuas lch 416 n. 26.

40 Féach Ó Foghludha (1939: 2, 12; 1937: 3, 4; 1937a: 15, 24); SMD: 23, ÉM: 39, Ó Súilleabháin (1937: 3, 4), DCCU: 2.

41 Féach Agulhon (1979) trí chéile is go háirithe lgh 96, 118, 134, 164. Féach freisin Masson (1974).

42 Féach Ó Foghludha (1938b: 4 § 9), SMD: 40 §§ 3-4, Ó Foghludha (1905: 10 § 324, 11

§§ 362, 381, 389; 12 § 423), Ó Foghludha (1937a: 14 §§ 1-2, 15 § 10), Ó Muirithe (1987: 3 §§ 7-8), SÓH: 3 § 29, Ua Duinnín (1903: 4 § 181), ÉM 60 §§ 3, 4, 20.

43 Foinsí: RIA 23 M 11: 206, 24 M 4: 182; 23 M 14: 23.

44 *Aréir ar mo leaba im thaomaibh gan tapa* (Eoghan Mac Cárthaigh), in eagar: Ó Foghludha (1938b: 29 §§ 31-2); *Ar maidin inné agus mé im shuan* (Seán Clárach Mac Dónaill), in eagar: SMD: 15 §§ 16-22; *A chéibhfhionn bheag bhéaltana bhaoth* (*idem*), in eagar: *ibid.* 17 §§ 17-20, 29-32.

45 Féach mar shampla Herbert (1992), Nic Eoin (1996).

46 *Araoir im aisling is mé ag machnamh im intinn* (Muiris Ó Gríofa), féach thuas lch 328 n. 57.

47 *Taoim daor i ngalar dubhach* (Seon Ó hUaithnín), in eagar: SÓH: 3 §§ 29-32.

48 *Ar maidin inné dhom is déarach do bhíos-sa* (Tadhg Gaelach Ó Súilleabháin), in eagar: Ua Duinnín (1903: 4 §§ 173-7); *Cois leasa is mé go huaigneach ...* (Seán Lloyd), féach thuas lch 357 n. 49.

49 *Is mór an galar tríd an bpeaca so ar Éire d'fhás*, foinse: RIA 23 B 38: 85; *A chléirigh na leabhar suadh*, foinse: RIA 23 M 4: 186; *Le bearannaibh faobhair rinn tsleasa, a Bhanbha phráis* (Cormac Ó Dálaigh), foinse: NLI G 31: 169.

50 *Do bhíos-sa maidin aerach ag déanamh leanna i mbarr cnoic* (Piaras Mac Gearailt), in eagar: Ó Foghludha (1905: 11 §§ 373-80); *Im aonar seal ag ródaíocht* (Seán Ó Tuama), in eagar: ÉM: 39 §§ 33-40; *A Bhanba, is feasach dom do scéala* (Aodh Buí Mac Cruitín), féach thuas lch 315 n. 32.

51 *Is fada mílte á gcartadh síos is suas ar fán* (Liam Dall Ó hIfearnáin/Liam Ó hAnnracháin), in eagar: Ó Foghludha (1939: 3 §§ 5-8); *A shaoi ghlain de phríomhscoth na sáirfhear saor* (Seán Clárach Mac Dónaill), in eagar: SMD: 22 §§ 1-4; *Is briathra leamha ar ollbhaois do ghlórmhaíomh, scoir ded phlás* (Liam Rua Mac Coitir), in eagar: Ó Foghludha (1937: 4 §§ 9-16); *Cuirfeam plaid is clóicín ar mo dhreoilín go seascair sámh* (Aindrias Mac Craith), in eagar: ÉM: 40 §§ 25-32.

52 *Im leabaidh aréir trím néal do dhearcas-sa* (Eoghan Rua Ó Súilleabháin), in eagar: ER: 1 §§ 41-4; *I gcaoldhoire chraobhchluthmhar néamhdhuilleach bhíos* (*idem*), in eagar: *ibid.* 2 §§ 149-52; *Mo chás, mo chaí, mo cheasna* (*idem*), in eagar: *ibid.* 3 §§ 269-76.

53 *Ag taisteal na sléibhte dhom sealad im aonar* (*idem*), in eagar: *ibid.* 13 §§ 1058-61; *Cois taoibh abhann sínte is mé tráth inné* (*idem*), in eagar: *ibid.* 14 §§ 1110-3; *Tráth is tréimhse thaistealas im thimpeallaibh saoil* (Conchúr Ó Ríordáin), in eagar: Ó Muirithe (1987: 16 §§ 25-8).

54 *Cois caladhphoirt ar maidin dom i dtráth 's me im néall* (Seán Clárach Mac Dónaill), in eagar: SMD: 23 §§ 9-10, 29-32; *Cois leasa is mé go huaigneach ...* (Seán Lloyd), féach thuas lch 357 n. 49.

55 *I Sacsaibh na séad i gcéin óm dhúchas* (Eoghan Rua Ó Súilleabháin), in eagar: ER: 8 §§ 703-6; *Ag taisteal na Blarnan lá 's mé ag machnamh* (*idem*), in eagar: *ibid.* 12 §§ 992-7; *Is fada mé i gcumha gan tnúth le téarnamh* (Aindrias Mac Craith), in eagar: ÉM: 104 §§ 33-4.

56 *Aisling ghéar do dhearcas féin* (Aogán Ó Rathaille), in eagar: AÓR: 3 § 29; *Maidin aoibhinn ar bhuíochaint gréine* (Eadbhard de Nógla), foinse: MN M 6: 192.

57 *Gile na gile do chonnarc ar slí in uaigneas* (Aogán Ó Rathaille), in eagar: AÓR: 4 §§ 25-6; *A bhé na bhfód nglas ródach rannach* (Liam Inglis), in eagar: Ó Foghludha (1937a: 15 §§ 26-30); *A chúileann tais is clúmhail cneasta múinte blasta béasach* (Conchúr Ó Ríordáin), in eagar: Ó Muirithe (1987: 17 §§ 17-8).

58 *I gcaoldhoire chraobhchluthmhar néamhdhuilleach bhíos* (Eoghan Rua Ó Súilleabháin), in eagar: ER: 2 §§ 169-70; *Cois leasa is mé go huaigneach do chuala corraí* (Conchúr Ó Briain), in eagar: Ó Foghludha (1938a: 2 §§ 5-6); *Ar maidin inné dhom is déarach do bhíos-sa* (Tadhg Gaelach Ó Súilleabháin), in eagar: Ua Duinnín (1903: 4 §§ 187-8).

59 *A ríoghan uasal shuairc 's a stór* (Seán Ó Tuama), in eagar: ÉM: 34 §§ 1-4; *A spéirbhean ba ghlégile scéimh* (Séamas Mac Gearailt), in eagar: SMD: 17 §§ 33-40; *Do bhíos-sa maidin aerach ag déanamh leanna i mbarr cnoic* (Piaras Mac Gearailt), in eagar: Ó Foghludha (1905: 11 §§ 381-4).

60 *Maidin lae ghil fá dhuille géag-glais* (Seán Ó Coileáin), foinse: RIA: 23 D 42: 61; *A bhé na bhfód nglas ródach rannach* (Liam Inglis), in eagar: Ó Foghludha (1937a: 15 §§ 36-40); *Is é an Brianach glan tug dhomhsa í*, foinse: RIA 23 D 8: 257; féach Ó Foghludha (1977: 3).

61 *Do bhíos im leaba 's mé atuirseach tréith im luí* (Donnchadh Dall Ó Laoire/Donnchadh Caoch Ó Mathúna), foinsí: 23 G 23: 251, 23 E 1: 322, 23 Q 3: 60, 24 M 5: 35; MN M 10: 398, M 12: 59; *Tá an cruatan ar Sheoirse cé mór a neart ar farraige* (Eoghan Rua Ó Súilleabháin), in eagar: ER: 16 §§ 1250-7.

62 *Gan bhrí, faraor, atá mo chéadfa* (Séamas Carthún), in eagar: DMM: 49 §§ 135-6; *Atá triúr dochtúir naofa léar scríobhadh na grása*, in eagar: *ibid.* 65 §§ 13-4; *Innisim fís is ní fís bhréige í*, in eagar: FPP: 2 §§ 222-4; *An uair smaoinim ar shaoithibh na hÉireann* (Seán Ó Conaill), in eagar: *ibid.* 4 §§ 441-7.

63 'Séamas Mac Coitir ar anfhorlainn Éireann 1737', foinsí: RIA A iv 2: 71, 23 B 38: 49, 23 M 14: 328, 23 C 8: 49; MN M12: 298, B11: 17.

64 'Uilliam Mac Cairteáin cct. Anno Domini 1702', foinse: RIA 23 H 18: 150.

65 *Is léan liom saoithe sagart* (Seán Ó Murchú), foinse: RIA C iv 1: 131.

66 *Is fada atá an ainnise ar Ghaelaibh* (Máistir Gadhra), in eagar: Ó Raghallaigh (1938: 431 §§ 54-7); *An chríoch so ba naofa is ba féile cáil* (Seán Ó Neachtain), féach thuas lch 272 n. 55; *Crom is caoin go fuíoch ár dturas* (Seon Ó hUaithnín), in eagar: SÓH: 5 §§ 33-6; *Dalta na bhfear fuair reacht is réimheas rí* (Dónall 'na Buile' Mac Cárthaigh), foinsí: RIA A iv 2: 54, 23 A 28: 31, 23 B 14: 154, 210.

67 *Sé mo ghéardheacair chlíse mar d'éag treibh na dtíortha* (Séamas Dall Mac Cuarta), féach thuas lch 209 n. 19; *A rí na ngrása, nach cloíte an cás é*, in eagar: Ó Tuathail (1923: 26 §§ 45-8); *Maidin aoibhinn tsamhraidh le huair an lae* (Mícheál Ó Caoimh), foinsí: RIA 23 G 20: 182, 23 C 8: 389; 24 A 34: 21, 24 C 55: 5; MN M 6: 273, M 10: 225; *Do rinneadh aisling bheag aerach gan bhréig trím néal dom* (Eoghan Rua Ó Súilleabháin), in eagar: ER: 44 §§ 3136-7.

68 *Mo léansa an galar so shearg me i sírghéibheann* (Séamas Mac Coitir), féach n. 63 thuas; de réir nóta in RIA A iv 2: 71 is iad na naoimh a bhí i gceist 'Seanán Inis Cathaigh ar an Sionainn ⁊ Séadna le ar tarngaireadh díothchur nDanar le hÉireannchaibh'.

69 *Cá bhfuil bhur saothar le daichead is caoga* (Tadhg Ó Crualaoich/Tadhg Mac Cárthaigh), foinsí: 23 B 36: 10, 24 B 29: 140; MN M 10: 179, C 40: 58; *Ar maidin inné cois ché na slimbharc* (Eoghan Rua Ó Súilleabháin), in eagar: ER: 9 §§ 771-4.

70 *Gabhaidh misneach, a chuideachta chaomh so ar láimh* (Tomás Ó Maoil Riain), foinsí: RIA 23 G 24: 387, 23 C 8: 77, 23 N 15: 131; MN M 12: 292; *Más dóchas ár ndóchas i mbliana mheath* (Conchúr Ó Briain/Dónall Ó Murchú), in eagar: Ó Foghludha (1938a: 22 §§ 3-4); *Ar mbeith sealad domhsa in aicis mhór cois taoide* (Aodh Buí Mac Cruitín), féach thuas lch 323 n. 50; *Cois taoibh abhann sínte is mé tráth inné* (Eoghan Rua Ó Súilleabháin), in eagar: ER: 14 §§ 1122-5.

71 *Ó measaimíd nach calm rinn den bhuairt seo i Spáinn* (Liam Dall Ó hIfearnáin), in eagar: Ó Foghludha (1939: 2 §§ 21-4); *Cia briseadh bhur ndóchas fós, a chlanna Mhíle* (Dáibhí Ó hIarlaithe), foinse: MN M 9: 135; *Goidé an scléip seo ar scriúdairí an Bhéarla*, féach thuas lgh 178-9 n. 35.

72 *Cé bhíomair tréimhse i ndaoirse phéin* (Eoghan Ó Callanáin/Ó Cuileannáin), foinsí: MN M 9: 266, M 11: 77; RIA 23 G 23: 178, 23 M 14: 53, 23 C 8: 401; *Is dubhach liom an smúit seo ar Ghaeil* (Piaras Mac Gearailt), in eagar: Ó Foghludha (1905: 13 §§ 457-60); *Im leabaidh aréir trím néal do dhearcas-sa* (Eoghan Rua Ó Súilleabháin), in eagar: ER: 1 §§ 61-4, 74-7.

73 *Atá an fhoireann so thall gan amhras díleas* (Liam Inglis/Tadhg Gaelach Ó Súilleabháin), in eagar: Ó Foghludha (1937a: 22); *Tá an bhliain ag teacht le calmthráth chugainn* (Conchúr

Ó Briain), in eagar: Ó Foghludha (1938a: 9 §§ 13-6); *A shaoi, is a shagairt tá ag seasamh go síorchróga* (Aodh Buí Mac Cruitín), féach thuas lch 280 n. 65; *A bhile den fhoirinn nach gann* (Aindrias Mac Craith), in eagar: ÉM: 75 §§ 1-4; RIA 23 M 4: 186.

[74] *Is atuirseach fann i dteannta ar caitheamh me* (Liam Dall Ó hIfearnáin), in eagar: Ó Foghludha (1939: 11 §§ 17-20).

[75] *Sealad aréir i gcéin cois leasa dhom* (Liam Dall Ó hIfearnáin), in eagar: Ó Foghludha (1939: 18 §§ 56-61).

[76] *Ar mbeith sealad domhsa in aicis mhór cois taoide* (Aodh Buí Mac Cruitín), féach thuas lch 323 n. 50; *Ar thulaigh im aonar ag déanamh cumha is me im spreas* (Seán Clárach Mac Dónaill), in eagar: SMD: 4 §§ 27-9; *Atáid clanna na nGael go léir i dtuirse* (Conchúr Ó Ríordáin), féach thuas lch 426 n. 40.

[77] Leagann Ó Dufaigh agus Ó Doibhlin (1989: 3) an t-amhrán seo ar Nioclás Ó Cearnaigh, ach is léir ar an mheadaracht is ar an teanga gur Mhuimhneach a chum; chomh maith leis sin, is i lámhscríbhinn Mhuimhneach (RIA 23 A 12) a fhaightear an chóip is sine den dán; foinsí: RIA 23 A 12: 4, 23 E 12: 321, 12 E 24: 252.

[78] *Éistidh feasta lem labhartha a Ghaeil bhocht* (Tomás Firéast), foinse: RIA 23 C 8: 396; *Mo dhainid mar d'éagadar na fearaibh cianaosta* (Liam Dall Ó hIfearnáin), foinse: RIA 23 B 38: 25; féach Ó Foghludha (1939: 13, 1937a: 25); *Ar maidin inné cois ché na slimbarc* (Eoghan Rua Ó Súilleabháin), in eagar: ER: 9 §§ 779-82. Féach freisin an focal *paitean(t)* sna sleachta ar lch 586.

[79] *Tiocfaidh am, ón tiocfaidh am* (RIA E iv 3: 179).

[80] *Tráth is mé cois leasa* (Eoghan Rua Ó Súilleabháin), in eagar: ER: 15 §§ 1206-13; *Ag taisteal na Blárnan lá ...* (*idem*), in eagar: ibid. 12 §§ 992-4; *Mo léan le lua is m'atuirse* (*idem*), in eagar: ibid. 4 §§ 417-20; *Sealad dem shaol go haerach iongantach* (*idem*), in eagar: ibid. 43 §§ 3092-3; *Do rinneadh aisling bheag aerach gan bhréig tríom néal dom* (*idem*), in eagar: ibid. 44 §§ 3148-51; *Ar maidin inné agus mé im shuan* (Seán Clárach Mac Dónaill), in eagar: SMD: 15 §§ 38-40; *Im aisling ar mo leabaidh is mé aréir im luí* (Mícheál Ó Longáin), foinsí: RIA 23 G 24: 238, 23 C 8: 347; UCD F 33: 106.

[81] *Ar bruach na Coille Móire fé ruabhrataibh bróin* (Liam Dall Ó hIfearnáin), in eagar: Ó Foghludha (1939: 1 §§ 11-12); *Cois caladhphoirt ar maidin dom ...* (Seán Clárach Mac Dónaill), in eagar: SMD: 23 §§ 17-8; *An aisling do rinneas ar Mhóirín* (*idem*), in eagar: ibid. 40 §§ 41-5; *Ó measaimíd nach calm rinn den bhuairt seo i Spáinn* (Liam Dall Ó hIfearnáin), in eagar: Ó Foghludha (1939: 2 §§ 29-32); *Aréir is mé im aonar ...* (Dáibhí Ó hIarlaithe), in eagar: Ó Muirithe (1987: 5 §§ 21-4); *D'aithníos féin gan bhréag ar fhuacht* (Piaras Mac Gearailt), in eagar: Ó Foghludha (1905: 1 §§ 1-4, 9-12).

[82] Breatnach (1953: 324). Féach freisin Breatnach (1960). Ó Ó Corcara, is léir, a fuair an Breatnach an téarma úd 'the residuary legatees' (Corkery 1925: 141).

[83] 'We define the myth as consisting of all its versions ... There is no one true version of which all the others are but copies or distortions ...' (Lévi-Strauss 1955: 92-4). Féach freisin Malinowski (1936), Sebeok (1955), Kluckholn (1960).

[84] *A bhile den fhoirinn nach gann* (Aindrias Mac Craith), foinse: RIA 23 B 38: 80; in eagar: ÉM: 75 §§ 13-6, 29-36.

[85] Féach 'It seems that explanations of failure are 'programmed', as it were, into a new system of culture' (Zenner 1966: 118); 'One promise after another may have proved illusory ... but still people have not grown weary of their hopes and cheerful expectations' (Fülöp-Miller 1935: 89); 'When, by historical circumstances, the realization of the Messianic hope is not fulfilled, it is postponed or still more utopianized' (Ahlberg 1986: 50); féach freisin Cohn (1978: 35), Worsley (1978: 122), Southern (1972), Munz (1969), Schwartz (1977), Katz (1961: 215-6), Anderson (1958), Van der Kroef (1959: 313), Kastein (1931: 55, 295), Wilson (1973: 390), Wallace (1972: 279), La Barre (1972: 613-35).

⁸⁶ *Luis* = caoga, *cúig roimh luis* = 45.

⁸⁷ Féach O'Rahilly (1925: 3, 1926: 95-108), TCD H.2.5: 242, MN M 58: 41, B 11: 120; RIA 23 K 51: 33, 23 L 31: 143, NLI G 116: 110.

⁸⁸ Féach UCD C 13: 24, MN R 69: 173, RIA 24 B 11: 256; faightear *cúig tar luis* (l. 2) freisin sna LSS.

⁸⁹ *M'atuirse traochta na fearachoin aosta* (Liam Inglis), in eagar: Ó Foghludha (1937a: 25 §§ 13-6); *A chlanna Gael, fáiscidh bhur lámha le chéile* (Uilliam Mac Cairteáin), féach thuas lch 335 n. 3.

⁹⁰ Aodh Ó Caoimh a chum, foinse: NLI G 31: 139; dán é i sraith ar 'chú' ar léir gur brí mheafarach pholaitiúil atá i gceist.

⁹¹ Féach thuas lgh 200, 280, 328, 614.

⁹² *Ó measaimíd nach calm rinn den bhuairt seo i Spáinn* (Liam Dall Ó hIfearnáin), in eagar: Ó Foghludha (1939: 2 §§ 5-8); *A ghrianfhir ghartha ghasta gháirithigh* (Eoghan Ó Callanáin), in eagar: Ó Foghludha (1938a: 10 §§ 5-8).

⁹³ *Cú dhíbir Seán Stíbhin ag seachaint a thréad* (Cormac Ó Dálaigh), foinse: NLI G 31: 139 (féach thuas n. 90); thuas lch 239; *A fharaire fhéil is tréitheach deamhúinte* (Uilliam Mac Cairteáin), foinsí: RIA 23 G 20: 148, 23 C 8: 142; TCD 1365: 140, MN M 9: 495, M 12: 68; féach Ó Rathaille (1925a: 94).

⁹⁴ *Cois na Siúire maidean drúchta* ... (Eoghan Rua Ó Súilleabháin), in eagar: ER: 5 §§ 471-4; *Ag taisteal na sléibhte dhom sealad im aonar* (*idem*), in eagar: *ibid.* 13 §§ 1074-7; *Tá Pruise agus Poland fós ar mearthall* (Aindrias Mac Craith), in eagar: ÉM: 93 §§ 12-5.

⁹⁵ *Stadaidh d'bhur ngéarghol, a ghasra chaomh so* (Eibhlín Ní Chaoilte), foinsí: RIA 3 B 38: 231, 23 B 14: 137, 174; 23 M 11: 227, 23 A 11: 139; MN M10: 178, R 68: 48, C 7: 18; *Tráth inné is mé tnáite i bpéin* (Eoghan Rua Ó Súilleabháin), in eagar: ER: 10 §§ 837-8; *Ar maidin inné cois ché na slimbharc* (*idem*), in eagar: *ibid.* 9 §§ 783-6; *A ríoghan uasal shuairc 's a stór* (Seán Ó Tuama), in eagar: ÉM: 34 §§ 5-6; *An gcualabhair sceolta leoin an deachroí?* (Eadbhard de Nógla), féach thuas lch 410 n. 21.

⁹⁶ *Tráth inné is mé tnáite i bpéin* (Eoghan Rua Ó Súilleabháin), in eagar: ER: 10 §§ 841-2; *Tá an cruatan ar Sheoirse* (*idem*), in eagar: *ibid.* 16 §§ 1239-45; *Sealad dem shaol go haerach iongantach* (*idem*), in eagar: *ibid.* 43 §§ 3072-5.

⁹⁷ *Im leabaidh aréir* ... (Eoghan Rua Ó Súilleabháin), in eagar: ER: 1 §§ 76-80; *Mo léan le lua is m'atuirse* (*idem*), in eagar: *ibid.* 4 §§ 425-30; *Tráth is mé cois leasa* (*idem*), in eagar: *ibid.* 15 §§ 1206-13.

⁹⁸ *Im leabaidh aréir* ... (*idem*), in eagar: *ibid.* 1 §§ 81-4; *Im aonar seal ag siúl bhíos* (*idem*), in eagar: *ibid.* 7 §§ 599-602; *Tráth inné is mé tnáite i bpéin* (*idem*), in eagar: *ibid.* 10 §§ 847-50; *Sealad dem shaol go haerach iongantach* (*idem*), in eagar: *ibid.* 43 §§ 3088-91; *Do rinneadh aisling bheag aerach gan bhréig trím néal dom* (*idem*), in eagar: *ibid.* 44 §§ 3148-51.

⁹⁹ Féach thuas lgh 551, 564, 570, 579, 584, 589 agus Ó Foghludha (1939: 19 § 34).

¹⁰⁰ *Cois taoibh abhann sínte is mé tráth inné* (Eoghan Rua Ó Súilleabháin), in eagar: ER: 14 §§ 1114-7; *Araoir im aisling is mé ag machnamh im intinn* (Muiris Ó Gríofa), féach thuas lch 328 n. 57; *A shaoi ghlain de phríomhscoth na sáirfhear saor* (Seán Clárach Mac Dónaill), in eagar: SMD: 22 §§ 29-32.

¹⁰¹ *Tráth is mé cois Leasa* (Eoghan Rua Ó Súilleabháin), in eagar: ER: 15 §§ 1182-97.

¹⁰² *Atáid clanna na nGael go léir i dtuirse* (Conchúr Ó Ríordáin), féach thuas lch 426 n. 40.

¹⁰³ Féach AÓR: 2 § 34, 36; 28 § 1; ÉM: 27 § 14, 29; 33 § 8, 35, 39; 34 § 13, 40; 60 § 35; 92 § 2, 93 § 19, 94 § 32; Ó Foghludha (1938b: 29 § 39), ER: 1 § 63, 69; 2 § 179; 3 § 313, 4 § 423, 5 § 474, 8 § 687-8, 9 § 768, 12 § 999, 13 § 1065, 15 § 1211, 16 § 1254; Ó Foghludha (1938: 39 § 2), SMD: 5 § 5, 18 § 19; Ó Foghludha (1937: 7 § 111), Ó Muirithe (1987: 5 § 48), Ó Foghludha (1939: 18 § 56).

104 *I mothar glas coille trém néalltaibh* (Piaras Mac Gearailt), in eagar: Ó Foghludha (1905: 12 §§ 437-44); *Is dubhach liom an smúit seo ar Ghaeil* (*idem*), in eagar: *ibid.* 13 §§ 473-6; *Ar bruach na Coille Móire fé ruabhrataibh bróin* (Liam Dall Ó hIfearnáin), in eagar: Ó Foghludha (1939: 1 §§ 13-5); *A ríoghan uasal shuairc 's a stór* (Seán Clárach Mac Dónaill), in eagar: SMD: 2 §§ 25-8; *Ar maidin ag caí dhom go fann táir* (Liam Inglis), in eagar: Ó Foghludha (1937a: 13 §§ 31-5); *Tá Pruise agus Poland fós ar mearthall* (Aindrias Mac Craith), in eagar: ÉM: 93 §§ 18-22; *Cois abhann inné 's mé ag taisteal i gcéin* (Eoghan Rua Ó Súilleabháin), in eagar: ER: 6 §§ 527-30.

105 *Cé bhíomair tréimhse i ndaoirse phéin*, féach thuas n. 72; *Éistidh feasta lem labhartha, a Ghaeil bhocht* (Tomás Firéast), foinse: RIA 23 C 8: 396; *Stadaidh d'bhur ngéarghol, a ghasra chaomh so* (Eibhlín Ní Chaoilte), féach n. 95; *Tá an oiread san tarcaisne ar bhreathaibh na binn-Ghaeilge* (Donchadh Caoch Ó Mathúna), foinsí: RIA A iv 2: 52, 23 B 38: 54, 23 G 24: 208, 23 M 14: 216; MN M 11: 60, M 12: 139, R 69: 171.

106 Féach Hill (1972), Cohn (1978: 198-271), Talmon (1966: 181, 194), Wilson (1963: 107-8); cf. 'He had announced that the order of the world was to be reversed. Whites were to serve natives and chiefs were to be inferior to commoners' .... 'There would be no more work, and the brown men would turn white and rule their former masters, now brown of skin' (Worsley 1978: 20, 111).

107 *Im leabaidh aréir trím néal do dhearcas-sa* (Eoghan Rua Ó Súilleabháin), in eagar: ER: 1 §§ 61-4, 85-8; *Tríom aisling araoir do smuaineas-sa* (*idem*), in eagar: *ibid.* 42 §§ 3016-23. Níl ach aon chóip amháin den aisling sin ar marthain, go bhfios dom (NLI G 819: 181), agus do tharlódh nach é Eoghan Rua a chum.

108 Ó Foghludha (1938: 21 § 12), ÉM: 38 § 23-5, SMD: 16 § 28, 23 § 32; Ó Foghludha (1939: 18 § 75), thuas lch 576 n. 90, *Cois imeallaibh sleasa na mara im shuí bhíos-sa* (Seán Ó Dálaigh), foinsí: RIA 23 C 8: 164, HM 4543: 247.

109 *Mo léirscrios greadaithe reachta gach móirmhíle* (Proinsias Ó Súilleabháin), in eagar: Ó Foghludha (1938: 36 §§ 37-48); *A Dhónaill na páirte, táim cráite ag an gcíos* (An tAthair Pádraig Ó Broin), in eagar: DMM: 106 §§ 9-20.

110 *Stadaidh d'bhur ngéarghol, a ghasra chaomh so* (Eibhlín Ní Chaoilte), féach thuas n. 95; *Is fada dhom in uaigneas 's is buartha bhíos m'intinn* (Seán Clárach Mac Dónaill), in eagar: SMD 34 §§ 33-6, 48-50; *Atá an fhoireann so thall gan amhras díleas* (Liam Inglis), in eagar: Ó Foghludha (1937a: 22 §§ 33-40).

111 *Níorbh fheasach sinn i gcríochaibh Éibhir mhóir* (Diarmaid Ó Súilleabháin), in eagar: Ó Foghludha (1938: 1 §§ 45-8); *Fá chliath an smáil na táinte chlanna Mhíle* (Donnchadh Ó Súilleabháin), in eagar: *ibid.* 31 §§ 21-4.

112 *A Dhónaill na páirte táim cráite ag an gcíos* (An tAthair Pádraig Ó Broin), in eagar: DMM: 106 §§ 21-4; *Is fada mo chiach gan riar ar dhántaibh* (Eadbhard de Nógla), foinsí: RIA 23 B 14: 138, 182; 23 C 3: 53, 24 P 29: 64; *Spreagaidh bhur gcroí ar intinn subhachais* (Anraí Mac Amhlaoibh), féach thuas lch 416 n. 26; *Is fada mé dubhach ag tiomsadh leanna dhuibh* (Seán Clárach Mac Dónaill), in eagar: SMD: 38 §§ 25-8.

113 *Tá Iarla Chlainne Cárthaigh le hábhar ag teacht ón gcoróin* (Seán Clárach Mac Dónaill), in eagar: SMD: 35: §§ 10-5; *Cuirfeam plaid is clóicín* (Aindrias Mac Craith), in eagar: ÉM: 40 §§ 19-20; *Más dóchas ár ndóchas i mbliana mheath* (An tAthair Conchúr Ó Briain), in eagar: Ó Foghludha (1938a: 22 §§ 13-6); *Mo chiach atuirseach an treascairt sin ar phór Mhíle* (Diarmaid Ó Súilleabháin), in eagar: Ó Foghludha (1938: 6 §§ 23-4).

114 Féach thuas lgh 145, 311, 553, 559, 567.

115 *Níorbh fheasach sinn i gcríochaibh Éibhir mhóir* (Diarmaid Ó Súilleabháin), in eagar: Ó Foghludha (1938: 1 §§ 25-32).

116 Fuaireas an leagan sin den cheathrú ó Dhiarmaid Ó Murchú ag cruinniú den Chiorcal Staidéir i gCorcaigh sa bhliain 1956; féach freisin O'Rahilly (1925: 58).

117 *Atáid clanna na nGael go léir i dtuirse* (Conchúr Ó Ríordáin), thuas lch 426 n. 40; *Tá an*

oiread san tarcaisne ar bhreathaibh na binn-Ghaeilge (Donnchadh Caoch Ó Mathúna), thuas n. 105; *Mo léan le lua is m'atuirse* (Eoghan Rua Ó Súilleabháin), in eagar: ER: 40 §§ 347-8, 355-6; *Ag taisteal dom trí na críocha ar cuaird* (Seán Clárach Mac Dónaill), in eagar: SMD: 18 §§ 22-3; *An trua libh mo scéal i bpéin 's i bpairithis* (Eadbhard de Nógla), foinse RIA 24 B 29: 73.

[118] Féach freisin DMM: 107.

Caibidil 12

[1] In eagar: Ó Foghludha (1937a: 14, 15, 21, 22, 23, 24, 25, 27; 1938b: 16; 1939: 2, 13, 14); SMD: 1, 5, 6, 7, 14, 16, 18, 22, 25; ÉM: 27, 33, 34, 37, 38.

[2] *Fochtaim ort an doiligh leat, a rí na ngrás* (Éamonn de Bhál), in eagar: Ó Foghludha (1946: 21 §§ 4, 14, 46, 63, 83); *Níl taitneamh san ngréin, tá éiclips fola 'na diaidh* (*idem*), in eagar: *ibid.* 37 § 4. Féach thuas lgh 366-8.

[3] *A fhir cheansa gan falsacht ba ghasta laoithe* (*idem*), in eagar: *ibid.* 3 § 16; *Dá mairinnse féin go ré na saoithe sean* (*idem*), in eagar: *ibid.* 13 § 12.

[4] Féach *D'fhigh duine éigin roimh an ré so* (Dáibhí Ó Bruadair), in eagar: DÓB iii: 13 § 24; *Atáid triatha Banba in anfa an tsaothair* (Mícheál Óg Ó Longáin), foinse: RIA 23 C 8: 399.

[5] Féach Whelan (1988: 256), Fenning (1972: 105), Cullen (1986), Dickson (1979).

[6] *Chuaigh an coirneal cumhdaigh uainn ar cuantaí* (Séamas Dall Mac Cuarta), foinsí: BL Add. 18749: 114, MN Lav. 12b: 75, RIA: 23 B 19: 140, 3 B 38: 292, 23 E 12: 391; UCD F 20: 165; in eagar: Ua Muireadhaigh (*An tUltach* Márta 1930: 6-8); *A mhacaoimh a théid a lasadh do léinn* (*idem*), foinsí: MN Lav. 12b: 55, Don. 1: 57; BL Eg. 155: 84, Add. 34119: 160; BPL 24: 175, 26: 53; EUL Db. 7. 1: 42, RIA F v 3: 17, 24 M 11: 25, 23 A 45: 10; FLK A 39: 67; in eagar: Ua Muireadhaigh (*An tUltach* Lúnasa 1930: 3); *Ní maith is léir domh na leabhair Ghaeilge* (*idem*), féach thuas lch 184 n. 44; *Mo chiansa fir na hÁistria ...* (*idem*), in eagar: Ó Gallchóir (1971: 16 §§ 1-4, 17-20).

[7] Féach, mar shampla, de Rís (1979: 2, 3, 5, 6, 20), Ó Fiaich (1973: 1, 18, 23, 24), Beckett (1987: 3, 8, 30, 34, 35).

[8] *A Chreagáin uaibhrigh fána mbíodh sluaite d'uaisle ríoraí* (Raghnall Dall Mac Dónaill), thuas lch 305 n. 13; *Ceist agam ort, a chúirt na féile* (Séamas Dall Mac Cuarta), foinsí: EUL Db. 7. 1: 55, BPL 24: 191; in eagar: Ó Tuathail (1923: 4); Ua Muireadhaigh (1925: 38); *Sé is léir liom uaim gurb oidhre ar Ghuaire* (*idem*), foinsí: MN Lav. 12b: 79, BL Add. 18749: 133; in eagar: Ó Tuathail (*ibid.* 2); *A thulaigh an bhláith chrín ler chinnte barrlaoich is éigse ar do bhruach* (Peadar Ó Doirnín), foinsí: RIA 3 B 38: 16, 23 E 12: 387, UCD M 17: 140; in eagar: CCU: 3, de Rís (1969: 3). Leagtar an dán ar Niall Mac Cana in E.

[9] Féach *A aolchloch dhaite bhí i bhfad ag síol Néill gan smúid* (Art Mac Cumhaigh), in eagar: Ó Fiaich (1973: 2 §§ 9-12, 27-32, 36); féach fresin *op. cit.* lch. 141.

[10] *Eadar Foirceal na cléire is Fochairt na nGael* (*idem*), in eagar: *ibid.* 3 §§ 85-8; Ó Muirgheasa (1916: 7 §§ 73-80).

[11] *Tá bearád i Londain 's is iomaí fear láidir* (Peadar Ó Doirnín), in eagar: de Rís (1969: 7 §§ 9-16). Dar le de Rís (*op. cit.* 111) gur 'ag magadh faoi Shéarlas Óg' atá Ó Doirnín sa dán seo ach ní fheicim féin cén bunús téacsúil atá leis an léamh sin. A mhalairt de thuairim a nocht Ó Cearnaigh (RIA 23 E 12: 388): 'It is a bitter satire on His Majesty 'Crowned Wig o' London' (.i. Seoirse II).

[12] Féach 'The song is the production of the early part of the last century, and is this day sung with *éclat* in Munster ...' (RIA 23 O 77: 74); thuas lch 358; 'It is one of the songs of the Irish brigade ... After receiving it in scraps from various parts of the country, I arranged it in its present form' (RIA 23 H 34: 146-8); 'We had to take our copy of the

poem from the mouths of the peasantry, never having met a manuuscript copy of it' (O'Daly 1850: 278); thuas lch 678 n. 27.

[13] Féach de Brún (1972), Ó Buachalla (1979: 339), de Brún (1983: 288-9).

[14] Féach freisin 'I heard some snatches of his most musical songs sung by my mother, who also taught me some folk-tales of which he was the hero' (Dinneen 1929: 20).

[15] Féach O'Sullivan (1960: 79-80), Ó Donnchadha (1954: 154).

[16] Féach SMD: 15 §§ 40,44; ER:12 §§ 992, 995; 42: §§ 3018-9; ÉM: 104 §§ 33-4; *Trím aisling aréir is mé i mbun tsuain* (MN M 9: 318); thuas lch 562.

[17] Féach thuas lch 411 n. 23, ÉM: 37, 38.

[18] Féach thuas lgh 389, 358, SMD: 40 §§ 21-2, ÉM: 93 §§ 23,26; Ó Foghludha (1905: 13 §§ 469-70.

[19] Féach SMD: 6,16, 22; Ó Foghludha (1937a: 19), ÉM: 27, Ua Duinnín (1903: 2), ER: 42 §§ 3092; SÓH: 5, thuas lgh 691 n. 3, 712 n. 70, 71; 713 n. 78, 714 n. 95; RIA 23 C 8: 83.

[20] Féach TCD 1361, NLI G 31, G 135; RIA 23 G 3, 23 D 8, 23 L 24; BL 29614, Eg. 158.

[21] Féach O'Rahilly (1912), Harrison (1989), Ó Catháin (1989).

[22] Féach Ó Foghludha (1937: 2, 3, 10, 11, 12, 14, 15, 19, 26; 1937a; 3, 8, 17, 28, 30; 1939: 21; 1946: 23), ÉM: 6,7, 9, 24, 27, 34; Mag Uidhir (1977: 5, 11, 12), de Rís (1969: 17), de Brún (1972: 6-13).

[23] Is i lámhscríbhinn a scríobh Donnchadh Ó Floinn in Inis sa bhliain 1763 (NLI G 296) is túisce a fhaightear na léamha sin ach faightear go minic i lámhscríbhinní difriúla ina dhiaidh sin iad. Féach O'Rahilly (1952: 15-6).

[24] Féach ND ii: 3 §§ 9-10; DCCU: 5 § 14, thuas lch 176.

[25] Féach lgh 308, 700 n. 27.

[26] Féach Ó Foghludha (1938: 1 §§ 45-6), RIA 23 L 1: 43.

[27] RIA 23 N 13: 281. Féach Ó hÓgáin (1980, 1981), mar le dhá chnuasach den fhilíocht bhéil a bhfuil cuma 'neamhliteartha' ar chuid mhaith di.

[28] *Ar maidin ag caí dhom go fann táir*, foinse: RIA 23 B 38: 83; *Ní dúirt le neach dem mhuintir go mairfe an tsíth seo buan*, foinse: BL Sloane 3154: 55; *Taoim daor i ngalar dubhach* (Seon Ó hUaithnín), in eagar: SÓH: 3 §§ 33-4; *A chlanna Gael, fáiscidh bhur lámha le chéile* (Uilliam Mac Cairteáin), thuas lch 335 n. 3.

[29] *Im shuan aréir im néallta bhíos* (Seán de hÓra), foinsí: RIA 23 F 18: 46, 23 O 26: 40, 23 C 8: 318, 23 N 15: 174; *Éistidh liomsa go scrúda mé scéal díbh*, foinsí: RIA 23 O 45: 15, 23 E I: 247, 23 F 22: 103.

[30] Féach Ó Tuama (1960: 174-202), Ó Foghludha (1938b: 4, 15, 19), Fenton (1914: 24).

[31] *Go tábhairne an ghliogair nuair thigim 's mo bhuíon im dheoidh* (Aindrias Mac Craith), in eagar: ÉM: 76 §§ 21-34; cf. *Lá de na laetha dhamh i gcathair Dhroichead Áth' na seod* (Peadar Ó Doirnín), in eagar: Ó Buachalla (1969: 59).

[32] Féach, mar shampla, SMD: 1,4-7, 17, 23, 24, 26, 39; ÉM: 25-8, 30, 31, 33, 34, 39, 40, 54-6, 74, 78, 79, 83, 86, 87, 90, 95, 104; Ó Foghludha (1937a: 4, 14, 21, 22, 25, 27, 34; 1939: 4, 6, 7, 11, 13, 14, 16); féach freisin: 'The White Cockade' ... The Munster poets ... wrote many beautiful Jacobite songs to this air' (O'Daly 1850: 51), '*Tráth 's tréimhse thaistealas ...* is adapted to the air of a pleasant ballad of great beauty, very popular in the south ...' (*ibid.* 119).

[33] *Táid cléir ag guí 's ag agall*, foinse: MN 5: 281 (féach freisin Ó Foghludha 1905: 5); *Is atuirseach fann i dteannta ar caitheamh me* (Liam Dall Ó hIfearnáin), in eagar: Ó Foghludha (1939: 11 §§ 29-32); *Sealad aréir i gcéin cois leasa dhom* (*idem*), in eagar: *ibid.* 18 §§ 62-6; *Gráin*

mharbh ort, a Bhanba (Aodh Buí Mac Cruitín), féach thuas lch 316 n. 36; *Spreagaidh bhur gcroí ar intinn subhachais* (Anraí Mac Amhlaoibh), féach thuas lch 416 n. 26; O'Sullivan (1960: 157).

[34] *A éigse shuairc na n-aradbheart* (Anraí Mac Amhlaoibh), féach thuas lch 411 n. 23; *A bhile den fhoirinn nach gann* (Aindrias Mac Craith), in eagar: ÉM: 75 §§ 29-32; *A chlanna Gael, fáiscidh bhur lámha le chéile* (Uilliam Mac Cairteáin), féach thuas lch 335 n. 3.

[35] *Sé meastar liom ar leagadh túr is áitreabh réacs* (Muiris Ó Gríofa), foinsí: RIA 23 B 14: 153, 23 N 12: 160; *Is ródhoilbh bhímse gach ló go teacht oíche* (Tadhg 'an Tarta' Mac Cárthaigh), foinse: RIA 23 B 38: 252; *Atá ceathrar éachtach de scoith na dtréinfhear* (Séamas Dall Mac Cuarta), foinse: RIA 23 E 12: 423; in eagar: Ua Muireadhaigh (1925: 78); *Mo chiansa fir na hÁistria ...* (*idem*), in eagar: Ó Gallchóir (1971: 16 §§ 9-12); cf. 'Thus every one of these millenarian movements, from ancient times until today, has been firmly convinced that the new realm, Kingdom Come, would be established in their own little town, upon their own hills and mountains' (Fülöp-Miller 1935: 67).

[36] Féach thuas caib. 9. Dar le Macaulay (1849 iii: 671) gurbh é eachtra Bhall Dearg a léirigh 'the real nature of Jacobitism'. Is suimiúil freisin mar a cheangail Ó Cadhain Ball Dearg agus 'Mac An Cheannaí' le chéile; féach thuas lch 686 n. 61.

[37] Féach Ó hÓgáin (1977: 231-32). Faightear an dá láthair freisin sa Bhreatnais sna scéalta a bhainean le hArtúr: é thar lear in Avalon sa litríocht scríofa, é ina chodladh i bpluais sa bhéaloideas (Jones 1958). Cf. 'Here we come upon another type, the story and the superstition of the expected deliverer, which is widely scattered through Europe ... In all these stories we encounter the belief that the god or hero is in heaven, or in some remote land. Such a belief is the sign of a civilization comparatively advanced. The cruder and more archaic belief is that he sleeps within the hills' (Hartland 1891: 206-7).

[38] Féach 'The underworld of Osiris consists of seven halls, or *arits*, with seven gates ... The seven dwellings of the underworld are seven aspects of the Feminine ... Gate, door, gully, ravine, abyss are the symbols of the feminine earth-womb; they are the numinous places that make the road into the mythical darkness of the underworld' (Neumann 1955; 160, 170); 'that the five *bruidne* above numerated represent, not human habitations, but the Otherworld festive hall, the Celtic Valhalla, is not open to doubt' (O'Rahilly 1946: 121-2); Ó Cathasaigh (1977: 35 n. 132).

[39] Féach *Bhí mé i mbriseadh na Bóinne,* foinse: RIA 3 C 8 ii: 32; O'Kearney (1856: 91); féach freisin LAJ 7 (1929) 57-8; 14 (1960) 68-81; OSL Louth: 96.

[40] Féach *A Oisín, an ráidhe rinn?* (Oisín), thuas lch 487 n. 10; *Fuaras i Saltair Chaisil* (Giolla Caomháin/Mo Liag), thuas lch 496 n. 30.

[41] Féach, mar shampla, DCCU: 6,7; Ó Coigligh (1987: 28, 32, 39); de Brún (1972: 19), Ó Donnchú (1931: 57); Ó Siochfhradha (1949: 154, 156, 161-5, 171); 'beidh na Milisí Dubha ar siúl sna bealaí 'lig' (Beckett 1987: 32 § 126), thuas lch 489.

[42] Cf. *Tá an réilteann go gléineach le feartaibh Íosa ...* (Diarmaid Ó Súilleabháin), *Is tuigithe cách ar scáil na réilteann ...* (Liam Mac Cairteáin), *D'aithníos féin gan bhréag ar fhuacht ...* (Piaras Mac Gearailt); féach thuas lgh 305, 571, 575. Cf. 'It was as if God had written a prophecy through nature, and that all men needed was the wit to read, interpret, and heed the prophecy' (Rusche 1969: 756-7).

[43] *A óig do fuineadh as cuisle na mearlaoch gcruaidh* (Aodh Buí Mac Cruitín), foinse: RIA E iv 3: 18; *Nóchad milliún fáilte fíor* (Pádraig Ó Prontaigh), in eagar: Ó Muirgheasa (1913).

[44] Féach, mar shampla, 'And their prophesies are very commonly confidently, and vehemently urged and justified by their preists for undoubted verities' (TCD 835: 20b); 'They also comfort their flocks, partly by prophecies of their restoration to their ancient estates and liberties' (Petty 1691: 95); an tAthair Mánus Ó Dónaill a scríobh an cnuasach tairngreachtaí in RIA 23 M 12, mar shampla.

[45] 'Fáistine Aindréis Mhic Cruitín' a thugtar ar an aisling a chum sé (*Ar mbeith sealad*

domhsa in aicis mhór cois taoide) in RIA 23 N 12: 29; féach freisin cúlra a dháin *Go cúig roimh luis* ... (thuas lch 574).

[46] Féach 'an dall do bhí i nUlltaibh re fáistine d'fhagháil báis ... Maghnus Mac Síthe' (ALC: 1586). Féach freisin Ó hÓgáin (1982: 414 n. 179).

[47] Foinse NAI: 620/54/126. Féach O'Kearney (1856: 166, 178), O'Reilly (1820: cxlv), Flower (1926: 112, 227); Ó hÓgáin (1982: 191, 195); thuas lch 705 n. 7.

[48] Beckett (1987: 2); RIA 23 G 21: 507, 24 C 55: 1; de Brún (1972: 25 §§ 15-6); Ó Siochfhradha (1949: 1); Ó Coigligh (1987: 34 §§ 1-2).

[49] Ní fhágann sin nach raibh a dtairngreachtaí féin ag daoine eile freisin: 'The vulgar every where are deeply imbued with the belief of prophecy: this remark applies equally to both tribes in this district. The prophecies falsely applied to Columcille and the reveries of James a Hood a native seer are not more eagerly listened to by one class than are by another those of Thomas the Rhymer, and the godly Mr. Peden' (O'Kane 1983: 25-6).

[50] Féach AÓR: 25, Grosjean (1934); *Tiocfa robhadh d'éis díleann* (Bearchán), foinse: RIA 23 M 46: 10.

[51] *Cá bhfuil súd ...* (Mícheál Ó Coimín), thuas lch 574; *I ndiaidh míle et seacht gcéad*, foinse: NLI G 57: 1; *Dá dtúid mic Mhíle ón Spáinn gan éag*, foinse: RIA 23 L 34: 215.

[52] *Tiocfaidh oraibh ó thaobh na dtonn*, foinse: RIA 23 D 16: 193; *Aréir is mé go tláthlag*, in eagar: Breathnach (1913 ii: 30).

[53] *Ar maidin ar drúcht is mé ag siúl go pras*, foinse: MN M 9: 319; *Tá an chóir ag triall aniar ón Spáinn le fonn* (an Tiarna Barrach), in eagar: Ó Siochfhradha (1949: 154 §§ 13-6).

[54] *Is méin liom insint díbh gan bhladar láithreach* (Mícheál Óg Ó Longáin), foinsí: RIA 23 G 24: 168, 23 C 8: 48.

[55] *Roscadh file do dhúil loit*, foinsí: BL Eg. 158: 66, RIA A iv 2: 107, 23 B 38: 240; 23 D 42: 77; MN B 11: 115. 'Aisling Thomáis Mhuireadhaigh' nó 'Tairgnreacht Thomáis Mhuireadhaigh' atá mar theideal ar an mbuntéacs; 'Míniú na hAislinge' nó 'An Ceangal' a thugtar ar na línte atá in eagar anseo; ar na malairtí is tábhachtaí tá *do bhámairne / do bhí mairne; biadh maoidne / beimídne / biaidh muidne.*

[56] *Atáid slóite ag teacht tar domhaintoinn* (Mícheál Óg Ó Longáin), foinsí: RIA 23 C 8: 414, 23 F 18: 87, NLI G 154: 69; féach freisin Ó Foghludha (1937a: 24); *Aisling do deineadh trím chodladh aréir dom* (Diarmaid Ó Sé), in eagar: Ó Súilleabháin (1937: 3 §§ 1-7).

[57] Féach NAI: 1A/44/26-43, 77-121, 127-41, 145, 179, 183; Connolly (1985), thuas lgh 289, 364 n. 61, 384.

[58] Féach Wall (1973), Donnelly (1978, 1983), Bric (1983, 1985); féach freisin Wright (1854 ii: 358-63, 488-90), HMC 12 app. 10: 20; Young (1780 i: 102-6, 119-28), Lecky (1892 ii: 20-45).

[59] Féach Kelly (1989: 22-4), Lecky (1892 ii: 22), Donnelly (1978: 22-3, 29); SMD: 1, thuas n. 32.

[60] Féach Donnelly (1983: 322-3), Ó hÓgáin (1980: 91-4), Wall (1973: 19).

[61] Foinsí: RIA 23 O 77: 46, 23 E 12: 408, 23 O 68: 239; UCD F 20 ii: 67.

[62] Féach freisin Froude (1874 ii: 32), Donnelly (1978: 21,46), SP 63: 413/137-9, 257-9, 287; 414/1; 416/105, 217; 417/110, 121; *Dublin Journal*: 27 April-1 May 1762.

[63] Oultho = *Ultach.*

[64] Cf. 'a large party well mounted, and clad in white rode into the little town of Kilworth ... and compelled the inhabitants to illuminate their windows, which was done speedily and in great order, more from fear than respect' (Lecky 1892 ii: 22). Féach thíos n. 90.

[65] Bíodh gur sloinne é Meskell, d'fhéadfadh, dar liom, gurb í an aidiacht *meisciúil* atá i gceist.

66 Foinsí: RIA 23 E 12: 409, 23 O 77: 57.

67 Féach Lewis (1836: 30), Brady (1965: 104, 110, 174), Wall (1973: 18-21), Donnelly (1983: 321-2), Bric (1985: 160-1). Cf. 'Níorbh eagal 's níor bhaol dúinn eascaine cléire/nó anfa na meirleach dá mbáil linn', san amhrán *Is fada mé i gclampar ar uallain gan amhras* (RIA 23 E 12: 407).

68 *A charaid, a chléirigh ba taitneamhach tréitheach* (An tAth. Tomás Ó Gríofa), foinse: RIA 23 B 38: 234; *Sin é an Seoirse ceannais bhí inné acu i stát* (An tAth. Liam Ó hIarlaithe), in eagar: Ó Muirithe (1987: 11); *Is fuiris aithne an peaca rinn Éabha* (An tAth. Proinsias Ó Cuinn), foinsí: RIA 23 L 5: 236, 23 B 14: 299, 23 C 13: 190; NLI G 296: 355.

69 Féach RA SP: 112-380, Coombes (1981), Fenning (1966), Fagan (1993), thuas lgh 432-3.

70 Féach Fagan (1993: 123-65), *Collectanea Hibernica* 9 (1966) 24; DMM ii: 256-7.

71 Féach Fagan (1991: 113-37, 1993: 74-102); Fenning (1972: 35, 237).

72 Féach *Collectanea Hibernica* 1 (1958) 33; 9 (1966) 40; Wall (1989: 32, 58, 109), Leighton (1994).

73 *Aisling do deineadh tríom chodladh aréir dom* (Diarmaid Ó Sé), in eagar: Ó Súilleabháin (1937: 3 §§ 41-5).

74 NAI: M 6198. Mórbhilleog í seo atá caite is doiléir in áiteacha (nílim cinnte de líne 6 in aon chor); ar Tom Walsh a leagtar an bailéad.

75 *Cois leasa dhom sínte is mo smaointe ar mearbhall* (Piaras Mac Gearailt), in eagar: Ó Foghludha (1905: 10 §§ 325-36).

76 Féach, mar shampla, Ó Tuathail (1951), Ó Mórdha (1955), Ó Fiaich (1958, 1960, 1975), DMM: 45, 55, 57, 60-3, 65, 76-80; Heussaff (1992).

77 *Tarngaire dhearscnaí do rinneadh le Críofann mhac Fhéilime an fhíona* (Peadar Ó Doirnín), in eagar: Ó Buachalla (1969: 44 §§ 29-32, 60-3); féach freisin Ó Fiaich (1973: 34-50).

78 Foinse: RIA 24 L 27: 101. Táim an-bhuíoch de Shéamas de Barra as cóip den léacht a thug sé ar an dán seo in UCG sa bhliain 1993 a chur chugam.

79 *Bliain is daichead dá mairinn 's gur i ndán dom é*, in eagar: *An Claidheamh Soluis*. 2 Nollaig 1899, 596.

80 *Tráth inné is mé tnáite i bpéin* (Eoghan Rua Ó Súilleabháin), in eagar: ER: 10 §§ 841-4, 861-4; *A ghéaga cumainn na gcraobha gcumais* (Tomás Ó Míocháin), in eagar: Ó Muirithe (1988: 35 §§ 9-12, 17-20); *Tráthnóinín déanach i gcéin cois leasa dhom*, in eagar: Ó Foghludha (1938: 42 §§ 57-64).

81 Féach Cherniavsky (1961: 44, 129, 147; 1958); Longworth (1975).

82 *A chara dhil ghlé de phréimh na seabhac* (Seán Ó Muláin), foinsí: RIA 23 C 8: 394, MN CF 7: 151.

83 *Ní rugadh in Éirinn le réimis na ríora*, foinse: RIA 23 I 48: 169

84 Féach thuas lgh 36, 577.

85 *Tá an Low Church gan ceo anois ó malartaíodh é* (Dónall Mac Cárthaigh), foinsí: RIA 23 C 8: 81, 23 N 12: 196.

86 Féach thuas lgh 274, 315, 378.

87 Ní miste a mheabhrú a mharthanaí a bhí coincheap is feidhm an 'rí' sa tsochaí thraidisiúnta, go háirithe ar oileáin na hÉireann. Féach Ó Danachair (1981).

88 RC = *Rex Carolus* = rí Séarlas.

89 Féach 'Ó, Dhia maise nár léigi Dia dhuit S-s a' chacadh ...' (MN M 58a: 27), Ó Súilleabháin (1983: 107), Ó Foghludha (1937: 25 § 7), RIA 23 B 38: 232.

[90] Féach thuas lgh 197, 315, 334, 363-4, 390, 431, 594; 'Last night the town of Athlone was in great joy for the good news and no houses were brighter with candles than those of the Papists' (SP 63: 374/441). Cf. *Cia las an choinneal sa taobh thuaidh* (RIA 23 M 23: 9, NLI G 82: 184); AÓR: 5 §§ 9, 15; ER: 2 § 177; thuas n. 64.

[91] *Is dubhach liom an smúit seo ar Ghaeil* (Piaras Mac Gearailt), in eagar: Ó Foghludha (1905: 13 §§ 469-76).

[92] Deirtear coitianta go raibh Seán Clárach Mac Dónaill gníomhach mar Sheacaibíteach (Ó Donnchadha 1954: xiii, mar shampla) ach is deacair teacht ar fhianaise chinnte; i mbéaloideas Ó Méith ba Sheacaibíteach é Ó Doirnín (thuas lch 603). Deir Éamonn Ó Ciardha liom go bhfuil tagtha aige ar cháipéis a bhfuil liosta de dhaoine a raibh amhras an tSeacaibíteachais orthu, ina measc Jean Naughton is Jean McDonnell. Ceapann sé go mb'fhéidir gurb iad Seán Clárach agus Seán Ó Neachtain atá i gceist. Maidir le filí sa Bhreatain a thóg páirt ghníomhach i gcogaíocht na Seacaibíteach, féach Pittock (1994: 164).

[93] Féach Donaldson (1988), Pittock (1994: 133-86), Stafford (1988).

[94] Féach Clark (1985: 307, 318, 374), Jenkins (1979: 401-5), Gooch (1989: 283), Brims (1987).

[95] Féach 'Millenarism helps to bring about a breakthrough to the future' (Talmon 1966: 195), 'a potent agent of change' (Talmon 1965: 360); féach freisin Lanternari (1965: 452-3), Wilson (1963: 110), Wallace (1972: 120), Burridge (1971: 13, 165), Worsley (1978: 88, 140, 243-8), Van der Kroef (1959: 310-1), Anderson (1958: 226).

[96] *Is léan le n-aithris dá ndealbhadh éigse duain* (Aodh Buí Mac Cruitín), féach thuas lch 311 n. 23.

[97] *A Dhónaill na páirte, táim cráite ag an gcíos* (An tAth. Pádraig Ó Broin), in eagar: DMM: 106 §§ 8-9. Cf. 'Members of this community resented the purveyance of denigrating stereotypes and upheld their right to maintain Spanish, yet they grudgingly recognised that they must learn English if they were to have any mobility in the new social order' (Limón 1992: 33).

FOINSÍ

NODA

AC	=	*Annála Connacht* (Freeman).		DD	=	*Dioghluim dána* (McKenna).
AD	=	*Aithdhioghluim dána* (McKenna).		DER	=	*Duanta Eoghain Ruaidh Mhic an Bhaird* (Ó Raghallaigh).
ALC	=	*Annals of Loch Cé* (Hennessy).		DG	=	*Duanaire Gaedhilge* (Ní Ógáin).
AMD	=	*Aodh Mac Domhnaill: dánta* (Beckett).		DIL	=	*Dictionary of the Irish Language.*
AÓR	=	*Dánta Aodhagáin Uí Rathaille* (Ua Duinnín).		DMC	=	*Amhráin Dhiarmada mac Seáin Bhuidhe Mac Carrthaigh* (Ó Donnchadha).
ARÉ	=	*Annála ríoghachta Éireann* (O'Donovan).				
AU	=	*Annals of Ulster* (MacCarthy).		DMM	=	*Dán na mbráthar mionúr* (McGrath).
BAR	=	*Beatha Aodha Ruaidh Uí Dhomhnaill* (Walsh).		DNB	=	*Dictionary of national biography.*
BCC	=	*Betha Colaim Chille* (O'Kelleher).		DÓB	=	*Duanaire Dháibhidh Uí Bhruadair* (MacErlean).
BF	=	*Book of Fenagh* (Hennessy).		EETS	=	Early English Texts Society.
BG	=	*Bardachd Ghaidhlig* (Watson).		EID	=	*English-Irish dictionary.*
BL	=	British Library, Londain.		ÉM	=	*Éigse na Máighe* (Ó Foghludha).
BLO	=	Bodleian Library, Oxford.		ER	=	*Amhráin Eoghain Ruaidh Uí Shúilleabháin* (Ua Duinnín).
BN	=	Bibliothèque Nationale, Páras.				
BPL	=	Belfast Public Library.		EUL	=	Edinburgh University Library.
BR	=	Bibliothèque Royale, An Bhruiséal.		FFÉ	=	*Foras feasa ar Éirinn* (Céitinn).
BSC	=	*Bàrdachd Shìlis na Ceapaich* (Ó Baoill).		FGB	=	*Foclóir Gaeilge-Béarla.*
CCU	=	*Céad de cheoltaibh Uladh* (Ó Muirgheasa).		FLK	=	Franciscan Library, Killiney, BÁC.
CGG	=	*Cogadh Gaedhel re Gallaibh* (Todd).		FM	=	*The Fernaig manuscript* (MacFarlane).
CHA	=	*A contemporary history of affairs ...* (Gilbert).		FPP	=	*Five seventeenth-century political poems* (O'Rahilly).
CR	=	*Commentarius Rinuccianus* (Kavanagh).		GIM	=	*Gleanings from Irish manuscripts* (Walsh).
CSPD	=	*Calendar of state papers, domestic.*		GRS	=	*Genealogiae regum et sanctorum Hiberniae* (Walsh).
CSPI	=	*Calendar of state papers of Ireland.*				
CSPS	=	*Calendar of state papers, Spanish.*		HIC	=	*History of Irish catholicism* (Corish).
CUL	=	Cambridge University Library.		HL	=	Houghton Library, Cambridge (Mass.).
DCCU	=	*Dhá chéad de cheoltaibh Uladh* (Ó Muirgheasa).		HM	=	Huntington Library, San Marino.

HMC	= Historical Manuscripts Commission.	OSL	= *Ordnance Survey Letters* (RIA).
HS	= *Highland songs of the forty-five* (Campbell).	PA	= *Parrthas an anma* (Gearnon).
IBP	= *Irish bardic poetry* (Bergin).	PB	= *Párliament na mban* (Ó Cuív).
IF	= *Iomarbhádh na bhfileadh* (McKenna).	PCT	= *Pairlement chloinne Tomáis* (Williams).
IG	= *Irisleabhar na Gaedhilge.*	PR	= *Poems on the O'Reillys* (Carney).
IGT	= *Irish grammatical tracts* (Bergin).	PRIA	= *Proceedings of the Royal Irish Academy.*
IMC	= Irish Manuscripts Commission.	PRONI	= Public Records Office, Northern Ireland.
ITS	= Irish Texts Society.	QUB	= Queen's University, Belfast.
JCHAS	= *Journal of the Cork Historical and Archaeological Society.*	RA SP	= Royal Archives (Windsor), Stuart Papers.
JHC	= *Journals of the house of commons.*	RBÉ	= Roinn Bhéaloideas Éireann, UCD.
JKHAS	= *Journal of the Kerry Historical and Archaeological Society.*	RC	= *Revue Celtique.*
JRL	= John Rylands Library, Manchain.	RIA	= Royal Irish Academy.
		SC	= *Sgáthán an chrábhaidh* (Ó Maoil Chonaire).
KIL	= King's Inns Library, BÁC.	SG	= *Silva Gadelica* (O'Grady)
LAJ	= *Journal of the County Louth Archaeological Society.*	SGTS	= Scottish Gaelic Texts Society.
LB	= *Leabhar Branach* (Mac Airt).	SHS	= Scottish History Society.
LCC	= *Léachtaí Cholm Cille.*	SMD	= *Seán Clárach* (Ó Foghludha).
LCD	= *Leabhar Uí Chonchobhair Dhoinn.*	SÓH	= *Seon Ó hUaithnín* (Ó hAnluain).
LM	= *An Leabhar Muimhneach* (Ó Donnchadha).	SP	= State Papers, Public Records Office, Londain.
LÓL	= *Leabhair ó lámhsgríbhnibh.*		
MD	= *Measgra dánta* (O'Rahilly).	SSA	= *Scáthán Shacramuinte na haithridhe* (Mac Aingil).
MIA	= *Miscellaneous Irish annals* (Ó hInnse).	STS	= Scottish Texts Society.
MN	= Maigh Nuad (Coláiste Phádraig).	TBG	= *Trí bior-ghaoithe an bháis* (Céitinn).
NAI	= National Archives of Ireland.	TC	= *An teagasc críosdaidhe* (Ó hEodhasa).
ND	= *Nua-dhuanaire* (de Brún, Ó Buachalla, Ó Concheanainn).	TCD	= Trinity College, Dublin.
		TD	= *The poems of Tadhg Dall Ó hUiginn* (Knott).
NHI	= *New history of Ireland* (Moody).	TFG	= *Tobar fíorghlan Gaedhilge* (Ó Lochlainn).
NLI	= National Library of Ireland.	UCC	= University College, Cork.
NLS	= National Library of Scotland.	UCD	= University College, Dublin.
NUI	= National University of Ireland.	UCG	= University College, Galway.
		UJA	= *Ulster Journal of Archaeology.*
OED	= *Oxford English dictionary.*	ZCP	= *Zeitschrift für Celtische philologie.*
OIL	= *Orain Iain Luim* (McKenzie).		

LÁMHSCRÍBHINNÍ

BAILE ÁTHA CLIATH
Franciscan Library, Killiney: A 14, A 20, A 24, A 30, A 39.
King's Inns Library: 20.
National Archives of Ireland: 1 A, B 101, M 6198, 620.
National Library of Ireland: 39, 345, 476, 477, 560, 711, 2762, 22486, 22488, 39296; G 15, G 31, G 40, G 57, G 82, G 101, G 116, G 127, G 132, G 135, G 154, G 158, G 167, G 182, G 192, G 193, G 198, G 226, G 296, G 314, G 353, G 411, G 443.
Royal Irish Academy: 3 B 2, 3 B 9, 3 B 31, 3 B 38; 3 C 4, 3 C 8, 3 C 10; 4 A 46; 12 E 22, 12 E 24; 12 F 3, 12 F 7; 12 I 3, 12 I 13; 20 C 56; 23 A 11, 23 A 12, 23 A 13, 23 A 18, 23 A 28, 23 A 35, 23 A 45; 23 B 4, 23 B 5, 23 B 8, 23 B 12, 23 B 14, 23 B 18, 23 B 19, 23 B 22, 23 B 25, 23 B 35, 23 B 36, 23 B 37, 23 B 38; 23 C 3, 23 C 8, 23 C 9, 23 C 10, 23 C 13, 23 C 16, 23 C 19, 23 C 21, 23 C 26, 23 C 33, 23 C 35, 23 C 55, 23 C 56; 23 D 1, 23 D 4, 23 D 5, 23 D 7, 23 D 8, 23 D 9, 23 D 13, 23 D 14, 23 D 16, 23 D 32, 23 D 35, 23 D 36, 23 D 42; 23 E 1, 23 E 12, 23 E 14, 23 E 15, 23 E 16, 23 E 18, 23 E 21, 23 E 29; 23 F 16, 23 F 18, 23 F 22; 23 G 3, 23 G 4, 23 G 5, 23 G 8, 23 G 10, 23 G 15, 23 G 20, 23 G 21, 23 G 23, 23 G 24; 23 H 18, 23 H 22, 23 H 25, 23 H 30, 23 H 34, 23 H 43; 23 I 1, 23 I 9, 23 I 26, 23 I 37, 23 I 40, 23 I 44; 23 K 3, 23 K 4, 23 K 8, 23 K 20, 23 K 32, 23 K 51; 23 L 1, 23 L 5, 23 L 9, 23 L 13, 23 L 17, 23 L 24, 23 L 25, 23 L 28, 23 L 31, 23 L 34, 23 L 35, 23 L 37, 23 L 38, 23 L 48; 23 M 2, 23 M 4, 23 M 5, 23 M 6, 23 M 8, 23 M 11, 23 M 12, 23 M 14, 23 M 17, 23 M 23, 23 M 24, 23 M 27, 23 M 46, 23 M 51; 23 N 5, 23 N 9, 23 N 11, 23 N 12, 23 N 13, 23 N 14, 23 N 15, 23 N 21, 23 N 32, 23 N 33; 23 O 26, 23 O 27, 23 O 39, 23 O 35, 23 O 45, 23 O 68, 23 O 73, 23 O 77; 23 P 2, 23 P 16; 23 Q 2, 23 Q 3, 23 Q 18; 24 A 6, 24 A 17, 24 A 29, 24 A 34; 24 B 9, 24 B 11, 24 B 21, 24 B 27, 24 B 29; 24 C 8, 24 C 43, 24 C 48, 24 C 55, 24 C 56; 24 E 26; 24 G 15, 24 G 24; 24 I 9; 24 L 2, 24 L 7, 24 L 12, 24 L 14, 24 L 22, 24 L 27, 24 L 31, 24 L 38; 24 M 4, 24 M 5, 24 M 9, 24 M 11, 24 M 14; 24 N 2; 24 P 8, 24 P 14, 24 P 27, 24 P 29, 24 P 41, 24 P 48; A iv 2, A v 2, C iii 3, C iv 1, C iv 2, D iv 2, E i 3, E iv 3, E v 2, F iii 2, F v 3, F v 5, G iv 1, H iii 3.
Trinity College, Dublin: H.1.7, H.1.17, H.2.5, H.2.16, H.4.24, H.5.3, H.5.7, H.6.25; 580, 832, 834, 835, 836, 839, 1286, 1361, 1365, 1423, 1631, A.7.4.
University College, Dublin: Add. 14, C 13, C 14, F 2, F 20, F 33, M 14, M 17, M 20; Roinn Bhéaloideas Éireann: 53, 662, 714.

BÉAL FEIRSTE
Belfast Public Library: Irish MSS 24, 26, 31.
Public Records Office: D 10, D 104.
Queen's University, Belfast: Bunting MSS 7; Irish MSS 1/153.

AN BHRUISÉAL
Bibliothèque Royale: 2324-40, 2542-3, 4190-200, 5100-4, 6131-3.

AN CAISLEÁN RIABHACH (CO. ROS COMÁIN)
Clonalis House: Leabhar Uí Chonchobhair Dhoinn.

CAMBRIDGE
University Library: Irish MSS Add. 4181, 6532, 6559, 6561; Bradshaw Collection: Hib. O. 713, 715, 717.

CAMBRIDGE, MASSACHUSETTS
Houghton Library, Harvard University: Irish MSS 2.

CORCAIGH
University College, Cork: T 6, T 52, T 80.

DÚN ÉIDEANN
National Library of Scotland: 1012, G 42.
Edinburgh University Library: Db.7.1.

GAILLIMH
University College, Galway: Irish MSS 20.

LONDAIN
British Library: Add. 4779, 18749, 18946, 25277, 29614, 30512, 31877, 34119, 34727; Burney 390; Eg. 113, 118, 127, 133, 139, 146, 149, 155, 158, 160, 161, 162, 164, 165, 198, 208; Harleian 4039-40, Harley 1921, Sloane 3154; BL 1871.
Public Records Office: State Papers 35, 46, 63, 374, 413, 414, 417.

MAIGH NUAD
Coláiste Phádraig: B 6, B 8, B 9, B 11, B 14; C 5, C 7, C 13, C 15, C 18, C 40, C 46, C 50, C 55, C 57, C 62, C 67, C 68, C 72, C 73, CF 7; Don. 1, DR 4, Lav. 12; M 4, M 5, M 6, M 7, M 8, M 9, M 10, M 11, M 12, M 13, M 14, M 26, M 58, M 62, M 78, M 86, M 94, M 95, M 97, M 107, M 111; R 69, R 70, R 97, T 52.

MANCHAIN
John Rylands Library: 61.

OXFORD
Bodleian Library: Carte 212, 229; Laud 610, 615; RB 512, 514; University College 103.

PÁRAS
Bibliothèque Nationale: N. Ac. Fr. 7489.

ROUEN
Bibliothèque Municipale: 1678.

SAN MARINO, CALIFORNIA
Henry E. Huntington Library: HM 4543.

SIMINCAS
Archivo General: GA 587.

WINDSOR
Royal Archives: Stuart Papers.

IRISLEABHAIR AGUS NUACHTÁIN

Acta Congressus Scotistica Internationalis. Roma. 1968-.
American Anthropologist. Washington D.C. 1899-.
American Historical Review. Washington D.C. 1895-.
American Sociological Review. Washington D.C. 1936-.
American Quarterly. Baltimore. 1946-.
Analecta Hibernica. Dublin. 1930-.
Anglo-Irish Studies. Cambridge. 1975-.
Annales. Louvain. 1912-.
Antiquity. Cambridge. 1927-.

Archiv für Celtische Lexikographie. Halle. 1898-1907.
Archives de Sociologie des Religions. Paris. 1956-.
Archivium Hibernicum. Maynooth. 1912-.
Archivum Fratrum Praedicatorum. Roma. 1970-.

Bannatyne Miscellany. Edinburgh. 1827-55.
Béaloideas. Dublin. 1927-.
Bibliographical Society of Ireland. Dublin. 1918-1925.
Bijdragen Tot de Taal-, Land- en Volkenkunde. 'S Gravenhage. 1853-.
Bréifne. Cavan. 1958-.
British Journal for Eighteenth Century Studies. Old Aberdeen. 1978-.
Bulletin of the Board of Celtic Studies. Oxford. 1921-.
Bulletin of the Institute of Historical Research. Malta. 1931-.
Bulletin of the Irish Committee of Historical Sciences. Dublin. 1939 -.

Cambrian Journal. London. 1854-1861.
Cambridge Medieval Celtic Studies. Cambridge. 1981-.
Cambridge Review. Cambridge. 1987-.
Cathair na Mart: Journal of the Westport Historical Society. Westport. 1981-.
Catholic Bulletin. Dublin. 1911-39.
Catholic Survey: Irish Franciscan Review. Galway. 1951-55.
The Celt. Dublin. 1857-9.
Celtica. Dublin. 1946-.
An Claidheamh Soluis. Baile Átha Cliath. 1899-1932.
Clogher Record. Clones. 1953-.
Collectanae Hibernica. Dublin. 1958-.
Comhar. Baile Átha Cliath. 1944-.
Comparative Studies in Society and History. The Hague. 1958 -.
Cultural Studies. Champaign. 1986-.
Current Anthropology. Utrecht. 1960-.
Y Cymmrodor. London. 1877-.

Daedalus. Boston. 1955-.
Dublin Courant. Dublin. 1702-52.
Dublin Gazette. Dublin. 1705-24.
Dublin Intelligence. Dublin. 1702-28.
Dublin Journal. Dublin. 1724-75.
Dublin Post-Man. Dublin. 1713-27.
Dúchas. Dublin. 1983-.
Duffy's Hibernian Magazine. Dublin. 1860-64.
Durham University Journal. Durham. 1876-.

Eighteenth-Century Ireland. Dublin. 1986-.
Eighteenth-Century Life. Baltimore. 1974-.
Éigse. Dublin. 1939-.
Éire-Ireland. St. Paul. 1966-.
Emory University Quarterly. Atlanta. 1941-.
English Historical Review. London. 1886-.
Ériu. Dublin. 1904-.
Essex Institute Historical Collections. Salem. 1859 -.
Ethnology. Pittsburgh. 1962-.
Études Celtiques. Paris. 1936-.
European Journal of Sociology. Paris. 1960-.

Fáinne an Lae. Baile Átha Cliath. 1898-1900.
Faulkner's Dublin Journal. Dublin. 1728-30.
Faulkner's Dublin Postboy. Dublin. 1725-34.
Folk-Lore. London. 1890-.
Folk-Lore Record. London. 1877-1882.

Flying-Post. Dublin. 1708-30.
Freeman's Journal. Dublin. 1763-1924.
French Historical Studies. Raleigh. 1958-.

Gadelica. Dublin. 1912-13.
Galvia. Gaillimh. 1954-.

Historical Journal. London. 1958-.
Historical Studies (Papers Read Before the Irish Conference of Historians).
    Dublin. 1958-.
History. London. 1912-.
History and Theory. 'S Gravenhage. 1960-.
History of Religions. Chicago. 1961-.
History Today. London. 1951-.
Homiletic and Pastoral Review. New York. 1921-.

Innes Review. Glasgow. 1950-.
International Archives of Ethnography. Leyden. 1952-68.
Ireland's Own. Wexford. 1902-.
Irische Texte. Leipzig. 1880-1909.
Irish Ancestor. Dublin. 1969-86.
Irish Book-Lover. Dublin. 1909-57.
Irish Book. Dublin. 1959-63.
Irish Committee of Historical Sciences Bulletin. Dublin. 1943-74.
Irish Ecclesiastical Record. Dublin. 1865-.
Irish Economic and Social History. Dublin. 1974-.
Irish Genealogist. Dublin. 1937-.
Irish Historical Studies. Dublin. 1938-.
Irish Jurist. Dublin. 1935-.
Irish Monthly. Dublin. 1879-1954.
Irish Review. Cork. 1986-.
Irish Rosary. Dublin. 1897-1936.
Irish Studies. Cambridge. 1980-.
Irish Sword. Dublin. 1949-.
Irish Theological Quarterly. Dublin. 1906-.
Irish University Review. Dublin. 1970-.
Irisleabhar Mhá Nuad. Maigh Nuad. 1907-.
Irisleabhar na Gaedhilge (Gaelic Journal). Baile Átha Cliath. 1882-1914.

John Ryland's Library Bulletin. Manchester. 1904-.
Journal of American Folk-Lore. Boston. 1888-.
Journal of Biblical Literature. Boston. 1890-.
Journal of British Studies. Hartford. 1967-.
Journal of the Cork Historical and Archaeological Society. Cork. 1892-.
Journal of the County Kildare Archaeological Society. Dublin. 1891-.
Journal of the County Louth Archaeological Society. Dundalk. 1904-.
Journal of Ecclesiastical History. London. 1950-.
Journal of the Folklore Institute. Bloomington. 1964-.
Journal of the Galway Archaeological and Historical Society. Galway. 1900-.
Journal of the History of Ideas. New York. 1940-.
Journal of Indo-European Studies. Baton Rouge. 1973-.
Journal of Interdisciplinary History. Cambridge. 1969-.
Journal of the Irish Folksong Society. London. 1904-36.
Journal of the Kerry Archaeological and Historical Society. Tralee. 1968-.
Journal of the Limerick Field Club. Limerick. 1897-1908.
Journal of Medieval and Renaissance Studies. London. 1941-.
Journal of Modern History. Chicago. 1920-.
Journal of the North Munster Archaeological Society. Limerick. 1909-.
Journal of the Royal Society of Antiquaries of Ireland. Dublin. 1890-.

Journal of Semitic Studies. Manchester. 1956-.
Journal of Social History. Los Angeles. 1967-.
Journal of the South Derry Historical Society. Derry. 1980-.
Journal of the Waterford and South-East of Ireland Archaeological Society. Waterford. 1894-1920.

Kentucky Foreign Language Journal. Kentucky. 1954-66.

Léachtaí Cholm Cille. Maigh Nuad. 1970-.
Lia Fáil. Baile Átha Cliath. 1926-32.
An Lóchrann. Corcaigh. 1907-31.
London Magazine. London. 1732-85.

Man (The Journal of the Royal Anthropological Society). London. 1951-.
Mankind Quarterly. Virginia. 1960-.
Medieval Studies. Toronto. 1939-.
Medievalia et Humanistica; Studies in Medieval and Renaissance Culture. Cleveland. 1970-.
Mèlanges d'Archeologie et d'Histoire. Rome. 1881-.
Midland History. Birmingham. 1971-.
Miscellany of the Third Spalding Club. Aberdeen. 1935-60.
Mississippi Valley Historical Review. Abilene. 1914-.
Modern Language Notes. Baltimore. 1886-.
Modern Language Review. Cambridge. 1905-.
Modern Language Studies. Providence. 1971-.

Needham's Post-Man. Dublin. 1724.
Nineteenth Century and After. London. 1901-50.
North Munster Antiquarian Journal. Limerick. 1936-.
Nottingham Medieval Studies. Nottingham. 1957-.

O Mahony Journal. Cork. 1971-.

Parliamentary History. Gloucester. 1982-.
Past and Present. Oxford. 1952-.
Philological Quarterly. Iowa. 1922-.
Philosophical Quarterly. St. Andrew's. 1950-.
Philosophy. London. 1926-.
Proceedings of the Irish Catholic Historical Committee. Dublin. 1955-68.
Proceedings of the Royal Irish Academy. Dublin. 1836-.
Publications of the Modern Language Association of America. New York. 1884.

Religious Studies Review. Waterloo. 1975-.
Renaissance and Modern Studies. Nottingham. 1957-.
Reportorium Novum. Dublin. 1955-.
Retrospect. Dublin. 1960-.
Revue Celtique. Paris. 1870-.
Revue du Moyen Âge Latin. Lyon. 1945-.
Ríocht na Midhe. Meath. 1956-.

Scandinavian Studies. Kansas. 1928-.
Scottish Gaelic Studies. Edinburgh. 1926-.
Scottish Historical Review. Glasgow. 1904-.
Scottish Journal of Theology. Edinburgh. 1948-.
Scottish Studies. Edinburgh. 1955-.
Seanchas Ard Mhacha. Armagh. 1954-.
Sinsear. Baile Átha Cliath. 1979-.
Sixteenth-Century Journal. St. Louis. 1970-.
Speculum. Cambridge (Mass.). 1926-.
An Stoc. Gaillimh. 1917-31.
Students Literary and Scientific Magazine. Calcutta. 1852.

Studia Hibernica. Dublin. 1960-.
Studies. Dublin. 1912-.
Studies in Eighteenth-Century Culture. Cleveland. 1971-.
Studies in the Renaissance (Publications of the Renaissance Society of America). Austin. 1954-.
Studies on Voltaire and the Eighteenth Century. Banbury. 1955-.

Taliesin. Llandybie. 1968-.
Topic. Washington. 1963-.
Transactions of the Gaelic Society of Inverness. Inverness. 1871-.
Transactions of the Honourable Society of Cymmrodorion. London. 1892-.
Transactions of the Kilkenny Archaeological Society. Kilkenny. 1849-53.
Transactions of the Royal Historical Society. London. 1872-.
Transactions of the Royal Irish Academy. Dublin. 1787-1907.
Trivium. Lampeter. 1966-.

Ulster Folklife. Belfast. 1955-.
Ulster Journal of Archaeology. Belfast. 1853-.
Ulster Local Studies. Belfast. 1975-.
An tUltach. Dún Dealgan. 1924-.
University of Toronto Quarterly. Toronto. 1974-.

Veröffentlichungen der Keltischen Kommission. Wien. 1981-.

Welsh History Review. Cardiff. 1960-.
Whalley's News-Letter. Dublin. 1714-23.

Yearbook of English Studies. Cambridge. 1971-.
Yorkshire Celtic Studies. Leeds. 1937-58.

Zeitschrift für Celtische Philologie. Bonn. 1897-.
Zeitschrift für Geschichtswissenschaft. Berlin. 1953-.

CATALÓGA, FOCLÓIRÍ AGUS FOILSEACHÁIN OIFIGIÚLA

Calendar of the Carew manuscripts. London. 1867-1871.
Calendar of Irish patent rolls of James I (IMC). Dublin. 1966.
Calendar of the justiciary rolls of Ireland. Dublin. 1905-1914.
Calendar of state papers, domestic. London. 1856-1972.
Calendar of state papers of Ireland. London. 1860-1910.
Calendar of state papers, Spanish. London. 1862-1899.
A catalogue of the Bradshaw collection of Irish books in the University library. Cambridge. 1916.
Catalogue of Irish manuscripts in the British Museum (S.H. O'Grady, *et al.*). London. 1926, 1953.
Catalogue of Irish manuscripts in Cambridge libraries (P. de Brún and M. Herbert). Cambridge. 1986.
Catalogue of Irish manuscripts in the Franciscan library, Killiney (P. de Brún, *et al.*). Dublin. 1969.
Catalogue of Irish manuscripts in King's Inns library (P. de Brún). Dublin. 1972.
Catalogue of Irish manuscripts in Maynooth College library (P. Walsh). Maigh Nuad. 1943.
Catalogue of Irish manuscripts in the National Library of Ireland (N. Ní Shéaghdha, *et al.*). Dublin. 1961-.
Catalogue of Irish manuscripts in the Royal Irish Academy (T.F. O'Rahilly, *et al.*). Dublin. 1926-58, 1970.
Catalogue of the Irish manuscripts in the library of Trinity College, Dublin (T.K. Abbott and E.J. Gwynn). Dublin. 1921.

A catalogue of proclamations (The twenty-third report of the deputy keeper of the
    public records in Ireland). Dublin. 1891.
Clár lámhscríbhinní Gaeilge Choláiste Ollscoile Chorcaí: Cnuasach Thorna (P. de
    Brún). Baile Átha Cliath. 1967; *Cnuasach Uí Mhurchú* (B. Ó Conchúir).
    Baile Átha Cliath. 1991.
Clár lámhscríbhinní Gaeilge: leabharlanna na cléire agus mionchnuasaigh (P. Ó
    Fiannachta). Baile Átha Cliath. 1978-80.
Clár na lámhscríbhinní Gaeilge i Leabharlann Phoiblí Bhéal Feirste (B. Ó Buachalla).
    Baile Átha Cliath. 1962.
A descriptive catalogue of Gaelic manuscripts in the Advocates' Library, Edinburgh ... (J.
    MacKechnie). Edinburgh. 1912.
Dictionary of the Irish language (E.G. Quin *et al.*). Dublin (RIA). 1913-1975, 1983.
Dictionary of national biography (L. Stephen, S. Lee *et al.*). London 1885-.
English-Irish dictionary (T. de Bhaldraithe). Baile Átha Cliath. 1959.
Foclóir Gaedhilge agus Béarla (P.S. Dinneen). Dublin (ITS). 1927.
Foclóir Gaeilge-Béarla (N. Ó Dónaill). Baile Átha Cliath. 1977.
Historical Manuscripts Commission: *Reports.* London. 1874-.
Inquisitionum in officio rotulorum cancellariae Hiberniae asservatarum repertorium.
    Dublin. 1826-9.
Irish patent rolls of James I (IMC). Dublin. 1966.
Journals of the house of commons of the Kingdom of Ireland. Dublin. 1796-1800.
Lámhscríbhinní Gaeilge Choláiste Phádraig, Má Nuad (P. Ó Fiannachta). Maigh
    Nuad. 1965-73.
Lámhscríbhinní Gaeilge: treoirliosta (P. de Brún). Baile Átha Cliath. 1988.
Manuscript sources for the history of Irish civilization (R.J. Hayes). Boston. 1965.
The Oxford English dictionary (J.A. Simpson and E.S.C. Weiner). Oxford. 1989.
Report on Franciscan manuscripts. London (HMC). 1906.
'Report on the state of Popery in Ireland, 1731', *Archivium Hibernicum* 4 (1915)
    131-77.
The statutes at large; passed in the parliaments held in Ireland. Dublin. 1786.

FOILSEACHÁIN DÍ-AINM

*An abstract of certain depositions ... concerning the traitorous intentions of the rebels in
    Ireland, in rejecting the government of his Majesty* ... London. 1642.
*An abstract of some few of those barbarous, cruell massacres and murthers, of the
    Protestants and English, in some parts of Ireland* ... London. 1662.
*An abstract of the bloody massacre in Ireland, by the instigation of the Jesuits, Priests and
    Friars* ... London. 1659.
*An account from Edinburgh of a crown being dress'd up with flowers and plac'd upon the
    Statue of King Charles the II* ... Dublin. 1711.
An account of the most remarkable passages of the Irish massacre. London. 1642.
Aeneas and his two sons. A true portrait. London. 1746.
Ancient Irish prophecies, translated from original parchments ... Cork. 1800.
Ascanius, or the young adventurer. London. 1746.
Bishop Burnett's history of the birth of the Pretender. Dublin. 1723.
The bogg-trotters march. London.
A book of postings and sale of the forfeited and other estates and interests in Ireland.
    Dublin. 1703.
A choice collection of 180 loyal songs ... London. 1685.
A collection of ancient Scottish prophecies. Edinburgh (Bannatyne Club). 1833.
*A collection of certain horrid murthers in several counties of Ireland committed since the
    23rd of October 1641.* London. 1679.
A collection of loyal songs, as sung at all the Orange lodges in Ireland. Dublin. 1798.
A collection of poems on affairs of state. i-iv. London. 1697-1707.
A collection of state songs. London. 1716.

A collection of the newest and most ingenious poems, songs, catches, etc. against Popery, relating to the times, etc. London. 1689.

The complaint of a family, who being very rich, turn'd away a good Steward, and afterwards became miserable. London. 1719.

A continuation of the brief narrative and of the sufferings of the Irish under Cromwell. London. 1660.

The demands of the rebels in Ireland ... London. 1641.

A dialogue between Doctor Lesly and the Pretender, upon occasion of the death of the late Queen Mary. Dublin. 1718.

Dialogue between Teigue and Dermot ... 1713.

An express account of the siege of Gibraltar ... Dublin. 1727.

Faiche na bhfilí, Carraig na bhFear. Corcaigh. 1962.

A faithful account of the life of Christopher Layer ... London. 1723.

A faithful register of the late rebellion ... London. 1718.

The fourth ode of the fourth book of Horace. Imitated amd applied to his Royal Highness the Duke of Cumberland. Armagh. 1746.

A full collection of all poems upon Charles, Prince of Wales ... 1745.

'Geinealaighe Fear Manach', *Analecta Hibernica* 3 (1931) 62-150.

Hannibal not at our gates ... London. 1714.

Hibernia out of mourning ... a congratulatory poem on the happy arrival of his excellency The Lord Cataret, Lord Lieutenant of Ireland. Dublin. 1727.

Hispania Flagellata being the downfall of the Spanish Monarchy or the importance of Gibralter considered. Dublin. 1727.

An historical narrative of the tryals of Mr. George Kelly and of Dr. Francis Atterbury ... 1727.

An impartial account of the life and actions of James the Second ... Dublin.

Ireland's declaration, being a remonstrance ... Dublin. 1649.

Ireland's lamentation being a short, but perfect, full and true account of the scituation, nature, constitution and product of Ireland. London. 1689.

The Irish hudibras, or Fingallian prince ... London. 1689.

The Irish lamentation on the death of Queen Anne. 1714.

The Jacobite curse, or excommunication of King George and his subjects. Glasgow. 1714.

Jacobite minstrelsy. Glasgow. 1829.

'The Landing of Thurot at Carrickfergus', *The Students Literary and Scientific Magazine*, March 1852: 17-9.

The last speech and dying words of Anne Pepper ... Dublin. 1725.

The last speech and dyeing words of Thomas Craven and William Anderson ... Dublin. 1726.

The last speech confession and dying words of James Dealy constable. Dublin. 1727.

The last speech confession and dying words of Moses Nowland ... Dublin. 1726.

The life and character of Harvey the famous conjurer of Dublin. Dublin. 1728.

A list of the claims as they are entred with the trustees at Chichester House. Dublin. 1701.

A list of the names of the popish parish priests throughou the several counties in the Kingdom of Ireland ... Dublin. 1705.

A long history of a short session of a certain parliament in a certain Kingdom. Dublin. 1714.

The maid's prophecies or England's looking-glass. London. 1648.

The massacre of Glencoe ... being a true narrative of the barbarous murther of the Glenco-men. London. 1703.

Memoirs of the life, travels and transactions of the Rev. Mr. George Kelly ... London. 1736.

Memoirs of the Marquis of Clanricarde. 1722. London.

Murder will out: or the Kings letter justifying the Marquess of Antrim. London. 1689.

Papers, illustrative of the political condition of the highlands of Scotland from the year 1689 to 1696. Glasgow. 1845.

A particular account of a sharp and bloody attack, which happened at Gibralter ... Cork, Dublin. 1726.

The petition of Sir Philomy O Neale Knight ... London. 1642.

A poem on the Pretenders's birth-day. Dublin. 1718.

Poem upon the news of his Excellency the Lord Cataret's return for Ireland ... Dublin. 1727.

Poems on affairs of state i-iv. London. 1697-1707.

The Pretender's exercise to his Iris dragoons and his wild geese. Dublin. 1727.

The prophecies of Columbkille and story of the black pig. Boyle. 1918.

Quarters of the army in Ireland for anno 1733. Dublin.

A representation of the present state of religion, with regard to infidelity, heresy, impiety and Popery. London. 1712.

Revolution politics: being a compleat collection of all the reports, lyes, and stories, which were the forerunners of the great revolution in 1688 i-viii. London. 1733.

Revolutions d'Ecosse et d'Irlande, en 1707, 1708, et 1709 ... The Hague. 1758.

The second part of Musick's Hand-Maid containing the newest lessons, grounds, savabands, minuets and jiggs. London. 1689.

Sir Will Fownes's and Tucker's friends vindication ... Dublin. 1713.

Some pious resolutions of the Whiggs in the Irish House of Commons. Dublin. 1713.

The Speaker, A poem inscrib'd to Alan Broderick, Esq. ... Dublin. 1713.

The speeches of Captain Maurice Fitzgerald, Charles Burn ... Dublin. 1717.

Strange and remarkable prophecies and predictions of the holy, learned and excellent James Usher ... London. 1678.

Stuart Papers relating chiefly to Queen Mary of Modena and the exiled court of King James II ... London. 1889.

A supplement to the collection of miscellany poems against popery and slavery. London. 1689.

A supplement to the muses farewell to popery and slavery. London. 1690.

A true account of the riot committed at the Tholsel ... Dublin. 1713.

A true and perfect journal of the affairs in Ireland ... London. 1690.

True copies of the dying declarations of ... Edinburgh. 1750.

A true copy of David Rowland, the Welshman's most strange and wonderful prophesy ... 1716.

A true narrative of the murders, cruelties and oppressions, perpetrated on the Protestants in Ireland, by the late King James's agents, since his arrival there. London. 1690.

A true relation of the several facts and circumstances of the intended riot and tumult on Queen Elizabeth's birth-day. London. 1711.

The tryall of Dr Henry Secheverell, before the house of Peers, for high crimes and misdemeanors ... London. 1710.

The whole proceedings upon the arraignment, tryal, convition and attainder of Christopher Layer ... Dublin. 1723.

The whole tryal and examination of Capt. Moses Nowland ... Dublin. 1726.

ÚDAIR

Abegg, E. 1928. *Der Messiasglaube in Indien und Iran.* Berlin.

Abel, A. (*et al.*) 1962. *Religions de salut.* Bruxelles.

Abrams, M.H. 1984. 'Apocalypse: Theme and Variations' in Patrides & Wittreich (eag.) 342-68.

Adas, M. 1979. *Prophets of rebellion.* London.

Addington, A.C. 1969. *The royal house of Stuarts.* London.

Agulhon, M. 1979. *Marianne au combat.* Paris.

Ahlberg, S. 1986. *Messianic movements* (Acta Universitatis Stockholmiensis 26). Stockholm.

Aiazza, G. 1873. *The embassy in Ireland of Monsignor G.B. Rinuccini.* Dublin.

Ainsworth, J. 1961. *The Inchiquin manuscripts* (IMC). Dublin.

Aitken, A.J. (*et al.*) 1977. *Bards and makars.* Glasgow.

Akrigg, G.P.V. 1984. *Letters of King James VI & I*. Berkeley.
Albion, G. 1935. *Charles I and the court of Rome*. London.
Alexander, P.J. 1971. 'Byzantium and the Migration of Literary Motifs: The Legend of the Last Roman Emperor', *Medievalia et Humanistica* 2: 47-68.
Alger, J.G. 1889. 'The Posthumous Vicissitudes of James the Second', *Nineteenth Century and After* 25: 104-9.
Alison, A.F. & Rogers, D.M. 1989. *The contemporary printed literature of the English Counter-Reformation between 1558 and 1640*. Aldershot.
Allen, W.H. 1928. *A history of political thought in the sixteenth century*. London.
Almqvist, B. (*et al.*) 1987. *The heroic process*. Dublin.
Anderson, A.O. (eag.) 1929. 'The Prophecy of Berchan', *Zeitschrift für Celtische Philologie* 18: 1-56.
Anderson, E. 1958. *Messianic popular movements in the Lower Congo* (Studia Ethnographica Upsaliensia 15). Uppsala.
Anderson, M.O. 1973. *Kings and kingship in early Scotland*. Edinburgh.
Andrews, K.R. (*et al.*) 1978. *The westward enterprise: English activities in Ireland, the Atlantic and America 1480-1650*. Liverpool.
Ararat, R. 1974. *The Jacobite peerage*. London.
Arnold, L.J. 1985. 'The Irish Court of Claims of 1663', *Irish Historical Studies* 24: 417-30.
Ashley, M. 1966. *The glorious revolution of 1688*. London.
— 1973. *Charles II*. London.
— 1977. *James II*. London.
Astell, M. 1730. *Some reflections upon marriage*. Dublin.
Aston, M. 1988. *England's iconoclasts*. Oxford.
Aston, T. (eag.) 1965. *Crisis in Europe 1560-1660*. London.
Aylmer, G.E. (eag.) 1968. 'England's Spirit Unfolded', *Past and Present* 40: 3-15.

Babb, L. 1951. *The Elizabethan malady*. Michigan.
Bagwell, R. 1909. *Ireland under the Stuarts*. i-iii. London.
Bailey, F.G. 1971. 'The Peasant View of the Bad Life' in Shanin (eag.) 299-321.
Ball, B.W. 1975. *A great expectation: eschatological thought in English protestantism to 1660*. London.
Ball, F.E. 1926. *The judges in Ireland, 1221-1921*. i-ii. London.
Banton, M. (eag.) 1968. *Anthropological approaches to the study of religion*. London.
Barber, B. 1941. 'Acculturation and Messianic Movements', *American Sociological Review* 6: 663-9.
Barclay, J. 1614. *Icon animorum*. London.
Barkun, M. 1974. *Disaster and the millennium*. New Haven.
Barnard, T.C. 1973. 'Planters and Policies in Cromwellian Ireland', *Past and Present* 61: 31-69
— 1975. *Cromwellian Ireland: English government and reform in Ireland, 1640-1660*. London.
— 1990. 'Crisis of Identity among Irish Protestants, 1641-1685', *Past and Present* 127: 39-83.
— 1993. 'The Political, Material and Mental Culture of the Cork Settlers, *c.* 1650-1700' in O'Flanagan & Buttimer (eag.) 309-66.
Barry, J.G. (eag.) 1954. 'The Groans of Ireland', *The Irish Sword* 2: 130-6.
Bartlett, R. & Mackay, A. (eag.) 1989. *Medieval frontier societies*. Oxford.
Bartlett, T. & Hayton, D. (eag.) 1979. *Penal era and golden age*. Belfast.
— 1982. 'The O'Hara's of Annaghmore *c.* 1600 – *c.* 1800: Survival and Revival', *Irish Economic and Social History* 9: 34-52.
— 1983. 'An End to Moral Economy: The Irish Militia Disturbances of 1793', *Past and Present* 99: 41-64.
— 1985. 'Defenders and Defenderism in 1795', *Irish Historical Studies* 95: 373-94.
— 1987. 'A New History of Ireland', *Past and Present* 116: 206-218.
— 1992. *The fall and rise of the Irish nation*. Dublin.

Baynes, J. 1970. *The Jacobite rising of 1715*. London.
Beames, M.R. 1982. 'The Ribbon Societies: Lower-Class Nationalism in Pre-Famine Ireland', *Past and Present* 97: 128-143.
Beaune, C. 1985. *Naissance de la nation France*. Paris.
Beckett, C. 1987 (eag.). *Aodh Mac Domhnaill: dánta*. Baile Átha Cliath.
Beckett, J.C. 1947. *Protestant dissent in Ireland*. London.
— 1959. 'The Confederation of Kilkenny Reviewed', *Historical Studies* 2: 29-41.
— 1966. *The making of modern Ireland 1603-1923*. London.
Behre, G. 1972. 'Sweden and the Rising of 1745', *The Scottish Historical Review* 51: 148-71.
Bell, H.E. & Ollard, R.L. 1963. *Historical essays: 1600-1750*. London.
Bell, R. 1804. *A description of the peasantry of Ireland*. London.
Bender, L. 1948. 'The Indirect Power of the Church', *Homiletic and Pastoral Review* 58: 647-54.
Benham, W.G. 1931. *Playing cards*. London.
Bennett, G.V. 1974. 'Jacobitism and the Rise of Walpole' in McKendrick (eag.) 70-92.
— 1975. *The Tory crisis in church and state, 1688-1730*. Oxford.
— 1982. 'English Jacobitism, 1710-1715: Myth and Reality', *Transactions of the Royal Historical Society* 32: 137-51.
Beresford, M. 1971. 'Francis Thurot and the French Attack at Carrickfergus, 1759-60', *The Irish Sword* 10: 255-74.
Bergin, O.J. & Marstrander, K. (eag.) 1912. *Miscellany presented to Kuno Meyer*. Halle.
— (*et al.*) 1912a. *Anecdota from Irish manuscripts.* iv. Dublin.
— (eag.) 1916-1955. *Irish grammatical tracts* in *Ériu* 8,9,10,14,17.
— 1919. 'On a Gaelic Miscellany', *Studies* 8: 438-41.
— 1921. 'A Dialogue Between Donnchadh son of Brian and Mac Coise', *Ériu* 9: 175-80.
— & Best, R.I. 1938. *Tochmarc Étaíne*. Dublin.
— 1970. *Irish bardic poetry*. Dublin.
Berkeley, G. 1712. *Passive obedience; or the christian doctrine of not resisting the supreme power*. Dublin.
— 1735. *The querist, containing several queries proposed to the consideration of the public*. Dublin.
Berman, D. 1976. 'David Hume on the 1641 Rebellion in Ireland', *Studies* 65: 101-12.
— 1986. 'The Jacobitism of Berkeley's Passive obedience', *Journal of the History of Ideas* 47: 309-19.
Berwick, James FitzJames. 1779. *Memoirs of the marshal duke of Berwick*. i-ii. London.
Best, R.I. (eag.) 1904. 'The Leabhar Oiris', *Ériu* 1: 74-112.
— 1907. 'The Adventures of Art son of Conn', *Ériu* 3: 149-73.
Bethell, S.L. 1951. *The cultural revolution of the seventeenth century*. London.
Bhreatnach, M. 1982. 'The Sovereignty Goddess as Goddess of Death?', *Zeitschrift für Celtische Philologie* 39: 243-60.
Bierhorst, J. 1985. *Cantares Mexicanos: songs of the Aztecs*. Stanford.
Bietenhard, H. 1953. 'The Millennial Hope in the Early Church', *The Scottish Journal of Theology* 6: 12-30.
Bignami-Odier, J. 1980. 'Prophecies Concerning the Later Stuarts' in A. Williams (eag.) 267-278.
Binchy, D.A. 1921. 'An Irish Ambassador at the Spanish Court', *Studies* 10: 353-74, 573-84.
— 1961. 'The Background of Early Irish Literature', *Studia Hibernica* 1: 7-18.
— 1962. 'The Passing of the Old Order' in Ó Cuív (eag.) 119-32.
— 1970. *Celtic and Anglo-Saxon Kingship*. Oxford.
— (eag.) 1978. *Corpus iuris Hibernici*. i-vi. Dublin.

Bindoff, S.T. (eag.) 1961. *Elizabethan government and society.* London.
Black, J. (eag.) 1984. *Britain in the age of Walpole.* London.
— 1987. *The English press in the eighteenth century.* London.
— 1988. 'Jacobitism and British Foreign Policy, 1731-5' in Cruickshanks (eag.) 142-61.
— 1990. *Culloden and the '45.* Stroud.
Blaikie, W.B. 1897. *Itinerary of Prince Edward Stuart from his landing in Scotland July 1745 to his departure in September 1746.* Edinburgh.
— 1916. *Origins of the Forty-Five* (SHS 2). Edinburgh.
Bleeker, C.J. 1963. *The sacred bridge.* Leiden.
Bliss, A.J. 1979. *Spoken English in Ireland 1600-1740.* Dublin.
Bloch, M. 1924. *Les rois thaumaturges.* Paris.
Bloch, R.H. 1985. *Visionary republic: millennial themes in American thought, 1756-1800.* Cambridge.
Bloomfield, M.W. & Dunn, C.W. 1989. *The role of the poet in early societies.* Cambridge.
Bock, G. (*et al.*) 1990. *Machiavelli and republicanism.* Cambridge.
Bollème, G. 1965. *Livre et société dans la France du xviiie siècle.* Paris.
Bongie, L.L. 1977. 'Voltaire's English, High Treason and a Manifesto for Bonnie Prince Charlie', *Studies on Voltaire and the Eighteenth Century* 171: 7-29.
— 1986. *The love of a prince: Bonnie Prince Charlie in France 1744-1748.* Vancouver.
Booker, J. 1646. *A bloody Irish almanack ...* London.
Born, L.K. 1928. 'The Perfect Prince: a Study in Thirteenth- and Fourteenth-Century Ideals', *Speculum* 3: 470-504.
Bossy, J. 1970. 'The Counter-Reformation and the People of Catholic Europe', *Past and Present* 47: 51-70.
— 1971. 'The Counter-Reformation and the People of Catholic Ireland, 1596-1641', *Historical Studies* 8: 155-70.
— 1976. *The English Catholic community 1570-1850.* London.
Bottigheimer, C. 1985. 'The Failure of the Reformation in Ireland: Une Question Bien Posée', *Journal of Ecclesiastical History* 36: 196-207.
Bottigheimer, K.S. 1978. 'Kingdom and Colony: Ireland in the Westward Enterprise' in Andrews (*et al.*) 45-64.
Bouwsma, W.J. 1965. 'Three Types of Historiography in Post-Renaissance Italy', *History and Theory* 4: 303-14.
Boyce, D.G. 1991. *Nationalism in Ireland.* London.
— (*et al.*) 1993. *Political thought in Ireland since the seventeenth century.* London.
Boyle, A. 1963. 'Fearghal Ó Gadhra and the Four Masters', *Irish Ecclesiastical Record* 100: 100-14.
Boyle, P. 1901. *The Irish College in Paris 1578-1901.* London.
— 1912. 'John Moloney Bishop of Killaloe (1672-89) and of Limerick (1689-1702)', *Irish Ecclesiastical Record* 32: 574-89.
— 1916. 'Dr Michael Moore', *Archivium Hibernicum* 5: 7-16.
Bradley, J. (eag.) 1988. *Settlement and society in medieval Ireland.* Kilkenny.
Bradshaw, B. 1969. 'The Opposition to the Ecclesiastical Legislation in the Irish Reformation Parliament', *Irish Historical Studies* 16: 285-303.
— 1970. 'George Browne, First Reformation Archbishop of Dublin, 1536-1554', *Journal of Ecclesiastical History* 21: 301-26.
— 1973. 'The Beginnings of Modern Ireland' in Farrell (eag.) 68-87.
— 1974. *The dissolution of the religious orders in Ireland under Henry VIII.* Cambridge.
— 1975. 'Fr. Wolve's Description of Limerick, 1574', *North Munster Antiquarian Journal* 17: 47-53.
— 1976. 'The Edwardian Reformation in Ireland', *Archivium Hibernicum* 26: 83-99.
— 1977. 'The Elizabethans and the Irish', *Studies* 66: 43-9.
— 1978. 'Sword, Word and Strategy in the Reformation in Ireland', *The Historical Journal* 21 iii: 475-520.

— 1978a. 'Native Reaction to the Westward Enterprise: A Case-Study in Gaelic Ideology' in Andrews (*et al.*) 65-80.
— 1979. 'Manus the Magnificent': O'Donnell as Renaissance Prince' in Cosgrove & McCartney (eag.) 15-36.
— 1979a. *The Irish constitutional revolution of the sixteenth century.* Cambridge.
— 1981. 'The Elizabethans and the Irish: A Muddled Model', *Studies* 70: 233-44.
— 1988. 'The Reformation in the Cities: Cork, Limerick and Galway: 1534-1603' in Bradley (eag.) 445-76.
Brady, C. 1986. 'Spenser's Irish Crisis: Humanism and Experience in the 1590s', *Past and Present* 3: 17-49.
— & Gillespie, R. (eag.) 1986. *Natives and newcomers.* Dublin.
Brady, J. 1948. 'Some Aspects of the Irish Church in the Eighteenth Century', *Irish Ecclesiastical Record* 70: 515-23.
— 1949. 'The Irish Colleges in the Low Countries', *Archivium Hibernicum* 14: 66-91.
— 1955. 'The Catechism in Ireland: A Survey', *Irish Ecclesiastical Record* 83: 167-76.
— 1957. 'The Irish Colleges in Europe and the Counter-Reformation', *Proceedings of the Irish Catholic Historical Committee.* 1-8.
— 1960. 'The Oath of Allegiance at Maynooth', *Irish Ecclesiastical Record* 94: 129-35.
— 1962. 'Proposals to Register Irish priests 1756-7', *Irish Ecclesiastical Record* 98: 209-22.
— 1965. *Catholics and catholicism in the eighteenth-century press.* Maynooth.
— & Corish, P.J. 1971. *The Church under the penal code* (HIC iv 2). Dublin.
Brady, W.M. 1876. *The episcopal succession in England, Scotland and Ireland A.D. 1400-1875.* i-iii. Rome.
Brahmer, M. (eag.) 1966. *Studies in language and literature in honour of Margaret Schlauch.* Warsaw.
Breasted, J.H. 1912. *A history of Egypt.* New York.
Breathnach, Pádraig. 1913. *Fuínn na smól.* i-vii. Baile Átha Cliath.
Breathnach, Pól. Féach Walsh, P.
Breatnach, M. 1948. 'Jacobides agus Carina agus Sgéal Optimus agus Optima' (MA, UCD).
Breatnach, P.A. (eag.) 1973. 'Marbhna Aodha Ruaidh Uí Dhomhnaill', *Éigse* 15: 31-50.
— (eag.) 1978. 'Metamorphosis 1603: Dán le hEochaidh Ó hEodhasa', *Éigse* 17: 169-80.
— (eag.) 1986. 'Un Poème D'Écho En Irlandais Moderne', *Études Celtiques* 23: 157-62.
— (eag.) 1992. 'Togha na hÉigse', *Éigse* 26: 93-104.
Breatnach, R.A. 1953. 'The Lady and the King', *Studies* 42: 321-36.
— 1960. 'The End of A Tradition: A Survey of Eighteenth-Century Gaelic Literature', *Studia Hibernica* 1: 128-50.
— 1989. 'Anarchy in West Munster', *Éigse* 23: 57-66.
Breatnach, R.B. 1952. 'Donal O'Sullivan Beara to King Philip III, 20th February, 1602', *Éigse* 6: 314-25.
— 1955. 'Elegy on Donal O'Sullivan Beara († 1618)', *Éigse* 7: 162-81.
Bredvold, L.I. 1956. *The intellectual milieu of John Dryden.* Michigan.
Brennan, J. 1951. 'A Gallican Interlude in Ireland', *Irish Theological Quarterly* 24: 219-37, 283-309.
Bric, M.J. 1983. 'The Rightboy Protest in County Cork', *Past and Present* 100: 100-23.
— 1985. 'The Whiteboy Movement in Tipperary' in Nolan (eag.) 148-84.
Brims, J.D. 1987. 'The Scottish "Jacobins", Scottish Nationalism and the British Union' in Mason (eag.) 247-65.
Broad, J. 1988. 'Whigs and Deer-Stealers in Other Guises: A Return to the Origins of the Black Act', *Past and Present* 119: 56-72.

Bromwich, R. 1947. 'The Continuity of the Gaelic Tradition in Eighteenth-Century Ireland', *Yorkshire Celtic Studies* 4: 2-28.
— 1960. 'Celtic Dynastic Themes and the Breton Lays', *Études Celtiques* 9: 439-74.
— (*et al.*) 1991. *The Arthur of the Welsh.* Cardiff.
Brown, I.V. 1952. 'Watches for the Second Coming: the Millennarian Tradition in America', *Mississippi Valley Historical Review* 39: 441-58.
Brown, P. 1975. 'Society and the Supernatural: a Medieval Change', *Daedalus* 104: 133-51.
Buchan, J. 1933. *The massacre of Glencoe.* London.
Buckley, J. 1906. 'Munster in A.D. 1597', *Journal of the Cork Historical and Archaeological Society* 12: 53-68.
Bunting, E. 1840. *The ancient music of Ireland.* Dublin.
Burke, J.B. 1838. *Extinct and dormant baronetcies.* London.
Burke, P. 1969. *The renaissance sense of the past.* London.
— 1978. *Popular culture in early modern Europe.* London.
Burke, W.P. 1914. *The Irish priests in the penal times.* Waterford.
Burnet, G. 1724. *Bishop Burnet's history of his own time.* Dublin.
Burns, N.T. & Reagan, C.J. (eag.) 1975. *Concepts of the hero in the Middle Ages and the Renaissance.* Albany.
Burns, R.E. 1962. 'Thoughts on Converting the Irish', *Irish Ecclesiastical Record* 97: 142-4.
— 1989. *Irish parliamentary politics in the eighteenth century.* i. Washington.
Burridge, K.O.L. 1960. *Mambu: a Melanesian millennium.* London.
— 1971. *New heaven new earth.* Oxford.
Burridge, Rev. Dr. 1708. *A short view of the present state of Ireland ...* London.
Bush, D. 1948. *English literature in the earlier seventeenth century.* Oxford.
Bushnell, N.S. 1957. *William Hamilton of Bangour, poet and Jacobite.* Aberdeen.
Butler, R. (eag.) 1842. *Tracts relating to Ireland.* Dublin.
Butler, W.F.T. 1925. *Gleanings from Irish history.* London.
Butterfield, H. 1944. *The Englishman and his history.* Cambridge.
— 1955. *Man and his past.* Cambridge.
— 1973. *The Whig interpretation of history.* London.
Buttimer, C.J. 1990. 'An Irish Text on the "War of Jenkin's Ear"', *Celtica* 21: 75-98.
Byrne, C.J. (*et al.*) 1992. *Celtic languages and Celtic peoples* (Proceedings of the Second North American Congress of Celtic Studies). Toronto.
Byrne, F.J. 1973. *Irish kings and high-kings.* London.
Byrne, M. 1863. *The memoirs of Miles Byrne.* i-iii. Paris.

Caball, M.D.A. 1991. 'A Study of Intellectual Reaction and Continuity in Irish Bardic Poetry Composed During the Reigns of Elizabeth I and James I' (DPhil, Jesus College, Oxford).
Caillois, R. 1960. *Man and the sacred.* Glencoe.
Cairns, D. & Richards, S. (eag.) 1988. *Writing Ireland: colonialism, nationalism and Ireland.* Manchester.
Callaghan, J. 1650. *Vindicarum catholicorum Hiberniae.* Paris.
Calver, E. 1644. *England's sad posture ...* London.
— 1648. *Royall vision.* London.
Camden, W. 1602. *Anglica, Hibernica, Normannica, Cambrica, a veteribus scripta.* Frankfurt.
— 1637. *Britannia.* London.
Cameron, W.J. 1972. 'John Dryden's Jacobitism' in Love (eag.) 227-308.
Campana de Cavelli, M. 1871. *Les derniers Stuarts à Saint-Germain En Laye ...* Paris.
Campbell, J. 1972. *The hero with a thousand faces.* Princeton.
— 1979. *The flight of the wild gander.* Indiana.
Campbell, J.L. 1984. *Highland songs of the forty-five* (SGTS 15). Edinburgh.
Campbell, J.L. & Thomson, D. 1963. *Edward Lluyd in the Scottish highlands, 1699-1700.* Edinburgh.

Campion, E. 1571. *A historie of Ireland* in Ware (1633).

Canning, A.S.C. 1867. *Baldearg O'Donnell.* London.

Canny, N.P. 1969. 'The Treaty of Mellifont and the Reorganisation of Ulster, 1603', *The Irish Sword* 9: 249-62.

— 1970. 'Hugh O'Neill, Earl of Tyrone, and the Changing Face of Gaelic Ulster', *Studia Hibernica* 10: 7-35.

— 1971. 'The Flight of the Earls, 1607', *Irish Historical Studies* 17: 380-99.

— 1975. 'The Formation of the Old-English Elite in Ireland' (O'Donnell Lecture, NUI) Dublin.

— 1976. *The Elizabethan conquest of Ireland.* London.

— 1977. 'Early Modern Ireland: An Appraisal Appraised', *Irish Economic and Social History* 4: 56-65.

— 1977a. 'Rowland White's "Discors Touching Ireland" *c.* 1569', *Irish Historical Studies* 2: 439-63.

— 1978. 'The Permissive Frontier: Social Control in English Settlements in Ireland and Virginia' in Andrews (*et al.*) 17-44.

— 1979. 'Why The Reformation Failed in Ireland: Une Question Mal Posée', *Journal of Ecclesiastical History* 30: 423-50.

— 1979a. 'Rowland White's "The Dysorders of the Irisshry 1571"', *Studia Hibernica* 19: 147-60.

— 1982. *The upstart earl: a study of the social and mental world of Richard Boyle first Earl of Cork 1566-1643.* Cambridge.

— 1982a. 'The Formation of the Irish Mind: Religion, Politics and Gaelic Irish Literature 1580-1750', *Past and Present* 95: 91-116.

— 1983. 'Edmund Spenser and the Development of Anglo-Irish Identity', *Yearbook of English Studies* 13: 1-19.

— 1986. 'Protestants Planters and Apartheid in Early Modern Ireland', *Irish Historical Studies* 25: 105-15.

— 1987. *From reformation to restoration: Ireland 1534-1660.* Dublin.

— 1993. 'The 1641 Depositions as a Source for the Writing of Social History: County Cork as a Case Study' in O'Flanagan & Buttimer (eag.) 249-308.

Capp, B. 1953. *Astrology and the popular press, English almanacks, 1500-1800.* London.

— 1971. 'Godly Rule and English Millenarianism', *Past and Present* 52: 106-17.

— 1972. *The fifth monarchy men: a study in seventeenth-century millenarianism.* London.

— 1984. 'The Political Dimension of Apocalyptic Thought' in Patrides & Wittreich (eag.) 93-124.

Carew, G. 'A Discourse of the Present Estate of Ireland 1614' in *Calendar of Carew Manuscripts 1603-24.* vi. 1873: 305-6. London.

Carey, J. 1988. 'The Location of the Otherworld in Irish Tradition', *Éigse* 19: 36-43.

— 1993. *A new introduction to Lebor Gabála Érenn.* Dublin (ITS).

Carleton, W. 1834. *Traits and stories of the Irish peasantry.* ii. Belfast.

— 1847. *The black prophet.* Belfast.

Carlton, C. 1980. 'Three British Revolutions and the Personality of Kingship' in Pocock (eag.) 165-207.

Carney, J. (eag.) 1939. 'A Miscellany of Irish Verse', *Éigse* 1: 239-48.

— 1940. 'Nia Son of Lugna Fer Trí', *Éigse* 2: 187-97.

— 1945. *Poems on the Butlers.* Dublin.

— 1946. 'De Scriptoribus Hibernicis', *Celtica* 1: 86-110.

— 1950. *Poems on the O'Reillys.* Dublin.

— 1950a. 'A Tract on the O'Rourkes', *Celtica* 1: 238-79.

— (eag.) 1955. *Siabhradh Mhic na Míochomhairle* (LÓL 19). Baile Átha Cliath.

— 1959. 'Cath Maige Muccrime' in Dillon (eag.) 152-166.

— 1959a. *A genealogical history of the O'Reillys.* Cavan.

— 1967. *The Irish bardic poet.* Dublin.

— 1973. 'Society and the Bardic Poet', *Studies* 62: 233-50.

Caron, R. 1662. *Loyalty asserted* ... London.
Carswell, J. 1954. *The old cause.* London.
— 1969. *The descent on England.* London.
Carte, T. 1851. *An history of the life of James Duke of Ormond.* i-vi. Oxford.
Casey, A.E. 1952. *O'Kief, Coshe Mang, Slieve Lougher and Upper Blackwater in Ireland.* Birmingham (Alabama).
Cassirer, E. 1953. *The philosophy of symbolic form.* New Haven.
Casway, J.I. 1969. 'Owen Roe O'Neill's Return to Ireland in 1642: the Diplomatic Background', *Studia Hibernica* 9: 48-64.
— 1973. 'Henry O'Neill and the Formation of the Irish Regiment in the Netherlands, 1605', *Irish Historical Studies* 18: 481-88.
— 1978. 'The Clandestine Correspondence of Father Patrick Crelly, 1648-49', *Collectanae Hibernica* 20: 7-20.
— 1980. 'Unpublished Letters and Papers of Owen Roe O'Neill', *Analecta Hibernica* 29: 222-48.
— 1984. *Owen Roe O'Neill and the struggle for catholic Ireland.* Philadelphia.
Céitinn, S. *Eochair-Sgiath an aifrinn.* Eag. P. O'Brien, 1898, Dublin.
— *Foras feasa ar Éirinn.* Eag. Comyn & Dineen (ITS 4,8,9,15), 1902-14, Dublin.
— *Trí bior-ghaoithe an bháis.* Eag. Bergin, 1931, Dublin.
Ceyssens, L. 1957. 'Florence Conry, Hugh de Burgo, Luke Wadding and Jansenism' in Franciscan Fathers (eag.) 295-404.
Chadwick, H.M. 1945. *The nationalities of Europe and the growth of national ideologies.* Cambridge.
Chadwick, H.M. & N.K. 1932. *The growth of literature.* i. Cambridge.
— 1940. *The growth of literature.* iii. Cambridge.
Chadwick, N.K. 1935. 'Imbas Forosnai', *Scottish Gaelic Studies* 4: 97-136.
— 1942. *Poetry and prophecy.* Cambridge.
— 1967. 'The Borderland of the Spirit World in Early European Literature', *Trivium* 2: 17-36.
Chambers, E.K. 1927. *Arthur of Britain.* London.
Chapman, P. 1983. 'Jacobite Political Argument in England, 1714-1766' (PhD, Cambridge University).
Chapman, R.W. (eag.) 1970. *Johnson and Boswell: a journey to the western islands of Scotland; the journal of a tour to the Hebrides.* Oxford.
Chappell, W. 1855-9. *The ballad literature and popular music of the olden time.* i-ii. London.
Chappell, W. & Ebsworth, J.W. 1899. *The Rosburghe ballads.* vii. Hartford.
Chaume, M. 1947. 'Une Prophétie Relative à Charles VI', *Revue du Moyen Âge Latin* 3: 27-42.
Cherniavsky, M. 1958. 'Holy Russia': a Study in the History of an Idea', *American Historical Review* 63: 617-37.
— 1961. *Tsar and people: studies in Russian myths.* Yale.
Cherry, G.L. 1950. 'The Legal and Philosophical Position of the Jacobites, 1688-1689', *The Journal of Modern History* 22: 310-21.
Christie, I.R. 1986. 'George III and the Historians – Thirty Years On', *History* 71: 205-21.
Church, W.F. 1975. 'France' in Ranum (eag.) 43-66.
Clark, G.N. 1956. *The later Stuarts.* London.
Clark, J.C.D. 1980. 'A General Theory of Party, Opposition and Government, 1688-1832', *Historical Journal* 23: 295-325.
— 1983. 'The Politics of the Excluded: Tories, Jacobites and Whig Patriots, 1715-1760', *Parliamentary History* 2: 209-22.
— 1984. 'Eighteenth-Century Social History', *Historical Journal* 27: 773-88.
— 1985. *English society 1688-1832.* Cambridge.
— 1986. *Revolution and rebellion.* Cambridge.
— 1987. 'On Hitting the Buffers: The Historiography of England's Ancien Regime', *Past and Present* 117: 195-207.

Clark, R. 1932. *Strangers and sojourners at Port-Royal*. Cambridge.
Clarke, A. 1964. 'The Army and Politics in Ireland 1625-30', *Studia Hibernica* 4: 28-53.
— 1966. *The Old English in Ireland, 1625-1642*. London.
— 1968. *The graces 1625-41*. Dundalk.
— 1970. 'Ireland and the General Crisis', *Past and Present* 48: 93-7.
— 1970a. 'A Discourse Between Two Councillors of State, The One of England and The Other of Ireland', *Analecta Hibernica* 26: 159-75.
— 1978. 'Colonial Identity in Early Seventeenth-Century Ireland' in Moody (eag.) 57-71.
— 1981. 'The Genesis of the Ulster Rising of 1641' in Roebuck (eag.) 29-45.
— 1986. 'The 1641 Depositions' in Fox (eag.) 111-22.
Clarke, J.S. 1816. *The life of James II*. i-ii. London.
Clarke, R. 1991. *The great queen's Irish goddesses*. London.
Cleary, G. 1925. *Father Luke Wadding and St. Isidore's College, Rome*. Rome.
Clifton, R. 1971. 'The Popular Fear of Catholics During the English Revolution', *Past and Present* 52: 23-55.
C.M. 1645. *Disputatio apologetica de iure regni Hiberniae pro Catholicis Hibernis adversos haereticos Anglos. Authore C.M. Hiberno*. Francofurti.
Cohn, N. 1958. 'Réflexions Sur le Millénarisme', *Archives de Sociologie des Religions* 5: 103-7.
— 1978. *The pursuit of the millennium*. London.
Colgan, J. 1645. *Acta Sanctorum ... Hiberniae*. Lovanii (IMC 1948).
Collingwood, R.G. 1945. *The idea of history*. Oxford.
Collins, A.Y. 1977. 'The Political Perspective of the Revelation of John', *Journal of Biblical Literature* 96: 241-56.
Collins, J.T. 1960. 'Unpublished Cork Inquisitions in the Royal Irish Academy', *Journal of the Cork Historical and Archaeological Society* 65: 76-82.
Collinson, P. 1967. *The Elizabethan Puritan movement*. London.
Congar, Y.M.G. 1960. *La tradition et les traditions*. Paris.
Conlon, J.P. 1955. 'Some Notes on "Disputatio Apologetica" ', *The Bibliographical Society of Ireland* 6: 69-77.
Connolly, S.J. 1982. *Priests and people in pre-famine Ireland 1780-1845*. Dublin.
— 1983. 'The Blessed Turf: Cholera and Popular Panic in Ireland, June 1832', *Irish Historical Studies* 23: 214-32.
— 1985. 'Law, Order and Popular Protest in Eighteenth-Century Ireland: the Case of the Houghers' in Corish (eag.) 51-68.
— 1992. *Religion, law and power: the making of Protestant Ireland 1660-1760*. Oxford.
Coombes, J. 1981. *A bishop of penal times*. Cork.
Coonan, T.L. 1954. *The Irish Catholic confederacy and the puritan revolution*. Dublin.
Copleston, F. 1953. *A history of philosophy iii: Ockham to Suárez*. London.
Corish, P.J. 1948. 'Bishop Nicholas French and the Second Ormond Peace, 1648-9', *Irish Historical Studies* 6: 83-100.
— 1951. 'Rinuccini's Censure of 27 May 1648', *Irish Theological Quarterly* 18: 322-37.
— 1953. 'Two Contemporary Historians of the Confederation of Kilkenny', *Irish Historical Studies* 8: 217-236.
— 1954. 'John Callaghan and the Controversies Among the Irish in Paris, 1648-54', *Irish Theological Quarterly* 21: 32-50.
— 1955. 'The Crisis in Ireland in 1648: The Nuncio and the Supreme Council: Conclusions', *Irish Theological Quarterly* 22: 231-57.
— 1957. 'The Reorganisation of the Irish Church, 1603-41', *Proceedings of the Irish Catholic Historical Committee* 3: 1-14.
— 1958. 'An Irish Counter-Reformation Bishop: John Roche', *Irish Theological Quarterly* 25: 14-32, 101-23; 26 (1959) 101-16, 313-30.
— 1959. 'Two Reports on the Catholic Church in Ireland in the Early Seventeenth Century', *Archivium Hibernicum* 22: 140-62.

— (eag.) 1967-1971. *A history of Irish catholicism.* i-vi. Dublin.
— 1968. *The origins of Catholic Nationalism* (HIC iii 8). Dublin.
— 1981. *The catholic community in the seventeenth and eighteenth centuries.* Dublin.
— (eag.) 1985. *Radicals, rebels and establishments* (Historical Studies 15). Belfast.
— 1985a. *The Irish catholic experience.* Dublin.
Corkery, D. 1925. *The hidden Ireland.* Dublin.
Cosgrave, P. 1965. 'Peter Walsh and the Irish Remonstrance 1660-1665' (MA, UCD).
Cosgrove, A. 1979. 'Hiberniores ipsis Hibernis' in Cosgrove & McCartney (eag.) 1-14.
— 1990. 'The Writing of Irish Medieval History', *Irish Historical Studies* 27: 97-112.
— & McCartney, D. (eag.) 1979. *Studies in Irish history presented to R.Dudley Edwards.* Dublin.
Couliano, E.P. 1984. *Eros et magie à la renaissance.* Paris.
Coward, B. 1980. *The Stuart age.* London.
Cox, L. 1973. 'The Mac Coghlans of Delvin Eachtra', *Irish Genealogist* 4: 534-46.
Cox, R. 1689. *Hibernia Anglicana.* i-ii. London.
Craigie, J. 1944-50. *The Basilicon Doron of King James VI.* i-ii. London.
— (eag.) 1982. *Minor prose works of King James VI and I* (STS). Edinburgh.
Crawford, T. 1970. 'Political and Protest Songs in Eighteenth-Century Scotland', *Scottish Studies* 14: 1-33.
Crawfurd, R. 1911. *The king's evil.* Oxford.
Cregan, D.F. 1941. 'Daniel O'Neill, a Royalist Agent in Ireland, 1644-50', *Irish Historical Studies* 2: 398-414.
— 1944. 'Some Members of the Confederataion of Kilkenny' in O'Brien (eag.) 34-44.
— 1963. 'An Irish Cavalier: Daniel O'Neill', *Studia Hibernica* 3: 60-100.
— 1964. 'An Irish Cavalier: Daniel O'Neill in the Civil Wars', *Studia Hibernica* 4: 104-33.
— 1965. 'An Irish Cavalier: Daniel O'Neill in Exile and Restoration 1651-64', *Studia Hibernica* 5: 42-77.
— 1970. 'Irish Recusant Lawyers in Politics in the Reign of James I', *Irish Jurist* 5: 306-320.
— 1973. 'The Confederation of Kilkenny' in Farrell (eag.) 102-15.
— 1979. 'The Social and Cultural Background of a Counter-Reformation Episcopate, 1618-60' in Cosgrove & McCartney (eag.) 85-117.
Cremer, R.W.K. 1948. *A Norfolk gallery.* London.
Cressy, D. 1989. *Bonfires and bells.* London.
Croker, T.C. 1825. *Fairy legends and traditions of the South of Ireland.* i-iii. London.
— 1841. *The historical songs of Ireland* ... London.
— 1841a. *Narratives illustrative of the contests in Ireland in 1641 and 1690.* London.
— 1845. *Popular songs illustrative of the French invasions of Ireland.* i-iv. London.
— 1845a. *Popular songs of Ireland.* Dublin.
Cronin, A. 1945. 'Printed Sources of Keating's Foras Feasa', *Éigse* 4: 235-79.
— 1948. 'Sources of Keating's *Foras Feasa ar Éirinn*', *Éigse* 5: 122-35.
Cronne, H.A. (*et al.*) 1949. *Essays in British and Irish history in honour of James Eadie Todd.* London.
Cross, T.P. 1952. *Motif-index of early Irish literature.* Indiana.
Cruickshanks, E. 1979. *Political untouchables: the Tories and the '45.* London.
— (eag.) 1982. *Ideology and conspiracy: aspects of Jacobitism, 1689-1759.* Edinburgh.
— & Erskine-Hill, H. 1985. 'The Waltham Black Act and Jacobitism', *Journal of British Studies* 24 iii: 358-65.
— & Black, J. (eag.) 1988. *The Jacobite challenge.* Edinburgh.
Cullen, L. 1957. 'Tráchtáil idir Iarthar na hÉireann agus an Fhrainc, 1600-1800', *Galvia* 4: 27-48.
— 1958. 'Privateers Fitted out in Irish Ports in the Eighteenth Century', *The Irish Sword* 3: 171-6.

— 1969. 'The Hidden Ireland: Re-Assessment of a Concept', *Studia Hibernica* 9: 7-47.
— 1969a. 'The Smuggling Trade in Ireland in the Eighteenth Century', *Proceedings of the Royal Irish Academy* 67 C: 149-75.
— 1981. *The emergence of modern Ireland 1600-1900*. London.
— 1986. 'Catholics under the Penal Laws', *Eighteenth-Century Ireland* 1: 23-36.
— 1988. *The hidden Ireland: re-assessment of a concept*. Mullingar.
— 1992. 'Burke, Ireland and Revolution', *Eighteenth-Century Life* 16: 21-42.
— 1993. 'The Blackwater Catholics and County Cork Society and Politics in the Eighteenth Century' in O'Flanagan & Buttimer (eag.) 535-84.
Cunningham, A. 1932. *The loyal clans*. Cambridge.
Cunningham, B. 1979. 'Political and Social Change in the Lordships of Clanricard and Thomond' (MA, UCG).
— 1986. 'Seventeenth-Century Interpretations of the Past: The Case of Geoffrey Keating', *Irish Historical Studies* 25: 116-28.
— 1986a. 'Theobald Dillon, a Newcomer in Sixteenth-Century Mayo', *Cathair na Mart* 6: 24-32.
— 1986b. 'Native Culture and Political Change' in Brady & Gillespie (eag.) 148-70.
— 1987. 'Natives and Newcomers in Mayo, 1560-1603' in Gillespie & Moran (eag.) 24-43.
— 1989. 'Geoffrey Keating's *Eochair Sgiath an Aifrinn* and the Catholic Reformation in Ireland' in Sheils & Wood (eag.) 133-43.
— & Gillespie, R. 1984. 'The East Ulster Bardic Family of Ó Gnímh', *Éigse* 20: 106-114.
— 1990. 'Englishmen in Sixteenth-Century Irish Annals', *Irish Economic and Social History* 17: 5-21.
Curtin, N.J. 1985. 'The Transformation of the Society of United Irishmen into a Mass-Based Revolutionary Organisation, 1794-6', *Irish Historical Studies* 24: 463-92.
Curtis, E. 1923. *A history of medieval Ireland*. London.
— (eag.) 1941. 'The O'Maolconaire Family', *Galway Archaeological and Historical Society* 19: 118-46.
Curtius, E.R. 1953. *European literature and the Latin middle ages*. New York.

Daiches, D. 1973. *Charles Edward Stuart*. London.
— & Thorlby, A. (eag.) 1974. *The old world: discovery and rebirth*. London.
D'Alton, C. 1907. *Irish army lists 1661-1685*. London.
D'Alton, J. 1860. *Illustrations historical and genealogical of King James's Irish army list*. i-ii. Dublin.
Daly, J. 1978. 'The Idea of Absolute Monarchy in Seventeenth-Century England', *Historical Journal* 21: 227-50.
Danaher, K. 1966. 'The Glencolmcille Tradition of Prince Charles Edward', *The Irish Sword* 7: 196-203.
— & Simms, J.G. 1962. *The Danish forces in Ireland, 1690-1*. London.
D'Arcy, C.F. 1932. *Providence and the world order*. London.
Darnton, R. 1968. *Mesmerism and the end of the enlightenment in France*. Cambridge (Mass).
— 1971. 'The High Enlightenment and the Low-Life of Literature in Pre-Revolutionary France', *Past and Present* 51: 81-115.
— 1995. *The forbidden best-sellers of pre-revolutionary France*. New York.
Davies, G. 1959. *The early Stuarts*. Oxford.
Davies, J. 1612. *A discoverie of the true causes why Ireland was never entirely subdued ...* London.
Davis, H.J. (eag.) 1939-68. *The prose works of Jonathan Swift*. Vol.1-13. Oxford.
de Bhaldraithe, T. 1944. 'Nótaí ar an Aisling Fháithchiallaigh' in S.O'Brien (eag.) 221-30.

de Blácam, A. 1929. *Gaelic literature surveyed*. Dublin.
de Breffny, B. 1978. 'Letters From Connaught to a Wild Goose', *The Irish Ancestor* 10 ii: 81-98.
de Brún, P. 1969. 'Ar Shaorbhreathach Mhág Cárthaigh', *Éigse* 13: 10.
— 1969a. 'Some Irish MSS with Bréifne Associations', *Bréifne*: 552-61.
— 1969b. *Catalogue of Irish manuscripts in the Franciscan Library Killiney*. Dublin.
— (*et al.*) 1971. *Nua-Dhuanaire*. i. Dublin.
— 1972. *Filíocht Sheáin Uí Bhraonáin*. Baile Átha Cliath.
— 1972a. 'Gan Teannta Buird ná Binse', *Comhar* Samhain: 15-20.
— 1983. 'The Irish Society's Bible Teachers, 1818-27', *Éigse* 19: 281-332.
— 1987. 'Litir ó Thor Londain', *Éigse* 22: 49-53.
de Cavelli, 1871. *Les dernier Stuarts à Saint Germain en Laye*. Paris.
Delacroix, H. 1922. *La religion et la foi*. Paris.
Delumeau, J. 1971. *Le catholicisme entre Luther et Voltaire*. Paris.
de Mariana, J. 1599. *De rege et regis institutione*. Toleti.
de Rís, S, (eag.) 1969. *Peadar Ó Doirnín*. Baile Átha Cliath.
Derricke, J. 1581. *The image of Ireland*. London.
— 1581a. *The description of Ireland ... in anno 1581*. Eag. Hogan, 1878, London.
Desroches, H. 1959. 'Messianismes et Utopies: Note sur les Origines du Socialisme Occidentale', *Archives de Sociologie des Religions* 8: 31-46.
de Vries, J. 1963. *Heroic song and heroic legend*. London.
Dickinson, H.T. 1977. *Liberty and property: political ideology in eighteenth-century Britain*. London.
Dickson, D. 1979. 'Middlemen' in Bartlett & Hayton (eag.) 162-85.
— 1987. *New foundations: Ireland 1660-1800*. Dublin.
— (*et al.*) 1993. *The United Irishmen: republicanism, radicalism and rebellion*. Dublin.
Dickson, W.K. 1895. *The Jacobite attempt of 1719* (SHS 19). Edinburgh.
Dillon, M. 1945. 'The Death of Mac Con', *Publications of the Modern Languages Association* 60: 340-5.
— 1946. *The cycle of the kings*. London.
— 1948. *Early Irish literature*. London.
— (eag.) 1959. *Irish Sagas*. Dublin.
— 1960-63. 'Laud Misc. 610', *Celtica* 5: 64-76; *Celtica* 6: 135-55.
— 1973. 'The Inauguration of Irish Kings', *Celtica* 10: 1-8.
Dimock, J.F. (eag.) 1867. *Opera Giraldi Cambrensis*. v. London.
Dinneen, P.S. Féach Ua Duinnín, P.
Dobin, H. 1990. *Merlin's disciples*. Stanford.
Dobrowolski, K. 1971. 'Peasant Traditional Culture' in Shanin (eag.) 277-98.
Dobs, M. Ní C. (eag.) 1936. 'From the Book of Fermoy', *Zeitschrift für Celtische Philologie* 20: 161-84.
Dodds, M.H. 1916. 'Political Prophecies in the Reign of Henry VIII', *Modern Language Review* 11: 276-84.
Doheny, C. 1886. 'The University of Alcalá', *Irish Ecclesiastical Record* 7: 245-57.
Donaldson, W. 1988. *The Jacobite song*. Aberdeen.
Donlevy, A. 1742. *An teagasg Críosduidhe do réir ceasda agus freagartha ... A bPairís*.
Donne, J. *The complete English poems*. Eag. C.A. Patrides, 1991, London.
Donnelly, J.S. 1977. 'The Rightboy Movement', *Studia Hibernica* 17-18: 120-202.
— 1980. 'Propagating the Cause of the United Irishmen', *Studies* 69: 5-23.
— 1983. 'Irish Agrarian Rebellion: The Whiteboys of 1769-76', *Proceedings of the Royal Irish Academy* 83 C: 293-331.
Dooley, A. 1992. 'Literature and Society in Early Seventeenth-Century Ireland: The Evaluation of Change' in C.J. Byrne (*et al.*) 513-34.
Douglas, M. 1970. *Natural symbols*. London.
Dronke, P. 1965. *Medieval Latin and the rise of European love-lyric*. Oxford.
— 1981. 'St. Patrick's Reading', *Cambridge Medieval Celtic Studies* 1: 21-38.
Droz, E. (eag.) 1923. *Le quadrilogue invectif*. Paris.
Drummond, J. (eag.) 1842. *Memoirs of Sir Ewen Cameron of Locheill*. Edinburgh.

Dryden, J. *The poems of John Dryden.* Eag. J. Kinsley, 1958. Oxford.
Duffo, F. (eag.) 1931. *Lettres inédites de l'abbé E. Renaudot au ministre J.B. Colbert, 1692-1706.* Paris.
Duffy, C.G. 1845. *The ballad poetry of Ireland.* Dublin.
Duffy, E. 1981. 'Valentine Greatrakes, the Irish Stroker: Miracle, Science and Orthodoxy in Restoration England', *Studies in Church History* (eag. K. Robbins) 17: 251-73.
Duke, W. 1938. *Prince Charles Edward and the Forty-Five.* London.
Dulon, J. 1897. *Jacques II Stuart: sa familee et les Jacobites à Saint-Germain-en-Laye.* St. Germain-en-Laye.
Dumèzil, G. 1973. *The destiny of a king.* Chicago.
Dunlop, R. 1887. 'The Forged Commission of 1641', *English Historical Review* 11: 527-33.
— 1913. *Ireland under the Commonwealth.* i-ii. Manchester.
Dunn, C.W. 1948. 'Highland Song and Lowland Ballad', *University of Toronto Quarterly* 18: 1-19.
Dunne, T.J. 1980. 'The Gaelic Response to Conquest and Colonisation: the Evidence of the Poetry', *Studia Hibernica* 20: 7-30.
— (eag.) 1987. *The writer as witness* (Historical Studies 16) Cork.
Durkheim, E. 1976. *The elementary forms of the religious life.* London.
Dwyer, J. (eag.) 1982. *New perspectives on the politics and culture of early modern Scotland.* Edinburgh.
Dymmock, J. 1600. 'A Treatise of Ireland' in Butler (1842).

Eccleshall, R. 1978. *Order and reason in politics.* Oxford.
— 1993. 'Anglican Political Thought in the Century after the Revolution of 1688' in Boyce (*et al.*) 36-72.
Edwards, O.D. 1988. 'The Long Shadows: A View of Ireland and the '45' in Scott-Moncrieff (eag.) 73-89.
— 1991. 'Who Was Mac an Cheannuidhe, A Mystery of the Birth of the Aisling', *North Munster Antiquarian Journal* 32: 55-77.
Edwards, R.D. 1935. *Church and state in Tudor Ireland.* Dublin.
— 1944. 'Church and State in the Ireland of Míchél Ó Cléirigh, 1626-1641' in S. O'Brien (eag.) 1-20.
— 1957. 'The Irish Catholics and the Puritan Revolution' in Franciscan Fathers (eag.) 93-118.
— 1961. 'Ireland, Elizabeth I, and the Counter-Reformation' in Bindoff (eag.) 315-39.
Eliade, M. 1958. *Patterns in comparative religion.* New York.
— 1974. *The myth of the eternal return.* Princeton.
— 1977. *Myths, dreams and mysteries.* London.
Elliott, J.H. 1961. 'Revolution and Continuity in Early Modern Europe', *Past and Present* 42: 36-56.
Elliott, M. 1982. *Partners in revolution.* London.
— 1989. *Wolfe Tone: prophet of Irish independence.* London.
Ellis, S.G. 1985. *Tudor Ireland: crown, community and the conflict of cultures, 1470-1603.* London.
— 1986. 'Nationalist Historiography and the English and Gaelic Worlds in the Late Middle Ages', *Irish Historical Studies* 25: 1-18.
— 1990. 'Economic Problems of the Church: Why the Reformation Failed in Ireland', *The Journal of Ecclesiastical History* 41: 239-65.
Elton, G.R. 1974. *Studies in Tudor and Stuart politics and government.* ii. Cambridge.
Erck, J.C. 1846. *A reportary of the inrolments of the patent rolls of chancery, in Ireland ...* Dublin.
Erskine-Hill, H. 1967. 'Augustans on Augustanism', *Renaissance and Modern Studies* 11: 55-83.

— 1971. 'John Dryden: the Poet and Critic' in Londsdale (eag.) 23-59.
— 1975. *The social milieu of Alexander Pope*. Yale.
— 1979. 'Literature and the Jacobite Cause', *Modern Language Studies* 9 iii: 18-28.
— 1982. 'Literature and the Jacobite Cause: Was There a Rhetoric of Jacobitism?' in Cruickshanks (eag.) 49-69.
— 1983. *The Augustan idea in English literature*. London.
Evans, D.E. 1969. 'Druids as Fact and Symbol', *Antiquity* 43: 132-36.
Evans, E.J. 1975. 'Some Reasons for the Growth of English Rural Anti-Clericalism *c.* 1750 – *c.* 1830', *Past and Present* 66: 84-109.
Evans, R.J.W. 1979. *The making of the Hapsburg monarchy*. Oxford.
Evans-Pritchard, E.E. 1961. *Anthropology and history*. Manchester.
Ewald, A.C. 1875. *The life and times of Prince Charles Edward*. i-ii. London.
Ewald, W.B. 1956. *The newsmen of Queen Anne*. London.

Falkiner, C.L. (eag.) 1904. *Illustrations of Irish history and topography*. London.
Falls, C. 1949. 'Neill Garve: English Ally and Victim', *The Irish Sword* 1: 2-7.
Faral, E. 1929. *La légende Arthurienne*. Paris.
Farrell, B. (eag.) 1973. *The Irish parliamentary tradition*. Dublin.
Faulkner, A. 1963-4. 'Papers of Anthony Gearnon, O.F.M.', *Collectanea Hibernica* 6-7: 212-24.
— 1965. 'Father O Finaghty's Miracles', *Irish Ecclesiastical Record* 104: 349-362.
Febvre, L. & Martin, H.J. 1984. *The coming of the book*. London.
Fenning, H. 1966. 'Michael MacDonagh, O.P., Bishop of Kilmore 1728-46', *Irish Ecclesiastical Record* 106: 138-153.
— 1966a. 'John Kent's Report on the State of the Irish Mission 1742', *Archivium Hibernicum* 28: 59-102.
— 1969. 'Some Eighteenth-Century Broadsheets', *Collectanae Hibernica* 12: 45-61.
— 1972. *The undoing of the friars of Ireland*. Louvain.
— 1975. 'The Irish Dominican Province at the Beginning of its Decline (1745-1761)', *Archivum Fratrum Praedicatorum* 45: 399-502.
Fenton, J. 1914. *Amhráin Thomáis Ruaidh*. Baile Átha Cliath.
Fenton, S. 1948. *It all happened*. Dublin.
— 1950. *Kerry tradition: the peerless poets of the Kingdom*. Tralee.
Ferguson, O.W. 1962. *Jonathan Swift and Ireland*. Urbana.
Festinger, L. (*et al.*) 1964. *When prophecy fails*. New York.
Fields, K.E. 1985. *Revival and rebellion in colonial central Africa*. Princeton.
Figgis, J.N. 1914. *The divine right of kings*. Cambridge.
Finley, M.I. 1965. 'Myth, Memory and History', *History and Theory* 4:281-302.
FitzGerald, W. 1891. 'Mullaghmast: Its History and Traditions', *Journal of the County Kildare Archaeological Society* 1: 379-90.
— 1899. 'The Curragh: Its History and Traditions', *Journal of the County Kildare Archaeological Society* 3: 1-32.
FitzPatrick, T. 1907-9. 'The Ulster Civil War, 1641', *Ulster Journal of Archaeology* 13: 133-42, 14: 168-77, 15: 7-13, 61-4.
FitzSimon, H. 1611. *The justification and exposition of the divine sacrifice of the masse*. Douai.
— 1611a. *Catalogus praeciporum sanctorum Hiberniae*. Roma.
— 1620. *Words of comfort to persecuted Catholics ... diary of the Bohemian war of 1620*. Eag. E.Hogan, 1881, Dublin.
Fletcher, A. 1737. *The political works of Andrew Fletcher, Esq.*. London.
Fletcher, A. 1965. *Allegory*. Ithaca.
Flower, R. 1926. *Catalogue of Irish manuscripts in the British museum*. London.
— 1947. *The Irish tradition*. Oxford.
Ford, A. 1985. *The protestant reformation in Ireland*. Frankfort.
Formon, C. 1728. *A letter ... for disbanding the Irish regiments in the service of France and Spain*. Dublin.

Foster, R.F. 1988. *Modern Ireland 1600-1972*. London.
Foucault, M. 1970. *The order of things*. London.
Fox, P. 1986. *Treasures of the library: Trinity College Dublin*. Dublin.
Foxon, D.F. 1975. *English verse 1701-1750*. i-iii. Cambridge.
Fradenburg, L.O. (eag.) 1992. *Women and Sovereignty*. Edinburgh.
Franciscan Fathers, The (eag.) 1957. *Father Luke Wadding commemorative volume*. Dublin.
Frankfort, H. 1948. *Kingship and the gods*. Chicago.
Fraser, J. (*et al.*) 1931-4. *Irish texts*. i-v. London.
Freeman, A,E. (eag.) 1970. *Annála Connacht*. Dublin.
French, N. 1644. *Querees propounded by the Protestant partie* ... Paris.
— 1668. *A narrative of the Earl of Clarendon's settlement and sale of Ireland*. Lovain.
— 1674. *The bleeding Iphigenia*. Lovain.
— 1676. *The unkinde deserter of loyall men and true friends*. Paris.
— 1704. *Iniquity display'd* ... .
Freud, S. 1938. *The interpretation of dreams*. New York.
— 1947. *Moses and monotheism*. New York.
Fritz, P. & Williams, D. (eag.) 1972. *The triumph of culture: 18th-century perspectives*. Toronto.
Fritz, P.S. 1975. *The English ministers and Jacobitism*. Toronto.
Fromm, Le Roy E. 1946-54. *The prophetic faith of our fathers: the historic development of prophetic interpretation*. Washington D.C.
Frost, J. 1893. *The history and topography of the county of Clare*. Dublin.
Froude, J.A. 1872-74. *The English in Ireland*. i-iii. London.
Fuchs, S. 1965. *Rebellious prophets*. New York.
Fülöp-Miller, R. 1935. *Leaders, dreamers and rebels*. London.
Fussner, F.S. 1962. *The historical revolution, English historical writing and thought*. New York.

Gailey, A. 1969. *Irish folk drama*. Cork.
Gallwey, H.D. 1971. 'The Dispossessed Landowners of Ireland 1664', *Irish Genealogist* 4 iv: 275-302, 429-49.
Gardiner, S.R. 1869. *Prince Charles and the Spanish marriage: 1617-1623*. London.
Garrett, C. 1973. 'Joseph Priestley, the Millennium and the French Revolution', *Journal of the History of Ideas* 34: 51-66.
— 1975. *Respectable folly: millenarians and the French revolution in France and England*. Baltimore.
Garrett, J. 1980. *The triumphs of providence*. Cambridge.
Garvin, T. 1982. 'Defenders, Ribbonmen and Others: Underground Political Networks in Pre-Famine Ireland', *Past and Present* 96: 134-55.
Gaughan, A. 1978. *The Knights of Glin*. Dublin.
Gearnon, A. 1645. *Parrthas an anma*. Lobháin. Eag. A.Ó Fachtna, 1953, Baile Átha Cliath.
G.E.C. 1910-40. *The complete peerage of England, Scotland, Ireland, Great Britain and the United Kingdom*. London.
Geertz, H. 1975. 'An Anthropology of Religion and Magic', *Journal of Interdisciplinary Religion* 6: 71-89.
Gernon, L. 1620. 'Luke Gernon's Discourse of Ireland, 1620' in Falkiner (eag.) 345-62.
Gibbons, L. 1992. 'Identity Without A Centre: Allegory, History and Irish Nationalism', *Cultural Studies* 6: 358-75.
Giblin, C. 1957. 'The "Processus Datariae" and the Appointment of Irish bishops in the 17th Century' in Franciscan Fathers (eag.) 508-616.
— 1958-1972. 'Catalogue of Material of Irish Interest in the Collection Nunziatura di Fiandra, Vatican Archives', *Collectanea Hibernica* 1: 1-134, 3: 7-144, 4: 1-137, 5: 1-130, 9: 1-70, 10: 72-151, 11: 53-90, 12: 62-101, 13: 61-99, 14: 36-81, 15: 7-55.

— 1964. *The Irish Franciscan Mission to Scotland.* Dublin.
— 1966. 'The Stuart Nomination of Irish Bishops 1685-1765', *Irish Ecclessiastical Record* 105: 35-47.
— 1968. 'Hugh McCaghwell, O.F.M. and Scotism at St Anthony's College, Louvain', *Acta Congressus Scotistica Internationalis* 4: 375-97.
— 1971. *Irish exiles in Catholic Europe* (HIC iv 3). Dublin.
— 1985. 'Hugh McCaghwell, O.F.M., Archbishop of Armagh († 1625) – Aspects of his life', *Seanchas Ard Mhacha* 11 ii: 259-90.
Gibson, J.S. 1988. *Playing the Scottish card: The Franco-Jacobite invasion of 1708.* Edinburgh.
Gierke, O. 1938. *Political theory of the middle ages.* Cambridge.
Giesey, R.F. 1960. *The royal funeral ceremony in Renaissance France.* Genève.
Giffin, W.D. 1976. 'The Irish on the Continent in the Eighteenth Century' in Rosbottom (eag.) 453-473.
Gilbert, J.T. 1861. *A history of the city of Dublin.* i-iii. Dublin.
— 1879. *A contemporary history of affairs in Ireland.* i-iii. Dublin.
— 1882. *History of the Irish confederation and the war in Ireland, 1641-9.* i-vii. Dublin.
— 1882a. *Facsimiles of national manuscripts of Ireland.* iv.1. London.
— 1892. *A Jacobite narrative of the war in Ireland 1688-91.* Dublin.
Gillespie, R. 1985. 'Mayo and the Rising of 1641', *Cathair na Mart* 5: 38-53.
— 1985a. *Colonial Ulster: the settlement of East Ulster 1600-1641.* Cork.
— 1986. 'The End of an Era: Ulster and the Outbreak of the 1641 Rising' in Brady & Gillespie (eag.) 191-213.
— & G. Moran (eag.) 1987. *A various country: essays in Mayo history 1500-1900.* Westport.
Gillies, W. 1970. 'A Poem on the Downfall of the Gaoidhil', *Éigse* 13: 203-10.
— 1988. 'The Prince and the Gaels' in Scott-Moncrieff (eag.) 53-72.
— 1991. 'Gaelic Songs of The "Forty-Five"', *Scottish Studies* 30: 19-58.
Gillman, H.W. 1895. 'History of a Townland in Muskerry', *Journal of the Cork Historical and Archaeological Society* 1 (2nd series): 218-26.
— 1895-6. 'The Rise and Progress in Munster of the Rebellion, 1642', *Journal of the Cork Historical and Archaeological Society* 1 (2nd series): 529-542; 2: 11-29, 63-79.
Glover, J.H. 1847. *The Stuart papers.* London.
Goedheer, A.J. 1938. *Irish and Norse traditions about the battle of Clontarf.* Haarlem.
Goldberg, J. 1983. *James I and the politics of literature.* Baltimore.
Goldie, M. 1982. 'The Nonjurors, Episcopacy, and the Origins of the Convocation Controversy' in Cruickshanks (eag.) 15-35.
Goldsmid, E. 1886. *Explanatory notes of a pack of Cavalier playing cards.* Edinburgh.
Gooch, L. 1989. 'From Jacobite to Radical: The Catholics of North East England, 1688-1850' (PhD, University of Durham).
— 1995. *The desperate faction?* Hull.
Gordon, C.A. 1960. 'Professor James Garden's Letters to John Aubrey', *Miscellany of the Third Spalding Club* 3: 1-56.
Goubert, P. 1969. *L'ancien régime.* Paris.
— 1982. *La vie quotidienne des paysans francais au xviie siècle.* Paris.
Gough, H. & Dickson, D. (eag.) 1990. *Ireland and the French revolution.* Dublin.
Graham, J. 1823. *Derriana* ... Londonderry.
Gray, E.A. (eag.) 1982. *Cath Maige Tuired* (ITS 52). Dublin.
Greene, D. 1948. 'A Dedication and Poem to Charles Lynegar', *Éigse* 5: 4-7.
— (eag.) 1955. *Fingal Rónáin and other stories.* Dublin.
— (eag.) 1972. *Duanaire Mhéig Uidhir.* Dublin.
Greengrass, M. (eag.) 1991. *Conquest and coalescence.* London.
Greenleaf, W.H. 1964. *Order, empiricism and politics.* London.
— 1964. 'The Divine Right of Kings', *History Today* 14: 642-50.
Greenwood, D. 1969. *William King: Tory and Jacobite.* Oxford.
Gregg, E. 1972. 'Was Queen Anne a Jacobite?', *History* 57, no. 191: 358-75.
— 1980. *Queen Anne.* London.

— 1982. 'The Jacobite Career of John, Earl of Mar' in Cruickshanks (eag.) 179-200.
Griffith, F.P. 1860. 'The GlenColumbkille Tradition Concerning Prince Charles
    Edward', *Dublin University Magazine* 56: 271-7.
Griffiths, M.E. 1937. *Early vaticination in Welsh with English parallels.* Cardiff.
Grimble, I. 1979. *The world of Rob Donn.* Edinburgh.
Grosart, A.B. 1877. *English Jacobite ballads, songs and satires, etc.* Manchester.
Grosjean, P. (eag.) 1934. 'Poems on St. Senan' in Fraser (iv) 68-96.
— (eag.) 1934a. 'Prophecy Ascribed to St. Senan' in Fraser (iv) 97-8.
— 1940. 'Edition du Catalogus Praecipuorom Sanctorum Hiberniae' in Ua
    Riain (eag.) 335-93.
Grueber, H.A. (eag.) 1911. *Medallic illustrations ...* London.
Guariglia, G. 1959. *Prophetismus und heilswartungsbewegungen ...* Vienna.
Guiart, J. 1959. 'Naissance et Avortement d'un Messianisme', *Archives de sociologie
    des Religions* 7: 3-44.
Gwyndaf, R. 1987. 'The Cauldron of Regeneration: Continuity and Function in
    the Welsh Folk Epic Tradition' in Almqvist (*et al.*) 413-51.
Gwynn, A. 1934. 'An Unpublished Work of Philip O'Sullivan Bear', *Analecta
    Hibernica* 6: 1-11.
Gwynn, E. (eag.) 1903-1924. *The Metrical Dindsenchus.* i-iv. Dublin.
Gwynn, L. (eag.) 1911. 'De Shíl Chonaire Móir', *Ériu* 6: 130-43.

Hagan, J. (eag.) 1913-5. 'Miscellanea Vaticano – Hibernica', *Archivium
    Hibernicum* 2: 274-320, 3: 227-365, 4: 215-318.
Haile, M. 1907. *James Francis Edward, the old chevalier.* London.
Hale, J.R. 1971. 'Sixteenth-Century Explanations of War and Violence', *Past and
    Present* 51: 3-51.
Haller, W. 1963. *Foxe's Book of Martyrs and the elect nation.* London.
Halpern, B. 1961. 'Myth and Ideology in Modern Usage', *History and Theory* 1:
    129-49.
Hamilton, B. 1963. *Political thought in sixteenth-century Spain.* Oxford.
Hammerstein, H. 1971. 'Aspects of the Continental Education of Irish Students
    in the Reign of Elizabeth I', *Historical Studies* 8: 137-154.
Hammond, D. 1970. 'Magic: a Problem in Semantics', *American Anthropologist* 72:
    1347-56.
Hanmer, M. 1571. *Chronicle of Ireland* in Ware (1633).
Harbin, G. 1713. *The hereditary right of the Crown of England asserted.* London.
Hardiman, J. 1820. *The history of the town and county of Galway.* Dublin.
— 1831. *Irish minstrelsy or bardic remains of Ireland.* London.
— (eag.) 1846. *Chorographical description of West or H-Iar Connaught, written A.D.
    1684, by Roderick O'Flaherty, Esq..* Dublin.
Harrison, A. 1977. 'The Soft Rump', *Éigse* 17: 263.
— 1988. *Ag cruinniú meala.* Baile Átha Cliath.
— 1994. *John Toland (1670-1722).* Baile Átha Cliath.
Harrison, J.F.C. 1979. *The second coming: popular millenarianism 1780-1850.* New
    Jersey.
Harry, G.O. 1604. *The genealogy of the high and mighty monarch James.* London.
Hartland, E.S. 1891. *The science of fairy tales.* London.
Hartman, L. 1966. *Prophecy interpreted.* Lund.
Hatton, R. (eag.) 1976. *Louis XIV and Europe.* London.
Haverty, M. 1860. *The history of Ireland.* Dublin.
Hawkins, E. (eag.) 1889. *Medallic illustrations of the history of Great Britain ...*
    London.
Hay, D. (eag.) 1975. *Albion's fatal tree.* London.
— 1977. *Annalists and historians.* London.
Hayden, M. (eag.) 1910. 'The Songs of Buchet's House', *Zeitschrift für Celtische
    Philologie* 8: 261-73.
Hayes, R. 1934. *Irish swordsmen of France.* Dublin.

— 1940. *Old Irish links with France.* Dublin.
— 1946. 'The Bi-Centenary of Culloden', *Irish Ecclesiastical Record* 68: 129-36.
— 1949. *Biographical dictionary of Irishmen in France.* Dublin.
— 1949a. 'Reflections of an Irish Brigade Officer', *The Irish Sword* 1: 68-74.
Hayes-McCoy, G.A. 1937. *Scots mercenary forces in Ireland.* Dublin.
— 1938. 'The Army of Ulster, 1593-1601', *Galway Archaeological Society Journal* 18: 43-65.
— 1943. 'Unpublished letters of James V of Scotland Relating to Ireland', *Analecta Hibernica* 12: 179-81.
— 1963. 'Gaelic Society in Ireland in the Late Sixteenth Century', *Historical Studies* 4: 45-61.
— 1967. 'Irish Soldiers of the '45' in Rynne (eag.) 315-31.
— 1979. *A history of Irish flags from earliest times.* Dublin.
Hayton, D. 1975. 'Tories and Whigs in County Cork in 1714', *Journal of the Cork Historical and Archaeological Society* 80: 84-8.
— 1982. 'An Irish Parliamentary Diary from the Reign of Queen Anne', *Annalecta Hibernica* 30: 97-150.
— 1987. 'Anglo-Irish Attitudes: Changing Perceptions of National Identity among the Protestant Ascendancy in Ireland, c. 1690-1750', *Studies in Eighteenth-Century Culture* 17: 145-57.
— 1988. 'From Barbarian to Burlesque: English Images of the Irish c. 1660-1750', *Irish Economic and Social History* 15: 5-31.
Head, F.W. 1901. *The fallen Stuarts.* Cambridge.
Hederman, M.P. & Kearney, R. (eag.) 1982. *The Crane Bag book of Irish studies.* i. Dublin.
Henderson, G. 1893. *Dàin Iain ghobha.* Edinburgh.
Hennessy, W.M. 1871. *The annals of Loch Cé.* London.
— 1875. *The book of Fenagh.* Dublin.
Henry, G. 1989. '"Wild Geese" in Spanish Flanders: the First Generation', *The Irish Sword* 17: 189-201.
— 1992. *The Irish military community in Spanish Flanders, 1586-1621.* Dublin.
Henry, P.L. 1978. *Saoithiúlacht na Sean-Ghaeilge.* Baile Átha Cliath.
Herbert, M. 1992. 'Goddess and King: The Sacred Marriage in Early Ireland' in Fradenburg (eag.) 264-75.
Herskovits, M.J. 1938. *Acculturation: the study of social contact.* New York.
Heussaff, A. 1993. *Filí agus cléir san ochtú haois déag.* Baile Átha Cliath.
Hexter, J.H. 1961. *Reappraisals in history.* London.
Hickson, M. (eag.) 1884. *Ireland in the seventeenth-century, or the Irish masacres of 1641-2.* London.
Hieatt, C.B. 1967. *The realism of dream visions.* The Hague.
Highlander, 1712. *The Highland visions ...* London.
Hill, C. 1958. *Puritanism and revolution.* London.
— 1968. *Reformation to industrial revolution.* London.
— 1970. *God's Englishman: Oliver Cromwell and the English revolution.* London.
— 1971. *Anti-Christ in seventeenth-century England.* Oxford.
— 1972. *The world turned upside down.* London.
— 1974. *Change and continuity in seventeenth-century England.* London.
Hill, G. 1867. *The Montgomery manuscripts.* Belfast.
— 1873. *An historical account of the MacDonnells of Antrim.* Belfast.
— 1877. *An historical account of the plantation of Ulster.* Belfast.
Hill, J.R. 1988. 'Popery and Protestantism, Civil and Religious Liberty: The Disputed Lessons of Irish History', *Past and Present* 118: 96-129.
Hobsbawm, E.J. 1959. *Primitive rebels.* Manchester.
— & Rudé, G. 1969. *Captain Swing.* London.
Hocart, A.M. 1927. *Kingship.* Oxford.
Hogan, E. (eag.) 1873. *The history of the warr of Ireland from 1641 to 1653 by a British officer.* Dublin.

— 1910. *Onomasticon Goedelicum.* Dublin.

Hogan, J. 1920. 'Two Bishops of Killaloe and Irish Freedom', *Studies* 9: 70-93, 213-31, 421-37.

— (eag.) 1934. *Negociations de M. Le Comte d'Avanx en Irlande 1689-90* (IMC). Dublin.

— 1936. *Letters and papers relating to the Irish rebellion, 1642-6.* Dublin.

Hogan, W. & Ó Buachalla, L. 1963. 'The Letters and Papers of James Cotter Junior 1689-1720', *Journal of the Cork Historical and Archaeological Society* 68: 66-95.

Hogg, J. 1819-21. *The Jacobite relics of Scotland* ... i-ii. Edinburgh.

Hölscher, G. 1914. *Die profeten.* Leipzig.

Holinshed, R. 1577. *The ... chronicles of England, Scotlande and Irelande* ... London.

Holmes, G. 1969. *Britain after the glorious revolution 1689-1714.* London.

— 1973. *The triall of doctor Sacheverell.* London.

— 1976. 'The Sacheverell Riots: The Crowd and the Church in Early Eighteenth-Century London', *Past and Present* 72: 55-85.

Hooke, N. 1760. *Secret history of Colonel Hoocke's negociations in Scotland in 1707.* Edinburgh.

Hooker, J. 1587. *The supplie of the Irish chronicles* ... in Holinshed (1577).

Hopkins, P. 1982. 'Sham Plots and Real Plots in the 1690s' in Cruickshanks (eag.) 89-110.

— 1986. *Glencoe and the end of the Highland war.* Edinburgh.

Hore, H.F. 1857. 'Inauguration of Irish Chiefs', *Ulster Journal of Archaeology* 5: 216-35.

— 1858. 'Irish Bardism in 1561', *Ulster Journal of Archaeology* 6: 202-12.

— 1859. 'The Munster Bards', *Ulster Journal of Archaeology* 7: 93-115.

— & Graves, J. 1870. *The social state of the southern and eastern counties of Ireland in the sixteenth centuries.* Dublin.

Horn, D.B. 1967. *Great Britain and Europe in the eighteenth century.* Oxford.

Howell, T.B. (eag.) 1816-26. *A complete collection of state trials.* i-xxxiii. London.

Hubaux, J. et Leroy, M. 1939. *Le mythe du Phénix.* Liège.

Huddleston, R. (eag.) 1814. *A new edition of Toland's 'History of the Druids' with an abstract of his life and writings.* Montrose.

Hugo, V. 1951. *Les Misérables.* Paris.

Huizinga, J. 1936. 'A Definition of the Concept of History' in Klibansky (eag.) 1-10.

— 1959. *Men and ideas.* New York.

Hull, V. (eag.) 1949. *Longes mac n-Uislenn.* New York.

— 1952. 'Geineamuin Chormaic', *Ériu* 16: 79-85.

Hume, Dr. 1854. 'The Two Ballads on the Battle of the Boyne', *Ulster Journal of Archaeology* 2: 9-21.

Hyde, D. (eag.) 1898. 'Charles O'Connor's Accounts in Irish', *Irisleabhar na Gaedhilge* 9: 211-2.

— 1899. *A literary history of Ireland.* London.

— 1915. 'The Book of O'Connor Don', *Ériu* 8: 78-99.

Hynes, M.J. 1932. *The mission of Rinuccini.* Dublin.

Insh, G.P. 1952. *The Scottish Jacobite movement.* Edinburgh.

Jackson, K. 1934. 'Tradition in Early Irish Prophecy', *Man* 87: 67-70.

Jansen Jaech, S.L. 1985. '*The Prophisies of Rymour, Beid, and Marlyng*: Henry VIII and a Sixteenth-Century Political Prophecy', *The Sixteenth-Century Journal* 16 iii: 291-300.

Jarman, A.O.H. 1976. *The legend of Merlin.* Cardiff.

Jarvis, R.C. 1954. *The Jacobite risings of 1715 and 1745.* Cumberland.

— 1971-2. *Collected papers on the Jacobite risings.* i-ii. Manchester.

J.C. 1907. 'Justin MacCarthy, Lord Mountcashel', *Journal of the Cork Historical and Archaeological Society* 13: 157-74.

— 1908. 'Notes on the Cotter Family of Rockforest, Co.Cork', *Journal of the Cork Historical and Archaeological Society* 14: 1-12.
Jenkins, J.P. 1979. 'Jacobitism and Freemasons in Eighteenth-Century Wales', *Welsh History Review* 9: 391-406.
Jennings, B. 1925. *The Irish Franciscan College of Saint Anthony at Louvain.* Dublin.
— 1934. "Donatus Moneyus, 'De Provincia Hiberniae' S. Francisci", *Analecta Hibernica* 6: 12-191.
—1934a. 'Documents from the Archives of St. Isidore's College, Rome', *Analecta Hibernica* 6: 203-47.
— 1936. *Michael O Cleirigh and his associates.* Dublin.
— 1941. 'The Career of Hugh, Son of Rory O'Donnell, Earl of Tyrconnell in the Low Countries', *Studies* 30: 219-34.
— 1944. 'Irish Students in the University of Louvain' in S.O'Brien (eag.) 74-97.
— 1949. 'Florence Conry, Archbishop of Tuam', *Galway Archaeological Society Journal* 26: 83-93.
— 1953. *Wadding Papers 1614-1638* (IMC) Dublin.
— 1964. *Wild geese in Spanish Flanders 1582-1700* (IMC). Dublin.
— 1968. *Louvain papers 1606-1827* (IMC). Dublin.
Jesse, J.H. 1860. *Memoirs of the Pretenders and their adherents.* London.
J.F.L. 1907. 'The Number Six Hundred and Sixty-Six', *Journal of The Cork Historical and Archaeological Society* 13: 99-101.
Johnston, W. 1859. *The Boyne book of poetry and song.* Downpatrick.
Jones, D. 1703. *The life of James II, late king of England.* London.
Jones, F. 1967. 'The Society of Sea Serjents', *Transactions of the Honourable Society of Cymmrodorion* 57-91.
Jones, F.M. 1953. 'Pope Clement VIII (1592-1605) and Hugh O'Neill', *Irish Committee of Historical Sciences Bulletin* 73: 5-6.
— 1967. *The Counter-Reformation* (HIC iii 3). Dublin.
Jones, G.H. 1955. *The mainstream of Jacobitism.* Oxford.
Jones, T. 1958. 'Datblygiadau Cynnar Chwedl Arthur', *Bulletin of the Board of Celtic Studies* 17: 235-52.
— 1966. 'A Sixteenth-Century Version of the Arthurian Cave Legend' in Brahmer (eag.) 175-85.
Jonson, B. *The poems.* Eag. B.H. Newdigate. 1936. Oxford.
Joynt, M. (eag.) 1908. 'Echtra Mac Echdach Mugmedóin', *Ériu* 4: 91-111.
Jung, C. 1978. *Man and his symbols.* London.

Kavanagh, S. (eag.) 1932-49. *Commentarius Rinuccianus.* i-vi (IMC). Dublin.
Kantorowicz, E.H. 1957. *The king's two bodies.* Princeton.
Kaplow, J. 1972. *The names of kings.* New York.
Kastein, J. 1931. *The messiah of Ismir.* New York.
Katz, J. 1961. *Tradition and crisis: Jewish society at the end of the middle ages.* New York.
Kaufmann, R. 1962. 'Le millénarisme' in Abel (eag.) 81-98.
— 1964. *Millénarisme et acculturation.* Brussels.
Kearney, H.F. 1955. 'The Court of Wards and Liveries in Ireland, 1622-41', *Proceedings of the Royal Irish Academy* 58 C: 29-68.
— 1960. 'Ecclesiastical Politics and the Counter-Reformation in Ireland, 1618-1648', *The Journal of Ecclesiastical History* 11: 202-12.
— 1961. *Stafford in Ireland, 1633-41: a study in absolutism.* Manchester.
— 1973. 'The Irish Parliament in the Early Seventeenth Century' in Farrell (eag.) 88-101.
Kelley, D.R. 1970. *The foundations of modern historical scholarship.* New York.
— 1981. *The beginning of ideology.* Cambridge.
Kelly, F. (eag.) 1976. *Audacht Morainn.* Dublin.
— 1988. *A guide to early Irish law.* Dublin.
Kelly, J. 1989. 'The Whiteboys in 1762: A Contemporary Account', *Journal of the Cork Historical and Archaeological Society* 94: 19-26.

— (eag.) 1990. *The letters of Lord Chief Barron Edward Willes.* Aberystwyth
Kelly, P. 1985. '"A Light to the Blind": the Voice of the Dispossessed Élite in the Generation after the Defeat at Limerick', *Irish Historical Studies* 24: 431-62.
Kennedy, J. 1897. 'Poems from the Maclagan Ms.', *Transactions of the Gaelic Society of Inverness* 20: 168-92.
Kennedy, M. 1705. *A chronological genealogical and historical dissertation of the royal family of the Stuarts* ... Paris.
Kennedy, P. 1869. *Evenings in the Duffrey.* Dublin.
Kennedy, T. 1964. 'Thurot's Landing at Carrickfergus', *The Irish Sword* 6: 149-52.
Kenney, J.F. 1929. *The sources for the early history of Ireland.* New York.
Kenyon, J.P. 1958. *Robert Spencer, earl of Sunderland, 1641-1702.* London.
— 1970. *The Stuarts.* Glasgow.
— 1974. 'The Revolution of 1688: Resistance and Contact' in McKendrick (eag.) 43-69.
— 1977. *Revolution principles.* Cambridge.
— 1978. *Stuart England.* Harmondsworth.
Kidd, C. 1993. *Subverting Scotland's past.* Cambridge.
Killeen, J.F. 1977. 'Latin Sources in Parliament na mBan', *Éigse* 17: 55-60.
— 1983. 'The Address to Sir Richard Cox', *Éigse* 19: 276-80.
Kilroy, P. 1975. 'Sermon and Pamphlet Literature in the Irish Reformed Church', *Archivium Hibernicum* 33: 110-121.
— 1977. 'Bishops and Ministers in Ulster during the Primacy of Usher, 1625-1656', *Seanchas Ard Mhacha* 8 ii: 284-298.
King, C.S. 1906. *A great archbishop of Dublin.* London.
King, R. 1844. *The saintly triad or the lives of Saints Patrick, Columbkille, and Bridget.* Dublin.
King, W. 1691. *Europe's delivery from France and slavery: a sermon preached at St.Patrick's Church.* Dublin.
— 1692. *The state of the Protestants of Ireland under the late King James's government.* London.
— 1746. *An impartial account of King James II's behaviour to his Protestant subjects of Ireland.* London.
Kingston, J. 1960. 'The Private Estate of James II', *Irish Ecclesiastical Record* 94: 96-102.
Kinsley, J. 1955. *Scottish poetry: a critical survey.* London.
— (eag.) 1971. *Burns: poems and songs.* London.
Kirk, R. 1684. *Psalma Dhaibhidh* ... Dún-Eidin.
— 1690. *An biobla naomhtha* ... Lonnduin.
Klausner, J. 1955. *The messianic idea in Israel.* New York.
Klibansky, R. & H. Paton (eag.) 1936. *Philosophy and history.* Oxford.
Klopp, O. 1875. *Der Fall des Hauses Stuart, 1660-1714.* Vienna.
Kluckhohn, C. 1960. 'Recurrent Themes in Myths and Mythmaking' in Murray (eag.) 46-60.
Knott, E. (eag.) 1912. 'A Poem by Giolla Brighde Ó hEoghusa', *Gadelica* 1: 10-15.
— 1915. 'The Flight of the Earls', *Ériu* 8: 191-3.
— 1922-6. *The poems of Tadhg Dall Ó hUiginn.* i-ii (ITS 22-23). London.
— 1936. *Togail Bruidne Da Derga.* Dublin.
— 1946. 'Colomain na Temra', *Ériu* 14: 144-6.
— 1948. 'The Rule of St. Clare', *Ériu* 15: 1-187.
— 1958. 'A Poem of Prophecies', *Ériu* 18: 55-84.
— 1960. 'Mac an Bhaird's Elegy on the Ulster Lords', *Celtica* 5: 161-71.
Knowles, D. 1962. *The evolution of medieval thought.* London.
— 1963, *Great historical enterprises.* London.
Kohn, H. 1955. 'Dostoyevsky and Danilevsky: Nationalist Messianism' in Simmons (eag.) 500-15.
— 1968. 'Messianism', *Encyclopaedia of the Social Sciences* 10: 356-64.

Korshin, P.J. (eag.) 1972. *Studies in change and revolution: aspects of English intellectual history 1640-1800.* London.
Krappe, A.H. 1962. *The science of folklore.* London.
Kybett, S. Maclean. 1988. *Bonnie Prince Charlie.* London.

La Barre, W. 1954. *The human animal.* Chicago.
— 1966. 'The Dream, Charisma, and the Culture Hero' in Von Grunebaum & Caillois (eag.) 229-35.
— 1971. 'Materials for a History of Studies of Crisis Cults: A Bibliographical Essay', *Current Anthropology* 12: 3-44.
— 1972. *The ghost dance: history of religion.* London.
Lamont, W.M. 1969. *Godly rule: politics and religion, 1603-1660.* London.
— & Oldfield, S. (eag.) 1975. *Politics, religion and literature in the seventeenth century.* London.
Lanczkowski, G. 1977. *Verborgene Heilbringer.* Darmstadt.
Landa, L.A. 1954. *Swift and the Church of Ireland.* Oxford.
Lang, A. 1903. *Prince Charles Edward Stuart: the young Chevalier.* London.
Lanternari, V. 1962. 'Messianism: Its Historical Origin and Morphology', *History of Religions* 2: 52-72.
— 1965. *The religions of the oppressed.* New York.
Laoide, S. (eag.) 1914. *Duanaire na Midhe.* Baile Átha Cliath.
— (eag.) 1914. 'Tairgire Mhaoilruain Tamhlachta', *Irisleabhar na Gaedhilge* 14: 838.
Larkin, P.J. 1975. 'Popish Riot' in South Co.Derry 1725', *Seanchas Ard Mhacha* 8: 97-110.
Lart, C.E. 1910. *The parochial registers of Saint Germain-En-Laye: Jacobite extracts of births, marriages and deaths.* i-ii. London.
— 1938. *The pedigrees and papers of James Terry ...* Exeter.
Laslett, P. (eag.) 1949. *Patriarcha and other political works.* Oxford.
— 1983. *The world we have lost.* London.
Latham, R. & W. Mathews (eag.). 1970-83. *The diary of Samuel Pepys.* London.
Lawrence, P. 1964. *Road belong cargo ...* Manchester.
Lawton, C. 1692. *The Jacobite principles vindicated.* London.
— 1693. *A French conquest neither desirable nor practicable.* London.
Lecky, W.E.H. 1892. *A history of Ireland in the eighteenth century.* i-v. London.
Leerssen, J.Th. 1982. 'Archbishop Ussher and Gaelic Culture', *Studia Hibernica* 22-3: 50-8.
— 1986. *Mere Irish and Fíor-Ghael.* Amsterdam.
— 1994. *The Contention of the Bards* (Irish Texts Society Subsidiary Series 2) London.
Legg, L.G.W. (eag.) 1915. 'Jacobite Correspondence, 1712-1714', *English Historical Review* 30: 501-18.
Leland, T. 1773. *The history of Ireland.* i-iii. Dublin.
Lenihan, M. 1866. *Limerick: its history and antiquities.* Dublin.
Lenman, B. 1977. *An economic history of modern Scotland 1660-1976.* London.
— 1980. *The Jacobite risings in Britain 1689-1746.* London.
— 1982. 'The Scottish Episcopal Clergy and the Ideology of Jacobitism' in Cruickshanks (eag.) 36-48.
— 1984. *The Jacobite Clans, 1649-1759.* Edinburgh.
Lennon, C. 1977. 'Richard Stanihurst (1547-1618) and Old English Identity', *Irish Historical Studies* 21: 121-43.
— 1981. *Richard Stanihurst the Dubliner 1547-1618.* Dublin.
Lerner, R.E. 1976. 'Medieval Prophecy and Religious Dissent', *Past and Present* 72: 3-24.
— 1981. 'Black Death and Western European Escathological Mentalities', *American Historical Review* 86: 533-52.
— 1983. *The powers of prophecy.* Berkeley.
Le Roy Ladurie, E. 1979. *Montaillou: the promised land of error.* New York.

— 1984. *Love, death and money in the Pays D'oc.* New York.
Leslie, C. 1692. *Answer to a book* ... London.
— 1695. *Gallienus redivivus; or murther will out* ... Edinburgh.
— 1704. *The wolf stripped of his shepherd's clothing.* London.
— 1705. *Cassandra but I hope not* ... London.
— 1709. *A letter to a noble lord.* London.
— 1710. *The good old cause* ... London.
— 1710a. *The good old cause further discussed.* London.
— 1714. *A letter from Mr. Lesley to a member of parliament in London.* London.
— 1715. *Mr. Lesley to the Lord Bishop of Sarum.* London.
Leslie. J.B. 1937. *Derry diocese.* Enniskillen.
Leslie, S. 1913. *Of Glaslough in the Kingdom of Oriel.* London.
Levin, H. 1970. *The myth of the Golden Age in the renaissance.* London.
Lévi-Strauss, C. 1955. 'The Structural Study of Myth' in Sebeok (eag.) 81-106.
— 1962. *The savage mind.* London.
— 1978. *Myth and meaning.*
Levy, D.J. 1987. *Political order.* Baton Rouge.
Lewis, G.C. 1836. *On local disturbances in Ireland.* London.
Lewis, H. 1922. 'Rhai Cywyddau Brud', *Bulletin of the Board of Celtic Studies* 1 iii: 240-55.
— 1923. 'Cywyddau Brud', *Bulletin of the Board of Celtic Studies* 1 iv: 296-309.
Lewis, P.S. (eag.) 1974. *The recovery of France in the fifteenth century.* London.
Lilly, W. 1644. *England's propheticall Merline.* London.
— 1645. *A collection of ancient and moderne prophesies* ... London.
Limón, J.E. 1992. *Mexican ballads, Chicano poems: history and influence in Mexican-American social poetry.* Berkeley.
Lindley, K.J. 1972. 'The Impact of the 1641 Rebellion upon England and Wales 1641-5', *Irish Historical Studies* 18: 163-76.
Locher, G.W. 1956. 'Myth in a Changing World', *Bijdragen Tot de Taal-, Land- en Volkenkunde* 112: 169-92.
Lock, F.P. 1980. *The politics of 'Gulliver's Travels'.* Oxford.
— 1983. *Swift's Tory politics.* Cranbury.
Lodge, J. (eag.) 1772. *Desiderata curiosa Hibernica* ... i-ii. Dublin.
Loeber, R. 1980. 'Civilization Through Plantation: the Projects of Mathew de Renzi' in Murtagh (eag.) 121-35.
Loftus, B. 1990. *Mirrors: William III and mother Ireland.* Dundrum.
Lomax, A. 1971. *Folksong style and culture.* Washington D.C.
Lombard, P. 1632. *De regno Hiberniae sanctorum insula commentarius,* Lovain. Eag. P. Moran, 1868, Dublin.
Longworth, P. 1975. 'The Pretender Phenomenon in Eighteenth-Century Russia', *Past and Present* 66: 61-83.
Lonsdale, R. 1971. *Dryden to Johnson.* London.
Loomis, R.S. 1956. *Wales and the Arthurian legend.* Cardiff.
Lord, G. de F. (eag.) 1963-75. *Poems on affairs of state.* i-viii. Yale.
Love, H. 1972. *Restoration literature.* London.
Love, W.D. 1966. 'Civil War in Ireland: Appearances in Three Centuries of Historical Writing', *Emory University Quarterly* 22: 57-72.
Lovejoy, A.O. 1936. *The great chain of being: a study of an idea.* Cambridge (Mass).
Lowe, J. 1954. 'Charles I and the Confederation of Kilkenny', *Irish Historical Studies* 14: 1-19.
— 1964. 'The Glamorgan Mission to Ireland, 1645-6', *Studia Hibernica* 4: 155-96.
Lynch, J. 1662. *Cambrensis eversus* ... St.Malo. Eag. M.Kelly, 1848, Dublin.
— 1664. *Alithinologia* ... St.Malo.
— 1667. *Supplementum Alithinologiae* ... St.Malo.
Lyne, G.J. 1975. 'Dr Dermot Lyne: An Irish Catholic Landholder in Cork and Kerry under the Penal Laws', *Journal of the Kerry Archaeological and Historical Society* 8: 45-72.

— 1976. 'The Mac Fínín Dubh O'Sullivan's of Tuosist and Bearehaven', *Journal of the Kerry Archaeological Society* 9: 32-67.
— 1977. 'Land Tenure in Kenmare and Tuosist, 1696-*c.*1716', *Journal of the Kerry Archaeological and Historical Society* 10: 19-54.
Lytton Sells, A. 1962. *The memoirs of James II, his campaigns as Duke of York 1652-60.* London.

Mac Aingil, A. 1618. *Scáthán shacramuinte na haithridhe.* Lobháin. Eag. C. Ó Maonaigh, 1952, Baile Átha Cliath.
Mac Airt, S. (eag.) 1944. *Leabhar Branach.* Dublin.
— 1958. '*Filidecht* and *Coimgne*', *Ériu* 18: 13-52.
Macalister, R.A.S. (eag.) 1938-56. *Lebor gabála Érenn.* i-v. (ITS 34,35,39,41,44). London.
Mhac an tSaoi, M. 1946. 'Filíocht den tSeachtú Aois Déag', *Celtica* 1: 141-57.
Mac-An-Tuirneir, P. (eag.) 1813. *Comhchruinneacha do dh'orain tagtha Ghaidhealach.* Edinburgh.
Macaulay, T.B. 1849. *The history of England from the accession of James II.* i-v. London.
Mac Cana, P. 1955-8. 'Aspects of the Theme of King and Goddess in Irish Literature', *Études Celtiques* 7: 76-114, 356-413; 8: 59-65.
— 1973. 'The Topos of the Single Sandal in Irish Tradition', *Celtica* 10: 160-6.
MacCarthy, B. (eag.) 1897-1901. *The annals of Ulster.* i-iv. London.
MacCarthy, D. 1867. *The life and letters of Florence Mac Carthy Reagh.* London.
— 1868. *A historical pedigree of the Sliocht Feidhlimidh.* Exeter.
McCarthy, S.T. 1922. *The MacCarthys of Munster.* Dundalk.
MacCarthy Morrogh, M. 1986. *The Munster plantation 1583-1641.* Oxford.
Mac Cionnaith, L. Féach McKenna, L.
Mac Coinnich, I. 1845. *Eachdradh a' Phrionnsa no bliadhna Thearlaich.* Dún Éideann.
McCone, K.R. 1980. 'Fírinne agus Torthúlacht', *Léachtaí Cholm Cille* 11: 136-73.
— 1990. *Pagan past and christian present* (Maynooth Monographs 3). Maynooth.
Mhág Craith, C. Féach McGrath, C.
Mac Craith, M. 1982. 'Ovid, an Macalla agus Cearbhall Ó Dálaigh', *Éigse* 19: 103-120.
— 1989. *Lorg na hiasachta ar na dánta grá.* Baile Átha Cliath.
— 1990. 'Gaelic Ireland and the Renaissance' in Williams & Jones (eag.) 57-89.
— 1994. 'Filíocht Sheacaibíteach na Gaeilge: Ionar gan Uaim?', *Eighteenth-Century Ireland* 9: 57-74.
Mac Cuarta, B. 1980. 'Newcomers in the Irish Midlands 1540-1641' (MA, UCG).
— 1987. 'Matthew De Renzy's Letters on Irish Affairs', *Analecta Hibernica* 34: 107-82.
— 1993. 'A Planter's Interaction with Gaelic Culture: Sir Mathew De Renzy (1577-1634)', *Irish Economic and Social History* 20: 1-17.
— (eag.) 1993a. *Ulster 1641: aspects of the rising.* Belfast.
MacCulloch, J.A. 1911. *The religion of the ancient Celts.* Edinburgh.
Mac Curtain, B. 1965. 'Dominic O'Daly: an Irish Diplomat', *Studia Hibernica* 5: 98-112.
— 1967. 'An Irish Agent of the Counter-Reformation', *Irish Historical Studies* 15: 391-406.
MacCurtin, H. 1717. *A brief discourse in vindication of the antiquity of Ireland.* Dublin.
— 1728. *The elements of the Irish language grammatically explained in English.* Louvain.
McDevitt, J. 1894. *The Donegal highlands.* Dublin.
MacDonagh, O. 1983. *States of mind: a study of Anlo-Irish conflict.* London.
MacDonald, A. & A. (eag.) 1911. *The MacDonald collection of Gaelic poetry.* Inverness.
— (eag.) 1924. *The poems of Alexander MacDonald.* Inverness.

MacDonald, M. 1982. 'Religion, Social Change and Psychological Healing in England, 1600-1800' in Sheils (eag.) 101-25.

McDowell, R.B. 1944. *Irish public opinion, 1750-1800*. London.

— 1979. *Ireland in the age of imperialism and revolution, 1760-1801*. Oxford.

— & Webb, D.A. 1982. *Trinity College Dublin 1592-1952*. London.

MacErlean, J.C. (eag.) 1910-16. *Duanaire Dháibhidh Uí Bhruadair*. i-iii (ITS 11,13,18). London.

MacFarlane, M. (eag.) 1923. *The Fernaig manuscript*. Dundee.

MacGeoghegan, J. 1758-1762. *Histoire de l'Irlande, ancienne et modérne, tirée des monuments les plus authentique*. i-iii. Paris. Eag. O'Kelly, P. *The History of Ireland, ancient and modern*. New York.

McGeown, H. & Murphy, G. (eag.) 1953. 'Giolla Brighde Albanach's Vision of Donnchadh Cairbreach Ó Briain', *Éigse* 7: 80-83.

McGinn, B. 1975. 'Apocalypticism in the Middle Ages: an Historiographical Sketch', *Medieval Studies* 37: 252-86.

— 1979. *Visions of the end: apocalyptic traditions in the Middle Ages*. New York.

— 1984. 'Early Apocalypticism: the Ongoing Debate' in Patrides & Wittreich (eag.) 2-39.

Mac Giolla Eáin, E.C. (eag.) 1900. *Dánta amhráin is caointe Sheathrúin Céitinn*. Baile Átha Cliath.

McGrath, C. 1943. 'Materials for a history of Clann Bruaideadha', *Éigse* 4: 48-66.

— 1943a. 'A Mhacaoimh Mhaoidheas Do Shlad', *Éigse* 4: 67-9.

— 1944. 'Eoghan Ruadh mac Uilliam Óig Mhic an Bhaird' in S.O'Brien (eag.) 108-118.

— 1953. 'Ollamh Cloinne Aodha Buidhe', *Éigse* 7: 127-8.

— 1957. 'Í Eodhusa', *Clogher Record* 2: 1-19.

— 1958. 'Brian Mac Giolla Phádraig', *Celtica* 4: 103-205.

— 1959. 'Seaán Mhág Colgan cct.' in O'Donnell (eag.) 60-69.

— 1967, 1980. *Dán na mbráthar mionúr*. i-ii. Baile Átha Cliath.

MacGrath, K. 1949. 'John Garzia, a Noted Priestcatcher and His Activities, 1717-23', *Irish Ecclessiastical Record* 72: 511-2.

— 1950. 'The clergy of Dublin in 1695', *Irish Ecclesiastical Record* 74: 193-200.

McGuire, J.I. 1979. 'The Church of Ireland and the "Glorious Revolution" of 1688' in Cosgrove and McCartney (eag.) 137-49.

McIlwain, C.H. (eag.) 1918. *The political works of James I*. Cambridge (Mass).

Macinnes, A.I. 1992. 'Seventeenth-Century Scotland: The Undervalued Gaelic Perspective' in Byrne (*et al.*) 535-54.

MacInnes, J. 1979. 'The Panegyric Code in Gaelic Poetry and its Historical Background', *Transactions of the Gaelic Society of Inverness* 50: 435-98.

Mac Íomhair, D. 1960. 'The Legend of Gearóid Iarla of Hacklim', *Journal of the County Louth Archaeological Society* 14 ii: 68-81.

MacKay, W. 1885. 'A Famous Minister of Daviot, 1672-1726', *Transactions of the Gaelic Society of Inverness* 12: 244-56.

— 1924. 'The Highland Host (1678)', *Transactions of the Gaelic Society of Inverness* 32: 67-81.

McKendrick, N. (eag.) 1974. *Historical perspectives: studies in English thought and society in honour of J.H. Plumb*. London.

McKenna, L. (eag.) 1918. *Iomarbhágh na bhfileadh* (ITS 20-21). London.

— (eag.) 1919. *Aonghus Ó Dálaigh*. Dublin.

— (eag) 1919a. 'Historical Poems of Gofraidh Fionn Ó Dálaigh', *The Irish Monthly* 1-5, 102-7, 166-70, 224-8, 283-6, 341-4, 397-403, 455-9, 509-14, 563-9, 622-6, 679-82.

— (eag.) 1938. *Dioghluim dána*. Baile Átha Cliath.

— (eag.) 1939. *Aithdhioghluim dána* (ITS 37,40). London.

— (eag.) 1947. *Leabhar Mhéig Shamhradháin*. Dublin.

— (eag.) 1949. 'Appeal to Owen Roe O'Neill as Defender of the Catholic Faith', *Studies* 38: 338-44.

— (eag.) 1951. *Leabhar Í Eadhra*. Dublin.

MacKenzie, A.M. (eag.) 1973. *Orain Iain Luim* (SGTS 8). Edinburgh.

MacKenzie, G. 1685. *A defence of the antiquity of the royal line of Scotland*. Edinburgh.

MacKenzie, J. (eag.) 1841. *Sar-obair nam bard Gaelach*. Glasgow.

McKenzie, K.E. 1955. 'The Messianic Concept in the Third International, 1935-1939' in Simmons (eag.) 516-30.

MacKenzie, W. 1879. 'Leaves From My Celtic Portfolio', *Transactions of the Gaelic Society of Inverness* 8: 100-28.

McKerral, A. 1951. 'West Highland Mercenaries in Ireland', *Scottish Historical Review* 30: 1-14.

MacKnight, J. 1842. *Memoirs of Sir Ewen Cameron of Lochiel*. Edinburgh.

Macky, J. 1733. *Memoirs of the secret service of John Macky ...* London.

Maclean, D. 1922. 'Highland Libraries in the Eighteenth Century', *Transactions of the Gaelic Society of Inverness* 31: 69-97.

— 1922a. 'Life and Literary Labours of the Reverand Robert Kirk, of Aberfoyle', *Transactions of the Gaelic Society of Inverness* 31: 328-66.

MacLellan, J. & Simington, R.C. 1966. 'Oireachtas Library, List of Outlaws, 1641-7', *Analecta Hibernica* 23: 317-67.

Mac Lochlainn, A. 1967. 'Broadside Ballads in Irish', *Éigse* 12: 115-22.

McLynn, F.J. 1979. 'Ireland and the Jacobite Rising of 1745', *The Irish Sword* 13: 339-52.

— 1980. 'Voltaire and the Jacobite Rising of 1745', *Studies on Voltaire and the Eighteenth Century* 185: 7-20.

— 1981. '"Good Behaviour": Irish Catholics and the Jacobite Rising of 1745', *Éire – Ireland* 16: 43-58.

— 1981a. 'Jacobitism and the Classical British Empiricists', *British Journal for Eighteenth Century Studies* 4: 155-70.

— 1981b. *France and the Jacobite rising of 1745*. Edinburgh.

— 1985. *The Jacobites*. London.

— 1988. *Charles Edward Stuart*. 1988.

McLysaght, E. (eag.) 1942. *The Kenmare manuscripts* (IMC). Dublin.

Mac Mathúna, L. 1982. 'The Designation, Functions and Knowledge of the Irish Poet', *Veröffentlichungen der Keltischen Kommission* 2: 225-38.

MacNamara, G.U. 1908-9. 'Letters of an Exile' i, *Journal of the Limerick Field Club* 3 xiii: 238-47; ii, *Journal of the North Munster Archaeological Society* 1: 37-43.

MacNamara, L.F. 1961. 'Traditional Motifs in the Caithréim Thoirdhealbhaigh', *Kentucky Foreign Language Quarterly* 8: 85-92.

McNeill, C. 1930. *Publications of Irish interest published by Irish authors on the continent of Europe prior to the eighteenth century*. Dublin.

Mac Néill, E. (eag.) 1948. *Duanaire Finn* i (ITS 7). Dublin.

Mac Néill, M. 1962. *The festival of Lughnasa*. Oxford.

Mac Niocaill, G. (eag.) 1963. 'Duanaire Ghearóid Iarla', *Studia Hibernica* 3: 7-59.

MacPherson, J. 1775. *Original papers; containing the secret history of Great Britain ...* i-ii. London.

Macquoid, G.S. (eag.) 1888. *Jacobite songs and ballads*. London.

Macray, W.D. 1870-71. *Correspondence of Colonel N. Hooke ...* i-ii. London.

Mac Seáin, P. (eag.) 1973. *Ceolta Theilinn*. Belfast.

McSweeney, P. (eag.) 1904. *Caithréim Conghail Cláiringnigh* (ITS 5). London.

Mag Uidhir, S. 1977. *Pádraig Mac A Liondain: dánta*. Baile Átha Cliath.

MacWilliam, P. & Day, A (eag.) 1991. *Ordnance survey memoir for County Fermanagh*. Belfast.

Madden, R.R. 1866. *Exposure of literary frauds and forgeries concocted in Ireland ...* Dublin.

Maddison, R.E.W. 1958. 'Robert Boyle and the Irish Bible', *John Ryland's Library Bulletin* 4: 81-101.

Mageoghan, C. 1627. *The annals of Clonmacnoise*. Eag. D. Murphy, 1896, Dublin.

Makarius, L. 1970. 'Du Roi Magique au Roi Divin', *Annales* 25 iii: 668-98.

Malcolmson, R. 1973. *Popular recreations in English society, 1700-1850.* Cambridge.
Malinowski, B. 1926. *Myth in primitivie psychology.* London.
— 1954. *Magic, science and religion.* New York.
Mandrou, R. 1964. *De la culture populaire aux 17ᵉ et 18ᵉ siècles.* Paris.
Manning, B. 1973. *Politics, religion and the English civil war.* London.
— 1976. *The English people and the English revolution.* London.
— 1982. 'The English Revolution and Ireland 1640-60', *Retrospect:* 7-16.
Martin, F.X. 1962. *Friar Nugent, agent of the Counter-Reformation.* London.
— 1967. 'Ireland, the Renaissance and the Counter-Reformation', *Topic* 13: 23-33.
Martines, L. 1985. *Society and history in English renaissance verse.* Oxford.
Mason, R. (eag.) 1987. *Scotland and England 1286-1815.* Edinburgh.
Masson, A. 1974. *L'Allégorie.* Paris.
Matheson, W. (eag.) 1970. *The blind harper: the songs of Roderick Morison and his music* (SGTS 12). Edinburgh.
Matthews, R. 1936. *English messiahs.* London.
Maxwell, C. 1923. *Irish history from contemporary sources 1509-1610.* London.
— 1956. *Dublin under the Georges 1714-1830.* London.
Mayes, C.R. 1958. 'The Early Stuarts and the Irish Peerage', *English Historical Review* 73: 227-51.
Mead, M. 1960. 'Independent Religious Movements', *Comparative Studies in Society and History* 1: 324-9.
Meehan, C.P. 1868. *The fate and fortunes of Hugh O'Neill, Earl of Tyrone and Rory O'Donel, Earl of Tyrconnel.* Dublin.
— 1872. *The rise and fall of the Irish Franciscan monasteries* ... Dublin.
— 1878. *The rise, increase, and exit of the Geraldines ... translated from the Latin of Dominic O'Daly, O.P.* Dublin.
Melvin, P. 1975 . 'Balldearg O'Donnell Abroad and the French Design in Catalonia 1688-97', *The Irish Sword* 12: 42-54, 116-30.
Memmi, A. 1974. *The colonizer and the colonized.* London.
Messingham, T. 1624. *Florilegium insulae sanctorum seu vitae et acta sanctorum Hiberniae.* Paris.
Meyer, K. (eag.) 1901. 'Prophezeiung Sétna's', *Zeitschrift für Celtische Philologie* 3: 31-32.
— 1901a. 'Baile in Scáil', *Zeitschrift für Celtische Philologie* 3: 457-66.
— 1907. 'Prophezeiung Böser Zeiten', *Archiv für Celtische Lexikographiae* 3: 240-41.
— 1907a. 'The Expulsion of the Déssi', *Ériu* 3: 135-42.
— 1909. *The instructions of King Cormac mac Airt.* Dublin.
— 1910. 'A Collection of Poems on the O'Donnells', *Ériu* 4: 183-90.
— 1912. 'The *Laud* Genealogies and Tribal Histories', *Zeitschrift für Celtische Philologie* 8: 291-338.
— 1913. 'Fursa Craiptech Profetavit', *Zeitschrift für Celtische Philologie* 9: 31-32.
— 1913a. 'Beg mac Dé Profetavit', *Zeitschrift für Celtische Philologie* 9: 169-71.
— 1913b. 'Baile Bricín', *Zeitschrift für Celtische Philologie* 9: 449-57.
— 1915. 'Colaim Cille .cc.', *Zeitschrift für Celtische Philologie* 10: 49-50.
— 1915a. 'Colum Cille .cc.', *Zeitschrift für Celtische Philologie* 10: 51-3.
— 1918. 'Das Ende von *Baile in Scáil*', *Zeitschrift für Celtische Philologie* 12: 232-8.
— 1919. 'Der Enfang von *Baile in Scáil*', *Zeitschrift für Celtische Philologie* 13: 371-82.
— 1921. 'Tara's Untergang', *Zeitschrift für Celtische Philologie* 13: 9.
— 1921a. 'Baile Fíndachta Ríg Condacht', *Zeitschrift für Celtische Philologie* 13: 25-7.
Michael, W. 1936. *England under George I.* London.
Miege, G. 1718. *The present state of Great Britain and Ireland.* London.
Milic, L.T. (eag.) 1971. *The modernity of the eighteenth century* (Studies in Eighteenth-Century Culture 1). London.

Miller, J. 1973. *Popery and politics in England 1660-1688.*
— 1978. *James II: a study in kingship.* Sussex.
— 1982. 'Charles II and his Parliaments', *Transactions of the Royal Historical Society* 32: 1-23.
— 1984. 'The Potential for "Absolutism" in Later Stuart England', *History* 69: 187-207.
— 1988. 'Proto-Jacobitism? The Tories and the Revolution' in Cruickshanks (eag.) 7-23.
Miller, P. 1954. *The New England mind: the seventeenth century.* Cambridge (Mass).
— 1956. *Errand into the wilderness.* Cambridge (Mass).
Millet, B. 1963. 'Calendar of Volume I (1625-68) of the *Collection Scritture referite nei congressi, Irlanda* in Propaganda Archives', *Collectanea Hibernica* 6-7: 18-211.
— 1964. *The Irish Franciscans, 1651-1665.* Rome.
— 1968. *Survival and Reorganisation, 1650-95* (HIC iii 7). Dublin.
— 1968a. 'Irish Scottists at St Isidore's College Rome in the Seventeenth Century', *Acta Congressus Scotistici Internationalis* 4: 399-419.
Milo, D. 1988. 'L'An Mil: Un Problème D'Historique Moderne', *History and Theory* 27: 261-81.
Mitchison, R. 1983. *Lordship to patronage: Scotland 1603-1745.* London.
Moloney, J. 1934. 'Brussels Ms. 3410: A Chronological List of the Foundations of the Irish Franciscan Province', *Analecta Hibernica* 6: 192-202.
Momigliano, A. 1977. *Essays in ancient and modern historiography.* Oxford.
Monahan, J. 1886. *Records relating to the diocese of Ardagh and Clonmacnoise.* Dublin.
Monod, P.K. 1987. 'Jacobitism and Country Principles in the Reign of William III', *Historical Journal* 30 ii: 289-310.
— 1989. *Jacobitism and the English people, 1688-1788.* Cambridge.
Montgomery, J. 1692. *Great Britain's just complaint.* London.
Moody, T.W. 1938. 'Ulster Plantation Papers', *Analecta Hibernica* 8: 179-298.
— 1938-40. 'The Irish Parliament under Elizabeth and James I: A General Survey', *Proceedings of the Royal Irish Academy* 45 C: 41-79.
— 1939. *The Londonderry Plantation 1609-41.* Belfast.
— (*et al.*) 1976. *A new history of Ireland iii: early modern Ireland 1534-1691.* Oxford.
— (eag.) 1978. *Nationality and the pursuit of national independence* (Historical Studies 11). Belfast.
— (*et al.*) 1986. *A new history of Ireland iv: eighteenth-century Ireland 1691-1800.* Oxford.
Mooney, C. 1940. 'Franciscan Library Ms. A30.4', *Irish Book Lover* 27: 202-4.
— 1942. 'Irish Franciscan Libraries of the Past', *Irish Ecclesiastical Record* 60: 215-28.
— 1944. 'The Golden Age of the Irish Franciscans, 1615-1650' in S. O'Brien (eag.) 21-33.
— 1946. 'Manutiana: the Poems of Manus O'Rourke (*c.* 1658-1743)', *Celtica* 1: 1-63.
— 1946a. 'Maynooth Manutianum', *Celtica* 1: 297-8.
— 1949. 'The Irish Sword and the Franciscan Cowl', *The Irish Sword* 1: 80-7.
— 1951. 'Scríbhneoirí Gaeilge Oird San Froinsias', *Catholic Survey* 1: 54-75.
— 1951a. *Irish Franciscan Relations with France, 1224-1850.* Killiney.
— 1954. 'The Death of Red Hugh O'Donnell', *Irish Ecclesiastical Record* 81: 328-45.
— 1955. 'A Noble Shipload', *The Irish Sword* 2: 195-204.
— 1959. 'Father John Colgan, O.F.M., His Work and Times and Literary Milieu' in O'Donnell (eag.) 7-40.
— 1962. 'The Irish Church in the Sixteenth Century', *Proceedings of the Irish Catholic Historical Committee,* 2-13.
— 1962a. 'Scríbhneoirí Gaeilge an Seachtú hAois Déag', *Studia Hibernica* 2: 182-208.

— 1965. *Seanmónta chúige Uladh.* Baile Átha Cliath.
— 1967. *The first impact of the Reformation* (HIC iii 2). Dublin.
— 1969. *The Church in Gaelic Ireland: thirteenth to fifteenth centuries* (HIC ii 5). Dublin.
Moore, J.R. 1951. 'Windsor Forest and William III', *Modern Language Notes* 66: 451-4.
Moran, P.F. (eag.) 1874-84. *Spicilegium Ossoriense* ... i-iii. Dublin.
Morgan, G. 1964. 'The Early Evolution of the Legend of Arthur', *Nottingham Medieval Studies* 8: 3-21.
Morgan, H. 1988. 'The End of Gaelic Ulster: A Thematic Interpretation of Events Between 1534 and 1610', *Irish Historical Studies* 26: 8-32.
— 1988a. 'Writing Up Early Modern Ireland', *Historical Journal* 31: 701-11.
— 1993. *Tyrone's rebellion: the outbreak of the Nine Years' War in Tudor Ireland.* Dublin.
Morley, H. 1890. *Ireland under Elizabeth and James I.* London.
Morley, H.T. 1931. *Old and curious playing cards.* London.
Morley, V. 1992. 'Hugh Mac Curtin: Eighteenth-Century Poet and Antiquarian' (MPhil, UCD).
— 1993. 'Aodh Buí Mac Cruitín: File Gaeilge in Arm na Fraince', *Eighteenth-Century Ireland* 8: 39-58.
— 1995. *An crann os coill.* Baile Átha Cliath.
Morrissey, T. 1970. 'The Strange Letters of Matthew O'Hartegan, S.J., 1644-5', *Irish Theological Quarterly* 37: 159-72.
Moryson, F. 1603. *An history of Ireland, from 1599 to 1603* ... i-ii. Dublin (eag. 1735).
Mousnier, R. 1965. 'Trevor Roper's *General Crisis*' in Aston (eag.) 97-104.
— 1967. *Fureurs paysannes: les paysans dan les revoltes du 17ᵉ siècle.* Paris.
Mowinckel, S. 1959. *He that cometh.* Oxford.
Mühlmann, W.E. 1961. *Chiliasmus und nativismus.* Berlin.
Muldoon, J. 1975. 'The Indian as Irishman', *Essex Institute Historical Collections* 3 iv: 267-89.
Munter, R.L. 1960. *A handlist of Irish newspapers, 1685-1750.* London.
— 1967. *The history of the Irish newspaper, 1685-1760.* Cambridge.
— 1988. *A dictionary of the print trade in Ireland.* New York.
Munz, P. 1956. 'History and Myth', *Philosophical Quarterly* 6: 1-16.
— 1969. *Frederick Barbarossa: a study in medieval politics.* Ithaca.
Murphy, A.E. 1983. *Richard Cantillon: entrepeneur and economist.* Oxford.
Murphy, D. (eag.) 1896. *The annals of Clonmacnoise.* Dublin.
Murphy, G. (eag.) 1933. *Duanaire Finn* ii (ITS 28). London.
— 1935. 'Royalist Ireland', *Studies* 24: 589-604.
— 1939. 'Notes on Aisling Poetry', *Éigse* 1: 40-50.
— 1940. 'Bards and Filidh', *Éigse* 2: 200-7.
— 1949. 'Poems of Exile by Uilliam Nuinsean mac Barúin Dealbhna', *Éigse* 6: 8-15.
— 1952. 'On the Dates of Two Sources Used in Thurneysen's Heldensage', *Ériu* 16: 145-56.
— 1953. *Duanaire Finn* iii (ITS 43). London.
Murphy, J.A. 1959. *Justin MacCarthy Lord Mountcashel.* Cork.
Murphy, M. 1979. 'The Ballad Singer and the Role of the Seditious Ballad in Nineteenth-Century Ireland: Dublin Castle's View', *Ulster Folklife* 25: 79-102.
Murphy, S. 1994. 'Irish Jacobitism and Freemasonry', *Eighteenth-Century Ireland* 9: 75-82.
Murray, H.A. (eag.) 1960. *Myth and myth-making.* New York.
Murray, J.A.H. (eag.) 1872. *The complaynt of Scotlande* ... (EETS 17). London.
— 1875. *The romance and prophecies of Thomas of Ekceldonne* (EETS 21). London.
Murray, L.P. Féach Ua Muireadhaigh, L.
Murray, R.H. (eag.) 1912. *The journal of John Stevens* ... Oxford.

Murtagh, H. 1980. *Irish midland studies* ... Athlone.
Musgrave, R. 1802. *Memoirs of the different rebellions in Ireland.* i-ii. Dublin.
Myers, W. 1973. *Dryden.* London.

Nagy, J.F. 1985. *The wisdom of the outlaw.* Berkeley.
Neary, J. 1912. 'Florence Conry, Archbishop of Tuam, 1608-1629', *Galway Archaeological Society Journal* 7: 193-204.
Needham, R. 1972. *Belief, language and experience.* Chicago.
Neumann, E. 1955. *The great mother: an analysis of the archetype.* New York.
Neusner, J. 1988. *Messiah in context.* New York.
Neveu, B. 1967. 'Jacques II Mediateur entre Louis XIV et Innocent XI', *Mèlanges d'Archeologie et d'Histoire* 79: 699-764.
— 1982. 'A Contribution to an Inventory of Jacobite Sources' in Cruickshanks (eag.) 138-158.
Nevo, R. 1963. *The dial of virtue: a study of poems on affairs of state in the seventeenth century.* Princeton.
Ní Annagáin, M. & de Chlanndiolúin, S. (eag.) 1925. *Londubh an Chairn.* Dublin.
Ní Cheallacháin, M. (eag.) 1962. *Filíocht Phádraigín Haicéad.* Baile Átha Cliath.
Ní Chinnéide, S. 1954. 'Dhá Leabhar Nótaí le Séarlas Ó Conchubhair', *Galvia* 1: 32-41.
— 1957. 'Dialann Í Chonchúir', *Galvia* 4: 4-17.
Ní Chléirigh, M. (eag.) 1944. *Fólus ar an domhan* (LÓL 12). Baile Átha Cliath.
Nic Eoin, M. 1995. 'An Idé-eolaíocht Inscneach i dTraidisiún Liteartha na Gaeilge' (PhD, NUI).
Nic Ghiollamhaith, A. 1981. 'Dynastic Warfare and Historical Writing in North Munster, 1276-1350', *Cambridge Medieval Celtic Studies* 2: 73-89.
Nicholas, D. 1948. 'The Welsh Jacobites', *Transactions of the Honourable Society of Cymmrodorion* 467-74.
Nicholls, K. 1970. 'Some Documents on Irish Law and Custom in the Sixteenth Century', *Analecta Hibernica* 26: 103-29.
— 1972. *Gaelic and Gaelicised Ireland in the Middle Ages.* Dublin.
— 1976. 'Land, Law and Society in Sixteenth-Century Ireland' (O'Donnell Lecture, NUI). Dublin.
— 1983. 'The Mac Coghlans', *Irish Genealogist* 6: 445-60.
— 1993. 'The Development of Lordship in County Cork' in O'Flanagan & Buttimer (eag.) 157-212.
Nicholson, M.H. 1960. *The breaking of the circle: studies in the effect of the 'new science' upon seventeenth-century poetry.* New York.
Ní Dhomhnaill, C. 1975. *Duanaireacht.* Baile Átha Cliath.
Ní Fhaircheallaigh, U. 1911. *Filidheacht Sheagháin Uí Neachtain.* Baile Átha Cliath.
Ní Ógáin, R. (eag.) 1921. *Duanaire Gaedhilge.* i-iii. Dublin.
Ní Shéaghdha, N. 1979. *Catalogue of Irish manuscripts in the National Library of Ireland.* v. Dublin.
Nobbe, G. 1939. *The North Briton: a study in political propaganda.* New York.
Nolan, W. (eag.) 1985. *Tipperary: history and society.* Dublin.
Nordmann, C.J. 1976. 'Louis XIV and the Jacobites' in Hatton (eag.) 82-114.
— 1982. 'Choiseul and the Last Jacobite Attempt of 1759' in Cruickshanks (eag.) 201-217.
Nutt, A. 1881. 'The Aryan Expulsion-and-Return Formula in the Folk-and-Hero-Tales of the Celts', *The Folk-Lore Record* 4: 1-44.

Ó Baoill, C. (eag.) 1972. *Bàrdachd Shìlis na Ceapaich.* (SGTS 13). Edinburgh.
— (eag.) 1979. *Bàrdachd Chloinn Ghill-Eathain.* (SGTS 14). Edinburgh.
Ó Beaglaoich, C. 1732. *An foclóir Béarla Gaoidheilge.* Paris.
Ó Blioscáin, S.S. 1961. 'Scéal Jacobídes agas Carína' (MA, UCG).
O'Boyle, J. 1935. *The Irish colleges on the Continent.* Dublin.

O'Brien, F. 1927-8. 'Florence Conry, Archbishop of Tuam', *The Irish Rosary* 31: 843-7, 896-904; 32: 346-51, 454-60, 839-46.
— 1932. 'Robert Chamberlain, O.F.M.', *Irish Ecclesiastical Record* 40: 264-80
O'Brien, G. 1919. *The economic history of Ireland in the seventeenth century*. Dublin.
O'Brien, I. 1986. *O'Brien of Thomond: The O'Briens in Irish history*. Chichester.
O'Brien, M.A. 1938. 'Varia', *Ériu* 12: 236-7.
— 1962. *Corpus genealogiarum Hiberniae*. Dublin.
O'Brien, R.R. 1893. *The autobiography of Theobald Wolfe Tone, 1763-1798*. i-ii. London.
O'Brien, S. (eag.) 1944. *Measgra i gcuimhne Mhichíl Uí Chéirigh*. Baile Átha Cliath.
Ó Broin, T. 1965. 'An Spéirbhean in Albain', *Comhar* Aibreán: 10-12; 'An Aisling in Albain', *Comhar* Bealtaine: 19-21, 28.
— 1990. 'Lia Fáil: Fact and Fiction in the Tradition', *Celtica* 21: 393-401.
Ó Buachalla, B. 1968. *I mBéal Feirste cois cuain*. Baile Átha Cliath.
— 1969. *Peadar Ó Doirnín: amhráin*. Baile Átha Cliath.
— 1973. 'Dán ar Chath Eachroma', *Éigse* 14: 117-23
— 1976. *Nua-Dhuanaire* ii. Baile Átha Cliath.
— 1979. 'Art Mac Bionaid Scríobhaí', *Seanchas Ard Mhacha* 9 ii: 338-49.
— 1982. 'Arthur Brownlow: a Gentleman more Curious than Ordinary', *Ulster Local Studies* 7 ii: 24-8.
— 1983. 'Na Stíobhartaigh agus an tAos Léinn: Cing Séamas', *Proceedings of the Royal Irish Academy* 83 C: 81-134.
— 1983a. 'An Mheisiasacht agus an Aisling' in de Brún (*et al.*) 72-87.
— 1985. '*Annála Ríoghachta Éireann* is *Foras Feasa ar Éirinn*: an Comhthéacs Comhaimseartha', *Studia Hibernica* 22-3: 59-105.
— 1987. 'Lillibulero agus Eile', *Comhar* Márta-Iúil.
— 1989. 'Aodh Eanghach and the Irish King-Hero' in Ó Corráin (*et al.*) 200-32.
— 1989a. 'Briseadh na Bóinne', *Éigse* 22: 83-106.
— 1990. 'Cúlra agus Tábhacht an Dáin *A leabhráin ainmnighthear d'Aodh*', *Celtica* 21: 402-16.
— 1992. 'Irish Jacobite Poetry', *Irish Review* 12: 40-9.
— 1992a. 'Seacaibíteachas Thaidhg Uí Neachtain', *Studia Hibernica* 26: 31-64.
— 1992b. 'Poetry and Politics in Early Modern Ireland', *Eighteenth-Century Ireland* 7: 149-75.
— 1993. 'In a Hovel By the Sea', *Irish Review* 14: 48-55 .
— 1993a. 'The Making of a Cork Jacobite' in O'Flanagan & Buttimer (eag.) 469-98.
— 1993b. '*James Our True King*: The Ideology of Irish Royalism in the Seventeenth Century' in G. Boyce (*et al.*) 1-35.
— 1993c. 'Irish Jacobitism in Official Documents', *Eighteenth-Century Ireland* 8: 128-38.
— 1996. 'Irish Jacobitism and Irish Nationalism: The Literary Evidence', *Studies on Voltaire and the eighteenth century* 335: 103-116.
O'Byrne, E. (eag.) 1981. *The convert rolls* (IMC). Dublin.
Ó Caithnia, L.P. 1984. *Apalóga na bhfilí 1200-1650*. Baile Átha Cliath.
O'Callaghan, J.C. 1870. *History of the Irish brigades*. London.
O'Callaghan, J.F. 1990. 'The Ó Callaghans and the Rebellion of 1641', *Journal of the Cork Historical and Archaeological Society* 94: 30-40.
Ó Catháin, D. 1989. 'Charles O'Connor of Belanagare: Antiquary and Irish Scholar', *Journal of the Royal Society of Antiquaries of Ireland* 119: 136-63.
Ó Cathasaigh, T. 1977. *The heroic biography of Cormac mac Airt*. Dublin.
— 1978. 'On the Semantics of *Síd*', *Éigse* 17: 137-54.
— 1981. 'The Theme of Lommrad in Cath Maige Mucrama', *Éigse* 18: 183-209.
— 1982. 'Between God and Man: The Hero of Irish Tradition' in Hederman & Kearney (eag.) 220-27.
— 1983. 'Cath Maige Tuired as Exemplary Myth' in de Brún (*et al.*) 1-19.
— 1989. 'The Eponym of Cnogba', *Éigse* 23: 27-38.

Ó Ceallaigh, S. 1951. *Gleanings from Ulster history*. Cork.

Ó Cearbhaill, D. (eag.) 1984. *Galway: town and gown*. Dublin.

Ó Ceithearnaigh, S. Féach Carney, J.

Ó Cléirigh, G. 1993. 'Cérbh é "Mac an Cheannaí"', *Irisleabhar Mhá Nuad* 1993: 7-34.

Ó Cléirigh, T. 1935. *Aodh Mac Aingil agus an Scoil Nua-Ghaeilge i Lobháin*. Baile Átha Cliath.

— 1939. 'A Poem Book of the O Donnells', *Éigse* 1: 51-61, 130-42.

— 1939a. 'A Student's Voyage', *Éigse* 1: 103-15.

— 1939b. 'Leaves from a Dublin Manuscript', *Éigse* 1: 197-209.

Ó Coigligh, C. 1987. *Raiftearaí: amhráin agus dánta*. Baile Átha Cliath.

Ó Coisdealbha, S. 1935. 'Béaloideas ón Midhe', *Ireland's Own* 65: 358.

Ó Concheanainn, T. 1972. 'Slán Chum Pádraic Sáirséal', *Éigse* 14: 215-35.

— 1978. *Nua-Dhuanaire* iii. Baile Átha Cliath.

— 1984. 'Scoláirí Gaeilge i nGaillimh sa Seachtú Céad Déag' in Ó Cearbhaill (eag.) 41-7.

Ó Conchúir, B. 1982. *Scríobhaithe Chorcaí 1700-1850*. Baile Átha Cliath.

O'Connell, M.J. 1892. *The last colonel of the Irish Brigade*. London.

O'Connell, M.R. 1976. 'Daniel O'Connell and the Irish Eighteenth Century' in Rosbottom (eag.) 475-95.

O'Conor, C. 1753. *Dissertations on the antient history of Ireland*. Dublin.

— 1755. *The case of the Roman Catholics of Ireland*. Dublin.

— 1775. *The Ogygia vindicated against the objections of Sir George MacKenzie*. Dublin.

O'Conor, C. 1796. *Memoirs of the life and writings of the late Charles O'Conor*. Dublin.

O'Conor, C. 1930. *The early life of Charles O'Conor*. Dublin.

— 1934. 'Charles O'Connor of Belanagare', *Studies* 23: 124-43.

O'Conor Don, C. 1891. *The O'Connors of Connaught*. Dublin.

O'Connor, F. 1961. *King, lords and commons*. London.

O'Connor, D. 1723. *The general history of Ireland*. Dublin.

O'Connor, M. 1845. *Military history of the Irish nation ...* Dublin.

— 1855. *The Irish brigades*. London.

Ó Corráin, D. 1971. 'Irish Regnal Succession: A Reappraisal', *Studia Hibernica* 11: 1-39.

— 1978. 'Nationality and Kingship in Pre-Norman Ireland' in Moody (eag.) 1-36.

— 1987. 'Legend as Critic' in Dunne (eag.) 23-38

— (*et al.*) 1989. *Sages, saints and storytellers* (Maynooth Monographs 2). Maynooth.

Ó Cróinín, D. (eag.) 1982. *Seanchas Phádraig Í Chrualaoi*. Baile Átha Cliath.

Ó Cróinín, D.I. (eag.) 1975. 'A Poem to Toirdhealbhach Luinneach Ó Néill', *Éigse* 16: 50-66.

— (eag.) 1984. 'A Poet in Penetential Mood', *Celtica* 16: 169-74.

Ó Cuív, B. 1948. 'Sgiathlúithreach an Choxaigh', *Éigse* 5: 136-8.

— (eag.) 1950. 'Flaithrí Ó Maolchonaire's Catechism of Christian Doctrine', *Celtica* 1: 161-206.

— (eag.) 1950a. 'A Modern Irish Devotional Tract', *Celtica* 1: 207-37.

— (eag.) 1952. *Párliament na mban*. Baile Átha Cliath.

— (eag.) 1954. 'A Poem on the Í Néill', *Celtica* 2: 245-51.

— (eag.) 1957. 'A Poem in Praise of Raghnall, King of Man', *Éigse* 8: 283-301.

— (eag.) 1957a. 'Mo Thruaighe Mar Tá Éire', *Éigse* 8: 302-308.

— 1959. 'James Cotter, A Seventeenth Century Agent of the Crown', *Journal of the Royal Society of Antiquaries* 89: 139-59.

— 1961. 'Éachtraí Mhuirígh Albanaigh Í Dhálaigh', *Studia Hibernica* 1: 54-69.

— (eag.) 1962. *Proceedings of the international congress of Celtic Studies*. Dublin.

— (eag.) 1965. 'A Seventeenth-Century Criticism of Keating's *Foras Feasa ar Éirinn*', *Éigse* 11: 119-40.

— 1965a. 'Rialacha Do Chúirt Éigse i gContae an Chláir', *Éigse* 11: 216-8.

— (eag.) 1966. 'Bunús Mhuintir Dhíolún', *Éigse* 11: 65-6.
— 1973. *The Irish bardic duanaire*. Dublin.
— (eag.) 1974. 'A Sixteenth-Century Political Poem', *Éigse* 15: 261-76.
— (eag.) 1976. 'Comram na Cloenfherta', *Celtica* 11: 168-79.
— (eag.) 1977. 'The Earl of Thomond and the Poets', *Celtica* 12: 125-45.
— 1978. 'The Wearing of the Green', *Studia Hibernica* 17-18: 107-19.
— 1980. '*Is Tre Fhír Flathemon*: An Addendum', *Celtica* 13: 146-9.
— (eag.) 1981. 'A Poem on the Second Earl of Antrim', *Scottish Gaelic Studies* 13: 302-5.
— (eag.) 1983. 'A Poem Composed for Cathal Croibhdhearg Ó Conchubhair', *Ériu* 34: 157-74.
— (eag.) 1984. 'Some Irish Items Relating to the MacDonnells of Antrim', *Celtica* 16: 139-56.
— (eag.) 1984a. 'An Elegy on Donnchadh Ó Briain, Fourth Earl of Thomond', *Celtica* 16: 87-105.
— 1986. 'Miscellanea', *Celtica* 18: 105-24.
Ó Cuív, S. 1930. *Maonas Ó Ruairc, file*. Baile Átha Cliath.
O'Curry, E. 1861. *Lectures on the manuscript materials of ancient Irish history*. Dublin.
O'Daly, D. 1655. *Initium incrementa, et exitus familae Geraldinorum* ... Lisbon. Féach Meehan (1878).
O'Daly, J. 1845. *Reliques of Irish Jacobite poetry*. Dublin.
— 1850. *Poets and poetry of Munster*. Dublin.
— 1853. 'Inauguration of Cathal Crobhdhearg O'Connor, King of Connaught', *Journal of the Royal Society of Antiquaries of Ireland* 2: 335-48.
O Daly, M. (eag.) 1975. *Cath Maige Mucrama* (ITS 50). Dublin.
Ó Danachair, C. 1981. 'An Rí, the King: an Example of Traditional Social Organisation', *Journal of the Royal Society of Antiquaries of Ireland* 111: 14-28.
Ó Doibhlin, E. 1969. *Domhnach Mór*. Omagh.
Ó Donnchadha, T. (eag.) 1912. 'An tAthair Eoghan Ó Caoimh: a Bheatha agus a Shaothar', *Gadelica* 1: 3-9, 101-11, 163-70, 251-59.
— (eag.) 1916. *Amhráin Dhiarmada mac Seáin Bhuidhe Mac Cárrthaigh*. Baile Átha Cliath.
— (eag.) 1931. 'Cin Lae Ó Mealláin', *Analecta Hibernica* 3: 5-61.
— (eag.) 1931a. *Leabhar Cloinne Aodha Buidhe* (IMC). Dublin.
— (eag.) 1940. *An leabhar Muimhneach* (IMC). Dublin.
— (eag.) 1954. *Seán na Ráithíneach*. Dublin.
Ó Donnchú, D. 1933. *Filíocht Mháire Bhuí Ní Laoghaire*. Baile Átha Cliath.
O'Donnell, F.H. 1901. *The message of the masters*. London.
O'Donnell, T. J. (eag.) 1959. *Father John Colgan O.F.M. 1592-1658*. Dublin.
O'Donovan, J. (eag.) 1844. *The genealogies, tribes, and customs of Hy-Fiachrach*. Dublin.
— 1851. *Annála ríoghachta Éireann Annals of the Kingdom of Ireland*. i-vii. Dublin.
— 1852. *The tribes of Ireland*.
— 1860. 'The O'Donnells in Exile', *Duffy's Hibernian Magazine* 1: 1-8; 2: 49-56; 3: 106-112.
O'Dowd, M. 1983. 'Land Inheritance in Early Modern County Sligo', *Irish Economic and Social History* 10: 5-18.
— 1986. 'Gaelic Economy and Society' in Brady & Gillespie (eag.) 120-47.
Ó Dufaigh, S. & Ó Doibhlin, D. 1989. *Nioclás Ó Cearnaigh agus a shaothar*. Baile Átha Cliath.
Ó Dúnlainge, M. (eag.) 1907-8. 'Cath Mhuighe Mochruimhe', *Irisleabhar na Gaedhilge* 17: 385-439, 18: 30-181.
Ó Dúshláine, T. 1975. 'Athléamh ar Aodh Mac Aingil', *Irisleabhar Mhá Nuad* 9-25.
— 1982. 'Párliament na mBan', *Léachtaí Cholm Cille* 12: 183-98.
— 1984. 'More About Keating's Use of the Simile of the Dung-Beetle', *Zeitschrift für Celtische Philologie* 40: 282-5.

— 1986. 'Seathrún Céitinn agus an Stíl Bharócach a Thug sé go hÉirinn', *Dúchas* 43-55.
— 1987. *An Eoraip agus litríocht na Gaeilge 1600-1650.* Baile Átha Cliath.
O'Dwyer, C. 1975. 'Archbishop Butler's Visitation Book', *Archivium Hibernicum* 33: 1-90.
O'Dwyer, P. (eag.) 1948. 'A Vision Concerning Hugh O'Connor († 1309)', *Éigse* 5: 79-91.
Ó Fachtna, A. (eag.) 1967. *An bheatha dhiadha.* Baile Átha Cliath.
Ó Fágáin, P. 1985. *Éigse na hIarmhí.* Baile Átha Cliath.
O'Farrell, P. 1976. 'Millenialism, Messianism and Utopianism in Irish History', *Anglo-Irish Studies* 2: 45-68.
Ó Fiaich, T. 1957. 'Edmund O'Reilly, Archbishop of Armagh 1657-1669' in Franciscan Fathers (eag.) 171-228.
— (eag.) 1958. 'Dán ar an Chléir i bPríosún i mBaile Átha Cliath', *Reportorium Novum* 2: 172-84.
— (eag.) 1960. 'Dán ar Phádraig Mac Síomóin', *Reportorium Novum* 2; 288-97.
— 1970. 'The Political and Social Background of the Ulster Poets', *Léachtaí Cholm Cille* i: 23-33.
— 1971. 'Republicanism and Separitism in the Seventeenth Century', *Léachtaí Cholm Cille* ii: 74-87.
— 1971a. 'The Registration of the Clergy in 1704', *Seanchas Ard Mhacha* 6 i: 46-69.
— (eag.) 1973. *Art Mac Cumhaigh: dánta.* Baile Átha Cliath.
— 1975. 'Irish Poetry and the Clergy', *Léachtaí Cholm Cille* 4: 30-56.
— & Ó Caithnia, L. 1979. *Art Mac Bionaid: dánta.* Baile Átha Cliath.
Ó Fiannachta, P. (eag.) 1969. 'Two Love Poems', *Ériu* 21: 115-21.
— (eag.) 1978. *An Barántas.* Maigh Nuad.
— (eag.) 1981. *An bíobla naofa.* Maigh Nuad.
— (eag.) 1989. 'Eoghan Ó Comhraí: File Traidisiúnta' in Ó Corráin (*et al.*) 280-307.
O Flaherty, R. 1685. *Ogygia, seu rerum Hibernicarum chronologia ...* London.
— 1688. *Serenissimi valliae principis m. Britanniae et Hiberniae.* Dublin.
O'Flanagan, P. & Buttimer, C.G. (eag.) 1993. *Cork history and society.* Cork.
O'Flanagan, T. (eag.) 1808. *Advice to a prince ...* Dublin.
Ó Floinn, D. (eag.) 1935. 'Béaloideas ó Chléire', *Béaloideas* 5 ii: 111-38.
— 1941. 'Béaloideas ó Chléire ii', *Béaloideas* 11: 3-77.
Ó Foghludha, R. (eag.) 1905. *Amhráin Phiarais Mhic Gearailt.* Baile Átha Cliath.
— (eag.) 1929. *Tadhg Gaelach.* Baile Átha Cliath.
— (eag.) 1932. *Pádraig Phiarais Cúndún.* Baile Átha Cliath.
— (eag.) 1933. *Donnchadh Ruadh Mac Conmara.* Baile Átha Cliath.
— (eag.) 1934. *Seán Clárach.* Baile Átha Cliath.
— (eag.) 1937. *Cois na Cora.* Baile Átha Cliath.
— (eag.) 1937a. *Cois na Bríde.* Baile Átha Cliath.
— (eag.) 1938. *Cois na Ruachtaighe.* Baile Átha Cliath.
— (eag.) 1938a. *Carn Tighearnaigh.* Baile Átha Cliath.
— (eag.) 1938b. *Eoghan an Mhéirín Mac Cárrthaigh.* Baile Átha Cliath.
— (eag.) 1939. *Ar bruach na coille móire.* Baile Átha Cliath.
— (eag.) 1946. *Cois Caoin-Reathaighe.* Baile Átha Cliath.
— (eag.) 1952. *Éigse na Máighe.* Baile Átha Cliath.
Ó Gallachair, P. 1958. 'A Fermanagh Survey', *Clogher Record* 2: 293-310.
— 1959. 'The First Maguire of Tempo', *Clogher Record* 2: 469-89.
Ó Gallchóir, N. 1975. 'Aodh Mac Aingil, Gael san Eoraip (1571-1626)', *Seanchas Ard Mhacha* 8: 81-96.
Ó Gallchóir, S. 1967. 'Filíocht Shéamais Daill Mhic Cuarta' (MA, Coláiste Phádraig, Maigh Nuad).
— 1971. *Séamas Dall Mac Cuarta: dánta.* Baile Átha Cliath.
Ogg, D. 1955. *England in the reigns of James II and William III.* Oxford.

— 1963. *England in the reign of Charles II.* Oxford.
O'Grady, S.H. 1892. *Silva Gadelica* i-ii. London.
— 1924. *Caithréim Thoirdhealbhaigh* (ITS 26). London.
— 1926. *Catalogue of Irish manuscripts in the British Museum.* London.
Ó Grianna, S. 1930. *Sraith na craobhruaidhe.* v. Dún Dealgan.
Ó hAnluain, E. (eag.) 1973. *Seon Ó hUaithnín.* Baile Átha Cliath.
O'Hart, J. 1884. *The Irish and Anglo-Irish landed gentry.* Dublin.
Ó hEodhasa, B. 1611. *An teagasc críosdaidhe.* Antuairp. Eag. F. Mac Raghnaill, 1976, Baile Átha Cliath.
Ó hInnse, S. (eag.) 1947. *Miscellaneous Irish annals.* Dublin.
Ó hÓgáin, D. 1974. 'An É an tAm Fós É', *Béaloideas* 42: 213-308.
— 1980. 'Nótaí ar Chromail i mBéaloideas na hÉireann', *Sinsear* 2: 73-83.
— 1980a. *Duanaire Osraíoch.* Baile Átha Cliath.
— 1981. *Duanaire Thiobraid Árann.* Baile Átha Cliath.
— 1982. *An file: staidéar ar osnádúrthacht na filíochta sa traidisiún Gaelach.* Baile Átha Cliath.
— 1985. *The hero in Irish folk history.* Dublin.
— 1988. *Fionn mac Cumhaill.* Dublin.
O'Kane, D. (eag.) 1983. *Statistical reports of six Derry parishes 1821 by John MacCloskey (1788-1876).* Ballinascreen.
O'Kearney, N. 1852. 'Folklore', *Transactions of the Kilkenny Archaeological Society* 11: 32-9.
— 1856. *The prophecies of SS. Columbkille, Maeltamlacht, Ultan, Seudhna, Coireall, Bearcan, etc..* Dublin.
O'Keefe, J.G. (eag.) 1934. 'A Prophecy on the High-Kingship of Ireland' in Fraser (iv) 39-41.
— 1934a. 'A Prophecy of Find' in Fraser (iv) 43-4.
O'Kelleher, A. & Schoepperle, G. 1918. *Betha Colaim Chille.* Chicago.
O'Kelly, C. *Macariae excidium or the destruction of Cyprus.* Eag. J.C. O'Callaghan, 1850, London.
Ó Laighin, S. (eag.) 1990. *Ó Cadhain i bhFeasta.* Baile Átha Cliath.
Olden, M. 1965. 'Counter-Reformation Problems: Munster', *Irish Ecclesiastical Record* 104: 42-54.
— 1971. 'Kinsale to Benburb – A Valuable Breathing Space in Irish History', *Léachtaí Cholm Cille* 2: 38-50.
Oldmixon, J. 1716. *Memoirs of Ireland ...* London.
O'Leary, P. 1986. 'A Foreseeing Driver of an Old Chariot: Regal Moderation in Early Irish Literature', *Cambridge Medieval Celtic Studies* 11: 1-16.
Ó Lochlainn, C. 1939. *Tobar fíorghlan Gaedhilge 1450-1850.* Dublin.
— 1943. 'Four Poems by Cornán Ó Cuirnín', *Éigse* 4: 197-205.
Ó Loingsigh, S. 1925. 'Brise na Bóinne', *Fáinne an Lae* Bealtaine: 5-6.
— 1927. 'Brise na Bóinne', *An Lóchrann* Feabhra: 116.
Ó Madagáin, M.S. 1983. 'Téamaí agus Móitífeanna i bhFilíocht Pholaitiúil na Gaeilge c. 1600 – c. 1650' (MA, Coláiste Phádraig, Maigh Nuad).
O'Mahony, J. 1892. 'Morty Oge O'Sullivan, Captain of the Wild Geese', *Journal of the Cork Historical and Archaeological Society* 1: 95-9, 116-27.
Ó Máille, T. 1927. 'Medb Chruachna', *Zeitschrift für Celtische Philologie* 17: 129-46.
Ó Mainnín, S.S. 1961. 'Filíocht Aodh Bhuí Mhic Cruitín' (MA, UCG).
Ó Maoil Chonaire, F. 1616. *Sgáthán an chrábhaidh.* Lobháin. Eag. T.F. O'Rahilly, 1941, Dublin.
Ó Maonaigh, C. Féach Mooney, C.
Ó Mathúna, D. 1982. 'Aodhgán Ó Rathaille agus Seann-tSíol Chéin', *The O Mahony Journal* 12: 19-23.
O'Meara, J.J. 1949. 'Giraldus Cambrensis in Topographica Hibernia', *Proceedings of the Royal Irish Academy* 52 C: 113-78.
Ó Mórdha, S.P. 1950. *Heber MacMahon Clogher's patriot bishop.* Monaghan.
— 1955. 'Poems in Irish on 18th Century Priests', *Clogher Record* 1 iii: 53-65.

Ó Muireadhaigh, R. 1960. 'Aos Dána na Mumhan, 1584', *Irisleabhar Muighe Nuadhat* : 81-4.
Ó Muirgheasa, É. 1913. 'Welcome to the Primate Brian Mac Mahon, Archbishop of Armagh', *Louth Archaeological Journal* 3 ii: 189-95.
— (eag.) 1915. *Céad de cheoltaibh Uladh*. Baile Átha Cliath.
— (eag.) 1916. *Abhráin Airt Mhic Cubhthaigh*. Baile Átha Cliath.
— (eag.) 1924. *Oidhche áirneáil i dTír Chonaill*. Dún Dealgan.
— (eag.) 1934. *Dhá chéad de cheoltaibh Uladh*. Baile Átha Cliath.
— (eag.) 1936. *Dánta diadha Uladh*. Baile Átha Cliath.
Ó Muirithe, D. (eag.) 1980. *An tAmhrán macarónach*. Baile Átha Cliath.
— (eag.) 1987. *Cois an Ghaorthaidh*. Baile Átha Cliath.
— (eag.) 1988. *Tomás Ó Míochain: filíocht*. Baile Átha Cliath.
— (eag.) 1991. '"Tho' Not in Full Stile Compleat": Jacobite Songs from Gaelic Manuscript Sources', *Eighteenth-Century Ireland* 6: 93-104.
Ó Muraíle, N. 1996. *The celebrated antiquary, Dubhaltach Mac Fhirbhisigh* ... (Maynooth Monographs 6). Maigh Nuad.
Ó Murchadha, C. 1981. 'Land and Society in Seventeenth-Century Clare' (MA, UCG).
Ó Murchadha, D. 1985. *Family names of county Cork*. Cork.
— 1993. 'Gaelic Land Tenure in County Cork: Uíbh Laoghaire in the Seventeenth Century' in O'Flanagan & Buttimer (eag.) 213-48.
Ó Murchú, L.P. (eag.) 1982. *Cúirt an Mheon-Oíche*. Baile Átha Cliath.
Ó Neachtain, E. (eag.) 1918. *Stair Éamuinn Uí Chléire*. Baile Átha Cliath.
O'Nolan, T.P. 1912. 'Mór of Munster and the Tragic Fate of Cuanu Son of Cailchín', *Proceedings of the Royal Irish Academy* 30 C: 261-82.
Ó Raghallaigh, T. 1928. 'Seanchus na mBúrcach', *Journal of the Galway Archaeological and Historical Society* 13: 50-9, 101-38; 14: 30-51, 142-56.
— 1930. *Duanta Eoghain Ruaidh Mhic an Bhaird*. Gaillimh.
— 1938. *Filí agus filidheacht Chonnacht*. Dublin.
O'Rahilly, C. (eag.) 1952. *Five seventeenth-century political poems*. Dublin.
— 1976. *Táin Bó Cuailnge*. Recension I. Dublin.
O'Rahilly, T.F. 1912. 'Irish Scholars in Dublin in the Early Eighteenth Century', *Gadelica* 1: 156-70.
— 1912a. 'A Poem by Seán Clárach', *Gadelica* 1: 244-5.
— 1921. 'Irish Poets, Historians and Judges in English Documents, 1538-1615', *Proceedings of the Royal Irish Acadmey* C 36: 86-120.
— 1921a. *Dánfhocail*. Dublin.
— 1924-5. 'Deasgán Tuanach. Selections from Modern Clare Poets', *The Irish Monthly* 52: 655-7; 53: 45-7, 160-2, 204-6, 257-63, 323-5, 365-6, 433-4, 486-8.
— 1925a. *Búrdúin Bheaga*. Baile Átha Cliath.
— 1926. 'The History of the Stowe Missal', *Ériu* 10: 95-108.
— 1927. *Measgra dánta* ii. Baile Átha Cliath.
— 1940. 'Cairbre Cattchenn' in Ua Riain (eag.) 101-110.
— 1946. *Early Irish history and mythology*. Dublin.
— 1946a. 'Ir. Aoibh, Aoibheall, etc.', *Ériu* 14: 1-6.
— 1946b. 'On the Origin of the Names *Érainn* and *Ériu*', *Ériu* 14: 7-28.
— 1950. 'Ó Gnímh's Alleged Visit to London', *Celtica* 1: 330-1.
— 1952. 'Buchet the Herdsman', *Ériu* 16: 7-20.
Ó Raithbheartaigh, T. (eag.) 1932. *Genealogical tracts* (IMC). Dublin.
O'Reilly, E. 1820. *A chronological account of nearly four hundred Irish writers*. Dublin.
O'Reilly, J. 1859. 'Thurot', *The Celt*: 19-28.
Ó Riain, P. 1989. 'The Psalter of Cashel: A Provisional List of Contents', *Éigse* 22: 107-30.
O Riordan, M. 1991. *The Gaelic mind and the collapse of the Gaelic world*. Cork.
Orrery, Countess of Cork and Orrery (eag.) 1903. *The Orrery papers*. i-ii. London.
Ortner, S.B. 1973. 'On Key Symbols', *American Anthropologist* 75: 1338-46.
Ó Siochfhradha, P. (eag.) 1941. *Laoithe na Féinne*. Baile Átha Cliath.

— 1949. 'Filíocht Ghaedhilge i gCiarraighe Thuaidh, Tuairim 1813', *Béaloideas*
   19: 152-74
Ó Súilleabháin, M. 1983. *Bunting's ancient music of Ireland.* Cork.
Ó Súilleabháin, P. 1955. 'Párliament na mBan', *Catholic Survey* 2: 137-43.
Ó Súilleabháin, S. (eag.) 1937. *Diarmuid na Bolgaighe agus a chomharsain.* Baile
   Átha Cliath.
O'Sullevano Bearro, D.P. 1621. *Historiae Catholicae Iberniae compendium.* Lisbon.
   Eag. M.Kelly, 1850, Dublin.
— 1625. *Selections from the Zoilomastix of Philip O'Sullivan Beara.* Eag. T.T.
   O'Donnell, 1960, Dublin (IMC).
O'Sullivan, A. 1971. 'Tadhg O'Daly and Sir George Carew', *Éigse* 14: 27-38.
— 1976. 'The Tinnakill Duanaire', *Celtica* 11: 214-28.
— & P. Ó Riain (eag.) 1987. *Poems on marcher lords* (ITS 53). London.
O'Sullivan, D. (eag.) 1927-36. *The Bunting collection of Irish folk music and song.* i-
   v. *Journal of the Irish Folk Song Society* xxii-vii. London.
— 1945. 'A Courtly Poem for Sir Richard Cox', *Éigse* 4: 280-7.
— 1958. *Carolan: the life and times and music of an Irish harper.* London.
— (eag.) 1960. *Songs of the Irish.* Dublin.
Ó Tuama, S. 1960. *An grá in amhráin na ndaoine.* Baile Átha Cliath.
— (eag.) 1961. *Caoineadh Airt Uí Laoghaire.* Baile Átha Cliath.
— 1965. 'Téamaí Iasachta i bhFilíocht Pholaitiúil na Gaeilge (1600-1800)', *Éigse*
   11: 201-13.
— 1978. *Filí faoi sceimhle.* Baile Átha Cliath.
— & Kinsella, T. 1981. *An duanaire: poems of the dispossessed.* Dublin.
Ó Tuathaigh, G. 1972. *Ireland before the famine, 1798-1848.* Dublin.
— 1974. 'Gaelic Ireland, Popular Politics and Daniel O'Connell', *Journal of the*
   Galway Archaeological and Historical Society 30: 21-34.
— 1980. 'Early Modern Ireland, 1534-1691: A Re-Assessment', *Irish Studies* 1:
   153-60.
— 1986. 'An Chléir Chaitliceach, an Léann Dúchais agus an Cultúr in Éirinn *c.*
   1750- *c.* 1850', *Léachtaí Cholm Cille* 16: 110-39.
Ó Tuathail, É. (eag.) 1923. *Rainn agus amhráin.* Baile Átha Cliath.
— (eag.) 1925-8. 'Amhráin Phádruig Mhic Ghiolla Fhionndain', i-xxi, *An tUltach*
   2: 4,5,6,7,8; 3: 1,2,4,5,6,7,8,10,12; 4: 1,2,4,5,7,8,9; 5: 2.
— (eag.) 1928. 'A Chreagáin Uabhraigh', *An tUltach:* Feabhra 7-8.
— 1943. 'On Hugh O'Donnell of Larkfield', *Éigse* 3: 21-4.
— 1948. 'Baile Í Ghnímh', *Éigse* 6: 157-60.
— 1951. 'Dánta De Chuid Uladh', *An tUltach* Meán Fómhair: 5.
Otto, R. 1943. *The kingdom of God and the son of man.* London.
Ouston, H. 1982. 'York in Edinburgh: James VII and the Patronage of Learning
   in Scotland, 1679-1688' in Dwyer (eag.) 133-155.
Overton, J.H. 1902. *The non-jurors.* London.

Patch, H.R. 1927. *The goddess Fortuna in Medieval Literature.* Cambridge (Mass).
— 1950. *The other world according to descriptions in medieval literature.* Cambridge
   (Mass).
Patrides, C.A. & Wittreich, J. (eag.) 1984. *The apocalypse in English renaissance*
   thought and literature. Ithaca.
Patterson, N. 1989. 'Brehon Law in Late Medieval Ireland: "Antiquarian and
   Obsolete" or "Traditional and Functional"', *Cambridge Medieval Celtic Studies*
   17: 43-63.
— 1991. 'Gaelic Law and the Tudor Conquest of Ireland', *Irish Historical Studies*
   27: 193-215.
Patton, H. (eag.) 1895-1896. *The lyon in mourning...* i-iii (SHS 20-22). Edinburgh.
Paul, H.N. 1950. *The royal play of Macbeth.* New York.
Paulin, T. 1986. *The Faber book of political verse.* London.
Pauwels, L. & Bergier, J. 1964. *The dawn of magic.* London.

Pawlish, H.S. 1985. *Sir John Davies and the conquest of Ireland.* Cambridge.
Pender, S. (eag.) 1939. *A census of Ireland, c. 1659* (IMC) Dublin.
— (eag.) 1951. 'The O'Clery Book of Genealogies', *Analecta Hibernica* 18.
Pepys, S. *The diary of Samuel Pepys.* Eag. Latham, R. & Mathews, W. 1970-83. London.
Perceval-Maxwell, M. 1978. 'The Ulster Rising of 1641, and the Depositions', *Irish Historical Studies* 21: 144-67.
Percy, T. 1766. *Reliques of ancient English poetry.* i-iii. Dublin.
Perkin, M. 1981. *The structured crowd.* Brighton.
Perrott, J. 1608. *The cronicle of Ireland 1584-1608.* Eag. H.Wood, 1933, Dublin (IMC).
Petrie, C. 1935. 'The Jacobite Activities in South and West England in the Summer of 1715', *Transactions of the Royal Historical Society* 18: 85-106.
— 1949. 'A French Project for the Invasion of Ireland at the Beginning of the Eighteenth Century', *The Irish Sword* 1: 8-13.
— 1953. *The marshal duke of Berwick.* London.
— 1956. 'Irishmen in the Forty-Five', *The Irish Sword* 2: 275-82.
— 1959. *The Jacobite movement.* London.
Petrie, G. 1839. 'On the History and Antiquities of Tara Hill', *Transactions of the Royal Irish Academy* 18: 25-232.
Petty, W. 1691. *The political anatomy of Ireland.* Dublin.
Philip, J. *The grameid: an heroic poem descriptive of the campaign of Viscount Dundee in 1689...* Eag. A.D. Murdoch, 1888 (SHS 3), Edinburgh.
Philpin, C.H.E. (eag.) 1987. *Nationalism and popular protest in Ireland.* Cambridge.
Pittock, M.G.H. 1991. *The invention of Scotland.* London.
— 1994. *Poetry and Jacobite politics in eighteenth-century Britain and Ireland.* Cambridge.
Plumb, J.H. 1967. *The growth of political stability in England 1675-1725.* London.
Plummer, C. 1910. *Vitae Sanctorum Hiberniae.* i. Oxford.
— 1922. *Bethada náem nÉrenn.* Oxford.
Pocock, J.G.A. 1957. *The ancient constitution and the feudal law.* Cambridge.
— 1961. 'The Origins of Study of the Past: A Comparative Approach', *Comparative Studies in Society and History* 4: 209-46.
— 1972. *Politics, language and time.* London.
— 1975. *The Machiavelian moment.* Princeton.
— 1975a. 'England' in Ranum (eag.) 98-117.
— (eag.) 1980. *Three British revolutions.*
— 1987. '1660 and All That', *The Cambridge Review* 108: 125-8.
Polman, P. 1932. *L'élement historique dans la controverse religieuse du xvie siècle.* Gembloux.
Poole, E. 1648. *A vision: wherein is manifested the disease and cure of the Kingdom.* London.
Pope, A. *The poems of Alexander Pope.* Eag. J. Butt. 1963. London.
Popkin, R.H. (eag.) 1988. *Millenarianism and Messianism in English literature and thought 1650-1800.* New York.
Potter, J. 1987. *Pretenders to the English throne.* Totawa.
Pottle, F.A. (eag.) 1966. *Boswell's London journal.* London.
Power, M. (eag.) 1917. 'Cnucha Cnoc os Cionn Life', *Zeitschrift für Celtische Philologie* 11: 39-55.
Power, P. 1932. *A bishop of the penal times.* Cork.
— 1937. *Waterford and Lismore: a compendious history of the united dioceses.* Cork.
Power, T. & Whelan, K. (eag.) 1990. *Endurance and emergence: catholics in Ireland in the eighteenth century.* Dublin.
Prebble, J. 1966. *Glencoe.* London.
— 1967. *Culloden.* London.
— 1969. *The highland clearances.* London.
Prendergast, F.J. 1898-1900. 'Ancient History of the Kingdom of Kerry', *Journal*

of the Cork Archaeological and Historical Society 4: 115-31, 207-12, 255-78; 5: 18-
    37, 93-108, 169-80, 224-34; 6: 12-21, 96-103, 146-56.
Prendergast, J.P. 1851. 'On the Projected Plantation of Ormond by King Charles
    I', *Transactions of the Kilkenny Archaeological Society* 1: 390-409.
— 1868. *The tory war of Ulster.* Dublin.
— 1870. *The Cromwellian settlement of Ireland.* London.
— 1887. *Ireland from the restoration to the revolution 1660-1690.* London.
Preston, C. 1950. 'Commissioners Under the Patriot Parliament, 1689', *Irish
    Ecclesiastical Record* 74: 141-151.
Price, J.A. 1901. 'Some Sidelights on Welsh Jacobitism', *Y Cymmrodor* 14: 136-53.
Purcell, P. 1929. 'The Jacobite Rising of 1715 and the English Catholics', *English
    Historical Review* 44: 418-32.
Pye, L.W. 1962. *Politics, personality and nation-building: Burma's search for identity.*
    New Haven.
— & Verba, S. (eag.) 1965. *Political culture and political development.* Princeton.

Quiggin, E.C. (eag.) 1912. 'A Poem by Gilbride MacNamee in Praise of Cathal
    O'Connor' in Bergin (eag.) 167-77.
— 1913. 'O'Connor's House at Cloonfree' in Quiggin (eag.) 333-52.
— (eag.) 1913. *Essays and studies presented to William Ridgeway.* Cambridge.
Quinn, D.B. 1942. 'A Discourse of Ireland (*circa* 1599): A Sidelight on English
    Colonial Policy', *Proceedings of the Royal Irish Academy* 97: 151-66.
— 1958. 'Ireland and Sixteenth-Century European Expansion', *Historical Studies*
    1: 20-32.
— 1966. *The Elizabethans and the Irish.* New York.

Raab, F. 1964. *The English face of Machiavelli.* London.
Raab, T.K. & Siegal, J.E. 1969. *Action and conviction in early modern Europe.*
    Princeton.
Radding, C. 1979. 'Superstition to Science: Nature, Fortune and the Passing of
    the Medieval Ordeal', *American Historical Review* 84: 945-69.
Rahner, K. 1964. *Visions and prophecies.* London.
Ranger, T.O. 1961. 'Strafford in Ireland: A Revaluation', *Past and Present* 19: 26-
    45.
Rank, O. 1910. *The myth of the birth of the hero.* New York.
Ranum, O. 1975. *National consciousness, history and political culture in early modern
    Europe.* Baltimore.
Reedy, G. 1972. 'The Imagery of Charles II's Coronation' in Korshin (eag.) 19-42.
Rees, A.B. 1961. *Celtic heritage.* London.
Reeves, M. 1969. *The influence of prophecy in the later middle ages.* Oxford.
— 1974. 'History and Prophecy in Medieval Thought', *Medievalia et Humanistica*
    5: 51-75.
— 1983. *Joachim of Fiore and the myth of the eternal angel.* London.
Reily, H. 1695. *Ireland's case briefly stated.* Louvain.
Renehan, L.F. 1861. *Collections of Irish church history.* Dublin.
Rich, B. 1610. *A new description of Ireland ....* London.
— 1612. 'Remembrances of the State of Ireland 1612' (ed. C.L. Falkiner),
    Proceedings of the Royal Irish Academy 26: 125-42.
— 1624. *A new Irish prognostication ...,* London.
Risk, M. 1951. 'The Poems of Seán Ó Neachtain' (PhD, TCD).
— 1975. 'Seán Ó Neachtain: An Eighteenth-Century Irish Writer', *Studia
    Hibernica* 15: 47-60.
Ritchie, M.K. & C. 1960. 'An Apology for the Aberdeen Evictions', *Miscellany of
    the Third Spalding Club* 3: 57-95.
Robbins, K. (eag.) 1981. *Religion and humanism* (Studies in Church History 17).
    Oxford.
Roberts, P. 1963. *The quest for security 1715-1740.* New York.

Robertson, A. 1750. *Poems on various subjects and occasions*. Edinburgh.
Robinson, P.S. 1984. *The plantation of Ulster*. Dublin.
Rochford, R. 1625. *The life of the glorious bishop St. Patrick*. St. Omer.
Roebuck, P. (eag.) 1981. *Plantation to partition*. Belfast.
Rogan, E. 1987. *Synods and catechisis in Ireland, c. 445-1962*. Rome.
Rogers, N. 1978. 'Popular Protest in Early Hanoverian London', *Past and Present* 79: 70-100.
— 1982. 'Riot and Popular Jacobitism in Early Hanoverian England' in Cruickshanks (eag.) 70-88.
— 1988. 'Popular Jacobitism in Provincial Context: Eighteenth-Century Bristol and Norwich' in Cruickshanks (eag.) 123-141.
Rollins, H.E. (eag.) 1930. *The Pepys ballads*. i-viii. Cambridge (Mass).
Rommen, H.A. 1955. *The state in Catholic thought*. London.
Ronan, M.V. 1930. *The reformation in Ireland under Elizabeth 1558-1580*. London.
Roper, A. 1965. *Dryden's poetic kingdoms*. London.
Rosbottom, R.C. (eag.) 1976. *Studies in eighteenth-century culture*. Wisconsin.
Rothe, D. *Analecta sacra 1616-1619*. Eag. P.F. Moran, 1884, Dublin.
Rowley, H.H. 1956. *Prophecy and religion in ancient China and Israel*. London.
Rupp, E. 1953. *The righteousness of God*. London.
Rusche, H. 1965. 'Merlini Anglici: Astrology and Propaganda from 1644 to 1651', *English Historical Review* 80: 322-33.
— 1969. 'Prophecies and Propaganda, 1641 to 1651', *English Historical Review* 84: 752-70.
Russell, C. 1983. 'The Nature of a Parliament in Early Stuart England' in Tomlinson (eag.) 123-50.
Russell, J.S. 1988. *The English dream vision: anatomy of a form*. Ohio.
Ruvigny and Raineval, Marquis of, 1904. *The Jacobite peerage, baronetage, knightage and grants of honour*. Edinburgh.
Ryan, C. 1975. 'Religion and State in Seventeenth-Century Ireland', *Archivium Hibernicum* 33: 122-32.
Rynne, E. (eag.) 1967. *North Munster studies*. Limerick.

Sacheverell, H. 1709. *The perils of false brethren ...* London.
Sandler, F. 1984. 'The Faerie Queene: an Elizabethan Apocalypse' in Patrides & Wittreich (eag.) 148-74.
Savage, R. *The poetical works of Richard Savage*. Eag. C. Tracy, 1962. Cambridge.
Sayers, P. 1936. *Peig*. Baile Átha Cliath.
Sayers, W. 1985. 'Konung's Skuggsjá: Irish Marvels and the King's Justice', *Scandinavian Studies* 57: 147-61.
— 1989. 'Portraits of the Prince: Ólafr pái Hoskuldsson and Cormac mac Airt', *Journal of Indo-European Studies* 17: 77-97.
— 1992. 'Cláen Temair: Sloping Tara', *Mankind Quarterly* 32 iii: 241-60.
Schochet, G.J. 1969. 'Patriarchalism, Politics and Mass Attitudes in Stuart England', *Historical Journal* 12: 413-41.
Schrieke, B. 1957. *Ruler and realm in early Java* (Indonesian Sociological Studies II). The Hague.
Schwartz, H. 1976. 'The End of the Beginning: Millenarian Studies, 1969-1975', *Religious Studies Review* 2 iii: 1-15.
Schwartz, S.M. 1977. 'The Prophecies of Merlin and Medieval Political Propaganda in England' (PhD, Harvard).
Scott, A.B. & F.X. Martin (eag.) 1978. *Expugnatio Hibernica*. Dublin.
Scott, E. 1905. *The King in exile*. London.
— 1907. *The travels of the King*. London.
Scott, W. (eag.) 1813. *A collection of scarce and valuable tracts*. x. London.
Scott-Moncrieff, L. (eag.) 1988. *The '45*. Edinburgh.
Scowcroft, M. 1982. 'Miotas na Gabhála i *Leabhar Gabhála*', *Léachtaí Cholm Cille* 13: 41-75.

— 1987. '*Leabhar Gabhála* – Part I: The Growth of the Text', *Ériu* 38: 81-142.
— 1988. '*Leabhar Gabhála* – Part II: The Growth of the Tradition', *Ériu* 39: 1-66.
Sebeok, T.A. (eag.) 1955. *Myth: a symposium.* Bloomington.
Sedgwick, R. (eag.) 1970. *The history of parliament: the house of commons 1715-1745.* London.
Sells, A.Lytton 1962. *The memoirs of James II.* London.
Seymour, St.John D. 1913. *Irish witchcraft and demonology.* Dublin.
— 1921. *The puritans in Ireland.* Oxford.
—1921-4. 'The Signs of Doomsday in the Saltair na Rann', *Proceedings of the Royal Irish Academy* 36 C: 154-63.
Shanin, T. (eag.) 1971. *Peasants and peasant societies.* Harmondsworth.
Sharpe, J.A. 1985. 'Last Dying Speeches: Religion, Ideology and Public Execution in Seventeenth-Century England', *Past and Present* 107: 144-67.
Sheehan, A. 1982. 'The Overthrow of the Plantation of Munster in October 1598', *Irish Sword* 15: 11-22.
Sheils, W.J. (eag.) 1982. *The church and healing* (Studies in Church History 19). Oxford.
— & D. Wood (eag.) 1989. *The Churches, Ireland and the Irish* (Studies in Church History 25). Oxford.
Shelly, P.B. 1812. *An address to the Irish people.* Dublin.
Sherlock, W. 1691. *The case of the allegiance due to sovereign powers ...* London.
Shield, A. 1908. *Henry Stuart, cardinal of York and his times.* London.
— & Lang, A. 1907. *The King over the water.* London.
Shirley, E.P. 1851. *Original letters and papers in illustration of the history of the church in Ireland.* London.
— 1874. *Papers relating to the church of Ireland, 1631-1639.* Dublin.
Sierskma, F. 1965. 'The Religions of the Oppressed', *Current Anthropology* 6: 47-65.
— 1966. *Tibet's terrifying deities: sex and aggression in religious acculturation.* The Hague.
Silke, J.J. 1955. 'Later Relations between Primate Peter Lombard and Hugh O'Neill', *Irish Theological Quarterly* 22: 15-30.
— 1955a. 'Primate Lombard and James I', *Irish Theological Quarterly* 22: 134-50.
— 1959. 'The Irish Appeal of 1593 to Spain', *Irish Ecclesiastical Record* 92: 279-90, 362-71.
— 1965. 'Spain and the Invasion of Ireland', *Irish Historical Studies* 4: 295-312.
— 1965a. 'Hugh O'Neill, the Catholic Question and the Papacy', *Irish Ecclesiastical Record* 104: 65-79.
— 1966. *Ireland and Europe 1559-1607.* Dundalk.
— 1973. 'Irish Scholarship and the Renaissance, 1580-1673', *Studies in the Renaissance* 20: 169-206.
— 1975. 'The Irish Peter Lombard', *Studies* 64: 143-155.
— 1988. 'Bishop Conor O Devanney, OFM, *c* 1533-1612', *Seanchas Ard Mhacha* 13 i: 9-32.
Silver, A.H. 1927. *A history of messianic speculation in Israel.* New York.
Simington, R.C. 1942. *The civil survey* vi (IMC). Dublin.
Simmons, E.J. (eag.) 1955. *Continuity and change in Russian and Soviet thought.* Cambridge (Mass).
Simms, J.G. 1952. 'Williamite Peace-Tactics, 1690-1', *Irish Historical Studies* 8: 303-23.
— 1956. *The Williamite confiscations in Ireland, 1690-1703.* London.
— 1960. 'Irish Jacobite Lists From TCD MS N.1.3', *Analecta Hibernica* 22: 11-230.
— 1960a. 'Irish Catholics on the Parliamentary Franchise 1692-1728', *Irish Historical Studies* 12: 28-37.
— 1963. 'Eye-Witnesses of the Boyne', *The Irish Sword* 6: 16-27.
— 1963a. 'The Irish Parliament of 1713', *Historical Studies* 4: 82-92.
— 1966. *The Jacobite Parliament of 1689.* Dundalk.

— 1967. 'The Siege of Limerick 1690' in Rynne (eag.) 309-14.
— 1969. *Jacobite Ireland 1685-91*. London.
— 1976. *Colonial nationalism, 1698-1776*. Cork.
Simms, K. 1987. *From kings to warlords*. Woodbridge.
— 1987a. 'Bardic Poetry as a Historical Source' in Dunne (eag.) 60-7.
— 1989. 'Bards and Barons: The Anglo-Irish Aristocracy and the Native Culture' in Bartlett & Mackay (eag.) 177-98.
— 1989a. 'The Poet as Chieftain's Widow: Bardic Elegies' in Ó Corráin (*et al.*) 400-11.
Simpson, C.M. 1966. *The British broadside ballad and its music*. New Jersey.
Singer, S.W. (eag.) 1828. *The correspondence of Henry Hyde, Earl of Clarendon*. i-ii. London.
Sinton, T. 1906. *The poetry of Badenoch*. Inverness.
Sjoestedt, M.L. (eag.) 1926-7. 'Forbuis Droma Damhghaire', *Revue Celtique* 43: 1-123; 44: 157-86.
— 1949. *Gods and heroes of the Celts*. London.
Skeet, F.J.A. 1929. *The life of James Radcliffe, third earl of Derwentwater*. London.
— 1930. *Stuart papers, pictures, relics, medals and books*. Leeds.
Skinner, Q. 1965. 'History and Ideology in the English Revolution', *Historical Journal* 8: 151-78.
— 1969. 'Meaning and Understanding in the History of Ideas', *History and Theory* 8: 3-53.
— 1978. *The foundations of modern political thought*. Cambridge.
Slaatte, H.A. 1962. *Time and its end*. New York.
Smith, A. 1854. 'On the Irish Pewter Coins of James II', *Journal of the Royal Society of Antiquaries of Ireland* 3: 141-5.
Smith, A.G.R. 1973. *The reign of James VI and I*. London.
Smith, C. 1750. *The ancient and present state of the county and city of Cork*. Dublin.
— 1774. *The ancient and present state of the county of Kerry*. Dublin.
Smith, D.B. 1921. 'Mr Robert Kirk's Note-book', *The Scottish Historical Review* 18: 237-48.
Smith, D.E. 1965. 'Millenarian Scholarship in America', *American Quarterly* 17: 535-49.
Smith, L.B. 1982. 'Spain and the Jacobites, 1715-16' in Cruickshanks (eag.) 159-178.
Smyth, W.J. & Whelan, K. (eag.) 1988. *Common ground: essays on the historical geography of Ireland*. Cork.
Southern, A.C. 1950. *Elizabethan recusant prose*. London.
Southern, R.W. 1972. 'History as Prophecy', *Transactions of the Royal Historical Society* 22: 159-80.
Spearing, A.C. 1976. *Medieval dream-poetry*. Cambridge.
Spelman, J.P. 1885-6. 'The Irish in Belgium', *Irish Ecclesiastical Record* 6: 791-801; 7: 350-7, 437-44, 641-8, 732-42, 1100-6.
Spenser, S. 1633. *A view of the state of Ireland* in Ware (1633).
Spiegel, G.M. 1971. 'The Reditus Regni ad Stirpem Karoli Magni: a New Look', *French Historical Studies* 7: 145-74.
Spiro, M.E. (eag.) 1965. *Context and meaning in cultural Anthropology*. New York.
— 1968. 'Religion: Problems of Definition and Explanation' in Banton (eag.) 85-126.
Spitzer, L. 1948. *Linguistics and literary history*. Princeton.
Sproule, D. 1985. 'Politics and Pure Narrative in the Stories about Corc of Cashel', *Ériu* 36: 11-28.
Stafford, F. 1988. *The sublime savage*. Edinburgh.
Stafford, T. 1633. *Pacata Hibernia*. Eag. S. O'Grady, 1896, London.
Stanihurst, R. 1577. *A treatise containing a plain and perfect description of Ireland* in Holinshed (1577).
— 1584. *De rebus in Hibernia gestis*. Antwerp.

Stapleton, T. 1639. *Catechismus, seu doctrina christiana ...* Brussels (IMC, 1945, Dublin).

Stevenson, D. 1979. 'The Irish Franciscan Mission to Scotland and the Irish Rebellion of 1641', *The Innes Review* 30: 54-61.

— 1980. *Alasdair Mac Colla and the Highland problem in the seventeenth century.* Edinburgh.

— 1981. *Scottish covenanters and Irish confederates.* Belfast.

Stewart, J. 1966. 'Párliament na mBan', *Celtica* 7: 135-41.

Stokes, G.T. (eag.) 1891. *Pococke's tour in Ireland in 1752.* Dublin.

Stokes, W. (eag.) 1891. 'Adamnán's Second Vision', *Revue Celtique* 12: 420-42.

— 1891a. 'The Irish Ordeals, Cormac's Adventure in the Land of Promise, and the Decision as to Cormac's Sword', *Irische Texte* 3 i: 183-229.

— 1896. 'The Annals of Tigernach', *Revue Celtique* 17: 6-33, 119-263, 337-420.

— 1897. 'Cóir Anmann', *Irische Texte* 3 ii: 285-444.

— (eag.) 1899. 'The Gaelic Maundeville', *Zeitschrift für Celtische Philologie* 2: 1-63, 225-312.

— 1903. 'The Death of Crimthann son of Fidach', *Revue Celtique* 24: 172-207.

Stone, L. 1980. 'The Results of the English Revolution of the Seventeenth Century' in Pocock (eag.) 23-108.

Story, G. 1691. *An impartial history of the wars of Ireland.* London.

— 1693. *A continuation of the impartial history of the wars in Ireland.* London.

Straka, G.M. 1962. *Anglican reaction to the revolution of 1688.* Madison.

— 1962a. 'The Final Phase of Divine Right Theory in England, 1688-1702', *English Historical Review* 77: 638-58.

— (eag.) 1963. *The Revolution of 1688.* Boston.

— 1971. 'Sixteen Eighty Eight as the Year One: Eighteenth-Century Attitudes Towards the Glorious Revolution' in Milic (eag.) 143-67.

Strayer, J.R. 1969. 'France: The Holy Land, the Chosen People, and the Most Christian King' in Raab and Siegel (eag.) 3-16.

Sullivan, R.E. 1982. *John Toland and the Deist controversy.* Cambridge (Mass).

Swift, J. 1707. *The story of the injured lady.* Eag. Davis 9: 3-9.

— 1710. *The Examiner and other pieces.* Eag. Davis 3.

— 1714. *Some free thought upon the present state of affairs.* Eag. Davis 8: 75-98.

— 1724. *A sermon preached upon the martyrdom of K. Charles I.* Eag. Davis 9: 219-31.

Sypher, G.W. 1963. 'La Popelinière's Histoire de France', *Journal of the History of Ideas* 24: 41-54.

Szechi, D. 1984. *Jacobitism and Tory politics, 1710-14.* Edinburgh.

— 1988. 'The Jacobite Theatre of Death' in Cruickshanks (eag.) 57-73.

— 1994. *The Jacobites: Britain and Europe 1688-1788.* Manchester.

Taaffe, Mr. 1844. *Saint Columb Kille's sayings, moral and prophetic.* Dublin.

Talmon, Y. 1962. 'Pursuit of The Millenium: The Relation Between Religions and Social Change', *European Journal of Sociology* 3: 125-48.

— 1965. 'Millenarian Movements', *European Journal of Sociology* 7: 159-200.

— 1966. 'Millenarism', *International Encyclopedia of the Social Sciences* 10: 349-62.

Tatlock, J.S.P. 1950. *The legendary history of Britain.* Berkeley.

Tayler, A. & H. 1928. *Jacobites of Aberdeenshire and Banffshire in the Forty-Five.* Aberdeen.

— 1934. *The old Chevalier.* London.

— 1934a. *Jacobites of Aberdeenshire and Banffshire in the rising of 1715.* Aberdeen.

— 1936. *1715: the story of the rising.* London.

— 1938. *1745 and after.* London.

— 1939. *The Stuart papers at Windsor.* London.

Tayler, H. (eag.) 1938a. *The Jacobite court at Rome in 1719* (SHS 31). Edinburgh.

Taylor, A. 1964. 'The Biographical Pattern in Traditional Narrative', *Journal of the Folklore Institute* 1: 114-29.

Taylor, R. 1911. *The political prophecy in England.* New York.

Tenison, C.M. 1895. 'Cork MPs, 1559-1800', *Journal of the Cork Historical and Archaeological Society* 1: 176-80.
Terry, C.S. 1901. *The Chevalier de St.George and the Jacobite movement in his favour 1701-1720*. London.
— 1905. *John Graham of Claverhouse, viscount of Dundee, 1648-1689*. London.
— 1922. *The Jacobites and the Union*. Cambridge.
— 1922a. *The forty-five: a narrative of the last Jacobite rising*. Cambridge.
Thomas, K. 1971. *Religion and the decline of magic*. London.
— 1975. 'An Anthropology of Religion and Magic', *Journal of Interdisciplinary History* 6: 91-109.
Thomas, P.D.G. 1962. 'Jacobitism in Wales', *Welsh History Review* 1: 279-300.
Thompson, E.P. 1971. 'The Moral Economy of the English Crowd in the Eighteenth Century', *Past and Present* 50: 76-136.
— 1972. 'Anthropology and the Discipline of Historical Context', *Midland History* 1 iii: 41-55.
— 1974. 'Patrician Society, Plebian Culture', *Journal of Social History* 7: 382-405.
— 1975. *Whigs and hunters*. London.
Thompson, S. 1966. *Motif-index of folk-literature*. London.
Thomson, D.S. (eag.) 1983. *The companion to Gaelic Scotland*. Oxford.
Thorpe, T. 1834. *Catalogus librorum manuscriptorum bibliothecae Southswellianae*. London.
Thrupp, S.L. 1962. *Millennial dreams in action*. The Hague.
Thurloe, S.P. 1742. *A collection of state papers of John Thurloe ...* i-vii. Eag. Thomas Birch, 1742. London.
Thurneysen, R. (eag.) 1936. 'Baile in Scáil', *Zeitschrift für Celtische Philologie* 20: 213-27.
Tisdall, W. 1712. *The conduct of the Dissenters of Ireland ....* Dublin.
Todd, J.H. (eag.) 1867. *Cogadh Gaedhel re Gallaibh*. London.
Toland, J. 1702. *Reasons for addressing his Majesty ...* London.
— 1710. *The Jacobitism, perjury and popery of high-church priests*. London.
— 1714. *The grand mystery laid open*. London.
Tomlinson, H. (eag.) 1983. *Before the English civil war*. London.
Toon, P. (eag.) 1970. *Puritans, the millennium and the future of Israel: puritan eschatology 1600 to 1660*. London.
Townend, P. (eag.) 1970. *Burke's genealogical and heraldic history of the peerage*. London.
Toynbee, M.R. 1950. 'Charles I and the King's Evil', *Folk-Lore* 61: 1-14.
Tracy, C. 1953. *The artificial bastard*. Toronto.
Treadwell, 1960. 'The Irish Court of Wards under James I', *Irish Historical Studies* 12: 1-27.
Trevor-Roper, H.R. 1963. 'Religion, the Reformation and Social Change', *Historical Studies* 4: 18-44.
— 1972. *Religion, the reformation and social change*. London.
Trindade, W.A. 1986. 'Irish Gormlaith as a Sovereignty Figure', *Études Celtiques* 23: 143-56.
Turner, F.C. 1948. *James II*. London.
Turner, M. 1981. 'The French Connection with Maynooth College, 1795-1855', *Studies* 70: 77-87.
Turner, V.W. 1969. *The ritual process*. Chicago.
— 1974. *Dramas, fields and metaphors*. Ithica.
Tuveson, E.L. 1949. *Millennium and Utopia: a study in the background of the idea of progress*. Los Angeles.
— 1968. *Redeemer nation: the idea of America's millennial role*. Chicago.
Tylor, E.B. 1903. *Primitive culture*. London.

Ua Brádaigh, T. 1964. 'Dhá Dhán le Tomás Déis, Easbog na Mí, 1622-1652', *Ríocht na Midhe* 3: 99-104.

Ua Duinnín, P. (eag.) 1900. *Dánta Aodhagáin Uí Rathaille* (ITS 3). London.
— (eag.) 1901. *Amhráin Eoghain Ruaidh Uí Shúilleabháin*. Baile Átha Cliath.
— (eag.) 1902. *Dánta Shéafraidh Uí Dhonnchadha an ghleanna*. Baile Átha Cliath.
— (eag.) 1902a. *Amhráin Sheagháin Chláraigh Mhic Dhomhnaill*. Baile Átha Cliath.
— (eag.) 1903. *Amhráin Thaidhg Ghaedhalaigh Uí Shúilleabháin*. Baile Átha Cliath.
— & O'Donoghue (eag.) 1911. *Dánta Aodhagáin Uí Rathaille* (ITS 3). London.
— (eag.) 1912. 'Spéirbhean ag Trácht ar Reipéil', *Gadelica* 1: 16-18.
— 1929. *Filidhe móra Chiarraighe*. Dublin.
— (eag.) 1934. *Dánta Phiarais Feiritéar*. Baile Átha Cliath.
Ua Muireadhaigh, L. 1925. *Amhráin Shéamais Mhic Chuarta*. Dún Dealgan.
— 1929-34. 'Amhráin Shéamais Mhic Chuarta', *An tUltach* 6: 6; 7: 1, 2, 3, 4, 5, 6, 7, 9; 11: 9.
— 1940. *History of the Parish of Creggan in the 17th and 18th centuries*. Dundalk.
Ua Riain, E. (eag.) 1940. *Féilsgríbhinn Eóin Mhic Néill*. Baile Átha Cliath.
Ua Súilleabháin, S. 1990. 'Sgáthán an Chrábhaidh: Foinsí an Aistriúcháin', *Éigse* 24: 26-36.
Uí Ógáin, R. 1984. *An rí gan choróin*. Baile Átha Cliath.
Underdown, D. 1985. *Revel, riot and rebellion*. Oxford.

Van der Kroef, J.M. 1959. 'Javanese Messianic Expectations: Their Origins and Cultural Context', *Comparative Studies in Society and History* 1: 299-323.
Van Doren, M. 1931. *The poetry of John Dryden*. Cambridge.
Van Gennep, A. 1977. *The rites of passage*. London.
Van Hamel, A.G. (eag.) 1933. *Compert Con Culainn*. Dublin.
— (eag.) 1941. *Immrama*. Dublin.
Vaughan, H.M. 1920. 'Welsh Jacobitism', *Transactions of the Honourable Society of Cymmrodorion* 11-36.
Viner, J. 1972. *The role of providence in the social order*. Philadelphia.
Von Döllinger, J.J.I. 1871. *Fables respecting the popes of the middle ages*. London.
Von Grunebaum, G.E. & Caillois, R. (eag.) 1966. *The dream and human societies*. Berkeley.
Von Leyden, W. 1950. 'Spatium Historicorum', *Durham University Journal* 42 iii: 89-104.

Wadding, L. 1684. *A smale garland of pious and godly songs* ... Gant.
Wagner, H. 1966. *Linguistic atlas and survey of Irish dialects*. iii. Dublin.
— 1971. 'Old Irish *fír* "truth, oath"', *Zeitschrift für Celtische Philologie* 31: 1-45.
Wall. M. 1973. 'The Whiteboys' in Williams (eag.) 13-25.
— 1989. *Catholic Ireland in the eighteenth century*. Eag. G. O'Brien. Dublin.
Wall, T. 1938. 'Rare Books in Maynooth College Library', *Irish Ecclesiastical Record* 52: 46-59.
— 1939. 'Seventeenth-Century Irish Theologians in Exile', *Irish Ecclesiastical Record* 53: 501-15.
— 1942. 'The Catechism in Irish', *Irish Ecclesiastical Record* 59: 36-48.
— 1943. 'Doctrinal Instruction in Irish', *Irish Ecclesiastical Record* 62: 101-12.
— 1947. 'Parnassus in Waterford', *Irish Ecclesiastical Record* 69: 708-21.
— 1947a. 'Irish Colleges Abroad', *Irish Ecclesiastical Record* 70: 305-15.
— 1957. 'Bards and Bruodins' in Franciscan Fathers (eag.) 438-462.
— 1958. *The sign of Dr. Hay's head*. Dublin.
— 1960. *A pious garland being the December letter and Christmas carols of Luke Wadding, Bishop of Ferns, 1683-1688*. Dublin.
Wallace, A.F.C. 1958. 'Dreams and Wishes of the Soul', *American Anthropologist* 60: 234-48.
— 1972. *The death and rebirth of the Seneca*. New York.
Wallis, W.D. 1918. *Messiahs: christian and pagan*. Boston.
— 1943. *Messiahs: their role in civilization*. Washington D.C.
Walsh, E. 1847. *Irish popular songs*. Dublin.

Walsh, M. 1957. *The O'Neills in Spain*. Dublin.
— 1963. 'Irish Books Printed Abroad, 1475-1700', *The Irish Book* 11: 1-36.
— 1970. *Spanish knights of Irish origin*. i-iii (IMC). Dublin.
— 1974. 'The Will of John O'Neill, Third Earl of Tyrone', *Seanchas Ard Mhacha* 7: 320-25.
— 1975. 'O'Neills in Exile', *Seanchas Ard Mhacha* 8: 55-68.
— 1981. 'Unpublished Letters of Hugh O Neill, Glanconcadhain, 1602', *Journal of the South Derry Historical Society* 2: 91-98.
— 1985. 'The Irish College of Alcalá de Henares', *Seanchas Ard Mhacha* 11: 247-58.
— 1986. *Destruction by peace: Hugh O Neill after Kinsale*. Armagh.
Walsh, P. 1674. *The history and vindication of the royal formulary or Irish remonstrance*. London.
— 1682. *A prospect of the state of Ireland*. London.
Walsh, P. (eag.) 1916. *The flight of the earls by Tadhg Ó Cianáin*. Dublin.
— 1918. *Genealogiae regum et sanctorum Hiberniae*. Dublin.
— 1920. 'The Irish language and the Reformation', *Irish Theological Quarterly* 15: 239-50.
— 1927. 'The Books of Captain Sorley MacDonnell', *Irish Ecclesiastical Record* 30: 337-51, 561-8.
— (eag.) 1929. 'Dánta Bhriain Í Chorcráin', *Irishleabhar Muighe Nuadhad* 35-50.
— 1930. *The will and family of Hugh O Neill, Earl of Tyrone*. Dublin.
— 1933. *Gleanings from Irish manuscripts*. Dublin.
— 1935. 'A Short Annals of Fir Manach', *Irish Book-Lover* 23: 8-14.
— 1935a. 'The O Clerys of Tir Connell', *Studies* 24: 244-62.
— 1937. 'Travels of an Irish Scholar', *Catholic Bulletin* 27: 123-32.
— 1937a. 'Non-Juring Priests in 1714', *The Irish Book Lover* 25: 98-100.
— 1937b. 'Gaelic Genealogies of the Plunkets', *The Irish Book Lover* 25: 50-57.
— 1938. 'O Donnell Genealogies', *Analecta Hibernica* 8: 373-418.
— 1938a. 'The Work of a Winter', *Catholic Bulletin* 28: 226-34.
— 1944. *The Four Masters and their work*. Dublin.
— 1947. *Irish men of learning*. Dublin.
— (eag.) 1948. *Beatha Aodha Ruaidh Uí Dhomhnaill*. i-ii (ITS 42,45). London.
— 1960. *Irish chiefs and leaders*. Dublin.
Walsh, R. 1917. 'A Memorial Presented to the King of Spain on Behalf of the Irish Catholics, A.D. 1619', *Archivium Hibernicum* 6: 27-54.
Walsh, T.J. 1973. *The Irish continental college movement*. Dublin.
Walzer, M. 1965. *The revolution of the saints: a study in the origin of radical politics*. Cambridge (Mass).
Ward, C.C. & R.E. 1979. 'The Catholic Pamphlets of Charles O'Conor (1710-1791)', *Studies* 68: 259-64.
— (eag.) 1980. *The letters of Charles O'Conor of Belanagare*. i-ii. Ann Arbor.
Ward, C.E. 1942. *The letters of John Dryden*. Duke.
Ware, J. 1633. *The histories of Ireland ...* London.
Warner, M. 1985. *Monuments and maidens: the allegory of the female form*. London.
Watkins, C. 1979. '*Is Tre Fhír Flathemon*; Marginalia to *Audacht Morainn*', *Ériu* 30: 181-98.
Watson, A. 1986. 'A Structural Analysis of *Echtra Nerai*', *Études Celtiques* 23: 129-42.
Watson, W.J. (eag.) 1976. *Bardachd Ghaidhlig*. Inverness.
Weber. M. 1963. *The sociology of religion*. Boston.
Webster, C. 1975. *The great instauration*. London.
Wedgwood, C.V. 1960. *Poetry and politics under the Stuarts*. Cambridge.
Weidhorm, M. 1970. *Dreams in seventeenth-century English literature*. The Hague.
Weinstein, D. 1970. *Savanarola and Florence: prophecy and patriotism in the Renaissance*. Princeton.
Werner, E. 1960. 'Popular Ideologies in Late Medieval Europe: Taborite

Chialiasm and its Antecedants', *Comparative Studies in History and Society* 2: 344-65.
— 1962. 'Messianische Be-Wegungen im Mittelalter', *Zeitschrift für Geschichtswissenschaft* 10: 371-96, 598-622.
Wesley, J. 1872. *The works of the rev. John Wesley.* i-xiv. London.
Weston, C.C. & Greenberg, J.R. 1981. *Subjects and sovereign.* Cambridge.
Wetenhall, E. 1686. *Hexapla Jacobea.* Dublin.
— 1691. *The case of the Irish protestants ...* London.
— 1692. *A sermon setting forth the duties of the Irish protestants ...* Dublin.
Wharton, G. 1647. *Bellum Hibernicale; or, Ireland's warre astrologically demonstrated.* London.
Whelan, K. 1988. 'The Regional Impact of Irish Catholicism 1700-1850' in Smyth & Whelan (eag.) 253-77.
— 1995. 'An Underground Gentry?: Catholic Middlemen in Eighteenth-Century Ireland', *Eighteenth-Century Ireland* 10: 7-68.
White, H.C. 1931. *English devotional literature 1600-1640.* Madison.
White, J.G. 1905-16. *Historical and topographical notes.* i-iv. Cork.
White, S. 1625. *Apologia pro Hibernia adversus Cambri calumnias.* Eag. J. O'Daly, 1849, Dublin.
Whittle, S. 1690. *A sermon preached before the garrison of London-Derry in the extremity of the siege.* London.
Widengren, G. 1946. *King and saviour.* Uppsala (Uppsala Universitets Årsskrift).
— 1957. *King and covenant.* Uppsala (*Journal of Semitic Studies* 2 i).
Wiener, C.Z. 1971. 'The Beleaguered Isle: A study of Elizabethan and Early Jacobean Anti-Catholicism', *Past and Present* 51: 27-62.
Wilde, Lady. 1899. *Ancient legends, mystic charms and superstitions of Ireland.* London.
Wilkins, W.W. 1860. *Political ballads of the seventeenth and eighteenth centuries.* London.
Williams, A. (eag.) 1980. *Prophecy and millenarianism: essays in honour of Marjorie Reeves.* London.
Williams, G. 1968. 'Proffwydoliaeth, Prydyddiaeth a Pholitics yn yr Oesoedd Canol', *Taliesin* 16: 31-9.
— (eag.) 1979. *Religion, language and nationality in Wales.* Cardiff.
Williams, G. & R.O. Jones (eag.) 1990. *The Celts and the Renaissance: tradition and innovation.* Cardiff.
Williams, M. 1983. 'Ancient Mythology and Revolutionary Ideology in Ireland 1878-1916', *Historical Journal* 28 ii: 307-28.
Williams, N.J.A. 1978. 'A Note on Scáthán Shacramuinte na hAithridhe', *Éigse* 17: 436.
— (eag.) 1979. *Dánta Mhuiris Mhic Dháibhí Dhuibh Mhic Gearailt.* Baile Átha Cliath.
— (eag.) 1980. *The poems of Giolla Brighde Mac Con Midhe* (ITS 51). London.
— (eag.) 1981. *Pairlement Chloinne Tomáis.* Baile Átha Cliath.
— 1986. *I bprionta i leabhar: na Protastúin agus prós na Gaeilge 1567-1724.* Baile Átha Cliath.
Williams, T.D. (eag.) 1973. *Secret societies in Ireland.* Dublin.
Williamson, A.H. 1979. *Scottish national consciousness in the age of James VI.* Edinburgh.
Willson, D.H. 1956. *King James VI and I.* London.
Wilson, B. 1963. 'Millennialism in Comparative Perspective', *Comparative Studies in Society and History* 6: 93-114.
— 1973. *Magic and the millennium.* St.Albans.
Witherow, T. 1876. *Derry and Enniskillen.* Belfast.
Withers, C.W.J. 1984. *Gaelic in Scotland 1698-1981.* Edinburgh.
Withers, J. 1715. *The Whigs vindicated.* London.
W.J.W. 1876. 'Registry of Irish Parish Priests anno 1704', *Irish Ecclesiastical Record* 12: 302-550.

Wojcik, J. & R.J. Frontain (eag.) 1984. *Poetic prophecy in Western literature.* Madison.

Wolf, G. 1975. *Friedrich Barbarossa.* Darmstadt.

Wood, H. 1908. *The registers of S. Catherine, Dublin, 1636-1715.* Dublin.

Woolf, N. 1988. *The medallic record of the Jacobite movement.* London.

Worden, B. 1985. 'Providence and Politics in Cromwellian England', *Past and Present* 109: 55-99.

Worsley, P. 1978. *The trumpet shall sound: a study of 'cargo' cults in Melanesia.* New York.

Wright, T. 1854. *The history of Ireland ...* i-iii. London.

— (eag.) 1858. *La mort d'Arthur.* i-iii. London.

— (eag.) 1859. *Political poems and songs relating to English history.* i-ii. London.

Yeats, W.B. 1955. *Autobiographies.* London.

Yost, J.K. 1975. 'Protestant Reformers and the Humanist Via Media', *Journal of Medieval and Renaissance Studies* 5: 187-202.

Young, A. 1780. *A tour in Ireland.* i-ii. London.

Young, G.V.C. 1986. *Captain François Thurot.* Peel.

Youngson, A.J. 1985. *The Prince and the Pretender.* London.

Zagorin, P. 1954. *A history of political thought in the English revolution.* London.

Zenner, W.P. 1966. 'The Case of the Apostate Messiah: A Reconsideration of the "Failure of Prophecy"', *Archives de Sociologie des Religions* 21: 111-8.

Zimmermann, G.D. 1967. *Songs of Irish rebellion.* Hatboro.

Zumthor, P. 1973. *Merlin le prophète.* Genève.

CÉADLÍNTE

A Alba, ó shealbhais an rí cóir cirt, 307

A ansacht 's a shearc gach saoi, 273 n. 56, 57

A aoire chliste ghloin d'fhoireann an rífháidh mhóir, 313 n. 28, 355 n. 45, 689 n. 28

A aolchloch dhaite bhí i bhfad ag síol Néill gan smúid, 601 n. 9

A athair na glóire, fóir agus freagair mo ghuth, 352

Abair, a Mhaoil Tamhlachta, 478 n. 8, 488 n. 11

Abair frim, a Shéadna, 486, 487 n. 8

Abair riom, a Shéadna, 486, 487 n. 8

A bháis, do rugais Muircheartach uainn, 347 n. 20

A Bhanba, is feasach dom do scéala, 315 n. 32, 316 n. 36, 559 n. 50, 561

A Bhanbha, is truagh do chor, 32

Ábhar deargtha leacan do mhnaoi Choinn é, 480

A bhean labhras rinn an laoidh, 487 n. 9, 488 n. 12

A bhé na bhfód nglas ródach rannach, 400 n. 10, 562 n. 57, 563 n. 60, 596

A bhé na lúb ndréimneach ndlúth, 481

A bhfaicimse d'fhoirnibh Fódla Inse Gall, 126 n. 77

A bhile den fhoirinn nach gann, 400 n. 10, 412, 567 n. 73, 573 n. 84, 614, 619 n. 34

A bhráighe tá i dtor Londain, 65

A bhuachaillí an chúige, bainigí an eorna, 171-6

A bhuachaillí na páirte, bainigí an fómhar, 171-6

A chaithbhile dár thairgeas-sa díogras mhór, 187 n. 48, 208 n. 18

A chara dhil ghlé de phréimh na seabhac, 649 n. 82

A charaid, a chléirigh ba taitneamhach tréitheach, 640 n. 68

A chéibhfhionn bheag bhéaltana bhaoth, 558 n. 44

A chlanna Gael, do fhuaireabhair náire, 158 n. 8, 167 n. 18, 171-6

A chlanna Gael, fáiscidh bhur lámha le chéile, 335 n. 3, 575 n. 89, 607, 615 n. 28, 619 n. 34

A chléirigh na leabhar suadh, 559 n. 49

A choisí, beir m'uiríoll go Daingean Uí Chúis, 350, 592, 615

A Chreagáin uaibhrigh fána mbíodh sluaite d'uaisle ríoraí, 305-6 n. 13, 484 n. 3, 599, 600

A chúileann tais is clúmhail cneasta, 562 n. 57

A chuisle na héigse, éirigh suas, 322 n. 48, 415, 597, 607

A dháimh le ndéantar dréachta sníofa, 218 n. 32, 314 n. 30, 315 n. 32, n. 33; 360 n. 53

A dhalta nár dalladh le dlaoithe, 412 n. 23

A dhaoine tá líonta den daonnacht, 177 n. 34

A dhaoine tá líonta den tsaol so, 171

Ad-chíu aisling im iomdhaidh, 27, 28, 532

Adhbhar gáire d'Inis Fáil, 271 n. 50

A Dhia mhóir dá n-umhlaím, 388

A Dhia na bhfeart, fuair peannaid páis is broid, 280 n. 66, 686 n. 66

A Dhónaill na páirte táim cráite ag an gcíos, 587 n. 109, 591 n. 112, 660 n. 97

A dó roimh aon is aon beag greadhnach glic, 353

A dhroimeann dubh díleas, 604

A dhronga tar lear le neart bhur gclaíomh do léim, 575

A dhuine úd thíos ataoi go tréithlag fann, 358

A dhúin thíos atá it éanar, 82 n. 22

A Éadbhaird aoibhinn uasail álainn, 596

Éistidh lem ghlórtha, a mhórshliocht Mhiléisius, 394, 597, 607, 696 n. 78
Éistidh liomsa go scrúda mé scéal díbh, 532, 616 n. 29
Éistigh uaim, a chairde chroí, 249 n. 28, 354
Éist riom, a Bhaoithín bháin, 493 n. 19, 494 n. 21
Éistse riom, a Bhaoithín bhuain, 493 n. 19, 496 n. 31

Fá chliath an smáil na táinte chlanna Mhíle, 219 n. 37, 591 n. 111, 614
Fada coróin Saxan i mbrón, 246 n. 25, 296 n. 4, 306, 599
Fada i n-éagmais inse Fáil, 78, 670 n. 24
Fada liom uaim go deimhin do chuaird, 389, 555, 563
Fagham ceart a chlann Éibhir, 80
Fáilte dhuit ón tír anuas, 400, 555
Fáilte Uí Cheallaigh ria Sur Séamas, 683 n. 44
Fanaidh go n-éisteam a ceathair ar chaogad, 342 n. 14
Fáth éagnach mo dheor, 212
Feacht n-aon dá raibh mé in uaigneas, 532
Fearam fáilte fria hAodh, 450 n. 3, 494 n. 23, 526 n. 61
Fearann cloidhimh críoch Bhanbha, 76
Fiosraím féin de na naoimh, 565
Fochtaim ort, an doiligh leat a Rí na ngrás, 361 n. 55, 366-8, 597 n. 2
Fogas furtacht don tír thuaidh, 101, 102, 520 n. 52
Fóill, a shagairt, ná dearbhaigh gan fios do chúise, 279, 614
Fó ling sheaca i ngéibheann tá, 696 n. 83
Forrán ort a mhacaoimh óig, 683 n. 4
Fréamh gach oilc oidheadh flatha, 201 n. 5
Fríoth an uain se ar Inis Fáil, 15, 35 n. 47, 50, 51, 54, 82 n. 21, 667 n. 78
Fuaras iongnadh, a fhir chumainn, 8 n. 11
Fuaras i Saltair Chaisil, 76 n. 12, 496 n. 30, 505 n. 36, 519 n. 50, 622 n. 40
Fuascail solasghort Chonaire, a rí Chárthaigh, 681 n. 14
Fúbún fúibh a shluagh Gaoidheal, 32
Fuirigh go fóill, a Éire, 477, 517 n. 48

Gabhaidh misneach, a chuideachta chaomh so ar láimh, 566 n. 70, 607
Gabhaidh seal is cabhraidh, a chlann chaoin Bhanba, 607
Gach Gaol geal greannmhar tachtadh le cóbaigh, 397 n. 4, 398 n. 5, 411 n. 23, 553 n. 30, 597, 607
Gach sáirfhear glé de shaorshliocht Airt is Fhéilim, 607
Gan bhrí, faraor, atá mo chéadfa, 118, 120, 564 n. 62
Gaoidhil dar gcur i leith Gall, 133
Gar fuaras cúpla coimseach, 518 n. 50
Geadh ainbhfiosach feannaire nár fhiar a ghlúin, 187 n. 48
Geallaim duit nár chailleamair go léir na fir, 567
Gearr bhur gcuairt a chlanna Néill, 51, 61 n. 92
Geilchnis ghléghil álainn óg, 708 n. 1
Gé saoile, a Thaidhg, nach dearnas, 667 n. 82
Gile na gile do chonnarc ar slí in uaigneas, 211 n. 21, 346 n. 19, 542 n. 16, 556, 562 n. 57
Go cúig roimh luis dá dtugadh grásaibh Dé, 574-5, 610, 719 n. 45
Goidé an scléip seo ar scriúdairí an Bhéarla, 178, 566 n. 71, 678 n. 35
Go moch is mé im aonar gan aoin im chomhair, 540 n. 11
Good móra is Muire is Pádraig duit, 436

Seal do bhíos im mhaighdin shéimh, 482, 558, 597
Seanóir cuilg cairt ar Bhúrcaigh, 669 n. 14
Searc na suadh an chrobhaing chumhra, 143
Seo dhaoibh sláinte Mhagaí Lauder, 389, 607
Sin choíche clár Loirc támhach gan treoir, 233 n. 5, 396 n. 2, 597, 683 n. 5
Sin é an Seoirse céanna bhí inné acu i stát, 640 n. 68
Síth Éireann uile uile, 492
Slán go marthanach, lán de charthanacht, 273 n. 56
Sloinfead scothadh na Gaoidheilge grinn, 698 n. 107
So m'aisce don aicme rófhuathaím féin, 375
Soraidh led chéile, a Chaisil, 36, 479
Soraidh slán lér saoithibh saoidheachta, 33 n. 46
Spreagaidh bhur gcroí ar intinn subhachais, 416 n. 26, 426 n. 39, 592 n. 112, 618 n. 33
Stadaidh d'bhur ngéarghol, a ghasra chaomh so, 577 n. 95, 584 n. 105, 588 n. 110, 607
Stiúraigh le cúnamh an dúilimh a rúin ghil, 418
Súd a haon: Loch Léin gan daingean ar bith, 626 n. 47
Suímís síos is bímís ag ól, 358
Suirgheach sin, a Éire ógh, 475 n. 45, 476

Tá aisling le n-aithris atá ró-íontach, 533, 604
Atá an báire imeartha réidh, 596
Tá an bhliain ag teacht le calmthráth chugainn, 280 n. 66, 567 n. 73
Tá an bhliain seo ag teacht go díreach, 400
Tá an chóir ag triall aniar ón Spáinn le fonn, 629 n. 53
Tá an cruatan ar Sheoirse, 564 n. 61, 578 n. 96
Atá an fhoireann so thall gan amhras díleas, 435 n. 57, 567 n. 73, 589 n. 110, 596
Tá an Low Church gan ceo anois, 652 n. 85, 688 n. 21
Tá an oiread san tarcaisne, 584 n. 105, 594 n. 117
Tá an réilteann go gléineach le feartaibh Íosa, 305 n. 11, 401, 718 n. 42
Tá an spéir 's a cuallacht, 401, 551
Tá bearád i Londain, 420 n. 34, 603 n. 11
Tabhair cárt in gach láimh liom is gloine, 199 n. 3, 358, 604, 607 n. 18
Tabhair do Shéamas shéimh na ráite suairc, 612
Tabhair mo bheannacht, a pháipéir, 273 n. 56
Tabhrum an Cháisc ar Chathal, 518 n. 49, 536
Atá ceathrar éachtach de scoith na dtréinfhear, 619 n. 35
Tha deagh-shoisgeul feadh nan Garbhchrìoch, 399
Tá Éire 's is léan liom dá sracadh ag namhaid, 366-8
Tá glas ar mo bheol is is cóir dom a réabadh, 241 n. 17, 356, 360 n. 53
Tá Iarla Chlainne Cárthaigh le hábhar ag teacht ón gcoróin, 395, 592 n. 113
Atáid clanna na nGael go léir i dtuirse, 426 n. 40, 484 n. 3, 568 n. 76, 594 n. 117, 714 n. 102
Táid cléir ag guí 's ag agall, 618 n. 33, 639
Atáid éisc ar na srúillibh, 468
Atáid siad sin i mbliana cois Láine ag spórt, 200 n. 4, 206 n. 15, 211 n. 21
Atáid slóite ag teacht tar domhaintoinn, 630 n. 56
Atáid triatha Banba in anfa an tsaothair, 598 n. 4
Táinig an Croibhdhearg go Cruachain, 462 n. 22, 497
Tháinig bé chaomh chneasta im leaba luí araoir, 540

Táinig tairngire na n-éarlamh, 468 n. 32, 494 n. 24, 495 n. 26-7, 497, 516
Tair, a bháis, tráth is beir mé leat, 532
Th'aire riot, a rí Dhoire, 495 n. 27, 501 n. 33, 518 n. 49
Tairnig éigse fhoinn Ghaoidheal, 15, 50, 51, 54
Taistil mhionca ór siabhradh sionn, 672 n. 57
Taoim daor i ngalar dubhach, 558 n. 47, 615 n. 28
Tá mo chóraid gan fothain, 333 n. 65
Tá mo dhís macaibh nach gabhann re chéile, 696 n. 85
Tá na dúile ag fearadh díleann, 272 n. 53
Tá Pruise agus Poland fós ar mearthall, 413, 576 n. 94, 583 n. 104
Tar éis mo shiúil fríd chúigibh Éireann, 543
Tar éis mo shiúil thríd chúige Uladh, 532
Tarfás dam ar brú Teamhrach, 534
Targair fhíor a rinne na naoimh, 484 n. 3, 489, 627 n. 48
Tharla mé im aonar ar thaobh cnoic sléibhe, 543
Tarngaire dhearscnaí do rinneadh le Criofann mhac Fhéilime an fhíona, 646 n. 77
Atá scéal beag agam ar Fhionn, 539 n.10
Tá Séarlas Óg ag triall thar sáile, 400
Atá triúr dochtúir naofa léar scríobhadh na grása, 564 n. 62
Teach geal ar gach casán, 486
Teamhair Breagh, 487 n. 10
Teasta Éire san Easpáinn, 7 n. 7, 8 n. 11, 708 n. 52
Ticfa in Donn derg, 491
Ticfait Genti dar muir mall, 487
Tig gealach is réilteann tar éis an duibhré, 566
Tiocfa aimsir, a Bhréanainn, 487 n. 10
Tiocfa aimsir in Éirinn, 487 n. 10
Tiocfaidh am, ón tiocfaidh am, 569 n. 79
Tiocfaidh don Daingean cabhlach mór, 628
Tiocfaidh Laoiseach tar taoide le garda thréan, 591
Tiocfaidh oraibh ó thaobh na dtonn, 628 n. 52
Tiocfa robhadh d'éis díleann, 628 n. 50
Tógaibh eadrad is Éire, 475 n. 45, 504 n. 34
Tógaidh bhur gcroí, bídh meidhreach meanmnach, 358 n. 50
Tógaidh go tréitheach go héachtach go haoibhinn, 553 n. 31, 607
Tógfaidh sí atuirse is brón díbh, 356 n. 45
Togha Teamhrach Toirdhealbhach, 474
Tráth inné is mé tnáite i bpéin, 577 n. 95, 578 n. 96, n. 98, 647 n. 80
Tráth is mé cois leasa, 570 n. 80, 578 n. 97, 582 n. 101
Tráth is mise ar mearaí, 541
Tráth is tréimhse thaistealas, 540, 561 n. 53, 717 n. 32
Tráthnóinín déanach i gcéin cois leasa dhom, 648 n. 80
Tréam aisling im leabaidh i Mala go déanach, 534
Tréam shuan aréir im aonar bhíos, 534
Tréidhe nach fuilngeann rí réil, 486 n. 6
Trí coróna i gcairt Shéamais, 5, 688 n. 12
Trím aisling aréir is mé i mbun tsuain, 606 n. 16
Tríom aisling araoir do smuaineas-sa, 586 n. 107
Tríom thaobhsa tig tuirse aréir dom d'éis luite, 540 n. 11
Trom an suan so ort, a Aodh, 496 n. 29, 501 n. 33, 518 n. 49
Truagh an t-amharc sa, a Éire, 670 n. 24

Ó Tinn, Seán, 313
Ó Tuama, Seán ('an Ghrinn'), 352,
399, 414, 425, 554, 557, 596-7, 607,
609, 612, 683 n. 5, 690 n. 48, n. 49;
693 n. 37, 694 n. 50, 699 n. 9, n. 10;
709 n. 19, 710 n. 31, 712 n. 59
Ó Tuama, Seán, 35, 548-9, 680 n. 6,
686 n. 61, 692 n. 28, n. 34; 704 n. 46
Ovid, 4, 284

Pádraig, naomh, 18, 32, 34, 43, 488,
564, 565, 666 n. 63
Párliament na mBan, 222-8
Pairlement Chloinne Tomáis, 10, 64, 96
Pastorini, 624, 681 n. 11
The perils of false brethren, 287
Pilib III, 19, 30
Pluincéadach, an, 195-200, 219, 220,
231-7, 246, 279, 593-4, 653, 655
Plunkett, Oliver, 139, 141, 697 n. 94
Póiní an Leasa, 556
Pope, Alexander, 242-4, 438

Raiftearaí, Antaine, 627, 677 n. 21
'Rann Aogáin do rí Séamas', 352
'The Rape of the Lock', 244
The Rehearser, 257
Rich, Barnaby, 513
Rinuccini, Giovanni Battista, 523
Roibeard II, 62, 238, 259
'Róisín Dubh', 605
'Rosc Catha na Mumhan', 605
The Royal Flight, 168

Sacheverell, Dr., 287-8
Sadhbh (Queen Sive, Sive Oultho),
636-7
Sáirséal, Pádraig (Earl of Lucan), 171-
5, 180-3, 191-2, 211, 269, 321, 678 n.
38, 690 n. 45
Sáirséal, Pádraig (Patrick Sarsfeild),
431, 655
Saltair Chaisil, 498
Savage, Richard, 246, 293-4
Scáthán Shacramuinte na hAithridhe, 43,
47, 64
Scéal Jacobides agus Carina, 268-9
'Sciathlúireach an Choxaigh', 314
Séadna, 484, 705 n. 8
Séamas I, 3-29, 96, 100, 131, 231-8,
260, 286, 508, 651, 653, *passim*

Séamas II, 148-94, 211-6, 224, 232-41,
247-60, 269-86, 440, 449, 485, 598,
601, 653-4, 686 n. 55, 687 n. 70,
passim; Duke of York, 127, 147;
Séamas an Chaca, 169-81, 720 n. 89
Séamas III, 193, 194, 212, 216-227,
233-48, 257, 268, 276-8, 291, 297-8,
303-9, 316, 326, 345, 396, 402, 408,
427-8, 432-6, 440, 508, 554-6, 598,
601, 611, 640-1, 644, 652, *passim*;
Chevalier de St. George, 298, 347;
Jemmy, 298, 341; Séamas mac
Shéamais, 238; Séamas Óg, 233,
236, 240, 246, 279; an treas Séamas,
380; ua na Séam, 388; the
Pretender, 359, 371, 376, 382, 574;
an Tagarach, 377, 382, 383, 391,
655, 696 n. 90; an Fánaí, an Fánach,
350, 550, 554; the Rover, 350;
Richard, 344; Risteard, Ristín, 344,
351, 554, 693 n. 31; Mac an
Chcannaí, 350, 351, 478; an Maor,
390; Ruairí, 554; an Gabha, 554; an
brícléir, 686 n. 55, 687 n. 70; the
best born Briton, 694 n. 47; our
master, 349, the Landlord, 349,
Aeneas, 436
'Séamas an Chaca a chaill Éire', 677 n.
21
'Séamas Mac Cuarta agus Aodh Mag
Oireachtaigh', 679 n. 43
Seanán, 627
'Seán Buí', 605, 618
Seanchus Ríogh Éireann, 95
'An Seanduine Dóite', 618
'Seán Ó Dí', 605
'Seán Ó Duibhir an Ghleanna', 618
Séarlas I, 46, 67-87, 99-20, 124-6, 245-7,
307, 377, *passim;* Cormac, 246, 674
n. 76
Séarlas II, 127-30, 138-47, 202, 224-5,
245-7, 282, 653, 720 n. 88, *passim;*
Cormac, 246; Cathal, 674 n. 76
Séarlas Óg, 316, 328, 396-445, 477,
554, 586-7, 598, 601-3, 611, 634-5,
644, *passim;* Cormac, 645, 700 n. 29;
Cathal, 419, 601; Tearlach, 248,
404; Ascanius, 436
Seoirse I, 291-5, 551, 641
Seoirse II, 381, 386, 393, 403, 440, 442,
642

GLUAIS

acrastaic, *acrostic*
aeistéitiúil, *aesthetical*
aibiúráisean, *abjuration*
aircíobhlann, *archives*
aircitíp, *archetype*
aircitípeach, *archetypal*
altrúch , *altruistic*
anacrónach, *anachronistic*
anarcacht, *anarchy*
annálaíoch, *annalistic*
aorga, *pastoral*
apacailipteach, *apocalyptical*
artafacht, *artefact*
atharga, *patrimony*

bailéadaíocht, *ballading*
bailéadra, *balladry*
búclóir, *buckler*

caiticlismeach, *cataclysmic*
canónda, *canonical*
carasma, *charisma*
céadfa choiteann, *general consensus*
ceart na céadghine, *right of primogeniture*
ciniciúlacht, *cynicism*
coinbhinsean, *convention*
coinbhinseanach, *conventional*
contanam, *continuum*
cróineolaíoch, *chronological*
cruimh na cuimhne, *remorse of conscience*

daemónú, *demonize*
daemóneolaíocht, *demonology*
dí-ainm, *anonymous*
diasachas, *deism*
diasaí, *deist*
dibhéirsean, *diversion*
deilínigh, *delineate*
deilíniú, *delineation*
dinimic, *dynamics*
diminsean, *dimension*
dioplómait, *diplomat*
dioplómaitiúil, *diplomatic*
dípholaitiúil, *apolitical*
disciplíneach, *disciplined*
díthógáil, *deconstruction*

eadramhach, *interim*
eicseadas, *exodus*
eicsigéiseas, *exegesis*
éilít, *élite*
eipealóg, *epilogue*
eipeanamach, *eponymous*
eipiciúil, *epic*
eisreachtú, *attainder*
eiticiúil, *ethical*

feimineach, *feminist*
ficseanúil, *fictional*
fileolaíoch, *philological*

grafánaí, *hoer*

heigeamanaí, *hegemony*
hipeacoraisteach, *hypocoristic*
homaighéineach, *homogeneous*

ideolaíoch, *ideological*
ideolaíocht, *ideology*
indibhidiú, *indivuate/individuation*
in-nuachair, *marriageable*
intleachtra, *intelligentsia*
íocón, *icon*
íomhára, *imagery*
íotam, *item*

leabhar oiris, *commonplace book*
leicseacan, *lexicon*
leitmóitíf, *leitmotiv*
lipéadú, *label* (br.)
logánú, *localize/localization*

maicseam, *maxim*
meatainimeach, *metonymic*
meisiasach, *messianic*
meisiasachas, *messianism*
meiteastairiúil, *meta-historical*
míleannam, *millennium*
míleannachas, *millennialism/millennarianism*
miocracasm, *microcosm*
miotasú, *mythicize/mythicization*
monacrómach, *monochrome*
monailiotach, *monolithic*

neicseas, *nexus*

807

nís, *niche*

ortagrafaíocht, *orthography*
ortagrafúil, *orthographical*

paraidím, *paradigm*
parailéalachas, *parallelism*
paimfléadaíocht, *pamphleteering*
páipis, *papist*
pairticleárú, *particularization*
paraiméadar, *parameter*
parlaimintéireach, *parliamentarian*
patrarcach, *patriarchal*
peideagógaíoch, *pedagogical*
peirspictíocht, *perspective*
pobalda, *popular*
polaimic, *polemic*
polaimiceoir, *polemicist*
polaimiciúil, *polemical*
polaiteach, *politic*
polaitiú, *politicize/politicization*
polamat, *polymath*
praitic, *practise*
primitíbheach, *primitive*
príobháideoir, *privateer*
prólóg, *prologue*

reibhisineach, *revisionist*
reiligiúnda, *religious*
riotuál, *ritual*
riotuálach, *ritualistic*
robot, *robot*

ról, *role*
rústach, *rustic*

Seacaibíteach, *Jacobite*
Seacaibíteachas, *Jacobitism*
scolaisteach, *scholastic*
scrufaile, *scrofula*
Seacóibíneachas , *Jacobinism*
Seansanachas, *Jansenism*
seánra, *genre*
sícé, *psyche*
simplíoch, *simplistic*
siosmaiticiúil, *schismatical*
sistéam, *system*
sofaisticeach, *sophisticate*
sofaisticiúil, *sophisticated*
staireagrafaíocht, *historiography*
steiritíp, *stereotype*
strófach, *strophic*
suibeaspag, *suffragan*

taictic, *tactic*
teileolaíoch, *teleological*
teicníc, *technique*
teiripiúil, *therapeutic*
topagrafaíocht, *topography*
topagrafúil, *topographical*
topaiciúil, *topical*
tras-stairiúil, *transhistorical*
tróp, *trope*
tuairimíocht phoiblí, *public opinion*

An buachaill bán, le
Séaghan ó Coileann.

Maidion lae ghil fá dhuille deag ghlais,
daire am aonar cois iomoll tragha.
a tríos tríom néaluibh do dearcar spéirbean,
ag teaṡ ó taobh deas na mara am dáil.
    baḋ cirte a bráoíte ná buille ṗiġín cuir,
tamuiġe cáoilṗín buailte air ṗáp.
'sé aḋúbairt le díoġras oċ! uill mo ċróiḋesi,
nó'n ḃeicṡeaḋ coiḋce mo ḃuaċaill bán.

baḋ caoin aḋeáoṅijon baḋ ṁín a haolċnoḃ,
ṡa dláoi na rláoḋaiḃ mar ór go ráil.
baḋ gile a heáḋan ná gnúiṡ na ṗáillte,
beir solas gléineaċ don tṡáoġal ṗoṁ lá.

Do

Clann Sáḃa aġas Sáiḃín.

A White-boy Song.

Am ḟrais a péiḋir ʒo ḟraoḋraċ, ḟaon, do ċralaḋ me an ḟlraʒ teaċt,
Ʒo tríṙṗaċ, tṙernmar, lraimneaċ, éaḋtrom, ṙírb'laċ, ḟaoṫṙaċ, ḟraiḋreaċ;
Biḋ sáóḃ ṙa clann ʒan earṙaḋ íṅ, ʒo bracaċ, laṙaċ, lraimneaċ,
"Iṙ deaṙiḃ,"air sáóḃ, ʒan ʒó, ʒan tṙaoċ, tá'n báiṙe air ʒaill de'n ḟraiʒ ṙeo!"

Iṙ créṫ liom air n-ʒeḋail ʒo ḟaṅ ḟaoí aiṙmaċt ʒall ʒa cclaosóġéan,
'S'ʒ méiṫṗoc ṙiaṁtar ʒo criaoṙiċ, teaṅ aʒ oirṙinaḋ briandí ꝭ ḟíona;
Ciʒbim ꝗ caḃꝗ na reimṙeaṙ moḋaiṅrl do ṫcaéṫ le ḟoʒa aon aoiḋċe,
Le ḟaoḃair, le ṗom, le tṙeime laṅ do ḃearṙaḋ ṙʒánṙaḋ baoṫ doiḃ.

Bióʒaiḋe ṙras, na bíóiḋe brṙ ṙrain; bioḋ ḟaoḃair a'ṙ cṙraḋ íṅ ʒaċ cloiḋeam liḃ,
Díʒbream rʒraiṅe an ḃerila raiṅ ʒo tṙéan aṙ cranntaiḃ an ṙinṙire;
Táid ṙiʒbṙuʒ áille Cṙíċe ḟáilbe aiʒ eirʒ̇iḋ air láṗ na h-aoiḋċe.
Aoiḃeal, cline, ṙaóḃ a'ṙ ʒṙaiṁne, a cclann, a c-conaḋaċ 'ṙa ṙciobarṙ!

Ca n-ʒeaḃaḋ ḟaoilċom ṙiʒe na nʒaoiṫ-leaṙ do bíor ḟo'n ṙṗeiṙ 'ṙan aoiḋċe,'
An ċralaḋ rʒerl claiṅ Lṙtaiṙ meiṫ aʒ iarṙaiḋ aṙ cclerṙ do ʒrṙ̇ò leo!
Iompaḋ ʒaċ naon de tṙeiḃ Ṁileṙiuṙ ʒo criaḋ érm dé le hintiṅ,
Ʒo m-braḋ dia ccéiṅ, a ccṙrainʒ a ccéiṅ le tṙírṙaiḋ Ʒaeḋal ꝗ Sciòiṙṙ.